התנ"ך המבואר
בראשית

מהדורת ובלכתך בדרך

התנ"ך המבואר

על ידי הרב עדין אבן־ישראל (שטיינזלץ)

בראשית

המכון הישראלי לפרסומים תלמודיים ירושלים

מרכז שטיינזלץ

ירושלים

התנ"ך המבואר

על ידי הרב עדין אבן־ישראל (שטיינזלץ)

בראשית

מהדורה ראשונה, ובלכתך בדרך © תשפ"ה 2025
הוצאת קורן ירושלים
ת"ד 4044 ירושלים 91040
טל': 02-6330533 פקס: 02-6330534

www.korenpub.co.il

דוא"ל לתיקונים: Tikunim@steinsaltz-center.org

מהדורת כיס, בראשית, מסת"ב ISBN 978-965-7844-89-2
מהדורת כיס, סט שלם, מסת"ב ISBN 978-965-7844-88-5

Printed in PRC 2025

ביצירת הביאור של כרך זה השתתפו:

עורכים ראשיים: שרה פרידלנד בן ארזה והרב יוסף בין ארזה
עורך: הרב מאיר קליין
ראליה וריכוז תמונות: הרב דניאל אליאב
מרכז המערכת: הרב מאיר הנגבי
הגהות: גילה מאירסון, סימה אריה
עימוד: חיה זיידבנד
איסוף תמונות ועיבודן: רזיה ריצ׳מן
איורים: אמונה ש"ץ
ייעוץ גרפי: הרב מאיר הנגבי, אליאב סטולמן
אליהו משגב

בהכנת החומש ופירוש רש"י השתתפו:

הרב דוד פוקס
הרב חנן בניהו
הרב ינון חן
הרב כרמיאל כהן
אפרת גרוס

תוכן העניינים

הפטרות

הקדמה קצרה למהדורת 'התנ"ך המבואר'

יודעים המעיינים ואפילו הקורא הפשוט שיצירת פירוש חדש למקרא היא מעשה לא פשוט הזקוק לשפע ברכות שמים מעל ולמאמצים רבים מתחת. בכתיבת פירוש למקרא, ולתורה בפרט, כרוכים שני קשיים מהותיים. הקושי האחד נתון בעצם היומרה להתייחס לטקסט העליון ביותר והמקודש ביותר שבגדר הנמצא ולהיצמד אליו בצורה כלשהי. הקושי השני נובע מכך שכבר נכתבו למקרא במשך 3,000 שנה פירושים רבים מאוד, והפירושים הללו נוצרו על ידי אנשים גדולים מכל ההיסטוריה שלנו; ומי יכול להתיימר להצטרף אל חבורה קדושה זו, ואפילו רק להיאחז בשוליה?!

את מפתח הכניסה למעשה נכבד זה אפשר למצוא בדברים שאמר רש"י לנכדו הרשב"ם (שכתב גם הוא פירוש לתורה), שאילו היה בכוחו, היה כותב עוד פירוש לפי "הפשטות המתחדשים בכל יום".[1] בכל דור ובכל יום עשוי להיפתח אור חדש או זווית ראייה חדשה. אכן, לא רק פירושים וחידושים מתחדשים בעולם, בכל דור מתעוררות שאלות חדשות בקרב לומדי התנ"ך, הן מתוך מה שמעסיק את הלומד באופן אישי הן מתוך עניינים האופייניים לתקופתו ולזמנו. כך אפשר לראות בדברי המפרשים הגדולים שכתבו במשך הדורות כי שאלות שעסק בהן האחד אינן מסוג השאלות שהטרידו את חברו. גם היום יש, תודה לא-ל, לומדים ומעיינים בתנ"ך ושאלות חדשות באמתחותיהם המצריכות תשומת לב, עיון והסבר חדשים. כל אלה מאירים את דברי תורת הנצח במגוון הסתכלויות המולידות "פשטות המתחדשים בכל יום".

הביאור שלפנינו מבקש לפרש את התורה במישור הפשט. לכאורה זהו המישור הפשוט ביותר, אך לאמתו של דבר הוא הקשה ביותר. הפירושים על דרך הרמז, הדרש או הסוד פתוחים יותר. המפרשים בדרכים אלו הם בני חורין לקשר בין הפסוקים שלפניהם לבין דברים אחרים המצויים במרחבי הרמז, הדרש או הסוד, והם כבולים פחות למלות התורה שבכתב ולמושגיה. לעומת זאת, בהגדרתו של הפשט ובדרכי יישומו התחבטו רבים. שכן פירוש פשוטו של מקרא צריך להיות אחוז באופן הדוק במשמעות המילולית והדקדוקית של המלים ולא להניח ידו גם מהקשרן התחבירי

1. פירוש הרשב"ם בראשית לז,ב.

והענייני. אכן, בעיית היחס שבין 'פשוטו' ל'משמעו', אין לה פתרון מלא.[2] קושי עקרוני יותר הוא שבכתיבתו של פירוש על דרך הפשט מנסה המבאר לעמוד על דעתו של המחבר, ואולם לתודעה האינסופית של נותן התורה אין חקר ואין תכלית.[3]

לביאור זה הוצמדו מראי מקומות המפנים למפרשים רבים, אולם אין הוא לקט מן המפרשים הללו. הוא לא נוצר בדרך זו, ואינו מתכוון להיות לקט או מבחר פירושים שנכתבו במשך הדורות. מראי המקומות מובאים כאן כדי להראות שיש לביאור ביסוס במקורות אחרים, או על כל פנים 'חברה'. אכן, אין תכליתו של הביאור הזה להציג חידושים מהפכניים; אדרבא, עיקר עניינו הוא לשמש ביאור שקוף. מגמתו היא להיות כה בלתי מורגש, עד שהקורא–הלומד לא יבחין בקיומה של מחיצה בינו לבין הכתובים. מעשה ההנגשה הזה מבקש לאפשר לתורה לדבר בעצמה, לנביאים לנבא את נבואתם ולחכמים ללמד את חכמתם. כדי שלא להפריע לקולם של הפסוקים להישמע, מנוסח הביאור בקיצור, כך שלא יהיה בגדר שריון מכביד ומסתיר אלא מעטה קל שאיננו ניכר.

במעמד הר סיני שמעו כל ישראל קוֹל גָּדוֹל וְלֹא יָסָף,[4] וחכמים ביארו כי קול גדול זה לא פסק.[5] תקוותי שמפעל זה יעזור לאנשים לשמוע את הקול המידבר מן התורה גם בעולם העסוק והרעשני שלנו.

הרב עדין אבן ישראל (שטיינזלץ)

2. ראו למשל הקדמתו של רבי אברהם אבן עזרא לפירושו.
3. ראו הקדמת פירוש הרמב"ן לתורה.
4. דברים ה,יח.
5. אונקלוס; סנהדרין יז ע"א.

טיבו של החיבור

ביאור התנ"ך שלפנינו בא להקל על הקורא בן זמננו, לגשר על פערי השפה, תפיסת העולם והתרבות שבינו לבין התורה שבכתב, להבהיר במידת האפשר עמימויות, ולענות על תמיהות וקשיים, מודעים וסמויים, בהבנתה. לחיבור שני חלקים המשלימים זה את זה אך אינם זוקקים זה את זה: **ביאור** צמוד המשולב במלות המקרא, ו**הרחבות פרשניות וראליות** נפרדות בתחתיתו.

הביאור מחולק ליחידות ענייניות, חלוקה שאינה עולה בקנה אחד עם חלוקת הפרקים המקובלת. כל עניין תָּחום לעצמו, מוגדר בכותרת ופותח במבוא קצר. אין לראות בתבנית המופיעה כאן חלוקה פסוקה של המקרא, אלא מעין הצעת הגשה כחלק מהביאור, לנוחות הקורא והתמצאותו. מוצעת כאן גם תת-חלוקה לפסקאות בתוך כל עניין, וכן פתיחת כל דיבור בשיחה בשורה נפרדת.[6]

בביאור מתפרשים לשון הכתוב והקשרי המשפטים ברובד הפשוט ביותר, מתוך חתירה לקיצור ולהקלה על שטף הקריאה במקרא. כיוון שכך אין הפירוש צמוד לשיטה פרשנית אחת או לפירושים ידועים ומקובלים דווקא. למרות מגמה זו במקרים בודדים מוזכרים גם פירושים חלופיים, כאשר יש יותר מפירוש פשוט אחד. אף כאשר המסורת ההלכתית מפרשת את המקרא בדרך שונה, יוזכר הדבר וינומק בקיצור בביאור עצמו או בהפניות המצוינות בו, כדי לדבוק בפשט העולה מן הכתוב עצמו וגם לעמוד על פירוש הכתוב כפי שנלמד בתורה שבעל פה.

יש לציין כי גם כשהדברים כתובים בלשון סתמית ופסקנית, הפירוש אינו מתיימר לקבוע כי זהו הפשט ואין בלתו. אין בכך אלא הצעה - לעתים חדשה - המתיישבת על פשוטו של מקרא ועל לב הקורא. מטעמים דידקטיים לא נפרשו כאן השיקולים הפרשניים העומדים מאחורי הבחירה לבאר כך ולא אחרת.

בצדו הימני של כל מִפְתָּח מופיע רצף הפסוקים המנוקד והמפוסק בטעמי

6. בטקסט המשלב בין פסוקי המקרא לבין הביאור מתקיימות זו בצד זו שתי מערכות פיסוק - סימני הפיסוק שנבחרו לפסוק עצמו, וסימני הפיסוק המתייחסים למהלך הביאור. משום כך ומסיבות דידקטיות רבים בו סימני פיסוק, גם שלא לפי כללי האקדמיה ללשון העברית הנוהגים היום.

המקרא כבתנ"ך קורן, ובצדו השמאלי מופיעות שנית כל מלות הפסוקים,[7] וביניהן משובצים דברי הביאור הצמוד. כך יוכל הלומד לשוב תמיד לעיין בהקשר הרצוף של מילות התנ"ך, והקריאה בביאור לא תחליף את קריאת המקור.

ההרחבות כוללות חומרי רקע, מקבילות פנים-מקראיות, פירושים חלופיים, העשרה בדברי מדרש ומחשבת ישראל לדורותיה, תעודות חיצוניות והערות לשוניות. בצדם של אלו מופיע חומר ראלי מילולי וחזותי לגבי מקומות, עמים, צמחים ועצמים המוזכרים במקרא - בהתאם לידע המדעי המעודכן ביותר. חומרים אלו מופיעים בצד הכותרת 'העולם'.

בסוף הספר מצוינים **מקורות** והפניות המסומנים בביאור. המקורות, שנכתבו על ידי העורכים, מתייחסים בדרך כלל לפסוקים ולביאוריהם במקומות אחרים במקרא, לדברי חז"ל בתלמודים ובמדרשים, פרשנים מקראיים, ספרי מחשבה, שאלות-ותשובות של חכמים ראשונים ועוד. כאשר המקור אינו זהה לגמרי לכתוב בביאור, הוא צוין כהפניה בלבד ("ראו...") ולא כמקור סתמי.

רצף הפסוקים של התנ"ך המובא במהדורה זו הוא הנוסח המדוקדק שנבחן היטב בהוצאת 'קורן'.[8] המהדורה יכולה להתאים ללימוד אישי, ללימוד של חבורת לומדים ולבית הכנסת. בנוסח זה יצוינו בתורה שלוש חלוקות עתיקות: החלוקה לפרשות השבוע, החלוקה לפרשות הפתוחות והסתומות והחלוקה לסדרים המסומנת בשוליים החיצוניים של העמוד. כמו כן צוינה בתורה החלוקה לעליות בשחרית של שבת, ועליות מנחה של שבת ושני וחמישי סומנו בסימן ◂. את פסוקי התורה מלווה פירוש רש"י, שהתקבל בכל הדורות כפירוש הקלאסי של התורה. הפירוש הועמד לפי עדי הנוסח הטובים ואף נוקד לנוחות הקורא. בסוף כל חומש הובאו ההפטרות המבוארות תוך התייחסות לקשר בין ההפטרה לבין השבת שבה היא נקראת.

7. בתוך הביאור הובא הנוסח המקראי כקריאתו. כלומר, הקרי הוכנס במקום הכתיב, ושמות הוי"ה מסומנים בדרך כלל: 'ה'', או 'ה' אלוהים' כשהצירוף הוא 'אדוני ה'', בהתאם לצורת הקריאה המקובלת.
מכיוון שבביאור ניטעים שברי הפסוק בתוך הקשר טקסטואלי חדש, יש שהניקוד המקורי אינו מופיע בשלמותו בעקבות אילוצי התחביר החדש. כמו כן הוסרו במקומות אחדים המקפים כאשר צירוף מקראי מוקף נשבר במילות הביאור.
8. לשם דיוק הקריאה הובחן כאן השווא הנע מן השווא הנח. סימנו של השווא הנע בולט יותר, למשל: נַפְשְׁךָ. כדי לבדל את הקמץ הקטן מן הקמץ הגדול סומן הקמץ הקטן באמצעות סימן גדול, דוגמת **חָכְמָה**.
עוד על שיטת הניקוד של תנ"ך קורן ראו בבלוג של הוצאת קורן.

מחשבה ועבודה רבות הושקעו בעיצוב הנאה והנוח ביותר. עיצוב זה הוא פרי שיתוף הפעולה בין מסורת העיצוב המוקפד של הוצאת קורן לבין הניסיון הרב שנצבר במכון לפרסומים תלמודיים. תודתנו לר׳ מאיר הנגבי שריכז את הפרויקט בתבונה, בעדינות וביעילות. ייזכר לברכה ר׳ חנוך בן ארזה ע״ה, אוהב תורה ושוחר ספר, אביהם של שניים מהעורכים, שרוחו והכבוד שחלק למלים שרו עליהם בעת העבודה על החיבור.

סגנון הכתיבה ישראלי-עכשווי. על אף המגמה הכללית לשמר ככל האפשר את שגב המקרא, נושבת על פני החיבור גם רוח מרעננת ורלוונטית לדורנו.

העורכים

בראשית

מבוא לחומש בראשית

ספר בראשית הוא ספר הראשית והשורשים. הספר מקיף זמן ארוך לאין ערוך מכל שאר ספרי התורה גם יחד: נסקרות בו אלפי שנים, ואילו כל שאר ספרי התורה יחד עוסקים בהתרחשויות שאירעו במהלך מאות שנים בודדות. ראשית הספר חולפת במלים מועטות על פני כאלפיים שנה, ואולם בתוך המבט הכללי, המקיף מרחבים גדולים בזמן ובמקום, מתמקד המקרא מפעם לפעם בפרט מסוים. הפרטים והסיפורים הללו אינם רק מעניקים לציור הכללי עניין וחן, אלא הם גם מצטרפים יחד למסכת הכללית של תוכני הספר.

אכן, ספר בראשית נבדל משאר ספרי התורה בכך שרובו ככולו הוא מארג של סיפורי מעשים על אנשים, ויש בו הוראות והנחיות מועטות מאוד. אף על פי שהסיפורים בספר בראשית אינם מופיעים בתוך תבנית עיונית או מוסרית כלשהי, הספר מכיל כמעט את כל בעיות היסוד של האנושות בכללה ואת עיקרי העניינים שבתחום המחשבה המופשטת. זהו ספר העומד בפני עצמו משום שהוא נוגע בכל אדם. אולם כדרכו של המקרא, כמעט שלא נמצאים בו נושאים פילוסופיים או מופשטים; תוכני הספר מובאים לפני הקורא בו בדרך הסיפור. והסיפור עוסק ברובו במה שנעשה, פחות מכך - במה שנאמר, ומועטים בו מאוד ההרהורים הפנימיים. פה ושם אנו מוצאים בתורה גם דברי הערכה חיובית או שלילית, אבל גם כאשר לא נשמעת במפורש אמירה מעריכה, השיפוט עולה מתוך הכתובים עצמם, במפגש בינם לנפשו של הלומד. המסרים, התובנות וההתגלויות, הדיונים והעיונים, השאלות והתשובות אינם מצויים בספר, אלא הם ניטעים בנפשו של הלומד, ואמורים לצמוח ולהתפתח באופן אינטלקטואלי ובאופן רגשי בתוך נפשו ולפי כוחו.

לכאורה נראה שספר בראשית הוא ספר מסודר, שכן הוא נאמן לציר הזמן. ואולם מעיון מדוקדק יותר ברצף הכתוב נמצא שתמיד חלק כלשהו - בין שהוא נחוץ להבנה ובין שאינו אלא מעורר את סקרנותו של הקורא - איננו מגיע לידי גילוי. אפילו מה שנראה לנו כראשית הראשית - בְּרֵאשִׁית בָּרָא אֱלֹהִים אֵת הַשָּׁמַיִם וְאֵת הָאָרֶץ - אינו מתרחש אלא בנקודה מסוימת באמצע. בלי ספק ה'דמות' הראשונית והמרכזית בספר, לפי מספר הפעמים שבהן היא מוזכרת בו, היא הקדוש ברוך הוא, אבל הוא מופיע בפסוק הראשון של הספר בלי שום הקדמות והסברים. הוא התחלת הקיום לא רק במובן הכרונולוגי, אלא גם במובן המכונה בספרי הפילוסופיה 'הסיבה הראשונה'. גם דמויות חשובות בספר, אנושיות ואחרות, מופיעות לא פעם בלי כל דברי רקע, ומעשיהן אינם מלווים לרוב בדברי הסבר. אמנם חכמי ישראל לדורותיהם הוסיפו - כל אחד לפי דרכו ולפי עניינו - סיפורים והסברים, ואולם סיפור התורה עצמו זורם לו, וכמו אומר לקורא: "ואידך פירושא הוא, זיל גמור".

שלושת נושאיו של הספר הללו הם: עולמנו בכללו, המין האנושי בכללו וצמיחתו של הנבחר. ואולם הנושאים הללו אינם מחולקים באופן שווה, שכן הסיפורים הכוללניים ביותר קצרים וסתומים הם, וככל שהסיפורים ממוקדים ומצומצמים הם מפורטים יותר.

מעשה העולם נמצא בעיקרו בפרקו הראשון של הספר, והוא מתאר בעיקר את התהוותם של עצמים ויצורים שונים מתוך הוויה כללית ראשונית. נוסף על ההבחנה בין פרטי הבריאה מודגש כאן העולם כבנוי על ניגודים פנימיים, אך בדרך כלשהי הוויותיו מתאחדות לכדי מהות אחת. מתוך הסיפורים הללו עולות גם מחשבות על היחס בין הבריאה וכלל יצוריה להווייתו התבונית של האדם, על הדחף והכוח של ההתרבות המגדיר את העולם הביולוגי, וכן על הווייתו המורכבת והמסובכת של האדם, שהוא זה האמור להמשיך ולפתח את הבריאה.

בחלק העוסק באדם עולות נקודות היסוד של כל פילוסופיה: ההכרה האנושית, המאבק בין הטבע הפרימיטיבי לבין העוצמה המלאכותית, הפיתוי והסכנה שבדעת המתפתחת, בעיות היצר

והחטא: התאווה ופריצת החוק, הקנאה והרצח, האחריות והעונש, היצירתיות האנושית והבעיות הנובעות מעצם קיומה של חברה אנושית והריבוד שלה. אולם, כאמור, הדברים הללו אינם מופיעים במסכת של אמירות פילוסופיות, אלא עולים מתוך סיפור. הסיפורים שבפרשות בראשית ונח הם משל, או פתח ומפתח לעולם שלם של מחשבה אנושית.

סיפורי אבות האומה ושבטיה הם החלק העוסק בבנייתם של הנבחרים. אלו מתוארים כאן במלוא אנושיותם. חייהם הם חיי מאמץ, התמודדות וניסיונות. הנבחרים מתמודדים עם אותן בעיות המעסיקות את כלל האנושות: אהבה ושנאה, קנאה ותחרות, טעויות ותוצאותיהן; לא נחסכים מהם כאבים, שעבוד, מריבות פנימיות וחיצוניות, וגם סליחה ומחילה. אלא שבצד החלק האנושי, הפרטי והמשפחתי של חיי הנבחרים, מספר ספר בראשית על היקשרותם באלוקים ועל מחויבותם ומסירותם הקיצוניות כלפי הברית אתו. בתוך כל אלה ניתכת אישיותם. הנבחרים הם אלה המסוגלים לקבל גם תשובות והדרכות, ולא רק לעורר שאלות, ודמויותיהם יוצרות את התשתית למה שעתיד להופיע בשאר ספרי התורה.

בראשית א

בְּרֵאשִׁ֖ית בָּרָ֣א אֱלֹהִ֑ים אֵ֥ת הַשָּׁמַ֖יִם וְאֵ֥ת הָאָֽרֶץ׃ א א
ב וְהָאָ֗רֶץ הָיְתָ֥ה תֹ֙הוּ֙ וָבֹ֔הוּ וְחֹ֖שֶׁךְ עַל־פְּנֵ֣י תְה֑וֹם וְר֣וּחַ
ג אֱלֹהִ֔ים מְרַחֶ֖פֶת עַל־פְּנֵ֥י הַמָּֽיִם׃ וַיֹּ֥אמֶר אֱלֹהִ֖ים יְהִ֣י־

רש"י | פרק א

א] **בְּרֵאשִׁית.** אָמַר רַבִּי יִצְחָק: לֹא הָיָה צָרִיךְ לְהַתְחִיל אֶת הַתּוֹרָה אֶלָּא מֵ"הַחֹדֶשׁ הַזֶּה לָכֶם" (שמות יב, ב) שֶׁהִיא מִצְוָה רִאשׁוֹנָה שֶׁנִּצְטַוּוּ יִשְׂרָאֵל. וּמַה טַּעַם פָּתַח בִּ"בְרֵאשִׁית" – מִשּׁוּם "כֹּחַ מַעֲשָׂיו הִגִּיד לְעַמּוֹ לָתֵת לָהֶם נַחֲלַת גּוֹיִם" (תהלים קיא, ו), שֶׁאִם יֹאמְרוּ אֻמּוֹת הָעוֹלָם לְיִשְׂרָאֵל: לִסְטִים אַתֶּם שֶׁכְּבַשְׁתֶּם אַרְצוֹת שִׁבְעָה גּוֹיִם, הֵם אוֹמְרִים לָהֶם: כָּל הָאָרֶץ שֶׁל הַקָּדוֹשׁ בָּרוּךְ הוּא הִיא, הוּא בְּרָאָהּ וּנְתָנָהּ לַאֲשֶׁר יָשַׁר בְּעֵינָיו, בִּרְצוֹנוֹ נְתָנָהּ לָהֶם, וּבִרְצוֹנוֹ נְטָלָהּ מֵהֶם וּנְתָנָהּ לָנוּ: **בְּרֵאשִׁית בָּרָא.** אֵין הַמִּקְרָא הַזֶּה אוֹמֵר אֶלָּא דָּרְשֵׁנִי, כְּמוֹ שֶׁדְּרָשׁוּהוּ רַבּוֹתֵינוּ ז"ל: בִּשְׁבִיל הַתּוֹרָה שֶׁנִּקְרֵאת "רֵאשִׁית דַּרְכּוֹ" (משלי ח, כב), וּבִשְׁבִיל יִשְׂרָאֵל שֶׁנִּקְרְאוּ "רֵאשִׁית תְּבוּאָתֹה" (ירמיה ב, ג). וְאִם בָּאתָ לְפָרְשׁוֹ כִּפְשׁוּטוֹ, כָּךְ פָּרְשֵׁהוּ: בְּרֵאשִׁית בְּרִיאַת שָׁמַיִם וָאָרֶץ, וְהָאָרֶץ הָיְתָה תֹהוּ וָבֹהוּ וְחֹשֶׁךְ, וַיֹּאמֶר אֱלֹהִים יְהִי אוֹר. וְלֹא בָא הַמִּקְרָא לְהוֹרוֹת סֵדֶר הַבְּרִיאָה לוֹמַר שֶׁאֵלּוּ קָדְמוּ, שֶׁאִם בָּא לְהוֹרוֹת כָּךְ, הָיָה לוֹ לִכְתֹּב: בָּרִאשׁוֹנָה בָּרָא אֶת הַשָּׁמַיִם וְגוֹ', שֶׁאֵין לְךָ 'רֵאשִׁית' בַּמִּקְרָא שֶׁאֵינוֹ דָּבוּק לַתֵּבָה שֶׁל אַחֲרָיו, כְּמוֹ: "בְּרֵאשִׁית מַמְלֶכֶת יְהוֹיָקִים" (שם כו, א), "רֵאשִׁית מַמְלַכְתּוֹ" (בראשית י, י), "רֵאשִׁית דְּגָנְךָ" (דברים יח, ד). אַף כָּאן אַתָּה אוֹמֵר: "בְּרֵאשִׁית בָּרָא אֱלֹהִים" וְגוֹ' כְּמוֹ: 'בְּרֵאשִׁית בְּרֹא', וְדוֹמֶה לוֹ: "תְּחִלַּת דִּבֶּר ה' בְּהוֹשֵׁעַ", כְּלוֹמַר תְּחִלַּת דִּבּוּרוֹ שֶׁל הַקָּדוֹשׁ בָּרוּךְ הוּא בְּהוֹשֵׁעַ, "וַיֹּאמֶר ה' אֶל הוֹשֵׁעַ" וְגוֹ' (הושע א, ב). וְאִם תֹּאמַר, לְהוֹרוֹת בָּא שֶׁאֵלּוּ תְּחִלָּה נִבְרְאוּ, וּפֵרוּשׁוֹ: 'בְּרֵאשִׁית הַכֹּל בָּרָא אֵלּוּ', וְיֵשׁ לְךָ מִקְרָאוֹת שֶׁמְּקַצְּרִים לְשׁוֹנָם וּמְמַעֲטִים תֵּבָה אַחַת, כְּמוֹ: "כִּי לֹא סָגַר דַּלְתֵי בִטְנִי" (איוב ג, י) וְלֹא פֵרַשׁ מִי הַסּוֹגֵר, וּכְמוֹ: "יִשָּׂא אֶת חֵיל דַּמֶּשֶׂק" (ישעיה ח, ד) וְלֹא פֵרַשׁ מִי יִשָּׂאֶנּוּ, וּכְמוֹ: "אִם יַחֲרוֹשׁ בַּבְּקָרִים" (עמוס ו, יב) וְלֹא פֵרַשׁ 'אִם יַחֲרוֹשׁ אָדָם בַּבְּקָרִים', וּכְמוֹ: "מַגִּיד מֵרֵאשִׁית אַחֲרִית" (ישעיה מו, י) וְלֹא פֵרַשׁ 'מַגִּיד מֵרֵאשִׁית דָּבָר אַחֲרִית דָּבָר' – אִם כֵּן תְּמַהּ עַל עַצְמְךָ שֶׁהֲרֵי הַמַּיִם קָדְמוּ, שֶׁהֲרֵי כְּתִיב: "וְרוּחַ אֱלֹהִים מְרַחֶפֶת עַל פְּנֵי הַמָּיִם" (להלן פסוק ב), וַעֲדַיִן לֹא גִּלָּה הַמִּקְרָא בְּרִיַּת הַמַּיִם מָתַי הָיְתָה, לָמַדְתָּ שֶׁקָּדְמוּ לָאָרֶץ, וְעוֹד שֶׁהַשָּׁמַיִם מֵאֵשׁ וּמִמַּיִם נִבְרְאוּ, עַל כָּרְחֲךָ לֹא לִמֵּד הַמִּקְרָא בְּסֵדֶר הַמֻּקְדָּמִים וְהַמְאֻחָרִים כְּלוּם: **בָּרָא אֱלֹהִים.** וְלֹא אָמַר 'בָּרָא ה'', שֶׁבַּתְּחִלָּה עָלָה בְּמַחֲשָׁבָה לִבְרֹאתוֹ בְּמִדַּת הַדִּין, וְרָאָה שֶׁאֵין מִתְקַיֵּם, וְהִקְדִּים מִדַּת רַחֲמִים וְשִׁתְּפָהּ לְמִדַּת הַדִּין, וְהַיְנוּ דִּכְתִיב: "בְּיוֹם עֲשׂוֹת ה' אֱלֹהִים אֶרֶץ וְשָׁמַיִם" (להלן ב, ד):

ב] **תֹהוּ וָבֹהוּ.** תֹּהוּ לְשׁוֹן תֵּמַהּ וְשִׁמָּמוֹן, שֶׁאָדָם תּוֹהֶה וּמִשְׁתּוֹמֵם עַל בֹּהוּ שֶׁבָּהּ: **תֹּהוּ.** אישטורדישו"ן בְּלַעַז: **בֹּהוּ.** לְשׁוֹן רֵיקוּת וְצָדוּ: **עַל פְּנֵי תְהוֹם.** עַל פְּנֵי הַמַּיִם

שבעת ימי בראשית

פרק א – פרק ב פס׳ ג

מקובל לחשוב שפתיחתו של ספר בראשית עוסקת בקוסמוגניה, כלומר בתיאור היווצרות היש. אולם בניגוד למקבילותיו בספרות העולמית, אין הוא מתעניין בשאלה מה הייתה נקודת הראשית של ההוויה כולה. יש בכך כדי להסביר את העובדה שהספר אינו מתחיל בראשית הכול, אלא בנקודה כלשהי אחרי הראשית. כך יש לבאר את המלה בְּרֵאשִׁית, הפותחת את הספר, ואשר גרמה כמעט לכל המפרשים חיבוטי נפש או חיבוטי לשון. אילו היה כתוב ׳בָּראשית׳ או ׳בָּראשונה׳, היה הדבר פשוט הרבה יותר. בְּרֵאשִׁית היא צורת נסמך שאין אחריה סומך, כלומר בתחילתו של דבר שמהותו אינה ברורה, ושאין הוא נזכר בספר. נראה כי חבוי כאן מסר יסודי: מעשי ספר בראשית נפתחים בכך שבְּרֵאשִׁית – בשלב ראשוני כלשהו של התחוללותה העלומה של ההוויה – בָּרָא אֱלֹהִים אֵת הַשָּׁמַיִם וְאֵת הָאָרֶץ.

ביאור

פרק א א **בְּרֵאשִׁית בָּרָא אֱלֹהִים.** קיומו של אלוקים מונח כבר בפסוק הפותח כנתון. אין הפסוק דן בשאלות מהיכן הוא ומה הוא. אלוקים הוא ההוויה המוחלטת שממנה מתחיל הכול. **אֵת הַשָּׁמַיִם וְאֵת הָאָרֶץ.** השמים והארץ מופיעים בתחילת הסיפור כהוויות מוגדרות וכמסגרת לכל מה שיסופר בפירוט בהמשך. ב **וְהָאָרֶץ**, ובהמשך יתברר שגם השמים, אך הכתוב מתמקד בארץ המיושבת שלפנינו, על כל יצוריה וסדריה, **הָיְתָה תֹהוּ וָבֹהוּ**, תהייה וריקנות, מציאות מטושטשת, בלתי מוגדרת ובלתי מאורגנת בשום מבנה או סדר.[1] **וְחֹשֶׁךְ.** בשלב כה ראשוני בהתהוות העולם שום ישות עדיין לא הוגדרה ולא נראתה. החושך אינו אלא היעדרו של האור שעתיד להתגלות.[2] **עַל פְּנֵי תְהוֹם**, המים, או: הריק, המציאות הבלתי מוגדרת, **וְרוּחַ אֱלֹהִים מְרַחֶפֶת עַל פְּנֵי הַמָּיִם.** הם החומר המסוים הראשון שמוזכר בתורה, שהרי השמים והארץ הם הוויות כלליות בלבד. אין מסופר על בריאת החומר הבסיסי הזה של המציאות. כוחו או רצונו של אלוקים מצוי באופן כלשהו במציאות זו. אין הוא רק שרוי בתוך הדברים ובוודאי אינו זהה להם, אלא הוא סמוך להם ונבדל מהם.

כאן מגיעה נקודת ההתחלה: ג **וַיֹּאמֶר אֱלֹהִים: יְהִי אוֹר**, קשה לדעת מה מובנה של האמירה האלוקית במלים הללו, ומה משמעותן. אין להבין מתיאור ראשוני וסתום זה אלא שאלוקים שידר ׳מסר

הרחבות

׳והארץ היתה תֹהו ובֹהו׳ חלק ממפרשי המקרא הבינו, שבשמים ובארץ היו טמונים כבר מתחילה כל מרכיבי הבריאה, כבליל נטול סדר וחסר משמעות (ראו רמב"ן פס׳ א; בראשית רבה א,יד). לפי תפיסה זו, מהותו של תהליך הבריאה היא העמדת הפרטים השונים על מכונם – קביעת מקומו, מעמדו, עניינו ותפקידו של כל נברא ונברא.

אֽוֹר וַֽיְהִי־אֽוֹר׃ וַיַּ֧רְא אֱלֹהִ֛ים אֶת־הָא֖וֹר כִּי־ט֑וֹב וַיַּבְדֵּ֣ל ד
אֱלֹהִ֔ים בֵּ֥ין הָא֖וֹר וּבֵ֥ין הַחֹֽשֶׁךְ׃ וַיִּקְרָ֨א אֱלֹהִ֤ים ׀ לָאוֹר֙ ה
י֔וֹם וְלַחֹ֖שֶׁךְ קָ֣רָא לָ֑יְלָה וַֽיְהִי־עֶ֥רֶב וַֽיְהִי־בֹ֖קֶר י֥וֹם
אֶחָֽד׃

רש"י | שֶׁעַל הָאָרֶץ: **וְרוּחַ אֱלֹהִים מְרַחֶפֶת.** כִּסֵּא הַכָּבוֹד עוֹמֵד בָּאֲוִיר וּמְרַחֵף עַל פְּנֵי הַמַּיִם בְּרוּחַ פִּיו שֶׁל הַקָּדוֹשׁ בָּרוּךְ הוּא וּבְמַאֲמָרוֹ, כְּיוֹנָה הַמְרַחֶפֶת עַל הַקֵּן, אקוביטי"ר בְּלַעַז:

ד | **וַיַּרְא אֱלֹהִים אֶת הָאוֹר כִּי טוֹב וַיַּבְדֵּל.** אַף בָּזֶה אָנוּ צְרִיכִים לְדִבְרֵי אַגָּדָה, רָאָהוּ שֶׁאֵינוֹ כְּדַאי לְהִשְׁתַּמֵּשׁ בּוֹ רְשָׁעִים וְהִבְדִּילוֹ לַצַּדִּיקִים לֶעָתִיד לָבוֹא. וּלְפִי פְּשׁוּטוֹ, כָּךְ פָּרְשֵׁהוּ: רָאָהוּ כִּי טוֹב וְאֵין נָאֶה לוֹ וְלַחֹשֶׁךְ שֶׁיִּהְיוּ מִשְׁתַּמְּשִׁים בְּעִרְבּוּבְיָא, וְקָבַע לָזֶה תְּחוּמוֹ בַּיּוֹם וְלָזֶה תְּחוּמוֹ בַּלַּיְלָה:

ה | **יוֹם אֶחָד.** לְפִי סֵדֶר לְשׁוֹן הַפָּרָשָׁה הָיָה לוֹ לִכְתֹּב: יוֹם רִאשׁוֹן, כְּמוֹ שֶׁכָּתוּב בִּשְׁאָר הַיָּמִים: שֵׁנִי, שְׁלִישִׁי, רְבִיעִי. לָמָּה כָּתַב "אֶחָד"? עַל שֵׁם שֶׁהָיָה הַקָּדוֹשׁ בָּרוּךְ הוּא יָחִיד בְּעוֹלָמוֹ, שֶׁלֹּא נִבְרְאוּ הַמַּלְאָכִים עַד יוֹם שֵׁנִי. כָּךְ מְפֹרָשׁ בִּבְרֵאשִׁית רַבָּה (ג, ח):

הרחבות | **האור הראשון** אם נניח שהיה לו קיום פיסי, נוכל לתארו כנובע מהפלסמה עצמה, משטף מציאות הדברים. האור הזה לא היה מוגדר ומתוחם, אלא פזור על פני המציאות כולה. לא לחינם אמרו שאפשר היה לראות בו מסוף העולם ועד סופו (חגיגה יב ע"א).

'כי טוב' תהליך השיפוט יחזור ויישנה גם בשלבי הבריאה הבאים, והוא עומד לא רק בבסיסו של ספר בראשית, אלא אף ביסודם של שאר ספרי המקרא, ואף בתשתיתה של כל תפיסת היהדות. (ראו עוד בהקדמה לספר ויקרא). על כן נמנית המלה המעריכה טוב עם מלותיה הראשונות של התורה. הטוב הוא הרעיון המופשט הראשון הנזכר בתורה.
המושג טוב מציין שיפוט חיובי במישורים אחדים. בדורות קודמים הבחינו בין הטוב המוסרי, שהיפוכו רע;

ביאור

תקשורתי' שיהיה אור, **וַיְהִי אוֹר.** האור הוא הבריאה הראשונה
היוצאת מגדר תוהו ובוהו. שלא כאור המוכר לנו, אין האור הזה
נובע ממקור מסוים ואין הוא תלוי בדבר, ואולי אינו פיסי, אלא
הוא הוויה לעצמה. ד **וַיַּרְא אֱלֹהִים אֶת הָאוֹר כִּי טוֹב.** מיד לאחר
שיצא האור מן הסתמיות, הופיע כלפיו שיפוט, הבחנה בין טוב
לרע. **וַיַּבְדֵּל אֱלֹהִים בֵּין הָאוֹר וּבֵין הַחֹשֶׁךְ.** לאחר שנוצר האור והובחן
כטוב, התחולל השלב הבא ביצירתו – שלב ההבדלה, המבליט את
האור, והקובע אותו כישות מוגדרת ומתוחמת. פעולת ההבדלה
וההבחנה תימשך בכל ימי עולם, והיא תשוב ותופיע גם בצורותיה
האנושיות והחברתיות. ה **וַיִּקְרָא אֱלֹהִים לָאוֹר יוֹם.** מראשיתם של
המושגים אוֹר ויוֹם מתקיימת ביניהם זהות כלשהי, ואף על פי כן
הם חלוקים בשמותיהם. המושג 'יום', מלבד משמעותו האחת
החופפת לאור,[3] מציין יחידת זמן. בשלב הראשוני, עם היווצרות
האור נוצר גם הזמן.[4] במציאות גולמית זו דבר עדיין לא הוגדר
עד תום – אף לא המקום והזמן. מושגים אלו נולדים עם יציאתה
של הרצייה האלוקית אל הפועל. **וְלַחֹשֶׁךְ קָרָא לָיְלָה.** גם החושך
יוצא מהגדרתו הכללית, המתייחסת לחלל בלבד, ומקבל תבנית
של זמן. מושגי היום והלילה שהופיעו עד עתה, מבטאים את מה
שקרוי בלשון חכמים 'סדר זמנים',[5] מושגי קְדימה ואיחור, שטרם
חלו כאשר הארץ הייתה עדיין תוהו ובוהו. עתה נוספים מושגים
חדשים: **וַיְהִי עֶרֶב וַיְהִי בֹקֶר,** המהות היסודית של הזמן מכילה את
הערב, הקשור באופן כלשהו לחושך וללילה, ואת הבוקר, הקשור
לאור וליום. לאחר הערב והבוקר בא לסיומו **יוֹם.** מלה זו, שביטאה
קודם לכן את שעות האור לבדן, ואף זוהתה עם האור, מקבלת כאן
משמעות נוספת, יממה, כלומר יחידת זמן הכוללת הן את האור הן

הרחבות

הטוב השימושי, כלומר המועיל; והטוב כמהנה, כלומר הנעים (ראו שמונה פרקים לרמב"ם ה; ספר העיקרים ג,לה). במקרא הוא משמש גם במשמעות האסתטית – היפה. נראה שבתהליך הבריאה משמש התואר טוב במשמעויותיו השונות.

'ויהי ערב ויהי בקר' מתי מתחיל היום? אנשים רבים חשים כי הוא מתחיל עם הפצעת אור הבוקר. מדידת הזמן המקובלת בחברה שלנו מתחילה קודם לכן, בחצות הלילה. מפסוקי הבריאה ואף ממקומות שונים במקרא כולו עולה כי יחידת הזמן של היממה החדשה מתחילה בערב, כלומר, החשיכה קודמת לאור (ראו ויקרא כב,ז; כג,לב; ברכות ב ע"א). תיאור זה מייצג תפיסה של סדר עולם: ההיעדר קודם להוויה (ראו צדקת הצדיק יא). החושך נתפס כמציאות בסיסית יותר,

ו וַיֹּאמֶר אֱלֹהִים יְהִי רָקִיעַ בְּתוֹךְ הַמָּיִם וִיהִי מַבְדִּיל
ז בֵּין מַיִם לָמָיִם: וַיַּעַשׂ אֱלֹהִים אֶת־הָרָקִיעַ וַיַּבְדֵּל בֵּין
הַמַּיִם אֲשֶׁר מִתַּחַת לָרָקִיעַ וּבֵין הַמַּיִם אֲשֶׁר מֵעַל
ח לָרָקִיעַ וַיְהִי־כֵן: וַיִּקְרָא אֱלֹהִים לָרָקִיעַ שָׁמָיִם וַיְהִי־
עֶרֶב וַיְהִי־בֹקֶר יוֹם שֵׁנִי:

רש"י

ו] **יְהִי רָקִיעַ.** יֶחֱזַק הָרָקִיעַ, שֶׁאַף עַל פִּי שֶׁנִּבְרְאוּ שָׁמַיִם בְּיוֹם רִאשׁוֹן, עֲדַיִן לַחִים הָיוּ, וְקָרְשׁוּ בַּשֵּׁנִי מִגַּעֲרַת הַקָּדוֹשׁ בָּרוּךְ הוּא בְּאָמְרוֹ: "יְהִי רָקִיעַ", וְזֶהוּ שֶׁכָּתוּב: "עַמּוּדֵי שָׁמַיִם יְרוֹפָפוּ" (איוב כו, יא) כָּל יוֹם רִאשׁוֹן, וּבַשֵּׁנִי – "וְיִתְמְהוּ מִגַּעֲרָתוֹ" (שם), כְּאָדָם שֶׁמִּשְׁתּוֹמֵם וְעוֹמֵד מִגַּעֲרַת הַמְאַיֵּם עָלָיו: **בְּתוֹךְ הַמָּיִם.** בְּאֶמְצַע הַמַּיִם, שֶׁיֵּשׁ הֶפְרֵשׁ בֵּין מַיִם הָעֶלְיוֹנִים לָרָקִיעַ כְּמוֹ בֵּין הָרָקִיעַ לַמַּיִם שֶׁעַל הָאָרֶץ. הָא לָמַדְתָּ שֶׁהֵם תְּלוּיִם בְּמַאֲמָרוֹ שֶׁל מֶלֶךְ:

ז] **וַיַּעַשׂ אֱלֹהִים אֶת הָרָקִיעַ.** תִּקְּנוֹ עַל עָמְדוֹ וְהִיא עֲשִׂיָּתוֹ, כְּמוֹ: "וְעָשְׂתָה אֶת צִפָּרְנֶיהָ" (דברים כא, יב): **מֵעַל לָרָקִיעַ.** 'עַל הָרָקִיעַ' לֹא נֶאֱמַר אֶלָּא "מֵעַל", לְפִי שֶׁהֵן תְּלוּיִין בָּאֲוִיר. וּמִפְּנֵי מָה לֹא נֶאֱמַר 'כִּי טוֹב' בַּשֵּׁנִי? לְפִי שֶׁלֹּא נִגְמְרָה מְלֶאכֶת הַמַּיִם עַד יוֹם שְׁלִישִׁי וַהֲרֵי הִתְחִיל בָּהּ בַּשֵּׁנִי, וְדָבָר שֶׁלֹּא נִגְמַר אֵינוֹ בִּמְלוֹאוֹ וְטוּבוֹ, וּבַשְּׁלִישִׁי שֶׁנִּגְמְרָה מְלֶאכֶת הַמַּיִם וְהִתְחִיל וְגָמַר מְלָאכָה אַחֶרֶת, כָּפַל בּוֹ 'כִּי טוֹב' שְׁנֵי פְּעָמִים (להלן פסוקים י; יב): אַחַת לִגְמַר מְלֶאכֶת הַשֵּׁנִי וְאַחַת לִגְמַר מְלֶאכֶת הַיּוֹם:

ח] **וַיִּקְרָא אֱלֹהִים לָרָקִיעַ שָׁמָיִם.** שָׂא מַיִם, שָׁם מַיִם, אֵשׁ וּמַיִם שֶׁעֵרְבָן זֶה בָּזֶה וְעָשָׂה מֵהֶם שָׁמָיִם:

הרחבות

שמתוכה ובניגוד לה ינבע האור. היום מתחיל מן הערב ונמשך עד לסוף אור היום, כשם שראשית ההוויה כולה טמונה בהיעדרה. בתפיסה זו כרוכה תקווה: הראשית חשוכה, סגורה ונעלמת, ומתוכה יתחדש ויצמח האור.

'ויבדל' חכמים אומרים כי המים התחתונים בוכים: "גם אנחנו רוצים להיות לפני המלך" (תיקוני זוהר יט,ב, וראו רבנו בחיי ויקרא ב,יג). כלומר, הפרדת החומר מן הרוח גורמת למציאות החומרית לבכות על כך שהיא איננה רוח עוד, ולהתגעגע אל המציאות האחדותית הקדמונית, שכללה את שתיהן.

חכמים העירו כי את כל שלבי הבריאה ראה הקדוש ברוך הוא כטובים, מלבד היום השני. רק בו לא נאמר כִּי טוֹב (פסחים נד ע"א). ההבחנה חיונית לקיום העולם, שכן עולמנו איננו רצף של תופעות, אלא הוא מתוח בין קטבים מובחנים ונע ביניהם. היום השני, יום חלוקת המציאות, הוא המאפשר התקדמות, תנועה בכיוונים שונים, התפתחות וחיים. אמנם כבר ביום הראשון הופיעה ההבדלה, אך ביום השני התווספה אליה ההפרדה האנכית, בין

ביאור

את החושך. **אֶחָד**, ולא 'יום ראשון', מפני שיום זה הוא מהות לעצמה.
מקיומו לא נגזר ההכרח שיבוא אחריו יום שני. מה שיגיע אחריו
ייברא אף הוא באופן ספונטני ובלתי צפוי. הוא איננו 'שני' במשמע
של מה שנובע מן הראשון, אלא רק בכך שהוא מופיע אחרי שכבר
היה אֶחָד. הבריאה הראשונית יחידאית ונבדלת, משום שהתגלות
האור יוצרת ומגלה את המערך הבסיסי של החלל והזמן מעיקרו.

ו **וַיֹּאמֶר אֱלֹהִים: יְהִי רָקִיעַ בְּתוֹךְ הַמָּיִם.** אין זו חלוקה מקומית,
גיאוגרפית, אלא הבדלה בין מהויות.[6] **וִיהִי מַבְדִּיל בֵּין מַיִם לָמָיִם.**
שבירת הוויית המים הקדמונים שאפפו הכול, הכרחית להמשך
הבריאה. מֵי העולם הראשוניים שהקיפו הכול, מצטמצמים והופכים
לשתי מהויות נפרדות, והרקיע הוא פס ההבדלה, הריקוע המפריד
אותן זו מזו. ז **וַיַּעַשׂ אֱלֹהִים אֶת הָרָקִיעַ, וַיַּבְדֵּל בֵּין הַמַּיִם אֲשֶׁר מִתַּחַת**
לָרָקִיעַ וּבֵין הַמַּיִם אֲשֶׁר מֵעַל לָרָקִיעַ, וַיְהִי כֵן. הבדלה זו מתחוללת בין
המציאות החומרית לבין המציאות הרוחנית. מכאן ואילך יחדלו
החומר והרוח להיות ישות אחת. הם יתקיימו זה בצד זה, או ישקיפו
מרחוק, כביכול, זה על זה כשתי הוויות עצמאיות. ח **וַיִּקְרָא אֱלֹהִים**
לָרָקִיעַ שָׁמָיִם. היו שדרשו את המלה שָׁמָיִם 'שם מים',[7] אך מסתבר
יותר ששמים היא צורת הכפילות של המלה שָׁם – שם שם, כלומר
מה שנמצא מֵעבר.[8] גם בריאת היום השני נכנסת לקטגוריות מדידות,
אולי לא בגדרי החלל, כמו ביום הראשון, אלא במימד הזמן. **וַיְהִי**
עֶרֶב וַיְהִי בֹקֶר, יוֹם שֵׁנִי. ביום זה הגיעה הבריאה לסדר אחר, שאמנם
אינו דומה עדיין לעולם המוכר לנו, אך הוא מכיל בנוסף לאור, גם
הפרדה הירככית.

הרחבות

עליונים ותחתונים. בהבדלה שהתרחשה ביום השני כרוך דבר עמוק יותר, ואולי נמוך יותר, מאשר בהבדלה הקודמת. בניגוד לה, המבנה ההירכי שנוצר בחלוקה שאירעה ביום השני, בין מעלה ומטה, מדגיש ומעצים את מושגי העליון והקדוש, אך הוא גם מאפשר את קיומו של הנחות והטמא. על רקע הדיכוטומיה שהוטבעה עתה במציאות העולמית, יכולות לצמוח מהויות שאינן ניטרליות. אשר על כן, את ההבדלה שמתרחשת ביום השני אפשר להגדיר כטובה רק במובן השימושי: זוהי תבנית נחוצה ורצויה בגלל התועלת שהיא מביאה, אך היא גובה מחיר. הפרדת העליונים והתחתונים אינה הופכת את המציאות לטובה יותר במשמעות המוסרית, האסתטית או המהנה. על כן ראיית הטוב שביום השני נשתקת, ואינה מופיעה בגלוי.

'שמים' השמים הנזכרים כאן, אינם הרקיע הפרוש מעלינו, אלא מהות אחרת. מכאן הביטוי הַשָּׁמַיִם וּשְׁמֵי הַשָּׁמָיִם (דברים י,יד ועוד). המתח בינינו, המצויים כאן, על פני הארץ, לבין שָׁם, השמים, איננו רק חלק מספר הבריאה, אלא הוא מצוי בבסיס ספר

ט וַיֹּאמֶר אֱלֹהִים יִקָּווּ הַמַּיִם מִתַּחַת הַשָּׁמַיִם אֶל־
י מָקוֹם אֶחָד וְתֵרָאֶה הַיַּבָּשָׁה וַיְהִי־כֵן: וַיִּקְרָא אֱלֹהִים ׀
לַיַּבָּשָׁה אֶרֶץ וּלְמִקְוֵה הַמַּיִם קָרָא יַמִּים וַיַּרְא אֱלֹהִים
יא כִּי־טוֹב: וַיֹּאמֶר אֱלֹהִים תַּדְשֵׁא הָאָרֶץ דֶּשֶׁא עֵשֶׂב

רש"י | ט| **יִקָּווּ הַמַּיִם.** שֶׁהָיוּ שְׁטוּחִים עַל פְּנֵי כָּל הָאָרֶץ, וְהִקְוָם בָּאוֹקְיָנוֹס, הוּא הַיָּם הַגָּדוֹל שֶׁבְּכָל הַיַּמִּים:

י| **קָרָא יַמִּים.** וַהֲלֹא יָם אֶחָד הוּא? אֶלָּא אֵינוֹ דּוֹמֶה טַעַם דָּג הָעוֹלֶה מִן הַיָּם בְּעַכּוֹ לְטַעַם דָּג הָעוֹלֶה מִן הַיָּם בְּאַסְפַּמְיָא:

יא| **תַּדְשֵׁא הָאָרֶץ דֶּשֶׁא עֵשֶׂב.** לֹא דֶּשֶׁא לְשׁוֹן עֵשֶׂב וְלֹא עֵשֶׂב לְשׁוֹן דֶּשֶׁא, וְלֹא הָיָה לְשׁוֹן הַמִּקְרָא לוֹמַר: 'תַּעֲשִׂיב הָאָרֶץ', שֶׁמִּינֵי דְּשָׁאִין מְחֻלָּקִין, כָּל אֶחָד לְעַצְמוֹ נִקְרָא עֵשֶׂב פְּלוֹנִי, וְאֵין לָשׁוֹן לַמְדַבֵּר לוֹמַר דֶּשֶׁא פְּלוֹנִי, שֶׁלְּשׁוֹן דֶּשֶׁא הוּא לְבִישַׁת הָאָרֶץ כְּשֶׁהִיא מִתְמַלֵּאת בִּדְשָׁאִים: **תַּדְשֵׁא.** תִּתְמַלֵּא וְתִתְכַּסֶּה לְבוּשׁ עֲשָׂבִים. בִּלְשׁוֹן לַעַז נִקְרָא דֶּשֶׁא אירבי"ץ, כֻּלָּן בְּעִרְבּוּבְיָא, וְכָל שֹׁרֶשׁ לְעַצְמוֹ נִקְרָא

הרחבות | תולדות האדם כולו, וזרעיו טמונים כבר בראשיתו. יצירת השמים מותחת את הקו המבחין בין החומרי, הנתפס והמצוי עמנו, לבין הרוחני, החמקמק והמתקיים מעבר לנו. הוויית הרקיע איננה פשוטה כהוויית האור, משום שבתוכה נכללת גם ההבחנה בין מעלה ומטה.

ים ויבשה מכאן והלאה נוצר יחס מורכב של ניגוד וצירוף בין הים ובין היבשה.

ביאור

ט **וַיֹּאמֶר אֱלֹהִים: יִקָּווּ הַמַּיִם מִתַּחַת הַשָּׁמַיִם.** כאן כבר מדובר במים
החומריים שמתחת לרקיע, הדומים למים שלנו. המים נקראים
להתארגן ולהתנקז **אֶל מָקוֹם אֶחָד, וְתֵרָאֶה הַיַּבָּשָׁה**, כאשר המים
יתרכזו במקום אחד, ייחשף המקום היבש. **וַיְהִי כֵן.** י **וַיִּקְרָא אֱלֹהִים**
לַיַּבָּשָׁה אֶרֶץ, מלשון הכתובים אין להוכיח שהיבשה הייתה קיימת
כיחידה לעצמה, צבורה בתוך המים. נראה יותר כי כשם שהאור הגיח
מתוך החושך, כך היבשה הייתה בלועה תחילה, כביכול, בתוך המים.
רק ביום השלישי היא התייבשה, התגבשה והפכה לישות עצמאית
שתכונֶה מכאן ואילך אֶרֶץ. **וּלְמִקְוֵה הַמַּיִם קָרָא יַמִּים.** גם המקום שבו
נקוו המים – ולא רק הימים אלא גם מקווי המים הנפרדים, כאגמים
הגדולים והקטנים – הפך לישות עצמאית, שתכונֶה מעתה יַמִּים או
יָם.[9] מכאן ולהבא הארץ והים יהיו שתי ההוויות הגדולות ביותר
במציאות. **וַיַּרְא אֱלֹהִים כִּי טוֹב.** לעומת הבריאה החידתית של היום
הראשון, ולעומת ההפרדה הבעייתית שהתחוללה ביום השני, יצירת
היום השלישי היא כבר ראשית תבנית העולם. הן ליבשה הן למים
מקום לעצמם, תכונות משל עצמם ותכונות שיאפשרו את גידול
היצורים המיוחדים להם. קיומם העצמאי מתאפשר, דווקא משום
שהם נבדלים זה מזה. את הצירוף הזה וגם את ההבחנה הזאת
רואה אלוקים כיצירה טובה וראויה.

במבט חיצוני חשיפת היבשה על הריה הגבוהים, מישוריה וגאיותיה,
נראית כאירוע דרמטי ביותר. ואולם באותו יום מתרחשת בריאה
נוספת, שהיא משמעותית לנו יותר – יא **וַיֹּאמֶר אֱלֹהִים: תַּדְשֵׁא**
הָאָרֶץ דֶּשֶׁא, הארץ מצטווה להוציא סוגים שונים של צמחים. אם
עד עכשיו עסקה התורה במטפיסיקה ובפיסיקה, הרי שבמאמר
הבריאה השני של היום השלישי נבראת הביולוגיה. לא עצם עובדת
הגדילה וההתפשטות היא המתחדשת כאן, שהרי תהליכים כאלה
מתקיימים גם בשלולית מים או בתלולית עפר. ייחודה של צמיחת

הרחבות

מצד אחד, היבשה הוגדרה כמקום שבו אין מים, ובכך הפכו הים והיבשה לשתי הוויות נבדלות השוללות זו את זו. בפסוקים שונים בתנ"ך נזכר המאבק המתמיד של הים ביבשה. הים מבקש להציף את היבשה ולשטוף מחדש את העולם, אך נבלם בקו החוף (איוב ז,יב; כו,י; ירמיה ה,כב ועוד). מצד שני, נוצרה ביניהם גם תלות הדדית עמוקה: בהמשך יתברר כי היבשה איננה עצמאית לגמרי,

מַזְרִיעַ זֶרַע עֵץ פְּרִי עֹשֶׂה פְּרִי לְמִינוֹ אֲשֶׁר זַרְעוֹ־
בוֹ עַל־הָאָרֶץ וַיְהִי־כֵן: וַתּוֹצֵא הָאָרֶץ דֶּשֶׁא עֵשֶׂב יב
מַזְרִיעַ זֶרַע לְמִינֵהוּ וְעֵץ עֹשֶׂה־פְּרִי אֲשֶׁר זַרְעוֹ־בוֹ
לְמִינֵהוּ וַיַּרְא אֱלֹהִים כִּי־טוֹב: וַיְהִי־עֶרֶב וַיְהִי־בֹקֶר יג
יוֹם שְׁלִישִׁי: ▸
וַיֹּאמֶר אֱלֹהִים יְהִי מְאֹרֹת בִּרְקִיעַ הַשָּׁמַיִם לְהַבְדִּיל יד

רש"י | עֵשֶׂב: **מַזְרִיעַ זֶרַע.** שֶׁיִּגְדַּל בּוֹ זַרְעוֹ לִזְרֹעַ מִמֶּנּוּ בְּמָקוֹם אַחֵר: **עֵץ פְּרִי.** שֶׁיְּהֵא טַעַם הָעֵץ כְּטַעַם הַפְּרִי. וְהִיא לֹא עָשְׂתָה כֵּן, אֶלָּא וַתּוֹצֵא הָאָרֶץ עֵץ עֹשֶׂה פְּרִי, וְלֹא הָעֵץ פְּרִי, לְפִיכָךְ כְּשֶׁנִּתְקַלֵּל אָדָם עַל עֲוֹנוֹ נִפְקְדָה גַּם הִיא עַל עֲוֹנָהּ וְנִתְקַלְּלָה: **אֲשֶׁר זַרְעוֹ בוֹ.** הֵן גַּרְעִינֵי כָּל פְּרִי שֶׁמֵּהֶן הָאִילָן צוֹמֵחַ כְּשֶׁנּוֹטְעִין אוֹתוֹ:

יב | **וַתּוֹצֵא הָאָרֶץ וְגוֹ'.** אַף עַל פִּי שֶׁלֹּא נֶאֱמַר 'לְמִינֵהוּ' בִּדְשָׁאִין בְּצִוּוּיָן, שָׁמְעוּ שֶׁנִּצְטַוּוּ הָאִילָנוֹת עַל כָּךְ וְנָשְׂאוּ קַל וָחֹמֶר בְּעַצְמָן, כַּמְפֹרָשׁ בָּאַגָּדָה בִּשְׁחִיטַת חֻלִּין (חולין ס ע"א):

יד | **יְהִי מְאֹרֹת וְגוֹ'.** מִיּוֹם רִאשׁוֹן נִבְרְאוּ, וּבָרְבִיעִי צִוָּה עֲלֵיהֶם לְהִתָּלוֹת בָּרָקִיעַ, וְכֵן כָּל תּוֹלְדוֹת שָׁמַיִם וָאָרֶץ נִבְרְאוּ מִיּוֹם רִאשׁוֹן וְכָל אֶחָד וְאֶחָד נִקְבַּע בַּיּוֹם שֶׁנִּגְזַר עָלָיו, הוּא שֶׁכָּתוּב (לעיל פסוק א): "אֵת הַשָּׁמַיִם" – לְרַבּוֹת תּוֹלְדוֹתֵיהֶם, "וְאֵת הָאָרֶץ" – לְרַבּוֹת תּוֹלְדוֹתֶיהָ: **יְהִי מְאֹרֹת.** חָסֵר וָי"ו כְּתִיב, עַל שֶׁהוּא יוֹם מְאֵרָה לִפֹּל אַסְכָּרָה בַּתִּינוֹקוֹת, הוּא שֶׁשָּׁנִינוּ: בָּרְבִיעִי הָיוּ מִתְעַנִּים עַל אַסְכָּרָה שֶׁלֹּא תִּפֹּל בַּתִּינוֹקוֹת (תענית כז ע"ב): **לְהַבְדִּיל בֵּין הַיּוֹם וּבֵין הַלָּיְלָה.** מִשֶּׁנִּגְנַז הָאוֹר הָרִאשׁוֹן, אֲבָל בְּשִׁבְעַת יְמֵי בְרֵאשִׁית שִׁמְּשׁוּ הָאוֹר וְהַחֹשֶׁךְ הָרִאשׁוֹנִים זֶה בַּיּוֹם וְזֶה בַּלָּיְלָה:

הרחבות | שהרי אין היא יכולה להתקיים בלי הים. אף הימים זקוקים באופן כלשהו ליבשה, לא רק בתור מה שיגדיר ויגביל אותם, אלא גם כמקור הזנה. המים המגיעים מן המעיינות שביבשה דרך הנהרות והנחלים הזורמים בה הולכים אל הים. תלות הדדית זו עולה מכמה התייחסויות לגשם ולנהר, ששניהם צורות מסוימות של חיבור בין יבשה למים (ראו דברים יא, י-יב; קהלת א,ז; תענית ט ע"ב; סנהדרין קח ע"א ועוד).

ביאור | הדשא נעוץ בכך שבדשא אצורה מהות חדשה, אשר נקראה בעבר 'הנפש הצומחת'. הדשא הוא הבסיס לכל צורות החיים הגבוהות יותר שייבראו בהמשך, לא רק משום שצורות אלה תלויות בצומח, אלא משום שהן וריאנטים מפותחים של הצומח, שהרי כל דבר חי מוכרח להיות גם צומח. תיאור בריאת הביולוגיה אינו כולל רק את הצמיחה, אלא גם את ההתרבות: **עֵשֶׂב מַזְרִיעַ זֶרַע, עֵץ פְּרִי עֹשֶׂה פְּרִי לְמִינוֹ אֲשֶׁר זַרְעוֹ בוֹ**, הגדרת המערכת הביולוגית באמצעות התהליך הגורם לתא או לקבוצת תאים להתחיל לגדול, ויותר מזה – להתרבות, איננה רעיון חדש. אמנם תופעה זו נוגדת את כל השיקולים הפיסיקליים של העולם, משום שהיא פועלת נגד האנטרופיה, אך זוהי הגדרת החיים: צמיחה, גידול ופריון. **וַיְהִי כֵן.**

יב **וַתּוֹצֵא הָאָרֶץ דֶּשֶׁא, עֵשֶׂב מַזְרִיעַ זֶרַע לְמִינֵהוּ, וְעֵץ עֹשֶׂה פְּרִי אֲשֶׁר זַרְעוֹ בוֹ לְמִינֵהוּ.** לא מוצגת כאן קלסיפיקציה של המינים השונים, ואף קביעת אמות המידה למיון אינה מעניינו של הכתוב. הפסוק מציין כי כל אחד מהברואים הללו מוגדר כמין לעצמו; אין מדובר בשריצה בלתי מוגדרת של הוויות צומחות. **וַיַּרְא אֱלֹהִים כִּי טוֹב.** היום השלישי אינו רק יום היחשפות היבשה; הוא יומם של החיים. סימן לחשיבותו של יום ראשית החיים אפשר לראות באזכור הכפול של הביטוי כִּי טוֹב. לפני היום השלישי היו עצמים בלבד; מכאן מתחילים חיים, גם אם מדובר עדיין בחיים שאינם תבוניים. הצמחים אינם מכילים את כל תכונות החיים, אך טמונים בהם יסוד החיים ומקורם, בהיותם שומרים על קיומם, גדלים ומתרבים.

יג **וַיְהִי עֶרֶב וַיְהִי בֹקֶר יוֹם שְׁלִישִׁי.**

יד **וַיֹּאמֶר אֱלֹהִים: יְהִי מְאֹרֹת בִּרְקִיעַ הַשָּׁמַיִם.** כאן מתגבשים עצמים והופכים למאורות, כלומר להוויות היוצרות אור ומפיצות אותו, שאינן זהות לאור עצמו. ביום הראשון נברא האור המופשט, ואילו ביום הרביעי נבראו המאורות, שהם חלק ממבנה היקום המסודר.

הרחבות | **'מְאֹרֹת'** גרמי השמים מעצבים כמעט את כל קביעות הזמן של האדם, ועל פיהם נוצרת הערכת הזמן האנושית. אמנם השמש היא גם מקור האנרגיה של האנושות, אבל עקרונית העולם יכול היה להתקיים גם אילו ניזון ממקור אחר של אור או של אנרגיה, שאינו מרוכז בשמש. תיאורטית אפשר לחשוב על מקור אור ואנרגיה שלא ירוכז במקומות מסוימים, אלא יהיה מבוזר ופרוש על כל רקיע השמים.

בין היום ובין הלילה והיו לאתת ולמועדים ולימים
טו ושנים: והיו למאורת ברקיע השמים להאיר על-
טז הארץ ויהי-כן: ויעש אלהים את-שני המארת
הגדלים את-המאור הגדל לממשלת היום ואת-
המאור הקטן לממשלת הלילה ואת הכוכבים:
יז ויתן אתם אלהים ברקיע השמים להאיר על-
יח הארץ: ולמשל ביום ובלילה ולהבדיל בין האור
יט ובין החשך וירא אלהים כי-טוב: ויהי-ערב ויהי-
בקר יום רביעי:
כ ויאמר אלהים ישרצו המים שרץ נפש חיה ועוף
כא יעופף על-הארץ על-פני רקיע השמים: ויברא
אלהים את-התנינם הגדלים ואת כל-נפש החיה
הרמשת אשר שרצו המים למינהם ואת כל-עוף כנף

רש"י

וְהָיוּ לְאֹתֹת. כְּשֶׁהַמְּאוֹרוֹת לוֹקִין סִימָן רַע הוּא לָעוֹלָם, שֶׁנֶּאֱמַר: "וּמֵאֹתוֹת הַשָּׁמַיִם אַל תֵּחָתּוּ" (ירמיה י, ב), בַּעֲשׂוֹתְכֶם רְצוֹן הַקָּדוֹשׁ בָּרוּךְ הוּא אֵין אַתֶּם צְרִיכִים לִדְאֹג מִן הַפֻּרְעָנוּת: **וּלְמוֹעֲדִים.** עַל שֵׁם הֶעָתִיד, שֶׁעֲתִידִים יִשְׂרָאֵל לְהִצְטַוּוֹת עַל הַמּוֹעֲדוֹת, וְהֵם נִמְנִים לְמוֹלַד הַלְּבָנָה: **וּלְיָמִים.** שִׁמּוּשׁ הַחַמָּה חֲצִי יוֹם וְשִׁמּוּשׁ הַלְּבָנָה חֶצְיוֹ, הֲרֵי יוֹם שָׁלֵם: **וְשָׁנִים.** לְסוֹף שְׁלֹשׁ מֵאוֹת וְשִׁשִּׁים וַחֲמִשָּׁה יָמִים יִגְמְרוּ מַהֲלָכָתָן בִּשְׁנֵים עָשָׂר מַזָּלוֹת הַמְשָׁרְתִים אוֹתָם, וְהִיא שָׁנָה:

טו) **וְהָיוּ לִמְאוֹרֹת.** עוֹד זֹאת יְשַׁמְּשׁוּ, שֶׁיָּאִירוּ לָעוֹלָם:

טז) **הַמְּאֹרֹת הַגְּדֹלִים.** שָׁוִים נִבְרְאוּ, וְנִתְמַעֲטָה הַלְּבָנָה עַל שֶׁקִּטְרְגָה וְאָמְרָה: אִי אֶפְשָׁר לִשְׁנֵי מְלָכִים שֶׁיִּשְׁתַּמְּשׁוּ בְּכֶתֶר אֶחָד: **וְאֵת הַכּוֹכָבִים.** עַל יְדֵי שֶׁמִּעֵט אֶת הַלְּבָנָה, הִרְבָּה צְבָאֶיהָ לְהָפִיס דַּעְתָּהּ:

כ) **נֶפֶשׁ חַיָּה.** שֶׁיְּהֵא בָּהּ חִיּוּת: **שֶׁרֶץ.** כָּל דָּבָר חַי שֶׁאֵינוֹ גָּבוֹהַּ מִן הָאָרֶץ קָרוּי שֶׁרֶץ, בָּעוֹף – כְּגוֹן זְבוּבִים, בַּשְּׁקָצִים – כְּגוֹן נְמָלִים וְחִפּוּשִׁית וְתוֹלָעִים, וּבַבְּרִיּוֹת – כְּגוֹן חֹלֶד וְעַכְבָּר וְחֹמֶט וְכַיּוֹצֵא בָּהֶם, וְכָל הַדָּגִים:

כא) **הַתַּנִּינִם.** דָּגִים גְּדוֹלִים שֶׁבַּיָּם. וּבְדִבְרֵי אַגָּדָה: הוּא לִוְיָתָן וּבֶן זוּגוֹ, שֶׁבְּרָאָם זָכָר וּנְקֵבָה וְהָרַג אֶת הַנְּקֵבָה וּמְלָחָהּ לַצַּדִּיקִים לֶעָתִיד לָבֹא, שֶׁאִם יִפְרוּ וְיִרְבּוּ לֹא יִתְקַיֵּם הָעוֹלָם בִּפְנֵיהֶם: **נֶפֶשׁ הַחַיָּה.** נֶפֶשׁ שֶׁיֵּשׁ בָּהּ חִיּוּת:

ביאור | **לְהַבְדִּיל בֵּין הַיּוֹם וּבֵין הַלָּיְלָה.** חשיבות ההבדלה בין שני חלקי
היממה אינה נעוצה רק בכך שביום השמש מאירה, ובלילה היא
נעלמת, אלא גם בעצם בניית קצב הזמן. תפקיד המאורות הוא
בראש ובראשונה לקצוב את הזמן ולחלקו לפרקים. וביתר פירוט –
וְהָיוּ לְאֹתֹת, תופעות המתרחשות בשמים ובארץ **וּלְמוֹעֲדִים**, המאורות
משמשים לקביעת התאריכים, או: לקביעת תקופות השנה ועונותיה
וּלְיָמִים, יחידות הזמן הקטנות **וְשָׁנִים**, יחידות הזמן הגדולות. טו **וְהָיוּ**
כל אלה **לִמְאוֹרֹת בִּרְקִיעַ הַשָּׁמַיִם לְהָאִיר עַל הָאָרֶץ, וַיְהִי כֵן.** טז **וַיַּעַשׂ
אֱלֹהִים אֶת שְׁנֵי הַמְּאֹרֹת הַגְּדֹלִים**, כפי שהם ניכרים לעינינו, **אֶת
הַמָּאוֹר הַגָּדֹל לְמֶמְשֶׁלֶת הַיּוֹם**, השמש, **וְאֶת הַמָּאוֹר הַקָּטֹן לְמֶמְשֶׁלֶת
הַלַּיְלָה**, הירח, **וְאֵת הַכּוֹכָבִים.** יז **וַיִּתֵּן אֹתָם אֱלֹהִים בִּרְקִיעַ הַשָּׁמָיִם
לְהָאִיר עַל הָאָרֶץ,** יח **וְלִמְשֹׁל בַּיּוֹם וּבַלַּיְלָה**, השמש והירח נראים לעין
כשליטי היום והלילה, שהרי אי־אפשר שלא להבחין בשמש, או
לחלופין – בהיעדרה, וכן בהופעתו ובהיעלמותו של הירח. **וּלֲהַבְדִּיל
בֵּין הָאוֹר וּבֵין הַחֹשֶׁךְ.** גם קודם לכן סופר על קיומם של יום ולילה,
ערב ובוקר, הקשורים לאור וחושך; אלא שעד כה טרם הוגדרו
לחלוטין. **וַיַּרְא אֱלֹהִים כִּי טוֹב.** יט **וַיְהִי עֶרֶב וַיְהִי בֹקֶר יוֹם רְבִיעִי.**

מן הצמחים וגרמי השמים עובר הכתוב אל בעלי החיים: כ **וַיֹּאמֶר
אֱלֹהִים: יִשְׁרְצוּ הַמַּיִם שֶׁרֶץ נֶפֶשׁ חַיָּה**, יצור שיש בו חיים, שאינו צומח
וגדל באופן עיוור, כצומח, אלא יש בו גם רצון ותנועה.[10] **וְעוֹף יְעוֹפֵף
עַל הָאָרֶץ, עַל פְּנֵי רְקִיעַ הַשָּׁמָיִם.** כא **וַיִּבְרָא אֱלֹהִים אֶת הַתַּנִּינִם
הַגְּדֹלִים.** במקומות אחדים בתנ"ך מזוהה התנין עם הלוויתן או קרוב
אליו, אך בוודאי יצורים אלה אינם זהים לבעלי החיים המכונים
בפינו 'תנין' או 'לוויתן'.[11] אלו הם יצורי מסתורין ימיים, שנוצרו
בתוך המים, וזיקתם לעולמנו אנו אינה ברורה.[12] **וְאֵת כָּל נֶפֶשׁ הַחַיָּה
הָרֹמֶשֶׂת**, היצורים הקטנים, **אֲשֶׁר שָׁרְצוּ הַמַּיִם לְמִינֵהֶם.** מגוון היצורים

הרחבות | **'למאורת... להאיר על הארץ'** בראשית אינו ספר על היקום כולו, אלא הוא סֵפֶר תּוֹלְדֹת אָדָם (להלן ה,א). כיוון שהוא עוסק באדם, על בעיותיו, דרכי חייו ותכליתו, העולם מתואר בו מנקודת המבט האנושית, ורק מן הצדדים הרלוונטיים לאדם. בהתאם לכך, אף על פי שיחסי הגודל בין המאורות העצומים לבין כדור הארץ היו ידועים מקדמת דנא, אין לתמוה על כך שגרמי השמים מוצגים כאן בלא כל התייחסות לגודלם ולתפקודיהם שמעבר לקביעת זמניו של האדם ולהארתם על הארץ. מכיוון שאין לשמשות המצויות במרחק שנות אור מאתנו זיקה למציאות שלנו, אין הספר עוסק בהן.

לְמִינֵהוּ וַיַּרְא אֱלֹהִים כִּי־טוֹב׃ וַיְבָרֶךְ אֹתָם אֱלֹהִים כב
לֵאמֹר פְּרוּ וּרְבוּ וּמִלְאוּ אֶת־הַמַּיִם בַּיַּמִּים וְהָעוֹף יִרֶב
בָּאָרֶץ׃ וַיְהִי־עֶרֶב וַיְהִי־בֹקֶר יוֹם חֲמִישִׁי׃ כג
וַיֹּאמֶר אֱלֹהִים תּוֹצֵא הָאָרֶץ נֶפֶשׁ חַיָּה לְמִינָהּ בְּהֵמָה כד
וָרֶמֶשׂ וְחַיְתוֹ־אֶרֶץ לְמִינָהּ וַיְהִי־כֵן׃ וַיַּעַשׂ אֱלֹהִים כה
אֶת־חַיַּת הָאָרֶץ לְמִינָהּ וְאֶת־הַבְּהֵמָה לְמִינָהּ וְאֵת
כָּל־רֶמֶשׂ הָאֲדָמָה לְמִינֵהוּ וַיַּרְא אֱלֹהִים כִּי־טוֹב׃
וַיֹּאמֶר אֱלֹהִים נַעֲשֶׂה אָדָם בְּצַלְמֵנוּ כִּדְמוּתֵנוּ כו

רש"י

כב) **וַיְבָרֶךְ אֹתָם.** לְפִי שֶׁמְּחַסְּרִים אוֹתָם וְצָדִין מֵהֶן וְאוֹכְלִין אוֹתָם, הֻצְרְכוּ לִבְרָכָה. וְאַף הַחַיּוֹת הֻצְרְכוּ לִבְרָכָה, אֶלָּא מִפְּנֵי הַנָּחָשׁ הֶעָתִיד לִקְלָלָה, לְכָךְ לֹא בֵּרְכָן, שֶׁלֹּא יְהֵא הוּא בַּכְּלָל: **פְּרוּ.** לְשׁוֹן פְּרִי, כְּלוֹמַר עֲשׂוּ פֵּרוֹת:

כד) **תּוֹצֵא הָאָרֶץ.** הוּא שֶׁפֵּרַשְׁתִּי (לעיל פסוק יד) שֶׁהַכֹּל נִבְרָא מִיּוֹם רִאשׁוֹן וְלֹא הֻצְרְכוּ אֶלָּא לְהוֹצִיאָם: **נֶפֶשׁ חַיָּה.** שֶׁיֵּשׁ בָּהּ חִיּוּת: **וָרֶמֶשׂ.** הֵם שְׁרָצִים שֶׁהֵם נְמוּכִים וְרוֹמְשִׂים עַל הָאָרֶץ, וְנִרְאִים כְּאִלּוּ נִגְרָרִין שֶׁאֵין הִלּוּכָן נִכָּר, כָּל לְשׁוֹן רֶמֶשׂ וְשֶׁרֶץ בִּלְשׁוֹנֵנוּ קונמוברי"ש:

כה) **וַיַּעַשׂ.** תִּקֵּן לִצְבִיוֹנָן בְּקוֹמָתָן:

כו) **נַעֲשֶׂה אָדָם.** עַנְוְתָנוּתוֹ שֶׁל הַקָּדוֹשׁ בָּרוּךְ הוּא לָמַדְנוּ מִכָּאן, לְפִי שֶׁהָאָדָם בִּדְמוּת הַמַּלְאָכִים וְיִתְקַנְּאוּ בּוֹ, לְפִיכָךְ נִמְלַךְ בָּהֶם. וּכְשֶׁהוּא דָּן אֶת הַמְּלָכִים הוּא נִמְלָךְ בְּפָמַלְיָא שֶׁלּוֹ, שֶׁכֵּן מָצִינוּ בְּאַחְאָב שֶׁאָמַר לוֹ מִיכָה: "רָאִיתִי אֶת ה׳ יֹשֵׁב עַל כִּסְאוֹ וְכָל צְבָא הַשָּׁמַיִם עֹמֵד עָלָיו מִימִינוֹ וּמִשְּׂמֹאלוֹ" (מלכים א׳ כב, יט), וְכִי יֵשׁ יָמִין וּשְׂמֹאל לְפָנָיו? אֶלָּא אֵלּוּ מַיְמִינִים לִזְכוּת וְאֵלּוּ מַשְׂמְאִילִים לְחוֹבָה, וְכֵן: "בִּגְזֵרַת עִירִין פִּתְגָמָא וּמֵאמַר קַדִּישִׁין שְׁאֶלְתָּא" (דניאל ד, יד), אַף כָּאן בְּפָמַלְיָא שֶׁלּוֹ נָטַל רְשׁוּת. אָמַר לָהֶם: יֵשׁ בָּעֶלְיוֹנִים כִּדְמוּתִי, אִם אֵין בַּתַּחְתּוֹנִים כִּדְמוּתִי הֲרֵי יֵשׁ קִנְאָה בְּמַעֲשֵׂה בְרֵאשִׁית: **נַעֲשֶׂה אָדָם.** אַף עַל פִּי שֶׁלֹּא סִיְּעוּהוּ בִּיצִירָתוֹ, וְיֵשׁ מָקוֹם לַמִּינִים לִרְדּוֹת, לֹא נִמְנַע הַכָּתוּב מִלְּלַמֵּד דֶּרֶךְ אֶרֶץ וּמִדַּת עֲנָוָה, שֶׁיְּהֵא הַגָּדוֹל נִמְלָךְ וְנוֹטֵל רְשׁוּת מִן הַקָּטָן. וְאִם כָּתַב 'אֶעֱשֶׂה אָדָם' לֹא לָמַדְנוּ שֶׁהָיָה מְדַבֵּר עִם בֵּית דִּינוֹ, אֶלָּא עִם עַצְמוֹ. וּתְשׁוּבַת הַמִּינִים

הרחבות

'נעשה אדם' פירושים שונים ניתנו ללשון רבים זו. בבריאה זו נכנס גורם חדש אל המציאות – מעבר לנפש החיה שבאדם – כוח הרצייה שלו – נוספת אצלו גם היכולת לבחור ולהשפיע על המציאות. אל הבריאה, שביסודה היא מערכת אקולוגית מאוזנת למדי, חודר יסוד עצמאי – האדם. נוכח הופעתו של הגורם הזה, שייחודיותו תשוב ותתגלה בהמשך, מציע המדרש, שהקדוש ברוך הוא מתייעץ, כביכול, עם מלאכיו ושואל לדעתם על רעיון בריאת האדם (ראו בראשית רבה יז,יט).

ביאור

הנחשבים כנֶפֶשׁ חַיָּה, משתרע מהדגיגים הקטנים הממלאים את הנהרות, האגמים והנחלים, ועד לכרישים העצומים, והוא כולל אף את היצורים המצויים על גבול המופשט, שייתכן שיש בהם אפילו דעה כלשהי – התנינים הגדולים. **וְאֵת כָּל עוֹף כָּנָף לְמִינֵהוּ**, על כל אלפי או עשרות אלפי המינים שבו, **וַיַּרְא אֱלֹהִים כִּי טוֹב.** כב **וַיְבָרֶךְ אֹתָם אֱלֹהִים לֵאמֹר**, כך: **פְּרוּ וּרְבוּ וּמִלְאוּ אֶת הַמַּיִם בַּיַּמִּים, וְהָעוֹף יִרֶב בָּאָרֶץ.** רבייתם של הצמחים אוטומטית, והם אינם צריכים לעשות מעשה כדי לפרות ולרבות. לעומת זאת, רבייתם של כל היצורים החיים – בין שהם דו-חיים ובין שהם דגים או עופות – כוללת גם תהליכי חיזור לשם מציאת בן הזוג. על כן הם זקוקים לברכה מיוחדת, שתיטע בהם את הדחף הפעיל לפרות ולרבות. כג **וַיְהִי עֶרֶב וַיְהִי בֹקֶר, יוֹם חֲמִישִׁי.**

עד כה נוצרו יצורי המים והעופות, שהם יצורי מים משוכללים או יצורי רקק. ביום השישי ייווצרו בריות הארץ: כד **וַיֹּאמֶר אֱלֹהִים: תּוֹצֵא הָאָרֶץ נֶפֶשׁ חַיָּה לְמִינָהּ, בְּהֵמָה**, הכוללת סוגים רבים של בעלי חיים, ולא רק בהמות בית,[13] **וָרֶמֶשׂ**, הכולל יצורים קטנים למיניהם. הגדרת הרמש אינה זואולוגית, אלא היא תלויה בהסתכלותנו: הרמשים הם היצורים הקטנים המתרוצצים ורוחשים על הארץ, כגון עכברים ונחשים. **וְחַיְתוֹ אֶרֶץ לְמִינָהּ**, כל מיני החיות שאינן בכלל בהמות. ייתכן שחַיְתוֹ אֶרֶץ היא החיה הטורפת, או זו הניזונה מן החי, ואילו הבהמה היא בעל חיים צמחוני.[14] **וַיְהִי כֵן.** כה **וַיַּעַשׂ אֱלֹהִים אֶת חַיַּת הָאָרֶץ לְמִינָהּ וְאֶת הַבְּהֵמָה לְמִינָהּ וְאֵת כָּל רֶמֶשׂ הָאֲדָמָה לְמִינֵהוּ, וַיַּרְא אֱלֹהִים כִּי טוֹב.**

עתה מגיע שיאו של פרק הבריאה כולו: כו **וַיֹּאמֶר אֱלֹהִים: נַעֲשֶׂה אָדָם בְּצַלְמֵנוּ כִּדְמוּתֵנוּ.** אף שמבחינה פיסיולוגית האדם דומה למדי לבעלי חיים אחרים, הוא הוויה לעצמה. בשונה משאר הנבראים, האדם נעשה בדמותו של הקדוש ברוך הוא, לא מבחינת פרצופו, אלא

הרחבות

הסבר פיוטי יותר מופיע במדרש קדום, המספר שה' פנה אל כל העולם ואמר: "הבה נעשה כולנו אדם". כיוון שהאדם כולל את הבריאה כולה, יש לכל היצורים זיקה אליו. למען בריאת האדם תרם האריה מגבורתו, השועל תרם מערמומיותו, הנחש – מארסיותו, הכבשה – מתמימותה, והפרפר – ממעופו. לפי מדרש זה, האדם נברא בצלמם וכדמותם של כלל יצורי העולם (ראו זוהר ח"ג רלח,ב; ילקוט שמעוני בראשית יג).

וְיִרְדּוּ בִדְגַת הַיָּם וּבְעוֹף הַשָּׁמַיִם וּבַבְּהֵמָה וּבְכָל־
הָאָרֶץ וּבְכָל־הָרֶמֶשׂ הָרֹמֵשׂ עַל־הָאָרֶץ׃ וַיִּבְרָא כז
אֱלֹהִים ׀ אֶת־הָאָדָם בְּצַלְמוֹ בְּצֶלֶם אֱלֹהִים בָּרָא
אֹתוֹ זָכָר וּנְקֵבָה בָּרָא אֹתָם׃ וַיְבָרֶךְ אֹתָם אֱלֹהִים כח
וַיֹּאמֶר לָהֶם אֱלֹהִים פְּרוּ וּרְבוּ וּמִלְאוּ אֶת־הָאָרֶץ
וְכִבְשֻׁהָ וּרְדוּ בִּדְגַת הַיָּם וּבְעוֹף הַשָּׁמַיִם וּבְכָל־חַיָּה
הָרֹמֶשֶׂת עַל־הָאָרֶץ׃ וַיֹּאמֶר אֱלֹהִים הִנֵּה נָתַתִּי לָכֶם כט
אֶת־כָּל־עֵשֶׂב ׀ זֹרֵעַ זֶרַע אֲשֶׁר עַל־פְּנֵי כָל־הָאָרֶץ
וְאֶת־כָּל־הָעֵץ אֲשֶׁר־בּוֹ פְרִי־עֵץ זֹרֵעַ זָרַע לָכֶם יִהְיֶה

רש״י | כָּתַב בְּיָדוֹ: "וַיִּבְרָא אֱלֹהִים אֶת הָאָדָם", וְלֹא כָּתַב 'וַיִּבְרְאוּ': **בְּצַלְמֵנוּ.** בִּדְפוּס שֶׁלָּנוּ: **כִּדְמוּתֵנוּ.** לְהָבִין וּלְהַשְׂכִּיל: **וְיִרְדּוּ בִדְגַת הַיָּם.** יֵשׁ בַּלָּשׁוֹן הַזֶּה לְשׁוֹן רִדּוּי וּלְשׁוֹן יְרִידָה, זָכָה – רוֹדֶה בַּחַיּוֹת וּבַבְּהֵמוֹת, לֹא זָכָה – נַעֲשֶׂה יָרוּד לִפְנֵיהֶם וְהַחַיָּה מוֹשֶׁלֶת בּוֹ:

כז| **וַיִּבְרָא אֱלֹהִים אֶת הָאָדָם בְּצַלְמוֹ.** בִּדְפוּס הֶעָשׂוּי לוֹ, שֶׁהַכֹּל נִבְרָא בְּמַאֲמָר וְהוּא בַּיָּדַיִם, שֶׁנֶּאֱמַר: "וַתָּשֶׁת עָלַי כַּפֶּכָה" (תהלים קלט, ה) נַעֲשָׂה בְּחוֹתָם כְּמַטְבֵּעַ הָעֲשׂוּיָה עַל יְדֵי רֹשֶׁם, שֶׁקּוֹרִין קוי"ן בְּלַעַז, וְכֵן הוּא אוֹמֵר: "תִּתְהַפֵּךְ כְּחֹמֶר חוֹתָם" (איוב לח, יד): **בְּצֶלֶם אֱלֹהִים בָּרָא אוֹתוֹ.** פֵּרֵשׁ לְךָ שֶׁאוֹתוֹ צֶלֶם הַמְתֻקָּן לוֹ צֶלֶם דְּיוֹקַן יוֹצְרוֹ הוּא: **זָכָר וּנְקֵבָה בָּרָא אֹתָם.** וּלְהַלָּן הוּא אוֹמֵר: "וַיִּקַּח אַחַת מִצַּלְעֹתָיו" וְגוֹ' (להלן ב, כא)! מִדְרַשׁ אַגָּדָה, שֶׁבְּרָאוֹ שְׁנֵי פַרְצוּפִים בַּבְּרִיאָה רִאשׁוֹנָה, וְאַחַר כָּךְ חִלְּקוֹ. וּפְשׁוּטוֹ שֶׁל מִקְרָא: כָּאן הוֹדִיעֲךָ שֶׁנִּבְרְאוּ שְׁנֵיהֶם בַּשִּׁשִּׁי, וְלֹא פֵּרַשׁ לְךָ כֵּיצַד בְּרִיָּתָן, וּפֵרַשׁ לְךָ בְּמָקוֹם אַחֵר:

כח| **וְכִבְשֻׁהָ.** חָסֵר וָי"ו, לְלַמֶּדְךָ שֶׁהַזָּכָר כּוֹבֵשׁ אֶת הַנְּקֵבָה שֶׁלֹּא תְּהֵא יַצְאָנִית. וְעוֹד לְלַמֶּדְךָ, שֶׁהָאִישׁ שֶׁדַּרְכּוֹ לִכְבֹּשׁ מְצֻוֶּה עַל פְּרִיָּה וּרְבִיָּה וְלֹא הָאִשָּׁה:

כט-ל| **לָכֶם יִהְיֶה לְאָכְלָה וּלְכָל חַיַּת הָאָרֶץ.** הִשְׁוָה לָהֶם הַכָּתוּב בְּהֵמוֹת וְחַיּוֹת לְמַאֲכָל, וְלֹא הִרְשָׁה לְאָדָם וּלְאִשְׁתּוֹ

הרחבות | 'וירדו...' שלטונו של האדם בבעלי החיים אינו מקרי. גם אם במשך דורות רבים ייאבק בהם, בסופו של דבר, האדם הוא המושל בעולם. זהו חלק מהתפקיד שהוטל עליו בשל תכונותיו הקיצוניות, חסרות הגבולות והרסן, הכורכות יחדיו עצמה, כוח רצון, בחירה חופשית ואולי אפילו שיגעון. רעידות אדמה, הרי געש ושטפונות – כל אלה הם תופעות קטנות ביחס לפעולותיו של האדם, היסוד המשפיע ביותר על היצורים החיים, וכנראה לא רק עליהם. מכאן נובעת שאלתו של משורר תהלים: מָה אֱנוֹשׁ כִּי תִזְכְּרֶנּוּ וּבֶן אָדָם כִּי תִפְקְדֶנּוּ. וַתְּחַסְּרֵהוּ מְּעַט מֵאֱלֹהִים וְכָבוֹד וְהָדָר תְּעַטְּרֵהוּ. תַּמְשִׁילֵהוּ בְּמַעֲשֵׂי יָדֶיךָ כֹּל שַׁתָּה תַחַת רַגְלָיו (תהלים ח,ה-ז). – מדוע בחרת

ביאור

מבחינת מהותו. דמיון זה איננו מתבטא רק ברמת האינטליגנציה
הגבוהה שלו, אלא בעיקר בבחירה החופשית. תכונה זו ייחודית
לאדם ולאלוקים. שאר יצורי העולם נעים במעגלותיהם, כפופים
לרשת ארוכה של סיבה ומסובב, ואילו היצור האנושי משוחרר
מכפיפות זו. **וְיִרְדּוּ**, ימשלו **בִדְגַת הַיָּם וּבְעוֹף הַשָּׁמַיִם וּבַבְּהֵמָה וּבְכָל**
הָאָרֶץ, במחצבים הדוממים[15] **וּבְכָל הָרֶמֶשׂ הָרֹמֵשׂ עַל הָאָרֶץ.** כז **וַיִּבְרָא**
אֱלֹהִים אֶת הָאָדָם בְּצַלְמוֹ, העניק לו את החופש ואת יכולת הפעולה
הרחבה והשינוי, **בְּצֶלֶם אֱלֹהִים בָּרָא אֹתוֹ**. וכאן הערה שתפורט
בהמשך: **זָכָר וּנְקֵבָה בָּרָא אֹתָם**. לכאורה, יכול היה להיות בעולם אדם
יחיד, כשם שהקדוש ברוך הוא יחיד.[16] יש חידוש בכך שהאדם הוא
חלק מהפאונה – ממערכת החי. ההדגשה שנבראו זכר ונקבה מעידה
על כך שאין מדובר באדם כפרט, אלא במין כולו, שכאן ראשיתו. מצד
שני, ראוי לשים לב שאף על פי שגם שאר בעלי החיים נבראו זכר
ונקבה, רק בבריאת האדם מצוינת עובדה זו במפורש, כדי להדגיש
כי אין מדובר ביצורים שההבדלים ביניהם ביולוגיים בלבד אלא
בהוויות שונות. כח **וַיְבָרֶךְ אֹתָם אֱלֹהִים, וַיֹּאמֶר** גם **לָהֶם אֱלֹהִים: פְּרוּ**
וּרְבוּ. כיוון שעבור האדם הרבייה איננה פעולה אוטומטית, כמו אצל
הצמחים, זוהי ההוראה הראשונה, הפונה אל בחירתו החופשית.
ההוראה השנייה היא: **וּמִלְאוּ אֶת הָאָרֶץ**, אל לכם להסתפק בפרייה
ורבייה בלבד. בניגוד לקרפדה, החיה במקומה, האדם מצֻווה ליישב
את הארץ. **וְכִבְשֻׁהָ**. כמובן, אין הדבר שולל את ישיבתם של יצורים
אחרים בארץ, אך על המין האנושי מוטלת חובה מיוחדת לאכלס
את כל העולם ולכבושו מיד השממה או החיות. ולבסוף – **וּרְדוּ**, שלטו
בִּדְגַת הַיָּם וּבְעוֹף הַשָּׁמַיִם וּבְכָל חַיָּה הָרֹמֶשֶׂת עַל הָאָרֶץ.

כט **וַיֹּאמֶר אֱלֹהִים: הִנֵּה נָתַתִּי לָכֶם**, לפי שעה, לפחות, **אֶת כָּל עֵשֶׂב**
זֹרֵעַ זֶרַע אֲשֶׁר עַל פְּנֵי כָל הָאָרֶץ, וְאֶת כָּל הָעֵץ אֲשֶׁר בּוֹ פְרִי עֵץ זֹרֵעַ

הרחבות

באדם, והנחת תחתיו את העולם כולו? ואכן, בפרקיו הבאים ידון הספר ותעסוק ההיסטוריה האנושית כולה בשאלות אם יצור כזה יציב דיו, ואם כוחות ההרס שלו אינם מסוכנים מדי לעצמו ולעולם.

שלטון האדם כברכה וכחובה על האדם הוטלה החובה הכללית להשתלט על העולם ולשעבדו. עליו לבנות גשר על הנהר, אנייה שתחצה את הים, מטוס שימריא לשמים וחללית שתגיע הרחק מזה. כל אלה אינם מוצגים כאן כתוצרי יצר לב האדם, אלא כפעולותיו החיוביות. האדם צריך להחזיק בידו את השלטון בעולם, וכוחו לבצע את המשימה הזאת הולך וגדל בהתמדה.

ל לְאָכְלָה: וּלְכָל־חַיַּת הָאָרֶץ וּלְכָל־עוֹף הַשָּׁמַיִם וּלְכֹל ׀
רוֹמֵשׂ עַל־הָאָרֶץ אֲשֶׁר־בּוֹ נֶפֶשׁ חַיָּה אֶת־כָּל־יֶרֶק
לא עֵשֶׂב לְאָכְלָה וַיְהִי־כֵן: וַיַּרְא אֱלֹהִים אֶת־כָּל־אֲשֶׁר
עָשָׂה וְהִנֵּה־טוֹב מְאֹד וַיְהִי־עֶרֶב וַיְהִי־בֹקֶר יוֹם
הַשִּׁשִּׁי:

ב א ב וַיְכֻלּוּ הַשָּׁמַיִם וְהָאָרֶץ וְכָל־צְבָאָם: וַיְכַל אֱלֹהִים בַּיּוֹם
הַשְּׁבִיעִי מְלַאכְתּוֹ אֲשֶׁר עָשָׂה וַיִּשְׁבֹּת בַּיּוֹם הַשְּׁבִיעִי
ג מִכָּל־מְלַאכְתּוֹ אֲשֶׁר עָשָׂה: וַיְבָרֶךְ אֱלֹהִים אֶת־יוֹם
הַשְּׁבִיעִי וַיְקַדֵּשׁ אֹתוֹ כִּי בוֹ שָׁבַת מִכָּל־מְלַאכְתּוֹ
אֲשֶׁר־בָּרָא אֱלֹהִים לַעֲשׂוֹת:

רש"י לְהָמִית בְּרִיָּה וְלֶאֱכֹל בָּשָׂר, אַךְ כָּל יֶרֶק עֵשֶׂב יֹאכְלוּ יַחַד כֻּלָּם. וּכְשֶׁבָּאוּ בְּנֵי נֹחַ, הִתִּיר לָהֶם בָּשָׂר, שֶׁנֶּאֱמַר: "כָּל רֶמֶשׂ אֲשֶׁר הוּא חַי וְגוֹ' כְּיֶרֶק עֵשֶׂב" שֶׁהִתַּרְתִּי לְאָדָם הָרִאשׁוֹן "נָתַתִּי לָכֶם אֶת כֹּל" (להלן ט, ג):

לא| **יוֹם הַשִּׁשִּׁי.** הוֹסִיף הֵ"א בַּשִּׁשִּׁי בִּגְמַר מַעֲשֵׂה בְרֵאשִׁית, לוֹמַר שֶׁהִתְנָה עִמָּהֶם עַל מְנָת שֶׁיְּקַבְּלוּ עֲלֵיהֶם יִשְׂרָאֵל חֲמִשָּׁה חֻמְשֵׁי תוֹרָה. דָּבָר אַחֵר, "יוֹם הַשִּׁשִּׁי", כֻּלָּם תְּלוּיִים וְעוֹמְדִים עַד יוֹם הַשִּׁשִּׁי, הוּא שִׁשִּׁי בְּסִיוָן הַמּוּכָן לְמַתַּן תּוֹרָה:

פרק ב

ב| **וַיְכַל אֱלֹהִים בַּיּוֹם הַשְּׁבִיעִי.** רַבִּי שִׁמְעוֹן אוֹמֵר: בָּשָׂר וָדָם שֶׁאֵינוֹ יוֹדֵעַ עִתָּיו וּרְגָעָיו צָרִיךְ לְהוֹסִיף מֵחוֹל עַל הַקֹּדֶשׁ, הַקָּדוֹשׁ בָּרוּךְ הוּא שֶׁיּוֹדֵעַ עִתָּיו וּרְגָעָיו, נִכְנַס בּוֹ כְּחוּט הַשַּׂעֲרָה, וְנִרְאָה כְּאִלּוּ כִּלָּה בּוֹ בַּיּוֹם. דָּבָר אַחֵר: מֶה הָיָה הָעוֹלָם חָסֵר? מְנוּחָה, בָּאת שַׁבָּת בָּאת מְנוּחָה, כָּלְתָה וְנִגְמְרָה הַמְּלָאכָה:

ג| **וַיְבָרֶךְ וַיְקַדֵּשׁ.** בֵּרְכוֹ בַּמָּן, שֶׁכָּל יְמוֹת הַשָּׁבוּעַ יוֹרֵד לָהֶם עֹמֶר לַגֻּלְגֹּלֶת, וּבַשִּׁשִּׁי

הרחבות **הנחיות אכילה** אחת הסיבות להוראות אלה נובעת מיכולת הבחירה של האדם ומאינספור האפשרויות הפתוחות בפניו. כיוון שכך, האדם זקוק להדרכה גם באשר לצדדים פשוטים ביותר של חייו. הפרה או הדג אינם מתחבטים בשאלה מה יאכלו. לעומתם, האדם זקוק, כפי הנראה, להוראות מפורטות ומוגדרות יותר.

'כל אשר עשה... טוב מאד' האם העולם אכן טוב מאוד ללא רע? האם הוא מושלם? שאלה זו מתחזקת במיוחד, לאור העובדה שהאדם, בהיותו חופשי ממסגרות, מכניס יסוד מורכב למערכת העולמית. ביכולתו לפעול פעולות חיוביות או שליליות. האם גם האדם טוב מאוד? מן ההגדרות והפירושים, הדרשות והמדרשים השונים שנאמרו על פסוק זה, עולה שיש להבחין בין טוֹב, המנוגד לרע בפשטות, לבין טוב מְאֹד, המתייחס אל המכלול המורכב,

ביאור

זָרַע, לָכֶם יִהְיֶה לְאָכְלָה. מותר לכם להיזון מכל סוגי הצמחים – מן
העשב, מן הירקות ומן הפֵּרות – ככל שיערב לכם. ל **וּלְכָל חַיַּת**
הָאָרֶץ ניתן הצומח לסוגיו השונים, **וּלְכָל עוֹף הַשָּׁמַיִם וּלְכֹל רוֹמֵשׂ**
עַל הָאָרֶץ אֲשֶׁר בּוֹ נֶפֶשׁ חַיָּה, אֶת כָּל יֶרֶק עֵשֶׂב לְאָכְלָה, וַיְהִי כֵן. ייתכן
שבתחילת בריאתם היו כל יצורי העולם צמחונים.[17] האדם ובעלי
החיים רשאים להתפרנס מן העשב, מפני שהווייתם, הכוללת נפש,
גבוהה מן הצומח.

לא **וַיַּרְא אֱלֹהִים אֶת כָּל אֲשֶׁר עָשָׂה,** המכלול – מן האור ועד
האדם – **וְהִנֵּה טוֹב מְאֹד. וַיְהִי עֶרֶב וַיְהִי בֹקֶר, יוֹם הַשִּׁשִּׁי.**

חלוקת הפרקים המקובלת, הקובעת כאן את סופו של הפרק הראשון בתורה, אינה יהודית. הן מבחינת מבנה הטקסט ופרטיו והן מבחינת המסורת היהודית, הפרק צריך להסתיים לאחר שלושת פסוקיו הראשונים של הפרק הבא. פסוקים אלו, המתארים את בריאת השבת, הם ללא ספק סיכומו של הפרק הראשון. רק כשתגיע השבת, תושלם מלאכת הבריאה, ולעולם יהיה קיום.

פרק ב א **וַיְכֻלּוּ**, נגמרו, תמה מלאכתם והסתיים שכלולם של
הַשָּׁמַיִם וְהָאָרֶץ וְכָל צְבָאָם, שפע היצורים שבהם, על כוחותיהם
ותפקידיהם. ב **וַיְכַל**, סיים **אֱלֹהִים בַּיּוֹם הַשְּׁבִיעִי מְלַאכְתּוֹ אֲשֶׁר**
עָשָׂה בששת הימים. **וַיִּשְׁבֹּת בַּיּוֹם הַשְּׁבִיעִי מִכָּל מְלַאכְתּוֹ אֲשֶׁר עָשָׂה.**
תם התהליך שבו נוצרו בכל יום ויום ברואים חדשים, שלא היה
דומה להם קודם. מכאן ואילך ממשיכים להתקיים ולנוע אותם
ברואים בסדר שנקבע להם. בשל מהותו העצמית הייחודית של
יום השבת – ג **וַיְבָרֶךְ אֱלֹהִים אֶת יוֹם הַשְּׁבִיעִי וַיְקַדֵּשׁ אֹתוֹ**, נתן בו
קדושה יתרה, **כִּי בוֹ שָׁבַת מִכָּל מְלַאכְתּוֹ אֲשֶׁר בָּרָא אֱלֹהִים לַעֲשׂוֹת.**

הרחבות

הכולל גם חושך ולילה, צמיחתם של עשבים וקמילתם, זריחת השמש ושקיעתה, היווצרות ומוות. הביטוי טוֹב מְאֹד מתייחס אל כלל התופעות, על עליותיהן ומורדותיהן, על מלאותן וחסרונן (ראו בראשית רבה ט,ה יב; שמות רבה י,א; זוהר ח"א קמד,ב).

'ויברך אלהים את יום השביעי ויקדש אתו'
יש מקומות בעולם שבהם נמנעים ביום השביעי ממלאכה, מתוך ההנחה שזהו יום של מזל רע. כאן מודגש הצד ההפוך: היום השביעי הוא יום של ברכה, של קדושה ושל השלמת העולם. רק עכשיו עומד העולם כראוי, שהרי אין הוא כולל רק עשייה, אלא גם הימנעות; אין הוא כולל רק ימים של דיבור, אלא גם יום של שתיקה. השתיקה וההימנעות באות מכוח שלמותו ומלאותו של יום השבת.

שני ב אֵלֶּה תוֹלְדוֹת הַשָּׁמַיִם וְהָאָרֶץ בְּהִבָּרְאָם בְּיוֹם עֲשׂוֹת ד
יְהוָה אֱלֹהִים אֶרֶץ וְשָׁמָיִם׃ וְכֹל ׀ שִׂיחַ הַשָּׂדֶה טֶרֶם ה
יִהְיֶה בָאָרֶץ וְכָל־עֵשֶׂב הַשָּׂדֶה טֶרֶם יִצְמָח כִּי לֹא
הִמְטִיר יְהוָה אֱלֹהִים עַל־הָאָרֶץ וְאָדָם אַיִן לַעֲבֹד
אֶת־הָאֲדָמָה׃ וְאֵד יַעֲלֶה מִן־הָאָרֶץ וְהִשְׁקָה אֶת־ ו
כָּל־פְּנֵי הָאֲדָמָה׃ וַיִּיצֶר יְהוָה אֱלֹהִים אֶת־הָאָדָם ז

רש"י

לֶחֶם מִשְׁנֶה. וְקִדְּשׁוֹ בַּמָּן שֶׁלֹּא יָרַד בּוֹ מָן כְּלָל, וְהַמִּקְרָא כָּתוּב עַל הֶעָתִיד: אֲשֶׁר בָּרָא אֱלֹהִים לַעֲשׂוֹת. הַמְּלָאכָה שֶׁהָיְתָה רְאוּיָה לַעֲשׂוֹת בַּשַּׁבָּת כָּפַל וַעֲשָׂאָהּ בַּשִּׁשִּׁי, כְּמוֹ שֶׁמְּפֹרָשׁ בִּבְרֵאשִׁית רַבָּה (יא, ט):

ד) אֵלֶּה. הָאֲמוּרִים לְמַעְלָה "תּוֹלְדוֹת הַשָּׁמַיִם וְהָאָרֶץ": בְּהִבָּרְאָם בְּיוֹם עֲשׂוֹת ה'. לְלַמֶּדְךָ שֶׁכֻּלָּם נִבְרְאוּ בָּרִאשׁוֹן. דָּבָר אַחֵר, "בְּהִבָּרְאָם", בְּהֵ"א בְּרָאָם, שֶׁנֶּאֱמַר: "בְּיָהּ ה' צוּר עוֹלָמִים" (ישעיה כו, ד), בִּשְׁתֵּי אוֹתִיּוֹת הַלָּלוּ שֶׁל הַשֵּׁם יָצַר שְׁנֵי עוֹלָמִים, וְלִמֶּדְךָ כָּאן שֶׁהָעוֹלָם הַזֶּה נִבְרָא בְּהֵ"א, רֶמֶז שֶׁיֵּרְדוּ הָרְשָׁעִים לְמַטָּה לִרְאוֹת שַׁחַת, כְּהֵ"א זֹאת שֶׁסְּתוּמָה מִכָּל הַצְּדָדִים וּפְתוּחָה לְמַטָּה לָרֶדֶת דֶּרֶךְ שָׁם:

ה) טֶרֶם יִהְיֶה בָאָרֶץ. כָּל 'טֶרֶם' שֶׁבַּמִּקְרָא לְשׁוֹן 'עַד לֹא' הוּא, וְאֵינוֹ לְשׁוֹן קֹדֶם, וְאֵינוֹ נִפְעָל לוֹמַר: הִטְרִים, כַּאֲשֶׁר יֵאָמֵר: הִקְדִּים, וְזֶה מוֹכִיחַ, וְעוֹד אַחֵר: "כִּי טֶרֶם תִּירְאוּן" (שמות ט, ל), עֲדַיִן לֹא תִּירְאוּן. וְאַף זֶה תְּפָרֵשׁ: עֲדַיִן לֹא הָיָה בָּאָרֶץ כְּשֶׁנִּגְמְרָה בְּרִיאַת הָעוֹלָם בַּשִּׁשִּׁי קֹדֶם שֶׁנִּבְרָא אָדָם, וְכָל עֵשֶׂב הַשָּׂדֶה עֲדַיִן לֹא צָמַח. וּבַשְּׁלִישִׁי שֶׁכָּתוּב: "וַתּוֹצֵא הָאָרֶץ" (לעיל א, יב), עַל פֶּתַח קַרְקַע עָמְדוּ עַד יוֹם שִׁשִּׁי: כִּי לֹא הִמְטִיר. וּמַה טַּעַם לֹא הִמְטִיר? לְפִי שֶׁאָדָם אַיִן לַעֲבֹד אֶת הָאֲדָמָה וְאֵין מַכִּיר בְּטוֹבָתָם שֶׁל גְּשָׁמִים. וּכְשֶׁבָּא אָדָם וְיָדַע שֶׁהֵם צֹרֶךְ לָעוֹלָם הִתְפַּלֵּל עֲלֵיהֶם וְיָרְדוּ, וְצָמְחוּ הָאִילָנוֹת וְהַדְּשָׁאִים: ה' אֱלֹהִים. ה' הוּא שְׁמוֹ, אֱלֹהִים – שֶׁהוּא שַׁלִּיט וְשׁוֹפֵט עַל כֹּל, וְכֵן פֵּרוּשׁ זֶה בְּכָל מָקוֹם לְפִי פְּשׁוּטוֹ: ה' שֶׁהוּא אֱלֹהִים:

ו) וְאֵד יַעֲלֶה. לְעִנְיַן בְּרִיָּתוֹ שֶׁל אָדָם, הֶעֱלָה הַתְּהוֹם וְהִשְׁקָה עֲנָנִים לִשְׁרוֹת הֶעָפָר וְנִבְרָא אָדָם, כְּגַבָּל זֶה שֶׁנּוֹתֵן מַיִם וְאַחַר כָּךְ לָשׁ אֶת הָעִסָּה, אַף כָּאן "וְהִשְׁקָה" וְאַחַר כָּךְ "וַיִּיצֶר":

ז) וַיִּיצֶר. שְׁתֵּי יְצִירוֹת, יְצִירָה לָעוֹלָם הַזֶּה וִיצִירָה לִתְחִיַּת הַמֵּתִים, אֲבָל בְּהֵמָה שֶׁאֵינָהּ עוֹמֶדֶת לַדִּין, לֹא נִכְתַּב בִּיצִירָתָהּ

תיאור הבריאה השני

פרק ב פס׳ ד – פרק ג

פרשה זו היא מן העלומות והמאתגרות בתורה. חלק מן המסופר בה אפשר להבין באופן קלוש בלבד. זהו אחד העניינים הדרמטיים והמסתוריים ביותר בכתבי הקודש.

לאחר התיאור הכוללני, העוסק בהיקפיה הרחבים של המציאות ושל מכלול הזמנים וחלוקתם שבעניין הראשון, מגיע תיאור מפורט של תהליכי השתלשלות של ברואים היוצאים מן האין אל היש. תיאור הבריאה הזה מוחשי ומדורג יותר מאשר התיאור המופשט והמושגי שבעניין הראשון. גם השם הקדוש שונה בעניין זה. בעניין הקודם חוזר ונשנה שם ׳אלוקים׳, המבטא, מצד אחד, את שלטונו ואת יכולתו של הקדוש ברוך הוא, ומצד שני, הוא מגלם את מהותו הכוללת והבלתי אישית. לעומת זאת, בעניין הזה מופיע הצירוף ׳ה׳ אלוקים׳. ׳ה״ הוא שמו הפרטי. כאן האלוהות אינה רק הוויה פילוסופית-תיאולוגית מופשטת, שהלמה את העניין שבו דובר בתכנית הגדולה, אלא מהות המתייחסת אל פרטי תהליך יצירת העולם.

ד **אֵלֶּה תוֹלְדוֹת הַשָּׁמַיִם וְהָאָרֶץ בְּהִבָּרְאָם, בְּיוֹם עֲשׂוֹת ה׳ אֱלֹהִים** | ביאור
אֶרֶץ וְשָׁמָיִם. ה בשלב זה העולם עדיין איננו שלם - **וְכֹל שִׂיחַ**
הַשָּׂדֶה טֶרֶם יִהְיֶה בָאָרֶץ וְכָל עֵשֶׂב הַשָּׂדֶה טֶרֶם יִצְמָח, כִּי לֹא הִמְטִיר
ה׳ אֱלֹהִים עַל הָאָרֶץ. הגשם הוא חלק מסדר העולם וממערכת הים
והיבשה, אך יש בו גם משום בריאה חדשה שעדיין לא הוזכרה
בעניין הקודם, עם יצירת הימים, היבשה והצמחים. מכיוון שהוא
לא הגיע, הצמחים עדיין לא צמחו בשלמות.[18] **וְאָדָם אַיִן לַעֲבֹד אֶת**
הָאֲדָמָה. בני אדם עובדים את האדמה גם כשאין גשם, באמצעות
הטיית המים ממקום למקום, אבל כאן אין עדיין אדם, ולכן האדמה
אינה מעובדת. ו **וְאֵד יַעֲלֶה מִן הָאָרֶץ, וְהִשְׁקָה אֶת כָּל פְּנֵי הָאֲדָמָה.**
תמצית הגשם כבר קיימת, אבל עדיין לא קיים מחזור גשמים שלם.
כאן מדובר בטרום-גשם, במה שקדם לסדר הגשמים הקבוע, אך
גם במערכת המוכרת לנו. ראשיתו של הגשם היא באד העולה מן
הארץ, שלאחר מכן הוא מתעבה ומשקה את פני האדמה.

תהליך יצירתם של הצמחים, שהתרחש ביום השלישי, זוכה כאן
לתיאור מפורט. ברייה חשובה הרבה יותר, שבריאתה תוארה
בכללות לעיל ושיצירתה ומעשיה יבואו עתה לידי פירוט, היא
האדם - ז **וַיִּיצֶר ה׳ אֱלֹהִים אֶת הָאָדָם עָפָר מִן הָאֲדָמָה.** בניגוד
לבעלי החיים האחרים, שנוצרו בבת אחת, את האדם יצר הקדוש
ברוך הוא בשלבים: בשלב הראשון הוא היה גוש עפר, ובלשון

עָפָר מִן־הָאֲדָמָה וַיִּפַּח בְּאַפָּיו נִשְׁמַת חַיִּים וַיְהִי
הָאָדָם לְנֶפֶשׁ חַיָּה׃ וַיִּטַּע יְהוָה אֱלֹהִים גַּן־בְּעֵדֶן ח
מִקֶּדֶם וַיָּשֶׂם שָׁם אֶת־הָאָדָם אֲשֶׁר יָצָר׃ וַיַּצְמַח ט
יְהוָה אֱלֹהִים מִן־הָאֲדָמָה כָּל־עֵץ נֶחְמָד לְמַרְאֶה
וְטוֹב לְמַאֲכָל וְעֵץ הַחַיִּים בְּתוֹךְ הַגָּן וְעֵץ הַדַּעַת
טוֹב וָרָע׃ וְנָהָר יֹצֵא מֵעֵדֶן לְהַשְׁקוֹת אֶת־הַגָּן וּמִשָּׁם י
יִפָּרֵד וְהָיָה לְאַרְבָּעָה רָאשִׁים׃ שֵׁם הָאֶחָד פִּישׁוֹן יא
הוּא הַסֹּבֵב אֵת כָּל־אֶרֶץ הַחֲוִילָה אֲשֶׁר־שָׁם הַזָּהָב׃

רש"י

שְׁנֵי יוּדִי"ן: **עָפָר מִן הָאֲדָמָה.** צָבַר עֲפָרוֹ מִכָּל הָאֲדָמָה מֵאַרְבַּע רוּחוֹת, שֶׁכָּל מָקוֹם שֶׁיָּמוּת שָׁם תְּהֵא קוֹלַטְתּוֹ לִקְבוּרָה. דָּבָר אַחֵר, נָטַל עֲפָרוֹ מִמָּקוֹם שֶׁנֶּאֱמַר בּוֹ: "מִזְבַּח אֲדָמָה תַּעֲשֶׂה לִּי" (שמות כ, כא), הַלְוַאי תְּהֵא לוֹ כַּפָּרָה וְיוּכַל לַעֲמֹד: **וַיִּפַּח בְּאַפָּיו.** עֲשָׂאוֹ מִן הַתַּחְתּוֹנִים וּמִן הָעֶלְיוֹנִים, גּוּף מִן הַתַּחְתּוֹנִים וּנְשָׁמָה מִן הָעֶלְיוֹנִים. לְפִי שֶׁבְּיוֹם רִאשׁוֹן נִבְרְאוּ שָׁמַיִם וָאָרֶץ, בַּשֵּׁנִי בָּרָא רָקִיעַ לָעֶלְיוֹנִים, בַּשְּׁלִישִׁי "תֵּרָאֶה הַיַּבָּשָׁה" לַתַּחְתּוֹנִים, בָּרְבִיעִי בָּרָא מְאוֹרוֹת לָעֶלְיוֹנִים, בַּחֲמִישִׁי "יִשְׁרְצוּ הַמַּיִם" לַתַּחְתּוֹנִים, הֻזְקַק הַשִּׁשִּׁי לִבְרֹאות בּוֹ בָּעֶלְיוֹנִים וּבַתַּחְתּוֹנִים, וְאִם לָאו יֵשׁ קִנְאָה בְּמַעֲשֵׂה בְרֵאשִׁית, שֶׁיִּהְיוּ אֵלּוּ רַבִּים עַל אֵלּוּ בִּבְרִיאַת יוֹם אֶחָד: **לְנֶפֶשׁ חַיָּה.** אַף בְּהֵמָה וְחַיָּה נִקְרְאוּ 'נֶפֶשׁ חַיָּה', אַךְ זוֹ שֶׁל אָדָם חַיָּה שֶׁבְּכֻלָּן, שֶׁנִּתּוֹסֵף בּוֹ דֵּעָה וְדִבּוּר:

ח] **מִקֶּדֶם.** בְּמִזְרָחוֹ שֶׁל עֵדֶן נָטַע אֶת הַגָּן. וְאִם תֹּאמַר, הֲרֵי כְּבָר כָּתַב: "וַיִּבְרָא... אֶת הָאָדָם" וְגוֹ' (לעיל א, כז)? רָאִיתִי בַּבָּרַיְתָא שֶׁל רַבִּי אֱלִיעֶזֶר בְּנוֹ שֶׁל רַבִּי יוֹסֵי הַגְּלִילִי מִשְּׁלֹשִׁים וּשְׁתַּיִם מִדּוֹת הָאַגָּדָה נִדְרֶשֶׁת, וְזוֹ אַחַת מֵהֶן: כְּלָל שֶׁלְּאַחֲרָיו מַעֲשֶׂה, הוּא פְּרָטוֹ שֶׁל רִאשׁוֹן. "וַיִּבְרָא... אֶת הָאָדָם" – זֶהוּ כְּלָל, סָתַם בְּרִיָּתוֹ מֵהֵיכָן וְסָתַם מַעֲשָׂיו. חָזַר וּפֵרַשׁ: "וַיִּיצֶר ה' אֱלֹהִים" וְגוֹ', וַיַּצְמַח לוֹ גַּן עֵדֶן וַיַּנִּיחֵהוּ בְּגַן עֵדֶן וַיַּפֵּל עָלָיו תַּרְדֵּמָה, הַשּׁוֹמֵעַ סָבוּר שֶׁהוּא מַעֲשֶׂה אַחֵר וְאֵינוֹ אֶלָּא פְּרָטוֹ שֶׁל רִאשׁוֹן. וְכֵן אֵצֶל הַבְּהֵמָה חָזַר וְכָתַב: "וַיִּצֶר ה'" וְגוֹ' מִן הָאֲדָמָה כָּל חַיַּת הַשָּׂדֶה" (להלן פסוק יט), כְּדֵי לְפָרֵשׁ: "וַיָּבֵא אֶל הָאָדָם" לִקְרוֹת שֵׁם, וּלְלַמֵּד עַל הָעוֹפוֹת שֶׁנִּבְרְאוּ מִן הָרְקָק:

ט] **וַיַּצְמַח.** לְעִנְיַן הַגָּן הַכָּתוּב מְדַבֵּר: **בְּתוֹךְ הַגָּן.** בְּאֶמְצַע הַגָּן:

יא] **פִּישׁוֹן.** הוּא נִילוּס נְהַר מִצְרַיִם, וְעַל שֵׁם שֶׁמֵּימָיו מִתְבָּרְכִין וְעוֹלִין וּמַשְׁקִין אֶת הָאָרֶץ נִקְרָא "פִּישׁוֹן", כְּמוֹ: "וּפָשׁוּ פָּרָשָׁיו" (חבקוק א, ח). דָּבָר אַחֵר, "פִּישׁוֹן", שֶׁהוּא מְגַדֵּל פִּשְׁתָּן, הוּא שֶׁנֶּאֱמַר בִּישַׁעְיָה אֵצֶל מִצְרַיִם: "וּבֹשׁוּ עֹבְדֵי פִשְׁתִּים" (ישעיה יט, ט):

ביאור | חכמים – 'גולם',[19] המציאות החומרית כשלעצמה. אחר כך – **וַיִּפַּח בְּאַפָּיו נִשְׁמַת חַיִּים**, ואז הפך יצור דומם זה לאדם. **וַיְהִי הָאָדָם לְנֶפֶשׁ חַיָּה**. נפש האדם חיה לא רק במובן זה שאין היא מתה, אלא שיש בה חיות וחיוניות מיוחדת – נפש מדברת.[20] נשמת החיים שבאדם אינה הוויה מופשטת או קדושה החבויה בתוכו בלבד; היא גם מקרינה מתוכו החוצה.

כחלק מתהליך הבריאה, ח **וַיִּטַּע ה' אֱלֹהִים גַּן בְּעֵדֶן**. עדן הוא שם מקום.[21] אולם משמעותו הפנימית של שם זה היא עונג. אל סתימותו של שם המקום הזה מצטרפת גם העובדה שהוא **מִקֶּדֶם**, בצד מזרח – בלא שהכתוב מפרש מזרחית לְמה, לתוספת מסתורין. מקום זה אינו חלק מהעולם המוכר, אלא הוא כעין מרכיב זר למציאות. **וַיָּשֶׂם שָׁם אֶת הָאָדָם אֲשֶׁר יָצָר**. ט **וַיַּצְמַח ה' אֱלֹהִים מִן הָאֲדָמָה** שבגן עדן **כָּל עֵץ נֶחְמָד לְמַרְאֶה וְטוֹב לְמַאֲכָל. וְעֵץ הַחַיִּים**, שיסופר עליו בהמשך, **בְּתוֹךְ**, במרכז[22] **הַגָּן, וְעֵץ הַדַּעַת טוֹב וָרָע**. י **וְנָהָר יֹצֵא מֵעֵדֶן, לְהַשְׁקוֹת אֶת הַגָּן, וּמִשָּׁם יִפָּרֵד** הנהר **וְהָיָה לְאַרְבָּעָה רָאשִׁים**. נוצרו ממנו ארבעה נהרות גדולים: יא **שֵׁם הָאֶחָד פִּישׁוֹן, הוּא הַסֹּבֵב אֵת כָּל אֶרֶץ הַחֲוִילָה אֲשֶׁר שָׁם הַזָּהָב**. מקובל לזהות את הפישון

הרחבות | **'ויפח באפיו נשמת חיים'** אפשר לראות כאן רמז דק לכך שנשמתו של האדם היא חלק שנותן אלוקים מעצמו, כביכול (על פי ספר הקנה: "מי שנופח – משלו הוא נופח"). מכאן דמותה הייחודית של הוויית האדם, בצלמו כדמותו של הבורא.

'ועץ החיים בתוך הגן ועץ הדעת' מקומו של עץ הדעת טוב ורע אינו מוזכר כאן, ורק בהמשך האשה ממקמת אותו בְּתוֹךְ הַגָּן (להלן ג,ג). אפשר שלא היו אלה שני העצים נבדלים, אלא שני צדדים של אותו עץ, שני ענפים או שני גזעים היוצאים מתוך עץ אחד (ראו רמב"ן).

וּזֲהַב הָאָרֶץ הַהִוא טוֹב שָׁם הַבְּדֹלַח וְאֶבֶן הַשֹּׁהַם: יב
וְשֵׁם־הַנָּהָר הַשֵּׁנִי גִּיחוֹן הוּא הַסּוֹבֵב אֵת כָּל־אֶרֶץ יג
כּוּשׁ: וְשֵׁם הַנָּהָר הַשְּׁלִישִׁי חִדֶּקֶל הוּא הַהֹלֵךְ קִדְמַת יד
אַשּׁוּר וְהַנָּהָר הָרְבִיעִי הוּא פְרָת: וַיִּקַּח יְהוָה אֱלֹהִים טו
אֶת־הָאָדָם וַיַּנִּחֵהוּ בְגַן־עֵדֶן לְעָבְדָהּ וּלְשָׁמְרָהּ: וַיְצַו טז
יְהוָה אֱלֹהִים עַל־הָאָדָם לֵאמֹר מִכֹּל עֵץ־הַגָּן אָכֹל
תֹּאכֵל: וּמֵעֵץ הַדַּעַת טוֹב וָרָע לֹא תֹאכַל מִמֶּנּוּ כִּי יז

רש"י | יג–יד | **גִּיחוֹן.** שֶׁהָיָה הוֹלֵךְ וְהוֹמֶה וְהֶמְיָתוֹ גְּדוֹלָה מְאֹד, כְּמוֹ: "וְכִי יִגַּח" (שמות כא, כח) שֶׁמְּנַגֵּחַ וְהוֹלֵךְ וְהוֹמֶה: **חִדֶּקֶל.** שֶׁמֵּימָיו חַדִּין וְקַלִּין: **פְּרָת.** שֶׁמֵּימָיו פָּרִין וְרָבִין וּמַבְרִין אֶת הָאָדָם: **כּוּשׁ וְאַשּׁוּר** – עֲדַיִן לֹא הָיוּ, וְנִכְתַּב מִקְרָא עַל הֶעָתִיד: **קִדְמַת אַשּׁוּר.** לְמִזְרָחָהּ שֶׁל אַשּׁוּר: **הוּא פְרָת.** הֶחָשׁוּב עַל כֻּלָּם, הַנִּזְכָּר עַל שֵׁם אֶרֶץ יִשְׂרָאֵל:

טו | **וַיִּקַּח.** לְקָחוֹ בִּדְבָרִים נָאִים וּפִתָּהוּ לִכָּנֵס:

ארבעת נהרות גן עדן

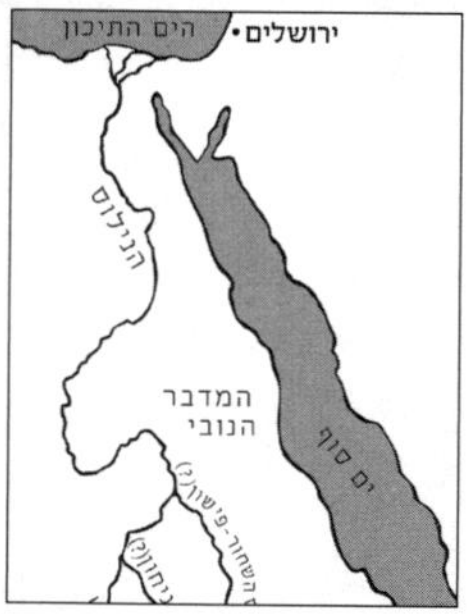

העולם | **פישון וגיחון** לפי אזכור כוש וארץ החוילה, שאותם סובבים הפישון והגיחון, נראה שהנהרות זורמים בארצות בני חם, כמוזכר ברשימת העמים להלן (י,ו–ז). על כן רבים מזהים אותם עם יובלים שונים של הנילוס. אולם כיוון שמוצא אחד לכל הנהרות, היו שזיהו אותם עם נהרות גדולים באסיה הסמוכים לפרת והחִדקל.

הנהרות והגן אם נהר פישון הוא אכן הנילוס, הזורם מדרומה של אפריקה לצפונה, הרי אין לו כל נקודה משותפת עם הפרת והחִדקל שבאסיה. דווקא זיהוי ארבעת הנהרות מרמז שגן עדן אינו מקום ממשי, גיאוגרפי, המצוי במחוז נסתר שאפשר לחפש אחריו על פני תבל. בגן הפלאי יכול לזרום נהר

ביאור | עם הנילוס.[23] יב **וּזֲהַב הָאָרֶץ הַהִוא טוֹב**. איכותו של הזהב המצוי
במרבצים אלו גבוהה. **שָׁם** גם **הַבְּדֹלַח וְאֶבֶן הַשֹּׁהַם**. יג **וְשֵׁם הַנָּהָר**
הַשֵּׁנִי גִּיחוֹן, הוּא הַסּוֹבֵב אֵת כָּל אֶרֶץ כּוּשׁ. ייתכן שהיא אתיופיה של
ימינו. והיו שזיהו את ארץ כוש עם המחוז ההררי ההודי המכונה
כעת 'הינדו-כוש'.[24] יד **וְשֵׁם הַנָּהָר הַשְּׁלִישִׁי חִדֶּקֶל, הוּא הַהֹלֵךְ קִדְמַת**
אַשּׁוּר, ממזרח לאשור. החִדקל הוא נהר עצום מימדים במסופוטמיה
ומוכר בשם זה גם בימינו, **וְהַנָּהָר הָרְבִיעִי הוּא פְרָת**. על מיקומו של
נהר פרת אין צורך לציין דבר, משום שכמעט בכל המקרא, כשנזכר
'הנהר' סתם – מדובר בנהר פרת.[25] נהר זה הוא הגבול שבין ארצות
המזרח הקרוב לארצות הסובבות אותן.[26]

טו **וַיִּקַּח ה' אֱלֹהִים אֶת הָאָדָם, וַיַּנִּחֵהוּ בְגַן עֵדֶן לְעָבְדָהּ וּלְשָׁמְרָהּ**. בניגוד
לשאר צמחי הגן והיצורים שפוזרו בגן עדן, האדם הונח בו לשם
תכלית מסוימת – לעבוד את האדמה ולשמרה. כשם שבעניין הקודם
הוטל על האדם לשלוט בעולם כולו, כך מוטלת עליו כאן האחריות
כלפי פיסה מסוימת של עולם-לא-עולם. העולם עדיין אינו פועל
כסדרו. ייתכן שבגן עדן לעולם אין גשם, את כל חיותו הוא שואב
מנהרותיו, והוא תלוי בטיפולו של האדם בו. מכאן חשיבותה הרבה
של עבודת האדם לדאוג לצמיחת עצי הגן ולשמירתם מכל נזק.

טז **וַיְצַו ה' אֱלֹהִים עַל הָאָדָם לֵאמֹר: מִכֹּל עֵץ הַגָּן אָכֹל תֹּאכֵל**. כל
עצי הגן מותרים לך; מהם תיזון. יז **וּמֵעֵץ הַדַּעַת טוֹב וָרָע לֹא תֹאכַל**
מִמֶּנּוּ, כִּי בְּיוֹם אֲכָלְךָ מִמֶּנּוּ מוֹת תָּמוּת. אם תאכל מן העץ הזה – הרי
אתה מת.[27]

העולם | שיצאו ממנו ראשים במקומות רחוקים זה מזה.

חִדֶּקֶל מקור השם הוא בשם האכדי אדקלת. בספר דניאל (י,ד) הוא מכונה הַנָּהָר הַגָּדוֹל, שכן אורכו כ-1950 ק"מ, והוא אחד משני הנהרות החשובים במסופוטמיה (מסופוטמיה – משמעה בין הנהרות). החִדקל, המאופיין בזרימתו החזקה, יוצא מהרי ארמניה בצפון-מערב, ממשיך במקביל להרי הזגרוס ונשפך אל המפרץ הפרסי בדרום-מזרח.

יח בְּיוֹם אֲכָלְךָ מִמֶּנּוּ מוֹת תָּמוּת: וַיֹּאמֶר יְהוָה אֱלֹהִים
לֹא־טוֹב הֱיוֹת הָאָדָם לְבַדּוֹ אֶעֱשֶׂה־לּוֹ עֵזֶר כְּנֶגְדּוֹ:
יט וַיִּצֶר יְהוָה אֱלֹהִים מִן־הָאֲדָמָה כָּל־חַיַּת הַשָּׂדֶה
וְאֵת כָּל־עוֹף הַשָּׁמַיִם וַיָּבֵא אֶל־הָאָדָם לִרְאוֹת מַה־
יִּקְרָא־לוֹ וְכֹל אֲשֶׁר יִקְרָא־לוֹ הָאָדָם נֶפֶשׁ חַיָּה הוּא
שלישי כ שְׁמוֹ: וַיִּקְרָא הָאָדָם שֵׁמוֹת לְכָל־הַבְּהֵמָה וּלְעוֹף
הַשָּׁמַיִם וּלְכֹל חַיַּת הַשָּׂדֶה וּלְאָדָם לֹא־מָצָא עֵזֶר
כא כְּנֶגְדּוֹ: וַיַּפֵּל יְהוָה אֱלֹהִים ׀ תַּרְדֵּמָה עַל־הָאָדָם וַיִּישָׁן

רש"י | יח | **לֹא טוֹב הֱיוֹת וְגוֹ'.** שֶׁלֹּא יֹאמְרוּ שְׁתֵּי רְשׁוּיוֹת הֵן, הַקָּדוֹשׁ בָּרוּךְ הוּא בָּעֶלְיוֹנִים יָחִיד וְאֵין לוֹ זוּג וְזֶה בַּתַּחְתּוֹנִים אֵין לוֹ זוּג: **עֵזֶר כְּנֶגְדּוֹ.** זָכָה – 'עֵזֶר', לֹא זָכָה – 'כְּנֶגְדּוֹ' לְהִלָּחֵם:

יט | **וַיִּצֶר... מִן הָאֲדָמָה.** הִיא יְצִירָה הִיא עֲשִׂיָּה הָאֲמוּרָה לְמַעְלָה: "וַיַּעַשׂ אֱלֹהִים אֶת חַיַּת הָאָרֶץ" וְגוֹ' (לעיל א, כה), אֶלָּא בָּא וּפֵרֵשׁ שֶׁהָעוֹפוֹת נִבְרְאוּ מִן הָרְקָק, לְפִי שֶׁאָמַר לְמַעְלָה (לעיל א, כ) מִן הַמַּיִם נִבְרְאוּ, וְכָאן אָמַר מִן הָאָרֶץ נִבְרְאוּ. וְעוֹד לִמֶּדְךָ כָּאן, שֶׁבִּשְׁעַת יְצִירָתָן מִיָּד בּוֹ בַּיּוֹם הֱבִיאָם אֶל הָאָדָם לִקְרוֹת לָהֶם שֵׁם. וּבְדִבְרֵי אַגָּדָה יְצִירָה זוֹ לְשׁוֹן רִדּוּי וְכִבּוּשׁ, כְּמוֹ: "כִּי תָצוּר אֶל עִיר" (דברים כ, יט), שֶׁכְּבָשָׁן תַּחַת יָדוֹ שֶׁל אָדָם: **וְכֹל אֲשֶׁר יִקְרָא לוֹ הָאָדָם נֶפֶשׁ חַיָּה וְגוֹ'.** סָרְסֵהוּ וּפָרְשֵׁהוּ: כָּל נֶפֶשׁ חַיָּה אֲשֶׁר יִקְרָא לוֹ הָאָדָם שֵׁם, הוּא שְׁמוֹ לְעוֹלָם:

כ-כא | **וּלְאָדָם לֹא מָצָא עֵזֶר. וַיַּפֵּל ה' אֱלֹהִים תַּרְדֵּמָה.** כְּשֶׁהֱבִיאָן, הֱבִיאָן לְפָנָיו כָּל מִין וָמִין זָכָר וּנְקֵבָה, אָמַר: לְכֻלָּם יֵשׁ בֶּן זוּג וְלִי אֵין בֶּן זוּג, מִיָּד "וַיַּפֵּל": **מִצַּלְעֹתָיו.** מִסִּטְרָיו, כְּמוֹ: "וּלְצֶלַע הַמִּשְׁכָּן" (שמות כו, כ), זֶהוּ שֶׁאָמַרְנוּ (ברכות סא ע"א): שְׁנֵי פַרְצוּפִין נִבְרְאוּ: **וַיִּסְגֹּר.** מְקוֹם הַחֲתָךְ: **וַיִּישַׁן וַיִּקַּח.** שֶׁלֹּא יִרְאֶה חֲתִיכַת הַבָּשָׂר שֶׁמִּמֶּנּוּ נִבְרֵאת וְתִתְבַּזֶּה עָלָיו:

הרחבות | 'ויקרא האדם שמות' נתינת השמות מתוארת בדברי המדרשים כמבחן לחכמתו של האדם אל מול המלאכים. האנושיות מגולמת ביכולת הלשונית. הדעה והדיבור של האדם אינם נבחנים במיומנות הטכנית להשמיע קולות, אלא ביכולתו לייצג את המציאות בסמלים. כשהאדם עבר על כל יצורי העולם וקרא לכל אחד בשמו, הוא יצר מאות אלפי סמלים. המלאכים לא יכלו לעשות זאת; בין השאר, מפני שאין בכוחם ליצור יצירות מן הדמיון. מעלתו המיוחדת של האדם נעוצה ביכולתו לחדש מושגים (ראו בראשית רבה יז,יט; אבות דרבי נתן ח).

ביאור

יח וַיֹּאמֶר ה׳ אֱלֹהִים: לֹא טוֹב הֱיוֹת הָאָדָם לְבַדּוֹ. כל בעלי החיים
נבראו זכר ונקבה, והם עשויים לפרות ולרבות. רק האדם נברא
יחידי, ללא בן זוג.[28] שמא האדם לא נברא מראש לפרות ולרבות?!
שמא ברא ה׳ בתוך העולם את בן דמותו – בעל הדעת והבחירה
החופשית – כמציאות מקבילה לו – הקדוש ברוך הוא מצוי למעלה,
כבורא, והאדם מצוי למטה, בתור העובד והשומר, ודי בשניהם?!
כנגד אפשרות זו נאמר כאן כי מציאותו של האדם כיצור יחידי
אינה טובה, בין אם עבורו ובין אם עבור העולם.[29] לפיכך אֶעֱשֶׂה לּוֹ
עֵזֶר, השלמה כְּנֶגְדּוֹ. האדם זקוק לשותפות עם זולתו, ובשותפות זו
ראשיתה של האנושות.

יט בתוך כך – וַיִּצֶר ה׳ אֱלֹהִים מִן הָאֲדָמָה כָּל חַיַּת הַשָּׂדֶה וְאֵת כָּל עוֹף
הַשָּׁמַיִם, וַיָּבֵא אֶל הָאָדָם לִרְאוֹת מַה יִּקְרָא לוֹ. הקדוש ברוך הוא הראה
לאדם, אדון הבריאה של מטה, את כל יצורי העולם, כדי שיקרא
להם שמות. וְכֹל אֲשֶׁר יִקְרָא לוֹ הָאָדָם נֶפֶשׁ חַיָּה – הוּא שְׁמוֹ. האדם
נתן שמות לכל היצורים. כ וַיִּקְרָא הָאָדָם שֵׁמוֹת לְכָל הַבְּהֵמָה וּלְעוֹף
הַשָּׁמַיִם וּלְכֹל חַיַּת הַשָּׂדֶה. וכיוון שכל בעלי החיים שעברו לפני אדם
כונו בשמות, התברר – וּלְאָדָם לֹא מָצָא עֵזֶר כְּנֶגְדּוֹ. אין אדם נוסף.
הבריאה הראשונה, הטרום-סמלית, רואה כל פרט בפני עצמו – עץ
מסוים, חיה מסוימת. יכולת ההסמלה וההמשגה הלשונית כרוכה
בהיווצרותן של קטגוריות. קודם היות הקטגוריות ייתכן שהאדם לא
ידע כלל שהוא יחידי, מפני שבעולם נטול קטגוריות כל פרט הוא
יחידי ואינו נערך עם זולתו. כאשר החל האדם לחשוב בקטגוריות
של זני צמחים, מיני חיות ומשפחות בעלי חיים ושל זכר ונקבה
בבעלי החיים, הוא הגיע לתודעת בדידותו, שכן נוכח לדעת כי דבר
מכל הפרטים שסקר אינו מתאים לו.

כא וַיַּפֵּל ה׳ אֱלֹהִים תַּרְדֵּמָה עַל הָאָדָם, וַיִּישָׁן. וַיִּקַּח אַחַת מִצַּלְעֹתָיו,

הרחבות

קודם החלוקה המגדרית מתחילתו נברא האדם כיצור אחד בעל שני צדדים, שעדיין לא התחלק לזכר ולנקבה, כמו שמתואר בהמשך – זָכָר וּנְקֵבָה בְּרָאָם... וַיִּקְרָא אֶת שְׁמָם אָדָם בְּיוֹם הִבָּרְאָם (להלן ה,ב). באותה הוויית אדם דו-פרצופי לא היו סימני זכרות ונקבות מובהקים, אלא מעין שתי פנים. צדדי הזכר והנקבה שבאדם הראשון היו קרובים זה לזה יותר מתאומים סיאמיים, שכן הם היו מחוברים במוחם ולא רק בגופם. יצור מושלם זה חשב בראש אחד (ראו ברכות סא ע״א). ושמא אותו אנדרוגינוס קדום מגלם את הרעיון שבכל גבר יש צד נשי, ולהיפך.

כב וַיִּקַּח אַחַת מִצַּלְעֹתָיו וַיִּסְגֹּר בָּשָׂר תַּחְתֶּנָּה: וַיִּבֶן יְהוָה
אֱלֹהִים ׀ אֶת־הַצֵּלָע אֲשֶׁר־לָקַח מִן־הָאָדָם לְאִשָּׁה
כג וַיְבִאֶהָ אֶל־הָאָדָם: וַיֹּאמֶר הָאָדָם זֹאת הַפַּעַם עֶצֶם
מֵעֲצָמַי וּבָשָׂר מִבְּשָׂרִי לְזֹאת יִקָּרֵא אִשָּׁה כִּי מֵאִישׁ
כד לֻקֳחָה־זֹּאת: עַל־כֵּן יַעֲזָב־אִישׁ אֶת־אָבִיו וְאֶת־
כה אִמּוֹ וְדָבַק בְּאִשְׁתּוֹ וְהָיוּ לְבָשָׂר אֶחָד: וַיִּהְיוּ שְׁנֵיהֶם
ג א עֲרוּמִּים הָאָדָם וְאִשְׁתּוֹ וְלֹא יִתְבֹּשָׁשׁוּ: וְהַנָּחָשׁ הָיָה
עָרוּם מִכֹּל חַיַּת הַשָּׂדֶה אֲשֶׁר עָשָׂה יְהוָה אֱלֹהִים

רש"י

כב| **וַיִּבֶן.** כְּבִנְיָן, רְחָבָה מִלְּמַטָּה וּקְצָרָה מִלְּמַעְלָה לְקַבֵּל הַוָּלָד, כְּאוֹצָר שֶׁל חִטִּים שֶׁהוּא רָחָב מִלְּמַטָּה וְקָצָר מִלְּמַעְלָה שֶׁלֹּא יַכְבִּיד מַשָּׂאוֹ עַל קִירוֹתָיו: **וַיִּבֶן... אֶת הַצֵּלָע... לְאִשָּׁה.** לִהְיוֹת אִשָּׁה, כְּמוֹ: "וַיַּעַשׂ אוֹתוֹ גִדְעוֹן לְאֵפוֹד" (שופטים ח, כז), לִהְיוֹת אֵפוֹד:

כג| **זֹאת הַפַּעַם.** מְלַמֵּד שֶׁבָּא אָדָם עַל כָּל בְּהֵמָה וְחַיָּה וְלֹא נִתְקָרְרָה דַּעְתּוֹ בָּהֶם: **לְזֹאת יִקָּרֵא אִשָּׁה כִּי מֵאִישׁ וְגוֹ'.** לָשׁוֹן נוֹפֵל עַל לָשׁוֹן, מִכָּאן שֶׁנִּבְרָא הָעוֹלָם בִּלְשׁוֹן הַקֹּדֶשׁ:

כד| **עַל כֵּן יַעֲזָב אִישׁ.** רוּחַ הַקֹּדֶשׁ אוֹמֶרֶת כֵּן, לֶאֱסֹר עַל בְּנֵי נֹחַ עֲרָיוֹת: **לְבָשָׂר אֶחָד.** הַוָּלָד נוֹצָר עַל יְדֵי שְׁנֵיהֶם, וְשָׁם נַעֲשֶׂה בְּשָׂרָם אֶחָד:

כה| **וְלֹא יִתְבֹּשָׁשׁוּ.** שֶׁלֹּא הָיוּ יוֹדְעִים דֶּרֶךְ צְנִיעוּת לְהַבְחִין בֵּין טוֹב לָרָע, וְאַף עַל פִּי שֶׁנִּתְּנָה בּוֹ דֵּעָה לִקְרֹא שֵׁמוֹת, לֹא נִתַּן בּוֹ יֵצֶר הָרָע עַד אָכְלוֹ מִן הָעֵץ, וְנִכְנַס בּוֹ יֵצֶר הָרָע וְיָדַע מַה בֵּין טוֹב לָרָע:

פרק ג

א| **וְהַנָּחָשׁ הָיָה עָרוּם.** מָה עִנְיָן זֶה לְכָאן? הָיָה לוֹ לִסְמֹךְ: "וַיַּעַשׂ... לְאָדָם וּלְאִשְׁתּוֹ כָּתְנוֹת עוֹר וַיַּלְבִּשֵׁם" (להלן פסוק כא)! אֶלָּא לְמֶדְךָ מֵאֵיזוֹ עֵצָה קָפַץ הַנָּחָשׁ עֲלֵיהֶם,

הרחבות

'ודבק באשתו והיו לבשר אחד' כאן מוסברת לראשונה מהותם של הנישואין. קשר הנישואין אינו מבוסס על תשוקה בלבד, ואף לא על אינסטינקט ההולדה כשלעצמו. בתמצית הנישואין כלול מאפיין יחיד במינו: התקשרות פרטית בין איש מסוים לאשה מסוימת. מתוך תפיסת עומק זו משתלשלות ההנחיות

ביאור | אחד מצדדיו.[30] **וַיִּסְגֹּר בָּשָׂר תַּחְתֶּנָּה**, את מקום הצלע. כב **וַיִּבֶן ה׳**
אֱלֹהִים אֶת הַצֵּלָע אֲשֶׁר לָקַח מִן הָאָדָם, לְאִשָּׁה, הצורה שבנה הייתה
שונה מצורת הזכר, **וַיְבִאֶהָ אֶל הָאָדָם**, לאחר שהתעורר.

קודם שהופלה התרדמה על האדם הייתה האשה חלק ממנו. כג
רק עתה – **וַיֹּאמֶר הָאָדָם: זֹאת הַפַּעַם**, ההוויה המסוימת הזאת, היא
עֶצֶם מֵעֲצָמַי וּבָשָׂר מִבְּשָׂרִי. מצד אחד, הוא ידע שהיא חלק מתבניתו
הראשונית, ומצד שני, ידע כי היא זרה לו. מה שהיה קודם הוויה
אחת, התפצל עתה לשתי הוויות שונות המסוגלות להתייחס זו
לזו. **לְזֹאת יִקָּרֵא אִשָּׁה, כִּי מֵאִישׁ לֻקְחָה זֹּאת**. שתי הצורות הדומות
דקדוקית זו לזו – אִשָּׁה ואִישׁ – מעידות על הדמיון בין שני היצורים
המסומנים על ידיהן.

מאחר שהאיש והאשה לא נבראו כשני יצורים נבדלים, אף הקשר
ביניהם מיוחד. בניגוד לזכרים ולנקבות בעולם החי, שהם הוויות
נבדלות המתפתחות בנפרד, האיש והאשה הם, אף שהיו ישויות
נפרדות, היו חלקים מדמות ראשונית אחת. ייחודיות זו יוצרת את
קשר האהבה ביניהם ואת משמעות הנישואין:[31] כד **עַל כֵּן יַעֲזָב אִישׁ**
אֶת אָבִיו וְאֶת אִמּוֹ, וְדָבַק בְּאִשְׁתּוֹ וְהָיוּ לְבָשָׂר אֶחָד. הקשר ההדוק
והראשוני ביותר בין אנשים הגדלים בתוך משפחה הוא הקשר עם
הוריהם. אף על פי כן, הקשר שבין איש ואשה חזק ממנו, ואף גובר
על הקשר שבין אדם לבין משפחת המוצא שלו. הקשר עם ההורים
בוודאי נשאר, אך כוחו נחלש.

כאן מופיעה מעין הקדמה להתרחשויות שיתוארו בהמשך: כה **וַיִּהְיוּ**
שְׁנֵיהֶם עֲרוּמִּים הָאָדָם וְאִשְׁתּוֹ וְלֹא יִתְבֹּשָׁשׁוּ. כשאר בעלי החיים,
אף האדם ואשתו לא היו זקוקים לכיסוי והסתרה בגן עדן. כחלק
מעולם הטבע כולו, אף האנושות הראשונית הייתה חשופה וגלויה,
כפי שנבראה.

פרק ג א **וְהַנָּחָשׁ הָיָה עָרוּם**, חכם מאוד, בעל חכמה פעילה,[32] **מִכֹּל**
חַיַּת הַשָּׂדֶה אֲשֶׁר עָשָׂה ה׳ אֱלֹהִים. וַיֹּאמֶר אֶל הָאִשָּׁה, ייתכן שהנחש

הרחבות | לגבי משמעות הנישואין ולגבי הזכויות, החובות ושאר היסודות הכלולים בהם, כגון היחס בין המשפחה המולידה למשפחה המתהווה. כאן מופיעה רק הקביעה הכללית המסבירה את מהות הקשר בין איש ואשה, ובהמשך ינבעו ממנה החוקים, הדינים והמשפטים על פרטיהם.

וַיֹּאמֶר אֶל־הָאִשָּׁה אַף כִּי־אָמַר אֱלֹהִים לֹא תֹאכְלוּ
מִכֹּל עֵץ הַגָּן: וַתֹּאמֶר הָאִשָּׁה אֶל־הַנָּחָשׁ מִפְּרִי ב
עֵץ־הַגָּן נֹאכֵל: וּמִפְּרִי הָעֵץ אֲשֶׁר בְּתוֹךְ־הַגָּן אָמַר ג
אֱלֹהִים לֹא תֹאכְלוּ מִמֶּנּוּ וְלֹא תִגְּעוּ בּוֹ פֶּן תְּמֻתוּן:
וַיֹּאמֶר הַנָּחָשׁ אֶל־הָאִשָּׁה לֹא־מוֹת תְּמֻתוּן: כִּי ד ה
יֹדֵעַ אֱלֹהִים כִּי בְּיוֹם אֲכָלְכֶם מִמֶּנּוּ וְנִפְקְחוּ עֵינֵיכֶם
וִהְיִיתֶם כֵּאלֹהִים יֹדְעֵי טוֹב וָרָע: וַתֵּרֶא הָאִשָּׁה כִּי ו

רש"י רָאָה אוֹתָם עֲרֻמִּים וְעוֹסְקִים בְּתַשְׁמִישׁ לְעֵין כֹּל וְנִתְאַוָּה לָהּ: **עָרוּם מִכֹּל.** לְפִי עָרְמָתוֹ וּגְדֻלָּתוֹ הָיְתָה מַפַּלְתּוֹ, עָרוּם מִכֹּל, אָרוּר מִכֹּל (להלן פסוק יד): **אַף כִּי אָמַר** וְגוֹ'. שֶׁמָּא אָמַר לָכֶם: "לֹא תֹאכְלוּ מִכֹּל" וְגוֹ', וְאַף עַל פִּי שֶׁרָאָה אוֹתָם אוֹכְלִים מִשְּׁאָר פֵּרוֹת, הִרְבָּה עָלֶיהָ דְּבָרִים כְּדֵי שֶׁתְּשִׁיבֶנּוּ וְיָבֹא לְדַבֵּר בְּאוֹתוֹ הָעֵץ:

ג | **וְלֹא תִגְּעוּ בּוֹ.** הוֹסִיפָה עַל הַצִּוּוּי לְפִיכָךְ בָּאָה לִידֵי גֵּרָעוֹן, הוּא שֶׁנֶּאֱמַר: "אַל תּוֹסְףְּ עַל דְּבָרָיו" (משלי ל, ו):

ד | **לֹא מוֹת תְּמֻתוּן.** דְּחָפָהּ עַד שֶׁנָּגְעָה בּוֹ. אָמַר לָהּ: כְּשֵׁם שֶׁאֵין מִיתָה בִּנְגִיעָה, כָּךְ אֵין מִיתָה בַּאֲכִילָה:

ה | **כִּי יֹדֵעַ.** כָּל אֻמָּן שׂוֹנֵא אֶת בְּנֵי אֻמָּנוּתוֹ, מִן הָעֵץ אָכַל וּבָרָא אֶת הָעוֹלָם: **וִהְיִיתֶם כֵּאלֹהִים.** יוֹצְרֵי עוֹלָמוֹת:

ו | **וַתֵּרֶא הָאִשָּׁה.** רָאֲתָה דְּבָרָיו שֶׁל נָחָשׁ וְהֻנְאוּ לָהּ וְהֶאֱמִינַתּוּ: **כִּי טוֹב הָעֵץ.** לִהְיוֹת כֵּאלֹהִים: **וְכִי תַאֲוָה הוּא לָעֵינַיִם.** "וְנִפְקְחוּ עֵינֵיכֶם" (לעיל פסוק ה): **וְנֶחְמָד... לְהַשְׂכִּיל.**

הרחבות **מניעיו של הנחש** התורה אינה מספרת מה הניע את הנחש להסית. ייתכן שהנחש היה מעוניין להגיע לדרגה גבוהה יותר בהירכיה של גן העדן, ולהפוך לראשון בין יצורי הגן (ראו בראשית רבה כ,ה). אפשרות אחרת – מאחורי הסתת הנחש לא עמדה תכלית כלשהי; הנחש היה התגלמות הרע כשלעצמו. המדרש מצייר במלותיו את השטן כרוכב על גבי הנחש, כלומר הנחש מתואר ככלי שרת בידי כוחות של רוע מוחלט (פרקי דרבי אליעזר יב). אכן, גם אם תולים רוע זה בשטן, עדיין קשה להלום את פשר קיומו של הרוע המוחלט הזה בעולם. שאלת מניעיו של הנחש נותרת ללא הכרעה גמורה (ראו זוהר ח"א לה,ב).

הנחש רצה ברוע, כלומר בהפרתם של חוקי המציאות, אך כנראה הוא עצמו לא היה מסוגל לאכול מפרי עץ הדעת טוב ורע, שכן כשאר היצורים, הוא

ביאור

בחר לפנות דווקא אל האשה, משום שה' לא דיבר אליה במישרין.
הציווי ניתן לאדם, ואף שכנראה היא הייתה אז חלק ממנו, מסתבר
שהצד הזכרי שבו לבדו הוא ששמע את הציווי באופן ישיר. קל
יותר להסית ולהטות את מי ששמע את האיסור דרך מתווך. טעם
עמוק יותר קשור לכך שהנחש המפתה מנסה לעורר בה סקרנות.
ייתכן שתכונה זו מאפיינת יותר את האשה. אולי היא קלה יותר
להתפתות בגלל שרצונה להתנסות ולהבין כיצד מתרחשים הדברים
בעולם; ואולי הפנייה אל האשה קשורה דווקא לכך שפיתוי זה
איננו אינטלקטואלי בלבד, אלא יש בו צדדים רגשיים וחווייתיים,
כפי שמשתמע בהמשך המקראות, וצדדים אלו היו מפותחים יותר
באשה מבאדם. וכך פותח הנחש בפנייתו המתוחכמת: **אַף כִּי אָמַר**
אֱלֹהִים: "לֹא תֹאכְלוּ מִכֹּל עֵץ הַגָּן". בערמתו רקם הנחש מזימה
מורכבת. הוא ידע שדבריו לאשה: "האמנם אלוקים אסר עליכם
לאכול מכל פֵּרות הגן", אינם נכונים, אך הם דורשים תגובה כלשהי,
ותגובה זו היא שתאפשר את המשך השיחה אתו.

ב **וַתֹּאמֶר הָאִשָּׁה אֶל הַנָּחָשׁ: מִפְּרִי עֵץ הַגָּן נֹאכֵל**, אלוקים לא אסר
עלינו את אכילת פֵּרות עצי הגן, אך ג **וּמִפְּרִי הָעֵץ אֲשֶׁר בְּתוֹךְ**, במרכז
הַגָּן, אָמַר אֱלֹהִים "לֹא תֹאכְלוּ מִמֶּנּוּ וְלֹא תִגְּעוּ בּוֹ פֶּן תְּמֻתוּן". זהו עץ
מסוכן. ממנו אסור לנו לאכול, ובו אסור לנו לנגוע, כי שרוי בו מוות.

ד **וַיֹּאמֶר הַנָּחָשׁ אֶל הָאִשָּׁה: לֹא מוֹת תְּמֻתוּן**. אינכם צריכים לחשוש
למות. עץ הדעת טוב ורע אינו ממית. כאמור, האדם היה אחרון
הברואים, ועל כן ניסיון חייהם של היצורים כולם היה עשיר משלו.
כך יכול היה הנחש להתבטא בביטחון ולפנות אל האשה כבר-סמכא.
הנחש חשף, כביכול, את מניעי האיסור האלוקי: ה **כִּי יֹדֵעַ אֱלֹהִים**
כִּי בְּיוֹם אֲכָלְכֶם מִמֶּנּוּ וְנִפְקְחוּ עֵינֵיכֶם, וִהְיִיתֶם כֵּאלֹהִים יֹדְעֵי טוֹב וָרָע.

הרחבות

אסור בכבלים. מאחר שרק אדם וחוה משוחררים מכבלים אלו, הוא פנה אליהם. לחלופין, אולי הנחש היה ערום, מפני שפגש בעץ הדעת טוב ורע במקרה ואכל ממנו, שהרי הוא לא הוזהר עליו (ראו חזקוני).

דעת טוב ורע כמה שאלות מהותיות עומדות בשורשו של סיפור זה: האם העץ אכן גורם לדעת טוב ורע? ואם אמנם כך הוא, מדוע הקדוש ברוך הוא אוסר על האדם לטעום מפרי העץ המשפיע דעת? האם הוא רוצה למנוע דעת מן האדם ולבלום את התפתחותו?

רבים פירשו שהדעת שמביאה האכילה מן העץ, אינה אינטליגנציה או חכמה אלא דעת הרע. ראוי להזכיר, שהעץ אינו מכונה בסיפור עֵץ הַדַּעַת סתם, משום שאין מדובר כאן בדעת ניטרלית, דוגמת מתמטיקה, אלא הוא קרוי באופן עקבי

טוֹב הָעֵץ לְמַאֲכָל וְכִי תַאֲוָה־הוּא לָעֵינַיִם וְנֶחְמָד
הָעֵץ לְהַשְׂכִּיל וַתִּקַּח מִפִּרְיוֹ וַתֹּאכַל וַתִּתֵּן גַּם־
לְאִישָׁהּ עִמָּהּ וַיֹּאכַל׃ וַתִּפָּקַחְנָה עֵינֵי שְׁנֵיהֶם וַיֵּדְעוּ ז

רש"י | "יֹדְעֵי טוֹב וָרָע" (שם): **וַתִּתֵּן גַּם לְאִישָׁהּ.** שֶׁלֹּא תָמוּת הִיא וְיִחְיֶה הוּא וְיִשָּׂא אַחֶרֶת: **גַּם.** לְרַבּוֹת בְּהֵמָה וְחַיָּה:

ז| **וַתִּפָּקַחְנָה וְגוֹ'.** לְעִנְיַן הַחָכְמָה דִּבֵּר הַכָּתוּב וְלֹא לְעִנְיַן רְאִיָּה מַמָּשׁ, וְסוֹף הַמִּקְרָא מוֹכִיחַ: "וַיֵּדְעוּ כִּי עֵירֻמִּם הֵם" –

הרחבות | עֵץ הַדַּעַת טוֹב וָרָע. ואכן, בסיפור זה טמונה תמציתה של שאלת הרע. הרע אפשרי, אך אינו הכרחי. עשייתו מושתתת, בין היתר, על חופש הבחירה ועל יכולת ההכרעה האנושית. ברע כרוך עיוות, אך עיוות זה אינו רחוק מעצם מהותה של היצירתיות האנושית, שכן היצירה האנושית נובעת מתפיסת הדברים שלא כפי שהם. החירות להתבונן מחדש יכולה להוליד פתיחות למגוון אפשרויות, ליצירה ולהרכבים חדשים. במובן זה, ידיעת הטוב והרע אינה בהכרח הכרתן של תהומות הרע, אלא ההכרה בכך שדברים אינם חייבים להתנהל בצורה הנכונה, הישרה והראויה, ושאפשר להוליכם באופן אחר. מדוע? דווקא; מפני שכך מתחשק לי; מפני שזה מעניין; מפני שזה יפה – כל אלה הם ביטויי הרע.

האכילה מפרי עץ הדעת טוב ורע נאסרה, משום שהאדם אינו יכול לדעת טוב ורע מבלי להיבדל מן הרע. הידיעה האנושית – בשונה מזו של המלאכים – אינה מסוגלת להיות אובייקטיבית לחלוטין. מעצם טבעה היא מכילה הטיה ומעורבות רגשית. (הפועל 'לדעת' יכול לכלול מוטיב אמוציונלי. ראו להלן ד,א: וְהָאָדָם יָדַע אֶת חַוָּה אִשְׁתּוֹ וַתַּהַר וַתֵּלֶד. ראו עוד רבנו בחיי ואברבנאל על אתר; שמות ב,כה). ייתכן שהאדם היודע טוב ורע הופך להיות כאלוקים. ואולם במצב זה הוא יהיה גם שונה בתכלית מאלוקים, משום שעצם ידיעתו כרוכה במעורבותו במושאי הידיעה. בניגוד לאלוקים, האדם אינו יכול להביט עליהם ממש מן החוץ.

חכמים אמרו שהנחש הוא אחד משלושה שנזכרו בתורה, שאמרו רק אמת (פירקא

ביאור

אלוקים אינו רוצה שתאכלו, לא מפני הסכנה הטמונה בעץ, אלא משום שאכילת פריו תעלה אתכם למעלה גבוהה יותר. הוא רוצה למנוע מכם לדעת טוב ורע כמותו.

ו **וַתֵּרֶא הָאִשָּׁה**, בכך התחילה האשה להיכנע לפיתוי, וכאן נעוצה ראשיתו של החטא. שורש החטא קדם להמריית הצו. הוא היה טמון בעצם הנכונות להביא בחשבון את האפשרות שלא לציית לצו. נכונות זו לא צצה באשה מאליה, והיא התעוררה בעקבות דברי הנחש, שהציג בפניה את האפשרות לעשות דבר בניגוד לדברי ה׳. ייתכן שעוד לפני ששמעה את דברי הנחש, העץ הטיל עליה אימה, ושמא נמנעה מלהביט בו או להתבונן על טיב פריו ועל השפעתו. ועתה ראתה **כִּי טוֹב הָעֵץ לְמַאֲכָל**, העץ טוב כשאר העצים, **וְכִי תַאֲוָה הוּא לָעֵינַיִם**, הוא נראה גם יפה וגם טעים, **וְנֶחְמָד הָעֵץ לְהַשְׂכִּיל**. דבר מה בעץ הזה מעניין, מפתה ומושך את הלב להתקרב אליו ולהבין אותו. ואז – **וַתִּקַּח מִפִּרְיוֹ וַתֹּאכַל, וַתִּתֵּן גַּם לְאִישָׁהּ עִמָּהּ**. כאשה טובה, האוהבת את בעלה, חלקה אתו מיד את התגלית הגדולה שנחשפה אליה – **וַיֹּאכַל**.

ז **וַתִּפָּקַחְנָה עֵינֵי שְׁנֵיהֶם וַיֵּדְעוּ כִּי עֵירֻמִּם הֵם**. במובן העובדתי הפשוט, ברור שגם לפני כן ידעו האדם ואשתו שהם נטולי בגדים. הדבר נזכר – כתיאור עובדתי – בסוף הפרק הקודם. בראשונה לא התביישו במערומיהם, כשם שאנשים אינם מתביישים להראות את אפם

הרחבות

דרבנו הקדוש, בבא דשלושה טז). אמנם דברי הנחש הם הסתה, אך הם אינם שקר. הנחש פיתה את האשה בהיוודעות למרחב שלם של ידיעה, שאינו שלילי בלבד. ה׳ לא רצה להעמיד את בני האדם בניסיונותיו של מרחב זה, לפחות לא בשלב זה. החינוך האנושי באשר הוא מבקש למנוע מן הילד חשיפה לדברים אמתיים, כאשר הוא עדיין אינו מסוגל להכילם ולהתייחס אליהם. אין בכך משום רמאות כלפיו. המחנך ממתין לשלב שבו הילד יהיה מסוגל לדעת את הרע, בלא שייגרר אחריו ויושפע ממנו. הוא יחשוף בפניו את הרע, רק כאשר הילד יבשיל להתמודדות הראויה אתו. רעיון דומה לכך עולה מדבריהם של חכמינו, שייתכן שבסוף היום השישי היה ה׳ מרשה לאדם ולחוה לאכול מפרי עץ הדעת טוב ורע (בראשית רבה כא,ז). ואולם כיוון שהם לא עמדו בציוויים אפילו שעה אחת, ואכלו ממנו קודם הזמן הראוי, השינוי שחוללה בהם אכילת הפרי, הזיק להם.

'טוב העץ למאכל' מי שנמשך אל הרע מניח כי קיימים גם דברים שאינם נענים להגדרה הנוקשה של הטוב המוסרי, שאף הם טובים: טוב יפה, טוב ערב, טוב שהוא מכשיר יעיל לתכלית אחרת. כשהאשה מגלה כִּי טוֹב הָעֵץ לְמַאֲכָל, היא מנתקת בין ערכי הטוב השונים. קודם לכן היו ערכי הנאָה, המועיל, הערב והראוי מאוחדים, ועתה מופיע לפתע דבר, שאולי אינו טוב מוסרי, מפני שהבחירה בו כרוכה בהמריית פי ה׳, אך הוא מכיל את כל שאר יסודות הטוב – וביתר שאת (ראו ספורנו בראשית ב,ט; מנחה בלולה על אתר).

כִּי עֵירֻמִּם הֵם וַיִּתְפְּרוּ עֲלֵה תְאֵנָה וַיַּעֲשׂוּ לָהֶם חֲגֹרֹת׃
ח וַיִּשְׁמְעוּ אֶת־קוֹל יְהוָה אֱלֹהִים מִתְהַלֵּךְ בַּגָּן לְרוּחַ
הַיּוֹם וַיִּתְחַבֵּא הָאָדָם וְאִשְׁתּוֹ מִפְּנֵי יְהוָה אֱלֹהִים בְּתוֹךְ
ט עֵץ הַגָּן׃ וַיִּקְרָא יְהוָה אֱלֹהִים אֶל־הָאָדָם וַיֹּאמֶר לוֹ
י אַיֶּכָּה׃ וַיֹּאמֶר אֶת־קֹלְךָ שָׁמַעְתִּי בַּגָּן וָאִירָא כִּי־עֵירֹם
יא אָנֹכִי וָאֵחָבֵא׃ וַיֹּאמֶר מִי הִגִּיד לְךָ כִּי עֵירֹם אָתָּה

רש"י אַף הַסּוּמָא יוֹדֵעַ כְּשֶׁהוּא עָרֹם!: וַיֵּדְעוּ **כִּי עֵירֻמִּם הֵם.** מִצְוָה אַחַת הָיְתָה בְּיָדָם וְנִתְעַרְטְלוּ הֵימֶנָּה: **עֲלֵה תְאֵנָה.** הוּא הָעֵץ שֶׁאָכְלוּ מִמֶּנּוּ, בַּדָּבָר שֶׁנִּתְקַלְקְלוּ בּוֹ נִתְקְנוּ, אֲבָל שְׁאָר הָעֵצִים מְנָעוּם מִלִּטֹּל עֲלֵיהֶם. וּמִפְּנֵי מָה לֹא נִתְפַּרְסֵם הָעֵץ? שֶׁאֵין הַקָּדוֹשׁ בָּרוּךְ הוּא חָפֵץ לְהוֹנוֹת בְּרִיָּה, שֶׁלֹּא יַכְלִימוּהוּ וְיֹאמְרוּ: זֶהוּ שֶׁלָּקָה הָעוֹלָם עַל יָדוֹ. מִדְרַשׁ רַבִּי תַּנְחוּמָא (וירא יד):

ח| **וַיִּשְׁמְעוּ.** יֵשׁ מִדְרְשֵׁי אַגָּדָה רַבִּים, וּכְבָר סִדְּרוּם רַבּוֹתֵינוּ עַל מְכוֹנָם בִּבְרֵאשִׁית רַבָּה וּבִשְׁאָר מִדְרָשׁוֹת, וַאֲנִי לֹא בָּאתִי אֶלָּא לִפְשׁוּטוֹ שֶׁל מִקְרָא וּלְאַגָּדָה הַמְיַשֶּׁבֶת דִּבְרֵי הַמִּקְרָא דָּבָר דָּבוּר עַל אָפְנָיו. וּמָצְאוּ, שָׁמְעוּ אֶת קוֹל הַקָּדוֹשׁ בָּרוּךְ הוּא שֶׁהָיָה מִתְהַלֵּךְ בַּגָּן: **לְרוּחַ הַיּוֹם.** לְאוֹתוֹ רוּחַ שֶׁהַשֶּׁמֶשׁ בָּאָה מִשָּׁם, וְזוֹ הִיא מַעֲרָבִית, שֶׁלִּפְנוֹת עֶרֶב חַמָּה בַּמַּעֲרָב, וְהֵם סָרְחוּ בָּעֲשִׂירִית:

ט| **אַיֶּכָּה.** יוֹדֵעַ הָיָה הֵיכָן הוּא, אֶלָּא לִכָּנֵס עִמּוֹ בִּדְבָרִים, שֶׁלֹּא יְהֵא נִבְהָל לְהָשִׁיב אִם יַעֲנִישֵׁהוּ פִּתְאוֹם. וְכֵן בְּקַיִן אָמַר לוֹ: "אֵי הֶבֶל אָחִיךָ" (להלן ד, ט), וְכֵן בְּבִלְעָם: "מִי הָאֲנָשִׁים הָאֵלֶּה עִמָּךְ" (במדבר כב, ט), לִכָּנֵס עִמָּהֶם בִּדְבָרִים, וְכֵן בְּחִזְקִיָּהוּ בִּשְׁלוּחֵי מְרֹאדַךְ בַּלְאֲדָן:

יא| **מִי הִגִּיד לְךָ.** מֵאַיִן לְךָ לָדַעַת מַה בֹּשֶׁת יֵשׁ בְּעוֹמֵד עָרֹם? **הֲמִן הָעֵץ.** בִּתְמִיָּה:

ביאור

או את עיניהם. בדומה לבעלי החיים, כל חלקי הגוף היו שווים בעיניהם. האכילה מפרי עץ הדעת טוב ורע הכניסה גורם חדש לתודעתם – הפיצול בין הערכים השונים הכלולים במושג טוב: המוסרי, המהנה, האסתטי והשימושי. לא עצם המעשה המיני התחדש להם עתה, שכן כפי הנראה הם הכירו תחום זה גם קודם לכן. אלא שקודם לכן עסקו בו כבעלי החיים, בתמימות מוחלטת וללא פיצול. לאחר שאכלו מפרי עץ הדעת טוב ורע, חדרה לעולמם המודעות למאפיין ייחודי של המיניות האנושית – היצר שאין לו גבולות פנימיים, שאינו מוגדר על ידי ערכים אובייקטיבים. בניגוד ליצרם של רוב היצורים, המשמש כחלק מכורח ביולוגי, והמוגבל על ידי צורך ושובע אובייקטיביים, הם פגשו ביצר התלוי ברצייה. הם התוודעו אל יכולתם לעשות או להימנע, ותהום נפערה בפניהם. לכן – **וַיִּתְפְּרוּ עֲלֵה תְאֵנָה וַיַּעֲשׂוּ לָהֶם חֲגֹרֹת**. כיוון שאין עירומם ניטרלי, אלא הוא מגרה ומפתה, אין להציגו ברבים, והם הזדרזו לכסותו.

קשה להעריך את חומרת חטאו של אדם הראשון, שהפר את המצווה
היחידה שהוטלה עליו. מכאן ואילך יתפתח החטא האנושי וירד
אל תהומות, שאדם הראשון אולי הציץ בהן ונרתע. ייתכן שאדם
וחוה הפכו נבוכים, אולי מבולבלים ושיכורים מפֵּרות עץ הדעת
טוב ורע.[33] ח **וַיִּשְׁמְעוּ אֶת קוֹל ה׳ אֱלֹהִים**, כאילו היה הקול **מִתְהַלֵּךְ**
בַּגָּן לְרוּחַ הַיּוֹם. הם חשו בנוכחותו של הקדוש ברוך הוא באופן גלוי
בגן עדן. **וַיִּתְחַבֵּא הָאָדָם וְאִשְׁתּוֹ מִפְּנֵי ה׳ אֱלֹהִים בְּתוֹךְ עֵץ הַגָּן**. קודם
החטא דמו לילד קטן, העושה רק מה שהוא אמור לעשות ואינו
בוש במעשיו. כאן, לראשונה, הרגישו שעשו מעשה שאינו נכון.
לראשונה התוודעו אל הבושה והסתתרו. ט **וַיִּקְרָא ה׳ אֱלֹהִים אֶל**
הָאָדָם וַיֹּאמֶר לוֹ: אַיֶּכָּה? שאלה זו לא נועדה לגלות מידע, כמובן. זוהי
קריאה: "היכן אתה נמצא? התייצב!"

י והאדם התנצל **וַיֹּאמֶר: אֶת קֹלְךָ שָׁמַעְתִּי בַּגָּן וָאִירָא, כִּי עֵירֹם אָנֹכִי,**
וָאֵחָבֵא. אינני עומד בגלוי, מפני שאני נבוך ומבויש. התחבאתי כדי
שלא להיראות במערומי.

יא **וַיֹּאמֶר: מִי הִגִּיד לְךָ כִּי עֵירֹם אָתָּה**, שיש במערומיך פגם כלשהו?
הלוא היית עירום אף קודם, ולא התביישת. ברור שאלוקים אינו

הֲמִן־הָעֵ֗ץ אֲשֶׁ֧ר צִוִּיתִ֛יךָ לְבִלְתִּ֥י אֲכׇל־מִמֶּ֖נּוּ אָכָֽלְתָּ׃
יב וַיֹּ֖אמֶר הָֽאָדָ֑ם הָֽאִשָּׁה֙ אֲשֶׁ֣ר נָתַ֣תָּה עִמָּדִ֔י הִ֛וא נָֽתְנָה־
יג לִּ֥י מִן־הָעֵ֖ץ וָאֹכֵֽל׃ וַיֹּ֨אמֶר יְהוָ֧ה אֱלֹהִ֛ים לָאִשָּׁ֖ה
מַה־זֹּ֣את עָשִׂ֑ית וַתֹּ֙אמֶר֙ הָֽאִשָּׁ֔ה הַנָּחָ֥שׁ הִשִּׁיאַ֖נִי
יד וָאֹכֵֽל׃ וַיֹּ֩אמֶר֩ יְהוָ֨ה אֱלֹהִ֥ים ׀ אֶֽל־הַנָּחָשׁ֮ כִּ֣י עָשִׂ֣יתָ
זֹּאת֒ אָר֤וּר אַתָּה֙ מִכׇּל־הַבְּהֵמָ֔ה וּמִכֹּ֖ל חַיַּ֣ת הַשָּׂדֶ֑ה
טו עַל־גְּחֹנְךָ֣ תֵלֵ֔ךְ וְעָפָ֥ר תֹּאכַ֖ל כׇּל־יְמֵ֥י חַיֶּֽיךָ׃ וְאֵיבָ֣ה ׀
אָשִׁ֗ית בֵּֽינְךָ֙ וּבֵ֣ין הָֽאִשָּׁ֔ה וּבֵ֥ין זַרְעֲךָ֖ וּבֵ֣ין זַרְעָ֑הּ ה֚וּא
טז יְשׁוּפְךָ֣ רֹ֔אשׁ וְאַתָּ֖ה תְּשׁוּפֶ֥נּוּ עָקֵֽב׃ אֶֽל־

רש"י

יב) **אֲשֶׁר נָתַתָּה עִמָּדִי.** כָּאן כָּפַר בַּטּוֹבָה:

יג) **הִשִּׁיאַנִי.** הִטְעַנִי, כְּמוֹ: "אַל יַשִּׁיא אֶתְכֶם חִזְקִיָּהוּ" (דברי הימים ב' לב, טו):

יד) **כִּי עָשִׂיתָ זֹּאת.** מִכָּאן שֶׁאֵין מְהַפְּכִים בִּזְכוּתוֹ שֶׁל מֵסִית, שֶׁאִלּוּ שְׁאָלוֹ: לָמָּה עָשִׂיתָ זֹאת? הָיָה לוֹ לְהָשִׁיב: דִּבְרֵי הָרַב וְדִבְרֵי הַתַּלְמִיד, דִּבְרֵי מִי שׁוֹמְעִין?: **מִכָּל הַבְּהֵמָה וּמִכֹּל חַיַּת הַשָּׂדֶה.** אִם מִבְּהֵמָה נִתְקַלֵּל, מֵחַיָּה לֹא כָּל שֶׁכֵּן?! הֶעֱמִידוּ רַבּוֹתֵינוּ מִדְרָשׁ זֶה בְּמַסֶּכֶת בְּכוֹרוֹת (דף ח ע"א) לְלַמֵּד שֶׁיְּמֵי עִבּוּרוֹ שֶׁל נָחָשׁ שֶׁבַע שָׁנִים: **עַל גְּחֹנְךָ תֵלֵךְ.** רַגְלַיִם הָיוּ לוֹ וְנִקְצְצוּ:

טו) **וְאֵיבָה אָשִׁית.** אַתָּה לֹא נִתְכַּוַּנְתָּ אֶלָּא שֶׁיָּמוּת אָדָם, שֶׁיֹּאכַל הוּא תְּחִלָּה וְתִשָּׂא אֶת חַוָּה, וְלֹא בָּאתָ לְדַבֵּר אֶל חַוָּה תְּחִלָּה אֶלָּא לְפִי שֶׁהַנָּשִׁים קַלּוֹת לְהִתְפַּתּוֹת וְיוֹדְעוֹת לְפַתּוֹת בַּעְלֵיהֶן, לְפִיכָךְ "וְאֵיבָה אָשִׁית": **יְשׁוּפְךָ.** יְכַתֶּתְךָ, כְּמוֹ: "וָאֶכֹּת אֹתוֹ" (דברים ט, כא), וְתַרְגּוּמוֹ: "וְשַׁפִית יָתֵיהּ": **וְאַתָּה תְּשׁוּפֶנּוּ עָקֵב.** לֹא יְהֵא לְךָ קוֹמָה, וְתִשְּׁכֶנּוּ בַּעֲקֵבוֹ וְאַף מִשָּׁם תְּמִיתֶנּוּ. וּלְשׁוֹן 'תְּשׁוּפֶנּוּ' כְּמוֹ: "נָשַׁף בָּהֶם" (ישעיה מ, כד), כְּשֶׁהַנָּחָשׁ בָּא לִנְשֹׁךְ הוּא נוֹשֵׁף כְּמִין שְׁרִיקָה, וּלְפִי שֶׁהַלָּשׁוֹן נוֹפֵל עַל הַלָּשׁוֹן כָּתַב לְשׁוֹן נְשִׁיפָה בִּשְׁנֵיהֶם:

ביאור | מתייחס כאן לעירום הפיסי, שהרי בכך אפילו חיה קטנה יכולה להבחין. **הֲמִן הָעֵץ אֲשֶׁר צִוִּיתִיךָ לְבִלְתִּי אֲכָל מִמֶּנּוּ אָכָלְתָּ**?! אף זו שאלה רטורית, הבוחנת כיצד האדם ישיב.

יב **וַיֹּאמֶר הָאָדָם**. חרף כל מה שלמד על טוב ורע, האדם עדיין לא למד לשקר. לכן אין בתשובתו סילוף של המציאות. עם זאת, הוא אינו עונה תשובה ישירה. כיוון שכבר הפנים את תחכומו של הנחש, אין הוא עונה בפשטות: "כן", או "חטאתי, עשיתי זאת", אלא: **הָאִשָּׁה אֲשֶׁר נָתַתָּה עִמָּדִי, הִוא נָתְנָה לִּי מִן הָעֵץ וָאֹכֵל**. אתה בראת לי אשה, והיא נתנה לי. כשהאדם מכנה את אשתו: הָאִשָּׁה אֲשֶׁר נָתַתָּה עִמָּדִי, הוא מתנער מאחריות ומנסה להטיל את האשמה עליה, מצד אחד, ועל ה', מצד שני.[34]

יג **וַיֹּאמֶר ה' אֱלֹהִים לָאִשָּׁה: מַה זֹּאת עָשִׂית**?! מדוע אכלת, ומדוע נתת לו לאכול? **וַתֹּאמֶר הָאִשָּׁה: הַנָּחָשׁ הִשִּׁיאַנִי**, פיתה והסית אותי, **וָאֹכֵל**. גם היא התנצלה, והתנצלותה קרובה לאמת. היא אומרת: לא היה עולה בדעתי לעשות את הדבר; מישהו אחר (ואין היא מאשימה את הקדוש ברוך הוא) – הנחש – הוא ששכנע אותי בדרכיו המתוחכמות לאכול מן הפרי.

יד **וַיֹּאמֶר ה' אֱלֹהִים אֶל הַנָּחָשׁ**. ה' לא שאל את הנחש מדוע עשה את שעשה, משום שלנחש, בניגוד לאדם ולאשתו, לא הייתה הצדקה. הנחש פעל מתוך רשעות עמוקה שמגמתה לבקוע את תהומות הרע, או מתוך שעשוע. גם אם הוא לא זמם להביא לאותה תמורה עצומה שחוללו לבסוף דבריו בסדרי העולם, וליציאה מהוויית גן העדן, דברי הנחש נבעו לפחות מן המחשבה הזדונית המציעה: "אולי נעשה דווקא ההיפך". ולכן התקלל: **כִּי**, כיוון **שֶׁעָשִׂיתָ זֹּאת, אָרוּר**, מחוסר טובה **אַתָּה מִכָּל הַבְּהֵמָה וּמִכֹּל חַיַּת הַשָּׂדֶה. עַל גְּחֹנְךָ תֵלֵךְ**, מכאן שקודם לכן הלך הנחש על רגליים, **וְעָפָר תֹּאכַל כָּל יְמֵי חַיֶּיךָ**. טו ועונש נוסף – **וְאֵיבָה אָשִׁית בֵּינְךָ וּבֵין הָאִשָּׁה, וּבֵין זַרְעֲךָ וּבֵין זַרְעָהּ**. אם רצית בקשר עם האשה – מאיזו סיבה שתהיה – לא תצליח בכך. מעתה תשרור שנאה בלתי רציונלית בינך ובין האשה – בין זרע האדם לזרע הנחש, והיא תתבטא בכך **שֶׁהוּא יְשׁוּפְךָ רֹאשׁ, וְאַתָּה תְּשׁוּפֶנּוּ עָקֵב**. האדם ידרוס אותך בראשך, ואילו אתה תתקיפו בעקבו.

הָאִשָּׁה אָמַר הַרְבָּה אַרְבֶּה עִצְּבוֹנֵךְ וְהֵרֹנֵךְ בְּעֶצֶב
תֵּלְדִי בָנִים וְאֶל־אִישֵׁךְ תְּשׁוּקָתֵךְ וְהוּא יִמְשָׁל־
בָּךְ׃ וּלְאָדָם אָמַר כִּי שָׁמַעְתָּ לְקוֹל אִשְׁתֶּךָ יז
וַתֹּאכַל מִן־הָעֵץ אֲשֶׁר צִוִּיתִיךָ לֵאמֹר לֹא תֹאכַל
מִמֶּנּוּ אֲרוּרָה הָאֲדָמָה בַּעֲבוּרֶךָ בְּעִצָּבוֹן תֹּאכֲלֶנָּה כֹּל
יְמֵי חַיֶּיךָ׃ וְקוֹץ וְדַרְדַּר תַּצְמִיחַ לָךְ וְאָכַלְתָּ אֶת־עֵשֶׂב יח
הַשָּׂדֶה׃ בְּזֵעַת אַפֶּיךָ תֹּאכַל לֶחֶם עַד שׁוּבְךָ אֶל־ יט
הָאֲדָמָה כִּי מִמֶּנָּה לֻקָּחְתָּ כִּי־עָפָר אַתָּה וְאֶל־עָפָר

רש״י

טז **עִצְּבוֹנֵךְ.** זֶה צַעַר גִּדּוּל בָּנִים: **וְהֵרֹנֵךְ.** זֶה צַעַר הָעִבּוּר: **בְּעֶצֶב תֵּלְדִי בָּנִים.** זֶה צַעַר הַלֵּדָה: **וְאֶל אִישֵׁךְ תְּשׁוּקָתֵךְ.** לְתַשְׁמִישׁ, וְאַף עַל פִּי כֵן אֵין לָךְ מֵצַח לְתָבְעוֹ בַּפֶּה אֶלָּא "הוּא יִמְשָׁל בָּךְ", הַכֹּל מִמֶּנּוּ וְלֹא מִמֵּךְ: **תְּשׁוּקָתֵךְ.** תַּאֲוָתֵךְ, כְּמוֹ: "וְנַפְשׁוֹ שׁוֹקֵקָה" (ישעיה כט, ח):

יז **אֲרוּרָה הָאֲדָמָה בַּעֲבוּרֶךָ.** מַעֲלָה לְךָ דְּבָרִים אֲרוּרִים, כְּגוֹן זְבוּבִים וּפַרְעוֹשִׁים וּנְמָלִים. מָשָׁל לְיוֹצֵא לְתַרְבּוּת רָעָה וְהַבְּרִיּוֹת מְקַלְּלוֹת שָׁדַיִם שֶׁיָּנַק מֵהֶם:

יח **וְקוֹץ וְדַרְדַּר תַּצְמִיחַ לָךְ.** הָאָרֶץ, כְּשֶׁתִּזְרָעֶנָּה מִינֵי זְרָעִים תַּצְמִיחַ קוֹץ וְדַרְדַּר, קוֹנְדָס וְעַכָּבִיּוֹת, וְהֵן נֶאֱכָלִין עַל יְדֵי תִּקּוּן: **וְאָכַלְתָּ אֶת עֵשֶׂב הַשָּׂדֶה.** וּמַה קְּלָלָה הִיא זוֹ? וַהֲלֹא בִּבְרָכָה נֶאֱמַר לוֹ: "הִנֵּה נָתַתִּי לָכֶם אֶת כָּל עֵשֶׂב זֹרֵעַ זֶרַע" וְגוֹ' (לעיל א, כט)? אֶלָּא מָה אָמוּר כָּאן בְּרֹאשׁ הָעִנְיָן: "אֲרוּרָה הָאֲדָמָה בַּעֲבוּרֶךָ בְּעִצָּבוֹן תֹּאכֲלֶנָּה", וְאַחַר הָעִצָּבוֹן: "וְקוֹץ וְדַרְדַּר תַּצְמִיחַ לָךְ", כְּשֶׁתִּזְרָעֶנָּה קִטְנִית אוֹ יַרְקוֹת גִּנָּה, הִיא תַּצְמִיחַ לְךָ קוֹצִים וְדַרְדָּרִים וּשְׁאָר עִשְּׂבֵי שָׂדֶה, וְעַל כָּרְחֲךָ תֹּאכְלֵם:

יט **בְּזֵעַת אַפֶּיךָ.** לְאַחַר שֶׁתִּטְרַח בּוֹ הַרְבֵּה:

הרחבות

ההיוודעות אל המוות האם הייתה אפשרות שהאדם יחיה לנצח? כבר ביצירתו הראשונה מהווה האדם הראשון מעין אנומליה של המציאות. הצירוף של עפר עם נשמת חיים שהפיח ה' אינו קיים בשאר יצורי עולם. ייתכן אפוא שהיצור החריג הזה לא היה אמור למות, ושרק לאחר החטא נכנס האדם אל סדר העולמות הרגיל; ומכיוון שכל החיים בעולם נוצרים ומתכלים, מכאן ואילך גם האדם יהיה בן תמותה. הידיעה שבמוקדם או במאוחר יגיעו החיים אל קצם, כפי שכתוב: אֵדְעָה מֶה חָדֵל אָנִי (תהלים לט,ה), היא ידיעה מכוננת ומשמעותית ביותר בתודעה האנושית ואין בכוח התודעה האנושית להתעלם ממנה לחלוטין. אילו חי אדם לנצח, לא הייתה משמעות שלמה להשלכותיו של החטא בכלל, ולעמל וליגיעה שבהן נתקלל בפרט (ראו שו״ת רדב״ז רנז).

ביאור

טז **אֶל הָאִשָּׁה אָמַר**. הקללות המוטלות על האשה הן קללות
המבחינות את הנקבה האנושית מכלל עולם החי: **הַרְבָּה אַרְבֶּה
עִצְּבוֹנֵךְ**. חייך יהיו חיי צער רב. יש המפרשים את המלה עִצְּבוֹנֵךְ
כמחזור הווסת,[35] שאינו קיים אצל רוב בעלי החיים. הוא אינו
נעים ולעתים גם מכאיב. **וְהֵרֹנֵךְ**, גם ההיריון האנושי לא יהיה
פשוט וטבעי כמו זה של יצורים אחרים. חלק מהקושי נובע מן
התודעה האנושית, וחלקו – מן הפיסיולוגיה האנושית. **בְּעֶצֶב תֵּלְדִי
בָנִים**. כך גם הלידה האנושית. יתר על-כן, **וְאֶל אִישֵׁךְ תְּשׁוּקָתֵךְ**,
כיוון שאת יזמת, פיתית וביקשת ליצור מציאות חדשה, מעתה
את תשתוקקי אל אישך. מצב זה כשלעצמו אינו שלילי, אבל
יש בו פסיביות. **וְהוּא יִמְשָׁל בָּךְ**. נראה כי אין מדובר כאן במבנה
החברתי, אלא במבנה המיני.[36] האשה התקללה בכך שמכאן
ואילך חדלים האיש והאשה להיות בני זוג שווים. האשה שרצתה
לדעת מהו רע – נענשת שתחוש ברע; האשה שרצתה להוליך
ולהוביל – נענשת שמכאן ואילך תובל ותישלט.

יז **וּלְאָדָם אָמַר: כִּי שָׁמַעְתָּ לְקוֹל אִשְׁתֶּךָ, וַתֹּאכַל מִן הָעֵץ אֲשֶׁר
צִוִּיתִיךָ לֵאמֹר "לֹא תֹאכַל מִמֶּנּוּ"**, עבורך האיסור חמור יותר, מכיוון
ששמעת בקול אשתך אף על פי ששמעת את האיסור במפורש
ממני – **אֲרוּרָה הָאֲדָמָה בַּעֲבוּרֶךָ**. לא עוד אדמה כאדמתו הפורייה
של גן עדן, שנתנה פֵּרותיה ללא עמל, שעליה היית צריך רק לתת
דעתך ולהשגיח שלא תתקלקל. מעתה והלאה ישתנו היחסים בינך
לבין האדמה – **בְּעִצָּבוֹן**, בסבל ובעמל **תֹּאכֲלֶנָּה**, תאכל ממנה, או:
תאכל את תבואתה **כֹּל יְמֵי חַיֶּיךָ**, כל חייה של האנושות. יח **וְקוֹץ
וְדַרְדַּר תַּצְמִיחַ לָךְ**, בניגוד להוויית גן עדן, אם תחכה למה שהאדמה
תצמיח באופן ספונטני – לא יהיו אלה צמחים הראויים לאכילה.
וְאָכַלְתָּ אֶת עֵשֶׂב הַשָּׂדֶה. בסופו של דבר כדי שהעשבים יותקנו
למאכלך, תצטרך לעמול על גידולם. מכאן ולהבא לא תוכל לאכול
את כל פֵּרות האדמה כפי שהם.[37] יט על מנת לאכלם תידרש
לטרוח – **בְּזֵעַת אַפֶּיךָ תֹּאכַל לֶחֶם**. עד כה חיית בעולם שבו הכול
היה מוכן לפניך. מכאן ואילך עליך להפיק את מזונותיך במאמץ.
עַד שׁוּבְךָ אֶל הָאֲדָמָה כִּי מִמֶּנָּה לֻקָּחְתָּ, בסופו של דבר גם תמות, **כִּי
עָפָר אַתָּה, וְאֶל עָפָר תָּשׁוּב**.

תָּשׁוּב: וַיִּקְרָא הָאָדָם שֵׁם אִשְׁתּוֹ חַוָּה כִּי הִוא הָיְתָה כ
אֵם כָּל־חָי: וַיַּעַשׂ יְהוָה אֱלֹהִים לְאָדָם וּלְאִשְׁתּוֹ כא
כָּתְנוֹת עוֹר וַיַּלְבִּשֵׁם:
רביעי ג וַיֹּאמֶר ׀ יְהוָה אֱלֹהִים הֵן הָאָדָם הָיָה כְּאַחַד מִמֶּנּוּ כב
לָדַעַת טוֹב וָרָע וְעַתָּה ׀ פֶּן־יִשְׁלַח יָדוֹ וְלָקַח גַּם מֵעֵץ
הַחַיִּים וְאָכַל וָחַי לְעֹלָם: וַיְשַׁלְּחֵהוּ יְהוָה אֱלֹהִים מִגַּן־ כג
עֵדֶן לַעֲבֹד אֶת־הָאֲדָמָה אֲשֶׁר לֻקַּח מִשָּׁם: וַיְגָרֶשׁ כד
אֶת־הָאָדָם וַיַּשְׁכֵּן מִקֶּדֶם לְגַן־עֵדֶן אֶת־הַכְּרֻבִים
וְאֵת לַהַט הַחֶרֶב הַמִּתְהַפֶּכֶת לִשְׁמֹר אֶת־דֶּרֶךְ עֵץ

רש"י

כ) **וַיִּקְרָא הָאָדָם.** חָזַר הַכָּתוּב לְעִנְיָנוֹ הָרִאשׁוֹן: "וַיִּקְרָא הָאָדָם שֵׁמוֹת" (לעיל ב, כ), וְלֹא הִפְסִיק אֶלָּא לְלַמֶּדְךָ שֶׁעַל יְדֵי קְרִיאַת שֵׁמוֹת נִזְדַּוְּגָה לוֹ חַוָּה, כְּמוֹ שֶׁכָּתוּב: "וּלְאָדָם לֹא מָצָא עֵזֶר כְּנֶגְדּוֹ" (שם), לְפִיכָךְ "וַיַּפֵּל... תַּרְדֵּמָה" (שם, כא), וְעַל יְדֵי שֶׁכָּתַב: "וַיִּהְיוּ שְׁנֵיהֶם עֲרוּמִּים" (שם, כה) סָמַךְ לוֹ פָּרָשַׁת הַנָּחָשׁ, לְהוֹדִיעֲךָ שֶׁמִּתּוֹךְ שֶׁרָאָה עֶרְוָתָהּ וְרָאָה אוֹתָם עֲסוּקִים בְּתַשְׁמִישׁ נִתְאַוָּה לָהּ, וּבָא עֲלֵיהֶם בְּמַחֲשָׁבָה וּבְמִרְמָה: **חַוָּה.** נוֹפֵל עַל לְשׁוֹן 'חַיָּה' שֶׁמְּחַיָּה אֶת וַלְדוֹתֶיהָ, כַּאֲשֶׁר תֹּאמַר: "מֶה הֹוֶה לָאָדָם" (קהלת ב, כב) בִּלְשׁוֹן 'הָיָה':

כא) **כָּתְנוֹת עוֹר.** יֵשׁ דִּבְרֵי אַגָּדָה אוֹמְרִים: חֲלָקִים כְּצִפֹּרֶן מְדֻבָּקִין עַל עוֹרָן. וְיֵשׁ אוֹמְרִים: דָּבָר הַבָּא מִן הָעוֹר, כְּגוֹן צֶמֶר אַרְנָבִים שֶׁהוּא רַךְ וְחַם, וְעָשָׂה לָהֶם כָּתְנוֹת מִמֶּנּוּ:

כב) **הָיָה כְּאַחַד מִמֶּנּוּ.** הֲרֵי הוּא יָחִיד בַּתַּחְתּוֹנִים כְּמוֹ שֶׁאֲנִי יָחִיד בָּעֶלְיוֹנִים, וּמַה הִיא יְחִידוּתוֹ? "לָדַעַת טוֹב וָרָע", מַה שֶּׁאֵין כֵּן בַּבְּהֵמָה וּבַחַיָּה: **וְעַתָּה פֶּן יִשְׁלַח יָדוֹ וְגוֹ'.** וּמִשֶּׁיִּחְיֶה לְעוֹלָם הֲרֵי הוּא קָרוֹב לְהַטְעוֹת הַבְּרִיּוֹת אַחֲרָיו וְלוֹמַר אַף הוּא אֱלוֹהַּ. וְיֵשׁ מִדְרְשֵׁי אַגָּדָה, אֲבָל אֵין מְיֻשָּׁבִין עַל פְּשׁוּטוֹ:

כד) **מִקֶּדֶם לְגַן עֵדֶן.** בְּמִזְרָחוֹ שֶׁל גַּן עֵדֶן חוּץ לַגָּן: **אֶת הַכְּרֻבִים.** מַלְאֲכֵי חַבָּלָה, **וְחֶרֶב מִתְהַפֶּכֶת** וְלָהּ לַהַט, לְאַיֵּם עָלָיו מִלִּכָּנֵס עוֹד לַגָּן. תַּרְגּוּם 'לַהַט' – "שְׁנַן", וְהוּא כְּמוֹ "שְׁלַף שְׁנָנָא" בְּסַנְהֶדְרִין (פב ע"א) וּבִלְשׁוֹן לַעַז למ"ה. וּמִדְרְשֵׁי אַגָּדָה יֵשׁ, וַאֲנִי אֵינִי בָּא אֶלָּא לִפְשׁוּטוֹ:

הרחבות

"כָּתְנוֹת עוֹר" באחת מדרשות חז"ל נאמר שהכותנות הללו נעשו מעור הנחש (פרקי דרבי אליעזר כ, מדרש תהלים צב,ו). לפי המדרש נענש הנחש, בין היתר, בהשלת עורו (פרקי דרבי אליעזר יד). מן העור שנפשט מהמחטיא הכין ה' בגדים שיכסו על בושת חטאם של אדם ואשתו.

ביאור

כ **וַיִּקְרָא הָאָדָם שֵׁם אִשְׁתּוֹ חַוָּה**, לפני שהאדם העלה בדעתו שיהיו על פני האדמה אנשים נוספים, לא היה לו צורך לכנותה בשם. הוא היה איש, והיא הייתה אשה, ודי היה להם בזאת. עכשיו, לאחר ששמע כי הם בני תמותה, והאשה תלד אנשים אחרים במקומם, הוא קרא לה שם פרטי. **כִּי הִוא הָיְתָה אֵם כָּל חָי.** חיבה ואהבה רבות משוקעות בבחירתו בשם זה. אדם יכול היה להעניק לה שמות שונים – ואולי לערב בהם גם תרעומת. למרות הכול, הוא קורא לה חוה, כלומר יסוד החיים; הוא אומר לה, כביכול: "ממך יבואו החיים לעולם".

כא **וַיַּעַשׂ ה' אֱלֹהִים לְאָדָם וּלְאִשְׁתּוֹ כָּתְנוֹת עוֹר וַיַּלְבִּשֵׁם.** ה' התחשב בבושה ובתחושת האיום שחשו אדם וחוה בעקבות חטאם. הוא ביקש לסייע להם במסלול חייהם החדש, והלביש אותם.

כב **וַיֹּאמֶר ה' אֱלֹהִים: הֵן הָאָדָם הָיָה כְּאַחַד מִמֶּנּוּ**, כאחד מיצורי מרום, משום שהוא מסוגל **לָדַעַת טוֹב וָרָע.** עתה האדם התחיל לפעול לא רק מתוך כורח טבעי או מתוך מה שראוי לעשות. הבחירה החופשית של האדם שוב איננה תיאורטית בלבד, אלא בנויה גם על חישובים ועל תכניות. **וְעַתָּה, פֶּן יִשְׁלַח יָדוֹ וְלָקַח גַּם מֵעֵץ הַחַיִּים וְאָכַל, וָחַי לְעֹלָם.** עץ החיים הרי היה בתוך הגן זה מכבר, אלא שכנראה הוא לא משך את תשומת לבם של אדם הראשון ושל חוה. שמא בניגוד לעץ הדעת טוב ורע – שפריו היה מפואר וריחו נדף סביבו – עץ החיים היה עץ פשוט, ופֵרותיו לא היו מרהיבים. אלא שעכשיו, עם ההיוודעות הדרמטית של האדם אל המוות, האדם עלול לחפש דרכים להינצל ממנו, ויש לחשוש ששום איסור שיוטל עליו ושום איום לא ימנעו ממנו מלהשתמש באמצעי שיאפשר לו לחיות לעולם.[38]

כג **וַיְשַׁלְּחֵהוּ ה' אֱלֹהִים מִגַּן עֵדֶן לַעֲבֹד אֶת הָאֲדָמָה אֲשֶׁר לֻקַּח מִשָּׁם.** האדם חזר אל האדמה הפשוטה, שמחוץ לגן עדן. כד ואולם לא היה זה שילוח אדיב – **וַיְגָרֶשׁ אֶת הָאָדָם**, האדם הושלך החוצה. **וַיַּשְׁכֵּן מִקֶּדֶם לְגַן עֵדֶן**, מצד מזרח של הגן, או: בקדמתו, בחזיתו, ושמא הכניסה לגן עדן הייתה בצד מזרח, כבמקדש. בפתח הגן הושיב ה' **אֶת הַכְּרֻבִים**, סוג מלאכים,[39] **וְאֵת לַהַט הַחֶרֶב הַמִּתְהַפֶּכֶת**, חרב שאינה חדלה לנוע לעולם, החוסמת את הדרך – **לִשְׁמֹר אֶת דֶּרֶךְ עֵץ הַחַיִּים** לפחות לפי שעה, עד אשר יחליט ה' להחזיר את האדם

ד א הַחַיִּים׃ וְהָאָדָם יָדַע אֶת־חַוָּה אִשְׁתּוֹ
וַתַּהַר וַתֵּלֶד אֶת־קַיִן וַתֹּאמֶר קָנִיתִי אִישׁ אֶת־יְהוָה׃
ב וַתֹּסֶף לָלֶדֶת אֶת־אָחִיו אֶת־הָבֶל וַיְהִי־הֶבֶל רֹעֵה
ג צֹאן וְקַיִן הָיָה עֹבֵד אֲדָמָה׃ וַיְהִי מִקֵּץ יָמִים וַיָּבֵא
ד קַיִן מִפְּרִי הָאֲדָמָה מִנְחָה לַיהוָה׃ וְהֶבֶל הֵבִיא גַם־

רש"י | פרק ד

א-ב | **וְהָאָדָם יָדַע.** כְּבָר קֹדֶם הָעִנְיָן שֶׁל מַעְלָה, קֹדֶם שֶׁחָטָא וְנִטְרַד מִגַּן עֵדֶן, וְכֵן הַהֵרָיוֹן וְהַלֵּדָה, שֶׁאִם כָּתַב 'וַיֵּדַע אָדָם' נִשְׁמָע שֶׁלְּאַחַר שֶׁנִּטְרַד הָיוּ לוֹ בָּנִים: **קַיִן.** עַל שֵׁם "קָנִיתִי": **אֶת ה'.** עִם ה', כְּשֶׁבָּרָא אוֹתִי וְאֶת אִישִׁי לְבַדּוֹ בְּרָאָנוּ, אֲבָל בָּזֶה שֻׁתָּפִים אָנוּ עִמּוֹ: **אֶת קַיִן, אֶת אָחִיו אֶת הָבֶל.** שְׁלֹשָׁה 'אֶתִים' רִבּוּיִים הֵם, מְלַמֵּד שֶׁתְּאוֹמָה נוֹלְדָה עִם קַיִן, וְעִם הֶבֶל נוֹלְדוּ שְׁתַּיִם, לְכָךְ נֶאֱמַר: "וַתֹּסֶף": **רֹעֵה צֹאן.** לְפִי שֶׁנִּתְקַלְּלָה הָאֲדָמָה, פֵּרַשׁ לוֹ מֵעֲבוֹדָתָהּ:

ג | **מִפְּרִי הָאֲדָמָה.** מִן הַגָּרוּעַ, וְיֵשׁ אַגָּדָה שֶׁאוֹמֶרֶת זֶרַע פִּשְׁתָּן הָיָה:

הרחבות | **רועי צאן ועובדי אדמה** קין והבל שונים זה מזה באופיים ובתחומי עיסוקיהם. החלוקה בין רועה צאן לבין חקלאי עובד אדמה הייתה משמעותית במשך דורות רבים בהיסטוריה. בין שני המקצועות הללו מצויה לפעמים יריבות, משום שבעלי הצאן, שבדרך כלל הם אנשי מדבר, נוטים לשלוח יד בשדות המעובדים. יריבות זו התפתחה אף למלחמות של שבטים ועמים על הארץ המיושבת ועל המרעה.

ביאור | לגן עדן. מלאכים וכוחות הרתעה מפקיעים את הנצח מתחומו של האדם. האדם ידע כי לא יוכל לשוב עוד אל הגן, ולכן עליו לחפש את ייעודו במקום אחר.

קורות משפחת אדם וחוה

פרק ד

כאן מתחיל סיפור האדם ומשפחתו מחוץ לגן עדן. לאחר שגורשו פותחים אדם וחוה בחיים חדשים, על מורכבותם. משפחתם מתמודדת עם אחדות מבעיות היסוד של האנושות, שאחת מהן היא יחסי אחים. הסיפור נפתח בשני אחים שהיו שונים זה מזה. ייתכן שהיה ביניהם חיכוך כלשהו, אבל כל אחד מהם חי בדרכו ובעולמו. כאן ייפגשו העולמות, ופגישה זו תוליד תחרות ביניהם.

פרק ד א **וְהָאָדָם יָדַע אֶת חַוָּה אִשְׁתּוֹ** כבר בגן עדן. אולם מכיוון שהלידה התרחשה לאחר הגירוש, מובא כאן הסיפור כולו.[40] **וַתַּהַר וַתֵּלֶד אֶת קַיִן, וַתֹּאמֶר: קָנִיתִי**, קיבלתי, יש לי **אִישׁ אֶת**, עם **ה'**. נוכח הלידה האנושית הראשונה התפעלה חוה: "ראו! אני יצרתי איש, ברייה חדשה שלא הייתה בעולם, עם ה'. לבדי אינני יכולה ליצור אותו, אך לה' ולי יש קניין משותף בדמות החדשה". מאז ועד היום משתאות נשים שיולדות, ולא רק הן, מול פלא יצירת האדם כחוה.

ב **וַתֹּסֶף לָלֶדֶת אֶת אָחִיו, אֶת** זה שנקרא **הָבֶל**. בניגוד לקין – שנקרא על שם הקניין, לשמו של הבל לא ניתן הסבר מראש. רבים פירשו שהבל נקרא על שם סופו – שלא נשאר ממנו דבר, כהבל.[41] אפשר לראות בשמו גם משמעות חיובית יותר, של הבל ורוח, כלומר, בילד שנולד עתה התגלה דבר מה רוחני. כך נוגע הסיפור ביסודות הקיום האנושי: הילד הראשון גורר התפעלות מעצם הלידה, ואילו השני – שאף הוא ילד, אך איננו זהה לאחיו – מגלה את פלא השונוּת והמִגוון, הטבועה ברוח האנושית. גם פלא זה נוטה להתכהות ברבות השנים, אך עבור אדם וחוה, העובדה שמאותם אב ואם יצאו ילדים שונים בתכלית – מפליאה. אין אנו יודעים במה היו שונים בלידתם. ההבדל ביניהם יבוא בהמשך לידי ביטוי מוחשי: **וַיְהִי הֶבֶל רֹעֵה צֹאן**, הבל רעה את הצאן, חלב אותן וגזז את צמרן, אך את בשרן לא אכל. **וְקַיִן הָיָה עֹבֵד אֲדָמָה.**

ג **וַיְהִי מִקֵּץ יָמִים**, אולי שנים לאחר מכן,[42] **וַיָּבֵא קַיִן מִפְּרִי הָאֲדָמָה**

הוּא מִבְּכֹרוֹת צֹאנוֹ וּמֵחֶלְבֵהֶן וַיִּשַׁע יהוה אֶל־הֶבֶל
וְאֶל־מִנְחָתוֹ: וְאֶל־קַיִן וְאֶל־מִנְחָתוֹ לֹא שָׁעָה וַיִּחַר ה
לְקַיִן מְאֹד וַיִּפְּלוּ פָּנָיו: וַיֹּאמֶר יהוה אֶל־קָיִן לָמָּה ו
חָרָה לָךְ וְלָמָּה נָפְלוּ פָנֶיךָ: הֲלוֹא אִם־תֵּיטִיב שְׂאֵת ז
וְאִם לֹא תֵיטִיב לַפֶּתַח חַטָּאת רֹבֵץ וְאֵלֶיךָ תְּשׁוּקָתוֹ
וְאַתָּה תִּמְשָׁל־בּוֹ: וַיֹּאמֶר קַיִן אֶל־הֶבֶל אָחִיו וַיְהִי ח

רש"י

ד] **וַיִּשַׁע.** וַיִּפֶן, וְכֵן: "שְׁעֵה מֵעָלָיו" (איוב יד, ו) פְּנֵה מֵעָלָיו: **וַיִּשַׁע.** יָרְדָה אֵשׁ וְלִחֲכָה מִנְחָתוֹ:

ה] **לֹא שָׁעָה.** לֹא פָנָה, וְכֵן: "אַל יִשְׁעוּ" (שמות ה, ט) אַל יִפְנוּ:

ז] **הֲלֹא אִם תֵּיטִיב.** כְּתַרְגּוּמוֹ פֵּרוּשׁוֹ: **לַפֶּתַח חַטָּאת רֹבֵץ.** לְפֶתַח קִבְרְךָ חֶטְאֲךָ שָׁמוּר: **וְאֵלֶיךָ תְּשׁוּקָתוֹ.** שֶׁל חַטָּאת, הוּא יֵצֶר הָרָע, תָּמִיד שׁוֹקֵק וּמִתְאַוֶּה לְהַכְשִׁילְךָ: **וְאַתָּה תִּמְשָׁל בּוֹ.** אִם תִּרְצֶה תִּתְגַּבֵּר עָלָיו:

ח] **וַיֹּאמֶר קַיִן אֶל הֶבֶל.** נִכְנַס עִמּוֹ בְּדִבְרֵי רִיב וּמַצָּה לְהִתְגּוֹלֵל עָלָיו וּלְהָרְגוֹ. וְיֵשׁ בָּזֶה מִדְרְשֵׁי אַגָּדָה, אַךְ זֶה יִשּׁוּבוֹ שֶׁל מִקְרָא:

הרחבות

'אליך תשוקתו ואתה תמשל בו' לקביעה שהאדם מסוגל תמיד למשול בחטא – משמעות רבה מצד עקרון הבחירה החופשית ותפיסת הטוב והרע. אין כוח המכריח אותו לחטוא. החטא מתרחש רק כאשר האדם מחליט להיכנע לו.

מדברי ה' לקין עולה שהחטאת – הרבה יותר מהנחש הקדמוני – היא מין הוויה שאינה שלמה, חסרת קיום לעצמה. היא הופכת לממשות רק בהידבקה באדם, ולכן היא משתוקקת אליו. החטאת היא מעין חלל ריק, מסגרת ללא תוכן, והיא נזקקת לאדם, שממנו יבואו לה תכניה.

ביאור

מִנְחָה לַה'. בניגוד לתיאוריות שונות, עולה מכאן שהקרבת קרבנות היא מעשה ראשוני ובסיסי, ואין מקורה בתרבות זרה. כבר בראשית האנושות חשו בני האדם בצורך להביא לה' מתנה. מאוחר יותר כינו את מנחתם 'קרבן עולה' – כלומר שרפת הקרבן לכבודו של ה'. אין זה מס, ואפילו לא חובה. מקבל המתנה כלל אינו זקוק לה, אבל באמצעותה מביע הנותן את יחסו ואת רגשותיו כלפי המקבל. ד **וְהֶבֶל הֵבִיא גַם הוּא** קרבן לה' **מִבְּכֹרוֹת צֹאנוֹ וּמֵחֶלְבֵהֶן,** מהחלק הטוב והמשובח שבצאנו, **וַיִּשַׁע ה' אֶל הֶבֶל וְאֶל מִנְחָתוֹ,** ה' פנה אל הבל ואל קרבנו, אך אין הכתוב מפרש כיצד התבטא הדבר. ייתכן שהתגלה אל הבל באמצעות אש היורדת מן השמים, בדומה להתגלויות אחרות, ואולי ניכר שמנחתו של הבל התקבלה מתוך שרוחו התרוממה או שחווה חוויה אקסטטית. ה **וְאֶל קַיִן וְאֶל מִנְחָתוֹ לֹא שָׁעָה, וַיִּחַר לְקַיִן מְאֹד.** שני האחים היו, מן הסתם, קרובים זה לזה בגיל ובתכונות אחרות, ועל כן העדפת האח האחד חורה לאחיו. **וַיִּפְּלוּ פָּנָיו.** ביטוי זה עבר בתרגום שאילה גם לשפות אחרות, שכן הוא תיאור מובהק ופשוט להתנהגותו של אדם מבויש, מבוזה וכועס – משפיל פרצופו לארץ.

ו **וַיֹּאמֶר ה' אֶל קָיִן: לָמָּה חָרָה לָךְ וְלָמָּה נָפְלוּ פָנֶיךָ?** אכן, בחרתי בהבל, אבל מדוע אתה כועס? אמנם לא זכית לעדיפות, אך לא פגעתי בך, ומדוע אתה בזוי ומבויש. ה' מוכיח את קין על הקנאה המביאה את האדם לא פעם לרוגז שאינו מוצדק. ז **הֲלוֹא אִם תֵּיטִיב – שְׂאֵת,** אם תיטיב מעשיך ותנהג כראוי – תתרומם ותתנשא.[43] ייתכן שמלים אלו רומזות שמנחתו של קין לא הובאה בלב שלם, או שלא באה מן המובחר, כמו שדרשו חכמים.[44] **וְאִם לֹא תֵיטִיב** – עליך לזכור כי **לַפֶּתַח חַטָּאת רֹבֵץ.** מעבר לעצם קיומו של הרע, קיים גם החטא – שהוא כניסת הרע לעולם באמצעות האדם. בביטוי הציורי הזה החטא לובש צורה של יצור חי האורב ליד הפתח ומנסה להיכנס; מאחורי פסוק זה מונחת התפיסה שכאשר האדם מיטיב והולך – הוא מונע מן החטאת למשול בו. כאשר אין הוא מיטיב – גם אם אינו מרע בפועל – החטא רובץ לפתחו. **וְאֵלֶיךָ תְּשׁוּקָתוֹ,** בניגוד לתפיסה הרווחת, שהאדם משתוקק לחטא, כאן החטא, (המואנש), הוא המשתוקק לחבור אל האדם. **וְאַתָּה תִּמְשָׁל בּוֹ.** ביטוי זה פורש

בִּֽהְיוֹתָ֣ם בַּשָּׂדֶ֔ה וַיָּ֥קָם קַ֛יִן אֶל־הֶ֥בֶל אָחִ֖יו וַיַּהַרְגֵֽהוּ׃
ט וַיֹּ֤אמֶר יהוה֙ אֶל־קַ֔יִן אֵ֖י הֶ֣בֶל אָחִ֑יךָ וַיֹּ֙אמֶר֙ לֹ֣א
י יָדַ֔עְתִּי הֲשֹׁמֵ֥ר אָחִ֖י אָנֹֽכִי׃ וַיֹּ֖אמֶר מֶ֣ה עָשִׂ֑יתָ ק֚וֹל

רש"י | ט] אֵי הֶבֶל אָחִיךָ. לְהִכָּנֵס עִמּוֹ בְּדִבְרֵי נַחַת, אוּלַי יָשִׁיב: אֲנִי הֲרַגְתִּיו וְחָטָאתִי לְךָ: לֹא יָדַעְתִּי. נַעֲשָׂה כְּגוֹנֵב דַּעַת הָעֶלְיוֹנָה: הֲשֹׁמֵר אָחִי. לְשׁוֹן תְּמִיהָ הוּא, וְכֵן כָּל הֵ"א הַנְּקוּדָה בַּחֲטַף פַּתָּח:

הרחבות | 'ויהרגהו' הפשע הראשון בהיסטוריה הוא רצח אח. אף על פי שהמשפחה האנושית כל כך קטנה ומצומצמת, הגיע קין לידי רצח. המעשה התעורר מתוך קנאה פשוטה, אבל קנאה יכולה לעורר שנאה, ושנאה יכולה להביא לידי פשע, עד לפשע החמור ביותר – רציחה.

'השֹמר אחי אנכי' מלים אלה אינן

ביאור | לא כציווי, אלא כמשפט חיווי המתייחס לפוטנציאל האנושי.[45]
כלומר, אינך כפוף לחטא, שכן אתה מסוגל למשול בו. עליך לזכור
כי החטא נוכח תמיד, והוא משתוקק להיבנות ולהתעצם לא רק
מכוחו אלא באמצעות חיבור עמך. כל עוד אתה הוא המושל בו,
ואינך מניח לו לכבוש אותך או להתאחד עמך - קיומך נשמר.

אף על פי שקין שמע את דברי ה', הוא לא הפנים אותם כלל, ונצמד
לקנאתו. ח **וַיֹּאמֶר קַיִן אֶל הֶבֶל אָחִיו.** הכתוב אינו מפרש מה אמר
קין להבל. ייתכן שהציע לו לטייל; אולי הטיח בו דברים קשים,
ושמא סיפר לו את דבריו של ה'. מכל מקום, היה ביניהם משא ומתן
כלשהו, שכנראה מתוכו הוחרף ההבדל ביניהם. **וַיְהִי בִּהְיוֹתָם בַּשָּׂדֶה,**
כאשר הזדמן להם להיות לבדם, **וַיָּקָם קַיִן אֶל הֶבֶל אָחִיו וַיַּהַרְגֵהוּ.**
מתוך כעסו הגובר של קין, התנפל על הבל והרג אותו.

בימי ראשיתו של הקיום האנושי, בני האדם עדיין היו מסוגלים
לשמוע את דבר ה', הפונה אליהם ישירות - ט **וַיֹּאמֶר ה' אֶל קַיִן:**
אֵי, היכן **הֶבֶל אָחִיךָ?** בדומה לשאלה שנשאל אדם, אַיֶּכָּה, אף כאן
פנה ה' אל החוטא בשאלה בעקבות חטאו. גם לשאלה זו אפשר
היה לענות תשובות שונות. קין היה יכול להישבר ולבכות ולהודות
שעשה מעשה נורא, אך הוא ניסה להיתמם – **וַיֹּאמֶר: לֹא יָדַעְתִּי.** מניין
לי לדעת היכן נמצא הבל. איננו יודעים מה עשה קין להבל לאחר
הריגתו. האם השליך אותו? האם קבר אותו? האם נמנע מלגעת בו?
ושמא דבריו אלו כנים, שכן זהו המוות האנושי הראשון. תשובתו של
קין, שאין הוא יודע היכן אחיו המת, רלבנטית לשאלה המעסיקה
את בני האדם בכל עת - מה קורה למתים? עם זאת, המשך דבריו
מעיד על הכחשה ועל ניסיון התחמקות: **הֲשֹׁמֵר אָחִי אָנֹכִי?!**

י **וַיֹּאמֶר** ה' לקין: **מֶה עָשִׂיתָ?!** חשוב, נסה להיזכר במעשיך. אל תצטדק.
אל תתחמק, כאותם אנשים - וביניהם גם פושעים - המתרצים
מעשיהם: "קרה מקרה, אירע דבר, התפרצתי, אבדו עשתונותי". **קוֹל**

הרחבות | בסיפורי התורה ובמצוותיה תחזור ותופיע ההנחה העקרונית שמוטל על האדם לשמור את אחיו. תפיסת האח כזר היא שורש הקנאה, השנאה והרצח.

מבטאות רק התנערות מן המעשה; הן חושפות את תשתיתו של הפשע. הפשע נובע מאותו יסוד של התנכרות שבתוך נפשו של קין, שמתוכו יאמר באדישות מעושה: הֲשֹׁמֵר אָחִי אָנֹכִי.

יא דְּמֵי אָחִיךָ צֹעֲקִים אֵלַי מִן־הָאֲדָמָה׃ וְעַתָּה אָרוּר
אָתָּה מִן־הָאֲדָמָה אֲשֶׁר פָּצְתָה אֶת־פִּיהָ לָקַחַת אֶת־
יב דְּמֵי אָחִיךָ מִיָּדֶךָ׃ כִּי תַעֲבֹד אֶת־הָאֲדָמָה לֹא־תֹסֵף
יג תֵּת־כֹּחָהּ לָךְ נָע וָנָד תִּהְיֶה בָאָרֶץ׃ וַיֹּאמֶר קַיִן אֶל־
יד יְהוָה גָּדוֹל עֲוֺנִי מִנְּשֹׂא׃ הֵן גֵּרַשְׁתָּ אֹתִי הַיּוֹם מֵעַל
פְּנֵי הָאֲדָמָה וּמִפָּנֶיךָ אֶסָּתֵר וְהָיִיתִי נָע וָנָד בָּאָרֶץ

רש״י

י | **דְּמֵי אָחִיךָ.** דָּמוֹ וְדַם זַרְעִיּוֹתָיו. דָּבָר אַחֵר, שֶׁעָשָׂה בּוֹ פְּצָעִים הַרְבֵּה, שֶׁלֹּא הָיָה יוֹדֵעַ מֵהֵיכָן נַפְשׁוֹ יוֹצְאָה:

יא–יב | **מִן הָאֲדָמָה.** יוֹתֵר מִמַּה שֶּׁנִּתְקַלְּלָה הִיא כְּבָר בַּעֲוֹנָהּ, וְגַם בָּזוֹ הוֹסִיפָה לַחֲטוֹא "אֲשֶׁר פָּצְתָה אֶת פִּיהָ לָקַחַת אֶת דְּמֵי אָחִיךָ" וְגוֹ', וְהִנְנִי מוֹסִיף לָהּ קְלָלָה אֶצְלְךָ: "לֹא תֹסֵף תֵּת כֹּחָהּ": **נָע וָנָד.** אֵין לְךָ רְשׁוּת לָדוּר בְּמָקוֹם אֶחָד:

יג | **גָּדוֹל עֲוֹנִי מִנְּשׂוֹא.** בִּתְמִיָּה, אַתָּה טוֹעֵן עֶלְיוֹנִים וְתַחְתּוֹנִים וַעֲוֹנִי אִי אֶפְשָׁר לִטְעוֹן?!:

הרחבות

'קול דמי אחיך צעקים אלי מן האדמה' צעקה זו חוזרת פעמים רבות בתורה, למשל בדין העגלה הערופה, המהדהד לסיפורנו (דברים כא,א-ט). לפי אותה פרשה, כשנמצא הרוג ולא ידוע מי רצח אותו, צריכה הקהילה הקרובה להתייחס לכך ולבצע טקס מסוים, ובכך לשאת באחריות ציבורית כלפי המוות. יש צורך במעין פיצוי ובטקס שיכפר על דמו הזועק של ההרוג.

'ארור אתה מן האדמה... נע ונד תהיה בארץ' מתחילתו תואר קין כעובד אדמה, וגם בהמשך ניכר רצונו להתחבר אל האדמה. הוא רוצה למצוא לעצמו מקום, ונענש בכך שלא יהיה לו מקום על פני האדמה. דווקא בן האדם שרצה להיקבע בחיים

ביאור

דְּמֵי אָחִיךָ צֹעֲקִים אֵלַי מִן הָאֲדָמָה. הרצח כשלעצמו זועק את זעקת
החיים שלא התממשו. הדם שנשפך צועק לא רק על הכאב או על
העוול, אלא גם על עצם חסרון החיים. יא **וְעַתָּה אָרוּר אָתָּה**, קללתך
תבוא **מִן הָאֲדָמָה, אֲשֶׁר פָּצְתָה אֶת פִּיהָ לָקַחַת אֶת דְּמֵי אָחִיךָ מִיָּדֶךָ.**
בניגוד למסופר במדרשים שונים על דמם של נרצחים שאינו נבלע
וממשיך לתסוס,[46] כאן האדמה בולעת את הדם, ומקבלת אותו,
כביכול. משום כך אף היא נכרכת בקללתו של קין: יב **כִּי תַעֲבֹד
אֶת הָאֲדָמָה – לֹא תֹסֵף תֵּת כֹּחָהּ לָךְ.** האדמה מקוללת בגללך; היא
תחדל מלהיות מקור של חיים עבורך, אלא **נָע**, חסר שקט, חרד **וָנָד**,
נודד **תִּהְיֶה בָאָרֶץ.** נגזר עליך לנדוד בעולם ולהסתפק במה שתמצא
באשר תלך. אינך מגורש מן האדמה עצמה, אלא מתנובתה, מפריה.
בחיים האצורים בה אין לך עוד חלק.

יג **וַיֹּאמֶר קַיִן אֶל ה': גָּדוֹל עֲוֹנִי מִנְּשֹׂא.** ייתכן שקין הבין את חטאו, אבל
לא יכול היה לשאת אותו, מפני שלעוונו אין כפרה והוא מקולל.
ואולם נראה שהמלה עֲוֹנִי, המתפרשת לרוב כחטאי – משמעה כאן
שונה. כמו במקומות רבים אחרים,[47] מציינות המלים 'עוון', 'חטא' או
'פשע' גם את העונש. לפי פירוש זה אומר קין: "האחריות והעונש
שהטלת עלי כבדים מנשוא". פירוש זה משתלב עם ההמשך – יד **הֵן
גֵּרַשְׁתָּ אֹתִי הַיּוֹם מֵעַל פְּנֵי הָאֲדָמָה.** האדמה אינה רוצה בי עוד, ואני
חש כאילו הארץ בוערת תחת רגלי. על כן אינני יכול להתיישב
במקום אחד. **וּמִפָּנֶיךָ אֶסָּתֵר**, איך אוכל לשאת פני אליך?! קין הוזהר
על כך שהחטא רובץ לפתחו, וכעת, לאחר שאִפשר לחטא למשול
בו, עד כדי כך שהרג את אחיו, התבייש ולא היה מסוגל לשאת את
פניו ולפנות לאלוקים. **וְהָיִיתִי נָע וָנָד בָּאָרֶץ, וְהָיָה כָל מֹצְאִי יַהַרְגֵנִי.**

הרחבות

ולהתמקם על פני האדמה, נעשה נע, נד וחסר אחיזה.
בהמשך התורה מופיע דינו של הרוצח בשגגה, שאף הוא מגורש מן האדמה וגולה (במדבר לה,ט-לד). החכמים שדרשו את הקשר בין דין זה לבין קין, הסבירו שאף על פי שקין רצח בזדון, מעשיו דומים במשהו לרצח בשוגג, שכן מכיוון שקין היה הרוצח הראשון, מסתבר שלא ידע בדיוק מה הוא עושה. באותו זמן לא הייתה רשות לפגוע בשום יצור בעולם, וייתכן בהחלט שקין לא ידע כיצד הורגים. שמא המשיך והכה את הבל גם כאשר הבל נפח נשמתו. בשל צד השגגה שהיה ברצח הזה, זכה קין בהגנת הגלות (ראו דברים רבה, ליברמן, ואתחנן, ד"ה אז יבדיל).

וְהָיָה כָל־מֹצְאִי יַהַרְגֵנִי׃ וַיֹּאמֶר לוֹ יהוה לָכֵן כָּל־ טו
הֹרֵג קַיִן שִׁבְעָתַיִם יֻקָּם וַיָּשֶׂם יהוה לְקַיִן אוֹת לְבִלְתִּי
הַכּוֹת־אֹתוֹ כָּל־מֹצְאוֹ׃ וַיֵּצֵא קַיִן מִלִּפְנֵי יהוה וַיֵּשֶׁב טז
בְּאֶרֶץ־נוֹד קִדְמַת־עֵדֶן׃ וַיֵּדַע קַיִן אֶת־אִשְׁתּוֹ וַתַּהַר יז
וַתֵּלֶד אֶת־חֲנוֹךְ וַיְהִי בֹּנֶה עִיר וַיִּקְרָא שֵׁם הָעִיר כְּשֵׁם

רש"י

טו) **לָכֵן כָּל הֹרֵג קַיִן.** זֶה אֶחָד מִן הַמִּקְרָאוֹת שֶׁקִּצְּרוּ דִבְרֵיהֶם וְרָמְזוּ וְלֹא פֵרְשׁוּ: "לָכֵן כָּל הֹרֵג קַיִן" לְשׁוֹן גְּעָרָה, כֹּה יֵעָשֶׂה לוֹ, כָּךְ וְכָךְ עָנְשׁוֹ, וְלֹא פֵרֵשׁ עָנְשׁוֹ: **שִׁבְעָתַיִם יֻקָּם.** אֵינִי רוֹצֶה לְהִנָּקֵם מִקַּיִן עַכְשָׁיו, לְסוֹף שִׁבְעָה דוֹרוֹת אֲנִי נוֹקֵם נִקְמָתִי מִמֶּנּוּ, שֶׁיַּעֲמֹד לֶמֶךְ מִבְּנֵי בָנָיו וְיַהַרְגֵהוּ. וְסוֹף הַמִּקְרָא שֶׁאָמַר: "שִׁבְעָתַיִם יֻקָּם", וְהִיא נִקְמַת הֶבֶל מִקַּיִן, הוּא לִמְּדָנוּ שֶׁתְּחִלַּת מִקְרָא לְשׁוֹן גְּעָרָה הִיא שֶׁלֹּא תְהֵא בְרִיָּה מַזִּיקָתוֹ. וְכַיּוֹצֵא בוֹ: "וַיֹּאמֶר דָּוִד... כָּל מַכֵּה יְבֻסִי וְיִגַּע בַּצִּנּוֹר" (שמואל ב' ה, ח) וְלֹא פֵרֵשׁ מַה יֵּעָשֶׂה לוֹ, אֲבָל דִּבֵּר הַכָּתוּב בְּרֶמֶז: כָּל מַכֵּה יְבוּסִי וְיִגַּע בַּצִּנּוֹר וְיִקְרַב אֶל הַשַּׁעַר וְיִכְבְּשֶׁנּוּ, "וְאֶת הַעִוְרִים" וְגוֹ', וְגַם אוֹתָם יַכֶּה עַל אֲשֶׁר אָמְרוּ הָעִוֵּר וְהַפִּסֵּחַ: לֹא יָבֹא דָּוִד אֶל תּוֹךְ הַבַּיִת; הַמַּכֶּה אֶת אֵלּוּ אֲנִי אֶעֱשֶׂנּוּ רֹאשׁ וְשַׂר. כָּאן קִצֵּר דְּבָרָיו, וּבְדִבְרֵי הַיָּמִים (א' יח, ו) פֵּרֵשׁ: "יִהְיֶה לְרֹאשׁ וּלְשָׂר": **וַיָּשֶׂם ה' לְקַיִן אוֹת.** חָקַק לוֹ אוֹת מִשְּׁמוֹ בְּמִצְחוֹ:

טז) **וַיֵּצֵא קַיִן.** יָצָא בְּהַכְנָעָה כְּגוֹנֵב דַּעַת הָעֶלְיוֹנָה: **בְּאֶרֶץ נוֹד.** בְּאֶרֶץ שֶׁכָּל הַגּוֹלִים נָדִים שָׁם: **קִדְמַת עֵדֶן.** שָׁם גָּלָה אָבִיו כְּשֶׁגֹּרַשׁ מִגַּן עֵדֶן, שֶׁנֶּאֱמַר (לעיל ג, כד): "וַיַּשְׁכֵּן מִקֶּדֶם לְגַן עֵדֶן" אֶת שְׁמִירַת דֶּרֶךְ מְבוֹא הַגָּן – יֵשׁ לְךָ לִלְמוֹד שֶׁהָיָה אָדָם שָׁם. וּמָצִינוּ רוּחַ מִזְרָחִית קוֹלֶטֶת בְּכָל מָקוֹם אֶת הָרוֹצְחִים: "אָז יַבְדִּיל מֹשֶׁה וְגוֹ' מִזְרְחָה שָׁמֶשׁ" (דברים ד, מא). דָּבָר אַחֵר, "בְּאֶרֶץ נוֹד", כָּל מָקוֹם שֶׁהוֹלֵךְ הָיְתָה הָאָרֶץ מִזְדַּעְזַעַת מִתַּחְתָּיו, וְהַבְּרִיּוֹת אוֹמְרוֹת: סוּרוּ מֵעָלָיו, זֶהוּ שֶׁהָרַג אֶת אָחִיו:

יז) **וַיְהִי.** קַיִן **בֹּנֶה עִיר, וַיִּקְרָא שֵׁם הָעִיר** לְזֵכֶר בְּנוֹ חֲנוֹךְ:

הרחבות

'וַיְהִי בֹּנֶה עִיר' העובדה שדווקא קין הוא בונה העיר הראשון, עשויה לרמז שבניית עיר אינה מעשה רצוי. אפשר לראות מגמה כזו במקרא, כפי שעולה מן העיר והמגדל שבנו אנשי דור הפלגה בבבל (להלן יא). יתר על כן, במקרא מופיעים מפעם לפעם

ביאור | מעתה אני חשוף לכל פגעי העולם; אינני מוצא ביטחון על פני האדמה, אינני יכול לחסות גם בך, ואינני מוגן מפני יצורים חיים אחרים. קין מבטא את בדידותו של הרוצח, החש שהעולם כולו מנוכר לו ושונא אותו.

טו **וַיֹּאמֶר לוֹ ה׳: לָכֵן**, אמנם חטאת והרשעת, אבל אינך נענש במוות מידי. כדי שתוכל להמשיך חיים כלשהם, תזכה בהגנה מסוימת – **כָּל הֹרֵג קַיִן – שִׁבְעָתַיִם**, פי שבע או יותר **יֻקָּם**, תהיה הנקמה ממנו. **וַיָּשֶׂם ה׳ לְקַיִן אוֹת**, סימן,[48] שמשמעו הגנה **לְבִלְתִּי הַכּוֹת אֹתוֹ כָּל מֹצְאוֹ**. קין קיבל חסות אשר תאפשר לו לסבול את עונשו.

טז **וַיֵּצֵא קַיִן מִלִּפְנֵי ה׳, וַיֵּשֶׁב בְּאֶרֶץ נוֹד**. קין ניסה להתיישב בארצות שונות, וכל ארץ הקיאה אותו אל נדודיו,[49] או שזהו שם ארץ השוכנת **בקִדְמַת עֵדֶן**.[50] לפי ההבנה הראשונה זוהי הדגשה נוספת למצבו הרעוע של קין, המצוי מחוץ לגן עדן. קין הוא דור שני לגירוש, והוא מגורש בעצמו.

בשלב זה התפתחו משפחות אנושיות כתוצאה מנישואי אחים עם אחיותיהם. הקיום האנושי התחיל בכך שאדם וחוה מולידים גם בנות, והן נעשו נשים של אחיהן.[51] יז **וַיֵּדַע קַיִן אֶת אִשְׁתּוֹ וַתַּהַר וַתֵּלֶד** ילד שנקרא **חֲנוֹךְ. וַיְהִי** קין **בֹּנֶה עִיר**. קין לא היה רק הבן המקולל, אלא גם הבן היצירתי, והדבר בולט אף אצל צאצאיו. **וַיִּקְרָא שֵׁם הָעִיר כְּשֵׁם בְּנוֹ, חֲנוֹךְ**. שם זה מורה על החניכה, ההתחלה. העיר נקראה כך, משום שבה החלה הבנייה. שם זה יכול לרמוז גם על כך שקין למד והתחנך. קין בנה עיר משום שרצה להתקשר אל מקום ולהיקבע בו. אולם בהיותו רדוף על ידי קללת התנועה המתמדת, נבצר ממנו לחיות בעיר. על כן המבנה הלשוני הוא בֹּנֶה עִיר, כלומר, הוא לא בנה עיר בעבר, כמלאכה שהסתיימה; קין מגיע לעיר, מניח בה אבן או שתיים – ושוב בורח. וכך, במשך הזמן, תוך כדי נדודיו מארץ נוד ובחזרה, נבנית אט אט העיר.[52]

כאן מגיע תיאור צאצאיו של קין. ההשוואה לעניין הבא מלמדת

הרחבות | ביטויי געגועים אל תקופת נדודי ישראל במדבר, אל ימיו כעם של רועי צאן ולא של יושבי ערים. עם כל יתרונותיה של העיר, מתגלה בה גם בעייתיות, הנובעת מעצם טיבו של הטבע האנושי. (ראו עוד בביאור בישעיה כג,יז).

בְּנוֹ חֲנוֹךְ׃ וַיִּוָּלֵד לַחֲנוֹךְ אֶת־עִירָד וְעִירָד יָלַד אֶת־ יח
מְחוּיָאֵל וּמְחִיָּיאֵל יָלַד אֶת־מְתוּשָׁאֵל וּמְתוּשָׁאֵל
חמישי יָלַד אֶת־לָמֶךְ׃ וַיִּקַּח־לוֹ לֶמֶךְ שְׁתֵּי נָשִׁים שֵׁם הָאַחַת יט
עָדָה וְשֵׁם הַשֵּׁנִית צִלָּה׃ וַתֵּלֶד עָדָה אֶת־יָבָל הוּא כ
הָיָה אֲבִי יֹשֵׁב אֹהֶל וּמִקְנֶה׃ וְשֵׁם אָחִיו יוּבָל הוּא כא
הָיָה אֲבִי כָּל־תֹּפֵשׂ כִּנּוֹר וְעוּגָב׃ וְצִלָּה גַם־הִוא כב
יָלְדָה אֶת־תּוּבַל קַיִן לֹטֵשׁ כָּל־חֹרֵשׁ נְחֹשֶׁת וּבַרְזֶל

רש"י

יח) **וְעִירָד יָלַד.** יֵשׁ מָקוֹם שֶׁהוּא אוֹמֵר בִּזְכָר 'הוֹלִיד' וְיֵשׁ מָקוֹם שֶׁהוּא אוֹמֵר 'יָלַד', שֶׁהַלֵּדָה מְשַׁמֶּשֶׁת שְׁתֵּי לְשׁוֹנוֹת, לֵדַת הָאִשָּׁה נייסטר"א בְּלַעַז, וּזְרִיעַת תּוֹלְדוֹת הָאִישׁ אינייֿנדרי"ר בְּלַעַז; כְּשֶׁהוּא אוֹמֵר 'הוֹלִיד' בִּלְשׁוֹן הִפְעִיל, מְדַבֵּר בְּלֵדַת הָאִשָּׁה, פְּלוֹנִי הוֹלִיד אֶת אִשְׁתּוֹ בֵּן אוֹ בַּת, כְּשֶׁהוּא אוֹמֵר 'יָלַד' מְדַבֵּר בִּזְרִיעַת הָאִישׁ:

יט) **וַיִּקַּח לוֹ לֶמֶךְ.** לֹא הָיָה לוֹ לְפָרֵשׁ כָּל זֶה, אֶלָּא לְלַמְּדֵנוּ מִסּוֹף הָעִנְיָן שֶׁקִּיֵּם הַקָּדוֹשׁ בָּרוּךְ הוּא הַבְטָחָתוֹ שֶׁאָמַר: "שִׁבְעָתַיִם יֻקַּם קָיִן", עָמַד לֶמֶךְ לְאַחַר שֶׁהוֹלִיד בָּנִים וְעָשָׂה דּוֹר שְׁבִיעִי וְהָרַג אֶת קַיִן. זֶהוּ שֶׁאָמַר: "כִּי אִישׁ הָרַגְתִּי לְפִצְעִי" וְגוֹ': **שְׁתֵּי נָשִׁים.** כָּךְ הָיָה דַּרְכָּן שֶׁל דּוֹר הַמַּבּוּל, אַחַת לִפְרִיָּה וּרְבִיָּה וְאַחַת לְתַשְׁמִישׁ. זוֹ שֶׁהִיא לְתַשְׁמִישׁ מַשְׁקָהּ כּוֹס שֶׁל עִקָּרִין כְּדֵי שֶׁתֵּעָקֵר, וּמְקֻשֶּׁטֶת כְּכַלָּה וּמַאֲכִילָהּ מַעֲדַנִּים, וַחֲבֶרְתָּהּ נְזוּפָה וַאֲבֵלָה כְּאַלְמָנָה, וְזֶהוּ שֶׁפֵּרֵשׁ אִיּוֹב (כד, כא): "רֹעֶה עֲקָרָה לֹא תֵלֵד וְאַלְמָנָה לֹא יְיֵטִיב", כְּמוֹ שֶׁמְּפֹרָשׁ בְּאַגָּדַת 'חֵלֶק'. **עָדָה.** הִיא שֶׁל פְּרִיָּה וּרְבִיָּה, עַל שֵׁם שֶׁמְּגֻנָּה עָלָיו וּמוּסֶרֶת מֵאֶצְלוֹ, "עָדָה" תַּרְגּוּם שֶׁל סוּרָה: **צִלָּה.** הִיא שֶׁל תַּשְׁמִישׁ, עַל שֵׁם שֶׁיּוֹשֶׁבֶת תָּמִיד בְּצִלּוֹ. דִּבְרֵי אַגָּדָה הֵם בִּבְרֵאשִׁית רַבָּה (כג, ב):

כ) **אֲבִי יֹשֵׁב אֹהֶל וּמִקְנֶה.** הוּא הָיָה הָרִאשׁוֹן לְרוֹעֵי בְהֵמוֹת בַּמִּדְבָּרוֹת, וְיוֹשֵׁב אֹהָלִים חֹדֶשׁ כָּאן וְחֹדֶשׁ כָּאן; כְּשֶׁכָּלֶה הַמִּרְעֶה לְצֹאנוֹ בְּמָקוֹם זֶה הוֹלֵךְ וְתוֹקֵעַ אָהֳלוֹ בְּמָקוֹם אַחֵר. וּמִדְרַשׁ אַגָּדָה: בּוֹנֶה בָּתִּים לַעֲבוֹדָה זָרָה, כְּמָה דְּאַתְּ אָמַר: "סֵמֶל הַקִּנְאָה הַמַּקְנֶה" (יחזקאל ח, ג), וְכֵן אָחִיו "תֹּפֵשׂ כִּנּוֹר וְעוּגָב" לְזַמֵּר לַעֲבוֹדָה זָרָה:

כב) **תּוּבַל קַיִן.** לְשׁוֹן תְּבָלִין, תִּבֵּל וְהִתְקִין אֻמָּנוּתוֹ שֶׁל קַיִן לַעֲשׂוֹת כְּלֵי זַיִן לָרוֹצְחִים: **לֹטֵשׁ כָּל חֹרֵשׁ נְחֹשֶׁת וּבַרְזֶל.** מְחַדֵּד אֻמָּנוּת נְחֹשֶׁת וּבַרְזֶל, כְּמוֹ: "יִלְטוֹשׁ עֵינָיו

הרחבות

קין, הבל ונעמה על נעמה אין המקרא מספר דבר, אך חכמים מספרים דברים שונים על זהותה ומעשיה. לפי דעה אחת, גם נעמה חידשה והמציאה, אלא שהיא הכניסה לעולם את הזנות – ולכן לא רצו להאריך בה (ילקוט שמעוני בראשית קסא). לפי מדרש אחר, נעמה הייתה אשתו של נח (בראשית רבה כג,ג). אם אכן נעמה – השייכת למשפחת קין – נישאה לנח (מצאצאי בנו השלישי של אדם הראשון – שֵׁת), הרי שזרע קין לא נכחד מן העולם ולא כלה במבול. האנושות הקיימת עד היום מכילה יסוד של קין בתוכה. למרות שהסיפור על

ביאור

שבאותם הימים נקראו הילדים של בני דור אחד בשמות קרובים
זה לזה. כך אפשר לראות הקבלה בין שמותיהם של בני קין לאלה
של בני שת. יח **וַיִּוָּלֵד לַחֲנוֹךְ אֶת** הילד שנקרא **עִירָד, וְעִירָד יָלַד אֶת**
מְחוּיָאֵל, וּמְחִיָּיאֵל יָלַד אֶת מְתוּשָׁאֵל, וּמְתוּשָׁאֵל יָלַד אֶת לָמֶךְ.

למך זוכה להשתהות מיוחדת בשל ייחודו – יט **וַיִּקַּח לוֹ לֶמֶךְ שְׁתֵּי**
נָשִׁים. ייתכן שזה היה המקרה הראשון של פוליגמיה. מסתבר
שבתחילה לכל איש הייתה אשה אחת בלבד. אולי הדבר לא נבע
מצו מוחלט, אלא מאינטואיציה בסיסית. מכל מקום, בלקיחת שתי
נשים פרץ למך את הגבולות הקיימים. אפשר לראות גם בכך את
הרצון של משפחת קין לגדול וליצור, אך אפשר לייחס את נישואיו
של למך לשתי נשים לתשוקתו ליותר מאשה אחת או לכך שנשא
את האשה השנייה לאחר שהראשונה לא ילדה לו בנים. **שֵׁם הָאַחַת**
עָדָה, וְשֵׁם הַשֵּׁנִית צִלָּה. כ **וַתֵּלֶד עָדָה אֶת יָבָל, הוּא הָיָה אֲבִי יֹשֵׁב אֹהֶל**
וּמִקְנֶה. גם יבל מתחיל סיפור חדש. ייתכן שהוא מנסה להשלים את
סיפורו של הבל. אפילו שמותיהם דומים זה לזה. הבל היה אמנם
רועה צאן, אך לא השאיר אחריו צאצאים; הבל – כשמו – התפוגג
מן העולם. משום כך לא נוצרה תרבות של מרעה צאן. קין, לעומת
זאת, ניסה לבנות חקלאות יציבה, ומן הסתם בניו אחריו היו חקלאים.
קין ניסה לבנות עיר – מקום מושב קבוע. והנה מתוך בניו של קין
קם מי שחזר אל רעיית הצאן, ויצר ממנה תרבות – **אֲבִי יֹשֵׁב אֹהֶל**
וּמִקְנֶה.[53] יבל עיצב את אורח החיים של הנוודים, יושבי האוהל שהם
גם בעלי המקנה. כא **וְשֵׁם אָחִיו יוּבָל,** ואף הוא היה איש יצירתי, כפי
שמצוי אצל בני קין – **הוּא הָיָה אֲבִי כָּל תֹּפֵשׂ כִּנּוֹר וְעוּגָב,** המוסיקאי
הראשון, היוצר את כלי הנגינה הראשונים. כב **וְצִלָּה גַם הִוא יָלְדָה**
אֶת תּוּבַל קַיִן, אם השמות יבל ויובל מזכירים את הבל, הרי ששמו
של תובל קין מערב את שמו של הבל עם שם אחיו, אבי המשפחה.
לֹטֵשׁ כָּל חֹרֵשׁ נְחֹשֶׁת וּבַרְזֶל. הוא הראשון שהחל להשתמש במתכת

הרחבות

קין והבל נראה חד-משמעי, אין לראות את היסוד המגולם בקין כשלילי בהכרח. שלא כצמד הנחש והאדם, אין קין והבל מגלמים מושגים קיצוניים של טוב ורע. דמותו של הבל היא המופשטת יותר, הרכה יותר ואולי הטהורה יותר, ואילו דמותו של קין יצרית ויצירתית יותר.

בספרי קבלה מתוארות דמויות מסוימות כבאות מ'שורש קין' (שער הגלגולים הקדמה לה-לו). משמעות הדבר היא שהן בעלות עצמה רבה יותר, ושבכוחן ליצור דברים טובים לרוב, אך יצירתיותם עלולה להפוך לכלי משחית.

וַאֲחוֹת תּוּבַל־קַיִן נַעֲמָה: וַיֹּאמֶר לֶמֶךְ לְנָשָׁיו עָדָה כג
וְצִלָּה שְׁמַעַן קוֹלִי נְשֵׁי לֶמֶךְ הַאְזֵנָּה אִמְרָתִי כִּי אִישׁ
הָרַגְתִּי לְפִצְעִי וְיֶלֶד לְחַבֻּרָתִי: כִּי שִׁבְעָתַיִם יֻקַּם־קָיִן כד
וְלֶמֶךְ שִׁבְעִים וְשִׁבְעָה: וַיֵּדַע אָדָם עוֹד אֶת־אִשְׁתּוֹ כה
וַתֵּלֶד בֵּן וַתִּקְרָא אֶת־שְׁמוֹ שֵׁת כִּי שָׁת־לִי אֱלֹהִים
זֶרַע אַחֵר תַּחַת הֶבֶל כִּי הֲרָגוֹ קָיִן: וּלְשֵׁת גַּם־הוּא כו
יֻלַּד־בֵּן וַיִּקְרָא אֶת־שְׁמוֹ אֱנוֹשׁ אָז הוּחַל לִקְרֹא

רש"י | לִי" (איוב טז, ט). 'חֹרֵשׁ' אֵינוֹ לְשׁוֹן פָּעַל, אֶלָּא לְשׁוֹן פּוֹעֵל, שֶׁהֲרֵי נָקוּד קָמַץ (צירי) וְטַעְמוֹ לְמַטָּה, כְּלוֹמַר מְחַדֵּד וּמְצַחְצֵחַ כָּל כְּלֵי אֻמָּנוּת נְחֹשֶׁת וּבַרְזֶל: נַעֲמָה. הִיא אִשְׁתּוֹ שֶׁל נֹחַ. בִּבְרֵאשִׁית רַבָּה (כג, ג):

כג-כד | שְׁמַעַן קוֹלִי. שֶׁהָיוּ נָשָׁיו פּוֹרְשׁוֹת מִמֶּנּוּ מִתַּשְׁמִישׁ לְפִי שֶׁהָרַג אֶת קַיִן וְאֶת תּוּבַל קַיִן בְּנוֹ, שֶׁהָיָה לֶמֶךְ סוּמָא וְתוּבַל קַיִן מוֹשְׁכוֹ, וְרָאָה אֶת קַיִן וְנִדְמָה לוֹ כְּחַיָּה, וְאָמַר לְאָבִיו לִמְשֹׁךְ בַּקֶּשֶׁת, וַהֲרָגוֹ. וְכֵיוָן שֶׁיָּדַע שֶׁהוּא קַיִן זְקֵנוֹ הִכָּה כַּף אֶל כַּף וְסָפַק אֶת בְּנוֹ בֵּינֵיהֶן וַהֲרָגוֹ. וְהָיוּ נָשָׁיו פּוֹרְשׁוֹת מִמֶּנּוּ וְהוּא מְפַיְּסָן: "שְׁמַעַן קוֹלִי" לְהִשָּׁמַע לִי; וְכִי "אִישׁ" אֲשֶׁר "הָרַגְתִּי, לְפִצְעִי" הוּא נֶהֱרַג? וְכִי אֲנִי פְּצַעְתִּיו מֵזִיד שֶׁיְּהֵא הַפֶּצַע קָרוּי עַל שְׁמִי? "וְיֶלֶד" אֲשֶׁר הָרַגְתִּי, "לְחַבֻּרָתִי" נֶהֱרַג? כְּלוֹמַר עַל יְדֵי חַבּוּרָתִי? בִּתְמִיָּה; וַהֲלֹא שׁוֹגֵג אֲנִי, לֹא זֶהוּ פִּצְעִי וְלֹא זֶהוּ חַבּוּרָתִי. פֶּצַע – מַכַּת חֶרֶב אוֹ חֵץ, נבורידור"א בְּלַעַז: כִּי שִׁבְעָתַיִם יֻקַּם קָיִן. קַיִן שֶׁהָרַג מֵזִיד נִתְלָה לוֹ עַד שִׁבְעָה דּוֹרוֹת, אֲנִי שֶׁהָרַגְתִּי שׁוֹגֵג כָּל שֶׁכֵּן שֶׁיִּתָּלֶה לִי שְׁבִיעִיּוֹת הַרְבֵּה: שִׁבְעִים וְשִׁבְעָה. לְשׁוֹן רִבּוּי שְׁבִיעִיּוֹת אָחַז לוֹ, כָּךְ דָּרַשׁ רַבִּי תַּנְחוּמָא (יא). וּמִדְרַשׁ בְּרֵאשִׁית רַבָּה: לֹא הָרַג לֶמֶךְ כְּלוּם, וְנָשָׁיו פּוֹרְשׁוֹת מִמֶּנּוּ מִשֶּׁקִּיְּמוּ פְּרִיָּה וּרְבִיָּה, לְפִי שֶׁנִּגְזְרָה גְּזֵרָה לְכַלּוֹת זַרְעוֹ שֶׁל קַיִן לְשִׁבְעָה דוֹרוֹת, אָמְרוּ: מָה אָנוּ יוֹלְדוֹת לַבֶּהָלָה? לְמָחָר הַמַּבּוּל בָּא וְשׁוֹטֵף אֶת הַכֹּל. וְהוּא אוֹמֵר לָהֶן: "וְכִי אִישׁ הָרַגְתִּי לְפִצְעִי"? וְכִי אֲנִי הָרַגְתִּי אֶת הֶבֶל שֶׁהוּא אִישׁ בְּקוֹמָה וְיֶלֶד בְּשָׁנִים שֶׁיְּהֵא זַרְעִי כָּלֶה בְּאוֹתוֹ עָוֹן? וּמָה קַיִן שֶׁהָרַג, נִתְלוּ לוֹ שִׁבְעָה דוֹרוֹת, אֲנִי שֶׁלֹּא הָרַגְתִּי לֹא כָּל שֶׁכֵּן שֶׁיִּתָּלוּ לִי שְׁבִיעִיּוֹת הַרְבֵּה? וְזֶהוּ קַל וָחֹמֶר שֶׁל שְׁטוּת, אִם כֵּן אֵין הַקָּדוֹשׁ בָּרוּךְ הוּא גּוֹבֶה אֶת חוֹבוֹ וּמְקַיֵּם אֶת דְּבָרוֹ:

כה | **וַיֵּדַע אָדָם** וגו'. בָּא לוֹ לֶמֶךְ אֵצֶל אָדָם הָרִאשׁוֹן וְקָבַל עַל נָשָׁיו. אָמַר לָהֶם: וְכִי עֲלֵיכֶם לְדַקְדֵּק עַל גְּזֵרָתוֹ שֶׁל מָקוֹם? אַתֶּם עֲשׂוּ מִצְוַתְכֶם וְהוּא יַעֲשֶׂה אֶת שֶׁלּוֹ! אָמְרוּ לוֹ: קְשׁוֹט עַצְמְךָ תְּחִלָּה, וַהֲלֹא פָּרַשְׁתָּ מֵאִשְׁתְּךָ זֶה מֵאָה וּשְׁלֹשִׁים שָׁנָה מִשֶּׁנִּקְנְסָה מִיתָה עַל יָדְךָ! מִיָּד – "וַיֵּדַע אָדָם" וגו', וּמַהוּ "עוֹד"? מְלַמֵּד שֶׁנִּתּוֹסְפָה לוֹ תַּאֲוָה עַל תַּאֲוָתוֹ. בִּבְרֵאשִׁית רַבָּה (כג, ד–ה):

כו | **אָז הוּחַל לִקְרֹא**. אֶת שְׁמוֹת הָאָדָם וְאֶת שְׁמוֹת הָעֲצַבִּים בִּשְׁמוֹ שֶׁל הַקָּדוֹשׁ

ביאור | בעולם. עד אז התבססו בני האדם על החומרים הפשוטים ביותר
המצויים בטבע. המצאתו המהפכנית של תובל קין הייתה הפקת
נחושת וברזל מן האדמה. היו שגינו את תובל קין, מפני שהוא שהביא
לעולם גם את הנשק,[54] אבל פסוקים אלו אינם מזכירים כלל את
הנשק, אלא את עצם היצירה. **וַאֲחוֹת תּוּבַל קַיִן נַעֲמָה.**

כג **וַיֹּאמֶר לֶמֶךְ לְנָשָׁיו**, וזוהי השירה הראשונה במקרא, העשויה
בתבנית התקבולת בין שני אברים, הרווחת בשירה המקראית: **עָדָה
וְצִלָּה שְׁמַעַן קוֹלִי, נְשֵׁי לֶמֶךְ הַאְזֵנָּה אִמְרָתִי, כִּי אִישׁ הָרַגְתִּי לְפִצְעִי וְיֶלֶד
לְחַבֻּרָתִי.** המקרא אינו מספר על הרקע לדבריו של למך. מדרש אחד
אומר שלמך הוא שהרג בשגגה את קין, וכך הוא מתוודה: **אִישׁ
הָרַגְתִּי.**[55] יש מן המפרשים האומרים שלמך אינו מביע חרטה אלא
מתפאר במעלליו, כאומר: "מי שיפצע אותי או יחבול בי – אהרוג
אותו".[56] ייתכן שלמך מתוודה לפני נשיו שאף הוא נכשל בהריגה
כלשהי, לאו דווקא בהריגת קין, ואמנם הוא חטא, אך עשה זאת
בשגגה. כד על כן, **כִּי שִׁבְעָתַיִם יֻקַּם קָיִן**, אם ה' חס על קין ומבטיח
לו שיוקם שבעתיים, אז **לֶמֶךְ**, שלא הרג בזדון – **שִׁבְעִים וְשִׁבְעָה**,
מגיעה לו חסות גדולה פי כמה וכמה מזו של קין.

כאן מסתיים סיפור תולדות קין. אם נשווה סיפור זה לסדר הדורות
שיופיע בהמשך, נמצא כי סיפור תולדות קין מגיע עד תקופת המבול.

במשפחת אדם וחוה היו שני בנים, והאחד רצח את האחר. ייתכן
שבעטיה של הטרגדיה הקשה של הרצח הראשון במשפחה הראשונה
לא המשיכו אדם וחוה לפרות ולרבות מיד. אולי תהו אם הם רוצים
להוליד ילדים נוספים. עבר זמן עד ששבו והתאוששו. רק אז, כה **וַיֵּדַע
אָדָם עוֹד אֶת אִשְׁתּוֹ, וַתֵּלֶד בֵּן. וַתִּקְרָא אֶת שְׁמוֹ שֵׁת כִּי שָׁת**, שָׂם,
נתן **לִי אֱלֹהִים זֶרַע אַחֵר תַּחַת**, במקום **הֶבֶל, כִּי הֲרָגוֹ קָיִן.** מהמשך
ההיסטוריה עולה ששת הוא תשתית העולם. ממנו יצאה האנושות,
והוא היה אבי המין האנושי.[57] כו **וּלְשֵׁת גַּם הוּא יֻלַּד בֵּן, וַיִּקְרָא אֶת
שְׁמוֹ אֱנוֹשׁ**, שהוא כינוי אחר לאדם, **אָז הוּחַל לִקְרֹא בְּשֵׁם ה'.** מלים
אלו זכו לשתי פרשנויות סותרות: האחת – בזמן אנוש התחילו
בני האדם ליצור תפילה או פולחן מסודרים. קודם לכן הקריבו קין
והבל מתוך התעוררות ספונטנית ללא מקדש או תבנית ממוסדת.

ששי ד בְּשֵׁם יְהוָה: זֶה סֵפֶר תּוֹלְדֹת אָדָם בְּיוֹם א ה
בְּרֹא אֱלֹהִים אָדָם בִּדְמוּת אֱלֹהִים עָשָׂה אֹתוֹ: זָכָר ב
וּנְקֵבָה בְּרָאָם וַיְבָרֶךְ אֹתָם וַיִּקְרָא אֶת־שְׁמָם אָדָם
בְּיוֹם הִבָּרְאָם: וַיְחִי אָדָם שְׁלֹשִׁים וּמְאַת שָׁנָה וַיּוֹלֶד ג

רש"י | בָּרוּךְ הוּא, לַעֲשׂוֹתָן עֲבוֹדָה זָרָה וְלִקְרוֹתָן אֱלָהוּת:

פרק ה

א| זֶה סֵפֶר תּוֹלְדֹת אָדָם. זוֹ הִיא סְפִירַת תּוֹלְדוֹת אָדָם. וּמִדְרְשֵׁי אַגָּדָה יֵשׁ רַבִּים: בְּיוֹם בְּרֹא וְגוֹ'. מַגִּיד שֶׁבַּיּוֹם שֶׁנִּבְרָא הוֹלִיד:

ג| שְׁלֹשִׁים וּמְאַת שָׁנָה. עַד כָּאן פֵּרַשׁ מִן הָאִשָּׁה:

ביאור | רק בדורו של אנוש, כשהחברה האנושית גדלה, נוצרו מבנה ובסיס מאורגנים לקריאה בשם ה'.[58] והשנייה – הוּחַל מלשון חולין, חילול, כלומר שבזמן אנוש חיללו את שם ה' והתפתחה עבודה זרה.[59] עובדי האלילים האמינו בתחילה כי אף שאלוקים הוא אחד, יש מקום לנשא ולכבד גם גילויים וכוחות חלקיים שלו, שלאחדים מהם יש עצמה, יופי או תכונות מרשימות אחרות. מכאן קצרה הדרך להאלהתם ככוחות עצמאיים נפרדים. בקריאה לכוחות ולעצמים שונים בשם ה', בין שהיא אירעה בשלב אחד ובין שמדובר בתהליך ניווני שראשיתו בדור אנוש, נעוצים שורשיה של העבודה הזרה.[60]

ספר תולדות אדם

פרק ה

כרוניקה קצרה של עשרת הדורות הראשונים, שהתפתחה דרך שושלת שת, והיא מקיפה כאלף ושבע מאות שנה.

פרק ה א **זֶה סֵפֶר תּוֹלְדֹת אָדָם**. על תולדותיו וקורותיו של אדם סופר
קודם לכן, אבל הן לא היו היסטוריות ולא נקשרו לזמנים סדורים.
עד כה הוצגו תבניות היסוד: גן עדן, החטא ועונשו, הבחירה הרעה,
הילדים הראשונים, היריבות, הרצח הראשון, החרטה. כאן מתחילה
סקירה קצרה של דורות רבים בראשית ההיסטוריה האנושית.
תחילתו של התהליך הוא **בְּיוֹם בְּרֹא אֱלֹהִים אָדָם, בִּדְמוּת אֱלֹהִים
עָשָׂה אֹתוֹ**. ייחודו של האדם הוא בהיותו ברוא בדמותו של אלוקים.
על כן הוא ראוי להיסטוריה מיוחדת. ב **זָכָר וּנְקֵבָה בְּרָאָם**. לעיל
פורט התהליך המורכב של יצירת האדם, כאן מסוכם בקצרה רק
שהזכר והנקבה נבראו מראש יחד. על כן אירוע בנייתה של האשה
בשעת שהופלה תרדמה על האדם, לא היה אלא ניתוח ההפרדה
בין הזכר והנקבה.[61] **וַיְבָרֶךְ אֹתָם וַיִּקְרָא אֶת שְׁמָם אָדָם בְּיוֹם הִבָּרְאָם**.
מתוך השמות הנרדפים השונים: אדם, איש, אנוש, גבר, אדם הוא
השם הראשוני והמהותי של המין האנושי, בין משום שהוא יציר
האדמה,[62] ובין משום שהוא דומה לדמות של מעלה.[63]

ג **וַיְחִי אָדָם שְׁלֹשִׁים וּמְאַת שָׁנָה, וַיּוֹלֶד בִּדְמוּתוֹ כְּצַלְמוֹ**. הילד שהוליד

ד בִּדְמוּת֖וֹ כְּצַלְמ֑וֹ וַיִּקְרָ֥א אֶת־שְׁמ֖וֹ שֵֽׁת׃ וַיִּֽהְי֣וּ יְמֵֽי־
אָדָ֗ם אַֽחֲרֵי֙ הוֹלִיד֣וֹ אֶת־שֵׁ֔ת שְׁמֹנֶ֥ה מֵאֹ֖ת שָׁנָ֑ה וַיּ֥וֹלֶד
ה בָּנִ֖ים וּבָנֽוֹת׃ וַיִּֽהְי֞וּ כָּל־יְמֵ֤י אָדָם֙ אֲשֶׁר־חַ֔י תְּשַׁ֤ע מֵאוֹת֙
ו שָׁנָ֔ה וּשְׁלֹשִׁ֖ים שָׁנָ֑ה וַיָּמֹֽת׃ וַֽיְחִי־שֵׁ֕ת חָמֵ֥שׁ
ז שָׁנִ֖ים וּמְאַ֣ת שָׁנָ֑ה וַיּ֖וֹלֶד אֶת־אֱנֽוֹשׁ׃ וַֽיְחִי־שֵׁ֗ת אַֽחֲרֵי֙
הוֹלִיד֣וֹ אֶת־אֱנ֔וֹשׁ שֶׁ֣בַע שָׁנִ֔ים וּשְׁמֹנֶ֥ה מֵא֖וֹת שָׁנָ֑ה
ח וַיּ֥וֹלֶד בָּנִ֖ים וּבָנֽוֹת׃ וַיִּֽהְיוּ֙ כָּל־יְמֵי־שֵׁ֔ת שְׁתֵּ֤ים עֶשְׂרֵה֙
ט שָׁנָ֔ה וּתְשַׁ֥ע מֵא֖וֹת שָׁנָ֑ה וַיָּמֹֽת׃ וַיְחִ֥י אֱנ֖וֹשׁ
י תִּשְׁעִ֣ים שָׁנָ֑ה וַיּ֖וֹלֶד אֶת־קֵינָֽן׃ וַיְחִ֣י אֱנ֗וֹשׁ אַֽחֲרֵי֙
הוֹלִיד֣וֹ אֶת־קֵינָ֔ן חֲמֵ֤שׁ עֶשְׂרֵה֙ שָׁנָ֔ה וּשְׁמֹנֶ֥ה מֵא֖וֹת
יא שָׁנָ֑ה וַיּ֥וֹלֶד בָּנִ֖ים וּבָנֽוֹת׃ וַיִּֽהְיוּ֙ כָּל־יְמֵ֣י אֱנ֔וֹשׁ חָמֵ֣שׁ
יב שָׁנִ֔ים וּתְשַׁ֥ע מֵא֖וֹת שָׁנָ֑ה וַיָּמֹֽת׃ וַיְחִ֥י קֵינָ֖ן
יג שִׁבְעִ֣ים שָׁנָ֑ה וַיּ֖וֹלֶד אֶת־מַֽהֲלַלְאֵֽל׃ וַיְחִ֣י קֵינָ֗ן אַֽחֲרֵי֙
הוֹלִיד֣וֹ אֶת־מַֽהֲלַלְאֵ֔ל אַרְבָּעִ֣ים שָׁנָ֔ה וּשְׁמֹנֶ֥ה מֵא֖וֹת
יד שָׁנָ֑ה וַיּ֥וֹלֶד בָּנִ֖ים וּבָנֽוֹת׃ וַיִּֽהְיוּ֙ כָּל־יְמֵ֣י קֵינָ֔ן עֶ֣שֶׂר
טו שָׁנִ֔ים וּתְשַׁ֥ע מֵא֖וֹת שָׁנָ֑ה וַיָּמֹֽת׃ וַיְחִ֣י
מַֽהֲלַלְאֵ֔ל חָמֵ֥שׁ שָׁנִ֖ים וְשִׁשִּׁ֣ים שָׁנָ֑ה וַיּ֖וֹלֶד אֶת־יָֽרֶד׃
טז וַיְחִ֣י מַֽהֲלַלְאֵ֗ל אַֽחֲרֵי֙ הוֹלִיד֣וֹ אֶת־יֶ֔רֶד שְׁלֹשִׁ֣ים שָׁנָ֔ה

הרחבות

אריכות הימים המופלגת מספר השנים המופלג של כל בני הדורות ההם מתמיה. הרמב"ם שיער שמדובר כאן באנשים יוצאי דופן בגדולתם ובמעלתם, אך אפשר לתלות את אריכות השנים המתוארת כאן בכך שהעולם היה שונה משלנו. ייתכן שהוא היה שלם יותר; אולי כלל בריותיו, ובניהם יצורי אנוש, היו אז בריאים יותר (ראו ספורנו בראשית ו,יג). ושמא הדמות האנושית יכולה מעצם טבעה לחיות קרוב לאלף שנה, ואם אנשים מתים צעירים יותר – הרי הדבר נובע מן החיים הפגומים שאליהם הידרדרה האנושות מסיבות שונות, כגון

ביאור

אדם, כשהיה בן מאה ושלושים שנה היה דומה לו. היו שאמרו שאולי קודם לכן נולדו לאדם ילדים פגומים, שלא היו בצלמו ובדמותו של אדם,[64] אך בפשטות נראה שכוונת הכתוב היא שהילד שנולד לאדם היה דומה לו, ולא אירעה כאן ירידה או נפילה. **וַיִּקְרָא אֶת שְׁמוֹ שֵׁת,** מלשון תשתית, עליו הושתתה האנושות.

מכאן תיאור התולדות עד המבול בקיצור גדול: ד **וַיִּהְיוּ יְמֵי אָדָם**
אַחֲרֵי הוֹלִידוֹ אֶת שֵׁת שְׁמֹנֶה מֵאֹת שָׁנָה, וַיּוֹלֶד במהלך הזמן הזה **בָּנִים**
וּבָנוֹת. התורה אינה משתהה בשמותיהם ובפרטי חייהם, כיוון שאין
בהם חשיבות עבורנו. ה **וַיִּהְיוּ כָּל יְמֵי אָדָם אֲשֶׁר חַי תְּשַׁע מֵאוֹת שָׁנָה**
וּשְׁלֹשִׁים שָׁנָה, וַיָּמֹת.

ו **וַיְחִי שֵׁת חָמֵשׁ שָׁנִים וּמְאַת שָׁנָה, וַיּוֹלֶד אֶת אֱנוֹשׁ.** ז **וַיְחִי שֵׁת**
אַחֲרֵי הוֹלִידוֹ אֶת אֱנוֹשׁ שֶׁבַע שָׁנִים וּשְׁמֹנֶה מֵאוֹת שָׁנָה, וַיּוֹלֶד בָּנִים
וּבָנוֹת. ח **וַיִּהְיוּ כָּל יְמֵי שֵׁת שְׁתֵּים עֶשְׂרֵה שָׁנָה וּתְשַׁע מֵאוֹת שָׁנָה,**
וַיָּמֹת. איננו יודעים אם הבנים הנזכרים בשמותיהם כממשיכי
השושלת הם הבכורות. ייתכן שאכן נזכר דווקא הבן הראשון,
שכן לידתו היא שמחלקת את חיי אביו לשניים: קודם היותו
אב ואחרי כן. ואולם ייתכן שייחודו של הבן שהוזכר בשמו נעוץ
בסיבה אחרת. על כל פנים, ממנו נמשכת השושלת המגיעה לבסוף
לנח. ט **וַיְחִי אֱנוֹשׁ תִּשְׁעִים שָׁנָה, וַיּוֹלֶד אֶת קֵינָן,** שם נוסף המתקשר
לבעלות וקניין. י **וַיְחִי אֱנוֹשׁ אַחֲרֵי הוֹלִידוֹ אֶת קֵינָן חֲמֵשׁ עֶשְׂרֵה שָׁנָה**
וּשְׁמֹנֶה מֵאוֹת שָׁנָה, וַיּוֹלֶד בָּנִים וּבָנוֹת. יא **וַיִּהְיוּ כָּל יְמֵי אֱנוֹשׁ חָמֵשׁ**
שָׁנִים וּתְשַׁע מֵאוֹת שָׁנָה, וַיָּמֹת. יב **וַיְחִי קֵינָן שִׁבְעִים שָׁנָה, וַיּוֹלֶד אֶת**
מַהֲלַלְאֵל. יג **וַיְחִי קֵינָן אַחֲרֵי הוֹלִידוֹ אֶת מַהֲלַלְאֵל אַרְבָּעִים שָׁנָה**
וּשְׁמֹנֶה מֵאוֹת שָׁנָה, וַיּוֹלֶד בָּנִים וּבָנוֹת. יד **וַיִּהְיוּ כָּל יְמֵי קֵינָן עֶשֶׂר**
שָׁנִים וּתְשַׁע מֵאוֹת שָׁנָה, וַיָּמֹת. טו **וַיְחִי מַהֲלַלְאֵל חָמֵשׁ שָׁנִים וְשִׁשִּׁים**
שָׁנָה, וַיּוֹלֶד אֶת יָרֶד. טז **וַיְחִי מַהֲלַלְאֵל אַחֲרֵי הוֹלִידוֹ אֶת יֶרֶד שְׁלֹשִׁים**

הרחבות

מזג האוויר, המזון, אורח החיים, טיב הפעולות שאנשים פועלים ועוד.

אפשר להסביר את משמעותה של אריכות הימים המופלגת ההיא גם מזווית נוספת: העולם המפותח של ימינו מתבסס על מסורת של חינוך, ידע ותרבות שנוצרו לפנינו, ואלו מקלות על התמודדותנו עם המציאות. לעומת זאת, הדורות הראשונים נזקקו לחיים ארוכים, כיוון שהיו צריכים ליצור הכול יש מאין. בהיעדר תשתית מובנית, חייהם הארוכים של בני הדורות הראשונים הם שאפשרו להם לפתח תרבות, מדע ותבניות חיים.

וּשְׁמֹנֶ֥ה מֵא֖וֹת שָׁנָ֑ה וַיּ֥וֹלֶד בָּנִ֖ים וּבָנֽוֹת׃ וַיִּֽהְיוּ֙ כָּל־ יז
יְמֵ֣י מַהֲלַלְאֵ֔ל חָמֵ֤שׁ וְתִשְׁעִים֙ שָׁנָ֔ה וּשְׁמֹנֶ֖ה מֵא֣וֹת
שָׁנָ֑ה וַיָּמֹֽת׃ וַֽיְחִי־יֶ֕רֶד שְׁתַּ֥יִם וְשִׁשִּׁ֛ים שָׁנָ֖ה יח
וּמְאַ֣ת שָׁנָ֑ה וַיּ֖וֹלֶד אֶת־חֲנֽוֹךְ׃ וַֽיְחִי־יֶ֗רֶד אַחֲרֵי֙ הוֹלִיד֣וֹ יט
אֶת־חֲנ֔וֹךְ שְׁמֹנֶ֥ה מֵא֖וֹת שָׁנָ֑ה וַיּ֥וֹלֶד בָּנִ֖ים וּבָנֽוֹת׃ וַיִּֽהְיוּ֙ כ
כָּל־יְמֵי־יֶ֔רֶד שְׁתַּ֤יִם וְשִׁשִּׁים֙ שָׁנָ֔ה וּתְשַׁ֥ע מֵא֖וֹת שָׁנָ֑ה
וַיָּמֹֽת׃ וַֽיְחִ֣י חֲנ֔וֹךְ חָמֵ֥שׁ וְשִׁשִּׁ֖ים שָׁנָ֑ה וַיּ֖וֹלֶד כא
אֶת־מְתוּשָֽׁלַח׃ וַיִּתְהַלֵּ֨ךְ חֲנ֜וֹךְ אֶת־הָֽאֱלֹהִ֗ים אַֽחֲרֵי֙ כב
הוֹלִיד֣וֹ אֶת־מְתוּשֶׁ֔לַח שְׁלֹ֥שׁ מֵא֖וֹת שָׁנָ֑ה וַיּ֥וֹלֶד בָּנִ֖ים
וּבָנֽוֹת׃ וַיְהִ֖י כָּל־יְמֵ֣י חֲנ֑וֹךְ חָמֵ֤שׁ וְשִׁשִּׁים֙ שָׁנָ֔ה וּשְׁלֹ֥שׁ כג
מֵא֖וֹת שָׁנָֽה׃ וַיִּתְהַלֵּ֥ךְ חֲנ֖וֹךְ אֶת־הָאֱלֹהִ֑ים וְאֵינֶ֕נּוּ כד
שביעי כִּֽי־לָקַ֥ח אֹת֖וֹ אֱלֹהִֽים׃ וַֽיְחִ֣י מְתוּשֶׁ֔לַח כה
שֶׁ֛בַע וּשְׁמֹנִ֖ים שָׁנָ֣ה וּמְאַ֣ת שָׁנָ֑ה וַיּ֖וֹלֶד אֶת־לָֽמֶךְ׃ וַֽיְחִ֣י כו
מְתוּשֶׁ֗לַח אַחֲרֵי֙ הוֹלִיד֣וֹ אֶת־לֶ֔מֶךְ שְׁתַּ֤יִם וּשְׁמוֹנִים֙
שָׁנָ֔ה וּשְׁבַ֥ע מֵא֖וֹת שָׁנָ֑ה וַיּ֥וֹלֶד בָּנִ֖ים וּבָנֽוֹת׃ וַיִּֽהְיוּ֙ כָּל־ כז
יְמֵ֣י מְתוּשֶׁ֔לַח תֵּ֤שַׁע וְשִׁשִּׁים֙ שָׁנָ֔ה וּתְשַׁ֥ע מֵא֖וֹת שָׁנָ֑ה
וַיָּמֹֽת׃ וַֽיְחִי־לֶ֕מֶךְ שְׁתַּ֧יִם וּשְׁמֹנִ֛ים שָׁנָ֖ה כח
וּמְאַ֣ת שָׁנָ֑ה וַיּ֖וֹלֶד בֵּֽן׃ וַיִּקְרָ֧א אֶת־שְׁמ֛וֹ נֹ֖חַ לֵאמֹ֑ר כט

רש"י

כד וַיִּתְהַלֵּךְ חֲנוֹךְ. צַדִּיק הָיָה וְקַל בְּדַעְתּוֹ לָשׁוּב לְהַרְשִׁיעַ, לְפִיכָךְ מִהֵר הַקָּדוֹשׁ בָּרוּךְ הוּא וְסִלְּקוֹ וֶהֱמִיתוֹ קֹדֶם זְמַנּוֹ, וְזֶהוּ שֶׁשִּׁנָּה הַכָּתוּב בְּמִיתָתוֹ, לִכְתֹּב: "וְאֵינֶנּוּ" בָּעוֹלָם לְמַלֹּאות שְׁנוֹתָיו: כִּי לָקַח אֹתוֹ. לִפְנֵי זְמַנּוֹ, כְּמוֹ: "הִנְנִי לֹקֵחַ מִמְּךָ אֶת מַחְמַד עֵינֶיךָ" (יחזקאל כד, טז):

כח וַיּוֹלֶד בֵּן. שֶׁמִּמֶּנּוּ נִבְנָה הָעוֹלָם:

כט זֶה יְנַחֲמֵנוּ. יָנַח מִמֶּנּוּ אֶת עִצְּבוֹן יָדֵינוּ. עַד שֶׁלֹּא בָּא נֹחַ לֹא הָיָה לָהֶם כְּלֵי מַחֲרֵשָׁה וְהוּא הֵכִין לָהֶם, וְהָיְתָה הָאָרֶץ מוֹצִיאָה קוֹצִים וְדַרְדָּרִים כְּשֶׁזּוֹרְעִים חִטִּים, מִקִּלְלָתוֹ שֶׁל אָדָם הָרִאשׁוֹן,

ביאור

שָׁנָה וּשְׁמֹנֶה מֵאוֹת שָׁנָה, וַיּוֹלֶד בָּנִים וּבָנוֹת. יז **וַיִּהְיוּ כָּל יְמֵי מַהֲלַלְאֵל**
חָמֵשׁ וְתִשְׁעִים שָׁנָה וּשְׁמֹנֶה מֵאוֹת שָׁנָה, וַיָּמֹת. יח **וַיְחִי יֶרֶד שְׁתַּיִם**
וְשִׁשִּׁים שָׁנָה וּמְאַת שָׁנָה, וַיּוֹלֶד אֶת חֲנוֹךְ. יט **וַיְחִי יֶרֶד אַחֲרֵי הוֹלִידוֹ**
אֶת חֲנוֹךְ שְׁמֹנֶה מֵאוֹת שָׁנָה, וַיּוֹלֶד בָּנִים וּבָנוֹת. כ **וַיִּהְיוּ כָּל יְמֵי יֶרֶד**
שְׁתַּיִם וְשִׁשִּׁים שָׁנָה וּתְשַׁע מֵאוֹת שָׁנָה, וַיָּמֹת. כא **וַיְחִי חֲנוֹךְ חָמֵשׁ**
וְשִׁשִּׁים שָׁנָה, וַיּוֹלֶד אֶת מְתוּשָׁלַח. כב **וַיִּתְהַלֵּךְ חֲנוֹךְ אֶת הָאֱלֹהִים,**
חנוך היה קרוב אל אלוקים ועסק בעבודתו.[65] ייתכן שהוא נביא
או צדיק. **אַחֲרֵי הוֹלִידוֹ אֶת מְתוּשֶׁלַח שְׁלֹשׁ מֵאוֹת שָׁנָה, וַיּוֹלֶד בָּנִים**
וּבָנוֹת. כג **וַיְהִי כָּל יְמֵי חֲנוֹךְ חָמֵשׁ וְשִׁשִּׁים שָׁנָה וּשְׁלֹשׁ מֵאוֹת שָׁנָה.**
חנוך חי פחות שנים מאביו ומבנו. כד **וַיִּתְהַלֵּךְ חֲנוֹךְ אֶת הָאֱלֹהִים,**
וְאֵינֶנּוּ, כִּי לָקַח אֹתוֹ אֱלֹהִים. חנוך היה דמות חריגה ומעורפלת של
צדיק.[66] ייתכן שהקדוש ברוך הוא העלה אותו למרום, כשם שלקח
את אליהו הנביא.[67] בכמה ספרים מסופר כי חנוך נשאר במרום עד
היום כמין מלאך, בדומה לאליהו.[68] ושמא האלוקים לקח אותו להיות
במחיצתו, כיוון שלא היה שייך לעולם הזה. כה **וַיְחִי מְתוּשֶׁלַח שֶׁבַע**
וּשְׁמֹנִים שָׁנָה וּמְאַת שָׁנָה, וַיּוֹלֶד אֶת לָמֶךְ. כו **וַיְחִי מְתוּשֶׁלַח אַחֲרֵי**
הוֹלִידוֹ אֶת לֶמֶךְ שְׁתַּיִם וּשְׁמוֹנִים שָׁנָה וּשְׁבַע מֵאוֹת שָׁנָה, וַיּוֹלֶד בָּנִים
וּבָנוֹת. כז **וַיִּהְיוּ כָּל יְמֵי מְתוּשֶׁלַח תֵּשַׁע וְשִׁשִּׁים שָׁנָה וּתְשַׁע מֵאוֹת שָׁנָה,**
וַיָּמֹת. מתושלח היה זקן בני האדם בכתובים. כח **וַיְחִי לֶמֶךְ שְׁתַּיִם**
וּשְׁמֹנִים שָׁנָה וּמְאַת שָׁנָה, וַיּוֹלֶד בֵּן. כט **וַיִּקְרָא אֶת שְׁמוֹ נֹחַ, לֵאמֹר: זֶה**
יְנַחֲמֵנוּ מִצער מַעֲשֵׂנוּ וּמֵעִצְּבוֹן יָדֵינוּ, מִן הָאֲדָמָה אֲשֶׁר אֵרְרָהּ ה'. ייתכן
שילד זה זכה בשמו, משום שכבר בלידתו נראה מיוחד במינו.[69] נח
נקרא על שם הנבואה, התקווה או התפילה לנחמה, הבאה מתוך
חיי עמל ועצב. ואכן חייו הוכיחו שהוא היה תקוות האנושות, אך
לא היה בכך כדי לנחם את האנושות ממעשיה ומעצבונה, שהרי
הוא ומשפחתו לבדם ניצלו ולא הביאו לישועת האנושות הקיימת

זֶה יְנַחֲמֵנוּ מִמַּעֲשֵׂנוּ וּמֵעִצְּבוֹן יָדֵינוּ מִן־הָאֲדָמָה
אֲשֶׁר אֵרְרָהּ יְהוָה: וַיְחִי־לֶמֶךְ אַחֲרֵי הוֹלִידוֹ אֶת־ ל
נֹחַ חָמֵשׁ וְתִשְׁעִים שָׁנָה וַחֲמֵשׁ מֵאֹת שָׁנָה וַיּוֹלֶד
בָּנִים וּבָנוֹת: וַיְהִי כָּל־יְמֵי־לֶמֶךְ שֶׁבַע וְשִׁבְעִים שָׁנָה לא
וּשְׁבַע מֵאוֹת שָׁנָה וַיָּמֹת: וַיְהִי־נֹחַ בֶּן־ לב
חֲמֵשׁ מֵאוֹת שָׁנָה וַיּוֹלֶד נֹחַ אֶת־שֵׁם אֶת־חָם וְאֶת־
יָפֶת: וַיְהִי כִּי־הֵחֵל הָאָדָם לָרֹב עַל־פְּנֵי הָאֲדָמָה א ו
וּבָנוֹת יֻלְּדוּ לָהֶם: וַיִּרְאוּ בְנֵי־הָאֱלֹהִים אֶת־בְּנוֹת ב
הָאָדָם כִּי טֹבֹת הֵנָּה וַיִּקְחוּ לָהֶם נָשִׁים מִכֹּל אֲשֶׁר
בָּחָרוּ: וַיֹּאמֶר יְהוָה לֹא־יָדוֹן רוּחִי בָאָדָם לְעֹלָם ג

רש"י

וּבִימֵי נֹחַ נָחָה, וְזֶה 'יְנַחֲמֵנוּ' – יָנַח מִמֶּנּוּ. וְאִם לֹא תְּפָרְשֵׁהוּ כָּךְ, אֵין טַעַם הַלָּשׁוֹן נוֹפֵל עַל הַשֵּׁם, וְאַתָּה צָרִיךְ לִקְרוֹת שְׁמוֹ מְנַחֵם:

לב| **בֶּן חֲמֵשׁ מֵאוֹת שָׁנָה.** אָמַר רַבִּי יוּדָן: מַה טַּעַם כָּל הַדּוֹרוֹת הוֹלִידוּ לְמֵאָה שָׁנָה וְזֶה לַחֲמֵשׁ מֵאוֹת? אָמַר הַקָּדוֹשׁ בָּרוּךְ הוּא: אִם רְשָׁעִים הֵם יֹאבְדוּ בַּמַּיִם וְרַע לְצַדִּיק זֶה, וְאִם צַדִּיקִים הֵם אַטְרִיחַ עָלָיו לַעֲשׂוֹת תֵּבוֹת הַרְבֵּה, כָּבַשׁ אֶת מַעְיָנוֹ וְלֹא הוֹלִיד עַד חֲמֵשׁ מֵאוֹת שָׁנָה, כְּדֵי שֶׁלֹּא יְהֵא יֶפֶת הַגָּדוֹל שֶׁבְּבָנָיו רָאוּי לָעֳנָשִׁין לִפְנֵי הַמַּבּוּל, דִּכְתִיב: "כִּי הַנַּעַר בֶּן מֵאָה שָׁנָה יָמוּת" (ישעיה סה, כ) – רָאוּי לְעֹנֶשׁ לֶעָתִיד, וְכֵן לִפְנֵי מַתַּן תּוֹרָה: **אֶת שֵׁם אֶת חָם וְאֶת יָפֶת.** וַהֲלֹא יֶפֶת הַגָּדוֹל הוּא! אֶלָּא בַּתְּחִלָּה אַתָּה דּוֹרֵשׁ אֶת שֶׁהוּא צַדִּיק, וְנוֹלַד כְּשֶׁהוּא מָהוּל, וְשֶׁאַבְרָהָם יָצָא מִמֶּנּוּ וְכוּ'. בִּבְרֵאשִׁית רַבָּה (כו, ג):

פרק ו

ב| **בְּנֵי הָאֱלֹהִים.** בְּנֵי הַשָּׂרִים וְהַשּׁוֹפְטִים. דָּבָר אַחֵר, "בְּנֵי הָאֱלֹהִים", הֵם הַשָּׂרִים הַהוֹלְכִים בִּשְׁלִיחוּתוֹ שֶׁל מָקוֹם, אַף הֵם הָיוּ מִתְעָרְבִים בָּהֶם. כָּל 'אֱלֹהִים' שֶׁבַּמִּקְרָא לְשׁוֹן מָרוּת, וְזֶה יוֹכִיחַ: "וְאַתָּה תִּהְיֶה לּוֹ לֵאלֹהִים" (שמות ד, טז), "רְאֵה נְתַתִּיךָ אֱלֹהִים" (שם ז, א): **כִּי טֹבֹת הֵנָּה.** אָמַר רַבִּי יוּדָן: "טֹבַת" כְּתִיב, מִשֶּׁהָיוּ מְטִיבִין אוֹתָהּ מְקֻשֶּׁטֶת לִכָּנֵס לַחֻפָּה, הָיָה גָּדוֹל נִכְנָס וּבוֹעֲלָהּ תְּחִלָּה: **מִכֹּל אֲשֶׁר בָּחָרוּ.** אַף בְּעוּלַת בַּעַל, אַף הַזָּכָר וְהַבְּהֵמָה:

ג| **לֹא יָדוֹן רוּחִי בָּאָדָם.** לֹא יִתְרַעֵם וְיָרִיב רוּחִי עָלַי בִּשְׁבִיל הָאָדָם: **לְעֹלָם.** לְאֹרֶךְ יָמִים; הִנֵּה רוּחִי נָדוֹן בְּקִרְבִּי אִם לְהַשְׁחִית וְאִם לְרַחֵם, לֹא יִהְיֶה מָדוֹן זֶה בְּרוּחִי לְעֹלָם, כְּלוֹמַר לְאֹרֶךְ יָמִים: **בְּשַׁגַּם הוּא בָשָׂר.** כְּמוֹ 'בְּשֶׁגַּם', כְּלוֹמַר בִּשְׁבִיל

ביאור | כולה. ל **וַיְחִי לֶמֶךְ אַחֲרֵי הוֹלִידוֹ אֶת נֹחַ חָמֵשׁ וְתִשְׁעִים שָׁנָה וַחֲמֵשׁ**
מֵאֹת שָׁנָה, וַיּוֹלֶד בָּנִים וּבָנוֹת. לא **וַיְהִי כָּל יְמֵי לֶמֶךְ שֶׁבַע וְשִׁבְעִים**
שָׁנָה וּשְׁבַע מֵאוֹת שָׁנָה, וַיָּמֹת. לב **וַיְהִי נֹחַ בֶּן חֲמֵשׁ מֵאוֹת שָׁנָה, וַיּוֹלֶד**
נֹחַ אֶת שֵׁם אֶת חָם וְאֶת יָפֶת. מתחילת הספר ועד הנה אין נזכרים
שלושה בנים בשמותיהם. חכמים עסקו בשאלה אם סדר הופעתם
כאן משקף את סדר הולדתם.[70]

כאן נגמר סֵפֶר תּוֹלְדֹת אָדָם, ובו שמותיהם של נציגים מתוך עשרת הדורות מאדם ועד נח, כמעט ללא פרטים עליהם. סֵפֶר זה מסתיים בדור שבו מתחולל מפנה. על כן זוכה נח ליתר פירוט ולציון העובדה שכבר מלידתו נתלתה בו תקווה או נבואה שיביא לעולם מרפא ותקנה. ואכן, בדרך לא צפויה, בו יתחיל העולם החדש.

האנושות מכזיבה

פרק ו פס׳ א–ח

אדם וחוה הפכו יודעי טוב ורע באכילתם מפרי עץ הדעת טוב ורע. בחירתם של צאצאיהם ברע מביאה לערעור ההצדקה לקיומם ולקיומם של היצורים הנלווים להם.

פרק ו א **וַיְהִי כִּי הֵחֵל הָאָדָם**, המין האנושי **לָרֹב עַל פְּנֵי הָאֲדָמָה,**
וּבָנוֹת יֻלְּדוּ לָהֶם. ב **וַיִּרְאוּ בְנֵי הָאֱלֹהִים**, פירוש ראשון: בני המעמדות
העליונים, שאולי גדלו וטופחו בנפרד;[71] כיוון שהאנושות התרבתה,
נוצרו בה מעמדות. פירוש שני: מלאכים,[72] שהגיעו לעולם הזה
וקיבלו גוף אנושי ותכונות אנושיות אחדות לשם ניסיון, ונכשלו
בו.[73] אמנם הם חדלו מלהיות מלאכים, אך בצד היצרים האנושיים
שנוספו להם, נותרו בהם כוחות עילאיים. **אֶת בְּנוֹת הָאָדָם**, לפי
הפירוש הראשון, בנות המעמדות התחתונים. לפי הפירוש השני,
כפשוטו, נשים מצאצאי אדם. **כִּי טֹבֹת**, יפות **הֵנָּה, וַיִּקְחוּ לָהֶם נָשִׁים**
מִכֹּל אֲשֶׁר בָּחָרוּ, בין צעירות ובין מבוגרות, בין רווקות ובין נשואות,
בלא להתחשב בחוקים כלשהם.

החברה אפשרה את שבירת הסדר. איש לא התערב ולא מחה כנגד
פריצת הגדרות. ג ועל כן – **וַיֹּאמֶר ה׳: לֹא יָדוֹן**, לא תישאר קבועה[74]

בְּשַׁגַּם הוּא בָשָׂר וְהָיוּ יָמָיו מֵאָה וְעֶשְׂרִים שָׁנָה׃
ד הַנְּפִלִים הָיוּ בָאָרֶץ בַּיָּמִים הָהֵם וְגַם אַחֲרֵי־כֵן אֲשֶׁר
יָבֹאוּ בְּנֵי הָאֱלֹהִים אֶל־בְּנוֹת הָאָדָם וְיָלְדוּ לָהֶם
הֵמָּה הַגִּבֹּרִים אֲשֶׁר מֵעוֹלָם אַנְשֵׁי הַשֵּׁם׃
מפטיר ה וַיַּרְא יהוה כִּי רַבָּה רָעַת הָאָדָם בָּאָרֶץ וְכָל־יֵצֶר
ו מַחְשְׁבֹת לִבּוֹ רַק רַע כָּל־הַיּוֹם׃ וַיִּנָּחֶם יהוה כִּי־
ז עָשָׂה אֶת־הָאָדָם בָּאָרֶץ וַיִּתְעַצֵּב אֶל־לִבּוֹ׃ וַיֹּאמֶר

רש"י

שגם זאת בו שהוא בשר ואף על פי כן אינו נכנע לפני, ומה אם יהיה אש או דבר קשה. כיוצא בו: "עד שקמתי דבורה" (שופטים ה, ז) כמו 'שקמתי', וכן: "שאתה מדבר עמי" (שם ו, יז) כמו 'שאתה', אף 'בשגם' כמו 'בשגם': והיו ימיו וגו'. עד מאה ועשרים שנה אאריך להם אפי, ואם לא ישובו – אביא עליהם מבול. ואם תאמר, משנולד יפת עד המבול אינו אלא מאה שנה? אין מקדם ומאחר בתורה, כבר היתה הגזרה גזורה עשרים שנה קודם שהוליד נח תולדות, וכן מצינו בסדר עולם (סוף פכ"ח). יש מדרשי אגדה רבים ב"לא ידון", אבל זה עיקר פשוטו:

ד) **הנפלים.** על שם שנפלו והפילו את העולם, ובלשון עברית לשון ענקים הוא: **בימים ההם.** בימי דור אנוש ובני קין: **וגם אחרי כן.** אף על פי שראו באבדן של דור אנוש, שעלה אוקינוס והציף שליש העולם, לא נכנע דור המבול ללמד מהם: **אשר יבאו.** היו יולדות ענקים כמותם: **הגברים.** למרד במקום: **אנשי השם.** אותם שנקבו בשמות: עירד מחויאל מתושאל, שנקראו על שם אבדן, שנמוחו והותשו. דבר אחר, אנשי שממון, ששממו את העולם:

ו) **וינחם ה' כי עשה.** נחמה היתה לפניו שבראו בתחתונים, שאלו היה מן העליונים היה ממרידן, בבראשית רבה (כז, ד): **ויתעצב.** האדם "אל לבו" של מקום, עלה במחשבתו של מקום להעציבו, זהו תרגום אונקלוס. דבר אחר, "וינחם", נהפכה מחשבתו של מקום ממדת רחמים למדת הדין, עלה במחשבה לפניו מה לעשות באדם שעשה בארץ, וכן כל לשון ניחום שבמקרא לשון נמלך מה לעשות: "ובן אדם ויתנחם" (במדבר כג, יט), "ועל עבדיו יתנחם" (דברים לב, לו), "וינחם ה' על הרעה" (שמות לב, יד), "נחמתי כי המלכתי" (שמואל א' טו, יא), כלם לשון מחשבה אחרת הם. "ויתעצב אל לבו" – נתאבל על אבדן מעשה ידיו, כמו: "נעצב המלך על בנו" (שמואל ב' יט, ג). וזו כתבתי לתשובת המינים: גוי אחד שאל את רבי יהושע בן קרחה, אמר לו: אין אתם מודים שהקדוש ברוך הוא רואה את הנולד? אמר לו: הן. אמר לו: והא כתיב: "ויתעצב אל לבו"? אמר לו: נולד לך בן זכר מימיך? אמר לו: הן. אמר לו: ומה עשית? אמר לו: שמחתי ושמחתי את הכל. אמר לו: ולא היית יודע שסופו למות? אמר לו: בשעת חדותא חדותא, בשעת אבלא אבלא.

ביאור

רוּחִי בָאָדָם, במין האנושי **לְעֹלָם, בְּשַׁגַּם הוּא בָשָׂר**, משום שהאדם
שוב אינו ממֵמש את עליונותו על שאר יצורי עולם; אף הוא בשר.
וְהָיוּ יָמָיו מֵאָה וְעֶשְׂרִים שָׁנָה. עד שיוכרע דינם, אתן להם ארכה של
מאה ועשרים שנה. אם לא ישתנו - ייפסק קיומה של האנושות
במתכונתה הנוכחית.

וכאן מופיעה הערה: ד **הַנְּפִלִים**, הענקים. ייתכן שכונו כך, משום
שנפלו מִדרגתם,[75] או: משום שנפלאו משאר בני האדם.[76] **הָיוּ בָאָרֶץ
בַּיָּמִים הָהֵם וְגַם אַחֲרֵי כֵן**. הנפילים נזכרים גם זמן רב לאחר מכן,
חלקם כיצורים אגדיים וחלקם כיצורים שהיו בפועל, אולי כשרידים
של אותם ענקים קדמונים, והם תולדת מה שמסופר כאן - **אֲשֶׁר
יָבֹאוּ בְּנֵי הָאֱלֹהִים אֶל בְּנוֹת הָאָדָם, וְיָלְדוּ לָהֶם**, את הנפילים. נפילים
אלו אמנם אינם בני האלוהים בכל המובנים, אבל הם ענקים וכבירי
כוח. הנפילים היו מועטים, אך שלטו במקומות רבים בעולם.[77] **הֵמָּה
הַגִּבֹּרִים אֲשֶׁר מֵעוֹלָם**, אליהם מתכוונים כשמדברים על גיבורי קדם
עצומים, בדורות שלאחר מכן. **אַנְשֵׁי הַשֵּׁם**, אנשים שעשו להם שם,
שהמשיכו להזכיר אותם.

ה **וַיַּרְא ה' כִּי רַבָּה רָעַת הָאָדָם בָּאָרֶץ**, המין האנושי הִרבה להרע,
וְכָל יֵצֶר מַחְשְׁבֹת לִבּוֹ רַק רַע כָּל הַיּוֹם. יצר אינו שלילי בהכרח. היצר
הוא הכוח הפועל והיוצר באדם, העשוי לפנות לכיוונים שונים.
אצל חז"ל מופיע המושג 'יצר טוב',[78] אבל כאן מדובר ביצר שהוא
רק רע. האדם בחר להשתמש ביצריו לרע בלבד. ו **וַיִּנָּחֶם ה'**, ה'
התחרט, כביכול, **כִּי עָשָׂה אֶת הָאָדָם בָּאָרֶץ**. התקווה שנתלתה
באדם, בעל יכולת הבחירה, הכזיבה. **וַיִּתְעַצֵּב אֶל לִבּוֹ**. אלו הם
ביטויים אנתרופומורפיים, ביטויי האנשה כלפי מעלה, שמשמעם
הוא שיצירת האדם נכשלה.[79]

יְהוָה אֶמְחֶה אֶת־הָאָדָם אֲשֶׁר־בָּרָאתִי מֵעַל פְּנֵי
הָאֲדָמָה מֵאָדָם עַד־בְּהֵמָה עַד־רֶמֶשׂ וְעַד־עוֹף
הַשָּׁמָיִם כִּי נִחַמְתִּי כִּי עֲשִׂיתִם׃ וְנֹחַ מָצָא חֵן בְּעֵינֵי ח
יְהוָה׃

נח ה אֵלֶּה תּוֹלְדֹת נֹחַ נֹחַ אִישׁ צַדִּיק תָּמִים הָיָה בְּדֹרֹתָיו ט
אֶת־הָאֱלֹהִים הִתְהַלֶּךְ־נֹחַ׃ וַיּוֹלֶד נֹחַ שְׁלֹשָׁה בָנִים י
אֶת־שֵׁם אֶת־חָם וְאֶת־יָפֶת׃ וַתִּשָּׁחֵת הָאָרֶץ לִפְנֵי יא
הָאֱלֹהִים וַתִּמָּלֵא הָאָרֶץ חָמָס׃ וַיַּרְא אֱלֹהִים אֶת־ יב

רש״י | אָמַר לוֹ: כָּךְ מַעֲשֶׂה לִפְנֵי הַקָּדוֹשׁ בָּרוּךְ הוּא, אַף עַל פִּי שֶׁגָּלוּי לְפָנָיו שֶׁסּוֹפָן לַחֲטֹא וּלְאַבְּדָן לֹא נִמְנַע מִלְּבָרְאָן, בִּשְׁבִיל הַצַּדִּיקִים הָעֲתִידִים לַעֲמֹד מֵהֶם:

ז | וַיֹּאמֶר ה׳ אֶמְחֶה אֶת הָאָדָם. הוּא עָפָר וְאָבִיא עָלָיו מַיִם וְאֶמְחֶה אוֹתוֹ, לְכָךְ נֶאֱמַר לְשׁוֹן מִחוּי: מֵאָדָם עַד בְּהֵמָה. אַף הֵם הִשְׁחִיתוּ דַּרְכָּם. דָּבָר אַחֵר, הַכֹּל נִבְרָא בִּשְׁבִיל הָאָדָם, וְכֵיוָן שֶׁהוּא כָּלֶה מַה צֹּרֶךְ בְּאֵלּוּ: כִּי נִחַמְתִּי כִּי עֲשִׂיתִם. חָשַׁבְתִּי מַה לַּעֲשׂוֹת עַל אֲשֶׁר עֲשִׂיתִים:

ט | אֵלֶּה תּוֹלְדֹת נֹחַ נֹחַ אִישׁ צַדִּיק. הוֹאִיל וְהִזְכִּירוֹ סִפֵּר בְּשִׁבְחוֹ, שֶׁנֶּאֱמַר: "זֵכֶר צַדִּיק לִבְרָכָה" (משלי י, ז). דָּבָר אַחֵר, לְלַמֶּדְךָ שֶׁעִקַּר תּוֹלְדוֹתֵיהֶם שֶׁל צַדִּיקִים מַעֲשִׂים טוֹבִים: בְּדֹרֹתָיו. יֵשׁ מֵרַבּוֹתֵינוּ דּוֹרְשִׁים אוֹתוֹ לְשֶׁבַח: כָּל שֶׁכֵּן אִלּוּ הָיָה בְּדוֹר צַדִּיקִים הָיָה צַדִּיק יוֹתֵר. וְיֵשׁ שֶׁדּוֹרְשִׁים אוֹתוֹ לִגְנַאי: לְפִי דּוֹרוֹ הָיָה צַדִּיק, וְאִלּוּ הָיָה בְּדוֹרוֹ שֶׁל אַבְרָהָם לֹא הָיָה נֶחְשָׁב לִכְלוּם: אֶת הָאֱלֹהִים הִתְהַלֶּךְ נֹחַ. וּבְאַבְרָהָם הוּא אוֹמֵר: "אֲשֶׁר הִתְהַלַּכְתִּי לְפָנָיו" (להלן כד, מ), נֹחַ הָיָה צָרִיךְ סַעַד לְתָמְכוֹ, אֲבָל אַבְרָהָם הָיָה מִתְחַזֵּק וּמְהַלֵּךְ בְּצִדְקוֹ מֵאֵלָיו: הִתְהַלֶּךְ. לְשׁוֹן עָבָר. וְזֶהוּ שִׁמּוּשָׁהּ שֶׁל לָמֶ״ד בְּלָשׁוֹן כָּבֵד, מְשַׁמֶּשֶׁת לְהַבָּא וּלְשֶׁעָבַר בְּלָשׁוֹן אֶחָד: "קוּם הִתְהַלֵּךְ" (להלן יג, יז) לְהַבָּא, "הִתְהַלֶּךְ נֹחַ" לְשֶׁעָבַר; "הִתְפַּלֵּל בְּעַד עֲבָדֶיךָ" (שמואל א׳ יב, יט) לְהַבָּא, "וּבָא וְהִתְפַּלֵּל אֶל הַבַּיִת הַזֶּה" (מלכים א׳ ח, מב) לְשׁוֹן עָבָר, אֶלָּא שֶׁהַוָּי״ו שֶׁבְּרֹאשׁוֹ הוֹפְכוֹ לְהַבָּא:

יא | וַתִּשָּׁחֵת. לְשׁוֹן עֶרְוָה וַעֲבוֹדָה זָרָה, כְּמוֹ: "פֶּן תַּשְׁחִתוּן" (דברים ד, טז), "כִּי הִשְׁחִית כָּל בָּשָׂר" (להלן פסוק יב): וַתִּמָּלֵא הָאָרֶץ חָמָס. גָּזֵל:

ביאור

ז וַיֹּאמֶר ה': אֶמְחֶה אֶת הָאָדָם אֲשֶׁר בָּרָאתִי מֵעַל פְּנֵי הָאֲדָמָה, מֵאָדָם
עַד בְּהֵמָה עַד רֶמֶשׂ וְעַד עוֹף הַשָּׁמָיִם, כִּי נִחַמְתִּי כִּי עֲשִׂיתִם. האדם
איננו רק אחרון הברואים ונזר הבריאה; הוא תכלית הבריאה. אם
יימחה מן העולם, לא תהיה משמעות לקיומם של שאר היצורים.
רק האדם הוא היכול לכוון את העצמים והיצורים הרבים הממלאים
את העולם, למשמעות. בהיעדרו – כל אותן הוויות מאבדות את
תכלית קיומן.[80]

ח וְרק איש אחד מכלל האנושות – נֹחַ מָצָא חֵן בְּעֵינֵי ה'. נראה שבשל
מעלותיו בחר הקדוש ברוך הוא בנח כאבי האנושות החדשה, לאחר
שהתאכזב משאר צאצאיו של אדם.

פרשת נח

לקראת המבול

פרק ו פס' ט – פרק ז פס' ו

על ההפקרות המינית שנזכרה בסוף הפרשה הקודמת, נוסף גם גזל. ועל כך נגזר דינה של האנושות, ועמה עולם החי שביבשה, להיספות במבול. רק נציגות מינימלית של העולם הקודם תינצל מן הפורענות ותהפוך לגרעינו של העולם החדש.

ט אֵלֶּה תּוֹלְדֹת נֹחַ, קיצור תולדות חייו: נֹחַ היה אִישׁ צַדִּיק, תָּמִים הָיָה
בְּדֹרֹתָיו, בניגוד לסביבתו. אֶת הָאֱלֹהִים הִתְהַלֶּךְ נֹחַ. נח היה מחובר
לאלוקים, הגה בו וחי עמו. בתקופה זו, קודם שניתנו מצוות לבני
האדם, הקשר לאלוקים לא התבטא במעשים מוכתבים. על נח, על
חנוך לפניו ועל אברהם אחריו נאמר שהיו מתהלכים את האלוקים
או לפניו.[1] האלוקים היה נושא חייהם, ולכן הם היו בחיריו. י וַיּוֹלֶד
נֹחַ שְׁלֹשָׁה בָנִים: אֶת שֵׁם, אֶת חָם וְאֶת יָפֶת.

עד כאן מתואר נח כאדם פרטי, ומכאן יעבור הכתוב לספר על קורות
העולם, ועל תפקידו החשוב של נח בהם. יא וַתִּשָּׁחֵת הָאָרֶץ לִפְנֵי
הָאֱלֹהִים, וַתִּמָּלֵא הָאָרֶץ חָמָס. היעדר החוק והסדר, שתואר לעיל
ביחס ללקיחת הנשים מִכֹּל אֲשֶׁר בָּחָרוּ,[2] לא נותר רק בתחום המיני.

הרחבות

נח אמנם האנושות המוכרת לנו השתלשלה גם מאדם הראשון, אך הקשר הישיר שלה הוא דווקא עם נח. ומכאן בא הביטוי הרווח בדברי חז"ל (למשל משנה נדרים ג,יא; בבא קמא לח ע"א; סנהדרין נט) – 'בני נח', בניה של דמות שחיה בדור שפל עד מאוד, ובכל זאת החליטה לצעוד בנתיב שמוצא חן בעיני ה'.

הָאָרֶץ וְהִנֵּה נִשְׁחָתָה כִּי־הִשְׁחִית כָּל־בָּשָׂר אֶת־
דַּרְכּוֹ עַל־הָאָרֶץ׃ וַיֹּאמֶר אֱלֹהִים לְנֹחַ קֵץ יג
כָּל־בָּשָׂר בָּא לְפָנַי כִּי־מָלְאָה הָאָרֶץ חָמָס מִפְּנֵיהֶם
וְהִנְנִי מַשְׁחִיתָם אֶת־הָאָרֶץ׃ עֲשֵׂה לְךָ תֵּבַת עֲצֵי־ יד
גֹפֶר קִנִּים תַּעֲשֶׂה אֶת־הַתֵּבָה וְכָפַרְתָּ אֹתָהּ מִבַּיִת

רש"י

יב] **כִּי הִשְׁחִית כָּל בָּשָׂר.** אֲפִלּוּ בְּהֵמָה חַיָּה וָעוֹף נִזְקָקִין לְשֶׁאֵינָן מִינָן:

יג] **קֵץ כָּל בָּשָׂר.** כָּל מָקוֹם שֶׁאַתָּה מוֹצֵא זְנוּת, אַנְדְּרְלָמוּסְיָא בָּאָה לָעוֹלָם וְהוֹרֶגֶת טוֹבִים וְרָעִים: **כִּי מָלְאָה הָאָרֶץ חָמָס.** לֹא נֶחְתַּם גְּזַר דִּינָם אֶלָּא עַל הַגָּזֵל: **אֶת הָאָרֶץ.** כְּמוֹ מִן הָאָרֶץ, וְדוֹמֶה לוֹ: "כְּצֵאתִי אֶת הָעִיר" (שמות ט, כט) מִן הָעִיר. "חָלָה אֶת רַגְלָיו" (מלכים א' טו, כג) מִן רַגְלָיו. דָּבָר אַחֵר, "אֶת הָאָרֶץ", עִם הָאָרֶץ, שֶׁאַף שְׁלֹשָׁה טְפָחִים שֶׁל עֹמֶק הַמַּחֲרֵשָׁה נִמּוֹחוּ וְנִטַּשְׁטְשׁוּ:

יד] **עֲשֵׂה לְךָ תֵּבַת.** הַרְבֵּה רֶוַח וְהַצָּלָה לְפָנָיו, וְלָמָּה הִטְרִיחוֹ בְּבִנְיָן זֶה? כְּדֵי שֶׁיִּרְאוּהוּ אַנְשֵׁי דוֹר הַמַּבּוּל עָסוּק בָּהּ מֵאָה וְעֶשְׂרִים שָׁנָה וְשׁוֹאֲלִין אוֹתוֹ: מַה זֹּאת לְךָ? וְהוּא אוֹמֵר לָהֶם: עָתִיד הַקָּדוֹשׁ בָּרוּךְ הוּא לְהָבִיא מַבּוּל לָעוֹלָם, אוּלַי יָשׁוּבוּ: **עֲצֵי גֹפֶר.** כָּךְ שְׁמוֹ. וְלָמָּה מִמִּין זֶה? עַל שֵׁם גָּפְרִית שֶׁנִּגְזַר עֲלֵיהֶם לִמָּחוֹת בּוֹ: **קִנִּים.** מְדוֹרִים מְדוֹרִים לְכָל בְּהֵמָה וְחַיָּה: **בַּכֹּפֶר.** זֶפֶת בִּלְשׁוֹן אֲרַמִּי. וּמָצִינוּ בַּתַּלְמוּד 'כֻּפְרָא'. בְּתֵבָתוֹ שֶׁל מֹשֶׁה, עַל יְדֵי שֶׁהָיוּ הַמַּיִם תָּשִׁים, דַּיָּהּ בְּחֹמֶר מִבִּפְנִים וְזֶפֶת מִבַּחוּץ, וְעוֹד כְּדֵי שֶׁלֹּא יָרִיחַ אוֹתוֹ צַדִּיק רֵיחַ רַע שֶׁל זֶפֶת, אֲבָל כָּאן מִפְּנֵי חֹזֶק הַמַּיִם זִפְּתָהּ מִבַּיִת וּמִחוּץ:

ביאור

השחיתות התבטאה גם בכך שהחזקים השתלטו על החלשים, ובכך
שהאנשים החלו לגזול ולחטוף זה מזה את רכושם. כך התבטלה
אפשרות הקניין והבעלות. יב **וַיַּרְא אֱלֹהִים אֶת הָאָרֶץ וְהִנֵּה נִשְׁחָתָה,**
כִּי הִשְׁחִית כָּל בָּשָׂר אֶת דַּרְכּוֹ עַל הָאָרֶץ. נראה שמבחינת הגורמים
הסביבתיים חיי האנושות היו נוחים ושקטים, בדומה לחייהם של
מי ששוכנים באזור קו המשווה.[3] ואולם במקום להיות מאושרים
בחלקם, הם ניצלו לרעה את השפע שבהישג ידם, גזלו ולא הכירו
בחוקי קניין ובסדרי חברה. בעולמם לא התקיימו גבולות ותיחומים.

יג **וַיֹּאמֶר אֱלֹהִים לְנֹחַ: קֵץ כָּל בָּשָׂר בָּא לְפָנַי,** לפי חשבונותי וסדרי,
הגיע סופם של כל היצורים החיים, **כִּי מָלְאָה הָאָרֶץ חָמָס מִפְּנֵיהֶם,**
וְהִנְנִי מַשְׁחִיתָם אֶת הָאָרֶץ. אשחית אותם עם הארץ עצמה. אולם
מכיוון שאתה נבחרת להמשיך את האנושות, יד **עֲשֵׂה לְךָ תֵּבַת**
עֲצֵי גֹפֶר, עצים קלים יחסית, **קִנִּים,** תאים תאים **תַּעֲשֶׂה אֶת הַתֵּבָה.**
וְכָפַרְתָּ, זַפֵּת **אֹתָהּ מִבַּיִת וּמִחוּץ בַּכֹּפֶר,** בעטרן בסיסי – מין זפת

ארז ('גופר'?)

ברוש ('גופר'?)

העולם

עֲצֵי גֹפֶר היו שזיהו אותם עם הברוש (Cupressus), שהוא עץ עמיד במים ומתאים לבניית ספינות, והיו שזיהו אותם עם הקדרוס (באנגלית: Cedar), אחד ממיני הארז (אונקלוס). השבעים תרגמו: מרובעים ומהוקצעים.

טו וּמִחוּץ בַּכֹּפֶר׃ וְזֶה אֲשֶׁר תַּעֲשֶׂה אֹתָהּ שְׁלֹשׁ מֵאוֹת
אַמָּה אֹרֶךְ הַתֵּבָה חֲמִשִּׁים אַמָּה רָחְבָּהּ וּשְׁלֹשִׁים
טז אַמָּה קוֹמָתָהּ׃ צֹהַר ׀ תַּעֲשֶׂה לַתֵּבָה וְאֶל־אַמָּה
תְּכַלֶּנָּה מִלְמַעְלָה וּפֶתַח הַתֵּבָה בְּצִדָּהּ תָּשִׂים
יז תַּחְתִּיִּם שְׁנִיִּם וּשְׁלִשִׁים תַּעֲשֶׂהָ׃ וַאֲנִי הִנְנִי מֵבִיא
אֶת־הַמַּבּוּל מַיִם עַל־הָאָרֶץ לְשַׁחֵת כָּל־בָּשָׂר אֲשֶׁר־
בּוֹ רוּחַ חַיִּים מִתַּחַת הַשָּׁמָיִם כֹּל אֲשֶׁר־בָּאָרֶץ יִגְוָע׃
יח וַהֲקִמֹתִי אֶת־בְּרִיתִי אִתָּךְ וּבָאתָ אֶל־הַתֵּבָה אַתָּה
יט וּבָנֶיךָ וְאִשְׁתְּךָ וּנְשֵׁי־בָנֶיךָ אִתָּךְ׃ וּמִכָּל־הָחַי מִכָּל־
בָּשָׂר שְׁנַיִם מִכֹּל תָּבִיא אֶל־הַתֵּבָה לְהַחֲיֹת אִתָּךְ זָכָר
כ וּנְקֵבָה יִהְיוּ׃ מֵהָעוֹף לְמִינֵהוּ וּמִן־הַבְּהֵמָה לְמִינָהּ
מִכֹּל רֶמֶשׂ הָאֲדָמָה לְמִינֵהוּ שְׁנַיִם מִכֹּל יָבֹאוּ אֵלֶיךָ

רש"י

טז| **צֹהַר.** יֵשׁ אוֹמְרִים חַלּוֹן, וְיֵשׁ אוֹמְרִים אֶבֶן טוֹבָה הַמְּאִירָה לָהֶם: **וְאֶל אַמָּה תְּכַלֶּנָּה מִלְמַעְלָה.** כְּסוּיָהּ מְשֻׁפָּע וְעוֹלֶה עַד שֶׁהוּא קָצָר מִלְמַעְלָה וְעוֹמֵד עַל אַמָּה, כְּדֵי שֶׁיָּזוּבוּ הַמַּיִם לְמַטָּה מִכָּאן וּמִכָּאן: **בְּצִדָּהּ תָּשִׂים.** שֶׁלֹּא יִפְּלוּ גְּשָׁמִים בָּהּ: **תַּחְתִּיִּם שְׁנִיִּם וּשְׁלִשִׁים.** שָׁלֹשׁ עֲלִיּוֹת זוֹ עַל גַּב זוֹ, עֶלְיוֹנִים לָאָדָם, אֶמְצָעִיִּים לִמְדוֹר הַבְּהֵמוֹת, תַּחְתִּיִּים לַזֶּבֶל:

יז| **וַאֲנִי הִנְנִי מֵבִיא.** הִנְנִי מוּכָן לְהַסְכִּים עִם אוֹתָם שֶׁזֵּרְזוּנִי כְּבָר: "מָה אֱנוֹשׁ כִּי תִזְכְּרֶנּוּ" (תהלים ח, ה): **מַבּוּל.** שֶׁבִּלָּה אֶת הַכֹּל, שֶׁבִּלְבֵּל אֶת הַכֹּל, שֶׁהוֹבִיל אֶת הַכֹּל מִן הַגָּבוֹהַּ לַנָּמוּךְ. וְזֶהוּ שֶׁתִּרְגֵּם אוּנְקְלוֹס: "טוֹפָנָא", שֶׁהֵצִיף אֶת הַכֹּל וְהֵבִיאָם לְבָבֶל שֶׁהִיא עֲמוּקָה, לְכָךְ נִקְרֵאת 'שִׁנְעָר', שֶׁכָּל מֵתֵי מַבּוּל נִנְעֲרוּ לְשָׁם:

יח| **וַהֲקִמֹתִי אֶת בְּרִיתִי.** בְּרִית הָיָה צָרִיךְ עַל הַפֵּרוֹת שֶׁלֹּא יִרְקְבוּ וְיֶעְפְּשׁוּ, וְשֶׁלֹּא יַהַרְגוּהוּ רְשָׁעִים שֶׁבַּדּוֹר: **אַתָּה וּבָנֶיךָ וְאִשְׁתְּךָ.** הָאֲנָשִׁים לְבַד וְהַנָּשִׁים לְבַד, מִכָּאן שֶׁנֶּאֶסְרוּ בְּתַשְׁמִישׁ הַמִּטָּה:

יט| **וּמִכָּל הָחַי.** אֲפִלּוּ שֵׁדִים: **שְׁנַיִם מִכֹּל.** מִן הַפְּחוּתִים שֶׁבָּהֶם לֹא פָּחֲתוּ מִשְּׁנַיִם, אֶחָד זָכָר וְאֶחָד נְקֵבָה:

כ| **מֵהָעוֹף לְמִינֵהוּ.** אוֹתָן שֶׁדָּבְקוּ בְּמִינֵיהֶם וְלֹא הִשְׁחִיתוּ דַּרְכָּם; וּמֵאֲלֵיהֶן בָּאוּ, וְכָל שֶׁהַתֵּבָה קוֹלַטְתּוּ הִכְנִיס בָּהּ:

ביאור

שממנה מייצרים, בין השאר, אספלט. העטרן משמש כחומר הגנה
מפני מים. טו **וְזֶה אֲשֶׁר תַּעֲשֶׂה אֹתָהּ: שְׁלֹשׁ מֵאוֹת אַמָּה אֹרֶךְ הַתֵּבָה,**
חֲמִשִּׁים אַמָּה רָחְבָּהּ וּשְׁלֹשִׁים אַמָּה קוֹמָתָהּ. זהו מבנה עצום ויוצא
דופן בפרופורציות שלו בהשוואה למבני יבשה. טז **צֹהַר**, חלון
תַּעֲשֶׂה לַתֵּבָה, כדי שהאור יוכל לחדור לתוכה. **וְאֶל אַמָּה תְּכַלֶּנָּה**
מִלְמַעְלָה. דפנות התיבה יהיו מעין טרפז, כך שאורך הגג יהיה אמה
אחת. **וּפֶתַח הַתֵּבָה בְּצִדָּהּ תָּשִׂים**, לשם כניסה ויציאה. **תַּחְתִּיִּם שְׁנִיִּם**
וּשְׁלִשִׁים תַּעֲשֶׂהָ. התיבה צריכה להיבנות בשלוש קומות.

יז **וַאֲנִי הִנְנִי מֵבִיא אֶת הַמַּבּוּל**, השיטפון,[4] או: המשפט, גזר הדין.[5]
אביא את גזר הדין שהוא **מַיִם עַל הָאָרֶץ, לְשַׁחֵת כָּל בָּשָׂר אֲשֶׁר בּוֹ**
רוּחַ חַיִּים מִתַּחַת הַשָּׁמָיִם. ובתוך המים הללו **כֹּל אֲשֶׁר בָּאָרֶץ**, כל מה
שנמצא לפחות ביבשת – **יִגְוָע.** יח **וַהֲקִמֹתִי אֶת בְּרִיתִי אִתָּךְ**, אני
כורת אתך עתה ברית, שתאושר ותקוים לאחר מכן. **וּבָאתָ אֶל**
הַתֵּבָה, אַתָּה וּבָנֶיךָ וְאִשְׁתְּךָ וּנְשֵׁי בָנֶיךָ אִתָּךְ. יט **וּמִכָּל הָחַי, מִכָּל בָּשָׂר**
שְׁנַיִם מִכֹּל תָּבִיא אֶל הַתֵּבָה לְהַחֲיֹת אִתָּךְ, זָכָר וּנְקֵבָה יִהְיוּ. אל התיבה
עליך להכניס את בסיס הקיום העתידי הן של האנושות הן של
בעלי החיים. כ **מֵהָעוֹף לְמִינֵהוּ וּמִן הַבְּהֵמָה לְמִינָהּ, מִכֹּל רֶמֶשׂ הָאֲדָמָה**
לְמִינֵהוּ, שְׁנַיִם מִכֹּל יָבֹאוּ אֵלֶיךָ. אינך מצווה לצוד אותם; אני אגרום
להם להגיע אליך, זוגות זוגות, בעצמם,[6] כדי **לְהַחֲיוֹת** מהם את
כל יצורי העולם. אמנם אינך נדרש לאסוף את בעלי החיים אל

כא לְהַחֲיֽוֹת׃ וְאַתָּה קַח־לְךָ מִכָּל־מַאֲכָל אֲשֶׁר יֵאָכֵל
כב וְאָסַפְתָּ אֵלֶיךָ וְהָיָה לְךָ וְלָהֶם לְאָכְלָה׃ וַיַּעַשׂ נֹחַ כְּכֹל
ז א שני אֲשֶׁר צִוָּה אֹתוֹ אֱלֹהִים כֵּן עָשָׂה׃ ס וַיֹּאמֶר יְהוָה לְנֹחַ
בֹּא־אַתָּה וְכָל־בֵּיתְךָ אֶל־הַתֵּבָה כִּי־אֹתְךָ רָאִיתִי
ב צַדִּיק לְפָנַי בַּדּוֹר הַזֶּה׃ מִכֹּל ׀ הַבְּהֵמָה הַטְּהוֹרָה
תִּקַּח־לְךָ שִׁבְעָה שִׁבְעָה אִישׁ וְאִשְׁתּוֹ וּמִן־הַבְּהֵמָה
ג אֲשֶׁר לֹא טְהֹרָה הִוא שְׁנַיִם אִישׁ וְאִשְׁתּוֹ׃ גַּם מֵעוֹף
הַשָּׁמַיִם שִׁבְעָה שִׁבְעָה זָכָר וּנְקֵבָה לְחַיּוֹת זֶרַע עַל־
ד פְּנֵי כָל־הָאָרֶץ׃ כִּי לְיָמִים עוֹד שִׁבְעָה אָנֹכִי מַמְטִיר
עַל־הָאָרֶץ אַרְבָּעִים יוֹם וְאַרְבָּעִים לָיְלָה וּמָחִיתִי אֶת־
ה כָּל־הַיְקוּם אֲשֶׁר עָשִׂיתִי מֵעַל פְּנֵי הָאֲדָמָה׃ וַיַּעַשׂ נֹחַ
ו כְּכֹל אֲשֶׁר־צִוָּהוּ יְהוָה׃ וְנֹחַ בֶּן־שֵׁשׁ מֵאוֹת שָׁנָה

רש"י

כב) וַיַּעַשׂ נֹחַ. זֶה בִּנְיַן הַתֵּבָה:

פרק ז

א) רָאִיתִי צַדִּיק. וְלֹא נֶאֱמַר 'צַדִּיק תָּמִים', מִכָּאן שֶׁאוֹמְרִים מִקְצָת שִׁבְחוֹ שֶׁל אָדָם בְּפָנָיו וְכֻלּוֹ שֶׁלֹּא בְּפָנָיו:

ב) הַטְּהוֹרָה. הָעֲתִידָה לִהְיוֹת טְהוֹרָה לְיִשְׂרָאֵל, לָמַדְנוּ שֶׁלָּמַד נֹחַ תּוֹרָה: שִׁבְעָה שִׁבְעָה. כְּדֵי שֶׁיַּקְרִיב מֵהֶם קָרְבָּן בְּצֵאתוֹ:

ג) גַּם מֵעוֹף הַשָּׁמַיִם וְגוֹ'. בַּטְּהוֹרִים דִּבֵּר הַכָּתוּב, וְיִלָּמֵד סָתוּם מִן הַמְפֹרָשׁ:

ד) כִּי לְיָמִים עוֹד שִׁבְעָה. אֵלּוּ שִׁבְעַת יְמֵי אֶבְלוֹ שֶׁל מְתוּשֶׁלַח הַצַּדִּיק, שֶׁחָס הַקָּדוֹשׁ בָּרוּךְ הוּא עַל כְּבוֹדוֹ וְעִכֵּב אֶת הַפֻּרְעָנוּת. צֵא וַחֲשֹׁב שְׁנוֹתָיו שֶׁל מְתוּשֶׁלַח וְתִמְצָא שֶׁהֵם כָּלִים בִּשְׁנַת שֵׁשׁ מֵאוֹת שָׁנָה לְחַיֵּי נֹחַ: כִּי לְיָמִים עוֹד. מַהוּ "עוֹד"? זְמַן אַחַר זְמַן זֶה, נוֹסָף עַל מֵאָה וְעֶשְׂרִים שָׁנָה: אַרְבָּעִים יוֹם. כְּנֶגֶד יְצִירַת הַוָּלָד, שֶׁקִּלְקְלוּ לְהַטְרִיחַ לְיוֹצְרָם לָצוּר צוּרַת מַמְזֵרִים:

ה) וַיַּעַשׂ נֹחַ. זֶה בִּיאָתוֹ לַתֵּבָה:

ביאור | התיבה, אבל מוטלת עליך חובה אחרת – כא **וְאַתָּה, קַח לְךָ מִכָּל**
מַאֲכָל אֲשֶׁר יֵאָכֵל, עליך לאסוף את המאכלים המתאימים לאכילתך
ולאכילתם של כל בעלי החיים שיחיו בתיבה. **וְאָסַפְתָּ אֵלֶיךָ, וְהָיָה**
לְךָ וְלָהֶם לְאָכְלָה.

כב **וַיַּעַשׂ נֹחַ כְּכֹל אֲשֶׁר צִוָּה אֹתוֹ אֱלֹהִים, כֵּן עָשָׂה.** מקיצור הלשון אין להסיק שהיה זה תהליך פשוט. ואכן המדרשים מאריכים בתיאורי קורותיו של נח בזמן בניית התיבה.[7] במשך מאה שנה ויותר טרח נח לבנות תיבה עצומה.[8] לתיבה שבנה לא היה הגה ולא תורן, לא מפרש ולא משוט. היא לא הייתה דומה לאנייה ולא לבניין. היא לא הייתה אמורה לשוט לכיוון כלשהו אלא לצוף. ייתכן שהיה מסוגל להסביר, במגומגם, את מטרת עבודתו, אך קל לשער את הקשיים המעשיים והחברתיים הכרוכים בכך.

פרק ז
א **וַיֹּאמֶר ה' לְנֹחַ: בֹּא אַתָּה וְכָל בֵּיתְךָ אֶל הַתֵּבָה, כִּי אֹתְךָ**
רָאִיתִי צַדִּיק לְפָנַי בַּדּוֹר הַזֶּה. בניגוד לבהמות ולחיות, שנכנסו לתיבה
באקראי, אתה נבחרת מתוך בני האדם בשל צדקתך. ב **מִכֹּל הַבְּהֵמָה**
הַטְּהוֹרָה – מקובל לפרש, הבהמה שמאוחר יותר תיחשב טהורה
בדיני ישראל. אולם ייתכן שההבחנה בין בעלי חיים טהורים ושאינם
טהורים היא עתיקת יומין, והתקיימה עוד קודם מתן תורה. **תִּקַּח**
לְךָ שִׁבְעָה שִׁבְעָה, אִישׁ וְאִשְׁתּוֹ, וּמִן הַבְּהֵמָה אֲשֶׁר לֹא טְהֹרָה הִוא שְׁנַיִם,
אִישׁ וְאִשְׁתּוֹ. כיוון שהתורה מתייחסת לזוגות מסוימים, זוג יחיד מכל
מין שהוא לבדו נשאר בעולם, היא נוקטת כאן לשון חריגה, ומכנה
את הזכר והנקבה בבעלי החיים אִישׁ וְאִשְׁתּוֹ. ג **גַּם מֵעוֹף הַשָּׁמַיִם**
שִׁבְעָה שִׁבְעָה זָכָר וּנְקֵבָה, לְחַיּוֹת זֶרַע עַל פְּנֵי כָל הָאָרֶץ. ד **כִּי לְיָמִים עוֹד**
שִׁבְעָה, בעוד שבעה ימים **אָנֹכִי מַמְטִיר עַל הָאָרֶץ אַרְבָּעִים יוֹם וְאַרְבָּעִים**
לָיְלָה, וּמָחִיתִי אֶת כָּל הַיְקוּם, כל מה שקיים ועומד בעולם, **אֲשֶׁר עָשִׂיתִי**
מֵעַל פְּנֵי הָאֲדָמָה.

ה **וַיַּעַשׂ נֹחַ כְּכֹל אֲשֶׁר צִוָּהוּ ה'.** נח עדיין לא ראה מבול של ממש, אך
נכנס לתיבה, כיוון שציית לצו ה' והאמין לדבריו. ו **וְנֹחַ בֶּן שֵׁשׁ מֵאוֹת**
שָׁנָה באותו זמן, **וְהַמַּבּוּל**, השיטפון, או: גזר הדין **הָיָה מַיִם עַל הָאָרֶץ.**

ז וְהַמַּבּוּל הָיָה מַיִם עַל־הָאָרֶץ: וַיָּבֹא נֹחַ וּבָנָיו וְאִשְׁתּוֹ
ח וּנְשֵׁי־בָנָיו אִתּוֹ אֶל־הַתֵּבָה מִפְּנֵי מֵי הַמַּבּוּל: מִן־
הַבְּהֵמָה הַטְּהוֹרָה וּמִן־הַבְּהֵמָה אֲשֶׁר אֵינֶנָּה טְהֹרָה
ט וּמִן־הָעוֹף וְכֹל אֲשֶׁר־רֹמֵשׂ עַל־הָאֲדָמָה: שְׁנַיִם
שְׁנַיִם בָּאוּ אֶל־נֹחַ אֶל־הַתֵּבָה זָכָר וּנְקֵבָה כַּאֲשֶׁר צִוָּה
י אֱלֹהִים אֶת־נֹחַ: וַיְהִי לְשִׁבְעַת הַיָּמִים וּמֵי הַמַּבּוּל
יא הָיוּ עַל־הָאָרֶץ: בִּשְׁנַת שֵׁשׁ־מֵאוֹת שָׁנָה לְחַיֵּי־נֹחַ
בַּחֹדֶשׁ הַשֵּׁנִי בְּשִׁבְעָה־עָשָׂר יוֹם לַחֹדֶשׁ בַּיּוֹם הַזֶּה
נִבְקְעוּ כָּל־מַעְיְנוֹת תְּהוֹם רַבָּה וַאֲרֻבֹּת הַשָּׁמַיִם
יב נִפְתָּחוּ: וַיְהִי הַגֶּשֶׁם עַל־הָאָרֶץ אַרְבָּעִים יוֹם
יג וְאַרְבָּעִים לָיְלָה: בְּעֶצֶם הַיּוֹם הַזֶּה בָּא נֹחַ וְשֵׁם־וְחָם
וָיֶפֶת בְּנֵי־נֹחַ וְאֵשֶׁת נֹחַ וּשְׁלֹשֶׁת נְשֵׁי־בָנָיו אִתָּם
יד אֶל־הַתֵּבָה: הֵמָּה וְכָל־הַחַיָּה לְמִינָהּ וְכָל־הַבְּהֵמָה

רש"י

ז| **נֹחַ וּבָנָיו.** הָאֲנָשִׁים לְבַד וְהַנָּשִׁים לְבַד, לְפִי שֶׁנֶּאֶסְרוּ בְּתַשְׁמִישׁ הַמִּטָּה מִפְּנֵי שֶׁהָעוֹלָם שָׁרוּי בְּצַעַר: **מִפְּנֵי מֵי הַמַּבּוּל.** אַף נֹחַ מִקְּטַנֵּי אֲמָנָה הָיָה, מַאֲמִין וְאֵינוֹ מַאֲמִין שֶׁיָּבֹא הַמַּבּוּל, וְלֹא נִכְנַס לַתֵּבָה עַד שֶׁדְּחָקוּהוּ הַמַּיִם:

ט| **בָּאוּ אֶל נֹחַ.** מֵאֲלֵיהֶן: **שְׁנַיִם שְׁנַיִם.** כֻּלָּם הֻשְׁווּ בְּמִנְיָן זֶה, מִן הַפְּחוּתִים הָיוּ שְׁנַיִם:

יא| **בַּחֹדֶשׁ הַשֵּׁנִי.** רַבִּי אֱלִיעֶזֶר אוֹמֵר: זֶה מַרְחֶשְׁוָן, רַבִּי יְהוֹשֻׁעַ אוֹמֵר: זֶה אִיָּר: **נִבְקְעוּ.** לְהוֹצִיא מֵימֵיהֶן: **תְּהוֹם רַבָּה.** מִדָּה כְּנֶגֶד מִדָּה, הֵם חָטְאוּ בְּ"רַבָּה רָעַת הָאָדָם" (לעיל ו, ה) וְלָקוּ בִּ"תְהוֹם רַבָּה":

יב| **וַיְהִי הַגֶּשֶׁם עַל הָאָרֶץ.** וּלְהַלָּן (פסוק יז) הוּא אוֹמֵר: "וַיְהִי הַמַּבּוּל"? אֶלָּא כְּשֶׁהוֹרִידָן הוֹרִידָן בְּרַחֲמִים שֶׁאִם יַחְזְרוּ יִהְיוּ גִּשְׁמֵי בְרָכָה, כְּשֶׁלֹּא חָזְרוּ הָיוּ לְמַבּוּל: **אַרְבָּעִים יוֹם וְגוֹ'.** אֵין יוֹם רִאשׁוֹן מִן הַמִּנְיָן, לְפִי שֶׁאֵין לֵילוֹ עִמּוֹ, שֶׁהֲרֵי כָּתוּב: "בַּיּוֹם הַזֶּה נִבְקְעוּ כָּל מַעְיְנֹת" (לעיל פסוק יא), נִמְצְאוּ אַרְבָּעִים יוֹם כָּלִים בְּכ"ח בְּכִסְלֵו לְרַבִּי אֱלִיעֶזֶר, שֶׁהֶחֳדָשִׁים נִמְנִין כְּסִדְרָן אֶחָד מָלֵא וְאֶחָד חָסֵר, הֲרֵי שְׁנַיִם עָשָׂר מִמַּרְחֶשְׁוָן וְעֶשְׂרִים וּשְׁמוֹנָה מִכִּסְלֵו:

יג| **בְּעֶצֶם הַיּוֹם הַזֶּה.** לִמֶּדְךָ הַכָּתוּב שֶׁהָיוּ בְּנֵי דוֹרוֹ אוֹמְרִים: אִלּוּ אָנוּ רוֹאִים אוֹתוֹ נִכְנָס לַתֵּבָה אָנוּ שׁוֹבְרִין אוֹתָהּ וְהוֹרְגִין אוֹתוֹ. אָמַר הַקָּדוֹשׁ בָּרוּךְ הוּא:

המבול

פרק ז פס׳ ז–כד

בניגוד לאופיים של החיים בתיבה הנסחפת, המנותקים ממידע על מקום ועל זמן ומתחושת מקום וזמן, התורה בוחרת לעגן את סיפור המבול בתאריכים ובאורכי זמן מדויקים.

ביאור | ז **וַיָּבֹא נֹחַ וּבָנָיו וְאִשְׁתּוֹ וּנְשֵׁי בָנָיו אִתּוֹ אֶל הַתֵּבָה, מִפְּנֵי מֵי הַמַּבּוּל.** ח **מִן**
הַבְּהֵמָה הַטְּהוֹרָה וּמִן הַבְּהֵמָה אֲשֶׁר אֵינֶנָּה טְהֹרָה, וּמִן הָעוֹף וְכֹל אֲשֶׁר
רֹמֵשׂ עַל הָאֲדָמָה, ט **שְׁנַיִם שְׁנַיִם בָּאוּ אֶל נֹחַ אֶל הַתֵּבָה זָכָר וּנְקֵבָה,**
כַּאֲשֶׁר צִוָּה אֱלֹהִים אֶת נֹחַ. מאליהם הגיעו אל נח זוגות זוגות מרוב
מיני החיות, וממינים מסוימים שבעה שבעה. בעלי חיים אלו הם
שׂשרדו בתיבה. י **וַיְהִי לְשִׁבְעַת הַיָּמִים, וּמֵי הַמַּבּוּל הָיוּ עַל הָאָרֶץ.**
המים התחילו לכסות את הארץ. יא **בִּשְׁנַת שֵׁשׁ מֵאוֹת שָׁנָה לְחַיֵּי**
נֹחַ בַּחֹדֶשׁ הַשֵּׁנִי. ייתכן שמדובר בחודש השני לאחר יום הולדתו של
נח. אולם חכמים פירשוהו כחודש השני באופן אובייקטיבי, כלומר
כחודש השני לבריאת העולם, ונחלקו אם הוא חודש אייר, השני
לניסן, או חודש מרחשוון, השני לתשרי.[9] **בְּשִׁבְעָה עָשָׂר יוֹם לַחֹדֶשׁ,**
בַּיּוֹם הַזֶּה נִבְקְעוּ כָּל מַעְיְנֹת תְּהוֹם רַבָּה, הזורמים תמיד לאט ובמתינות,
וַאֲרֻבֹּת, חלונות **הַשָּׁמַיִם נִפְתָּחוּ.** אין מדובר כאן בטפטוף אלא המים
קלחו ושטפו. יב **וַיְהִי הַגֶּשֶׁם עַל הָאָרֶץ אַרְבָּעִים יוֹם וְאַרְבָּעִים לָיְלָה**
ברציפות. יג **בְּעֶצֶם הַיּוֹם הַזֶּה בָּא נֹחַ וְשֵׁם וְחָם וָיֶפֶת בְּנֵי נֹחַ, וְאֵשֶׁת**
נֹחַ וּשְׁלֹשֶׁת נְשֵׁי בָנָיו אִתָּם אֶל הַתֵּבָה. יד **הֵמָּה וְכָל הַחַיָּה לְמִינָהּ**

לְמִינָ֔הּ וְכָל־הָרֶ֛מֶשׂ הָֽרֹמֵ֥שׂ עַל־הָאָ֖רֶץ לְמִינֵ֑הוּ וְכָל־
טו הָע֣וֹף לְמִינֵ֔הוּ כֹּ֖ל צִפּ֥וֹר כָּל־כָּנָֽף׃ וַיָּבֹ֥אוּ אֶל־נֹ֖חַ אֶל־
הַתֵּבָ֑ה שְׁנַ֤יִם שְׁנַ֙יִם֙ מִכָּל־הַבָּשָׂ֔ר אֲשֶׁר־בּ֖וֹ ר֥וּחַ חַיִּֽים׃
טז וְהַבָּאִ֗ים זָכָ֨ר וּנְקֵבָ֤ה מִכָּל־בָּשָׂר֙ בָּ֔אוּ כַּאֲשֶׁ֛ר צִוָּ֥ה אֹת֖וֹ
שלישי יז אֱלֹהִ֑ים וַיִּסְגֹּ֥ר יְהוָ֖ה בַּעֲדֽוֹ׃ וַיְהִ֧י הַמַּבּ֛וּל אַרְבָּעִ֥ים י֖וֹם
עַל־הָאָ֑רֶץ וַיִּרְבּ֣וּ הַמַּ֗יִם וַיִּשְׂאוּ֙ אֶת־הַתֵּבָ֔ה וַתָּ֖רָם
יח מֵעַ֥ל הָאָֽרֶץ׃ וַיִּגְבְּר֥וּ הַמַּ֛יִם וַיִּרְבּ֥וּ מְאֹ֖ד עַל־הָאָ֑רֶץ
יט וַתֵּ֥לֶךְ הַתֵּבָ֖ה עַל־פְּנֵ֥י הַמָּֽיִם׃ וְהַמַּ֗יִם גָּֽבְר֛וּ מְאֹ֥ד מְאֹ֖ד
עַל־הָאָ֑רֶץ וַיְכֻסּ֗וּ כָּל־הֶֽהָרִים֙ הַגְּבֹהִ֔ים אֲשֶׁר־תַּ֖חַת
כ כָּל־הַשָּׁמָֽיִם׃ חֲמֵ֨שׁ עֶשְׂרֵ֤ה אַמָּה֙ מִלְמַ֔עְלָה גָּבְר֖וּ
כא הַמָּ֑יִם וַיְכֻסּ֖וּ הֶהָרִֽים׃ וַיִּגְוַ֞ע כָּל־בָּשָׂ֣ר ׀ הָרֹמֵ֣שׂ עַל־
הָאָ֗רֶץ בָּע֤וֹף וּבַבְּהֵמָה֙ וּבַ֣חַיָּ֔ה וּבְכָל־הַשֶּׁ֖רֶץ הַשֹּׁרֵ֣ץ
כב עַל־הָאָ֑רֶץ וְכֹ֖ל הָאָדָֽם׃ כֹּ֡ל אֲשֶׁר֩ נִשְׁמַת־ר֨וּחַ חַיִּ֜ים
כג בְּאַפָּ֗יו מִכֹּ֛ל אֲשֶׁ֥ר בֶּחָרָבָ֖ה מֵֽתוּ׃ וַיִּ֜מַח אֶת־כָּל־

רש"י

חָנִי מַכְנִיסוֹ לְעֵינֵי כֻלָּם, וְנִרְאֶה דְּבַר מִי יָקוּם:

יד) צִפּוֹר כָּל כָּנָף. דָּבוּק הוּא, צִפּוֹר שֶׁל כָּל מִין כָּנָף, לְרַבּוֹת חֲגָבִים:

טז) וַיִּסְגֹּר ה' בַּעֲדוֹ. הֵגֵן עָלָיו שֶׁלֹּא שְׁבָרוּהָ, הִקִּיף הַתֵּבָה דֻּבִּים וַאֲרָיוֹת וְהָיוּ הוֹרְגִים בָּהֶם. וּפְשׁוּטוֹ שֶׁל מִקְרָא, סָגַר כְּנֶגְדּוֹ מִן הַמַּיִם, וְכֵן כָּל 'בְּעַד' שֶׁבַּמִּקְרָא לְשׁוֹן 'כְּנֶגֶד' הוּא: "בְּעַד כָּל רֶחֶם" (להלן כ, יח), "בַּעֲדֵךְ וּבְעַד בָּנַיִךְ" (מלכים ב' ד, ד), "עוֹר בְּעַד עוֹר" (איוב ב, ד), "מָגֵן בַּעֲדִי" (תהלים ג, ד), "הִתְפַּלֵּל בְּעַד עֲבָדֶיךָ" (שמואל א' יב, יט), כְּנֶגֶד עֲבָדֶיךָ:

יז) וַתָּרָם מֵעַל הָאָרֶץ. מְשֻׁקַּעַת הָיְתָה בַּמַּיִם אַחַת עֶשְׂרֵה אַמָּה, כִּסְפִינָה טְעוּנָה שֶׁמְּשֻׁקַּעַת מִקְצָתָהּ בַּמַּיִם, וּמִקְרָאוֹת שֶׁלְּפָנֵינוּ יוֹכִיחוּ:

יח) וַיִּגְבְּרוּ. מֵאֲלֵיהֶן:

כ) חֲמֵשׁ עֶשְׂרֵה אַמָּה מִלְמַעְלָה. לְמַעְלָה שֶׁל גֹּבַהּ כָּל הֶהָרִים לְאַחַר שֶׁהֻשְׁווּ הַמַּיִם לְרָאשֵׁי הֶהָרִים:

כב) נִשְׁמַת רוּחַ חַיִּים. נְשָׁמָה שֶׁל רוּחַ חַיִּים: אֲשֶׁר בֶּחָרָבָה. וְלֹא דָּגִים שֶׁבַּיָּם:

כג) וַיִּמַח. לְשׁוֹן וַיִּפְעַל הוּא וְאֵינוֹ לְשׁוֹן

ביאור | וְכָל הַבְּהֵמָה לְמִינָהּ וְכָל הָרֶמֶשׂ הָרֹמֵשׂ עַל הָאָרֶץ לְמִינֵהוּ וְכָל הָעוֹף
לְמִינֵהוּ, כֹּל צִפּוֹר כָּל כָּנָף, גם החרקים המכונפים.[10] טו וַיָּבֹאוּ אֶל
נֹחַ אֶל הַתֵּבָה שְׁנַיִם שְׁנַיִם מִכָּל הַבָּשָׂר אֲשֶׁר בּוֹ רוּחַ חַיִּים. טז וְהַבָּאִים
זָכָר וּנְקֵבָה מִכָּל בָּשָׂר בָּאוּ, כַּאֲשֶׁר צִוָּה אֹתוֹ אֱלֹהִים. וַיִּסְגֹּר ה' בַּעֲדוֹ.
בשל עצמתו של השיטפון, שלא היה כמותו, ואשר פרץ מלמעלה
ומלמטה – נדרשה סגירה מיוחדת של הקדוש ברוך הוא, כביכול,
כדי שהמים לא יחדרו לתיבה.

יז וַיְהִי הַמַּבּוּל אַרְבָּעִים יוֹם עַל הָאָרֶץ, וַיִּרְבּוּ הַמַּיִם וַיִּשְׂאוּ אֶת הַתֵּבָה,
וַתָּרָם מֵעַל הָאָרֶץ. אחרי ארבעים יום של שיטפון בלתי פוסק
התיבה – שהייתה בוודאי כבדה מאוד – התחילה להתרומם מעל
הארץ. יח וַיִּגְבְּרוּ הַמַּיִם, וַיִּרְבּוּ מְאֹד עַל הָאָרֶץ, וַתֵּלֶךְ הַתֵּבָה עַל פְּנֵי
הַמָּיִם. התיבה התחילה לצוף. כיוון שהיא אינה אנייה ואין כל דרך
לכוון אותה, היא נסחפה עם תגבורת המים ותנועתם. יט וְהַמַּיִם
גָּבְרוּ מְאֹד מְאֹד עַל הָאָרֶץ, וַיְכֻסּוּ כָּל הֶהָרִים הַגְּבֹהִים אֲשֶׁר תַּחַת
כָּל הַשָּׁמָיִם. כ חֲמֵשׁ עֶשְׂרֵה אַמָּה מִלְמַעְלָה גָּבְרוּ הַמָּיִם, וַיְכֻסּוּ
הֶהָרִים. כא וַיִּגְוַע כָּל בָּשָׂר הָרֹמֵשׂ עַל הָאָרֶץ, בָּעוֹף וּבַבְּהֵמָה וּבַחַיָּה
וּבְכָל הַשֶּׁרֶץ הַשֹּׁרֵץ עַל הָאָרֶץ, וְכֹל הָאָדָם. כב כֹּל אֲשֶׁר נִשְׁמַת רוּחַ
חַיִּים בְּאַפָּיו מִכֹּל אֲשֶׁר בֶּחָרָבָה, כל היצורים החיים במקומות
היבשים[11] – מֵתוּ. עצמת המים, כמותם ולדעת חכמים – גם חומם[12]
השמידו את כל היצורים החיים. מן הסתם, היצורים היודעים
לשחות ניסו לשחות, אבל לא עמדו בשיטפון העצום. בוודאי
ניסו בני האדם למצוא להם מסתור ולהיאחז בקרשי הצלה, אבל
הכול נגמר ונשטף. כג וַיִּמַח אֶת כָּל הַיְקוּם אֲשֶׁר עַל פְּנֵי הָאֲדָמָה,

הַיְקוּם ׀ אֲשֶׁר ׀ עַל־פְּנֵי הָאֲדָמָה מֵאָדָם עַד־בְּהֵמָה
עַד־רֶמֶשׂ וְעַד־עוֹף הַשָּׁמַיִם וַיִּמָּחוּ מִן־הָאָרֶץ וַיִּשָּׁאֶר
אַךְ־נֹחַ וַאֲשֶׁר אִתּוֹ בַּתֵּבָה: וַיִּגְבְּרוּ הַמַּיִם עַל־הָאָרֶץ כד
ו חֲמִשִּׁים וּמְאַת יוֹם: וַיִּזְכֹּר אֱלֹהִים אֶת־נֹחַ וְאֵת א ח
כָּל־הַחַיָּה וְאֶת־כָּל־הַבְּהֵמָה אֲשֶׁר אִתּוֹ בַּתֵּבָה
וַיַּעֲבֵר אֱלֹהִים רוּחַ עַל־הָאָרֶץ וַיָּשֹׁכּוּ הַמָּיִם: וַיִּסָּכְרוּ ב
מַעְיְנֹת תְּהוֹם וַאֲרֻבֹּת הַשָּׁמָיִם וַיִּכָּלֵא הַגֶּשֶׁם מִן־
הַשָּׁמָיִם: וַיָּשֻׁבוּ הַמַּיִם מֵעַל הָאָרֶץ הָלוֹךְ וָשׁוֹב ג
וַיַּחְסְרוּ הַמַּיִם מִקְצֵה חֲמִשִּׁים וּמְאַת יוֹם: וַתָּנַח ד
הַתֵּבָה בַּחֹדֶשׁ הַשְּׁבִיעִי בְּשִׁבְעָה־עָשָׂר יוֹם לַחֹדֶשׁ

רש"י | וַיִּפָּעֵל, וְהוּא מִגִּזְרַת 'וַיִּפֶן' 'וַיִּבֶן'. כָּל תֵּבָה שֶׁסּוֹפָהּ הֵ"א, כְּגוֹן בָּנָה, מָחָה, קָנָה, כְּשֶׁהוּא נוֹתֵן וָי"ו יוּ"ד בְּרֹאשָׁהּ נָקוּד בְּחִירִיק תַּחַת הַיּוּ"ד: **אַךְ נֹחַ.** לְבַד נֹחַ, זֶהוּ פְּשׁוּטוֹ. וּמִדְרַשׁ אַגָּדָה, גּוֹנֵחַ וְכוֹהֶה דָּם מִטֹּרַח הַבְּהֵמוֹת וְהַחַיּוֹת. וְיֵשׁ אוֹמְרִים שֶׁאֵחַר מְזוֹנוֹת לָאֲרִי וְהִכִּישׁוֹ, וְעָלָיו נֶאֱמַר (משלי יא, לא): "הֵן צַדִּיק בָּאָרֶץ יְשֻׁלָּם":

פרק ח

א| **וַיִּזְכֹּר אֱלֹהִים.** זֶה הַשֵּׁם מִדַּת הַדִּין הוּא, וְנֶהֶפְכָה לְמִדַּת רַחֲמִים עַל יְדֵי תְּפִלַּת הַצַּדִּיקִים. וְרִשְׁעָתָן שֶׁל רְשָׁעִים הוֹפֶכֶת מִדַּת רַחֲמִים לְמִדַּת הַדִּין, שֶׁנֶּאֱמַר (לעיל ו, ה-ז) "וַיַּרְא ה' כִּי רַבָּה רָעַת הָאָדָם וְגוֹ' וַיֹּאמֶר ה' אֶמְחֶה", וְהוּא שֵׁם מִדַּת רַחֲמִים: **וַיִּזְכֹּר אֱלֹהִים אֶת נֹחַ וְגוֹ'.** מַה זָּכַר לָהֶם לַבְּהֵמוֹת? זְכוּת שֶׁלֹּא הִשְׁחִיתוּ דַּרְכָּם קֹדֶם לָכֵן, וְשֶׁלֹּא שִׁמְּשׁוּ בַּתֵּבָה: **וַיַּעֲבֵר אֱלֹהִים רוּחַ.** רוּחַ תַּנְחוּמִין וַהֲנָחָה עָבְרָה לְפָנָיו: **עַל הָאָרֶץ.** עַל עִסְקֵי הָאָרֶץ: **וַיָּשֹׁכּוּ.** כְּמוֹ: "כְּשֹׁךְ חֲמַת הַמֶּלֶךְ" (אסתר ב, א), לְשׁוֹן הֲנָחַת חֵמָה:

ב| **וַיִּסָּכְרוּ מַעְיְנֹת.** כְּשֶׁנִּפְתְּחוּ כְּתִיב: "כָּל מַעְיְנוֹת" (לעיל ז, יא) וְכָאן אֵין כְּתִיב 'כָּל', לְפִי שֶׁנִּשְׁתַּיְּרוּ מֵהֶם אוֹתָן שֶׁיֵּשׁ בָּהֶם צֹרֶךְ לָעוֹלָם, כְּגוֹן חַמֵּי טְבֶרְיָא וְכַיּוֹצֵא בָּהֶן: **וַיִּכָּלֵא.** וַיִּמָּנַע, כְּמוֹ: "לֹא תִכְלָא רַחֲמֶיךָ" (תהלים מ, יב), "לֹא יִכָּלֶה מִמְּךָ" (להלן כג, ו):

ג| **מִקְצֵה חֲמִשִּׁים וּמְאַת יוֹם.** הִתְחִילוּ לַחְסֹר, וְהוּא אֶחָד בְּסִיוָן, כֵּיצַד? בְּעֶשְׂרִים וְשִׁבְעָה בְּכִסְלֵו פָּסְקוּ הַגְּשָׁמִים, הֲרֵי שְׁלֹשָׁה מִכִּסְלֵו וְעֶשְׂרִים וְתִשְׁעָה מִטֵּבֵת הֲרֵי שְׁלֹשִׁים וּשְׁנַיִם, וּשְׁבָט וַאֲדָר וְנִיסָן וְאִיָּר מֵאָה וּשְׁמוֹנָה עָשָׂר, הֲרֵי מֵאָה וַחֲמִשִּׁים:

ד| **בַּחֹדֶשׁ הַשְּׁבִיעִי.** סִיוָן, וְהוּא שְׁבִיעִי לְכִסְלֵו שֶׁבּוֹ פָּסְקוּ הַגְּשָׁמִים: **בְּשִׁבְעָה עָשָׂר יוֹם.** מִכָּאן אַתָּה לָמֵד שֶׁהָיְתָה הַתֵּבָה מְשֻׁקַּעַת בַּמַּיִם אַחַת עֶשְׂרֵה אַמָּה, שֶׁהֲרֵי

ביאור | מֵאָדָם עַד בְּהֵמָה עַד רֶמֶשׂ וְעַד עוֹף הַשָּׁמַיִם, וַיִּמָּחוּ מִן הָאָרֶץ. וַיִּשָּׁאֶר
אַךְ נֹחַ וַאֲשֶׁר אִתּוֹ בַּתֵּבָה. כד וַיִּגְבְּרוּ הַמַּיִם עַל הָאָרֶץ חֲמִשִּׁים וּמְאַת
יוֹם. במשך מאה וחמישים יום ייתכן שהגשמים הוסיפו לרדת, ומי המעיינות המשיכו לנבוע, אך עצמת המים נחלשה. במאה וחמישים היום הללו הכול זרם והתערבב. האוקיינוסים חרגו מגבולותיהם, והימים גאו מעבר לקו החוף. במשך כמעט מחצית השנה לא היה בעולם כולו דבר מלבד מים והתיבה שצפה עליהם אי שם. שוכניה לא ידעו היכן הם, ואולי אף לא יכלו לדעת כמה זמן חלף מאז שהסתגרו בתיבה, שכן חישובי הזמן באותה עת היו תלויים בגרמי השמים, וספק אם יכלו אז להבחין בין יום ללילה.[13]

סוף המבול והיציאה מן התיבה

פרק ח פס׳ א–יט

בעניין זה מתוארים סיומו ההדרגתי של המבול ויציאתם הזהירה של שוכני התיבה אל העולם, לאחר שעברה שנה ויותר מאז נכנסו אליה.

פרק ח א וַיִּזְכֹּר אֱלֹהִים אֶת נֹחַ, וְאֵת כָּל הַחַיָּה וְאֶת כָּל הַבְּהֵמָה אֲשֶׁר
אִתּוֹ בַּתֵּבָה. וַיַּעֲבֵר אֱלֹהִים רוּחַ עַל הָאָרֶץ, וַיָּשֹׁכּוּ הַמָּיִם. המים שככו,
נחו מזעפם. לא נוספו עוד מים. ב וַיִּסָּכְרוּ, נסגרו מַעְיְנֹת תְּהוֹם
וַאֲרֻבֹּת הַשָּׁמָיִם, וַיִּכָּלֵא, חדל הַגֶּשֶׁם מִן הַשָּׁמָיִם. ג וַיָּשֻׁבוּ הַמַּיִם מֵעַל
הָאָרֶץ הָלוֹךְ וָשׁוֹב, המים שגאו ועלו מעבר להרים, ירדו לעמקים, ומן העמקים שבו וזרמו אל הים. תהליכים אלו ארכו זמן, משום שכל העולם היה מוצף. וַיַּחְסְרוּ הַמַּיִם מִקְצֵה חֲמִשִּׁים וּמְאַת יוֹם. אחרי
מאה וחמישים ימי המבול התחילו המים להתמעט. ד וַתָּנַח הַתֵּבָה
בַּחֹדֶשׁ הַשְּׁבִיעִי בְּשִׁבְעָה עָשָׂר יוֹם לַחֹדֶשׁ, כשהסתיימו מאה וחמישים

עַל הָרֵי אֲרָרָט: וְהַמַּיִם הָיוּ הָלוֹךְ וְחָסוֹר עַד הַחֹדֶשׁ ה
הָעֲשִׂירִי בָּעֲשִׂירִי בְּאֶחָד לַחֹדֶשׁ נִרְאוּ רָאשֵׁי הֶהָרִים:
וַיְהִי מִקֵּץ אַרְבָּעִים יוֹם וַיִּפְתַּח נֹחַ אֶת־חַלּוֹן הַתֵּבָה ו
אֲשֶׁר עָשָׂה: וַיְשַׁלַּח אֶת־הָעֹרֵב וַיֵּצֵא יָצוֹא וָשׁוֹב עַד־ ז
יְבֹשֶׁת הַמַּיִם מֵעַל הָאָרֶץ: וַיְשַׁלַּח אֶת־הַיּוֹנָה מֵאִתּוֹ ח

רש"י

כְּתִיב: "בָּעֲשִׂירִי בְּאֶחָד לַחֹדֶשׁ נִרְאוּ רָאשֵׁי הֶהָרִים", זֶה אָב שֶׁהוּא עֲשִׂירִי לְמַרְחֶשְׁוָן לִירִידַת גְּשָׁמִים, וְהֵם הָיוּ גְּבוֹהִים עַל הֶהָרִים חֲמֵשׁ עֶשְׂרֵה אַמָּה, וְחָסְרוּ מִיּוֹם אֶחָד בְּסִיוָן עַד אֶחָד בְּאָב חֲמֵשׁ עֶשְׂרֵה אַמָּה לְשִׁשִּׁים יוֹם, הֲרֵי אַמָּה לְאַרְבָּעָה יָמִים, נִמְצָא שֶׁבְּשִׁשָּׁה עָשָׂר שֶׁל סִיוָן לֹא חָסְרוּ אֶלָּא אַרְבַּע אַמּוֹת, וְנָחָה הַתֵּבָה לְיוֹם הַמָּחֳרָת, לְמַדְתָּ שֶׁהָיְתָה מְשֻׁקַּעַת אַחַת עֶשְׂרֵה אַמָּה בַּמַּיִם שֶׁעַל רָאשֵׁי הֶהָרִים:

ה] **בָּעֲשִׂירִי... נִרְאוּ רָאשֵׁי הֶהָרִים.** זֶה אָב שֶׁהוּא עֲשִׂירִי לְמַרְחֶשְׁוָן שֶׁהִתְחִיל הַגֶּשֶׁם. וְאִם תֹּאמַר, הוּא אֱלוּל וַעֲשִׂירִי לְכִסְלֵו שֶׁפָּסַק הַגֶּשֶׁם, כְּשֵׁם שֶׁאַתָּה אוֹמֵר "בַּחֹדֶשׁ הַשְּׁבִיעִי" סִיוָן וְהוּא שְׁבִיעִי לְהַפְסָקָה – אִי אֶפְשָׁר לוֹמַר כֵּן, עַל כָּרְחֲךָ שְׁבִיעִי אִי אַתָּה מוֹנֶה אֶלָּא לְהַפְסָקָה, שֶׁהֲרֵי לֹא כָּלוּ אַרְבָּעִים יוֹם שֶׁל יְרִידַת גְּשָׁמִים וּמֵאָה וַחֲמִשִּׁים שֶׁל תִּגְבֹּרֶת הַמַּיִם עַד אֶחָד בְּסִיוָן. וְאִם אַתָּה אוֹמֵר שְׁבִיעִי לִירִידָה, אֵין זֶה סִיוָן. וְהָעֲשִׂירִי אִי אֶפְשָׁר לִמְנוֹת אֶלָּא לִירִידָה, שֶׁאִם אַתָּה אוֹמֵר לְהַפְסָקָה וְהוּא אֱלוּל, אִי אַתָּה מוֹצֵא "בָּרִאשׁוֹן בְּאֶחָד לַחֹדֶשׁ חָרְבוּ הַמַּיִם מֵעַל הָאָרֶץ" (להלן פסוק יג), שֶׁהֲרֵי מִקֵּץ אַרְבָּעִים יוֹם מִשֶּׁנִּרְאוּ רָאשֵׁי הֶהָרִים שִׁלַּח אֶת הָעוֹרֵב, וְעֶשְׂרִים וְאַחַת יוֹם הוֹחִיל בִּשְׁלִיחוּת הַיּוֹנָה, הֲרֵי שִׁשִּׁים יוֹם מִשֶּׁנִּרְאוּ רָאשֵׁי הֶהָרִים עַד שֶׁחָרְבוּ פְּנֵי הָאֲדָמָה. וְאִם תֹּאמַר בֶּאֱלוּל נִרְאוּ, נִמְצָא שֶׁחָרְבוּ בְּמַרְחֶשְׁוָן, וְהוּא קוֹרֵא אוֹתוֹ רִאשׁוֹן?! וְאֵין זֶה אֶלָּא תִּשְׁרֵי שֶׁהוּא רִאשׁוֹן לִבְרִיאַת עוֹלָם, וּלְרַבִּי יְהוֹשֻׁעַ הוּא נִיסָן:

ו] **מִקֵּץ אַרְבָּעִים יוֹם.** מִשֶּׁנִּרְאוּ רָאשֵׁי הֶהָרִים: **אֶת חַלּוֹן הַתֵּבָה אֲשֶׁר עָשָׂה.** לְצֹהַר, וְלֹא זֶה פֶּתַח הַתֵּבָה הֶעָשׂוּי לְבִיאָה וִיצִיאָה:

ז] **יָצוֹא וָשׁוֹב.** הוֹלֵךְ וּמַקִּיף סְבִיבוֹת הַתֵּבָה, וְלֹא הָלַךְ בִּשְׁלִיחוּתוֹ, שֶׁהָיָה חוֹשְׁדוֹ עַל בַּת זוּגוֹ, כְּמוֹ שֶׁשָּׁנִינוּ בְּאַגָּדַת 'חֵלֶק' (סנהדרין קח ע"ב). **עַד יְבֹשֶׁת הַמַּיִם.** פְּשׁוּטוֹ כְּמַשְׁמָעוֹ. אֲבָל מִדְרַשׁ אַגָּדָה: מוּכָן הָיָה הָעוֹרֵב לִשְׁלִיחוּת אַחֶרֶת בַּעֲצִירַת גְּשָׁמִים בִּימֵי אֵלִיָּהוּ, שֶׁנֶּאֱמַר (מלכים א' יז, ו): "וְהָעֹרְבִים מְבִיאִים לוֹ לֶחֶם וּבָשָׂר":

ח] **וַיְשַׁלַּח אֶת הַיּוֹנָה.** לְסוֹף שִׁבְעָה יָמִים, שֶׁהֲרֵי כְּתִיב (להלן פסוק י): "וַיָּחֶל עוֹד שִׁבְעַת יָמִים אֲחֵרִים", מִכְּלָל זֶה אַתָּה לָמֵד שֶׁאַף בָּרִאשׁוֹנָה הוֹחִיל שִׁבְעָה יָמִים: **וַיְשַׁלַּח.** אֵין זֶה לְשׁוֹן שְׁלִיחוּת אֶלָּא לְשׁוֹן שִׁלּוּחַ, שִׁלְּחָהּ לָלֶכֶת לְדַרְכָּהּ, וּבְזוֹ יִרְאֶה אִם קַלּוּ הַמַּיִם, שֶׁאִם תִּמְצָא מָנוֹחַ לֹא תָשׁוּב אֵלָיו:

ביאור | יום מהחודש השני, **עַל הָרֵי אֲרָרָט**. המים התמעטו עד שהתיבה נחה
שוב על הארץ, אם כי לא במקום שבו נח בנה אותה. אפשר להניח
שהתיבה נבנתה באזורים שבהם ישבו בני אדם באותה תקופה,
במסופוטמיה או בסביבתה, והיא נסחפה למרחק לא מבוטל,
עד הרי אררט הגבוהים, הקרובים כנראה להרים הקרויים כך גם
בימינו.[14] ה **וְהַמַּיִם הָיוּ הָלוֹךְ וְחָסוֹר עַד הַחֹדֶשׁ הָעֲשִׂירִי. בָּעֲשִׂירִי**,
בחודש העשירי **בְּאֶחָד לַחֹדֶשׁ נִרְאוּ**, נתגלו **רָאשֵׁי הֶהָרִים**. מכיוון
שהתיבה הייתה כבדה למדי, והייתה שקועה בתוך המים, עבר זמן
נוסף משעה שנחה על ההרים ועד שההרים עצמם נחשפו.

ו **וַיְהִי מִקֵּץ אַרְבָּעִים יוֹם**, מן הזמן שבו ראשי ההרים נגלו לעין. רק
לאחר שנראו ראשי ההרים, אפשר היה לדעת בוודאות שהמים
יורדים והולכים. **וַיִּפְתַּח נֹחַ אֶת חַלּוֹן הַתֵּבָה אֲשֶׁר עָשָׂה.** ז **וַיְשַׁלַּח אֶת
הָעֹרֵב**, נח בחר לשלח את העורב, משום שהניח שעוף זה, הניזון
מפגרים, יהיה הראשון שימצא לעצמו דבר מאכל. אם ימצא מזון,
ידע נח שמפלס המים ירד.[15] **וַיֵּצֵא יָצוֹא וָשׁוֹב** בלא להביא כל סימן
עַד יְבֹשֶׁת הַמַּיִם מֵעַל הָאָרֶץ.

ח **וַיְשַׁלַּח אֶת הַיּוֹנָה**, שאף היא מסוגלת לעוף למרחקים גדולים

הרי אררט

העולם | **אֲרָרָט** רכס הרים גבוה, שפסגותיו מגיעות אף למעלה מ-5,000 מ', מדרום-מזרח לימת ואן שבמזרח טורקיה. נזכר בתנ"ך כחבל ארץ מצפון-מזרח לבבל ואשור. בתרגום: 'טורי קרדו' - הרי הכורדים, וכן הוא אצל יוסף בן מתתיהו (קדמוניות א,ג,ו).

ט לִרְא֙וֹת֙ הֲקַ֣לּוּ הַמַּ֔יִם מֵעַ֖ל פְּנֵ֥י הָאֲדָמָֽה׃ וְלֹא־מָצְאָה֩
הַיּוֹנָ֨ה מָנ֜וֹחַ לְכַף־רַגְלָ֗הּ וַתָּ֤שָׁב אֵלָיו֙ אֶל־הַתֵּבָ֔ה
כִּי־מַ֖יִם עַל־פְּנֵ֣י כָל־הָאָ֑רֶץ וַיִּשְׁלַ֤ח יָדוֹ֙ וַיִּקָּחֶ֔הָ וַיָּבֵ֥א
י אֹתָ֛הּ אֵלָ֖יו אֶל־הַתֵּבָֽה׃ וַיָּ֣חֶל ע֔וֹד שִׁבְעַ֥ת יָמִ֖ים
יא אֲחֵרִ֑ים וַיֹּ֛סֶף שַׁלַּ֥ח אֶת־הַיּוֹנָ֖ה מִן־הַתֵּבָֽה׃ וַתָּבֹ֨א
אֵלָ֤יו הַיּוֹנָה֙ לְעֵ֣ת עֶ֔רֶב וְהִנֵּ֥ה עֲלֵה־זַ֖יִת טָרָ֣ף בְּפִ֑יהָ
יב וַיֵּ֣דַע נֹ֔חַ כִּי־קַ֥לּוּ הַמַּ֖יִם מֵעַ֥ל הָאָֽרֶץ׃ וַיִּיָּ֣חֶל ע֔וֹד
שִׁבְעַ֥ת יָמִ֖ים אֲחֵרִ֑ים וַיְשַׁלַּח֙ אֶת־הַיּוֹנָ֔ה וְלֹא־יָסְפָ֥ה
יג שׁוּב־אֵלָ֖יו עֽוֹד׃ וַֽיְהִי֩ בְּאַחַ֨ת וְשֵׁשׁ־מֵא֜וֹת שָׁנָ֗ה
בָּרִאשׁוֹן֙ בְּאֶחָ֣ד לַחֹ֔דֶשׁ חָֽרְב֥וּ הַמַּ֖יִם מֵעַ֣ל הָאָ֑רֶץ וַיָּ֤סַר
נֹ֙חַ֙ אֶת־מִכְסֵ֣ה הַתֵּבָ֔ה וַיַּ֕רְא וְהִנֵּ֥ה חָֽרְב֖וּ פְּנֵ֥י הָאֲדָמָֽה׃
יד וּבַחֹ֙דֶשׁ֙ הַשֵּׁנִ֔י בְּשִׁבְעָ֧ה וְעֶשְׂרִ֛ים י֖וֹם לַחֹ֑דֶשׁ יָבְשָׁ֖ה
טו טז הָאָֽרֶץ׃ וַיְדַבֵּ֥ר אֱלֹהִ֖ים אֶל־נֹ֥חַ לֵאמֹֽר׃ צֵ֖א רביעי ז
מִן־הַתֵּבָ֑ה אַתָּ֕ה וְאִשְׁתְּךָ֛ וּבָנֶ֥יךָ וּנְשֵֽׁי־בָנֶ֖יךָ אִתָּֽךְ׃

רש"י

י] **וַיָּחֶל.** לְשׁוֹן הַמְתָּנָה, וְכֵן: "לִי שָׁמְעוּ וְיִחֵלּוּ" (איוב כט, כא), וְהַרְבֵּה יֵשׁ בַּמִּקְרָא:

יא] **טָרָף בְּפִיהָ.** אוֹמֵר אֲנִי שֶׁזָּכָר הָיָה, לְכָךְ הוּא קוֹרֵהוּ פְּעָמִים לְשׁוֹן זָכָר וּפְעָמִים לְשׁוֹן נְקֵבָה, לְפִי שֶׁכָּל יוֹנָה שֶׁבַּמִּקְרָא לְשׁוֹן נְקֵבָה, כְּמוֹ: "כְּיוֹנֵי הַגֵּאָיוֹת כֻּלָּם הֹמוֹת" (יחזקאל ז, טז), וְכֵן: "כְּיוֹנָה פוֹתָה" (הושע ז, יא): **טָרָף.** חָטַף. וּמִדְרַשׁ אַגָּדָה לְשׁוֹן מָזוֹן, וְדָרְשׁוּ "בְּפִיהָ" לְשׁוֹן מַאֲמָר, אָמְרָה: יִהְיוּ מְזוֹנוֹתַי מְרוֹרִין כַּזַּיִת זֶה וּבְיָדוֹ שֶׁל הַקָּדוֹשׁ בָּרוּךְ הוּא וְלֹא יִהְיוּ מְתוּקִים כִּדְבַשׁ וּבְיַד בָּשָׂר וָדָם:

יב] **וַיִּיָּחֶל.** הוּא לְשׁוֹן 'וַיָּחֶל' (לעיל פסוק י), אֶלָּא שֶׁזֶּה לְשׁוֹן וַיִּפְעַל וְזֶה לְשׁוֹן וַיִּתְפַּעֵל, 'וַיָּחֶל' וַיַּמְתֵּן, 'וַיִּיָּחֶל' וַיִּתְמַתֵּן:

יג] **בָּרִאשׁוֹן.** לְרַבִּי אֱלִיעֶזֶר הוּא תִּשְׁרֵי וּלְרַבִּי יְהוֹשֻׁעַ הוּא נִיסָן: **חָרְבוּ.** נַעֲשָׂה כְּמִין טִיט, שֶׁקָּרְמוּ פָּנֶיהָ שֶׁל מַעְלָה:

יד] **יָבְשָׁה.** נַעֲשֵׂית גָּרִיד כְּהִלְכָתָהּ **בְּשִׁבְעָה וְעֶשְׂרִים,** וִירִידָתוֹ בַּחֹדֶשׁ הַשֵּׁנִי בְּשִׁבְעָה עָשָׂר, אֵלּוּ אַחַד עָשָׂר יָמִים שֶׁהַחַמָּה יְתֵרָה עַל הַלְּבָנָה, שֶׁמִּשְׁפַּט דּוֹר הַמַּבּוּל שָׁנָה תְּמִימָה הָיָה:

טז] **אַתָּה וְאִשְׁתְּךָ וְגוֹ'.** אִישׁ וְאִשְׁתּוֹ, כָּאן הִתִּיר לָהֶם תַּשְׁמִישׁ הַמִּטָּה:

ביאור

למדי, מֵאִתּוֹ, לִרְאוֹת הֲקַלּוּ הַמַּיִם מֵעַל פְּנֵי הָאֲדָמָה. ט וְלֹא מָצְאָה
הַיּוֹנָה מָנוֹחַ לְכַף רַגְלָהּ, וַתָּשָׁב אֵלָיו אֶל הַתֵּבָה, כִּי מַיִם עַל פְּנֵי כָל
הָאָרֶץ. וַיִּשְׁלַח יָדוֹ וַיִּקָּחֶהָ, וַיָּבֵא אֹתָהּ אֵלָיו אֶל הַתֵּבָה. י וַיָּחֶל עוֹד
שִׁבְעַת יָמִים אֲחֵרִים, וַיֹּסֶף שַׁלַּח אֶת הַיּוֹנָה מִן הַתֵּבָה מן הסתם
בבוקר. יא וַתָּבֹא אֵלָיו הַיּוֹנָה לְעֵת עֶרֶב, וְהִנֵּה עֲלֵה זַיִת טָרָף תלוש,[16]
בְּפִיהָ, כיוון שעלי הזית קשים יחסית, הם לא נרקבו במים. וַיֵּדַע נֹחַ
כִּי קַלּוּ, נעשו קלים, התמעטו הַמַּיִם מֵעַל הָאָרֶץ. יב וַיִּיָּחֶל, נח חיכה
עוֹד שִׁבְעַת יָמִים אֲחֵרִים, וַיְשַׁלַּח אֶת הַיּוֹנָה, וְלֹא יָסְפָה שׁוּב אֵלָיו עוֹד,
כיוון שחנתה באחד המקומות שיבשו בינתיים.

יג וַיְהִי בְּאַחַת וְשֵׁשׁ מֵאוֹת שָׁנָה, בָּרִאשׁוֹן בְּאֶחָד לַחֹדֶשׁ, חָרְבוּ הַמַּיִם
מֵעַל הָאָרֶץ. המים יבשו מאותם מקומות שהיו יַבָּשָׁה לפני המבול.
וַיָּסַר נֹחַ אֶת מִכְסֵה הַתֵּבָה, נראה שהחלון היה קטן מאוד, ורק כשנח
הסיר את המכסה יכול היה לראות – וְהִנֵּה חָרְבוּ פְּנֵי הָאֲדָמָה. המים
נעלמו, אך האדמה נותרה בוצית. יד וּבַחֹדֶשׁ הַשֵּׁנִי בְּשִׁבְעָה וְעֶשְׂרִים
יוֹם לַחֹדֶשׁ יָבְשָׁה הָאָרֶץ. חלף זמן נוסף עד שהאדמה יבשה, כך
שאפשר היה לצעוד עליה.

ובכל זאת נח עדיין שהה בתיבה. כשם שהוא לא יזם את כניסתו
לתיבה, כך עתה המתין בתיבה לצו האלוקי לצאת ממנה.[17]
טו ואכן – וַיְדַבֵּר אֱלֹהִים אֶל נֹחַ לֵאמֹר: טז צֵא מִן הַתֵּבָה, אַתָּה
וְאִשְׁתְּךָ וּבָנֶיךָ וּנְשֵׁי בָנֶיךָ אִתָּךְ. יז כָּל הַחַיָּה אֲשֶׁר אִתְּךָ מִכָּל בָּשָׂר,

יז כָּל־הַחַיָּה אֲשֶׁר־אִתְּךָ מִכָּל־בָּשָׂר בָּעוֹף וּבַבְּהֵמָה
וּבְכָל־הָרֶמֶשׂ הָרֹמֵשׂ עַל־הָאָרֶץ הוצא אִתָּךְ וְשָׁרְצוּ (הַיְצֵא)
יח בָאָרֶץ וּפָרוּ וְרָבוּ עַל־הָאָרֶץ׃ וַיֵּצֵא־נֹחַ וּבָנָיו וְאִשְׁתּוֹ
יט וּנְשֵׁי־בָנָיו אִתּוֹ׃ כָּל־הַחַיָּה כָּל־הָרֶמֶשׂ וְכָל־הָעוֹף כֹּל
רוֹמֵשׂ עַל־הָאָרֶץ לְמִשְׁפְּחֹתֵיהֶם יָצְאוּ מִן־הַתֵּבָה׃
כ וַיִּבֶן נֹחַ מִזְבֵּחַ לַיהוָה וַיִּקַּח מִכֹּל ׀ הַבְּהֵמָה הַטְּהֹרָה
כא וּמִכֹּל הָעוֹף הַטָּהוֹר וַיַּעַל עֹלֹת בַּמִּזְבֵּחַ׃ וַיָּרַח יְהוָה
אֶת־רֵיחַ הַנִּיחֹחַ וַיֹּאמֶר יְהוָה אֶל־לִבּוֹ לֹא אֹסִף לְקַלֵּל
עוֹד אֶת־הָאֲדָמָה בַּעֲבוּר הָאָדָם כִּי יֵצֶר לֵב הָאָדָם
רַע מִנְּעֻרָיו וְלֹא־אֹסִף עוֹד לְהַכּוֹת אֶת־כָּל־חַי כַּאֲשֶׁר

רש"י

יז] **הוצא.** כְּתִיב, 'הַיְצֵא' קְרִי. 'הַיְצֵא' – אֱמֹר לָהֶם שֶׁיֵּצְאוּ, 'הוֹצֵא' – אִם אֵין רוֹצִים לָצֵאת הוֹצִיאֵם אַתָּה: **וְשָׁרְצוּ בָאָרֶץ.** וְלֹא בַּתֵּבָה, מַגִּיד שֶׁאַף הַבְּהֵמָה וְהָעוֹף נֶאֶסְרוּ בְּתַשְׁמִישׁ:

יט] **לְמִשְׁפְּחֹתֵיהֶם.** קִבְּלוּ עֲלֵיהֶם עַל מְנָת לִדָּבֵק בְּמִינָן:

כ] **מִכֹּל הַבְּהֵמָה הַטְּהֹרָה.** אָמַר: לֹא צִוָּה לִי הַקָּדוֹשׁ בָּרוּךְ הוּא לְהַכְנִיס מֵאֵלּוּ שִׁבְעָה שִׁבְעָה אֶלָּא כְּדֵי לְהַקְרִיב קָרְבָּן מֵהֶם:

כא] **מִנְּעֻרָיו.** 'מִנְּעָרָיו' כְּתִיב, מִשֶּׁנִּנְעָר לָצֵאת מִמְּעֵי אִמּוֹ נִתַּן בּוֹ יֵצֶר הָרָע: **לֹא אֹסִף, וְלֹא אֹסִף.** כָּפַל הַדָּבָר לִשְׁבוּעָה, הוּא שֶׁכָּתוּב (ישעיה נד, ט): "אֲשֶׁר נִשְׁבַּעְתִּי מֵעֲבֹר מֵי נֹחַ", וְלֹא מָצִינוּ בָּהּ שְׁבוּעָה אֶלָּא זוֹ שֶׁכָּפַל דְּבָרָיו וְהִיא שְׁבוּעָה, וְכֵן דָּרְשׁוּ חֲכָמִים בְּמַסֶּכֶת שְׁבוּעוֹת (דף לו ע"א):

הרחבות

'ריח הניחח' אכן ריחו של קרבן העולה באש אינו נחשב באפנו כריח ניחוח. על כך דרשו את המלה נִיחֹחַ: "נחת רוח לפני, שאמרתי ונעשה רצוני" (ספרי במדבר קז ועוד). נכונותו של האדם להקרבה למען הקדוש ברוך הוא מסבה לו עונג ונחת, כביכול.

'כי יצר לב האדם רע מנעֻריו' מעניין כי נימוק דומה, שיצר לב האדם רע, שימש

ביאור | בָּעוֹף וּבַבְּהֵמָה וּבְכָל הָרֶמֶשׂ הָרֹמֵשׂ עַל הָאָרֶץ הַיְצֵא אִתָּךְ, הוצא אותם בכוח, שכן היו בעלי חיים שהתרגלו לחיים בתיבה. אמנם לא היו אלה חיי חופש, אך מזונם היה מוכן להם בשלווה ובמנוחה, ואולי מקצתם היו שרויים בתרדמת או עילפון חלקי בשל התנאים. על כן היה צורך לכפות עליהם את היציאה. וְשָׁרְצוּ בָאָרֶץ, יתרבו מאוד, כך שייראו בכל מקום, כשרצים.[18] וּפָרוּ וְרָבוּ עַל הָאָרֶץ. כך יתפתח מעתה
עולם חדש. יח וַיֵּצֵא נֹחַ וּבָנָיו וְאִשְׁתּוֹ וּנְשֵׁי בָנָיו אִתּוֹ. יט כָּל הַחַיָּה, כָּל
הָרֶמֶשׂ וְכָל הָעוֹף, כֹּל רוֹמֵשׂ עַל הָאָרֶץ, לְמִשְׁפְּחֹתֵיהֶם יָצְאוּ מִן הַתֵּבָה.

בעקבות המבול: חידוש הקשר בין אלוקים לנפשות אשר בארץ

פרק ח פס׳ כ – פרק ט פס׳ יז

כאן, לראשונה, תיכרת ברית בין אלוקים לבין בני האדם וכל נפש החיה, ובה הבטחה ואף סימן למימושה. לאחר המבול יורחב כוחו של האדם ביחס לבעלי החיים, ועם זאת יוטלו עליו גם הגבלות וחובות נוספות.

כ וַיִּבֶן נֹחַ מִזְבֵּחַ לַה׳. וַיִּקַּח מִכֹּל הַבְּהֵמָה הַטְּהוֹרָה וּמִכֹּל הָעוֹף הַטָּהֹר,
וַיַּעַל עֹלֹת בַּמִּזְבֵּחַ. כא וַיָּרַח ה׳ אֶת רֵיחַ הַנִּיחֹחַ, זהו ביטוי סמלי, המופיע גם במקומות נוספים העוסקים בקרבנות, אשר משמעו הפשוט שביעות רצון. וַיֹּאמֶר ה׳ אֶל לִבּוֹ - ביטוי אנתרופומורפי, מעין הרהור אלוקי: לֹא אֹסִף לְקַלֵּל עוֹד אֶת הָאֲדָמָה בַּעֲבוּר הָאָדָם, כשם שעשיתי במבול, כִּי יֵצֶר לֵב הָאָדָם רַע מִנְּעֻרָיו, מצעירותו. חכמים דרשו: "משעה שהוא ננער ויוצא לעולם", כלומר מלידתו.[19] האדם, על יצרו, אינו רע בהכרח, אולם יצרו מאפשר לו להיות רע, והוא מצוי תחת פיתוי מתמיד. על כן - וְלֹא אֹסִף עוֹד לְהַכּוֹת אֶת כָּל חַי כַּאֲשֶׁר עָשִׂיתִי. כדי לתקן את השחתתו של היצר הרע, זקוקה האנושות למציאות קבועה ויציבה. לכן ההיסטוריה האנושית לא

הרחבות | קודם לכן בתור הגורם להבאת המבול: וַיַּרְא ה׳ כִּי רַבָּה רָעַת הָאָדָם בָּאָרֶץ וְכָל יֵצֶר מַחְשְׁבֹת לִבּוֹ רַק רַע כָּל הַיּוֹם. וַיִּנָּחֶם ה׳ כִּי עָשָׂה אֶת הָאָדָם בָּאָרֶץ (לעיל ו,ה-ו). כאן הוא משמש דווקא כנימוק לחון את האדם. קיומו של היצר הרע באדם עלול לייאש, ולהביא כמעט לכליונו; ומצד שני, כיוון שיצר זה נטוע בו מנעוריו, מלידתו, אין להאשימו בכך.

עֲשִׂיתִי׃ עֹד כָּל־יְמֵי הָאָרֶץ זֶרַע וְקָצִיר וְקֹר וָחֹם וְקַיִץ כב
ט א וָחֹרֶף וְיוֹם וָלַיְלָה לֹא יִשְׁבֹּתוּ׃ וַיְבָרֶךְ אֱלֹהִים אֶת־נֹחַ
וְאֶת־בָּנָיו וַיֹּאמֶר לָהֶם פְּרוּ וּרְבוּ וּמִלְאוּ אֶת־הָאָרֶץ׃
וּמוֹרַאֲכֶם וְחִתְּכֶם יִהְיֶה עַל כָּל־חַיַּת הָאָרֶץ וְעַל ב
כָּל־עוֹף הַשָּׁמָיִם בְּכֹל אֲשֶׁר תִּרְמֹשׂ הָאֲדָמָה וּבְכָל־
דְּגֵי הַיָּם בְּיֶדְכֶם נִתָּנוּ׃ כָּל־רֶמֶשׂ אֲשֶׁר הוּא־חַי לָכֶם ג
יִהְיֶה לְאָכְלָה כְּיֶרֶק עֵשֶׂב נָתַתִּי לָכֶם אֶת־כֹּל׃ אַךְ־ ד
בָּשָׂר בְּנַפְשׁוֹ דָמוֹ לֹא תֹאכֵלוּ׃ וְאַךְ אֶת־דִּמְכֶם ה

רש"י

כב| **עֹד כָּל יְמֵי הָאָרֶץ וְגוֹ' לֹא יִשְׁבֹּתוּ.** שֵׁשׁ עִתִּים הַלָּלוּ, שְׁנֵי חֳדָשִׁים לְכָל אֶחָד וְאֶחָד, כְּמוֹ שֶׁשָּׁנִינוּ: חֲצִי תִשְׁרֵי וּמַרְחֶשְׁוָן וַחֲצִי כִּסְלֵו – זֶרַע, חֲצִי כִּסְלֵו וְטֵבֵת וַחֲצִי שְׁבָט – קֹר וְכוּ', בְּבָבָא מְצִיעָא (דף קו ע"ב): **קֹר.** קָשֶׁה מֵחֹרֶף: **וָחֹרֶף.** עֵת זֶרַע שְׂעוֹרִים וְקִטְנִיּוֹת הַחֲרִיפִין לְהִתְבַּשֵּׁל מַהֵר, וְהוּא חֲצִי שְׁבָט וַאֲדָר וַחֲצִי נִיסָן. **קַיִץ.** הוּא זְמַן לְקִיטַת תְּאֵנִים וּזְמַן שֶׁמְּיַבְּשִׁין אוֹתָן בַּשָּׂדוֹת, וּשְׁמוֹ קַיִץ, כְּמוֹ: "וְהַלֶּחֶם וְהַקַּיִץ לֶאֱכוֹל הַנְּעָרִים" (שמואל ב' טז, ב): **חֹם.** הוּא סוֹף יְמוֹת הַחַמָּה, חֲצִי אָב וֶאֱלוּל וַחֲצִי תִשְׁרֵי, שֶׁהָעוֹלָם חַם בְּיוֹתֵר, כְּמוֹ שֶׁשָּׁנִינוּ בְּמַסֶּכֶת יוֹמָא (דף כט ע"א) שִׁלְהֵי קַיְטָא קָשֵׁי מִקַּיְטָא: **וְיוֹם וָלַיְלָה לֹא יִשְׁבֹּתוּ.** מִכְּלָל שֶׁשָּׁבְתוּ כָּל יְמוֹת הַמַּבּוּל, שֶׁלֹּא שִׁמְּשׁוּ הַמַּזָּלוֹת וְלֹא נִכַּר בֵּין יוֹם וָלַיְלָה: **לֹא יִשְׁבֹּתוּ.** לֹא יִפְסְקוּ כָּל אֵלֶּה מִלְּהִתְנַהֵג כְּסִדְרָן:

פרק ט

ב| **וְחִתְּכֶם.** וְאֵימַתְכֶם, כְּמוֹ: "תִּרְאוּ חֲתַת" (איוב ו, כא). וְאַגָּדָה: לְשׁוֹן חִיּוּת, שֶׁכָּל זְמַן שֶׁתִּינוֹק בֶּן יוֹמוֹ חַי אֵין צָרִיךְ לְשָׁמְרוֹ מִן הָעַכְבָּרִים, עוֹג מֶלֶךְ הַבָּשָׁן מֵת צָרִיךְ לְשָׁמְרוֹ מִן הָעַכְבָּרִים, שֶׁנֶּאֱמַר: "וּמוֹרַאֲכֶם וְחִתְּכֶם יִהְיֶה", אֵימָתַי יִהְיֶה מוֹרַאֲכֶם עַל הַחַיּוֹת? כָּל זְמַן שֶׁאַתֶּם חַיִּים:

ג| **לָכֶם יִהְיֶה לְאָכְלָה.** שֶׁלֹּא הִרְשֵׁיתִי לְאָדָם הָרִאשׁוֹן לֶאֱכֹל בָּשָׂר אֶלָּא יֶרֶק עֵשֶׂב, וְלָכֶם – "כְּיֶרֶק עֵשֶׂב" שֶׁהִפְקַרְתִּי לְאָדָם הָרִאשׁוֹן "נָתַתִּי לָכֶם אֶת כֹּל":

ד| **בְּנַפְשׁוֹ דָמוֹ.** אָסַר לָהֶם אֵבֶר מִן הַחַי, כְּלוֹמַר כָּל זְמַן שֶׁנַּפְשׁוֹ בְּדָמוֹ לֹא תֹאכְלוּ הַבָּשָׂר: **בְּנַפְשׁוֹ דָמוֹ.** בְּעוֹד נַפְשׁוֹ בּוֹ: **בָּשָׂר בְּנַפְשׁוֹ לֹא תֹאכֵלוּ.** הֲרֵי אֵבֶר מִן הַחַי, וְאַף "דָמוֹ לֹא תֹאכֵלוּ" הֲרֵי דָּם מִן הַחַי:

ה| **וְאַךְ אֶת דִּמְכֶם.** אַף עַל פִּי שֶׁהִתַּרְתִּי לָכֶם נְטִילַת נְשָׁמָה בִּבְהֵמָה, "אֶת דִּמְכֶם... אֶדְרֹשׁ" – הַשּׁוֹפֵךְ דַּם עַצְמוֹ,

הרחבות

עונות השנה על סמך פסוק זה היו שדרשו, שבשנה יש שש עונות קצרות, שבכל אחת מהן שורר מזג אוויר שונה, ושבהן מתבצעות פעילויות חקלאיות שונות (בבא מציעא קו ע"ב). דרשה זו הולמת את טבעה של ארץ ישראל, שהחלוקה לארבע עונות אינה מתאימה לאקלים בה, משום שבה אין סתיו מובחן לאורך רבע

ביאור | תדע עוד התרחשויות קטסטרופליות כוללניות כאלה, אלא תתנהל בעליות ובירידות מתונות יחסית. כב **עֹד כָּל יְמֵי הָאָרֶץ, זֶרַע וְקָצִיר וְקֹר וָחֹם וְקַיִץ וָחֹרֶף וְיוֹם וָלַיְלָה.** בזמן המבול עונות השנה וחילופי היום והלילה בטלו. לאחר המבול ה׳ כונן מחדש את הזמן ופרקיו וקבע כי הם **לֹא יִשְׁבֹּתוּ.** העולם ינהג כמנהגו, המין האנושי יוסיף להתקיים, ולא יבוא שוב מבול.

בעקבות זאת אלוקים פנה לנח ולמשפחתו בברכות ובציוויים, שבספרות חז״ל ושלאחריה יוגדרו כמצוות בני נח. פרק ט א **וַיְבָרֶךְ אֱלֹהִים אֶת נֹחַ וְאֶת בָּנָיו, וַיֹּאמֶר לָהֶם: פְּרוּ וּרְבוּ וּמִלְאוּ אֶת הָאָרֶץ.** אמנם ברכה זו נאמרה לאדם הראשון, אבל לכאורה הקדוש ברוך הוא ביטל אותה בכַלותו את בני האדם. משום כך ניתנה כאן ברכה זו פעם נוספת. ב **וּמוֹרַאֲכֶם וְחִתְּכֶם,** הפחד מכם **יִהְיֶה עַל כָּל חַיַּת הָאָרֶץ וְעַל כָּל עוֹף הַשָּׁמָיִם, בְּכֹל אֲשֶׁר תִּרְמֹשׂ הָאֲדָמָה וּבְכָל דְּגֵי הַיָּם,** אשר כל אלה **בְּיֶדְכֶם נִתָּנוּ.** לפני המבול התקיימו בין האדם לבעלי החיים בעיקר יחסי שכנות. אמנם ניתנה לאדם זכות ממשלה בבעלי החיים,[20] וגם היו אז שעסקו ברעיית צאן, אבל נאסר על האדם לנצלם לאכילה, וכנראה בני האדם לא נגעו בהם לרעה. כאן אלוקים מטיל את אימת האדם על שאר היצורים החיים. ג ומעבר לכך, **כָּל רֶמֶשׂ אֲשֶׁר הוּא חַי לָכֶם יִהְיֶה לְאָכְלָה,** מעתה מותר לכם לאכול גם בעלי חיים. **כְּיֶרֶק עֵשֶׂב נָתַתִּי לָכֶם אֶת כֹּל.** עד כה אתם ובעלי החיים הייתם צמחוניים,[21] ועכשיו נתונה לכם הרשות לאכול כל מה שנמצא בעולם. ד לאחר שניתן ההיתר לאכול מן החי, באה גם הגדרת גבולותיו של ההיתר הזה – **אַךְ בָּשָׂר בְּנַפְשׁוֹ דָמוֹ לֹא תֹאכֵלוּ.** אסור לכם לאכול את הבשר כאשר הוא מחובר עם נפשו. זהו האיסור על אכילת אבר מן החי – האיסור לחתוך חתיכה מבעל החיים החי ולאכלה.[22] גם אם הותרה לאדם אכילת בעל חיים, אין בכך כדי להרשות לו להתאכזר או לעשות מעשה הדומה לאכזריות.

ה ומגבלה נוספת – **וְאַךְ אֶת דִּמְכֶם לְנַפְשֹׁתֵיכֶם אֶדְרֹשׁ.** זכותכם

הרחבות | שנה. (משמעותה של ׳סתיו׳ בתנ״ך מקבילה לזו של המלה ׳חורף׳. ראו שיר השירים ב,יא, ורש״י שם).

׳ואך את דמכם לנפשתיכם אדרש׳ חכמים פירשו מלים אלו, שלכאורה הן מוכפלות בסוף הפסוק, כאזהרה לאדם מליטול את נפשו שלו (בבא קמא צא ע״ב).

לְנַפְשֹׁתֵיכֶם֙ אֶדְרֹ֔שׁ מִיַּ֥ד כָּל־חַיָּ֖ה אֶדְרְשֶׁ֑נּוּ וּמִיַּ֣ד
הָֽאָדָ֗ם מִיַּד֙ אִ֣ישׁ אָחִ֔יו אֶדְרֹ֖שׁ אֶת־נֶ֥פֶשׁ הָֽאָדָֽם׃ שֹׁפֵךְ֙ ו
דַּ֣ם הָֽאָדָ֔ם בָּֽאָדָ֖ם דָּמ֣וֹ יִשָּׁפֵ֑ךְ כִּ֚י בְּצֶ֣לֶם אֱלֹהִ֔ים עָשָׂ֖ה
אֶת־הָאָדָֽם׃ וְאַתֶּ֖ם פְּר֣וּ וּרְב֑וּ שִׁרְצ֥וּ בָאָ֖רֶץ וּרְבוּ־ ז
חמישי בָֽהּ׃ וַיֹּ֤אמֶר אֱלֹהִים֙ אֶל־נֹ֔חַ וְאֶל־בָּנָ֥יו אִתּ֖וֹ ח
לֵאמֹֽר׃ וַאֲנִ֕י הִנְנִ֥י מֵקִ֛ים אֶת־בְּרִיתִ֖י אִתְּכֶ֑ם וְאֶת־ ט
זַרְעֲכֶ֖ם אַחֲרֵיכֶֽם׃ וְאֵ֨ת כָּל־נֶ֤פֶשׁ הַֽחַיָּה֙ אֲשֶׁ֣ר אִתְּכֶ֔ם י
בָּע֧וֹף בַּבְּהֵמָ֛ה וּֽבְכָל־חַיַּ֥ת הָאָ֖רֶץ אִתְּכֶ֑ם מִכֹּל֙ יֹצְאֵ֣י
הַתֵּבָ֔ה לְכֹ֖ל חַיַּ֥ת הָאָֽרֶץ׃ וַהֲקִמֹתִ֤י אֶת־בְּרִיתִי֙ אִתְּכֶ֔ם יא
וְלֹֽא־יִכָּרֵ֧ת כָּל־בָּשָׂ֛ר ע֖וֹד מִמֵּ֣י הַמַּבּ֑וּל וְלֹא־יִהְיֶ֥ה ע֛וֹד

רש"י

"לְנַפְשֹׁתֵיכֶם" – אַף הַחוֹנֵק עַצְמוֹ, אַף עַל פִּי שֶׁלֹּא יָצָא מִמֶּנּוּ דָּם: מִיַּד כָּל חַיָּה. לְפִי שֶׁחָטְאוּ דוֹר הַמַּבּוּל וְהֻפְקְרוּ לְמַאֲכַל חַיּוֹת רָעוֹת לִשְׁלֹט בָּהֶן, שֶׁנֶּאֱמַר (תהלים מט, כא): "נִמְשַׁל כַּבְּהֵמוֹת נִדְמוּ", לְפִיכָךְ הֻצְרַךְ לְהַזְהִיר עֲלֵיהֶן אֶת הַחַיּוֹת: וּמִיַּד הָאָדָם. מִיַּד הַהוֹרֵג בְּמֵזִיד וְאֵין עֵדִים, אֲנִי אֶדְרֹשׁ: מִיַּד אִישׁ אָחִיו. שֶׁהוּא אוֹהֵב לוֹ כְּאָח וַהֲרָגוֹ שׁוֹגֵג, אֲנִי אֶדְרֹשׁ אִם לֹא יִגְלֶה וִיבַקֵּשׁ עַל עֲוֹנוֹ לִמָּחֵל, שֶׁאַף הַשּׁוֹגֵג צָרִיךְ כַּפָּרָה, וְאִם אֵין עֵדִים לְחַיְּבוֹ גָּלוּת וְהוּא אֵינוֹ נִכְנָע הַקָּדוֹשׁ בָּרוּךְ הוּא דּוֹרֵשׁ מִמֶּנּוּ, כְּמוֹ שֶׁדָּרְשׁוּ רַבּוֹתֵינוּ "וְהָאֱלֹהִים אִנָּה לְיָדוֹ" (שמות כא, יג) בְּמַסֶּכֶת מַכּוֹת (דף י ע"ב): הַקָּדוֹשׁ בָּרוּךְ הוּא מְזַמְּנָן לְפֻנְדָּק אֶחָד וְכוּ':

ו] בָּאָדָם דָּמוֹ יִשָּׁפֵךְ. אִם יֵשׁ עֵדִים הֲמִיתוּהוּ אַתֶּם, לָמָּה? "כִּי בְּצֶלֶם אֱלֹהִים עָשָׂה אֶת הָאָדָם", וְזֶה מִקְרָא חָסֵר: עָשָׂה הָעוֹשֶׂה אֶת הָאָדָם, וְכֵן הַרְבֵּה בַּמִּקְרָא:

ז] וְאַתֶּם פְּרוּ וּרְבוּ. לְפִי פְשׁוּטוֹ, הָרִאשׁוֹנָה לִבְרָכָה וְכָאן לְצִוּוּי. וּלְפִי מִדְרָשׁוֹ, לְהַקִּישׁ מִי שֶׁאֵינוֹ עוֹסֵק בִּפְרִיָּה וּרְבִיָּה לְשׁוֹפֵךְ דָּמִים:

ט] וַאֲנִי הִנְנִי. מַסְכִּים אֲנִי עִמְּךָ; שֶׁהָיָה נֹחַ דּוֹאֵג לַעֲסֹק בִּפְרִיָּה וּרְבִיָּה עַד שֶׁהִבְטִיחוֹ הַקָּדוֹשׁ בָּרוּךְ הוּא שֶׁלֹּא לְשַׁחֵת הָעוֹלָם עוֹד, וְכֵן עָשָׂה. בָּאַחֲרוֹנָה אָמַר לוֹ: הִנְנִי מַסְכִּים לַעֲשׂוֹת קִיּוּם וְחִזּוּק בְּרִית לְהַבְטָחָתִי וְאֶתֵּן לְךָ אוֹת:

י] חַיַּת הָאָרֶץ אִתְּכֶם. הֵם הַמִּתְהַלְּכִים עִם הַבְּרִיּוֹת: מִכֹּל יֹצְאֵי הַתֵּבָה. לְהָבִיא שְׁקָצִים וּרְמָשִׂים: לְכֹל חַיַּת הָאָרֶץ. לְהָבִיא הַמַּזִּיקִין שֶׁאֵינָן בִּכְלַל "הַחַיָּה אֲשֶׁר אִתְּכֶם", שֶׁאֵין הִלּוּכָן עִם הַבְּרִיּוֹת:

יא] וַהֲקִמֹתִי. אֶעֱשֶׂה קִיּוּם לִבְרִיתִי, וּמַהוּ קִיּוּמוֹ? אוֹת הַקֶּשֶׁת, כְּמוֹ שֶׁמְּסַיֵּם וְהוֹלֵךְ:

ביאור | להרוג יצורים אחרים חלה רק על אלה שאינם אדם. בני האדם אינם משתווים לשאר היצורים החיים. אם דמו של אדם יישפך, האחריות תוטל על האדם ששפך אותו, וכן **מִיַּד כָּל חַיָּה אֶדְרְשֶׁנּוּ**. כיוון שהריגת אדם היא פגיעה במה שאיננו חלק ממערכת בעלי החיים, אסור גם לבעלי חיים להרוג בני אדם. מאוחר יותר מופיעה בהלכה החובה להעמיד לדין ולהעניש שור או כל בעל חיים אחר ההורג אדם.[23] כמובן, **וּמִיַּד הָאָדָם, מִיַּד אִישׁ אָחִיו**, מידו של איש השופך דם אחיו,[24] **אֶדְרֹשׁ אֶת נֶפֶשׁ הָאָדָם.**

ו **שֹׁפֵךְ דַּם הָאָדָם, בָּאָדָם – דָּמוֹ יִשָּׁפֵךְ**. זוהי הופעתו הראשונה של עונש המוות, והוא מוטל על רוצח אדם. הטעם לכל הציוויים הללו הוא – **כִּי בְּצֶלֶם אֱלֹהִים עָשָׂה אֶת הָאָדָם**. האדם איננו רק אחד מיצורי המערכת הזואולוגית. כיוון שנעשה בצלם אלוקים, יש לנהוג בו כבוד.

ז **וְאַתֶּם פְּרוּ וּרְבוּ, שִׁרְצוּ בָאָרֶץ וּרְבוּ בָהּ**. חלק מן הדברים שנאמרו לאדם הראשון עומדים עדיין בעינם, ובכל זאת ניתנים כאן גם חוקים חדשים, המתאימים למציאות שהשתנתה.

ח **וַיֹּאמֶר אֱלֹהִים אֶל נֹחַ וְאֶל בָּנָיו אִתּוֹ לֵאמֹר**: מכם אני דורש לקיים את החובות הללו.

ט **וַאֲנִי, הִנְנִי מֵקִים**, מעמיד ומקיים, כורת **אֶת בְּרִיתִי אִתְּכֶם וְאֶת**, ועם **זַרְעֲכֶם אַחֲרֵיכֶם.**

י **וְאֵת כָּל נֶפֶשׁ הַחַיָּה אֲשֶׁר אִתְּכֶם בָּעוֹף בַּבְּהֵמָה וּבְכָל חַיַּת הָאָרֶץ** שאִתְּכֶם, **מִכֹּל יֹצְאֵי הַתֵּבָה**, והברית היא **לְכֹל חַיַּת הָאָרֶץ**. הברית תקפה ביחס לכל יצורי העולם החיים.[25]

יא **וַהֲקִמֹתִי אֶת בְּרִיתִי אִתְּכֶם**, שתמציתה ועיקרה הוא – **וְלֹא יִכָּרֵת כָּל בָּשָׂר עוֹד מִמֵּי הַמַּבּוּל, וְלֹא יִהְיֶה עוֹד**

מַבּוּל לְשַׁחֵת הָאָרֶץ: וַיֹּאמֶר אֱלֹהִים זֹאת אוֹת־ יב
הַבְּרִית אֲשֶׁר־אֲנִי נֹתֵן בֵּינִי וּבֵינֵיכֶם וּבֵין כָּל־נֶפֶשׁ
חַיָּה אֲשֶׁר אִתְּכֶם לְדֹרֹת עוֹלָם: אֶת־קַשְׁתִּי נָתַתִּי יג
בֶּעָנָן וְהָיְתָה לְאוֹת בְּרִית בֵּינִי וּבֵין הָאָרֶץ: וְהָיָה יד
בְּעַנְנִי עָנָן עַל־הָאָרֶץ וְנִרְאֲתָה הַקֶּשֶׁת בֶּעָנָן: וְזָכַרְתִּי טו
אֶת־בְּרִיתִי אֲשֶׁר בֵּינִי וּבֵינֵיכֶם וּבֵין כָּל־נֶפֶשׁ חַיָּה
בְּכָל־בָּשָׂר וְלֹא־יִהְיֶה עוֹד הַמַּיִם לְמַבּוּל לְשַׁחֵת כָּל־
בָּשָׂר: וְהָיְתָה הַקֶּשֶׁת בֶּעָנָן וּרְאִיתִיהָ לִזְכֹּר בְּרִית טז
עוֹלָם בֵּין אֱלֹהִים וּבֵין כָּל־נֶפֶשׁ חַיָּה בְּכָל־בָּשָׂר אֲשֶׁר
עַל־הָאָרֶץ: וַיֹּאמֶר אֱלֹהִים אֶל־נֹחַ זֹאת אוֹת־ יז
הַבְּרִית אֲשֶׁר הֲקִמֹתִי בֵּינִי וּבֵין כָּל־בָּשָׂר אֲשֶׁר עַל־
הָאָרֶץ:
ששי ח וַיִּהְיוּ בְנֵי־נֹחַ הַיֹּצְאִים מִן־הַתֵּבָה שֵׁם וְחָם וָיָפֶת יח

רש"י

יב| לְדֹרֹת עוֹלָם. נִכְתַּב חָסֵר, שֶׁיֵּשׁ דּוֹרוֹת שֶׁלֹּא הֻצְרְכוּ לָאוֹת לְפִי שֶׁצַּדִּיקִים גְּמוּרִים הָיוּ, כְּמוֹ דּוֹרוֹ שֶׁל חִזְקִיָּהוּ מֶלֶךְ יְהוּדָה וְדוֹרוֹ שֶׁל רַבִּי שִׁמְעוֹן בֶּן יוֹחַאי:

יד| בְּעַנְנִי עָנָן. כְּשֶׁתַּעֲלֶה בְמַחֲשָׁבָה לְפָנַי לְהָבִיא חֹשֶׁךְ וַאֲבַדּוֹן לָעוֹלָם:

טו| בֵּין אֱלֹהִים וּבֵין כָּל נֶפֶשׁ חַיָּה. בֵּין מִדַּת הַדִּין שֶׁל מַעְלָה וּבֵינֵיכֶם, שֶׁהָיָה לוֹ לִכְתֹּב: 'בֵּינִי וּבֵין כָּל נֶפֶשׁ חַיָּה', אֶלָּא זֶהוּ מִדְרָשׁוֹ: כְּשֶׁתָּבֹא מִדַּת הַדִּין לְקַטְרֵג עֲלֵיכֶם לְחַיֵּב אֶתְכֶם, אֲנִי רוֹאֶה אֶת הָאוֹת וְנִזְכָּר:

יז| זֹאת אוֹת הַבְּרִית. הֶרְאָהוּ הַקֶּשֶׁת וְאָמַר לוֹ: הֲרֵי הָאוֹת שֶׁאָמַרְתִּי:

יח| וְחָם הוּא אֲבִי כְנָעַן. לָמָּה הֻצְרַךְ לוֹמַר כָּאן? לְפִי שֶׁהַפָּרָשָׁה עֲסוּקָה וּבָאָה בְּשִׁכְרוּתוֹ שֶׁל נֹחַ שֶׁקִּלְקֵל בָּהּ חָם וְעַל יָדוֹ נִתְקַלֵּל כְּנַעַן, וַעֲדַיִן לֹא כָּתַב תּוֹלְדוֹת חָם וְלֹא יָדַעְנוּ שֶׁכְּנַעַן בְּנוֹ, לְפִיכָךְ הֻצְרַךְ לוֹמַר כָּאן: "וְחָם הוּא אֲבִי כְנָעַן":

הרחבות

הקשת כאות לברית כבר בימי קדם ידעו אנשים שהקשת נובעת מהשתברות קרני השמש בעננים, ושאפשר לראות את צבעיה גם באור המשתבר במים או בכלים. הראשונים תהו: אם מדובר בתופעת טבע פשוטה, מה משמעות הופעתה כאות

ביאור

מַבּוּל לְשַׁחֵת הָאָרֶץ. יב **וַיֹּאמֶר אֱלֹהִים: זֹאת אוֹת,** סימן **הַבְּרִית**
אֲשֶׁר אֲנִי נֹתֵן בֵּינִי וּבֵינֵיכֶם וּבֵין כָּל נֶפֶשׁ חַיָּה אֲשֶׁר אִתְּכֶם, לְדֹרֹת
עוֹלָם: יג **אֶת קַשְׁתִּי נָתַתִּי בֶּעָנָן, וְהָיְתָה לְאוֹת בְּרִית בֵּינִי וּבֵין הָאָרֶץ.**
הקשת בענן היא סימן לברית ביני לבין יושבי העולם. יד **וְהָיָה**
בְּעַנְנִי עָנָן עַל הָאָרֶץ, וְנִרְאֲתָה הַקֶּשֶׁת בֶּעָנָן. טו **וְזָכַרְתִּי אֶת בְּרִיתִי**
אֲשֶׁר בֵּינִי וּבֵינֵיכֶם וּבֵין כָּל נֶפֶשׁ חַיָּה בְּכָל בָּשָׂר, וְלֹא יִהְיֶה עוֹד
הַמַּיִם לְמַבּוּל לְשַׁחֵת כָּל בָּשָׂר. טז **וְהָיְתָה הַקֶּשֶׁת בֶּעָנָן, וּרְאִיתִיהָ**
לִזְכֹּר בְּרִית עוֹלָם בֵּין אֱלֹהִים וּבֵין כָּל נֶפֶשׁ חַיָּה בְּכָל בָּשָׂר אֲשֶׁר עַל
הָאָרֶץ. יז **וַיֹּאמֶר אֱלֹהִים אֶל נֹחַ: זֹאת אוֹת הַבְּרִית אֲשֶׁר הֲקִמֹתִי**
בֵּינִי וּבֵין כָּל בָּשָׂר אֲשֶׁר עַל הָאָרֶץ. הקשת מייצגת את הברית בין
הקדוש ברוך הוא לבין בני האדם. כיוון שאפשר גם לראותה כאות
להתגלותו בעולם, הורו חכמים לנהוג כבוד במראה הקשת, ולהיזהר
שלא להסתכל בה.[26]

הרחבות

ברית? היו שפירשו, שלאחר המבול לא השתנו רק חוקי המוסר, שנזכרו לעיל, אלא אף הטבע, ושאולי לפני המבול הקשת כלל לא נראתה. ואולם בפשטות נראה שלא על היווצרות מראה הקשת מדובר כאן, אלא על בחירתה כאות ברית. לעתים כאשר אנשים כורתים ברית, הם לוקחים עצם המצוי בסביבתם, ומגדירים אותו כסימן לברית; כך נבחרת כאן הקשת – המופיעה בדרך הטבע בזמן ירידת גשמים ועננות מרובה – כסימן מתאים לברית ולהתחייבות שלא יהיה עוד מבול (ראו רמב"ן פס' יב).

מעבר לכך, יש בבחירתו של סמל זה ביטוי להשבת חמתו של ה', שכן הקשת, ככלי המלחמה אשר צדה המקומר נמצא בשעת השימוש בה בצד המרוחק מן היורה, מתהפכת כאן לסימן למתינות ולאי–לוחמה כנגד הארץ (ראו רמב"ן וחזקוני. רמז דק לעניין זה אפשר למצוא בבראשית רבה לה,ג).

יט וְחָם הוּא אֲבִי כְנָעַן: שְׁלֹשָׁה אֵלֶּה בְּנֵי־נֹחַ וּמֵאֵלֶּה
כ נָפְצָה כָל־הָאָרֶץ: וַיָּחֶל נֹחַ אִישׁ הָאֲדָמָה וַיִּטַּע
כא כָּרֶם: וַיֵּשְׁתְּ מִן־הַיַּיִן וַיִּשְׁכָּר וַיִּתְגַּל בְּתוֹךְ אָהֳלֹה:
כב וַיַּרְא חָם אֲבִי כְנַעַן אֵת עֶרְוַת אָבִיו וַיַּגֵּד לִשְׁנֵי־
כג אֶחָיו בַּחוּץ: וַיִּקַּח שֵׁם וָיֶפֶת אֶת־הַשִּׂמְלָה וַיָּשִׂימוּ
עַל־שְׁכֶם שְׁנֵיהֶם וַיֵּלְכוּ אֲחֹרַנִּית וַיְכַסּוּ אֵת עֶרְוַת

רש״י

כ| וַיָּחֶל. עָשָׂה עַצְמוֹ חֻלִּין, שֶׁהָיָה לוֹ לַעֲסֹק תְּחִלָּה בִּנְטִיעָה אַחֶרֶת: אִישׁ הָאֲדָמָה. אֲדוֹנֵי הָאֲדָמָה, כְּמוֹ: "אִישׁ נָעֳמִי" (רות א, ג): וַיִּטַּע כָּרֶם. כְּשֶׁנִּכְנַס לַתֵּבָה הִכְנִיס עִמּוֹ זְמוֹרוֹת וְיִחוּרֵי תְאֵנִים (שם):

כא| אָהֳלֹה. "אָהֳלָה" כְּתִיב, רֶמֶז לַעֲשָׂרָה שְׁבָטִים שֶׁנִּקְרְאוּ עַל שֵׁם שׁוֹמְרוֹן שֶׁנִּקְרֵאת אָהֳלָה, שֶׁגָּלוּ עַל עִסְקֵי יַיִן, שֶׁנֶּאֱמַר: "הַשֹּׁתִים בְּמִזְרְקֵי יַיִן" (עמוס ו, ו): וַיִּתְגַּל. לְשׁוֹן וַיִּתְפַּעֵל:

כב| וַיַּרְא חָם אֲבִי כְנַעַן. יֵשׁ מֵרַבּוֹתֵינוּ אוֹמְרִים, כְּנַעַן רָאָה וְהִגִּיד לְאָבִיו, לְכָךְ הֻזְכַּר עַל הַדָּבָר וְנִתְקַלֵּל: וַיַּרְא... אֵת עֶרְוַת אָבִיו. יֵשׁ אוֹמְרִים סֵרְסוֹ, וְיֵשׁ אוֹמְרִים רְבָעוֹ:

כג| וַיִּקַּח שֵׁם וָיֶפֶת. אֵין כָּתוּב 'וַיִּקְחוּ' אֶלָּא "וַיִּקַּח", לִמֵּד עַל שֵׁם שֶׁנִּתְאַמֵּץ בַּמִּצְוָה יוֹתֵר מִיֶּפֶת, לְכָךְ זָכוּ בָנָיו לְטַלִּית שֶׁל צִיצִית, וְיֶפֶת זָכָה לִקְבוּרָה לְבָנָיו, שֶׁנֶּאֱמַר: "אֶתֵּן לְגוֹג מְקוֹם שָׁם קֶבֶר" (יחזקאל לט,

משפחת נח לאחר המבול

פרק ט פס׳ יח–כט

המעשים הראשונים שעושה משפחת נח, ניצולי המבול, בעולם החדש, קשורים באיבוד התודעה באמצעות שתיית יין, וכתוצאה מכך – גם בגילוי הגוף וכיסויו. אפשר לראות בכך הקבלה מנוגדת לראשיתו של העולם הישן. אז הפכו האדם ואשתו באכילת האסור ליודעי טוב ורע, ועל ידי כך התחילו להתבייש במערומיהם ולכסותם.

ביאור | יח **וַיִּהְיוּ בְנֵי נֹחַ הַיֹּצְאִים מִן הַתֵּבָה שֵׁם וְחָם וָיָפֶת, וְחָם הוּא אֲבִי כְנָעַן.**
תוספת זו חשובה להמשך. יט **שְׁלֹשָׁה אֵלֶּה בְּנֵי נֹחַ, וּמֵאֵלֶּה נָפְצָה כָל**
הָאָרֶץ. בני נח התרבו, עד שמילאו את הארץ כולה. כ **וַיָּחֶל נֹחַ אִישׁ**
הָאֲדָמָה וַיִּטַּע כָּרֶם. כפי שסופר כבר קודם,[27] נח היה חקלאי. אחד
המעשים הראשונים שעשה לאחר המבול, היה נטיעת כרם. נראה
כי נח העדיף את נטיעת הכרם על פני זריעתם של דגנים חיוניים
או על פני נטיעתם של עצי פרי הנחוצים לקיומו. אפשר לשמוע
בין השיטין תוכחה כלפי נח, שהעדיף להכין את היין, שהוא בגדר
מותרות.[28] ייתכן שהוא נטע דווקא כרם משום שביקש להשתכר.
אחרי שכל העולם שהכיר חרב, ביקש לטשטש את תודעתו כדי
להתגבר על הטראומה. כא **וַיֵּשְׁתְּ מִן הַיַּיִן וַיִּשְׁכָּר וַיִּתְגַּל בְּתוֹךְ אָהֳלֹה.**
מכיוון שהיה שיכור ושכב על הארץ, מלבושיו, שהיו כעין גלימות
רחבות, הוסרו ממנו, והוא נותר ערום באוהל.

כב **וַיַּרְא חָם אֲבִי כְנַעַן אֵת עֶרְוַת אָבִיו,** נראה כי כנען מוזכר כאן משום
שהיה מעורב במעשה, כפי שהסבירו חכמים, בין בכך שהוא הציץ
באוהל בראשונה והלך לספר לאביו, בין בעשיית מעשים גרועים
יותר.[29] הביטוי ׳לראות ערווה׳ (כמו ׳לגלות ערווה׳), המופיע בתורה
גם בהקשרים הלכתיים, אינו מובן כמשמעו המילולי, אלא כקיום
מגע מיני אסור.[30] ייתכן שנרמז כאן שחם, או כנען בנו, עשה בנח
מעשה מיני כלשהו.[31] ואולם ייתכן גם שחם רק ראה, כפשוטו, את
ערוות נח, אלא שלא הסתיר קלונו של אביו אלא להיפך, ביזה
אותו.[32] **וַיַּגֵּד לִשְׁנֵי אֶחָיו בַּחוּץ.** כג **וַיִּקַּח שֵׁם וָיֶפֶת אֶת הַשִּׂמְלָה,** בגד
רחב המכסה את כל הגוף, **וַיָּשִׂימוּ** אותה **עַל שְׁכֶם שְׁנֵיהֶם. וַיֵּלְכוּ**

הרחבות | ׳ויתגל׳ בניגוד לתרבויות אחרות, כגון תרבות יוון, התרבות היהודית לדורותיה התייחסה בשלילה כלפי העירום. בעולם היהודי נתפס העירום כמביש מאז אכילתם של אדם וחוה מפרי עץ הדעת טוב ורע. כך הפכו המלים עֶרְוָה ועָרוֹם לביטוי גנאי וחולשה (ראו למשל דברים כג,טו; הושע ב,ה. וראו עוד בהערה לויקרא יח,ו).

אֲבִיהֶם וּפְנֵיהֶם אֲחֹרַנִּית וְעֶרְוַת אֲבִיהֶם לֹא רָאוּ׃
וַיִּיקֶץ נֹחַ מִיֵּינוֹ וַיֵּדַע אֵת אֲשֶׁר־עָשָׂה לוֹ בְּנוֹ הַקָּטָן׃ כד
וַיֹּאמֶר אָרוּר כְּנָעַן עֶבֶד עֲבָדִים יִהְיֶה לְאֶחָיו׃ וַיֹּאמֶר כה כו
בָּרוּךְ יהוה אֱלֹהֵי שֵׁם וִיהִי כְנַעַן עֶבֶד לָמוֹ׃ יַפְתְּ כז
אֱלֹהִים לְיֶפֶת וְיִשְׁכֹּן בְּאׇהֳלֵי־שֵׁם וִיהִי כְנַעַן עֶבֶד
לָמוֹ׃ וַיְחִי־נֹחַ אַחַר הַמַּבּוּל שְׁלֹשׁ מֵאוֹת שָׁנָה כח
וַחֲמִשִּׁים שָׁנָה׃ וַיְהִי כׇּל־יְמֵי־נֹחַ תְּשַׁע מֵאוֹת שָׁנָה כט
וַחֲמִשִּׁים שָׁנָה וַיָּמֹת׃
וְאֵלֶּה תּוֹלְדֹת בְּנֵי־נֹחַ שֵׁם חָם וָיָפֶת וַיִּוָּלְדוּ לָהֶם בָּנִים א י
אַחַר הַמַּבּוּל׃ בְּנֵי יֶפֶת גֹּמֶר וּמָגוֹג וּמָדַי וְיָוָן וְתֻבָל ב

רש"י

יח). וְחָם שֶׁבָּזָה אֶת אָבִיו, נֶאֱמַר בְּזַרְעוֹ: "כֵּן יִנְהַג מֶלֶךְ אַשּׁוּר אֶת שְׁבִי מִצְרַיִם וְאֶת גָּלוּת כּוּשׁ נְעָרִים וּזְקֵנִים עָרוֹם וְיָחֵף וַחֲשׂוּפַי שֵׁת" וְגוֹ' (ישעיה כ, ד): **וּפְנֵיהֶם אֲחֹרַנִּית.** לָמָּה נֶאֱמַר פַּעַם שְׁנִיָּה? לְלַמֵּד שֶׁכְּשֶׁקָּרְבוּ אֶצְלוֹ וְהֻצְרְכוּ לַהֲפֹךְ עַצְמָם לְכַסּוֹתוֹ, הָפְכוּ פְּנֵיהֶם אֲחוֹרַנִּית:

כד **בְּנוֹ הַקָּטָן.** הַפָּסוּל וְהַבָּזוּי, כְּמוֹ: "הִנֵּה קָטֹן נְתַתִּיךָ בַּגּוֹיִם בָּזוּי" (ירמיה מט, טו; עובדיה א, ב):

כה **אָרוּר כְּנָעַן.** אַתָּה גָּרַמְתָּ לִי שֶׁלֹּא אוֹלִיד בֵּן רְבִיעִי אַחֵר לְשַׁמְּשֵׁנִי, אָרוּר בִּנְךָ הָרְבִיעִי לִהְיוֹת מְשַׁמֵּשׁ אֶת זַרְעָם שֶׁל אֵלּוּ הַגְּדוֹלִים שֶׁהֻטַּל עֲלֵיהֶם טֹרַח עֲבוֹדָתִי מֵעַתָּה. וּמָה רָאָה חָם שֶׁסֵּרְסוֹ? אָמַר לָהֶם לְאֶחָיו: אָדָם הָרִאשׁוֹן שְׁנֵי בָנִים הָיוּ לוֹ, וְהָרַג זֶה אֶת זֶה בִּשְׁבִיל יְרֻשַּׁת הָעוֹלָם, וְאָבִינוּ יֵשׁ לוֹ שְׁלֹשָׁה בָנִים וְעוֹדֶנּוּ מְבַקֵּשׁ בֵּן רְבִיעִי:

כו **בָּרוּךְ ה' אֱלֹהֵי שֵׁם.** שֶׁעָתִיד לִשְׁמֹר הַבְטָחָתוֹ לְזַרְעוֹ לָתֵת לָהֶם אֶת אֶרֶץ כְּנַעַן: **וִיהִי.** לָהֶם כְּנַעַן לְמַס עוֹבֵד:

כז **יַפְתְּ אֱלֹהִים לְיֶפֶת.** מְתֻרְגָּם: "יַפְתֵּי", יַרְחִיב: **וְיִשְׁכֹּן בְּאָהֳלֵי שֵׁם.** יַשְׁרֶה שְׁכִינָתוֹ בְּיִשְׂרָאֵל. וּמִדְרַשׁ חֲכָמִים, אַף עַל פִּי שֶׁ"יַּפְתְּ אֱלֹהִים לְיֶפֶת", שֶׁבָּנָה כֹּרֶשׁ שֶׁהָיָה מִבְּנֵי יֶפֶת בַּיִת שֵׁנִי, לֹא שָׁרְתָה בּוֹ שְׁכִינָה; וְהֵיכָן שָׁרְתָה? בְּמִקְדָּשׁ רִאשׁוֹן שֶׁבָּנָה שְׁלֹמֹה שֶׁהָיָה מִבְּנֵי שֵׁם: **וִיהִי כְנַעַן עֶבֶד.** אַף מִשֶּׁיִּגְלוּ בְּנֵי שֵׁם יִמָּכְרוּ לָהֶם עֲבָדִים מִבְּנֵי כְנַעַן:

פרק י

ב **וְתִירָס.** זוֹ פָּרַס:

הרחבות

עתידם של יפת ושל כנען היו שדרשו את יַפְתְּ מלשון יופי. לפי פירוש זה נח מעניק את ברכת הקדושה והאתיקה לשם, את ברכת הרווחה והאסתטיקה ליפת (ראו מגילה ט ע"ב), ואת הקללות לכנען. אמנם נגזר על יוצאי חלציו של כנען להיות עם עבדים,

ביאור | **אֲחֹרַנִּית**, הם לא נהגו ביזיון באביהם, ולא זו בלבד אלא שהתנהגו
בצניעות יתרה, **וַיְכַסּוּ אֵת עֶרְוַת אֲבִיהֶם וּפְנֵיהֶם אֲחֹרַנִּית, וְעֶרְוַת**
אֲבִיהֶם לֹא רָאוּ.

כד **וַיִּיקֶץ נֹחַ מִיֵּינוֹ, וַיֵּדַע.** נח לא היה מן השיכורים שאין להם כל
מודעות למה שהתרחש בעת שכרותם. אמנם בזמן שכרותו התנהג
באופן חריג ולא היה מודע למעשיו, אך כשהתפכח הצליח לזכור
אֵת אֲשֶׁר עָשָׂה לוֹ בְּנוֹ הַקָּטָן, חם, או: כנען, נכדו.[33] כה **וַיֹּאמֶר: אָרוּר**
כְּנָעַן, וצאצאיו, **עֶבֶד עֲבָדִים**, עבד בין עבדים, עבד גמור לכל עניין[34]
יִהְיֶה לְאֶחָיו. כו **וַיֹּאמֶר: בָּרוּךְ ה׳ אֱלֹהֵי שֵׁם, וִיהִי כְנַעַן עֶבֶד לָמוֹ**, להם,
לצאצאי שם. כז **יַפְתְּ**, ירחיב, יגדיל את גבול נחלתו, **אֱלֹהִים לְיֶפֶת**,
יַפְתְּ-יֶפֶת הוא לשון נופל על לשון, אליטרציה, **וְיִשְׁכֹּן** אלוקים **בְּאָהֳלֵי**
שֵׁם. ואכן בזרע אברהם, מצאצאיו של שם, שרתה שכינה. **וִיהִי כְנַעַן**
עֶבֶד לָמוֹ. כנען יישאר עבדם של שם ויפת.

כח **וַיְחִי נֹחַ אַחַר הַמַּבּוּל שְׁלֹשׁ מֵאוֹת שָׁנָה וַחֲמִשִּׁים שָׁנָה.** כט **וַיִּהְיוּ**
כָּל יְמֵי נֹחַ תְּשַׁע מֵאוֹת שָׁנָה וַחֲמִשִּׁים שָׁנָה, וַיָּמֹת. נח מת ללא ילדים
נוספים, אולי כתוצאה ממה שעשה בו כנען. כל מהלכה העתידי
של ההיסטוריה ישתלשל משלושת בניו, שהיו עמו בתיבה.

צאצאי נח והתפתחות האומות

פרק י

כאן מובאת רשימת צאצאיו של נח. מופיעות בה משפחות שיצרו עמים. עמים אלו חולקו לִלְשֹׁנֹתָם, בְּאַרְצֹתָם בְּגוֹיֵהֶם, כלומר על פי אמות מידה לשוניות, גיאוגרפיות ולאומיות. עניין זה הוא המקור למספר המקובל, 'שבעים אומות'. ברשימה זו נמנים העמים שבאו במישרין מארץ שנער, ואין היא כוללת אומות אחרות, משום שהיו מרוחקות מאוד, ולא היה להן מגע ישיר עם ישראל.

פרק י א **וְאֵלֶּה תּוֹלְדֹת בְּנֵי נֹחַ: שֵׁם חָם וָיָפֶת, וַיִּוָּלְדוּ לָהֶם בָּנִים אַחַר**
הַמַּבּוּל. מסתבר שהיו להם בנים גם קודם לכן, אבל רוב בניהם
נולדו לאחר המבול.

הרחבות | אך הם לא הפכו לעבדים מיד. כתיבת הדברים כאן משמשת גם כרקע להמשך, שם יסופר כי אברהם אבינו זכה בארצו של כנען (על פי רמב"ן. מאותה סיבה, כנען הוא היחיד מבין בני חם שהתפרשו גבולות ארצו. ראו חזקוני י,יט).

וּמֶ֖שֶׁךְ וְתִירָֽס׃ וּבְנֵ֖י גֹּ֑מֶר אַשְׁכְּנַ֥ז וְרִיפַ֖ת וְתֹגַרְמָֽה׃ ג
וּבְנֵ֥י יָוָ֖ן אֱלִישָׁ֣ה וְתַרְשִׁ֑ישׁ כִּתִּ֖ים וְדֹדָנִֽים׃ מֵ֠אֵלֶּה ד ה
נִפְרְד֞וּ אִיֵּ֤י הַגּוֹיִם֙ בְּאַרְצֹתָ֔ם אִ֖ישׁ לִלְשֹׁנ֑וֹ לְמִשְׁפְּחֹתָ֖ם

תוגרמה ותרשיש במרכז אסיה הקטנה

העולם

גֹּמֶר נזכר גם ביחזקאל (לח,ו) כאחד העמים הצפוניים. חז"ל (יומא י ע"א) זיהו אותו עם גרממיא של אדום, השבטים הגרמניים. בתעודות אשוריות מהמאה ה–8 לפנה"ס נזכרת ארץ גמיר הסמוכה למלכות אררטו סביב ימת ואן בהרי אררט בארמניה. על פי הרודוטוס (מאה 5 לפנה"ס) זהו העם הקימרי שישב בחצי–האי קרים, ולפי יוסף בן מתתיהו אלו הגלטים שישבו במרכז אסיה הקטנה.

מָגוֹג ביחזקאל (לט,ו) נזכר בסמיכות ליושבי האיים היוונים: וְשִׁלַּחְתִּי אֵשׁ בְּמָגוֹג וּבְיֹשְׁבֵי הָאִיִּים. במסכת יומא (י ע"א) זוהה עם קנדיאה, שהיא כרתים, בירושלמי מגילה (א,ט) - עם גותייא, אחד השבטים הגרמניים, ויוסף בן מתתיהו זיהה אותו עם הסיקתיים, עם נודד ששכן מצפון לים השחור.

תֻּבָל בישעיה (סו,ט) הוא מופיע סמוך ליוון: תֻּבַל וְיָוָן הָאִיִּים הָרְחֹקִים, וכן ביחזקאל (לח,יג): יָוָן תֻּבַל וָמֶשֶׁךְ הֵמָּה רֹכְלָיִךְ. שמו נזכר גם בתעודות אשוריות מהמאות 9-8 לפנה"ס כעם היושב במרכז אסיה הקטנה ודרומה. הרודטוס זיהה אותו עם השבט Tibareni, שישב לחופי הים השחור, ובחז"ל הוא זוהה עם בית אונקי (יומא י ע"א), היא מדינת Bithynia, בצפון–מערב אסיה הקטנה לאורך חופי הים השחור.

מֶשֶׁךְ בשכנות לתובל ותחת השלטון המשותף של מגוג הוא מופיע ביחזקאל (ראו כז,יג; לב,כו; לח,ב). עַם בעל שם דומה, מושכי, מופיע במקורות אשוריים באסיה הקטנה ובהרי הקווקז במזרח הים השחור (אבחזיה של היום).

תִּירָס בחז"ל (יומא י ע"א) יש המזהים עם פרס, ויש עם בית תרייקי, היא תראקיה (Thracia) האזור המזרחי של חצי–האי הבלקני מצפון–מזרח ליוון. בתעודות מצריות עתיקות מסוף המאה ה–13 לפנה"ס מוזכרת 'תרש' בין גויי הים, הפלשתים.

אַשְׁכְּנַז נזכרת בירמיה (נא,כז) כאחת מממלכות אררט. בחז"ל (ירושלמי מגילה א,ט) זוהתה עם אסייא, מרכז אסיה הקטנה. במחקר היו שזיהו אותה עם הסקיתיים, קבוצת שבטים נודדים

ביאור

ב **בְּנֵי יֶפֶת: גֹּמֶר וּמָגוֹג וּמָדַי וְיָוָן וְתֻבָל וּמֶשֶׁךְ וְתִירָס.** לא ברור זיהויו של מגוג, שנזכר גם בספר יחזקאל.[35] במקרים מסוימים השתמר שם אבי העם בכינוי מקום מושבו. כך ידועים, למשל, מיקומיהן של מדי ושל יוון. לעומתן תובל, משך ותירס אינם מזוהים. היו שהציעו לזהות את תירס עם פרס.[36] ג **וּבְנֵי גֹּמֶר: אַשְׁכְּנַז וְרִיפַת וְתֹגַרְמָה.** בדורות מאוחרים זיהו, לשונית, את אשכנז עם גרמניה ואת תוגרמה עם תורכיה, אך גם כאן אין ודאות. ד **וּבְנֵי יָוָן: אֱלִישָׁה,** שם זה מהדהד לשמה הקדום של יוון, הלאס, **וְתַרְשִׁישׁ,** שאולי יש לזהותה עם תרתיסוס, העיר והמדינה שהייתה בדרום ספרד,[37] **כִּתִּים,** שייתכן שהרומאים היו ממשיכיהם,[38] **וְדֹדָנִים.** ה **מֵאֵלֶּה נִפְרְדוּ אִיֵּי הַגּוֹיִם בְּאַרְצֹתָם אִישׁ לִלְשֹׁנוֹ, לְמִשְׁפְּחֹתָם בְּגוֹיֵהֶם.** עמים אלה מצאצאי יפת דיברו כנראה בלשונות שונות, מפני שלא חיו ברצף יבשתי אחד, אלא התפצלו לאיים שונים והתרבו ופנו כל אחד למקומו – שהרי כל הארץ הייתה לפניהם.

העולם

שישבו בערבות שמצפון לים השחור והים הכספי.

רִיפַת בדברי הימים (א' א,ו) מכונה דִּיפַת. חז"ל זיהו אותה עם מלכות חדייב שעל שפתו המזרחית של החִדקל או עם הרי אורל, שנקראו בעבר הרי ריפאן (בראשית רבה לז,א; ירושלמי מגילה פ"א ה"ט), ותרגום ירושלמי זיהה אותה עם פרכון (פרכוי) שמדרום-מזרח לים הכספי. לפי יוסף בן מתתיהו היא פפלגוניה שבמרכז צפון אסיה הקטנה לחופי הים השחור (ממזרח ל-Bithynia).

תֹּגַרְמָה מופיעה ביחזקאל (כז,יד) כמדינה בירכתי צפון שבה סחרו בסוסים. נזכרת כעיר מסחר מרכזית במרכז אסיה הקטנה גם בתעודות אשוריות. יש שמזהים אותה עם העיר Gürün בתורכיה, ובתרגום יונתן זוהתה עם ברבריא שבצפון אפריקה.

אֱלִישָׁה נזכרת ביחזקאל (כז,ז) כשם קבוצת איים שסחרו עם צור. במדרש (בראשית רבה לז,ד) זוהתה עם אלס. חוקרים רבים מזהים אותה עם קפריסין, ויוסף בן מתתיהו טען שהיא האיים האיאוליים, כלומר האיים הלִיפַּארִיים בין איטליה וסיציליה. אף יונתן תרגם מדינת איטליה.

תַּרְשִׁישׁ זוהתה עם תרסוס בדרום-מזרח אסיה הקטנה או כתרתיסוס בדרום-מערב חצי-האי האיברי.

כִּתִּים נזכרים במספר מקומות בתנ"ך (ישעיה כג,יב; ירמיה ה,י; יחזקאל כז,ו) כיושבי איים הקשורים לצידונים ולצורים (הפיניקים) שעסקו בסחר ימי. לפי הירושלמי (מגילה א,ט) הם האכאים, כלומר תושבי צפון חצי-האי פלופונסוס ביוון העתיקה. המפרשים זיהו אותם עם תושבי רומא. הועלתה השערה כי ישבו בעיר הנמל הקדומה קיטון בלרנקה שבחוף המזרחי של קפריסין (קדמוניות א,ו,א), עיר שעל פי הממצא הארכיאולוגי ישבו בה פיניקים.

דֹּדָנִים בדברי הימים (א' א,ז) נקראים רודנים. בכתובות פיניקיות מהמאה ה-8 לפנה"ס נזכר 'אורך מלך דננים' ושם עירו אדנה, בדרומה של קיליקיה באסיה הקטנה. בתרגום השבעים זוהו עם רודוס.

בְּגוֹיֵהֶם: וּבְנֵי חָם כּוּשׁ וּמִצְרַיִם וּפוּט וּכְנָעַן: וּבְנֵי ו ז
כּוּשׁ סְבָא וַחֲוִילָה וְסַבְתָּה וְרַעְמָה וְסַבְתְּכָא וּבְנֵי
רַעְמָה שְׁבָא וּדְדָן: וְכוּשׁ יָלַד אֶת־נִמְרֹד הוּא הֵחֵל ח
לִהְיוֹת גִּבֹּר בָּאָרֶץ: הוּא־הָיָה גִבֹּר־צַיִד לִפְנֵי יְהוָה ט
עַל־כֵּן יֵאָמַר כְּנִמְרֹד גִּבּוֹר צַיִד לִפְנֵי יְהוָה: וַתְּהִי י
רֵאשִׁית מַמְלַכְתּוֹ בָּבֶל וְאֶרֶךְ וְאַכַּד וְכַלְנֵה בְּאֶרֶץ
שִׁנְעָר: מִן־הָאָרֶץ הַהִוא יָצָא אַשּׁוּר וַיִּבֶן אֶת־נִינְוֵה יא
וְאֶת־רְחֹבֹת עִיר וְאֶת־כָּלַח: וְאֶת־רֶסֶן בֵּין נִינְוֵה וּבֵין יב

רש"י

ח| **לִהְיוֹת גִּבֹּר.** לְהַמְרִיד כָּל הָעוֹלָם עַל הַקָּדוֹשׁ בָּרוּךְ הוּא בַּעֲצַת דּוֹר הַפַּלָּגָה:

ט| **גִּבֹּר צַיִד.** צָד דַּעְתָּן שֶׁל בְּרִיּוֹת בְּפִיו וּמַטְעָן לִמְרֹד בַּמָּקוֹם: **לִפְנֵי ה'.** מִתְכַּוֵּן לְהַקְנִיטוֹ עַל פָּנָיו: **עַל כֵּן יֵאָמַר.** עַל כָּל אָדָם מַרְשִׁיעַ בְּעַזּוּת פָּנִים, יוֹדֵעַ רִבּוֹנוֹ וּמִתְכַּוֵּן לִמְרֹד בּוֹ, יֵאָמֵר: זֶה כְּנִמְרֹד גִּבּוֹר צַיִד:

יא| **מִן הָאָרֶץ.** כֵּיוָן שֶׁרָאָה אַשּׁוּר אֶת בָּנָיו שׁוֹמְעִין לְנִמְרוֹד וּמוֹרְדִין בַּמָּקוֹם לִבְנוֹת הַמִּגְדָּל, יָצָא מִתּוֹכָם:

העולם

פוּט מוזכרים כאנשי מלחמה מומחים בהגנה שהיו בעלי בריתם של המצרים (יחזקאל לח, וראו ירמיה מו,ט; נחום ג,ט). זוהו עם שבט השוכן בלוב או עם 'ארץ פונט' מדרום למצרים, שנזכרה בתעודות מצריות עתיקות.

סְבָא תושביה נזכרים בישעיה (מה,יד) כאנשים גבוהים וכסוחרים, ובתהלים (עב,י) כסוחרים. על כן זוהו עם הנובים יושבי כוש, אנשי מידות שישבו במורואי (meroe) מצפון לחרטום.

חֲוִילָה נזכרת כשם חבל ארץ שיש בו זהב ושנהר הפישון מקיף אותו (לעיל ב,יא); כאחד מצאצאי שם (להלן, פס' כט) וכן כמקום מושבם של בני ישמעאל (להלן כה,יח). נראה שהחוילה שבאזור סודן של היום, מקום מושבם של צאצאי חם, אינה החוילה שבמדבריות ממזרח למצרים, שבה שכנו בני ישמעאל. יש חוקרים הטוענים כי 'חוילה' היא שם עצם כללי שנגזר מ'חול', והוא מציין מדבריות חול בכלל.

סַבְתָּה וְסַבְתְּכָא לפי תרגום יונתן אלו עמים ושבטים השוכנים מדרום לסודן. סבתא הם הסמראי, Semburai, וסבתכא הם הלזינגאי, שאולי הם בני השבט Zande. יוסף בן מתתיהו זיהה אותם עם האסטברים, היושבים ליד הנילוס השחור שבסודן. לפי הבבלי (יומא י ע"א) אלו השבטים הסקיתיים, עמים אסיאתיים נודדים החיים מצפון לים הכספי והים השחור.

רַעְמָה נזכרת גם ביחזקאל (כז,כב) בסמיכות לשבא כעיר של סוחרים. במחקר מזוהה עם רגמת', עיר מרכזית שישבה על דרכי המסחר בין שבא ודדן, המופיעה גם בכתובות דרום ערביות עתיקות. בתרגום יונתן זוהתה עם לוב ועם מְוָרִיטִינוֹס, שזיהויו אינו ידוע.

ביאור

ו **וּבְנֵי חָם: כּוּשׁ וּמִצְרַיִם וּפוּט וּכְנָעַן.** ז **וּבְנֵי כוּשׁ: סְבָא וַחֲוִילָה וְסַבְתָּה**
וְרַעְמָה וְסַבְתְּכָא. וּבְנֵי רַעְמָה: שְׁבָא וּדְדָן. נראה כי כל אלה הם מקומות
באפריקה המזרחית.[39] ח **וְכוּשׁ יָלַד**, בין השאר, **אֶת נִמְרֹד**, שכיוון
שהיה דמות יוצאת דופן, הוא נזכר לעצמו, בלי קשר לעם מסוים.
הוּא הֵחֵל לִהְיוֹת גִּבֹּר בָּאָרֶץ. נמרוד היה מלך שהטביע את חותמו
בזיכרון הדורות. כמה אגדות חז"ל מזהות אותו עם אמרפל ועם
דמויות אחרות,[40] אבל מבחינת פשט הכתוב לא ידוע עליו כמעט
כלום. ט **הוּא הָיָה גִבֹּר צַיִד לִפְנֵי ה'.** נמרוד לא נתפס כגיבור רק
בעיני סביבתו הקרובה, אלא נחשב גיבור בהיקף כלל עולמי.[41] **עַל**
כֵּן יֵאָמַר במשך הדורות, מעין פתגם עממי: **כְּנִמְרֹד גִּבּוֹר צַיִד לִפְנֵי ה'.**
כשמדברים על צייד בולט, על גיבור גדול או על מלך אדיר, מדמים
אותם לנמרוד. י **וַתְּהִי רֵאשִׁית מַמְלַכְתּוֹ בָּבֶל וְאֶרֶךְ וְאַכַּד וְכַלְנֵה**
בְּאֶרֶץ שִׁנְעָר, ערים ומחוזות במסופוטמיה.

יא **מִן הָאָרֶץ הַהִוא**, בסביבות מסופוטמיה **יָצָא אַשּׁוּר.** אשור מופיע
סמוך כאחד מבני שם. ייתכן שכוונת הכתוב לומר שאשור פרש
מתחום עריצותו של נמרוד, גיבור הציד אשר מחם, לטובת בניית
ערים ופיתוחן.[42] **וַיִּבֶן אֶת נִינְוֵה**, העיר הגדולה בהיסטוריה של אשור
וְאֶת רְחֹבֹת עִיר, עיר ששמה רְחוֹבוֹת **וְאֶת כָּלַח.** יב **וְאֶת רֶסֶן, בֵּין נִינְוֵה**

העולם

שְׁבָא שם זה מופיע מספר פעמים בתנ"ך: כאחד מצאצאי שם (להלן פס' כח); כאחד מצאצאי אברהם וקטורה (להלן כג,ה); וכשם ממלכה בדרום-מערב חצי-האי ערב שהייתה מקור לסחר בזהב, אבנים טובות ובשמים (מלכים א' י,א; ירמיה ו,כ; יחזקאל כז,ב; תהלים עב,טו). במקומות אחרים נזכרים השבאים כשבט נודד שנהג לפשוט על יישובי קבע, סחר בעבדים ושכן במדבר הסורי הערבי (יואל ד,ח; איוב ו,יט). נראה שבא מבני כוש ושכן במזרחה של אפריקה סמוך לים סוף (אתיופיה), שכן שני מקומות שם נושאים שֵׁם דומה.

אַכַּד שם האזור הצפוני של מסופוטמיה וכן שם עיר מלוכה שמשערים שהיא שוכנת כ-50 קילומטר מדרום-מערב לבגדאד. לפי רב יוסף (יומא י ע"א) היא מזוהה עם יישוב הסמוך לעיר כות של ימינו ליד החִדקל, כ-110 ק"מ ממזרח לעיר בבל.

אֶרֶךְ מזוהה עם תל ורקה (Uruk) בדרום בבל. נחשבת אחת הערים הגדולות והעתיקות ביותר שנמצאו. בתעודות בבליות נזכרת כעיר הראשונה שנבנתה אחר המבול.

כַּלְנֵה עיר בצפון סוריה, ככל הנראה ניפור, ששרידיה מצויים כ-90 ק"מ מדרום לבבל (ראו יומא י ע"א). השם מופיע גם בעמוס (ו,ב), ובשינוי קל בישעיה (י,ט).

אֶרֶץ שִׁנְעָר השם הקדום של אזור ממלכת בבל, וכן הוא בתעודות מצריות וחתיות. היו שזיהו אותה עם בקעת סנג'ר בצפון בבל, כ-100 ק"מ ממערב לנינוה. נזכרת גם כבקעה שבה התיישבו בני האדם אחר המבול (להלן יא,ב) וכן כמקום מושבו של המלך אמרפל (להלן יד,א), שאותו זיהו חז"ל עם נמרוד (ערובין נג ע"א).

כֶּלַח הִוא הָעִיר הַגְּדֹלָה: יג וּמִצְרַיִם יָלַד אֶת־לוּדִים
יד וְאֶת־עֲנָמִים וְאֶת־לְהָבִים וְאֶת־נַפְתֻּחִים: וְאֶת־
פַּתְרֻסִים וְאֶת־כַּסְלֻחִים אֲשֶׁר יָצְאוּ מִשָּׁם פְּלִשְׁתִּים
טו וְאֶת־כַּפְתֹּרִים: וּכְנַעַן יָלַד אֶת־צִידֹן בְּכֹרוֹ
טז וְאֶת־חֵת: וְאֶת־הַיְבוּסִי וְאֶת־הָאֱמֹרִי וְאֵת הַגִּרְגָּשִׁי:

רש"י

יב] **הָעִיר הַגְּדֹלָה.** הִיא נִינְוֵה, שֶׁנֶּאֱמַר: "וְנִינְוֵה הָיְתָה עִיר גְּדוֹלָה לֵאלֹהִים" (יונה ג, ג):

יג] **לְהָבִים.** שֶׁפְּנֵיהֶם דּוֹמִים לְלַהַב:

יד] **וְאֶת פַּתְרֻסִים וְאֶת כַּסְלֻחִים אֲשֶׁר יָצְאוּ מִשָּׁם פְּלִשְׁתִּים.** מִשְּׁנֵיהֶם יָצְאוּ, שֶׁהָיוּ פַּתְרוּסִים וְכַסְלוּחִים מַחֲלִיפִין מִשְׁכַּב נְשׁוֹתֵיהֶם אֵלּוּ לָאֵלּוּ, וְיָצְאוּ מֵהֶם פְּלִשְׁתִּים:

העולם

נִינְוֵה בירת אשור שישבה על החדקל, וכונתה 'העיר הגדולה' (כאן וביונה א,ב). היקף חומותיה הגיע ל־12 קילומטרים, ושטחה ל־7.5 קמ"ר.

כָּלַח מזוהה עם תל נמרוד, כ־30 ק"מ מדרום לנינוה. על פי תעודות אשוריות הייתה מרכז מנהלי וצבאי חשוב, ואף שימשה בירת אשור בין המאות ה־9–7 לפנה"ס.

לוּדִים מופיעים בסמיכות לעמי כוש ופוט, שחיו קרוב למצרים (ישעיה סו,יט; יחזקאל כז,י; ל), וכן נזכרים כעם שכירי חרב בשירות הצורים, הצידונים והמצרים. בתעודות היסטוריות נזכר לוד (Lydia) כעם שישב לחופי מערב אסיה הקטנה. על כן שיערו שהיה עם נודד שמקורו במצרים.

עֲנָמִים עם ששכן באזור אלכסנדריה במצרים התחתונה (ראו יונתן ורס"ג).

לְהָבִים אין מקבילות לשם זה בתנ"ך ובתעודות חיצוניות. היו שזיהו אותם עם הלובים ששכנו ממערב למצרים (תרגום השבעים, יוסף בן מתתיהו).

נַפְתֻּחִים אין מקבילות לשם זה בתנ"ך ובתעודות חיצוניות. בתרגומים (שבעים, יונתן) זוהו עם תושבי צפון־מזרח הדלתא של הנילוס.

פַּתְרֻסִים משמעות השם פתרוס במצרית היא 'הארץ הדרומית' היא מצרים העליונה. לפי דברי יחזקאל (כט,יד), וְשַׁבְתִּי אֶת־שְׁבוּת מִצְרַיִם וַהֲשִׁבֹתִי אֹתָם אֶרֶץ פַּתְרוֹס עַל־אֶרֶץ מְכוּרָתָם, פתרוס היא ארצם המקורית של המצרים. בתרגום ירושלמי הם פלוסאי, שחיו בחלק הצפוני־מזרחי של הדלתא של הנילוס.

כַּסְלֻחִים אין מקבילות לשם זה בתנ"ך ובתעודות חיצוניות. בתרגום יונתן הם פְּנַטְסְכְנָאֵי, תושבי אזור קירניקה בלוב.

ביאור

וּבֵין כָּלַח, הִוא הָעִיר הַגְּדֹלָה. למרות הסרבול שבמבנה המשפט,
העיר הגדולה היא נינוה, כפי שמופיע גם במקומות אחרים.[43]
אלה הן הערים שבנו האשורים. מסתבר שאשור יצא מזרחה,
לכיוון נהר החִדקל, אל האזור שבו שכנה הממלכה האשורית
במשך הדורות. יג וּמִצְרַיִם יָלַד אֶת לוּדִים, וְאֶת עֲנָמִים וְאֶת לְהָבִים
וְאֶת נַפְתֻּחִים. יד וְאֶת פַּתְרֻסִים, שהקשר שלהם למצרים עולה גם
מספרי הנבואה,[44] וְאֶת כַּסְלֻחִים, אֲשֶׁר יָצְאוּ מִשָּׁם פְּלִשְׁתִּים, למרות
שהפלשתים ישבו בארץ ישראל, הם היו עם זר שהגיע מעבר לים.
הם חלק מקבוצת העמים שהמחקר ההיסטורי מכנה 'גויי הים'. נראה
שהגיעו מאיזור הים האגאי לחופי הים התיכון המזרחי עד מצרים.
וְאֶת כַּפְתֹּרִים. כפתור הוא כנראה האי כרתים, שהמצרים הקדמונים
קראו לו קפיטו. טו וּכְנַעַן יָלַד אֶת צִידֹן בְּכֹרוֹ וְאֶת חֵת, שהוא אחד
מהשבטים שחיו בארץ כנען כשעם ישראל הגיע אליה. טז וְאֶת
הַיְבוּסִי וְאֶת הָאֱמֹרִי וְאֵת הַגִּרְגָּשִׁי יז וְאֶת הַחִוִּי וְאֶת הַעַרְקִי וְאֶת הַסִּינִי

העולם

חֵת בתורה בני חת ישבו בחברון (להלן כג) ובאזור ההר (במדבר יג,כט). בספר שמואל (א' כו,כ; ב' יא,ג) נזכרים אחימלך ואוריה החתיים ששירתו בצבא דוד המלך. בתעודות חיצוניות ובספר מלכים (א' י,כט; ב' ז,ו) נזכרת האימפריה החתית באסיה הקטנה וצפון סוריה שנחרבה לקראת סוף האלף השני לפנה"ס. החתיים שבתנ"ך היו צאצאיהם של מהגרים שמקורם בממלכה החתית, או שהיו עם מקומי שנשא שם דומה.

יְבוּסִי בספר במדבר (יג,כט) נזכרים כעם היושב בהר, ובספרי הנביאים (יהושע טו,סג; שופטים א,כא; שמואל ב' כד,טז) הם יושבים בירושלים, ועל שמם נקראה העיר יבוס (שופטים יט,י). יש הטוענים כי היבוסים באו מבני חת (ראו יחזקאל טז,ג).

אֱמֹרִי שם של אחד העמים, שם של קבוצת עמים בכנען (יהושע י,ה; שופטים א,לד), וכן שם של חבל ארץ בעבר הירדן המזרחי (במדבר כא,כו; יהושע כד, ח). על פי תעודות מצריות ישב האמורי גם בהר הלבנון, ובכתובות שומריות מופיע שמם כדי לציין את האזור שממערב לפרת.

גִּרְגָּשִׁי לפי חז"ל (ירושלמי שביעית ו,א; ויקרא רבה יז,ו) עם כניסת ישראל לכנען עזב העם הגרגשי את הארץ לאפריקה. בתרגום השבעים (דברים ג,יד; יהושע יג,יא) מזוהה הגרגשי עם הגשורי, שאותו יהושע לא הוריש, והוא ישב ממזרח לכנרת, כנראה בכפר גרגרשה (ראו מדרש שיר השירים זוטא א,ד). היו שטענו שמוצאם בעיר קרקשתא במערב אסיה הקטנה.

חִוִּי שם כולל למספר קבוצות שחיו במקומות שונים: בשכם (להלן לד,ב), הגבעונים שחיו מצפון לירושלים (יהושע ט,ז), באזור החרמון והלבנון (יהושע יא, ג; שופטים ג,ג). שם זה אינו מופיע במקורות חיצוניים.

יז יח וְאֶת־הַחִוִּי וְאֶת־הָעַרְקִי וְאֶת־הַסִּינִי׃ וְאֶת־הָאַרְוָדִי
וְאֶת־הַצְּמָרִי וְאֶת־הַחֲמָתִי וְאַחַר נָפֹצוּ מִשְׁפְּחוֹת
יט הַכְּנַעֲנִי׃ וַיְהִי גְּבוּל הַכְּנַעֲנִי מִצִּידֹן בֹּאֲכָה גְרָרָה
עַד־עַזָּה בֹּאֲכָה סְדֹמָה וַעֲמֹרָה וְאַדְמָה וּצְבֹיִם
כ עַד־לָשַׁע׃ אֵלֶּה בְנֵי־חָם לְמִשְׁפְּחֹתָם לִלְשֹׁנֹתָם
כא בְּאַרְצֹתָם בְּגוֹיֵהֶם׃ וּלְשֵׁם יֻלַּד גַּם־הוּא
כב אֲבִי כָּל־בְּנֵי־עֵבֶר אֲחִי יֶפֶת הַגָּדוֹל׃ בְּנֵי שֵׁם עֵילָם

רש"י

יח **וְאַחַר נָפֹצוּ.** מֵאֵלֶּה נָפוֹצוּ מִשְׁפָּחוֹת הַרְבֵּה:

יט **גְּבוּל הַכְּנַעֲנִי.** גְּבוּל סוֹף אַרְצוֹ. כָּל 'גְּבוּל' לְשׁוֹן סוֹף וְקָצֶה: **בֹּאֲכָה.** שֵׁם דָּבָר. וְלִי נִרְאֶה, כְּאָדָם הָאוֹמֵר לַחֲבֵרוֹ: גְּבוּל זֶה מַגִּיעַ עַד אֲשֶׁר תָּבֹא לְמָקוֹם פְּלוֹנִי:

כ **לִלְשֹׁנֹתָם בְּאַרְצֹתָם.** אַף עַל פִּי שֶׁנֶּחְלְקוּ לִלְשׁוֹנוֹת וַאֲרָצוֹת, כֻּלָּם בְּנֵי חָם הֵם:

כא **אֲבִי כָּל בְּנֵי עֵבֶר.** הַנָּהָר, הָיָה שֵׁם: **אֲחִי יֶפֶת הַגָּדוֹל.** אֵינִי יוֹדֵעַ אִם יֶפֶת הַגָּדוֹל אִם שֵׁם. כְּשֶׁהוּא אוֹמֵר: "שֵׁם בֶּן מְאַת שָׁנָה וְגוֹ' שְׁנָתַיִם אַחַר הַמַּבּוּל" (להלן יא, י), הֱוֵי אוֹמֵר יֶפֶת הַגָּדוֹל, שֶׁהֲרֵי בֶּן חֲמֵשׁ מֵאוֹת שָׁנָה הָיָה נֹחַ כְּשֶׁהִתְחִיל לְהוֹלִיד, וְהַמַּבּוּל הָיָה בִּשְׁנַת שֵׁשׁ מֵאוֹת שָׁנָה, נִמְצָא שֶׁהַגָּדוֹל בְּבָנָיו הָיָה בֶּן מֵאָה שָׁנָה, וְשֵׁם לֹא הִגִּיעַ לְמֵאָה עַד שְׁנָתַיִם אַחַר הַמַּבּוּל: **אֲחִי יֶפֶת.** וְלֹא אֲחִי חָם, שֶׁאֵלּוּ שְׁנֵיהֶם כִּבְּדוּ אֶת אֲבִיהֶם וְזֶה בִּזָּהוּ:

העולם

אַרְוָדִי ארוָד נזכרת ביחזקאל (כז,ח;יא) כעיר של ספנים וחיילים. מזוהה עם רואד, אי־נמל המרוחק כ–3 ק"מ מהעיר טרטוס בסוריה. עיר נמל חשובה זו נזכרת בתעודות מצריות ואשוריות כמרכז סחר עם מצרים.

צְמָרִי צמר שמדרום לארוָד נזכרת גם בתעודות מצריות ואשוריות.

חֲמָתִי חמת, היא חמא, אחת הממלכות החשובות במרכז סוריה היושבת על נהר האורונטס.

גְּרָר שם עיר וחבל ארץ בחוף הנגב. העיר גרר שוכנת על גדתו הצפונית של נחל גרר, במחקר זוהתה עם תל ג'מה הסמוך לקיבוץ רעים, או עם תל הרור שמדרום למלילות בצפון הנגב.

סְדֹם, עֲמֹרָה, אַדְמָה, צְבֹיִם ערים ששכנו

ביאור

יח **וְאֶת הָאַרְוָדִי וְאֶת הַצְּמָרִי וְאֶת הַחֲמָתִי** – כנראה שש ממלכות
ערים פניקיות–סוריות, **וְאַחַר נָפֹצוּ מִשְׁפְּחוֹת הַכְּנַעֲנִי.** יט **וַיְהִי גְּבוּל
הַכְּנַעֲנִי מִצִּידֹן** בצפון, **בֹּאֲכָה,** לדרך הפונה **גְרָרָה,** אל גרר שבנגב, **עַד
עַזָּה, בֹּאֲכָה סְדֹמָה וַעֲמֹרָה וְאַדְמָה וּצְבֹיִם עַד לָשַׁע.** בני חם מאכלסים
חלק ניכר מן העולם בכמה מאזוריו. כ **אֵלֶּה בְנֵי חָם לְמִשְׁפְּחֹתָם
לִלְשֹׁנֹתָם, בְּאַרְצֹתָם בְּגוֹיֵהֶם.**

כא **וּלְשֵׁם יֻלַּד גַּם הוּא,** שהוא היה **אֲבִי כָּל בְּנֵי עֵבֶר, אֲחִי יֶפֶת הַגָּדוֹל.**
הפסוק סותם ואינו מפרש אם שם הוא אחיו הגדול של יפת, או
שיפת הוא האח הגדול.[45] בניגוד לסדר הצגתם של בני נח בכל
הפרשה – שם, חם ויפת, סדר תיאור התולדות בקטע זה הוא:
יפת, חם ושם. אולם ייתכן שסדר זה נובע מסיבה ספרותית – שאר
העמים יישארו ברקע, והמשך סיפורו ההיסטורי של ספר בראשית
יתרכז בשם. לכן, למרות שאפשר ששם לא היה הקטן בבני נח,
משפחתו כתובה אחרונה כדי לקשרה עם המשך הסיפור.[46] כב **בְּנֵי**

ארצות בני חם

העולם

בכיכר הירדן (להלן יג,י; יט,כח), כלומר באזור ים המלח. אפשר היה לראותן מהרי בנימין וחברון (להלן יג,י; יט,כח). מסקרים ארכיאולוגיים מסתבר שמקומן היה באגן הדרומי של ים המלח.

לֶשַׁע חז"ל מזהים אותה עם קלירוהי, כ–2.5 ק"מ מדרום לשפכו של ואדי זרקא לחופו המזרחי של ים המלח (תרגומים וירושלמי מגילה א,ט). במחקר זוהתה עם העיר צֹעַר שבדרום ים המלח.

עֵילָם עם שישב בצפון–מזרח המפרץ הפרסי, בדרום–מערב אירן, ובירתו הייתה שושן (דניאל ח,ב). עילם הייתה גורם משמעותי באזור מסופוטמיה, ונאבקה שוב ושוב עם בבל ואשור. החל מסוף המאה ה–8 לפנה"ס נחלשה, התפוררה והפכה להיות חלק ממלכת פרס ומדי.

וְאַשּׁוּר וְאַרְפַּכְשַׁד וְלוּד וַאֲרָם: וּבְנֵי אֲרָם עוּץ וְחוּל כג
וְגֶתֶר וָמַשׁ: וְאַרְפַּכְשַׁד יָלַד אֶת־שָׁלַח וְשֶׁלַח יָלַד כד
אֶת־עֵבֶר: וּלְעֵבֶר יֻלַּד שְׁנֵי בָנִים שֵׁם הָאֶחָד פֶּלֶג כה
כִּי בְיָמָיו נִפְלְגָה הָאָרֶץ וְשֵׁם אָחִיו יָקְטָן: וְיָקְטָן יָלַד כו
אֶת־אַלְמוֹדָד וְאֶת־שָׁלֶף וְאֶת־חֲצַרְמָוֶת וְאֶת־יָרַח:
וְאֶת־הֲדוֹרָם וְאֶת־אוּזָל וְאֶת־דִּקְלָה: וְאֶת־עוֹבָל כז כח
וְאֶת־אֲבִימָאֵל וְאֶת־שְׁבָא: וְאֶת־אוֹפִר וְאֶת־חֲוִילָה כט
וְאֶת־יוֹבָב כָּל־אֵלֶּה בְּנֵי יָקְטָן: וַיְהִי מוֹשָׁבָם מִמֵּשָׁא ל
בֹּאֲכָה סְפָרָה הַר הַקֶּדֶם: אֵלֶּה בְנֵי־שֵׁם לְמִשְׁפְּחֹתָם לא
לִלְשֹׁנֹתָם בְּאַרְצֹתָם לְגוֹיֵהֶם: אֵלֶּה מִשְׁפְּחֹת בְּנֵי־ לב
נֹחַ לְתוֹלְדֹתָם בְּגוֹיֵהֶם וּמֵאֵלֶּה נִפְרְדוּ הַגּוֹיִם בָּאָרֶץ
אַחַר הַמַּבּוּל:

רש״י

כה | **נִפְלְגָה.** נִתְבַּלְבְּלוּ הַלְּשׁוֹנוֹת וְנָפוֹצוּ מִן הַבִּקְעָה וְנִתְפַּלְּגוּ בְּכָל הָעוֹלָם. לָמַדְנוּ שֶׁהָיָה עֵבֶר נָבִיא, שֶׁקָּרָא שֵׁם בְּנוֹ עַל שֵׁם הֶעָתִיד. וְשָׁנִינוּ בְּסֵדֶר עוֹלָם שֶׁבְּסוֹף יָמָיו נִתְפַּלְּגוּ, שֶׁאִם תֹּאמַר בִּתְחִלַּת יָמָיו, הֲרֵי יָקְטָן אָחִיו צָעִיר מִמֶּנּוּ וְהוֹלִיד כַּמָּה מִשְׁפָּחוֹת קֹדֶם לָכֵן, שֶׁנֶּאֱמַר: "וְיָקְטָן יָלַד" וְגוֹ' (להלן פסוק כו) וְאַחַר כָּךְ: "וַיְהִי כָל הָאָרֶץ שָׂפָה אֶחָת" (להלן יא, א). וְאִם תֹּאמַר בְּאֶמְצַע יָמָיו, לֹא בָּא הַכָּתוּב לִסְתֹּם אֶלָּא לְפָרֵשׁ; הָא לָמַדְתָּ שֶׁבִּשְׁנַת מוֹת פֶּלֶג נִתְפַּלְּגוּ: **יָקְטָן.** שֶׁהָיָה עָנָו וּמַקְטִין עַצְמוֹ, לְכָךְ זָכָה לְהַעֲמִיד כָּל הַמִּשְׁפָּחוֹת הַלָּלוּ:

כו | **חֲצַרְמָוֶת.** עַל שֵׁם מְקוֹמוֹ, דִּבְרֵי אַגָּדָה:

העולם

אַשּׁוּר שם עיר וממלכה. העיר ממוקמת בין נהר הזב הגדול לזב הקטן בחוף המערבי של צפון החִדקל. ממלכת אשור השתרעה בחלקה הצפוני-מערבי של מסופוטמיה בין ממלכות אררט מצפון, בבל מדרום, ארם נהריים ממערב ומדי ממזרח.

אַרְפַּכְשַׁד אבי אור כשדים (קדמוניות א, ו,ד; נ' טור סיני), העיר והממלכה שהיו בדרום מסופוטמיה. שמו בא מהצירוף אור + פ + כשד. (האות פ' במצרית משמשת כ-ה' היידוע).

אֲרָם עם ששכן בין כנען לפרת והיה מפוצל למספר ממלכות: ארם דמשק, ארם צובא, ארם בית רחוב, ארם נהריים.

ביאור

שֵׁם: עֵילָם וְאַשּׁוּר וְאַרְפַּכְשַׁד, שיש הרואים בו את אבי הכשדים,
הבבלים, **וְלוּד**, המתייחס ללידיה, אזור באסיה הקטנה. אין לקשר
לוד זה ללודים שהופיעו לעיל בין בני מצרים. **וַאֲרָם.** כג **וּבְנֵי
אֲרָם: עוּץ**, המופיע בספר איוב ובמקומות נוספים[47] **וְחוּל וְגֶתֶר
וָמַשׁ.** כד **וְאַרְפַּכְשַׁד יָלַד אֶת שָׁלַח, וְשֶׁלַח יָלַד אֶת עֵבֶר.** זוהי השושלת
החשובה לנו בבני שם. כה **וּלְעֵבֶר יֻלַּד שְׁנֵי בָנִים: שֵׁם הָאֶחָד פֶּלֶג, כִּי
בְיָמָיו נִפְלְגָה הָאָרֶץ**, כפי שיבואר בהרחבה בעניין הבא, **וְשֵׁם אָחִיו
יָקְטָן.** כו **וְיָקְטָן יָלַד אֶת אַלְמוֹדָד וְאֶת שָׁלֶף וְאֶת חֲצַרְמָוֶת** שבדרום
תימן, המוכרת בשם זה גם בימינו **וְאֶת יָרַח** כז **וְאֶת הֲדוֹרָם וְאֶת
אוּזָל וְאֶת דִּקְלָה** כח **וְאֶת עוֹבָל וְאֶת אֲבִימָאֵל וְאֶת שְׁבָא**, המוזכרת
במקומות נוספים במקרא,[48] כט **וְאֶת אוֹפִר וְאֶת חֲוִילָה וְאֶת יוֹבָב,
כָּל אֵלֶּה בְּנֵי יָקְטָן.** ל **וַיְהִי מוֹשָׁבָם מִמֵּשָׁא, בֹּאֲכָה סְפָרָה הַר הַקֶּדֶם.**
שבטים אלה התיישבו בדרום חצי-האי ערב. לא **אֵלֶּה בְנֵי שֵׁם** - זהו
תיאור הדרגתי: **לְמִשְׁפְּחֹתָם**, חמולות, שבטים, **לִלְשֹׁנֹתָם**, בכל משפחה
כזאת התפתחה שפה משלה, **בְּאַרְצֹתָם**, לאחר מכן הן התפזרו
במרחב הגיאוגרפי, **לְגוֹיֵהֶם**, וכל אחת מהן הפכה עם בפני עצמו.

לב **אֵלֶּה מִשְׁפְּחֹת בְּנֵי נֹחַ לְתוֹלְדֹתָם בְּגוֹיֵהֶם, וּמֵאֵלֶּה** במשך הדורות
נִפְרְדוּ הַגּוֹיִם בָּאָרֶץ אַחַר הַמַּבּוּל.

העולם

מוצאו בקיר שבמזרחת בבל (עמוס א,ה).

עוּץ שם אחת מארצות בני קדם (איוב א,ג). הזכרת שם זה בין בני שעיר (להלן לו,כח) והכתוב באיכה (ד,כא) שִׂישִׂי וְשִׂמְחִי בַּת אֱדוֹם יוֹשֶׁבֶת בְּאֶרֶץ עוּץ, מלמדים ששכנה בסביבות אדום. היסטוריונים קדומים קבעו שמקומה באזור הבשן סמוך לארם (ראו יוסף בן מתתיהו).

שְׁבָא מזוהה בדרך כלל עם עיר מסחר בדרום-מערב חצי-האי ערב שהייתה מקור לזהב, אבנים טובות ובשמים (מלכים א' י,א; ירמיה ו,כ; יחזקאל כז,כב; תהלים עב,טו), וכך גם נזכרת בתעודות אשוריות.

שביעי ט ויהי כל־הארץ שפה אחת ודברים אחדים: ויהי א ב יא
בנסעם מקדם וימצאו בקעה בארץ שנער וישבו
שם: ויאמרו איש אל־רעהו הבה נלבנה לבנים ג
ונשרפה לשרפה ותהי להם הלבנה לאבן והחמר
היה להם לחמר: ויאמרו הבה | נבנה־לנו עיר ומגדל ד
וראשו בשמים ונעשה־לנו שם פן־נפוץ על־פני כל־
הארץ: וירד יהוה לראות את־העיר ואת־המגדל ה

רש"י | פרק יא

א| **שפה אחת.** לשון הקדש: **ודברים אחדים.** באו בעצה אחת ואמרו: לא כל הימנו שיבר לו את העליונים, נעלה לרקיע ונעשה עמו מלחמה. דבר אחר, על יחידו של עולם. דבר אחר, "ודברים אחדים", אמרו: אחת לאלף ותרנ"ו שנים הרקיע מתמוטט כשם שעשה בימי המבול, באו ונעשה לו סמוכות. בראשית רבה (לח, ו):

ב| **בנסעם מקדם.** שהיו יושבים שם, כדכתיב למעלה: "ויהי מושבם וגו' הר הקדם" (לעיל י, ל), ונסעו משם לתור להם מקום להחזיק את כלם, ולא מצאו אלא שנער:

ג| **איש אל רעהו.** אמה לאמה, מצרים לכוש וכוש לפוט ופוט לכנען: **הבה.** הזמינו עצמכם. כל 'הבה' לשון הזמנה הוא, שמכינים עצמן ומתחברים למלאכה או לעצה או למשא. הבה – הזמינו, אפרליי"ר בלעז: **לבנים.** שאין אבנים בבבל, שהיא בקעה: **ונשרפה לשרפה.** כך עושין הלבנים שקורים טיוול"ש, שורפים אותן בכבשן: **לחמר.** לטוח הקיר:

ד| **פן נפוץ.** שלא יביא עלינו שום מכה להפיצנו מכאן:

ה| **וירד ה' לראות.** לא הוצרך לכך, אלא ללמד לדיינים שלא ירשיעו הנדון עד

דור הפלגה

פרק יא פס׳ א–ט

באותה עת ברוב העולם מצויים צמחים ובעלי חיים, ועדיין הוא ריק מבני אדם. כיוון שבני האדם יכולים להתיישב בכל מקום שירצו, אין הם צריכים להילחם בזולתם. עדיין לא היו זרות וריחוק מנטלי בין התרבויות, ועקב כך התאפשר ניסיונם של בני האדם להתאחד על בסיס ההתקדמות הטכנולוגית. על ניסיון זה הגיב ה׳ בהפצת האנושות על פני כל הארץ.

פרק יא א **וַיְהִי כָל הָאָרֶץ שָׂפָה אֶחָת וּדְבָרִים אֲחָדִים.** דיבורים | ביאור
מאותו סוג. בני האדם יכלו לשוחח זה עם זה על כל נושא, משום
שהכירו איש את רעהו ובאו מרקע משותף. כולם היו בני נח. עדיין
לא היו הבדלי לשון ותרבות גדולים, העשויים ליצור פירוד בין בני
האדם. תושבי הארץ כולם היו יחידה אחת. ב **וַיְהִי בְּנָסְעָם מִקֶּדֶם,**
כשנעו ממקום כלשהו במזרח. נראה שאין מדובר בכלל האנושות,
אלא בקבוצה גדולה מסוימת. **וַיִּמְצְאוּ בִקְעָה,** שטח אדמה מישורי
נמוך[49] **בְּאֶרֶץ שִׁנְעָר,** ארץ זו, השוכנת בין נהרות בבל, היא אכן מקום
שטוח שתכונותיו מתאימות להתרחשות שתתואר להלן, **וַיֵּשְׁבוּ
שָׁם.** ג **וַיֹּאמְרוּ אִישׁ אֶל רֵעֵהוּ: הָבָה נִלְבְּנָה לְבֵנִים וְנִשְׂרְפָה לִשְׂרֵפָה.**
בארץ שנער לא היו אבנים רבות, אך החֵמר היה מצוי שם בשפע.
לכן כבר בדורות קדומים המציאו שם את השימוש בחֵמר לשם
בניית בתים. **וַתְּהִי לָהֶם הַלְּבֵנָה לְאָבֶן,** את הלבנים שעוצבו מגושי
החֵמר, שרפו באש, וכך הן קיבלו צורה קבועה, והפכו לחרס ששימש
חומר בנייה, באותו תפקיד ששימשה האבן. **וְהַחֵמָר הָיָה לָהֶם לַחֹמֶר,**
לחומר שבאמצעותו מדביקים את הלבנים, ובו מצפים את חלקם
הפנימי של הקירות. מכיוון שהיה להם חֵמר לרוב, הם יכלו לבנות
מבנים רבים מלְבנים בלבד, כפי שהיה נהוג ברוב חלקי אירופה במשך
שנים רבות מאוד. אולם הם לא הסתפקו בשפע החמר, ד **וַיֹּאמְרוּ:
הָבָה נִבְנֶה לָּנוּ עִיר וּמִגְדָּל,** **וְרֹאשׁוֹ** של המגדל יהיה **בַשָּׁמַיִם, וְנַעֲשֶׂה
לָּנוּ שֵׁם, פֶּן נָפוּץ עַל פְּנֵי כָל הָאָרֶץ.** המגדל ייראה למרחקים עצומים,
והוא ישמש כמרכזנו, כדי שלא נתפזר בכל העולם. נוכל להתרחק
מן העיר כל עוד נראה את המגדל ונדע כיצד לחזור אליו. כך לא
נאבד קשר אלו עם אלו.

ה **וַיֵּרֶד ה׳ לִרְאֹת אֶת הָעִיר,** שהכול שותפים בה, **וְאֶת הַמִּגְדָּל אֲשֶׁר**

אֲשֶׁר בָּנוּ בְּנֵי הָאָדָם׃ וַיֹּאמֶר יְהוָה הֵן עַם אֶחָד וְשָׂפָה ו
אַחַת לְכֻלָּם וְזֶה הַחִלָּם לַעֲשׂוֹת וְעַתָּה לֹא־יִבָּצֵר
מֵהֶם כֹּל אֲשֶׁר יָזְמוּ לַעֲשׂוֹת׃ הָבָה נֵרְדָה וְנָבְלָה שָׁם ז
שְׂפָתָם אֲשֶׁר לֹא יִשְׁמְעוּ אִישׁ שְׂפַת רֵעֵהוּ׃ וַיָּפֶץ ח
יְהוָה אֹתָם מִשָּׁם עַל־פְּנֵי כָל־הָאָרֶץ וַיַּחְדְּלוּ לִבְנֹת
הָעִיר׃ עַל־כֵּן קָרָא שְׁמָהּ בָּבֶל כִּי־שָׁם בָּלַל יְהוָה ט
שְׂפַת כָּל־הָאָרֶץ וּמִשָּׁם הֱפִיצָם יְהוָה עַל־פְּנֵי כָּל־
הָאָרֶץ׃

רש"י

שיראו ויבינו. מדרש רבי תנחומא (יח): **בני האדם.** אלא בני מי? שמא בני חמורים וגמלים?! אלא בני אדם הראשון שכפה את הטובה ואמר: "האשה אשר נתתה עמדי" (לעיל ג, יב), אף אלו כפו בטובה למרוד במי שהשפיעם טובה ומלטם מן המבול:

ו| **הן עם אחד.** כל טובה זו יש עמהם, שעם אחד הם ושפה אחת לכלם, ודבר זה החלו לעשות: **החלם.** כמו 'אמרם' 'עשותם', להתחיל הם לעשות: **לא יבצר.** בתמיה. "יבצר" לשון מניעה כתרגומו, ודומה לו: "יבצר רוח נגידים" (תהלים עו, יג):

ז| **הבה נרדה.** בבית דינו נמלך מענותנותו יתרה: **הבה.** מדה כנגד מדה, הם אמרו: "הבה נבנה", והוא כנגדם מדד ואמר: "הבה נרדה": **ונבלה.** ונבלבל, נו"ן משמש בלשון רבים, וה"א אחרונה יתרה כה"א של 'נרדה': **לא ישמעו.** זה שואל לבנה וזה מביא טיט, וזה עומד עליו ופוצע את מוחו:

ח| **ויפץ ה' אותם משם.** בעולם הזה. מה שאמרו "פן נפוץ" (לעיל פסוק ד) נתקיים עליהם, הוא שאמר שלמה: "מגורת רשע היא תבואנו" (משלי י, כד):

ט| **ומשם הפיצם.** למד שאין להם חלק לעולם הבא. וכי אי זו קשה, של דור המבול או של דור הפלגה? אלו לא פשטו יד בעקר ואלו פשטו יד בעקר להלחם בו, ואלו נשטפו ואלו לא נאבדו מן העולם! אלא שדור המבול היו גזלנים והיתה מריבה ביניהם, ואלו היו נוהגים אהבה ורעות ביניהם, שנאמר: "שפה אחת ודברים אחדים" (לעיל פסוק א). למדת ששנאוי המחלקת וגדול השלום:

ביאור

בָּנוּ בְּנֵי הָאָדָם שלא למטרה מעשית-טכנית. ו **וַיֹּאמֶר ה׳: הֵן עַם**
אֶחָד וְשָׂפָה אַחַת לְכֻלָּם, הם מאוחדים כעם, כיחידה אחת בעלת
רעיון משותף, **וְזֶה**, האיחוד של העם והשפה **הַחִלָּם לַעֲשׂוֹת**, המניע
ההתחלתי של עשייתם. **וְעַתָּה לֹא יִבָּצֵר מֵהֶם כֹּל אֲשֶׁר יָזְמוּ לַעֲשׂוֹת.**
עכשיו בכוחם לעשות הכול. ומאחר שיצר לב האדם רע, בתנאים
של אחידות עלול הרוע להתפתח בחברה זו ללא מעצורים. ז **על**
כן – **הָבָה נֵרְדָה וְנָבְלָה**, נבלבל **שָׁם שְׂפָתָם, אֲשֶׁר לֹא יִשְׁמְעוּ אִישׁ שְׂפַת**
רֵעֵהוּ, נשבש את אחדותם. ח **וַיָּפֶץ ה׳ אֹתָם מִשָּׁם עַל פְּנֵי כָל הָאָרֶץ,**
וַיַּחְדְּלוּ לִבְנֹת הָעִיר. השפות התבלבלו, נוצרו אופני ביטוי חדשים,
וכתוצאה מכך, בני האדם לא יכלו עוד לחיות יחדיו, והתפזרו בכל
העולם.

ט **עַל כֵּן קָרָא שְׁמָהּ** של העיר **בָּבֶל, כִּי שָׁם בָּלַל ה׳ שְׂפַת כָּל הָאָרֶץ.**
וּמִשָּׁם הֱפִיצָם ה׳ עַל פְּנֵי כָּל הָאָרֶץ. האנושות התפתחה ויישבה את
העולם כולו.

הרחבות

הומוגניות ורב-תרבותיות מפרשי התורה תהו מה היה חטאם של בוני העיר והמגדל. היו שמצאו במלים וְרֹאשׁוֹ בַשָּׁמַיִם רמז לכוונותיהם להגיע אל השמים. אולם הכתוב אינו מפרש מה הם רוצים לעשות בשמים. אדרבא, הוא מציע הסבר אחר: וְנַעֲשֶׂה לָּנוּ שֵׁם, פֶּן נָפוּץ עַל פְּנֵי כָל הָאָרֶץ, ניצור מוקד שימנע את התפזרותנו. בני האדם רצו להישאר כחברה אחת החיה ביחידת יישוב מוגדרת. הם בנו עיר עצומה, מעין מגלופוליס, ובתוכה מגדל המסמל את אחדותם ואת שאיפותיהם להישאר יחד כקבוצה מסוגרת אחת.

דור זה מבטא את רצונם של בני האדם להתכנס במרכזים עירוניים גדולים שיחזיקו את כל העצמה, השלטון והטכנולוגיה. התלכדותם יחד היא שאפשרה להם לבנות מרכזים עצומים כאלה. אולם המרכזים הללו יועדו לשמר את המציאות כמות שהיא, ולא היו יצרניים ופוריים דיים. העולם שניסו לבנות מפחיד ביותר, משום שהוא מזכיר מאוד את העולם שבו אנו חיים היום – עולם ההופך יותר ויותר אחדותי, עולם שבו השפות נכנעות בפני שפה מרכזית אחת, שבה שולטים שיח אחיד ושאיפות מסוג אחד. החברה העצומה אינה מאפשרת לדבר שונה להתפתח בתוכה, ולכן הפרטים אינם יכולים להשתחרר מכל אלה. בחברה הטכנולוגית החדגונית לא יצמח דבר חדש. רק כאשר מסגרותיה נשברות, יכולים אנשים בודדים לצאת ולעשות ולהשפיע. ביצירת תבנית אחידה של חיים וחברה פעלו בני האדם הללו כנגד הכוונה האלוקית לבנות עולם שבו השונות בין בני האדם תקדם ותהיה לברכה. הקדוש ברוך הוא ביקש ליישב את העולם כולו ולבנות חברה יצרנית. משום כך הוא פיזר את בני האדם על פני האדמה. לכן נקרא דור זה 'דור הפלגה' – דור התפלגות העולם (ראו גאון הגאונים, כ לד-רס"ג; רש"י יא,א; רשב"ם יא,ד וראב"ע יא,ג).

י אֵלֶּה תּוֹלְדֹת שֵׁם שֵׁם בֶּן־מְאַת שָׁנָה וַיּוֹלֶד אֶת־
יא אַרְפַּכְשָׁד שְׁנָתַיִם אַחַר הַמַּבּוּל׃ וַיְחִי־שֵׁם אַחֲרֵי
הוֹלִידוֹ אֶת־אַרְפַּכְשָׁד חֲמֵשׁ מֵאוֹת שָׁנָה וַיּוֹלֶד בָּנִים
יב וּבָנוֹת׃ וְאַרְפַּכְשַׁד חַי חָמֵשׁ וּשְׁלֹשִׁים
יג שָׁנָה וַיּוֹלֶד אֶת־שָׁלַח׃ וַיְחִי אַרְפַּכְשַׁד אַחֲרֵי הוֹלִידוֹ
אֶת־שֶׁלַח שָׁלֹשׁ שָׁנִים וְאַרְבַּע מֵאוֹת שָׁנָה וַיּוֹלֶד
יד בָּנִים וּבָנוֹת׃ וְשֶׁלַח חַי שְׁלֹשִׁים שָׁנָה
טו וַיּוֹלֶד אֶת־עֵבֶר׃ וַיְחִי־שֶׁלַח אַחֲרֵי הוֹלִידוֹ אֶת־
עֵבֶר שָׁלֹשׁ שָׁנִים וְאַרְבַּע מֵאוֹת שָׁנָה וַיּוֹלֶד בָּנִים
טז וּבָנוֹת׃ וַיְחִי־עֵבֶר אַרְבַּע וּשְׁלֹשִׁים שָׁנָה
יז וַיּוֹלֶד אֶת־פָּלֶג׃ וַיְחִי־עֵבֶר אַחֲרֵי הוֹלִידוֹ אֶת־
פֶּלֶג שְׁלֹשִׁים שָׁנָה וְאַרְבַּע מֵאוֹת שָׁנָה וַיּוֹלֶד בָּנִים
יח וּבָנוֹת׃ וַיְחִי־פֶלֶג שְׁלֹשִׁים שָׁנָה וַיּוֹלֶד אֶת־
יט רְעוּ׃ וַיְחִי־פֶלֶג אַחֲרֵי הוֹלִידוֹ אֶת־רְעוּ תֵּשַׁע שָׁנִים
כ וּמָאתַיִם שָׁנָה וַיּוֹלֶד בָּנִים וּבָנוֹת׃ וַיְחִי
כא רְעוּ שְׁתַּיִם וּשְׁלֹשִׁים שָׁנָה וַיּוֹלֶד אֶת־שְׂרוּג׃ וַיְחִי רְעוּ
אַחֲרֵי הוֹלִידוֹ אֶת־שְׂרוּג שֶׁבַע שָׁנִים וּמָאתַיִם שָׁנָה
כב וַיּוֹלֶד בָּנִים וּבָנוֹת׃ וַיְחִי שְׂרוּג שְׁלֹשִׁים
כג שָׁנָה וַיּוֹלֶד אֶת־נָחוֹר׃ וַיְחִי שְׂרוּג אַחֲרֵי הוֹלִידוֹ אֶת־
כד נָחוֹר מָאתַיִם שָׁנָה וַיּוֹלֶד בָּנִים וּבָנוֹת׃ וַיְחִי
כה נָחוֹר תֵּשַׁע וְעֶשְׂרִים שָׁנָה וַיּוֹלֶד אֶת־תָּרַח׃ וַיְחִי

רש"י | י] שֵׁם בֶּן מְאַת שָׁנָה. כְּשֶׁהוֹלִיד אֶת אַרְפַּכְשַׁד שְׁנָתַיִם אַחַר הַמַּבּוּל:

שושלת שם

פרק יא פס׳ י–לב

רשימה מקוצרת של ההיסטוריה במשך דורות רבים, המובילה אל גיבורי הסיפור המקראי.

ביאור | י אֵלֶּה תּוֹלְדֹת שֵׁם: שֵׁם בֶּן מְאַת שָׁנָה היה, וַיּוֹלֶד אֶת אַרְפַּכְשָׁד שְׁנָתַיִם
אַחַר הַמַּבּוּל. יא וַיְחִי שֵׁם אַחֲרֵי הוֹלִידוֹ אֶת אַרְפַּכְשָׁד חֲמֵשׁ מֵאוֹת
שָׁנָה, וַיּוֹלֶד בָּנִים וּבָנוֹת. יב וְאַרְפַּכְשַׁד חַי חָמֵשׁ וּשְׁלֹשִׁים שָׁנָה, וַיּוֹלֶד
אֶת שָׁלַח. יג וַיְחִי אַרְפַּכְשַׁד אַחֲרֵי הוֹלִידוֹ אֶת שֶׁלַח שָׁלֹשׁ שָׁנִים וְאַרְבַּע
מֵאוֹת שָׁנָה, וַיּוֹלֶד בָּנִים וּבָנוֹת. יד וְשֶׁלַח חַי שְׁלֹשִׁים שָׁנָה, וַיּוֹלֶד אֶת
עֵבֶר. טו וַיְחִי שֶׁלַח אַחֲרֵי הוֹלִידוֹ אֶת עֵבֶר שָׁלֹשׁ שָׁנִים וְאַרְבַּע מֵאוֹת
שָׁנָה, וַיּוֹלֶד בָּנִים וּבָנוֹת. טז וַיְחִי עֵבֶר אַרְבַּע וּשְׁלֹשִׁים שָׁנָה, וַיּוֹלֶד
אֶת פָּלֶג. יז וַיְחִי עֵבֶר אַחֲרֵי הוֹלִידוֹ אֶת פֶּלֶג שְׁלֹשִׁים שָׁנָה וְאַרְבַּע
מֵאוֹת שָׁנָה, וַיּוֹלֶד בָּנִים וּבָנוֹת. יח וַיְחִי פֶלֶג שְׁלֹשִׁים שָׁנָה, וַיּוֹלֶד אֶת
רְעוּ. יט וַיְחִי פֶלֶג אַחֲרֵי הוֹלִידוֹ אֶת רְעוּ תֵּשַׁע שָׁנִים וּמָאתַיִם שָׁנָה, וַיּוֹלֶד
בָּנִים וּבָנוֹת. כ וַיְחִי רְעוּ שְׁתַּיִם וּשְׁלֹשִׁים שָׁנָה, וַיּוֹלֶד אֶת שְׂרוּג. כא וַיְחִי
רְעוּ אַחֲרֵי הוֹלִידוֹ אֶת שְׂרוּג שֶׁבַע שָׁנִים וּמָאתַיִם שָׁנָה, וַיּוֹלֶד בָּנִים
וּבָנוֹת. כב וַיְחִי שְׂרוּג שְׁלֹשִׁים שָׁנָה, וַיּוֹלֶד אֶת נָחוֹר. כג וַיְחִי שְׂרוּג
אַחֲרֵי הוֹלִידוֹ אֶת נָחוֹר מָאתַיִם שָׁנָה, וַיּוֹלֶד בָּנִים וּבָנוֹת. כד וַיְחִי נָחוֹר
תֵּשַׁע וְעֶשְׂרִים שָׁנָה, וַיּוֹלֶד אֶת תָּרַח. כה וַיְחִי נָחוֹר אַחֲרֵי הוֹלִידוֹ אֶת

הרחבות | תוחלת החיים לאחר המבול ברשימת הדורות אפשר לראות שגילאי בני האדם יורדים והולכים. תוחלת החיים שלפני המבול נושקת לאלף שנים, ואילו כאן – אף על פי שאנשים האריכו ימים, לא התקרבו לאלף שנה, אלא לפחות ממחצית מזה. מסתבר שהעולם כולו השתנה; בעולם שלפני המבול הייתה שלמות ראשונית, ואילו בעולם שלאחר המבול הופיעו מחלות וגורמים אחרים המקצרים את ימיהם של בני האדם.

נָחוֹר אַחֲרֵי הוֹלִידוֹ אֶת־תֶּרַח תְּשַׁע־עֶשְׂרֵה שָׁנָה
וּמְאַת שָׁנָה וַיּוֹלֶד בָּנִים וּבָנוֹת׃ וַיְחִי־תֶרַח כו
שִׁבְעִים שָׁנָה וַיּוֹלֶד אֶת־אַבְרָם אֶת־נָחוֹר וְאֶת־הָרָן׃
וְאֵלֶּה תּוֹלְדֹת תֶּרַח תֶּרַח הוֹלִיד אֶת־אַבְרָם אֶת־ כז
נָחוֹר וְאֶת־הָרָן וְהָרָן הוֹלִיד אֶת־לוֹט׃ וַיָּמָת הָרָן כח
עַל־פְּנֵי תֶּרַח אָבִיו בְּאֶרֶץ מוֹלַדְתּוֹ בְּאוּר כַּשְׂדִּים׃
מפטיר וַיִּקַּח אַבְרָם וְנָחוֹר לָהֶם נָשִׁים שֵׁם אֵשֶׁת־אַבְרָם שָׂרָי כט
וְשֵׁם אֵשֶׁת־נָחוֹר מִלְכָּה בַּת־הָרָן אֲבִי־מִלְכָּה וַאֲבִי
יִסְכָּה׃ וַתְּהִי שָׂרַי עֲקָרָה אֵין לָהּ וָלָד׃ וַיִּקַּח תֶּרַח ל לא
אֶת־אַבְרָם בְּנוֹ וְאֶת־לוֹט בֶּן־הָרָן בֶּן־בְּנוֹ וְאֵת שָׂרַי
כַּלָּתוֹ אֵשֶׁת אַבְרָם בְּנוֹ וַיֵּצְאוּ אִתָּם מֵאוּר כַּשְׂדִּים
לָלֶכֶת אַרְצָה כְּנַעַן וַיָּבֹאוּ עַד־חָרָן וַיֵּשְׁבוּ שָׁם׃ וַיִּהְיוּ לב

רש"י

כח) **עַל פְּנֵי תֶּרַח אָבִיו.** בְּחַיֵּי אָבִיו. וּמִדְרַשׁ אַגָּדָה אוֹמֵר, שֶׁעַל יְדֵי אָבִיו מֵת, שֶׁקָּבַל תֶּרַח עַל אַבְרָם בְּנוֹ לִפְנֵי נִמְרוֹד עַל שֶׁכִּתֵּת אֶת צְלָמָיו, וְהִשְׁלִיכוֹ לְכִבְשַׁן הָאֵשׁ, וְהָרָן יוֹשֵׁב וְאוֹמֵר בְּלִבּוֹ: אִם אַבְרָם נוֹצֵחַ אֲנִי מִשֶּׁלּוֹ, וְאִם נִמְרוֹד נוֹצֵחַ אֲנִי מִשֶּׁלּוֹ. וּכְשֶׁנִּצַּל אַבְרָם אָמְרוּ לוֹ לְהָרָן: מִשֶּׁל מִי אַתָּה? אָמַר לָהֶם הָרָן: מִשֶּׁל אַבְרָם אֲנִי. הִשְׁלִיכוּהוּ לְכִבְשַׁן הָאֵשׁ וְנִשְׂרַף, וְזֶהוּ: "אוּר כַּשְׂדִּים". וּמְנַחֵם פֵּרֵשׁ "אוּר" בִּקְעָה, וְכֵן: "בָּאֻרִים כַּבְּדוּ ה'" (ישעיה כד, טו), וְכֵן: "מְאוּרַת צִפְעוֹנִי" (שם יא, ח), כָּל חוֹר וּבֶקַע עָמֹק קָרוּי 'אוּר':

כט) **יִסְכָּה.** זוֹ שָׂרָה, עַל שֵׁם שֶׁסּוֹכָה בְּרוּחַ הַקֹּדֶשׁ, וְשֶׁהַכֹּל סוֹכִין בְּיָפְיָהּ, וּלְשׁוֹן נְסִיכוּת, כְּמוֹ 'שָׂרָה' לְשׁוֹן שְׂרָרָה:

לא) **וַיֵּצְאוּ אִתָּם.** וַיֵּצְאוּ תֶּרַח וְאַבְרָם עִם לוֹט וְשָׂרָי:

הרחבות

יסכה מִלכה מוזכרת כאן, אבל מי הייתה יסכה, שאינה נזכרת בשום מקום נוסף במקרא? חכמים דרשו, שיסכה היה שמה השני של שרי, שאף היא נזכרת כאן (מגילה יד ע"א; סנהדרין סט ע"א). בזמנים ההם נהגו אנשים לאמץ לעצמם שמות הקשורים לעלייה לשלטון או לבחירת דרך חיים אחרת. משום כך ייתכן שיסכה היה שמה הישן, ולאחר מכן היא נקראה על ידי אברם בשם שָׂרָי – הגבירה, השלטת. (ראו עוד בביאור להלן יז,טו; ההרחבות לבמדבר א,ה ודברי הימים ב' יט,ח).

ביאור | תֶּרַח תְּשַׁע עֶשְׂרֵה שָׁנָה וּמְאַת שָׁנָה, וַיּוֹלֶד בָּנִים וּבָנוֹת. כו וַיְחִי תֶרַח
שִׁבְעִים שָׁנָה, וַיּוֹלֶד בתוך שבעים השנים הללו אֶת אַבְרָם, אֶת נָחוֹר
וְאֶת הָרָן. כז וְאֵלֶּה תּוֹלְדֹת תֶּרַח: תֶּרַח הוֹלִיד אֶת אַבְרָם, אֶת נָחוֹר
וְאֶת הָרָן, וְהָרָן, שייתכן שהיה הבן הקטן, הוֹלִיד אֶת לוֹט. דמויות
אלה חשובות להמשך הסיפור. כח וַיָּמָת הָרָן עַל פְּנֵי, בחיי תֶּרַח
אָבִיו. כנראה מותו של בן בחיי אביו לא היה אירוע שכיח.[50] בְּאֶרֶץ
מוֹלַדְתּוֹ בְּאוּר כַּשְׂדִּים. כט וַיִּקַּח אַבְרָם וְנָחוֹר לָהֶם נָשִׁים, שֵׁם אֵשֶׁת
אַבְרָם שָׂרָי, וְשֵׁם אֵשֶׁת נָחוֹר מִלְכָּה בַּת הָרָן אחיו, שהיה אֲבִי מִלְכָּה
וַאֲבִי יִסְכָּה. ל וַתְּהִי שָׂרַי עֲקָרָה אֵין לָהּ וָלָד. בניגוד לנחור, שהוליד
מִמלכה שושלת שלמה, כמו שיתואר הלאה,[51] לשרי אין בנים.

לא וַיִּקַּח תֶּרַח אֶת אַבְרָם בְּנוֹ וְאֶת לוֹט בֶּן הָרָן בֶּן בְּנוֹ וְאֵת שָׂרַי כַּלָּתוֹ,
אֵשֶׁת אַבְרָם בְּנוֹ, וַיֵּצְאוּ אִתָּם מֵאוּר כַּשְׂדִּים לָלֶכֶת אַרְצָה כְּנַעַן. לא
ברור מדוע יצאו מאור כשדים, הנמצאת כנראה בדרום מסוטופמיה, עיראק של ימינו, לעבר כנען הרחוקה. אפילו בקו אווירי מדובר במרחק עצום, כ-1,000 ק"מ. יתר על כן, בתווך נמצא המדבר הסורי, שאותו אי-אפשר לחצות אם אין מצטרפים לשיירות גדולות ומתוך הכנה מיוחדת. כדי להגיע לארץ כנען, צריך להצפין ולהתקרב אל נהר הפרת עד לצפון סוריה. וַיָּבֹאוּ עַד חָרָן וַיֵּשְׁבוּ שָׁם, לפי שעה, אף על פי שאין זו ארץ כנען.

הרחבות | 'ויצאו אתם מאור כשדים ללכת ארצה כנען' מדוע הלכה המשפחה לארץ כנען? ייתכן שתיאור זה מקדים את המאוחר, שכן מן ההמשך מתברר שאברם מקבל הוראה לנסוע לארץ כנען. אולי רק אברם רצה לנסוע, ומסעו של אברם הוא שגרם לשאר המשפחה לצאת ממקומה. אברם הוא הבן הגדול – ואולי האקטיבי והמוצלח ביותר במשפחה, ולכן כשהודיע על רצונו להגיע לארץ כנען, התלוותה אליו המשפחה כולה, שאיננה כה גדולה.

יְמֵי־תֶ֔רַח חָמֵ֥שׁ שָׁנִ֖ים וּמָאתַ֣יִם שָׁנָ֑ה וַיָּ֥מָת תֶּ֖רַח
בְּחָרָֽן׃
לך לך י א יב וַיֹּ֤אמֶר יהוה֙ אֶל־אַבְרָ֔ם לֶךְ־לְךָ֛ מֵאַרְצְךָ֥ וּמִמּֽוֹלַדְתְּךָ֖
ב וּמִבֵּ֣ית אָבִ֑יךָ אֶל־הָאָ֖רֶץ אֲשֶׁ֥ר אַרְאֶֽךָּ׃ וְאֶֽעֶשְׂךָ֙
לְג֣וֹי גָּד֔וֹל וַאֲבָ֣רֶכְךָ֔ וַאֲגַדְּלָ֖ה שְׁמֶ֑ךָ וֶהְיֵ֖ה בְּרָכָֽה׃
ג וַאֲבָֽרְכָה֙ מְבָ֣רְכֶ֔יךָ וּמְקַלֶּלְךָ֖ אָאֹ֑ר וְנִבְרְכ֣וּ בְךָ֔ כֹּ֖ל
ד מִשְׁפְּחֹ֥ת הָאֲדָמָֽה׃ וַיֵּ֣לֶךְ אַבְרָ֗ם כַּאֲשֶׁ֨ר דִּבֶּ֤ר
אֵלָיו֙ יהוה וַיֵּ֥לֶךְ אִתּ֖וֹ ל֑וֹט וְאַבְרָ֗ם בֶּן־חָמֵ֤שׁ שָׁנִים֙

רש"י

לב) **וַיָּמָת תֶּרַח בְּחָרָן.** לְאַחַר שֶׁיָּצָא אַבְרָם מֵחָרָן וּבָא לְאֶרֶץ כְּנַעַן, הָיָה תֶּרַח יוֹתֵר מִשִּׁשִּׁים שָׁנָה, שֶׁהֲרֵי כָּתוּב: "וְאַבְרָם בֶּן חָמֵשׁ שָׁנִים וְשִׁבְעִים שָׁנָה בְּצֵאתוֹ מֵחָרָן" (להלן יב, ד), וְתֶרַח בֶּן שִׁבְעִים שָׁנָה הָיָה כְּשֶׁנּוֹלַד אַבְרָם, הֲרֵי קמ"ה לְתֶרַח כְּשֶׁיָּצָא אַבְרָם מִמֶּנּוּ; נִשְׁאֲרוּ מִשְּׁנוֹתָיו הַרְבֵּה! וְלָמָּה הִקְדִּים הַכָּתוּב מִיתָתוֹ שֶׁל תֶּרַח לִיצִיאָתוֹ שֶׁל אַבְרָם? שֶׁלֹּא יְהֵא הַדָּבָר מְפֻרְסָם לַכֹּל, וְיֹאמְרוּ: לֹא קִיֵּם אַבְרָהָם כִּבּוּד אָבִיו שֶׁהִנִּיחוֹ זָקֵן וְהָלַךְ לוֹ. לְפִיכָךְ קְרָאוֹ הַכָּתוּב מֵת, שֶׁהָרְשָׁעִים אַף בְּחַיֵּיהֶם קְרוּיִים מֵתִים, וְהַצַּדִּיקִים בְּמִיתָתָן קְרוּיִים חַיִּים:

פרק יב

א-ב) **לֶךְ לְךָ.** לַהֲנָאָתְךָ וּלְטוֹבָתְךָ, וְשָׁם אֶעֶשְׂךָ לְגוֹי גָּדוֹל, וְכָאן אִי אַתָּה זוֹכֶה לְבָנִים; וְעוֹד, שֶׁאוֹדִיעַ טִבְעֲךָ בָּעוֹלָם: **וְאֶעֶשְׂךָ לְגוֹי גָּדוֹל.** לְפִי שֶׁהַדֶּרֶךְ גּוֹרֶמֶת לִשְׁלֹשָׁה דְּבָרִים: מְמַעֶטֶת פְּרִיָּה וּרְבִיָּה, וּמְמַעֶטֶת אֶת הַמָּמוֹן, וּמְמַעֶטֶת אֶת הַשֵּׁם; לְכָךְ הֻזְקַק לִשְׁלֹשׁ בְּרָכוֹת הַלָּלוּ, שֶׁהִבְטִיחוֹ עַל הַבָּנִים וְעַל הַמָּמוֹן וְעַל הַשֵּׁם: **וַאֲבָרֶכְךָ.** בְּמָמוֹן. בְּרֵאשִׁית רַבָּה (לט, יח): **וֶהְיֵה בְּרָכָה.** הַבְּרָכוֹת נְתוּנוֹת בְּיָדְךָ. עַד עַכְשָׁיו הָיוּ בְּיָדִי, בֵּרַכְתִּי לְאָדָם וְנֹחַ, וּמֵעַכְשָׁיו אַתָּה תְּבָרֵךְ אֶת אֲשֶׁר תַּחְפֹּץ. בְּרֵאשִׁית רַבָּה (שם). דָּבָר אַחֵר, "וְאֶעֶשְׂךָ לְגוֹי גָּדוֹל", זֶה שֶׁאוֹמְרִים אֱלֹהֵי אַבְרָהָם; "וַאֲבָרֶכְךָ", זֶה שֶׁאוֹמְרִים אֱלֹהֵי יִצְחָק; "וַאֲגַדְּלָה שְׁמֶךָ", זֶה שֶׁאוֹמְרִים אֱלֹהֵי יַעֲקֹב. יָכוֹל יִהְיוּ חוֹתְמִין בְּכֻלָּן? תַּלְמוּד לוֹמַר: "וֶהְיֵה בְּרָכָה", בְּךָ חוֹתְמִין וְלֹא בָּהֶם: **מֵאַרְצְךָ.** וַהֲלֹא כְּבָר יָצָא מִשָּׁם עִם אָבִיו וּבָא עַד חָרָן? אֶלָּא כָּךְ אָמַר לוֹ: הִתְרַחֵק עוֹד וְצֵא מִבֵּית אָבִיךָ: **אֲשֶׁר אַרְאֶךָּ.** לֹא גִּלָּה לוֹ הָאָרֶץ מִיָּד, כְּדֵי לְחַבְּבָהּ בְּעֵינָיו וְלִתֵּת לוֹ שָׂכָר עַל כָּל דִּבּוּר וְדִבּוּר. כַּיּוֹצֵא בוֹ: "אֶת בִּנְךָ אֶת יְחִידְךָ אֲשֶׁר אָהַבְתָּ" (להלן כב, ב), כַּיּוֹצֵא בוֹ: "עַל אַחַד הֶהָרִים אֲשֶׁר אֹמַר אֵלֶיךָ" (שם), כַּיּוֹצֵא בוֹ: "וּקְרָא אֵלֶיהָ אֶת הַקְּרִיאָה אֲשֶׁר אָנֹכִי דֹּבֵר אֵלֶיךָ" (יונה ג, ב):

ג) **וְנִבְרְכוּ בְךָ.** יֵשׁ אַגָּדוֹת רַבּוֹת, וְזֶהוּ פְּשׁוּטוֹ: אָדָם אוֹמֵר לִבְנוֹ תְּהֵא כְּאַבְרָהָם. וְכֵן כָּל 'וְנִבְרְכוּ בְךָ' שֶׁבַּמִּקְרָא, וְזֶה מוֹכִיחַ: "בְּךָ יְבָרֵךְ יִשְׂרָאֵל לֵאמֹר יְשִׂמְךָ אֱלֹהִים כְּאֶפְרַיִם וְכִמְנַשֶּׁה" (להלן מח, כ):

לב וַיִּהְיוּ יְמֵי תֶרַח חָמֵשׁ שָׁנִים וּמָאתַיִם שָׁנָה, וַיָּמָת תֶּרַח בְּחָרָן. לפי | ביאור
החשבון ברור שמותו של תרח בגיל מאתיים וחמש שנים אירע
הרבה לאחר המאורעות שיתוארו בהמשך. אולם, התורה מקדימה
פרט זה, כדי לסיים את סיפור תולדות בני שם. מכאן תתמקד
התורה באברם. אברם, שהוא ובניו עומדים במרכז ספר בראשית,
הוא הדור העשירי לנח.

פרשת לך לך

מסע אברם לכנען בצו ה' ובברכתו

פרק יב פס' א–ט

עד כה לא ידוע לנו דבר על נעוריו וחייו של אברם, מעבר לפרטים טכניים כשמות אביו ובני משפחתו, מקום הולדתו, דבר יציאתה של המשפחה למסעה לכיוון כנען, והשתהותה בדרך, בחרן. בניגוד למסופר על אישיותו של נח, שהיה אִישׁ צַדִּיק וּתָמִים, ועל כן נבחר על ידי ה' להמשיך את האנושות, בחירתו של אברם מופיעה ללא כל רקע אישי. חז"ל משלימים היעדר זה במדרשים ומסורות שונות. נראה כי אברם מצא את דרכו אל האמונה בה' באופן עצמאי, בניגוד לאלילות שמסביבו. מן ההמשך עולה כי ראה את ייעודו בקריאה בשם ה' בכל מקום ובמימוש מעשי של אמונתו. ייתכן שעל רקע זה זכה להינבא ולשמוע את הקול האלוקי.

פרק יב א וַיֹּאמֶר ה' אֶל אַבְרָם: לֶךְ לְךָ מֵאַרְצְךָ, המקום הגיאוגרפי שבו
נולדת, וּמִמּוֹלַדְתְּךָ, המקום שאליו אתה מרגיש קרבה ושייכות, וּמִבֵּית
אָבִיךָ, משפחתך המורחבת, אֶל הָאָרֶץ אֲשֶׁר אַרְאֶךָּ, ארץ שאינה ידועה
לך. ניתן לך רק כיוון, שעליך לצעוד בו, וכשתגיע – תקבל אישור
שהגעת. ב אמנם אתה יוצא כאדם אחד העומד בראש משפחה או
שבט, אבל מובטח לך שבמקום שאליו אתה הולך – וְאֶעֶשְׂךָ לְגוֹי
גָּדוֹל. וַאֲבָרֶכְךָ, וַאֲגַדְּלָה שְׁמֶךָ, שמך יתפרסם, וֶהְיֵה בְּרָכָה, תשמש
דגם לברכותיהם של בני אדם. כשהם יברכו זה את זה, הם ישתמשו
בשמך: 'שתזכה להיות כאברהם'. ג וַאֲבָרְכָה מְבָרְכֶיךָ, אברך את
המברכים אותך, וּמְקַלֶּלְךָ אָאֹר, ואקלל את מי שיקלל אותך. וְנִבְרְכוּ
בְךָ לא רק משפחות צאצאיך או שכניך, אלא כֹּל מִשְׁפְּחֹת הָאֲדָמָה.
אברם לא יהיה אדם פרטי החי לעצמו; הוא יהפוך סמל ומופת לכול.
ד וַיֵּלֶךְ אַבְרָם כַּאֲשֶׁר דִּבֶּר אֵלָיו ה', אברם יצא לדרך, והשאיר בחרן
את משפחתו, שגם היא התכוונה מתחילה להגיע לכנען. וַיֵּלֶךְ אִתּוֹ
לוֹט בן אחיו הרן, שכנראה מת בצעירותו. לפי המדרש, לוט היה גם

ה וְשִׁבְעִים שָׁנָה בְּצֵאתוֹ מֵחָרָן׃ וַיִּקַּח אַבְרָם אֶת־
שָׂרַי אִשְׁתּוֹ וְאֶת־לוֹט בֶּן־אָחִיו וְאֶת־כָּל־רְכוּשָׁם
אֲשֶׁר רָכָשׁוּ וְאֶת־הַנֶּפֶשׁ אֲשֶׁר־עָשׂוּ בְחָרָן וַיֵּצְאוּ
ו לָלֶכֶת אַרְצָה כְּנַעַן וַיָּבֹאוּ אַרְצָה כְּנָעַן׃ וַיַּעֲבֹר אַבְרָם
בָּאָרֶץ עַד מְקוֹם שְׁכֶם עַד אֵלוֹן מוֹרֶה וְהַכְּנַעֲנִי אָז
ז בָּאָרֶץ׃ וַיֵּרָא יהוה אֶל־אַבְרָם וַיֹּאמֶר לְזַרְעֲךָ אֶתֵּן
אֶת־הָאָרֶץ הַזֹּאת וַיִּבֶן שָׁם מִזְבֵּחַ לַיהוה הַנִּרְאֶה
ח אֵלָיו׃ וַיַּעְתֵּק מִשָּׁם הָהָרָה מִקֶּדֶם לְבֵית־אֵל וַיֵּט
אָהֳלֹה בֵּית־אֵל מִיָּם וְהָעַי מִקֶּדֶם וַיִּבֶן־שָׁם מִזְבֵּחַ

רש"י

ה) **אֲשֶׁר עָשׂוּ בְחָרָן.** שֶׁהִכְנִיסוּם תַּחַת כַּנְפֵי הַשְּׁכִינָה, אַבְרָהָם מְגַיֵּר אֶת הָאֲנָשִׁים וְשָׂרָה מְגַיֶּרֶת הַנָּשִׁים, וּמַעֲלֶה עֲלֵיהֶם הַכָּתוּב כְּאִלּוּ עֲשָׂאוּם. וּפְשׁוּטוֹ שֶׁל מִקְרָא: עֲבָדִים וּשְׁפָחוֹת שֶׁקָּנוּ לָהֶם, כְּמוֹ: "עָשָׂה אֶת כָּל הַכָּבֹד הַזֶּה" (להלן לא, א), "וְיִשְׂרָאֵל עֹשֶׂה חָיִל" (במדבר כד, יח) לְשׁוֹן קוֹנֶה וְכוֹנֵס:

ו) **וַיַּעֲבֹר אַבְרָם בָּאָרֶץ.** נִכְנַס לְתוֹכָהּ: **עַד מְקוֹם שְׁכֶם.** לְהִתְפַּלֵּל עַל בְּנֵי יַעֲקֹב כְּשֶׁיָּבֹאוּ לִשְׁכֶם: **אֵלוֹן מוֹרֶה.** הוּא שְׁכֶם. הֶרְאָהוּ הַר גְּרִזִּים וְהַר עֵיבָל שֶׁשָּׁם קִבְּלוּ יִשְׂרָאֵל שְׁבוּעַת הַתּוֹרָה: **וְהַכְּנַעֲנִי אָז בָּאָרֶץ.** הָיָה הוֹלֵךְ וְכוֹבֵשׁ אֶת אֶרֶץ יִשְׂרָאֵל מִזַּרְעוֹ שֶׁל שֵׁם, שֶׁבְּחֶלְקוֹ שֶׁל שֵׁם נָפְלָה כְּשֶׁחִלֵּק נֹחַ אֶת הָאָרֶץ לְבָנָיו, שֶׁנֶּאֱמַר: "וּמַלְכִּי צֶדֶק מֶלֶךְ שָׁלֵם" (להלן יד, יח), לְפִיכָךְ "וַיֹּאמֶר – אֶל אַבְרָם – לְזַרְעֲךָ אֶתֵּן אֶת הָאָרֶץ הַזֹּאת" (להלן פסוק ז), עָתִיד אֲנִי לְהַחֲזִירָהּ לְבָנֶיךָ שֶׁהֵם מִזַּרְעוֹ שֶׁל שֵׁם:

ז) **וַיִּבֶן שָׁם מִזְבֵּחַ.** עַל בְּשׂוֹרַת הַזֶּרַע וְעַל בְּשׂוֹרַת אֶרֶץ יִשְׂרָאֵל:

ח) **וַיַּעְתֵּק מִשָּׁם.** אָהֳלוֹ: **מִקֶּדֶם לְבֵית אֵל.** בְּמִזְרָחָהּ שֶׁל בֵּית אֵל, נִמְצֵאת בֵּית אֵל בְּמַעֲרָבוֹ, הוּא שֶׁנֶּאֱמַר: "בֵּית אֵל מִיָּם": **אָהֳלֹה.** אָהֳלָהּ כְּתִיב, בַּתְּחִלָּה נָטָה אֶת אֹהֶל אִשְׁתּוֹ וְאַחַר כָּךְ אֶת שֶׁלּוֹ. בְּרֵאשִׁית רַבָּה (לט, טו): **וַיִּבֶן שָׁם מִזְבֵּחַ.** נִתְנַבֵּא שֶׁעֲתִידִין בָּנָיו לְהִכָּשֵׁל שָׁם עַל עֲוֹן עָכָן וְהִתְפַּלֵּל עֲלֵיהֶם:

ביאור | גיסו של אברם, משום שגם שרי הייתה בתו של הרן.[1] כיוון שהיה ביניהם קשר כפול, לוט – שלא היה עדיין מבוגר כדי לעמוד בראש משפחה משלו – נלווה אל אברם. **וְאַבְרָם בֶּן חָמֵשׁ שָׁנִים וְשִׁבְעִים שָׁנָה בְּצֵאתוֹ מֵחָרָן.**
ה **וַיִּקַּח אַבְרָם אֶת שָׂרַי אִשְׁתּוֹ וְאֶת לוֹט בֶּן אָחִיו, וְאֶת כָּל רְכוּשָׁם אֲשֶׁר רָכָשׁוּ וְאֶת הַנֶּפֶשׁ אֲשֶׁר עָשׂוּ**, העבדים שקנו **בְחָרָן**. לפי המדרשים, היו אלה הגֵרים שהוא גייר.[2] ייתכן שהם היו אנשים המשועבדים לו, שכן אברם לא עמד בראשה של משפחה קטנה אלא בראש שבט נודד, שיש בו רכוש ומקנה, ויש בו כנראה גם אנשים משועבדים, כפופים או קשורים בקשרים שונים לאברם. **וַיֵּצְאוּ לָלֶכֶת אַרְצָה כְּנַעַן.** אפשר לשער שנסעו בדרך הים, כלומר לאורך חוף הים התיכון עד ארץ ישראל. **וַיָּבֹאוּ אַרְצָה כְּנָעַן.**

ו **וַיַּעֲבֹר אַבְרָם בָּאָרֶץ עַד מְקוֹם שְׁכֶם**, המקום שבו תשכון מאוחר יותר העיר שכם.[3] **עַד אֵלוֹן מוֹרֶה** – קרוב לוודאי שאין מדובר בעץ האלון. ייתכן שזה היה שמה של עיר שקדמה לשכם, והיו שפירשו ביטוי זה כמישור מורה, או: כמבנה של מורה.[4] **וְהַכְּנַעֲנִי אָז בָּאָרֶץ.** הערה זו, שהיא משמעותית להמשך הסיפור, מזכירה שאברם לא בא אל ארץ שוממה וריקה מאדם, כמקומות רבים באותה עת; הוא הגיע למקום שחי בו העם הכנעני כבר כמה וכמה שנים.
ז **וַיֵּרָא ה׳ אֶל אַבְרָם** בכנען **וַיֹּאמֶר: לְזַרְעֲךָ אֶתֵּן אֶת הָאָרֶץ הַזֹּאת.** קודם לכן, כשאברם הצטווה לנסוע, הוא קיבל ברכה כללית. עתה הובטחה לו מתנה מסוימת – זרעו יקבל את ארץ כנען. **וַיִּבֶן שָׁם מִזְבֵּחַ לַה׳ הַנִּרְאֶה אֵלָיו.** אברם בנה את המזבח הראשון לה׳ בעקבות התגלותו,[5] והמזבח ישמש לזיכרון שבמקום זה התגלה אליו ה׳.

ח **וַיַּעְתֵּק**, אברם נסע **מִשָּׁם הָהָרָה**, לעבר ההרים **מִקֶּדֶם**, מצד מזרח לעיר **בֵּית אֵל. וַיֵּט**, פרש, מתח שם את **אָהֳלֹה**. במשך שנים רבות אברם ומשפחתו היו בעיקר נוודים ורועים שוכני אוהלים. **בֵּית אֵל** הייתה **מִיָּם**, מצד מערב למקום חנייתו, **וְהָעַי מִקֶּדֶם**, מצד מזרח למקום חנייתו. יש להניח שבארץ, שעדיין לא הייתה מיושבת, היו שטחים ריקים שהתאימו למרעה. כך מצא אברם שטח מרעה לצאנו בין בית אל לבין העי. **וַיִּבֶן** גם **שָׁם מִזְבֵּחַ לַה׳, וַיִּקְרָא בְּשֵׁם**

לַיהוָה וַיִּקְרָא בְּשֵׁם יְהוָה: וַיִּסַּע אַבְרָם הָלוֹךְ וְנָסוֹעַ ט
הַנֶּגְבָּה:
וַיְהִי רָעָב בָּאָרֶץ וַיֵּרֶד אַבְרָם מִצְרַיְמָה לָגוּר שָׁם י
כִּי־כָבֵד הָרָעָב בָּאָרֶץ: וַיְהִי כַּאֲשֶׁר הִקְרִיב לָבוֹא יא
מִצְרָיְמָה וַיֹּאמֶר אֶל־שָׂרַי אִשְׁתּוֹ הִנֵּה־נָא יָדַעְתִּי כִּי
אִשָּׁה יְפַת־מַרְאֶה אָתְּ: וְהָיָה כִּי־יִרְאוּ אֹתָךְ הַמִּצְרִים יב
וְאָמְרוּ אִשְׁתּוֹ זֹאת וְהָרְגוּ אֹתִי וְאֹתָךְ יְחַיּוּ: אִמְרִי־נָא יג
אֲחֹתִי אָתְּ לְמַעַן יִיטַב־לִי בַעֲבוּרֵךְ וְחָיְתָה נַפְשִׁי
בִּגְלָלֵךְ: וַיְהִי כְּבוֹא אַבְרָם מִצְרָיְמָה וַיִּרְאוּ הַמִּצְרִים יד שני
אֶת־הָאִשָּׁה כִּי־יָפָה הִוא מְאֹד: וַיִּרְאוּ אֹתָהּ שָׂרֵי טו
פַרְעֹה וַיְהַלְלוּ אֹתָהּ אֶל־פַּרְעֹה וַתֻּקַּח הָאִשָּׁה בֵּית

רש"י

ט] **הָלוֹךְ וְנָסוֹעַ.** לִפְרָקִים, יוֹשֵׁב כָּאן חֹדֶשׁ אוֹ יוֹתֵר וְנוֹסֵעַ מִשָּׁם וְנוֹטֶה אָהֳלוֹ בְּמָקוֹם אַחֵר, וְכָל מַסָּעָיו "הַנֶּגְבָּה", לָלֶכֶת לִדְרוֹמָהּ שֶׁל אֶרֶץ יִשְׂרָאֵל, וְהוּא בְּחֶלְקוֹ שֶׁל יְהוּדָה שֶׁנָּטְלוּ בִּדְרוֹמָהּ שֶׁל אֶרֶץ יִשְׂרָאֵל, וְהוּא לְצַד יְרוּשָׁלַיִם, הַר הַמּוֹרִיָּה. בְּרֵאשִׁית רַבָּה (לט, טז):

י] **רָעָב בָּאָרֶץ.** בְּאוֹתָהּ הָאָרֶץ לְבַדָּהּ, לְנַסּוֹתוֹ אִם יְהַרְהֵר אַחַר דְּבָרָיו שֶׁל הַקָּדוֹשׁ בָּרוּךְ הוּא, שֶׁאָמַר לוֹ לָלֶכֶת אֶל אֶרֶץ כְּנַעַן וְעַכְשָׁו מַשִּׂיאוֹ לָצֵאת מִמֶּנָּה:

יא] **הִנֵּה נָא יָדַעְתִּי.** מִדְרַשׁ אַגָּדָה: עַד עַכְשָׁיו לֹא הִכִּיר בָּהּ מִתּוֹךְ צְנִיעוּת שֶׁבִּשְׁנֵיהֶם, וְעַכְשָׁיו הִכִּיר בָּהּ עַל יְדֵי מַעֲשֶׂה. דָּבָר אַחֵר, מִנְהַג הָעוֹלָם שֶׁעַל יְדֵי טֹרַח הַדֶּרֶךְ אָדָם מִתְבַּזֶּה, וְאַתְּ עָמַדְתְּ בְּיָפְיֵךְ. וּפְשׁוּטוֹ שֶׁל מִקְרָא: הִנֵּה נָא הִגִּיעָה שָׁעָה שֶׁיֵּשׁ לִדְאֹג עַל יָפְיֵךְ; יָדַעְתִּי זֶה יָמִים כִּי יְפַת מַרְאֶה אָתְּ, וְעַכְשָׁיו אָנוּ בָּאִים בֵּין אֲנָשִׁים שְׁחוֹרִים וּמְכֹעָרִים, אֲחֵיהֶם שֶׁל כּוּשִׁים, וְלֹא הֻרְגְּלוּ בְּאִשָּׁה יָפָה. וְדוֹמֶה לוֹ: "הִנֶּה נָּא אֲדֹנַי סוּרוּ נָא" (להלן יט, ב):

יג] **לְמַעַן יִיטַב לִי בַעֲבוּרֵךְ.** יִתְּנוּ לִי מַתָּנוֹת:

יד] **וַיְהִי כְּבוֹא אַבְרָם מִצְרָיְמָה.** הָיָה לוֹ לוֹמַר 'כְּבוֹאָם מִצְרָיְמָה', אֶלָּא לִמֵּד שֶׁהִטְמִין אוֹתָהּ בְּתֵבָה, וְעַל יְדֵי שֶׁתָּבְעוּ אֶת הַמֶּכֶס פָּתְחוּ וְרָאוּ אוֹתָהּ:

טו] **וַיְהַלְלוּ אֹתָהּ אֶל פַּרְעֹה.** הִלְּלוּהָ בֵּינֵיהֶם לוֹמַר, הֲגוּנָה זוֹ לַמֶּלֶךְ:

ביאור | ה׳. ביטוי זה מופיע כמה פעמים, ומשמעו הודעה פומבית.[6] אברם
נדד ממקום למקום בגלל צאנו, אך ידע שעליו לנדוד כדי לפרסם
ולהודיע בעולם את שם ה׳. ט **וַיִּסַּע אַבְרָם הָלוֹךְ וְנָסוֹעַ הַנֶּגְבָּה.** כיוון
שלא נאמר לו היכן עליו לחנות, וכיוון שעדיין לא מצא מקום שבו
הרגיש נוח מספיק, הוא יצא מבית אל והדרים.

אברם במצרים

פרק יב פס׳ י–כ

למרות הברכה שניתנה לאברם בצאתו מחרן, בהווה הוא נתקל בקשיים ובניסיונות: הובטחה לו ארץ כנען, אך הוא אינו יכול להמשיך לגור בה בשל הרעב; הובטח לו שיתברכו בו כל גויי הארץ, והוא נאלץ להתמודד עם לקיחת אשתו בעל כורחה לביתו של מלך מצרים.

י **וַיְהִי רָעָב בָּאָרֶץ**, כתוצאה מעצירת גשמים, המשפיעה לרעה הן
על התבואה והפֵּרות המזינים את האדם הן על עשבי השדה, מרעה
הבהמה, **וַיֵּרֶד אַבְרָם מִצְרַיְמָה לָגוּר שָׁם**, לחיות שם באופן עראי, ולא
להתיישב בה ישיבה של קבע,[7] **כִּי כָבֵד הָרָעָב בָּאָרֶץ**, וארץ מצרים,
התלויה בנילוס ולא במי הגשמים, אינה סובלת בדרך כלל מרעב
כזה.[8] יא **וַיְהִי כַּאֲשֶׁר הִקְרִיב** את מחנהו[9] **לָבוֹא מִצְרָיְמָה, וַיֹּאמֶר אֶל
שָׂרַי אִשְׁתּוֹ: הִנֵּה נָא יָדַעְתִּי**, הרי אני יודע **כִּי אִשָּׁה יְפַת מַרְאֶה אָתְּ**,
ויופייך אינו חיצוני בלבד; את גם בעלת אישיות ומעמד, כפי שנראה
בהמשך. יב **וְהָיָה כִּי יִרְאוּ אֹתָךְ הַמִּצְרִים**, כאשר אבוא אתך למצרים,
וְאָמְרוּ: אִשְׁתּוֹ זֹאת, ואז **וְהָרְגוּ אֹתִי וְאֹתָךְ יְחַיּוּ**, יהרגו אותי מפני שירצו
בך. אברם חושש שיתנפלו עליו בשל יופיה של שרה, בשל אישיותה
וכן בשל כספו הרב.[10] יג **אִמְרִי נָא** בין תושבי מצרים, כי **אֲחֹתִי אָתְּ,
לְמַעַן יִיטַב לִי בַעֲבוּרֵךְ**, בגללך. בתור אחות איש לא יפגע בי. כך ייטב
לי בזכותך, משום שיתייחסו אלי בתור אחיך, **וְחָיְתָה נַפְשִׁי בִּגְלָלֵךְ.**

ואכן חששו של אברם היה מוצדק – יד **וַיְהִי כְּבוֹא אַבְרָם מִצְרָיְמָה,
וַיִּרְאוּ הַמִּצְרִים אֶת הָאִשָּׁה כִּי יָפָה הִוא מְאֹד.** טו **וַיִּרְאוּ אֹתָהּ שָׂרֵי
פַרְעֹה**, מלך מצרים. **וַיְהַלְלוּ אֹתָהּ אֶל פַּרְעֹה**, סיפרו באוזני המלך

פַּרְעֹה: וּלְאַבְרָם הֵיטִיב בַּעֲבוּרָהּ וַיְהִי־לוֹ צֹאן־ טז
וּבָקָר וַחֲמֹרִים וַעֲבָדִים וּשְׁפָחֹת וַאֲתֹנֹת וּגְמַלִּים:
וַיְנַגַּע יְהוָה ׀ אֶת־פַּרְעֹה נְגָעִים גְּדֹלִים וְאֶת־בֵּיתוֹ עַל־ יז
דְּבַר שָׂרַי אֵשֶׁת אַבְרָם: וַיִּקְרָא פַרְעֹה לְאַבְרָם וַיֹּאמֶר יח
מַה־זֹּאת עָשִׂיתָ לִּי לָמָּה לֹא־הִגַּדְתָּ לִּי כִּי אִשְׁתְּךָ
הִוא: לָמָה אָמַרְתָּ אֲחֹתִי הִוא וָאֶקַּח אֹתָהּ לִי לְאִשָּׁה יט
וְעַתָּה הִנֵּה אִשְׁתְּךָ קַח וָלֵךְ: וַיְצַו עָלָיו פַּרְעֹה כ
אֲנָשִׁים וַיְשַׁלְּחוּ אֹתוֹ וְאֶת־אִשְׁתּוֹ וְאֶת־כָּל־אֲשֶׁר־לוֹ:

רש"י

טז) **וּלְאַבְרָם הֵיטִיב.** פַּרְעֹה בַּעֲבוּרָהּ:

יז) **וַיְנַגַּע.** בְּמַכַּת רָאתָן לָקָה שֶׁהַתַּשְׁמִישׁ קָשֶׁה לוֹ. כִּבְרֵאשִׁית רַבָּה (מא, ב): **עַל דְּבַר שָׂרַי.** עַל פִּי דִּבּוּרָהּ, אוֹמֶרֶת לַמַּלְאָךְ הַךְ, וְהוּא מַכֶּה:

יט) **קַח וָלֵךְ.** לֹא כַּאֲבִימֶלֶךְ שֶׁאָמַר לוֹ: "הִנֵּה אַרְצִי לְפָנֶיךָ" (להלן כ, טו), אֲבָל כָּאן אָמַר לוֹ: לֵךְ וְאַל תַּעֲמֹד, שֶׁהַמִּצְרִים שְׁטוּפֵי זִמָּה הֵם, שֶׁנֶּאֱמַר: "וְזִרְמַת סוּסִים זִרְמָתָם" (יחזקאל כג, כ):

כ) **וַיְצַו עָלָיו.** עַל אוֹדוֹתָיו, לְשַׁלְּחוֹ וּלְשָׁמְרוֹ: **וַיְשַׁלְּחוּ.** כְּתַרְגּוּמוֹ: "וְאַלְוִיאוּ":

הרחבות

פרעה אין זה שמו הפרטי של מלך מצרים אלא תוארו הרשמי. פירושו המילולי של השם הוא כנראה 'הבית הגדול'. בדומה לכך היו קוראים לסולטן התורכי בזמנו 'השער העליון', וגם בימינו מדברים על 'הבית הלבן' ככינוי המתאר את תפקידו של נשיא ארה"ב. (ראו עוד רשב"ם בראשית מא,י).

'וַתֻּקַּח האשה בית פרעה' שרי הייתה דמות בולטת – בין השאר גם ביופיה. יופיה ניכר לעין גם שנים רבות לאחר שנלקחה לבית פרעה. ואכן לא הייתה זו הפעם היחידה שעברה על שרי הרפתקה כזו (ראו להלן כ; בראשית רבה מה,ד; שיר השירים רבה ב,יד). ייתכן שהיא נלקחה

ביאור | שבין האורחים שהגיעו מארץ רחוקה מצויה גם אשה יפהפיה.
וַתֻּקַּח הָאִשָּׁה בֵּית פַּרְעֹה, כדי שתהיה אחת מנשיו. נראה כי שרי
לא מחתה, שהרי אברם ושרי טענו שהם אח ואחות. טז **וּלְאַבְרָם**
הֵיטִיב פרעה **בַּעֲבוּרָהּ**, בתור אחיה של האשה שרצה לקחת. **וַיְהִי**
לוֹ, לאברם, משלו ומכל המתנות שקיבל, **צֹאן וּבָקָר וַחֲמֹרִים וַעֲבָדִים**
וּשְׁפָחֹת וַאֲתֹנֹת וּגְמַלִּים. יז אך בינתיים – **וַיְנַגַּע ה' אֶת פַּרְעֹה נְגָעִים**
גְּדֹלִים וְאֶת בֵּיתוֹ, את משפחתו ואת הסובב אותו, **עַל דְּבַר**, בגלל **שָׂרַי**
אֵשֶׁת אַבְרָם. כיצד הבין פרעה שלקיחת שרי היא שגרמה לצרותיו?
ייתכן שהנגעים הופיעו מיד עם בואה; אולי שרי הסבירה לו שהנגעים
באו כתוצאה מלקיחתה; ואולי מתוך שסירבה להצעותיו, הרגיש
שהרעה שהגיעה עליו ועל ביתו בד בבד עם לקיחת האשה הזרה
באה בשל התנהגותו. מכל מקום, פרעה גילה לבסוף את האמת,
כיוון ששרי סיפרה לו שהיא אשת אברם ולא אחותו.[11]

יח **וַיִּקְרָא פַרְעֹה לְאַבְרָם, וַיֹּאמֶר: מַה זֹּאת עָשִׂיתָ לִּי? לָמָּה לֹא הִגַּדְתָּ**
לִּי כִּי אִשְׁתְּךָ הִוא? יט **לָמָה אָמַרְתָּ "אֲחֹתִי הִוא", וָאֶקַּח אֹתָהּ לִי**
לְאִשָּׁה? מאחר שאמרת שהיא אחותך, התכוונתי לקחתה לאשה.
הרי נהגתי כדין. לא אנסתי אותה. אדרבא, נהגתי עמה בכבוד גדול
ורציתי לשאתה. רק עכשיו אני מבין שלקחתי את אשתך ממך.
וְעַתָּה, הִנֵּה אִשְׁתְּךָ. אשתך היא פיתוי גדול מדי לאנשים החיים
כאן. איננו מעוניינים בה ובצרות ובנגעים שהביאה עלינו – **קַח**
וָלֵךְ. כ **וַיְצַו עָלָיו פַּרְעֹה אֲנָשִׁים**, פרעה ציווה על אנשיו ללוות את
אברם. לא היה זה ליווי של כבוד בלבד; המשלחת הייתה אמורה
לשכנע את אברם לעזוב את המקום. **וַיְשַׁלְּחוּ אֹתוֹ וְאֶת אִשְׁתּוֹ וְאֶת**
כָּל אֲשֶׁר לוֹ חזרה לכנען.

הרחבות | גם בשל מעמדו של אברם, שעמד בראש שבט גדול למדי, ובהמשך יתואר כי הוא אף גייס צבא קטן אך משמעותי משל עצמו (להלן יד). גם מסיבות אלה יכול היה מלך מצרים לרצות בשרי.
חכמים מנו סיפור זה כאחד הניסיונות שבהם נתנסה אברהם אבינו. אברם סבל ייסורי גוף וייסורי נפש מכך שאשתו נלקחה ממנו. לא מכבר התברך וזכה בהבטחות רבות, והנה הוא נתקל ברעב ובלקיחת אשתו. ובכל זאת אברם המשיך להאמין בה', לא תהה על הראשונות ולא טען טענות (ראו אבות דרבי נתן פרק לג).

יג וַיַּעַל אַבְרָם מִמִּצְרַיִם הוּא וְאִשְׁתּוֹ וְכָל־אֲשֶׁר־לוֹ א
וְלוֹט עִמּוֹ הַנֶּגְבָּה: וְאַבְרָם כָּבֵד מְאֹד בַּמִּקְנֶה בַּכֶּסֶף ב
וּבַזָּהָב: וַיֵּלֶךְ לְמַסָּעָיו מִנֶּגֶב וְעַד־בֵּית־אֵל עַד־ ג
הַמָּקוֹם אֲשֶׁר־הָיָה שָׁם אָהֳלֹה בַּתְּחִלָּה בֵּין בֵּית־
אֵל וּבֵין הָעָי: אֶל־מְקוֹם הַמִּזְבֵּחַ אֲשֶׁר־עָשָׂה שָׁם ד
שלישי בָּרִאשֹׁנָה וַיִּקְרָא שָׁם אַבְרָם בְּשֵׁם יְהוָה: וְגַם־לְלוֹט ה
הַהֹלֵךְ אֶת־אַבְרָם הָיָה צֹאן־וּבָקָר וְאֹהָלִים: וְלֹא־ ו
נָשָׂא אֹתָם הָאָרֶץ לָשֶׁבֶת יַחְדָּו כִּי־הָיָה רְכוּשָׁם רָב
וְלֹא יָכְלוּ לָשֶׁבֶת יַחְדָּו: וַיְהִי־רִיב בֵּין רֹעֵי מִקְנֵה־ ז
אַבְרָם וּבֵין רֹעֵי מִקְנֵה־לוֹט וְהַכְּנַעֲנִי וְהַפְּרִזִּי אָז יֹשֵׁב

רש"י | פרק יג

א-ב] **כָּבֵד מְאֹד.** טָעוּן מַשָּׂאוֹת: **וַיַּעַל אַבְרָם... הַנֶּגְבָּה.** לָבֹא לִדְרוֹמָהּ שֶׁל אֶרֶץ יִשְׂרָאֵל, כְּמוֹ שֶׁאָמַר לְמַעְלָה: "הָלוֹךְ וְנָסוֹעַ הַנֶּגְבָּה" (לעיל יב, ט) לְהַר הַמּוֹרִיָּה, וּמִכָּל מָקוֹם כְּשֶׁהוּא הוֹלֵךְ מִמִּצְרַיִם לְאֶרֶץ כְּנַעַן מִדָּרוֹם לַצָּפוֹן הוּא מְהַלֵּךְ, שֶׁאֶרֶץ מִצְרַיִם בִּדְרוֹמָהּ שֶׁל אֶרֶץ יִשְׂרָאֵל, כְּמוֹ שֶׁמּוֹכִיחַ בַּמַּסָּעוֹת וּבִגְבוּלֵי הָאָרֶץ:

ג] **וַיֵּלֶךְ לְמַסָּעָיו.** כְּשֶׁחָזַר הָיָה לָן בָּאַכְסַנְיוֹת שֶׁלָּן בָּהֶן כְּשֶׁהָלַךְ לְשָׁם. לִמֶּדְךָ דֶּרֶךְ אֶרֶץ שֶׁלֹּא יְשַׁנֶּה אָדָם מֵאַכְסַנְיָה שֶׁלּוֹ. דָּבָר אַחֵר, בַּחֲזָרָתוֹ פָּרַע הַקָּפוֹתָיו: **מִנֶּגֶב.** אֶרֶץ מִצְרַיִם בִּדְרוֹמָהּ שֶׁל אֶרֶץ כְּנַעַן:

ד] **אֲשֶׁר עָשָׂה שָׁם בָּרִאשֹׁנָה.** וַאֲשֶׁר קָרָא שָׁם אַבְרָם בְּשֵׁם ה'. וְגַם יֵשׁ לוֹמַר "וַיִּקְרָא שָׁם" עַכְשָׁיו "בְּשֵׁם ה'":

ה] **הַהֹלֵךְ אֶת אַבְרָם.** מִי גָּרַם לוֹ שֶׁהָיָה לוֹ זֹאת? הִלּוּכוֹ עִם אַבְרָם:

ו] **וְלֹא נָשָׂא.** לֹא הָיְתָה יְכוֹלָה לְהַסְפִּיק מִרְעֶה לְמִקְנֵיהֶם: **וְלֹא נָשָׂא אֹתָם.** לָשׁוֹן קָצָר הוּא וְצָרִיךְ לְהוֹסִיף עָלָיו, כְּמוֹ: "וְלֹא נָשָׂא אוֹתָם מִרְעֵה הָאָרֶץ", לְפִיכָךְ כָּתַב: "וְלֹא נָשָׂא" בִּלְשׁוֹן זָכָר:

ז] **וַיְהִי רִיב.** לְפִי שֶׁהָיוּ רוֹעָיו שֶׁל לוֹט רְשָׁעִים וּמַרְעִים בְּהֶמְתָּם בִּשְׂדוֹת אֲחֵרִים, וְרוֹעֵי אַבְרָם מוֹכִיחִים אוֹתָם עַל הַגָּזֵל, וְהֵם אוֹמְרִים: נִתְּנָה הָאָרֶץ לְאַבְרָם, וְלוֹ אֵין יוֹרֵשׁ וְלוֹט יוֹרְשׁוֹ, וְאֵין זֶה גָּזֵל; וְהַכָּתוּב אוֹמֵר: "וְהַכְּנַעֲנִי וְהַפְּרִזִּי

אברם ולוט בכנען

פרק יג

בעניין הקודם התמודד אברם עם הפרדתו הכפויה משרי אשתו. עתה הוא נפרד ביזמתו מלוט, אחיה, שהתלווה למסעו עד כה.

ביאור

פרק יג א **וַיַּעַל**, מדרום לצפון **אַבְרָם מִמִּצְרַיִם, הוּא וְאִשְׁתּוֹ וְכָל אֲשֶׁר**
לוֹ וְלוֹט עִמּוֹ הַנֶּגְבָּה. ב **וְאַבְרָם כָּבֵד מְאֹד בַּמִּקְנֶה בַּכֶּסֶף וּבַזָּהָב.** אברם
הצליח בעסקיו, ובמשך הזמן גדל רכושו מאוד. תהיה לכך משמעות
בהמשך. ג **וַיֵּלֶךְ לְמַסָּעָיו** – הוא חזר באותו מסלול שבו נסע, לשם
חידוש ההיכרויות שלו עם בני המקומות הללו, או: כדי לשלם
את חובותיו.[12] **מִנֶּגֶב וְעַד בֵּית אֵל, עַד הַמָּקוֹם אֲשֶׁר הָיָה שָׁם אָהֳלֹה**
בַּתְּחִלָּה, בֵּין בֵּית אֵל וּבֵין הָעָי. ד אברם הגיע **אֶל מְקוֹם הַמִּזְבֵּחַ אֲשֶׁר**
עָשָׂה שָׁם בָּרִאשֹׁנָה, וַיִּקְרָא שָׁם אַבְרָם בְּשֵׁם ה׳. נראה שקרא בשם ה׳
גם בפעם הזאת. אולי הקהיל קהילות ברבים, הזמין אנשים, קרא,
התפלל ודיבר כדי להודיע את שם ה׳ בעולם.

ה **וְגַם לְלוֹט הַהֹלֵךְ אֶת אַבְרָם הָיָה צֹאן וּבָקָר וְאֹהָלִים.** לוט יצא
מאור כשדים כיורש אביו, הרן. לפיכך היה גם לו רכוש משל עצמו.
אף שהיה צמוד לאברם, לוט לא היה משועבד לדודו אלא נדד
לצדו. ו **וְלֹא נָשָׂא אֹתָם הָאָרֶץ לָשֶׁבֶת יַחְדָּו, כִּי הָיָה רְכוּשָׁם רָב וְלֹא**
יָכְלוּ לָשֶׁבֶת יַחְדָּו. אמנם באותם ימים הארץ הייתה פנויה יותר, והיה
בה מקום רב למרעה. עם זאת, לא בכל מקום היה די מרחב לעדרי
צאן גדולים מאוד. בדרך כלל גודלם של עדרי צאן הרועים בקרבת
יישוב, תואם את גודלו של היישוב; ואילו לכאן הגיע שבט נוודים
הזקוק למרחב גדול ולמרעה רב מכפי שהיה באזור זה. ז אולם לא
רק מפני מגבלות הקרקע ותנובתה לא יכלו לשבת יחדיו – **וַיְהִי**
רִיב בֵּין רֹעֵי מִקְנֵה אַבְרָם וּבֵין רֹעֵי מִקְנֵה לוֹט. חכמים דרשו שלא היה
זה ריב סביב שטחי אדמה בלבד; הרקע למתח זה הוא היריבות
הבסיסית הקיימת כבר מן התקופה העתיקה בין הרועים הנוודים

הרחבות

'ויעל' נראה כי כאן ובמקומות רבים במקרא משמש פועל זה כתנועה מדרום לצפון (ראו שמות יג,יח; במדבר יג,יז; כא,לג; יהושע טו,ג ועוד). במקומות אחרים הוא מציין מעבר מחוץ-לארץ לארץ ישראל (כגון שמואל ב' ה,יז; מלכים ב' יח,ט; ישעיה לו,י; זכריה יד,טז-יז; עזרא ב,א. ראו קדושין סט ע"ב), או עלייה בתוואי השטח (ראו ההפניות מיהושע טו,ג).

בָּאָֽרֶץ׃ וַיֹּאמֶר אַבְרָם אֶל־לוֹט אַל־נָא תְהִי מְרִיבָה ח
בֵּינִי וּבֵינֶךָ וּבֵין רֹעַי וּבֵין רֹעֶיךָ כִּֽי־אֲנָשִׁים אַחִים
אֲנָֽחְנוּ׃ הֲלֹא כָל־הָאָרֶץ לְפָנֶיךָ הִפָּרֶד נָא מֵעָלָי אִם־ ט
הַשְּׂמֹאל וְאֵימִנָה וְאִם־הַיָּמִין וְאַשְׂמְאִֽילָה׃ וַיִּשָּׂא־ י
לוֹט אֶת־עֵינָיו וַיַּרְא אֶת־כָּל־כִּכַּר הַיַּרְדֵּן כִּי כֻלָּהּ
מַשְׁקֶה לִפְנֵי ׀ שַׁחֵת יהוה אֶת־סְדֹם וְאֶת־עֲמֹרָה
כְּגַן־יהוה כְּאֶרֶץ מִצְרַיִם בֹּאֲכָה צֹֽעַר׃ וַיִּבְחַר־לוֹ יא
לוֹט אֵת כָּל־כִּכַּר הַיַּרְדֵּן וַיִּסַּע לוֹט מִקֶּדֶם וַיִּפָּרְדוּ

רש"י אָז יֵשֵׁב בְּחָרָן", וְלֹא זָכָה בָּהּ אַבְרָם עֲדַיִן:

ח| אֲנָשִׁים אַחִים. קְרוֹבִים. וּמִדְרַשׁ אַגָּדָה, דּוֹמִין בְּקְלַסְתֵּר פָּנִים:

ט| אִם הַשְּׂמֹאל וְאֵימִנָה. בְּכָל אֲשֶׁר תֵּשֵׁב לֹא אֶתְרַחֵק מִמְּךָ וְאֶעֱמֹד לְךָ לְמָגֵן וּלְעֵזֶר. וְסוֹף דָּבָר הֻצְרַךְ לוֹ, שֶׁנֶּאֱמַר: "וַיִּשְׁמַע אַבְרָם כִּי נִשְׁבָּה אָחִיו" וְגוֹ' (להלן יד, יד): וְאֵימִנָה. אַיְמִין אֶת עַצְמִי, כְּמוֹ "וְאַשְׂמְאִילָה" – אַשְׂמְאִיל אֶת עַצְמִי. וְאִם תֹּאמַר, הָיָה לוֹ לִנְקֹד וְאַיְמִינָה, כָּךְ מָצִינוּ בְּמָקוֹם אַחֵר: "אִם אִשׁ לְהֵמִין" (שמואל ב' יד, יט) וְאֵין נָקוּד 'לְהַיְמִין':

י| כִּי כֻלָּהּ מַשְׁקֶה. אֶרֶץ נַחֲלֵי מַיִם: לִפְנֵי שַׁחֵת ה' אֶת סְדֹם וְאֶת עֲמֹרָה. הָיָה אוֹתוֹ מִישׁוֹר "כְּגַן ה'" – לְאִילָנוֹת; "כְּאֶרֶץ מִצְרַיִם" – לִזְרָעִים: בֹּאֲכָה צֹעַר. עַד צֹעַר. וּמִדְרַשׁ אַגָּדָה דּוֹרְשׁוֹ לִגְנַאי, עַל שֶׁהָיוּ שְׁטוּפֵי זִמָּה בָּחַר לוֹ לוֹט בִּשְׁכוּנָתָם. בְּמַסֶּכֶת הוֹרָיוֹת (דף י ע"ב):

יא| כִּכַּר. מִישׁוֹר, כְּתַרְגּוּמוֹ: מִקֶּדֶם. נָסַע מֵאֵצֶל אַבְרָם וְהָלַךְ לוֹ לְמַעֲרָבוֹ שֶׁל אַבְרָם, נִמְצָא נוֹסֵעַ מִמִּזְרָח לַמַּעֲרָב. וּמִדְרַשׁ אַגָּדָה, הִסִּיעַ עַצְמוֹ מִקַּדְמוֹנוֹ שֶׁל עוֹלָם, אָמַר: אִי אֶפְשִׁי לֹא בְּאַבְרָם וְלֹא בֵּאלֹהָיו:

לבין עובדי האדמה, שכן פעמים רבות עדרי הצאן של הרועים מזיקים לחקלאים המקומיים.[13] ייתכן שאברם הורה לרועיו ביתר תוקף למנוע את הפגיעה בשדותיהם של החקלאים, ולכן הם נזהרו בכך, בניגוד לרועי מקנה לוט. רועי אברם טענו כנגד רועי לוט שהרועים צריכים לנהוג ביושר ולהימנע מרעיית צאנם בשדות אחרים.[14] הכתוב מעיר בהקשר זה – **וְהַכְּנַעֲנִי וְהַפְּרִזִּי אָז יֹשֵׁב בָּאָרֶץ**. הארץ עדיין לא הייתה ברשות אברם, וכבר התיישבו בה שבטים אחרים. בתוך הקשר זה מריבה בין רועי מקנה אברם ורועי מקנה לוט הייתה מסוכנת, שכן תושבי הארץ עלולים היו לנצל את הסכסוך ולהתנפל עליהם.

ח **וַיֹּאמֶר אַבְרָם אֶל לוֹט: אַל נָא תְהִי מְרִיבָה בֵּינִי וּבֵינֶךָ וּבֵין רֹעַי וּבֵין רֹעֶיךָ, כִּי אֲנָשִׁים אַחִים אֲנָחְנוּ**. הלוא אנחנו קרובי משפחה, מדוע נריב בינינו?! הרי כאשר הרועים מתקוטטים אלו עם אלו, כל חבורת רועים מתאוננת בפני אדוניה, ולבסוף מתעוררת קטטה בין שני הראשים – אברם ולוט. ט **הֲלֹא כָל הָאָרֶץ לְפָנֶיךָ**. כיוון שאברם ולוט אינם מבקשים להתיישב, אלא הם מחפשים שטחי מרעה בלבד – כל הארץ פתוחה בפניהם, ללא הגבלה. **הִפָּרֶד נָא מֵעָלָי**, ונלך לכיוונים שונים. איננו חייבים לשבת יחדיו. **אִם הַשְּׂמֹאל – וְאֵימִנָה**, אם תבחר בצד שמאל – אני אלך אל הימין. **וְאִם** תבחר את **הַיָּמִין – וְאַשְׂמְאִילָה**.

י **וַיִּשָּׂא לוֹט אֶת עֵינָיו, וַיַּרְא אֶת כָּל כִּכַּר הַיַּרְדֵּן כִּי כֻלָּהּ מַשְׁקֶה** – כיכר הירדן היא הבקעה שבקצהו הדרומי של הירדן. זהו שטח גדול ונמוך מאוד, שהיה עשיר ביותר במים. אף בימינו עדיין נותרו בדרום ים המלח שטחים פוריים שבהם שורר אקלים כמעט טרופי. אולם כל זה היה **לִפְנֵי שַׁחֵת ה' אֶת סְדֹם וְאֶת עֲמֹרָה**, לפני שסדום ועמורה נהרסו. באותה עת היה כל אזור ים המלח בקעה גדולה רוויה במים, ובגלל צירוף החום והמים הצמחייה שגשגה שם, **כְּגַן ה', כְּאֶרֶץ מִצְרַיִם**, כארץ עשירה בצמחייה, שאינה ניזונה ממי גשמים אלא מנהרות ומחקלאות שלחין; כך נראתה הבקעה הזו עד **בֹּאֲכָה צֹעַר**, המקום שבו שכנה העיר הקטנה צוער. יא **וַיִּבְחַר לוֹ לוֹט אֵת כָּל כִּכַּר הַיַּרְדֵּן**. לוט נענה להצעתו של אברם, ובחר לעצמו שטח דשן, פורה וגדול דיו למרעה צאנו ובקרו. אברהם ולוט היו באותה עת בהרי יהודה הדרומיים, ומשם השקיפו על הנוף. **וַיִּסַּע לוֹט מִקֶּדֶם**, מהצד המזרחי

יב אִישׁ מֵעַל אָחִיו: אַבְרָם יָשַׁב בְּאֶרֶץ־כְּנָעַן וְלוֹט יָשַׁב
יג בְּעָרֵי הַכִּכָּר וַיֶּאֱהַל עַד־סְדֹם: וְאַנְשֵׁי סְדֹם רָעִים
יד וְחַטָּאִים לַיהוָה מְאֹד: וַיהוָה אָמַר אֶל־אַבְרָם אַחֲרֵי
הִפָּרֶד־לוֹט מֵעִמּוֹ שָׂא־נָא עֵינֶיךָ וּרְאֵה מִן־הַמָּקוֹם
טו אֲשֶׁר־אַתָּה שָׁם צָפֹנָה וָנֶגְבָּה וָקֵדְמָה וָיָמָּה: כִּי אֶת־
כָּל־הָאָרֶץ אֲשֶׁר־אַתָּה רֹאֶה לְךָ אֶתְּנֶנָּה וּלְזַרְעֲךָ עַד־
טז עוֹלָם: וְשַׂמְתִּי אֶת־זַרְעֲךָ כַּעֲפַר הָאָרֶץ אֲשֶׁר ׀ אִם־
יוּכַל אִישׁ לִמְנוֹת אֶת־עֲפַר הָאָרֶץ גַּם־זַרְעֲךָ יִמָּנֶה:
יז קוּם הִתְהַלֵּךְ בָּאָרֶץ לְאָרְכָּהּ וּלְרָחְבָּהּ כִּי לְךָ אֶתְּנֶנָּה:

רש"י

יב) **וַיֶּאֱהַל.** נָטָה אֹהָלִים לְרוֹעָיו וּלְמִקְנֵהוּ "עַד סְדֹם":

יג) **וְאַנְשֵׁי סְדֹם רָעִים.** וְאַף עַל פִּי כֵן לֹא נִמְנַע לוֹט מִלִּשְׁכֹּן עִמָּהֶם. וְרַבּוֹתֵינוּ לָמְדוּ מִכָּאן: "שֵׁם רְשָׁעִים יִרְקָב" (משלי י, ז): **רָעִים.** בְּגוּפָם: **וְחַטָּאִים.** בְּמָמוֹנָם: **לַה' מְאֹד.** יוֹדְעִים רִבּוֹנָם וּמִתְכַּוְּנִים לִמְרֹד בּוֹ:

יד) **אַחֲרֵי הִפָּרֶד לוֹט.** כָּל זְמַן שֶׁהָרָשָׁע עִמּוֹ הָיָה הַדִּבּוּר פּוֹרֵשׁ מִמֶּנּוּ:

טז) **אֲשֶׁר אִם יוּכַל אִישׁ.** כְּשֵׁם שֶׁאִי אֶפְשָׁר לֶעָפָר לִמָּנוֹת, כָּךְ זַרְעֲךָ לֹא יִמָּנֶה:

הרחבות

אנשי סדֹם את רשעתם של אנשי סדֹם יתאר הנביא: הִנֵּה זֶה הָיָה עֲוֹן סְדֹם אֲחוֹתֵךְ גָּאוֹן שִׂבְעַת לֶחֶם וְשַׁלְוַת הַשְׁקֵט הָיָה לָהּ וְלִבְנוֹתֶיהָ וְיַד עָנִי וְאֶבְיוֹן לֹא הֶחֱזִיקָה. וַתִּגְבְּהֶינָה וַתַּעֲשֶׂינָה תוֹעֵבָה לְפָנָי (יחזקאל טז,מט-נ). ערי הכיכר, שהיו פוריות ועשירות מאד, פיתחו רכושנות דורסנית ונטולת חמלה. זרים לא היו רצויים בסדֹם, וכנראה התקבלה בה מערכת חוקים נוקשה על מנת לשמור על רכוש תושביה. לוט לא הקפיד על טיבם של שכניו, וייתכן שהוא התקבל בסדֹם, משום שלא הגיע לשם כגר נזקק אלא כבעל רכוש אמיד. כך שרר דו-קיום שלֵו בינו ובין תושבי העיר.

'אחרי הִפָּרד לוט מעמו' קרבת המשפחה בין אברם ללוט נזכרת אף בדורות רחוקים - בזמנו של משה רבנו ואחריו, אלא שלא תמיד היחסים בין זרע אברהם לזרעו של לוט היו ידידותיים. הכתוב כאן מדגיש שהבטחת הארץ נאמרה אחרי

ביאור

של המקום שבו נמצא, הצד הפונה לכיוון ים המלח.[15] **וַיִּפָּרְדוּ אִישׁ**
מֵעַל אָחִיו. כל אחד מהם הלך בנתיב משלו. יב **אַבְרָם יָשַׁב בְּאֶרֶץ**
כְּנָעַן, וְלוֹט יָשַׁב בְּעָרֵי הַכִּכָּר, בין הערים השונות שהיו בכיכר הירדן,
וַיֶּאֱהַל עַד סְדֹם. בשלב זה לוט עדיין לא היה תושב העיר, אלא
איש-מִקנה שחי תחת חסות העיר סדֹם או סמוך לה.

כאן מעיר הכתוב על אופיים של אנשי סדֹם, שלידם בחר לוט
לגור: יג **וְאַנְשֵׁי סְדֹם רָעִים וְחַטָּאִים לַה' מְאֹד.** גנותם של אנשים
אלה הייתה מפורסמת כבר אז.

יד **וַה' אָמַר אֶל אַבְרָם אַחֲרֵי הִפָּרֶד לוֹט מֵעִמּוֹ: שָׂא נָא עֵינֶיךָ וּרְאֵה מִן**
הַמָּקוֹם אֲשֶׁר אַתָּה שָׁם, הסתכל **צָפֹנָה וָנֶגְבָּה,** לצד דרום **וָקֵדְמָה,** לצד
מזרח. ההנחה היא שהצד הקדמי של הגוף פונה למזרח, **וָיָמָּה,** לצד
מערב, לכיוון הים למי שעומד בארץ ישראל. טו **כִּי אֶת כָּל הָאָרֶץ**
אֲשֶׁר אַתָּה רֹאֶה, לְךָ אֶתְּנֶנָּה וּלְזַרְעֲךָ עַד עוֹלָם. טז **וְשַׂמְתִּי אֶת זַרְעֲךָ**
מרובה **כַּעֲפַר הָאָרֶץ, אֲשֶׁר אִם יוּכַל אִישׁ לִמְנוֹת אֶת עֲפַר הָאָרֶץ – גַּם**
זַרְעֲךָ יִמָּנֶה. זרעך ירבה עד בלי די. יז ואתה, **קוּם הִתְהַלֵּךְ בָּאָרֶץ**
לְאָרְכָּהּ וּלְרָחְבָּהּ, כִּי לְךָ אֶתְּנֶנָּה. אף על פי שבינתיים מתגוררים
בארץ זרים, ועדיין אין היא בידך, תוכל להרגיש בה נינוח כבעל בית
המסייר בנחלתו.

אברם לא נשאר בין בית אל ובין העי, ומצד שני לא המשיך לנדוד.

הרחבות

הפרידה מלוט, מפני שלוט לא זכה לרשת את הארץ. הארץ, ובתוכה כיכר הירדן שבחר לו לוט, היא נחלת עולם לאברם ולבניו.

'התהלך בארץ... כי לך אתננה' במשך הדורות היו שפירשו את הליכתו של אברם בארץ מעשה סמלי לביטוי האחיזה העתידית בארץ. היו שפירשוה אפילו מעשה משפטי של קניין. בהליכה זו ראו פרשנים את אחד הביטויים לרעיון המדרשי-היסטורי, שאותו מבליט הרמב"ן - מעשה אבות, סימן לבנים. עניינים שונים שעושים האבות, ישובו ויופיעו בקורות בניהם מאות שנים לאחר מכן. כשאברם עובר בארץ, אין הוא מבצע כל פעולת כיבוש. אולם הוא מטייל באותם נתיבים שבהם יצעדו לאחר דורות בניו ובני בניו (ראו בבא בתרא ק ע"א; בראשית רבה מח,ז; סח,י; רמב"ן בראשית יב,ו).

יח וַיֶּאֱהַל אַבְרָם וַיָּבֹא וַיֵּשֶׁב בְּאֵלֹנֵי מַמְרֵא אֲשֶׁר
בְּחֶבְרוֹן וַיִּבֶן־שָׁם מִזְבֵּחַ לַיהוָה׃
רביעי יא יד א וַיְהִי בִּימֵי אַמְרָפֶל מֶלֶךְ־שִׁנְעָר אַרְיוֹךְ מֶלֶךְ אֶלָּסָר
כְּדָרְלָעֹמֶר מֶלֶךְ עֵילָם וְתִדְעָל מֶלֶךְ גּוֹיִם׃ ב עָשׂוּ
מִלְחָמָה אֶת־בֶּרַע מֶלֶךְ סְדֹם וְאֶת־בִּרְשַׁע מֶלֶךְ
עֲמֹרָה שִׁנְאָב ׀ מֶלֶךְ אַדְמָה וְשֶׁמְאֵבֶר מֶלֶךְ צביים צְבוֹיִם
וּמֶלֶךְ בֶּלַע הִיא־צֹעַר׃ ג כָּל־אֵלֶּה חָבְרוּ אֶל־עֵמֶק

רש"י

יח| מַמְרֵא. שֵׁם אָדָם:

פרק יד

א| אַמְרָפֶל. הוּא נִמְרוֹד, שֶׁאָמַר לְאַבְרָהָם: פֹּל לְתוֹךְ כִּבְשַׁן הָאֵשׁ: מֶלֶךְ גּוֹיִם. מָקוֹם יֵשׁ שֶׁשְּׁמוֹ 'גּוֹיִם' עַל שֵׁם שֶׁנִּקְבְּצוּ שָׁמָּה מִכַּמָּה אֻמּוֹת וּמְקוֹמוֹת, וְהִמְלִיכוּ אִישׁ עֲלֵיהֶם וּשְׁמוֹ תִּדְעָל. בְּרֵאשִׁית רַבָּה (מב, ד):

ב| בֶּרַע. רַע לַשָּׁמַיִם וְרַע לַבְּרִיּוֹת: בִּרְשַׁע. שֶׁנִּתְעַלָּה בְּרֶשַׁע: שִׁנְאָב. שׂוֹנֵא אָבִיו שֶׁבַּשָּׁמַיִם: שֶׁמְאֵבֶר. שָׂם אֵבֶר לָעוּף וְלִקְפֹּץ וְלִמְרֹד בְּהַקָּדוֹשׁ בָּרוּךְ הוּא: בֶּלַע. שֵׁם הָעִיר:

ג| עֵמֶק הַשִּׂדִּים. כָּךְ שְׁמוֹ, עַל שֵׁם שֶׁהָיוּ בּוֹ שָׂדוֹת הַרְבֵּה: הוּא יָם הַמֶּלַח. לְאַחַר זְמַן נִמְשַׁךְ הַיָּם לְתוֹכוֹ וְנַעֲשָׂה יָם הַמֶּלַח.

הרחבות

כיבושם של מלכי הצפון מלכי ארצות הצפון התקיפים הללו היו בעלי ברית, שלא הסתפקו בשלטונם במקומותיהם וביקשו לשלוט גם הרחק מגבולות מדינותיהם. במשך דורות רבים – לפני דורו של אברם וגם בדורות שבאו אחריו – ניסו המלכים ששלטו בארצות הצפון להשתלט גם על ארץ כנען או ארץ ישראל. מחוז זה משך את המדינות הגדולות אשור ובבל (ולפעמים גם את ארם), כשם שהוא משך את היוונים הקדמונים, בתור 'סוריה הדרומית', וכשם שעורר גם את שאיפות הכיבוש של מלכי מצרים. קואליציית מלכי הצפון נעה מרחק רב דרומה. כנראה כבשה חלק ניכר מסוריה לפני שהגיעה לקצה הדרומי של ארץ כנען, אך מסע הכיבוש הזה אינו נזכר כלל בתורה. המקרא מתאר תמונה ההולכת ומתמקדת באיש אברם ובאשר לו, ומבחינתו של אברם – היה זה מאורע חסר ערך.

ביאור | הוא פנה דרומה, והחליט לחנות - יח **וַיֶּאֱהַל אַבְרָם, וַיָּבֹא וַיֵּשֶׁב**
בְּאֵלֹנֵי מַמְרֵא - ממרא הוא שמו של אדם, כמו שנראה להלן;[16]
אלוני ממרא הוא האזור או המישור של ממרא,[17] **אֲשֶׁר בְּחֶבְרוֹן, וַיִּבֶן**
שָׁם מִזְבֵּחַ לַה'. אברם נדד אחר מרעה לצאנו, ובתוך כך הוא עסק
בהפצת האמונה, בבניית מזבחות ובקריאה בשם ה'.

אברם ומלחמת המלכים

פרק יד

סיפור המלחמה הגדולה המתרחשת באזור ים המלח, חושף פנים נוספות בדמותו של אברהם אבינו. עד כה הופיע אברם כרועה צאן שקט הנודד ומורה לרבים. כאן מתגלים פניו כמנהיג ומצביא היודע לערוך מלחמה. אברם נלחם כנגד מלכים גדולים שלא מתוך אינטרס פוליטי אלא בשל קשר הדם ובשל אחריותו כלפי לוט בן אחיו.

פרק יד א **וַיְהִי בִּימֵי אַמְרָפֶל מֶלֶךְ שִׁנְעָר**, מלכות גדולה באזור בבל,[18]
אַרְיוֹךְ מֶלֶךְ אֶלָּסָר, נראה שזהו אזור הנמצא מצפון-מזרח לבבל,
כְּדָרְלָעֹמֶר מֶלֶךְ עֵילָם, אף היא מצפון-מזרח לבבל. עילם הייתה
אימפריה עצמאית ובעלת שפה משלה, אך במהלך ההיסטוריה
נבלעה בממלכה הפרסית.[19] **וְתִדְעָל מֶלֶךְ גּוֹיִם**. ייתכן שמלך על עמים
שונים שהתאגדו, תופעה שהייתה קיימת כבר בימי קדם. ב המלכים
הללו **עָשׂוּ מִלְחָמָה אֶת**, עם **בֶּרַע מֶלֶךְ סְדֹם וְאֶת בִּרְשַׁע מֶלֶךְ עֲמֹרָה**,
שִׁנְאָב מֶלֶךְ אַדְמָה וְשֶׁמְאֵבֶר מֶלֶךְ צְבוֹיִים וּמֶלֶךְ העיר **בֶּלַע, הִיא** העיר
שנקראה אחר כך **צֹעַר**. לפי מה שיתברר להלן,[20] סדֹם, עמֹרה, אדמה
וצבויים היו ערים חשובות, ואילו צוער הייתה יישוב קטן, נספח. כל
הערים הללו שכנו בבקעת הירדן סביב ים המלח של ימינו. אמנם
אין להשוות בין מלכי הצפון הגדולים, שכללו את המעצמות עילם

העולם |

אֵלֹנֵי מַמְרֵא מזוהה עם רמת אל-חליל כ-3.5 ק"מ מצפון לחברון.

שִׁנְעָר השם הקדום של אזור ממלכת בבל, וכן הוא בתעודות מצריות וחתיות. בבקעת שנער התיישבו בני האדם לאחר המבול (לעיל יא,ב). היו שזיהו אותה עם בקעת סנג'ר בצפון בבל, כ-100 ק"מ ממערב לנינוה.

אֶלָּסָר יש המזהים אותה עם העיר החשובה לרסה (תל סנקרה) בדרום בבל, ויש המזהים אותה עם תל אשור. לפי תרגום יונתן היא פונטוס שבצפון אסיה הקטנה לחופי הים השחור.

ד הַשִּׂדִּים הוּא יָם הַמֶּלַח׃ שְׁתֵּים עֶשְׂרֵה שָׁנָה עָבְדוּ
ה אֶת־כְּדָרְלָעֹמֶר וּשְׁלֹשׁ־עֶשְׂרֵה שָׁנָה מָרָדוּ׃ וּבְאַרְבַּע
עֶשְׂרֵה שָׁנָה בָּא כְדָרְלָעֹמֶר וְהַמְּלָכִים אֲשֶׁר אִתּוֹ וַיַּכּוּ
אֶת־רְפָאִים בְּעַשְׁתְּרֹת קַרְנַיִם וְאֶת־הַזּוּזִים בְּהָם וְאֵת
ו הָאֵימִים בְּשָׁוֵה קִרְיָתָיִם׃ וְאֶת־הַחֹרִי בְּהַרְרָם שֵׂעִיר
ז עַד אֵיל פָּארָן אֲשֶׁר עַל־הַמִּדְבָּר׃ וַיָּשֻׁבוּ וַיָּבֹאוּ אֶל־

וּמִדְרַשׁ אַגָּדָה אוֹמֵר, שֶׁנִּתְבַּקְּעוּ הַצּוּרִים סְבִיבוֹתָיו וְנִמְשְׁכוּ יְאוֹרִים לְתוֹכוֹ:

ד) **שְׁתֵּים עֶשְׂרֵה שָׁנָה עָבְדוּ.** חֲמִשָּׁה מְלָכִים הַלָּלוּ "אֶת כְּדָרְלָעֹמֶר":

ה) **וּבְאַרְבַּע עֶשְׂרֵה שָׁנָה.** לְמִרְדָּן: **בָּא כְדָרְלָעֹמֶר.** לְפִי שֶׁהוּא הָיָה בַּעַל הַמַּעֲשֶׂה נִכְנַס בְּעָבִי הַקּוֹרָה: **וְהַמְּלָכִים אֲשֶׁר אִתּוֹ.** אֵלֶּה שְׁלֹשָׁה מְלָכִים: **זוּזִים.** הֵם זַמְזֻמִּים (דברים ב, כ):

ו) **בְּהַרְרָם.** בְּהַר שֶׁלָּהֶם: **אֵיל פָּארָן.** כְּתַרְגּוּמוֹ: "מֵישַׁר". וְאוֹמֵר אֲנִי שֶׁאֵין 'אֵיל' לְשׁוֹן מִישׁוֹר, אֶלָּא מִישׁוֹר שֶׁל פָּארָן 'אֵיל' שְׁמוֹ, וְשֶׁל מַמְרֵא 'אֵלוֹנֵי' שְׁמוֹ, וְשֶׁל יַרְדֵּן 'כִּכָּר' שְׁמוֹ, וְשֶׁל שִׁטִּים 'אָבֵל' שְׁמוֹ, "אָבֵל הַשִּׁטִּים" (במדבר לג, מט), וְכֵן "בַּעַל גָּד" (יהושע

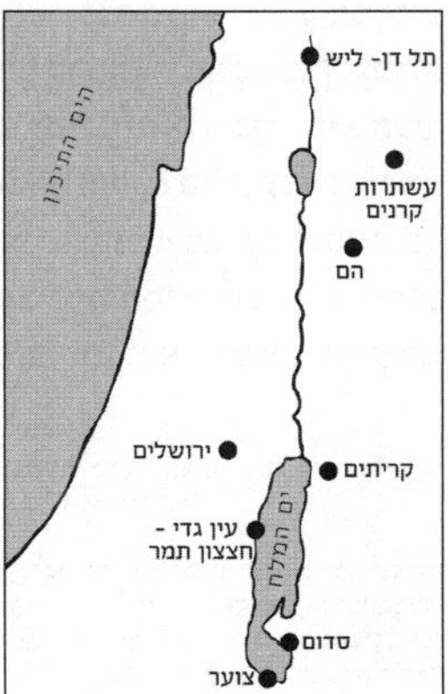

אתרים הקשורים
למלחמת המלכים

ביאור | ושנער, לבין המלכים הקטנים הללו; ובכל זאת, הם ירדו להילחם במלכי הערים המקומיות. המניע למלחמה יוסבר מיד. ג **כָּל אֵלֶּה**, מלכי סדֹם, עמֹרה, אדמה, צבויים ובלע **חָבְרוּ אֶל עֵמֶק הַשִּׂדִּים** – צורת ריבוי נוספת של 'שדה', **הוּא** מקום[21] **יָם הַמֶּלַח**. ים המלח המוכר לנו לא היה קיים אז כפי שהוא. ייתכן שהיה אז אגם קטן של מים מלוחים. בהמשך יבואר כיצד הפך מאורע קטסטרופלי את עמק השידים המושקה והפורח למקום שרובו שמם. ד **שְׁתֵּים עֶשְׂרֵה שָׁנָה עָבְדוּ אֶת כְּדָרְלָעֹמֶר**, מסתבר שהוא היה האיש החזק ביותר בקואליציה של מלכי הצפון, **וּשְׁלֹשׁ עֶשְׂרֵה שָׁנָה מָרָדוּ**, ייתכן שבשנה השלוש-עשרה התנערו משעבודם זה.[22] אפשר לשער, שקודם שהגיע אברם לארץ כנען, כבר נכבשו האזורים הללו על ידי מלכי הצפון.

ה **וּבְאַרְבַּע עֶשְׂרֵה שָׁנָה**, בשנה הארבע-עשרה **בָּא כְדָרְלָעֹמֶר וְהַמְּלָכִים אֲשֶׁר אִתּוֹ**, כדי לדכא את המרידות הללו. נראה כי בכל האזור התקוממו כנגד השליטים הזרים, שלשונם ותרבותם זרות, ואשר באו מרחוק מתוך שאיפות אימפריאליסטיות. **וַיַּכּוּ** כדרלעומר וחבריו באמצעות צבאותיהם **אֶת רְפָאִים**, שרידי הענקים **בְּעַשְׁתְּרֹת קַרְנַיִם** שבצפון עבר הירדן **וְאֶת הַזּוּזִים**, שֵׁם אחר לרפאים[23] **בְּהָם** מקום ושמו **הָם וְאֵת הָאֵימִים**, גם הוא שם של הרפאים,[24] **בְּשָׁוֵה**, מישור העיר **קִרְיָתָיִם**. מלכי הצפון נעו ממקום למקום, ערכו קרבות נגד השליטים המקומיים וניצחו אותם בזה אחר זה. ו **וְאֶת הַחֹרִי**, עם חשוב מיושבי הארץ הקדומים, שאחד משבטיהם התגורר **בְּהַרְרָם**, בהר שלהם, שהוא הר **שֵׂעִיר**, ארץ אדום.[25] מאוחר יותר כבשו עשו ומשפחתו את האזור מידם והתבוללו בהם. נראה שנתיב ההתקדמות של המלכים הללו היה מצפון לדרום דרך עבר הירדן המזרחי. הם ניצחו והביסו את כל המלכים והשבטים שם **עַד אֵיל פָּארָן אֲשֶׁר**

העולם |

עַשְׁתְּרֹת קַרְנַיִם מזוהה עם תל עשתרה שבסוריה, עיר הבירה של מחוז קרניים, הוא הבשן. בה חי עוג מלך הבשן (דברים א,ד), ובה ישב חצי שבט המנשה (יהושע יג,ב).

הָם הכפר תל האם, 5.5 ק"מ מדרום-מערב לארביד בירדן.

שָׁוֵה קִרְיָתָיִם מישור העיר קריתיים שבמואב, הנזכרת בבמדבר (לב,לז) וביהושע (יג,יט) בנחלת ראובן. מופיעה גם במצבת מישע מהמאה ה-9 לפנה"ס. יש המשערים שהיא ח'רבת אל-קריה ממערב לעיר מידבא; יש הטוענים שהיא ח'רבת אל-קרית שמדרום-מערב למידבא, ויש הקובעים שהיא ג'לול במישור שבמזרחה.

עֵין מִשְׁפָּט הִוא קָדֵשׁ וַיַּכּוּ אֶת־כָּל־שְׂדֵה הָעֲמָלֵקִי
וְגַם אֶת־הָאֱמֹרִי הַיֹּשֵׁב בְּחַצְצֹן תָּמָר׃ וַיֵּצֵא מֶלֶךְ־ ח
צְבוֹיִם סְדֹם וּמֶלֶךְ עֲמֹרָה וּמֶלֶךְ אַדְמָה וּמֶלֶךְ צביים וּמֶלֶךְ
בֶּלַע הִוא־צֹעַר וַיַּעַרְכוּ אִתָּם מִלְחָמָה בְּעֵמֶק
הַשִּׂדִּים׃ אֵת כְּדָרְלָעֹמֶר מֶלֶךְ עֵילָם וְתִדְעָל מֶלֶךְ ט
גּוֹיִם וְאַמְרָפֶל מֶלֶךְ שִׁנְעָר וְאַרְיוֹךְ מֶלֶךְ אֶלָּסָר
אַרְבָּעָה מְלָכִים אֶת־הַחֲמִשָּׁה׃ וְעֵמֶק הַשִּׂדִּים בֶּאֱרֹת י
בֶּאֱרֹת חֵמָר וַיָּנֻסוּ מֶלֶךְ־סְדֹם וַעֲמֹרָה וַיִּפְּלוּ־שָׁמָּה
וְהַנִּשְׁאָרִים הֶרָה נָּסוּ׃ וַיִּקְחוּ אֶת־כָּל־רְכֻשׁ סְדֹם יא

רש"י

יח, יז) 'בַּעַל' שְׁמוֹ, וְכֻלָּם מְתַרְגְּמִין "מֵישַׁר" וְכָל אֶחָד שְׁמוֹ עָלָיו: עַל הַמִּדְבָּר. אֵצֶל הַמִּדְבָּר, כְּמוֹ: "וְעָלָיו מַטֵּה מְנַשֶּׁה" (במדבר ב, כ):

ז| **עֵין מִשְׁפָּט הִוא קָדֵשׁ.** עַל שֵׁם הֶעָתִיד, שֶׁעֲתִידִים מֹשֶׁה וְאַהֲרֹן לְהִשָּׁפֵט שָׁם עַל עִסְקֵי אוֹתוֹ הָעַיִן, וְהֵם מֵי מְרִיבָה. וְאוּנְקְלוֹס תִּרְגְּמוֹ כִּפְשׁוּטוֹ, מָקוֹם שֶׁהָיוּ בְּנֵי הַמְּדִינָה מִתְקַבְּצִים שָׁם לְכָל מִשְׁפָּט: **שְׂדֵה הָעֲמָלֵקִי.** עֲדַיִן לֹא נוֹלַד עֲמָלֵק, וְנִקְרָא עַל שֵׁם הֶעָתִיד: **בְּחַצְצֹן תָּמָר.** הוּא עֵין גֶּדִי, מִקְרָא מָלֵא בְּדִבְרֵי הַיָּמִים (ב׳ כ, ב) בִּיהוֹשָׁפָט:

ט| **אַרְבָּעָה מְלָכִים אֶת הַחֲמִשָּׁה.** וְאַף עַל פִּי כֵן נִצְּחוּ הַמּוּעָטִים, לְהוֹדִיעֲךָ שֶׁגִּבּוֹרִים הָיוּ, וְאַף עַל פִּי כֵן לֹא נִמְנַע אַבְרָהָם מִלִּרְדֹּף אַחֲרֵיהֶם:

י| **בֶּאֱרֹת בֶּאֱרֹת חֵמָר.** בֶּאֱרוֹת הַרְבֵּה הָיוּ שָׁם שֶׁנּוֹטְלִין מִשָּׁם אֲדָמָה לְטִיט שֶׁל בִּנְיָן. וּמִדְרַשׁ אַגָּדָה, שֶׁהָיָה הַטִּיט בָּהֶם, וְנַעֲשָׂה נֵס לְמֶלֶךְ סְדוֹם שֶׁיָּצָא מִשָּׁם, לְפִי שֶׁהָיוּ בָּאֻמּוֹת מִקְצָתָן שֶׁלֹּא הָיוּ מַאֲמִינִין שֶׁנִּצַּל אַבְרָהָם מֵאוּר כַּשְׂדִּים מִכִּבְשַׁן הָאֵשׁ, וְכֵיוָן שֶׁיָּצָא זֶה מִן הַחֵמָר הֶאֱמִינוּ בְּאַבְרָהָם לְמַפְרֵעַ: **הֶרָה נָּסוּ.** לָהַר נָסוּ. 'הֶרָה' כְּמוֹ 'לָהַר', כָּל תֵּבָה שֶׁצְּרִיכָה לָמֶ"ד בִּתְחִלָּתָהּ הִטִּיל לָהּ הֵ"א בְּסוֹפָהּ. וְיֵשׁ חִלּוּק בֵּין 'הֶרָה' לְ'הָהָרָה', שֶׁהֵ"א שֶׁבְּסוֹף הַתֵּבָה עוֹמֶדֶת בִּמְקוֹם לָמֶ"ד שֶׁבְּרֹאשָׁהּ, אֲבָל אֵינָהּ עוֹמֶדֶת בִּמְקוֹם לָמֶ"ד וּנְקוּדָה פַּתָּח תַּחְתֶּיהָ, וַהֲרֵי 'הֶרָה' כְּמוֹ 'לְהַר'

הרחבות

קָדֵשׁ (קדש-ברנע) עיר בגבולה הדרומי של הארץ (להלן טז,יד; כ,א; במדבר ל,ד), המזוהה עם נווה המדבר עין קודיראת, שהיה צומת דרכים חשוב כ-25 ק"מ מדרום לניצנה שבנגב. בסביבתו קבוצת מעיינות שאחד מהם נקרא עין אל-קדיס.

חַצְצֹן תָּמָר על פי דברי הימים (ב' כ,ב) היא עין גדי, המזוהה עם תל גורן מצפון לנחל ערוגות. היו שטענו שתמר היא שם מחוז (מזר) וגם שם עיר גבול דרומית מהערים שבנה שלמה המלך (מלכים א' ט,יח. ראו גם יחזקאל מז,יט), המזוהה

ביאור | **עַל הַמִּדְבָּר**, עד קצה מדבר סיני. ז **וַיָּשֻׁבוּ וַיָּבֹאוּ אֶל עֵין מִשְׁפָּט, הִוא קָדֵשׁ**, שני אלה הם שמותיו של אותו מקום. ייתכן שהוא זהה לקדש ברנע, קדש הדרומית (שכן היו גם קדש בצפון)[26]. לאחר שהכו את כל עבר הירדן, שבו צפונה, **וַיַּכּוּ אֶת כָּל שְׂדֵה הָעֲמָלֵקִי**, אזור בשדה אדום. עמלק עדיין לא נולד, אך המקום נקרא על שם העתיד, כמקום שבו יגורו לאחר זמן צאצאיו. **וְגַם אֶת הָאֱמֹרִי הַיֹּשֵׁב בְּחַצְצֹן תָּמָר**, היא עין גדי.[27] מלכי הצפון עברו ממקום למקום והכו כל עם או שבט שהתנגד להם. ללא ספק ניסיונם הרב ועצמתם הצבאית הקנו להם יתרון גדול מול המלכים הקטנים הללו.

ח **וַיֵּצֵא מֶלֶךְ סְדֹם וּמֶלֶךְ עֲמֹרָה וּמֶלֶךְ אַדְמָה וּמֶלֶךְ צְבוֹיִם וּמֶלֶךְ בֶּלַע הִוא צֹעַר, וַיַּעַרְכוּ אִתָּם**, עם מלכי הצפון **מִלְחָמָה בְּעֵמֶק הַשִּׂדִּים**, שהיה שטח מישורי הראוי לכך. ט **אֵת**, עם **כְּדָרְלָעֹמֶר מֶלֶךְ עֵילָם וְתִדְעָל מֶלֶךְ גּוֹיִם וְאַמְרָפֶל מֶלֶךְ שִׁנְעָר וְאַרְיוֹךְ מֶלֶךְ אֶלָּסָר – אַרְבָּעָה מְלָכִים אֶת הַחֲמִשָּׁה**. אמנם היו אלה ארבעה מלכים כנגד חמישה, אך יחסי הכוחות היו הפוכים בתכלית: חמישה מלכי ערים קטנות מול נציגיהן של ארבע מעצמות. אולם ראוי לציין כי כדרכם של מלכים גדולים בעבר, לא המלך עצמו נלחם, אלא נשלח חיל חלוץ כדי לדכא את המרד. י **וְעֵמֶק הַשִּׂדִּים** אף על פי שהיה שטח פורה, היו בו **בֶּאֱרֹת בֶּאֱרֹת חֵמָר**. ייתכן שזהו חֵמר אספלטי. **וַיָּנֻסוּ מֶלֶךְ סְדֹם וַעֲמֹרָה וַיִּפְּלוּ שָׁמָּה**, בבורות. דווקא הנפילה לבורות היא שהצילה אותם, שכן כיוון שנפלו, המלכים הגדולים מן הצפון לא הקדישו זמן לרדוף אחריהם. הרי לא יצאו למסע כיבוש אלא למסע עונשין לשם דיכוי המרידה. על כן לאחר שנשבר כוח אויביהם, הם פנו הלאה. **וְהַנִּשְׁאָרִים**, אלה שלא נפלו לבורות **הֶרָה נָּסוּ**, ברחו להרים.

יא **וַיִּקְחוּ**, ארבעת מלכי הצפון **אֶת כָּל רְכֻשׁ סְדֹם וַעֲמֹרָה**, אדמה, צבויים וצוער, כמובן. הם עברו בערים אלו, ללא שום התנגדות

העולם | עם עין חצבה המצויה בערבה כ–30 ק"מ מדרום לים המלח.

בֶּאֱרֹת חֵמָר ממרבצי האספלט המצויים תחת קרקעית ים המלח, בעיקר בדרומו, נפלטים גושי אספלט הצפים על פני הים. את גושי האספלט הללו היו אוספים ומפיקים מהם זפת. אלו הם ככל הנראה בארות החמר. התהליך מתואר גם בדבריהם של היסטוריונים מהמאות הראשונות לסה"נ (סטארבון, יוספוס, טקיטוס, דיוסקורידס).

וַעֲמֹרָה וְאֶת־כׇּל־אׇכְלָם וַיֵּלֵכוּ: וַיִּקְחוּ אֶת־לוֹט וְאֶת־ יב
רְכֻשׁוֹ בֶּן־אֲחִי אַבְרָם וַיֵּלֵכוּ וְהוּא יֹשֵׁב בִּסְדֹם: וַיָּבֹא יג
הַפָּלִיט וַיַּגֵּד לְאַבְרָם הָעִבְרִי וְהוּא שֹׁכֵן בְּאֵלֹנֵי מַמְרֵא
הָאֱמֹרִי אֲחִי אֶשְׁכֹּל וַאֲחִי עָנֵר וְהֵם בַּעֲלֵי בְרִית־
אַבְרָם: וַיִּשְׁמַע אַבְרָם כִּי נִשְׁבָּה אָחִיו וַיָּרֶק אֶת־ יד
חֲנִיכָיו יְלִידֵי בֵיתוֹ שְׁמֹנָה עָשָׂר וּשְׁלֹשׁ מֵאוֹת וַיִּרְדֹּף

רש"י

אוֹ כְּמוֹ 'אֶל הַר' וְאֵינוֹ מְפָרֵשׁ לְאֵיזֶה הַר, אֶלָּא כַּאֲשֶׁר מָצָא תְּחִלָּה, וּכְשֶׁהוּא נוֹתֵן הֵ"א בְּרֹאשָׁהּ לִכְתֹּב 'הָהָרָה', 'הַמִּדְבָּרָה', פִּתְרוֹנוֹ כְּמוֹ 'אֶל הָהָר' אוֹ כְּמוֹ 'לָהָר', וּמַשְׁמַע לְאוֹתוֹ הָר הַיָּדוּעַ וּמְפֹרָשׁ בַּפָּרָשָׁה:

יב) **וְהוּא יֹשֵׁב בִּסְדֹם.** מִי גָּרַם לוֹ זֹאת? יְשִׁיבָתוֹ בִּסְדוֹם:

יג) **וַיָּבֹא הַפָּלִיט.** זֶה עוֹג שֶׁפָּלַט מִן הַמִּלְחָמָה, וְזֶהוּ: "נִשְׁאַר מִיֶּתֶר הָרְפָאִים" (דברים ג, יא) – 'נִשְׁאַר' שֶׁלֹּא הֲרָגוּהוּ אַמְרָפֶל וַחֲבֵרָיו כְּשֶׁהִכּוּ הָרְפָאִים בְּעַשְׁתְּרֹת קַרְנַיִם. תַּנְחוּמָא (חקת כה). וּבְרֵאשִׁית רַבָּה: זֶה עוֹג שֶׁפָּלַט מִדּוֹר הַמַּבּוּל, וְזֶהוּ "מִיֶּתֶר הָרְפָאִים", שֶׁנֶּאֱמַר: "הַנְּפִלִים הָיוּ בָאָרֶץ" וְגוֹ' (לעיל ו, ד), וּמִתְכַּוֵּן שֶׁיֵּהָרֵג אַבְרָם וְיִשָּׂא אֶת שָׂרָה: **הָעִבְרִי.** שֶׁבָּא מֵעֵבֶר הַנָּהָר: **בַּעֲלֵי בְרִית אַבְרָם.** שֶׁכָּרְתוּ עִמּוֹ בְּרִית:

יד) **וַיָּרֶק.** כְּתַרְגּוּמוֹ: "וְזָרֵיז", וְכֵן: "וַהֲרִיקֹתִי אַחֲרֵיכֶם חָרֶב" (ויקרא כו, לג), אֶזְדַּיֵּן בְּחַרְבִּי עֲלֵיכֶם, וְכֵן: "אָרִיק חַרְבִּי" (שמות טו, ט), וְכֵן: "וְהָרֵק חֲנִית וּסְגֹר" (תהלים לה, ג). **חֲנִיכָיו.** שֶׁחִנְּכוֹ לְמִצְוֹת, וְהוּא לְשׁוֹן הַתְחָלַת כְּנִיסַת הָאָדָם אוֹ כְּלִי לָאֻמָּנוּת שֶׁהוּא עָתִיד לַעֲמֹד בָּהּ. וְכֵן: "חֲנֹךְ לַנַּעַר" (משלי כב, ו), "חֲנֻכַּת הַמִּזְבֵּחַ" (במדבר ז, י), "חֲנֻכַּת הַבַּיִת" (תהלים ל, א), וּבְלַעַז קוֹרִין לוֹ אנציני"ר: **שְׁמֹנָה עָשָׂר וְגוֹ'.** רַבּוֹתֵינוּ אָמְרוּ: אֱלִיעֶזֶר לְבַדּוֹ הָיָה, וְהוּא מִנְיַן גִּימַטְרִיָּא שֶׁל שְׁמוֹ: **עַד דָּן.** שָׁם תָּשַׁשׁ כֹּחוֹ, שֶׁרָאָה שֶׁעֲתִידִים בָּנָיו לְהַעֲמִיד שָׁם עֵגֶל:

הרחבות

'אברם העברי' שתי משמעויות לכינויו זה של אברם: א. מבניו של עבר, מצאצאי שם. ב. מי שהגיע מעבר הנהר. השליטים בארצות הצפון הגדולות הבחינו באופן חד בין ארצותיהם, ששכנו בצד המזרחי של נהר הפרת (מסופוטמיה, אשור, פרס), לבין צדו המערבי של הפרת. אזור זה, 'הסהר הפורה', נקרא 'עבר הנהר'. (כך כונה גם אלף שנה מאוחר יותר – ראו יהושע כד,ב; מלכים א' ה,ד; עזרא ד,טז; ח,לו). אף שמקורו הראשון של אברם היה אור כשדים, בחלקו המזרחי של הפרת,

ביאור

ובזזו את הרכוש **וְאֶת כָּל אָכְלָם**, משום שצבאם זקוק היה גם לאוכל,
וַיֵּלֵכוּ, פנו צפונה כדי לשוב למקומות המוצא שלהם. יב **וַיִּקְחוּ אֶת**
לוֹט וְאֶת רְכֻשׁוֹ, שהוא היה **בֶּן אֲחִי אַבְרָם**, **וַיֵּלֵכוּ**. **וְהוּא יֹשֵׁב בִּסְדֹם**.
כמי שאינו חלק מתושבי הערים הללו מימים ימימה, נראה שלוט
לא רצה להיכנס למלחמה. הוא לא גילה עניין גם כשמלכי עילם
ושנער נלחמו במלך סדֹם, הקרוב אליו. אף על פי שגם לוט היה
נווד שהגיע מן הצפון, לא דקדקו בכך אנשי צבאות כדרלעומר
ואמרפל. כיוון שלוט ישב במקום המרידה, וכיוון שהיה לו רכוש
– הם שבו אותו ובזזו את רכושו. יג **וַיָּבֹא הַפָּלִיט**, אחד מפליטי
המלחמה שזהותו אינה ידועה.[28] **וַיַּגֵּד לְאַבְרָם הָעִבְרִי**. **וְהוּא שֹׁכֵן**
בְּאֵלֹנֵי מַמְרֵא הָאֱמֹרִי שהיה **אֲחִי אֶשְׁכֹּל וַאֲחִי עָנֵר**, **וְהֵם בַּעֲלֵי בְרִית**
אַבְרָם. אברם בנה יחסי קרבה עם שכניו, ממרא ואנשיו, שהיו
שליטי חברון או שליטי אלוני ממרא שליד חברון, ואף היה ביניהם
הסכם של ערבות הדדית. תמיכתם של בעלי בריתו של אברם
חיזקה כנראה את רוחו. יד **וַיִּשְׁמַע אַבְרָם כִּי נִשְׁבָּה אָחִיו**. לאמתו
של דבר המלחמה כולה לא הייתה מעניינו של אברם, אך לקיחת
לוט בשבי הניעה אותו לפעולה – **וַיָּרֶק**, הוציא, רוקן, כלומר הורה
לצאת ממקומותיהם **אֶת חֲנִיכָיו**, שלפחות חלקם **יְלִידֵי בֵיתוֹ**, נולדו
וגדלו במחנה שלו,[29] ובסך הכול **שְׁמֹנָה עָשָׂר וּשְׁלֹשׁ מֵאוֹת**. אברם
הצליח, ללא מאמץ גדול ובאופן מידי, לגייס כמה מאות חיילים. יש
להניח אפוא שמחנה אברם לא היה משפחה אחת ונלווים מועטים
שהצטרפו אליה; אברם היה מנהיג של שבט גדול, שכן עלה בידו
לגייס צבא – אמנם קטן, אבל משמעותי. לאחר שמחנה המלכים
סיים מלאכתו בסדֹם ועמֹרה, הוא הזדרז לשוב צפונה, לארצותיו.
וַיִּרְדֹּף אברם אחריו **עַד דָּן** שבצפון כנען. אף שם זה יינתן למקום
רק לאחר דורות רבים.[30]

המלכים ששבו ממסע הניצחון, לאחר שדיכאו את כל המורדים

הרחבות

משפחתו הייתה כבר זמן ניכר בחרן שבעבר הנהר. לכן נחשב כעברי (ראו בראשית רבה מב,ח).

נראה שאברם נזכר כאן כעברי, משום שכך הפליט פנה אליו. אמנם אברם לא השתתף בפועל במלחמה ולא נפגע ממנה. ובכל זאת, מוזכר כאן שהוא עברי, מהעבר השני של אזור שלטון המלכים, בצדו השני של המתרס. הפליט פונה אפוא אל אברם כמי שיש לו עמדה בסכסוך הפוליטי העולמי, והוא אמור להתנגד למלכי הצפון.

עַד־דָּן׃ וַיֵּחָלֵק עֲלֵיהֶם ׀ לַיְלָה הוּא וַעֲבָדָיו וַיַּכֵּם טו
וַיִּרְדְּפֵם עַד־חוֹבָה אֲשֶׁר מִשְּׂמֹאל לְדַמָּשֶׂק׃ וַיָּשֶׁב טז
אֵת כָּל־הָרְכֻשׁ וְגַם אֶת־לוֹט אָחִיו וּרְכֻשׁוֹ הֵשִׁיב וְגַם
אֶת־הַנָּשִׁים וְאֶת־הָעָם׃ וַיֵּצֵא מֶלֶךְ־סְדֹם לִקְרָאתוֹ יז
אַחֲרֵי שׁוּבוֹ מֵהַכּוֹת אֶת־כְּדָרְלָעֹמֶר וְאֶת־הַמְּלָכִים
אֲשֶׁר אִתּוֹ אֶל־עֵמֶק שָׁוֵה הוּא עֵמֶק הַמֶּלֶךְ׃ וּמַלְכִּי־ יח
צֶדֶק מֶלֶךְ שָׁלֵם הוֹצִיא לֶחֶם וָיָיִן וְהוּא כֹהֵן לְאֵל

רש״י

טו| **וַיֵּחָלֵק עֲלֵיהֶם.** לְפִי פְּשׁוּטוֹ סָרֵס הַמִּקְרָא: 'וַיֵּחָלֵק הוּא וַעֲבָדָיו עֲלֵיהֶם לַיְלָה' כְּדֶרֶךְ הָרוֹדְפִים שֶׁמִּתְפַּלְּגִים אַחַר הַנִּרְדָּפִים כְּשֶׁבּוֹרְחִים זֶה לְכָאן וְזֶה לְכָאן: **לַיְלָה.** כְּלוֹמַר, אַחַר שֶׁחָשְׁכָה לֹא נִמְנַע מִלְּרָדְפָם. וּמִדְרַשׁ אַגָּדָה, שֶׁנֶּחֱלַק הַלַּיְלָה, וּבַחֲצוֹת רִאשׁוֹן שֶׁלּוֹ נַעֲשָׂה לוֹ הַנֵּס, וְחֶצְיוֹ הַשֵּׁנִי נִשְׁמַר וּבָא לַחֲצוֹת לַיְלָה שֶׁל מִצְרַיִם: **עַד חוֹבָה.** אֵין מָקוֹם שֶׁשְּׁמוֹ 'חוֹבָה', וְדָן קוֹרֵא 'חוֹבָה' עַל שֵׁם עֲבוֹדָה זָרָה שֶׁעֲתִידָה לִהְיוֹת שָׁם:

יז| **עֵמֶק שָׁוֵה.** כָּךְ שְׁמוֹ, כְּתַרְגּוּמוֹ: "לְמֵישַׁר מְפַנָּא", פָּנוּי מֵאִילָנוֹת וּמִכָּל מִכְשׁוֹל: **עֵמֶק הַמֶּלֶךְ.** "בֵּית רֵיסָא דְּמַלְכָּא" (אונקלוס), בֵּית רִיס אֶחָד, שֶׁהוּא שְׁלֹשִׁים קָנִים, שֶׁהָיָה מְיֻחָד לַמֶּלֶךְ לְשַׂחֵק שָׁם. וּמִדְרַשׁ אַגָּדָה, עֵמֶק שֶׁהֻשְׁווּ שָׁם כָּל הָאֻמּוֹת וְהִמְלִיכוּ אֶת אַבְרָהָם עֲלֵיהֶם לִנְשִׂיא אֱלֹהִים וּלְקָצִין:

יח| **וּמַלְכִּי צֶדֶק.** מִדְרַשׁ אַגָּדָה, הוּא שֵׁם בֶּן נֹחַ: **לֶחֶם וָיָיִן.** כָּךְ עוֹשִׂים לִיגִיעֵי מִלְחָמָה, וְהֶרְאָה לוֹ שֶׁאֵין בְּלִבּוֹ עָלָיו עַל שֶׁהָרַג אֶת בָּנָיו. וּמִדְרַשׁ אַגָּדָה, רָמַז לוֹ עַל הַמְּנָחוֹת וְעַל הַנְּסָכִים שֶׁיַּקְרִיבוּ שָׁם בָּנָיו:

הרחבות

'וַיֵּחָלֵק עליהם לילה הוא ועבדיו ויכם' סיפורים דומים אירעו גם לאחר דורות רבים: השופט גדעון ועמו קבוצת לוחמים קטנה ומכוונת מטרה, התנפל בהפתעה על מחנה גדול של מדיינים, שלא היו מוכנים למלחמה, והצליח לחסלו (שופטים ז); יונתן בן שאול ונושא כליו הצליחו לבדם להמם את מחנה הפלשתים העצום ולעורר בו מהומה רבתי ומנוסה (שמואל א' יד).

'משמאל לדמשק' שמות רוחות השמים במקרא נובעים מאוריינטציה של מי שעומד ופניו למזרח. המזרח שלפניו קרוי, משום כך, 'קדם', כלומר קדימה; אף משמעה המילולי של 'אוריינטציה' הוא פנייה אל המזרח, שכן כנראה המזרח שימש כנקודת התייחסות למדידה. אף הצד העליון של מפות עתיקות רבות פונה למזרח. המערב, המכוּנֶה לעתים 'ים', קרוי גם 'אחור', והים התיכון קרוי 'הים האחרון', כלומר האחורי; הדרום קרוי 'תימן', שכן הוא לימינו; וכיוון שכך, הצפון מכונה 'שמאל', כפי שמופיע בפסוק זה ועוד (ראו יחזקאל טז,מו). עד היום נקרא הצפון בערבית 'שִׁמָאל'.

ביאור

וגברו עליהם, חנו בסביבות דן. אזור זה משופע במים, ועל כן מתאים
לחנייה במסע השיבה. נראה כי המלכים היו מרוצים מהצלחתם
וישבו שאננים במחנה שלהם. טו **וַיֵּחָלֵק** את אנשיו[31] **עֲלֵיהֶם לַיְלָה
הוּא וַעֲבָדָיו, וַיַּכֵּם**. במצב זה לא העלו המלכים על הדעת כי יותקפו.
אף על פי שהיה זה מחנה גדול, הוא לא היה מבוצר ומאורגן להגן
על עצמו. עצמת ההפתעה הביאה למנוסת המלכים, שלא ידעו מי
מתקיף אותם, ומה גודל מחנה התוקפים. אכן, תקיפתו הלילית של
אברם לא הייתה צפויה כלל. הרי לאמתו של דבר, לולא נשבה לוט,
אברם לא היה מתערב כלל בעניין זה.[32] **וַיִּרְדְּפֵם עַד חוֹבָה**, מיקומה
של חובה איננו ידוע. הפרט היחיד שהמקרא מספר הוא **אֲשֶׁר
מִשְּׂמֹאל**, מצפון **לְדַמָּשֶׂק**. טז **וַיָּשֶׁב אֵת כָּל הָרְכֻשׁ**, הרכוש שנלקח
בשבי היה מזומן בידו להשיבו, כי הבורחים הנסים על נפשם אינם
לוקחים אותו עמם. **וְגַם אֶת לוֹט אָחִיו וּרְכֻשׁוֹ הֵשִׁיב, וְגַם אֶת הַנָּשִׁים
וְאֶת הָעָם**. חלק מהרווח של המנצחים במסעות מלחמה כאלה הוא
השלל והשבי. מלכי הצפון שבו גברים כעבדים ונשים לכל צורכיהם.
את כל אלה שחרר אברם ופנה לשוב לאזור חברון.

יז **וַיֵּצֵא** אולי מתוך אחד מבארות החמר, **מֶלֶךְ סְדֹם**, שהיה כנראה
מרוט ומוכה מפגעי המלחמה, **לִקְרָאתוֹ**, לקראת אברם, שהרי אברם
נראה ככוח העולה באזור, **אַחֲרֵי שׁוּבוֹ מֵהַכּוֹת אֶת כְּדָרְלָעֹמֶר וְאֶת
הַמְּלָכִים אֲשֶׁר אִתּוֹ, אֶל עֵמֶק שָׁוֵה הוּא עֵמֶק הַמֶּלֶךְ**. בהמשך יסופר
כי מלך סדֹם מבקש להשיב לעצמו חלק מאבדותיו באמצעות משא
ומתן עם אברם.

יח **וּמַלְכִּי צֶדֶק מֶלֶךְ שָׁלֵם**, היא ירושלים, הנזכרת בשם זה גם בספרים
אחרים.[33] אף שמו של מלך אחר שמלך בירושלים מסתיים בסופית
צֶדֶק,[34] ואולי היה זה כינוי מיוחד שאפיין את מלכי העיר, שלעתיד
תיקרא עִיר הַצֶּדֶק.[35] לא רק מלך סדֹם שיחר את פניו של אברם,
לאחר שניצח את מלכי הצפון. כאן הגיע אליו אף מלך שלם
שישב באזור אחר. **הוֹצִיא לֶחֶם וָיָיִן**, כביטוי טקסי מקובל לקבלת
פנים חגיגית. באופן זה ביקש מלכי צדק לכבד את אברם, ששב
כמצביא גדול. **וְהוּא**, מלכי צדק, לא היה רק מלך, אלא גם **כֹהֵן לְאֵל**

עֶלְיוֹן׃ וַיְבָרְכֵהוּ וַיֹּאמַר בָּרוּךְ אַבְרָם לְאֵל עֶלְיוֹן קֹנֵה יט
שָׁמַיִם וָאָרֶץ׃ וּבָרוּךְ אֵל עֶלְיוֹן אֲשֶׁר־מִגֵּן צָרֶיךָ בְּיָדֶךָ כ
חמישי וַיִּתֶּן־לוֹ מַעֲשֵׂר מִכֹּל׃ וַיֹּאמֶר מֶלֶךְ־סְדֹם אֶל־אַבְרָם כא
תֶּן־לִי הַנֶּפֶשׁ וְהָרְכֻשׁ קַח־לָךְ׃ וַיֹּאמֶר אַבְרָם אֶל־ כב
מֶלֶךְ סְדֹם הֲרִמֹתִי יָדִי אֶל־יהוה אֵל עֶלְיוֹן קֹנֵה
שָׁמַיִם וָאָרֶץ׃ אִם־מִחוּט וְעַד שְׂרוֹךְ־נַעַל וְאִם־אֶקַּח כג
מִכָּל־אֲשֶׁר־לָךְ וְלֹא תֹאמַר אֲנִי הֶעֱשַׁרְתִּי אֶת־אַבְרָם׃
בִּלְעָדַי רַק אֲשֶׁר אָכְלוּ הַנְּעָרִים וְחֵלֶק הָאֲנָשִׁים כד
אֲשֶׁר הָלְכוּ אִתִּי עָנֵר אֶשְׁכֹּל וּמַמְרֵא הֵם יִקְחוּ

רש"י

יט) **קֹנֵה שָׁמַיִם וָאָרֶץ.** כְּמוֹ: עֹשֵׂה שָׁמַיִם וָאָרֶץ, עַל יְדֵי עֲשִׂיָּתוֹ קְנָאָן לִהְיוֹת שֶׁלּוֹ:

כ) **אֲשֶׁר מִגֵּן.** אֲשֶׁר הִסְגִּיר, וְכֵן: "אֲמַגֶּנְךָ יִשְׂרָאֵל" (הושע יא, ח): **וַיִּתֶּן לוֹ.** אַבְרָם: **מַעֲשֵׂר מִכֹּל.** אֲשֶׁר לוֹ, לְפִי שֶׁהָיָה כֹּהֵן:

כא) **תֶּן לִי הַנֶּפֶשׁ.** מִן הַשְּׁבִי שֶׁלִּי שֶׁהִצַּלְתָּ, הַחֲזֵר לִי הַגּוּפִים לְבַדָּם:

כב) **הֲרִמֹתִי יָדִי.** לְשׁוֹן שְׁבוּעָה, מֵרִים אֲנִי אֶת יָדִי לָאֵל עֶלְיוֹן, וְכֵן: "בִּי נִשְׁבַּעְתִּי" (להלן כב, טז) – נִשְׁבָּע אֲנִי. וְכֵן: "נָתַתִּי כֶּסֶף הַשָּׂדֶה קַח מִמֶּנִּי" (להלן כג, יג) – נוֹתֵן אֲנִי לְךָ כֶּסֶף הַשָּׂדֶה וְקָחֵהוּ מִמֶּנִּי:

כג) **אִם מִחוּט וְעַד שְׂרוֹךְ נַעַל.** אֲעַכֵּב לְעַצְמִי מִן הַשְּׁבִי: **וְאִם אֶקַּח מִכָּל אֲשֶׁר לָךְ.** אִם תֹּאמַר לָתֵת לִי שָׂכָר מִבֵּית גְּנָזֶיךָ: **וְלֹא תֹאמַר וגו'.** שֶׁהַקָּדוֹשׁ בָּרוּךְ הוּא הִבְטִיחַנִי לְעַשְּׁרֵנִי, שֶׁנֶּאֱמַר: "וַאֲבָרֶכְךָ וַאֲגַדְּלָה שְׁמֶךָ" (לעיל יב, ב):

כד) **הַנְּעָרִים.** עֲבָדַי אֲשֶׁר הָלְכוּ אִתִּי, וְעוֹד "עָנֵר אֶשְׁכֹּל וּמַמְרֵא" וגו'; אַף עַל פִּי שֶׁעֲבָדַי נִכְנְסוּ לַמִּלְחָמָה, שֶׁנֶּאֱמַר: "וַיִּרְדֹּף עַד דָּן" (לעיל פסוק יד), וְעָנֵר וַחֲבֵרָיו יָשְׁבוּ עַל הַכֵּלִים לִשְׁמֹר. וּמִמֶּנּוּ לָמַד דָּוִד שֶׁאָמַר: "כְּחֵלֶק הַיֹּרֵד בַּמִּלְחָמָה וּכְחֵלֶק הַיֹּשֵׁב עַל הַכֵּלִים יַחְדָּו יַחֲלֹקוּ" (שמואל א' ל, כד), וּלְכָךְ נֶאֱמַר: "וַיְהִי מֵהַיּוֹם הַהוּא וָמָעְלָה וַיְשִׂמֶהָ לְחֹק וּלְמִשְׁפָּט" (שם, שם כה), וְלֹא נֶאֱמַר 'וָהָלְאָה', לְפִי שֶׁכְּבָר נִתַּן הַחֹק בִּימֵי אַבְרָהָם:

ביאור

עֶלְיוֹן. אף על פי שחי בין העמים המקומיים עובדי האלילים, הוא
היה בין האנשים המועטים שהאמינו באל אחד ששמו אינו ידוע,
ושעבדו לו. מלכי צדק, שלפי האגדה הוא שם בן נח,[36] היה אחד
מהיחידים שלא סגדו לאליל כלשהו, אלא היו קרובים לאמונתו של
אברהם אבינו. יט **וַיְבָרְכֵהוּ**, בתור כהן. ייתכן שאברם לא היה רוצה
להתברך מפיו של מלך סדום, אך כיוון שמלכי צדק היה כהן לאל
עליון, אברם קיבל את ברכתו. **וַיֹּאמַר: בָּרוּךְ אַבְרָם לְאֵל עֶלְיוֹן, קֹנֵה**,
הבורא והאדון של **שָׁמַיִם וָאָרֶץ.** כ **וּבָרוּךְ אֵל עֶלְיוֹן אֲשֶׁר מִגֵּן**, שבר,
הרס[37] או: הסגיר את **צָרֶיךָ בְּיָדֶךָ**. בברכה רשמית זו בירך מלכי צדק
הן את אברם על אישיותו הברוכה לאלוקים, והן את אלוקים על
הניצחון. **וַיִּתֶּן לוֹ מַעֲשֵׂר מִכֹּל**. אברם מתייחס אל הכהן בכבוד ונותן
לו מתנה גדולה – מעשר מכל הרכוש שפדה.[38]

כא כיוון שאברם גילה נדיבות רבה במתנתו למלכי צדק – **וַיֹּאמֶר
מֶלֶךְ סְדֹם אֶל אַבְרָם: תֶּן לִי הַנֶּפֶשׁ וְהָרְכֻשׁ קַח לָךְ**. תן לי את אנשי
עירי, סדום, שכן אני אחראי להם וזקוק להם. ואנו נוותר על השלל.
השאר בידיך את הרכוש שהמלכים בזזו מאתנו, שאותו לקחת מהם.
כב **וַיֹּאמֶר אַבְרָם אֶל מֶלֶךְ סְדֹם: הֲרִמֹתִי יָדִי** – הרמת היד או הידיים
כלפי מעלה היא מחוות גוף המציינת שבועה.[39] **אֶל ה' אֵל עֶלְיוֹן,
קֹנֵה שָׁמַיִם וָאָרֶץ.** כג **אִם מִחוּט** של בגד **וְעַד שְׂרוֹךְ נַעַל** של עור, **וְאִם
אֶקַּח מִכָּל אֲשֶׁר לָךְ, וְלֹא תֹאמַר: "אֲנִי הֶעֱשַׁרְתִּי אֶת אַבְרָם"** – ובלבד
שלא תייחס את הונו של אברם לך ולכספה של סדום. על כן אשיב
לך את כל הרכוש. כד **בִּלְעָדַי**, הוצא אותי מן החשבון, אל תערב
אותי בהחלטתך.[40] **רַק אֲשֶׁר אָכְלוּ הַנְּעָרִים**, מה שאנשַי כבר אכלו
מתוך הרכוש שהשבנו, שהרי היה בידם מקנה, והם הזדקקו למזון
בדרכם מהצפון עד ירושלים, וזאת אין להשיב. ובנוסף לכך – **וְחֵלֶק
הָאֲנָשִׁים אֲשֶׁר הָלְכוּ אִתִּי – עָנֵר אֶשְׁכֹּל וּמַמְרֵא**, ידידי אברם ובעלי
בריתו, וכנראה לא נמנו בין שלוש מאות ושמונה עשר חייליו. כיוון
שבכך שנספחו אלי ונלחמו עמי, הגדילו את כוחי, מגיע להם חלק
מן השלל, ואל לי לוותר עליו, לכן אני עומד על כך **שֶׁהֵם יִקְחוּ חֶלְקָם**.
ובאשר אלי, אף שאני המצביא המנצח, שהיה אמור לזכות ברוב
השלל – אני מוותר על כל חלקי.

יב חֶלְקָם: אַחַר ׀ הַדְּבָרִים הָאֵלֶּה הָיָה דְבַר־ א טו
יְהוָה אֶל־אַבְרָם בַּמַּחֲזֶה לֵאמֹר אַל־תִּירָא אַבְרָם
אָנֹכִי מָגֵן לָךְ שְׂכָרְךָ הַרְבֵּה מְאֹד: וַיֹּאמֶר אַבְרָם אֲדֹנָי ב
יֱהוִה מַה־תִּתֶּן־לִי וְאָנֹכִי הוֹלֵךְ עֲרִירִי וּבֶן־מֶשֶׁק בֵּיתִי
הוּא דַּמֶּשֶׂק אֱלִיעֶזֶר: וַיֹּאמֶר אַבְרָם הֵן לִי לֹא נָתַתָּה ג
זָרַע וְהִנֵּה בֶן־בֵּיתִי יוֹרֵשׁ אֹתִי: וְהִנֵּה דְבַר־יְהוָה אֵלָיו ד
לֵאמֹר לֹא יִירָשְׁךָ זֶה כִּי־אִם אֲשֶׁר יֵצֵא מִמֵּעֶיךָ
הוּא יִירָשֶׁךָ: וַיּוֹצֵא אֹתוֹ הַחוּצָה וַיֹּאמֶר הַבֶּט־נָא ה
הַשָּׁמַיְמָה וּסְפֹר הַכּוֹכָבִים אִם־תּוּכַל לִסְפֹּר אֹתָם

רש״י | פרק טו

א | **אַחַר הַדְּבָרִים הָאֵלֶּה.** כָּל מָקוֹם שֶׁנֶּאֱמַר ׳אַחַר׳ – סָמוּךְ, ׳אַחֲרֵי׳ – מֻפְלָג. בְּרֵאשִׁית רַבָּה (מד, ה). אַחַר שֶׁנַּעֲשָׂה לוֹ נֵס זֶה שֶׁהָרַג אֶת הַמְּלָכִים, וְהָיָה דּוֹאֵג וְאוֹמֵר: שֶׁמָּא קִבַּלְתִּי שָׂכָר עַל כָּל צִדְקוֹתַי? לְכָךְ אָמַר לוֹ הַמָּקוֹם: ״אַל תִּירָא״: **אָנֹכִי מָגֵן לָךְ.** מִן הָעֹנֶשׁ, שֶׁלֹּא תֵּעָנֵשׁ עַל כָּל אוֹתָן נְפָשׁוֹת שֶׁהָרַגְתָּ. וּמַה שֶּׁאַתָּה דּוֹאֵג עַל קִבּוּל שְׂכָרְךָ – ״שְׂכָרְךָ הַרְבֵּה מְאֹד״:

ב | **הוֹלֵךְ עֲרִירִי.** מְנַחֵם בֶּן סָרוּק פֵּרְשׁוֹ לְשׁוֹן יוֹרֵשׁ, וְחָבֵר לוֹ: ״עֵר וְעֹנֶה״ (מלאכי ב, יב). ׳עֲרִירִי׳ – בְּלֹא יוֹרֵשׁ, כַּאֲשֶׁר תֹּאמַר: ״וּבְכָל תְּבוּאָתִי תְשָׁרֵשׁ״ (איוב לא, יב) – תַּעֲקֹר שָׁרָשֶׁיהָ, כָּךְ לְשׁוֹן עֲרִירִי – חֲסַר בָּנִים, וּבְלַעַז דישאנפנטי״ץ. וְלִי נִרְאֶה, ״עֵר וְעֹנֶה״ מִגִּזְרַת ״וְלִבִּי עֵר״ (שיר השירים ה, ב), וַ׳עֲרִירִי׳ לְשׁוֹן חֻרְבָּן, וְכֵן: ״עָרוּ עָרוּ״ (תהלים קלז, ז), וְכֵן: ״עָרוֹת יְסוֹד״ (חבקוק ג, יג), וְכֵן: ״עַרְעֵר תִּתְעַרְעַר״ (ירמיה נא, נח), וְכֵן: ״כִּי אַרְזָה עֵרָה״ (צפניה ב, יד): **וּבֶן מֶשֶׁק בֵּיתִי.** כְּתַרְגּוּמוֹ, כָּל בֵּיתִי נִזּוֹן עַל פִּיו, כְּמוֹ: ״וְעַל פִּיךָ יִשַּׁק״ (להלן מא, מ), אַפּוֹטְרוֹפּוֹס שֶׁלִּי; וְאִלּוּ הָיָה לִי בֵּן, הָיָה בְּנִי מְמֻנֶּה עַל שֶׁלִּי: **דַּמֶּשֶׂק.** לְפִי הַתַּרְגּוּם מִדַּמֶּשֶׂק הָיָה; וּלְפִי מִדְרַשׁ אַגָּדָה, שֶׁרָדַף הַמְּלָכִים עַד דַּמֶּשֶׂק. וּבַתַּלְמוּד שֶׁלָּנוּ דּוֹרְשׁוֹ נוֹטָרִיקוֹן: דּוֹלֶה וּמַשְׁקֶה מִתּוֹרַת רַבּוֹ לַאֲחֵרִים:

ג | **הֵן לִי לֹא נָתַתָּה זָרַע.** וּמַה תּוֹעֶלֶת בְּכָל אֲשֶׁר תִּתֵּן לִי?:

ה | **וַיּוֹצֵא אֹתוֹ הַחוּצָה.** לְפִי פְּשׁוּטוֹ, הוֹצִיאוֹ מֵאָהֳלוֹ לַחוּץ לִרְאוֹת הַכּוֹכָבִים. וּלְפִי מִדְרָשׁוֹ, אָמַר לוֹ: צֵא מֵאִצְטַגְנִינוּת שֶׁלְּךָ, שֶׁרָאִיתָ בַּמַּזָּלוֹת שֶׁאֵינְךָ עָתִיד לְהַעֲמִיד בֵּן – אַבְרָם אֵין לוֹ בֵּן, אֲבָל אַבְרָהָם יֵשׁ לוֹ בֵּן; שָׂרַי לֹא תֵלֵד, אֲבָל שָׂרָה תֵּלֵד – אֲנִי קוֹרֵא לָכֶם שֵׁם אַחֵר וְיִשְׁתַּנֶּה הַמַּזָּל. דָּבָר אַחֵר, הוֹצִיאוֹ מֵחֲלָלוֹ שֶׁל עוֹלָם וְהִגְבִּיהוֹ לְמַעְלָה מִן הַכּוֹכָבִים; וְזֶהוּ לְשׁוֹן הַבָּטָה, מִלְמַעְלָה לְמַטָּה:

לך לך

המחזה וכריתת ברית בין הבתרים

פרק טו

שני חלקיו של העניין עוסקים בעתידו של אבות. בחלקו הראשון מובטח לו המשך הזרע, ובחלק השני, שבו אירוע טקסי של כריתת ברית, מתואר משהו מעתיד זרעו ואף מובטחת לו הארץ.

ביאור | פרק טו א **אַחַר הַדְּבָרִים הָאֵלֶּה**, אחר מלחמתו של אברם במלכי
הצפון הגדולים. אמנם אברם ניצח, אך עתה יש מקום לחשש שמא
ישובו מלכים תקיפים אלו לארץ כנען במסע מלחמה נוסף, שהרי
הם נתקלו בה באויב גדול יותר, שיכול להם. **הָיָה דְבַר ה' אֶל אַבְרָם
בַּמַּחֲזֶה**, בראייה נבואית **לֵאמֹר: אַל תִּירָא אַבְרָם, אָנֹכִי מָגֵן לָךְ** שלא
יאונה לך כל רע, ובנוסף לכך – **שְׂכָרְךָ** עבור המעשים שעשית **הַרְבֵּה
מְאֹד**, לעתיד לבוא.

ב **וַיֹּאמֶר אַבְרָם: ה' אֱלֹהִים, מַה תִּתֶּן לִי? וְאָנֹכִי הוֹלֵךְ עֲרִירִי**. אתה
מבטיח לי שכר רב מאוד, אך מה אעשה בו, הרי אין לי ילדים, **וּבֶן
מֶשֶׁק בֵּיתִי**, הממונה על כל עסקיי **הוּא דַּמֶּשֶׂק אֱלִיעֶזֶר**, אליעזר שבא
מדמשק.[41] אמנם אדם נאמן והגון זה מלווה אותי, אך אין הוא
מזרעי. ג **וַיֹּאמֶר אַבְרָם: הֵן לִי לֹא נָתַתָּה זָרַע, וְהִנֵּה בֶן בֵּיתִי יוֹרֵשׁ
אֹתִי**. כיוון שאין לי בן, יירש אותי בן משק ביתי, ועל כן אין למתנה
זו כל משמעות עבורי.

ד **וְהִנֵּה דְבַר ה' אֵלָיו, לֵאמֹר**. לרוב משמעות הביטוי לֵאמֹר, הנזכר
בתורה פעמים רבות מאוד, הוא 'כך', 'כדברים הללו ובביטוי הזה'.
בימינו היינו ממירים אותו בנקודתיים הפותחות ציטוט: **לֹא יִירָשְׁךָ
זֶה**, בן משק הבית, **כִּי אִם אֲשֶׁר יֵצֵא מִמֵּעֶיךָ, הוּא יִירָשֶׁךָ**. ה **וַיּוֹצֵא
אֹתוֹ הַחוּצָה**, ה' מורה לו לצאת החוצה, **וַיֹּאמֶר: הַבֶּט נָא הַשָּׁמַיְמָה,
וּסְפֹר הַכּוֹכָבִים, אִם תּוּכַל לִסְפֹּר אֹתָם**, האם אתה יכול לספור אותם?

ו וַיֹּאמֶר לוֹ כֹּה יִהְיֶה זַרְעֶךָ: וְהֶאֱמִן בַּיהוָה וַיַּחְשְׁבֶהָ לּוֹ
ששי ז צְדָקָה: וַיֹּאמֶר אֵלָיו אֲנִי יְהוָה אֲשֶׁר הוֹצֵאתִיךָ מֵאוּר
ח כַּשְׂדִּים לָתֶת לְךָ אֶת־הָאָרֶץ הַזֹּאת לְרִשְׁתָּהּ: וַיֹּאמַר
ט אֲדֹנָי יֱהוִה בַּמָּה אֵדַע כִּי אִירָשֶׁנָּה: וַיֹּאמֶר אֵלָיו קְחָה
לִי עֶגְלָה מְשֻׁלֶּשֶׁת וְעֵז מְשֻׁלֶּשֶׁת וְאַיִל מְשֻׁלָּשׁ וְתֹר
י וְגוֹזָל: וַיִּקַּח־לוֹ אֶת־כָּל־אֵלֶּה וַיְבַתֵּר אֹתָם בַּתָּוֶךְ
וַיִּתֵּן אִישׁ־בִּתְרוֹ לִקְרַאת רֵעֵהוּ וְאֶת־הַצִּפֹּר לֹא בָתָר:

רש"י

ו **וְהֶאֱמִן בַּה'.** לֹא שָׁאַל לוֹ אוֹת עַל זֹאת, אֲבָל עַל יְרֻשַּׁת הָאָרֶץ שָׁאַל לוֹ אוֹת וְאָמַר לוֹ: "בַּמָּה אֵדַע" (להלן פסוק ח): **וַיַּחְשְׁבֶהָ לוֹ צְדָקָה.** הַקָּדוֹשׁ בָּרוּךְ הוּא חֲשָׁבָהּ לְאַבְרָהָם לִזְכוּת וְלִצְדָקָה עַל הָאֱמָנָה שֶׁהֶאֱמִין בּוֹ. דָּבָר אַחֵר, "בַּמָּה אֵדַע" – לֹא שָׁאַל לוֹ אוֹת, אֶלָּא אָמַר לְפָנָיו: הוֹדִיעֵנִי בְּאֵיזֶה זְכוּת יִתְקַיְּמוּ בָהּ; וְאָמַר לוֹ הַקָּדוֹשׁ בָּרוּךְ הוּא: בִּזְכוּת הַקָּרְבָּנוֹת:

ט **עֶגְלָה מְשֻׁלֶּשֶׁת.** שְׁלֹשָׁה עֲגָלִים, רֶמֶז לִשְׁלֹשָׁה פָרִים: פַּר יוֹם הַכִּפּוּרִים, וּפַר הֶעְלֵם דָּבָר שֶׁל צִבּוּר וְעֶגְלָה עֲרוּפָה: **וְעֵז מְשֻׁלֶּשֶׁת.** רֶמֶז לְשָׂעִיר הַנַּעֲשֶׂה בִּפְנִים, וּשְׂעִירֵי מוּסָפִין שֶׁל מוֹעֵד, וּשְׂעִירַת חַטָּאת יָחִיד: **וְאַיִל מְשֻׁלָּשׁ.** אָשָׁם וַדַּאי וְאָשָׁם תָּלוּי וְכִבְשָׂה שֶׁל חַטַּאת יָחִיד: **וְתֹר וְגוֹזָל.** תּוֹרִים וּבְנֵי יוֹנָה:

י **וַיְבַתֵּר אֹתָם.** חִלֵּק כָּל אֶחָד לִשְׁנֵי חֲלָקִים; וְאֵין הַמִּקְרָא יוֹצֵא מִידֵי פְשׁוּטוֹ, לְפִי שֶׁהָיָה כּוֹרֵת בְּרִית עִמּוֹ לִשְׁמֹר הַבְטָחָתוֹ לְהוֹרִישׁ לְבָנָיו אֶת הָאָרֶץ, כִּדְכְתִיב: "בַּיּוֹם הַהוּא כָּרַת ה' אֶת אַבְרָם בְּרִית לֵאמֹר" וְגוֹ' (להלן פסוק יח), וְדֶרֶךְ כּוֹרְתֵי בְרִית לְחַלֵּק בְּהֵמָה וְלַעֲבֹר בֵּין בְּתָרֶיהָ, כְּמָה שֶׁנֶּאֱמַר לְהַלָּן: "הָעֹבְרִים בֵּין בִּתְרֵי הָעֵגֶל" (ירמיה לד, יט) אַף כָּאן: "תַנּוּר עָשָׁן וְלַפִּיד אֵשׁ אֲשֶׁר עָבַר בֵּין הַגְּזָרִים" (להלן פסוק יז) הוּא שְׁלוּחוֹ שֶׁל שְׁכִינָה שֶׁהִיא אֵשׁ: **וְאֶת הַצִּפֹּר לֹא בָתָר.** לְפִי שֶׁהָאֻמּוֹת נִמְשְׁלוּ לְפָרִים וְאֵילִים וּשְׂעִירִים, שֶׁנֶּאֱמַר: "סְבָבוּנִי

הרחבות

'צדקה' אינה מתפרשת במובן המקובל היום, כמתן נדבה לעניים. משמעותה במקרא פעמים רבות קרובה יותר למשמעות המלה 'צדק', כלומר דבר נכון וישר שראוי לעשותו. (ראו למשל בהקבלה ל'משפט' בדברים לג,כא: צִדְקַת ה' עָשָׂה וּמִשְׁפָּטָיו עִם יִשְׂרָאֵל, וכיוצא בו בישעיה ה,טז – ראו בהערה שם).

עגלה, עז, איל, תר וגוזל אברם יכול להבין את פרטיה השונים של הברית רק באופן חלקי. חלקים אחרים של החיזיון יתבהרו ויתממשו רק שנים רבות לאחר מכן. כבר העירו רבים מהמפרשים, שכל מיני בעלי החיים הנזכרים כאן, יופיעו מאוחר יותר בין הקרבנות הקרבים על המזבח. העגל מן הבקר, העז והאיל מן הצאן והתור והגוזל מן העופות הם בעלי החיים המובאים כקרבן. רמז זה אינו יכול לומר הרבה לאברם במקומו ובשעתו – אם כי כנראה הייתה מסורת ידועה לאברהם מאז ימי נח על קיומה של ההבחנה בין הבהמות

ביאור

וַיֹּאמֶר לוֹ ה׳, אחרי שהביט אברם בשמים: **כֹּה יִהְיֶה זַרְעֶךָ**, יהיו לך צאצאים, ומספרם יהיה רב ככוכבים.

ו אף שהדבר היה נראה לאברם בלתי אפשרי, שכן הוא ואשתו זקנים – **וְהֶאֱמִן בַּה׳. וַיַּחְשְׁבֶהָ** ה׳ החשיב את אמונתו של אברם[42] **לּוֹ צְדָקָה**, למעשה נכון, ישר וראוי.

ז **וַיֹּאמֶר אֵלָיו** שנית: **אֲנִי ה׳ אֲשֶׁר הוֹצֵאתִיךָ מֵאוּר כַּשְׂדִּים**, בין היתר, כדי **לָתֶת לְךָ אֶת הָאָרֶץ הַזֹּאת לְרִשְׁתָּהּ**.

ח **וַיֹּאמַר: ה׳ אֱלֹהִים, בַּמָּה אֵדַע כִּי אִירָשֶׁנָּה?** מלים אלו אינן מביעות אי-אמון בקיום ההבטחה, אולם כיוון שההבטחה תתקיים רק בזרעו של אברם שטרם נולד, ואילו בהווה אין לירושת הארץ כל ביטוי ממשי במציאות, הוא מבקש מסמך, חוזה או סימן שיהוו אישור ואישוש ממשי לברית.

ט **וַיֹּאמֶר אֵלָיו ה׳: קְחָה לִי עֶגְלָה מְשֻׁלֶּשֶׁת וְעֵז מְשֻׁלֶּשֶׁת וְאַיִל מְשֻׁלָּשׁ** – יש ממפרשי המקרא המפרשים מְשֻׁלָּשׁ כמובחר, כלומר כבעל ערך גדול יותר, לא כפליים אלא פי שלוש מהרגיל.[43] אחרים מפרשים: שלוש עגלות, שלוש עזים ושלושה אילים.[44] **וְתֹר**, עוף ממשפחת היונים **וְגוֹזָל**, בן יונה קטן.

י **וַיִּקַּח לוֹ אֶת כָּל אֵלֶּה, וַיְבַתֵּר**, חתך **אֹתָם** לאחר שנשחטו **בַּתָּוֶךְ**, באמצע, לשני חלקים פחות או יותר שווים. **וַיִּתֵּן אִישׁ בִּתְרוֹ לִקְרַאת רֵעֵהוּ**, הניח את שני חלקיו של כל בעל חיים זה מול זה, והותיר ביניהם רווח. **וְאֶת הַצִּפֹּר**, את העופות – התור והגוזל[45] **לֹא בָתָר**.

הרחבות

הטהורות לטמאות (ראו לעיל ז,ב) – אך הוא משמעותי יותר לזמן אחר ולמציאות שונה (בראשית רבה מד,יד; שמות רבה נא,ז).

כריתת ברית בין בתרים בִּיתור הבהמות היה חלק מטקס מקובל של כריתת ברית, מעין חוזה פורמלי תקף. שנים רבות מאוחר יותר, בדור של חורבן הבית הראשון, יופיע טקס של כריתת ברית בין בתריהן של חיות (ירמיה לד,יח). בהקשרים אלה בתירתו של בעל החיים לשני חלקים מסמלת את העבודה ששני הצדדים רואים עצמם חלקים של ישות מחייבת אחת, אולי ישות עליונה שבולטת יותר כאשר הצד הבהמי, המפריד, מבותר (ראו בית יעקב, לך לך א). בטקס שמתאר ירמיהו עוברים בעלי הברית בין נתחי החיות, ומכריזים במעשה סמלי זה על כריתת ברית בדם.

כיוון שהיה זה טקס מקובל לכריתת ברית, אפשר לראות בציוויו של ה׳ לקחת את החיות, מענה לבקשתו של אברם לאישור ממשי להבטחה.

וַיֵּרֶד הָעַיִט עַל־הַפְּגָרִים וַיַּשֵּׁב אֹתָם אַבְרָם׃ וַיְהִי יא יב
הַשֶּׁמֶשׁ לָבוֹא וְתַרְדֵּמָה נָפְלָה עַל־אַבְרָם וְהִנֵּה
אֵימָה חֲשֵׁכָה גְדֹלָה נֹפֶלֶת עָלָיו׃ וַיֹּאמֶר לְאַבְרָם יָדֹעַ יג
תֵּדַע כִּי־גֵר ׀ יִהְיֶה זַרְעֲךָ בְּאֶרֶץ לֹא לָהֶם וַעֲבָדוּם
וְעִנּוּ אֹתָם אַרְבַּע מֵאוֹת שָׁנָה׃ וְגַם אֶת־הַגּוֹי אֲשֶׁר יד
יַעֲבֹדוּ דָּן אָנֹכִי וְאַחֲרֵי־כֵן יֵצְאוּ בִּרְכֻשׁ גָּדוֹל׃ וְאַתָּה טו

רש"י

פרים רבים" וגו' (תהלים כב, יג), ואומר: "האיל אשר ראית בעל הקרנים מלכי מדי ופרס" (דניאל ח, כ), ואומר: "והצפיר השעיר מלך יון" (שם כא), וישראל נמשלו לבני יונה, שנאמר: "יונתי בחגוי הסלע" (שיר השירים ב, יד). לפיכך בתר הבהמות, רמז שיהיו האומות כלין והולכין, "ואת הצפר לא בתר" – רמז שיהיו ישראל קיימין לעולם:

יא] **העיט.** הוא עוף, ועל שם שהוא עט ושואף אל הנבלות לטוש עלי אכל, כמו: "ותעט אל השלל" (שמואל א' טו, יט): **על הפגרים.** על הבתרים: **וישב.** לשון נשיבה והפרחה, כמו: "ישב רוחו" (תהלים קמז, יח), רמז שיבוא דוד בן ישי לכלותם, ואין מניחין אותו מן השמים עד שיבוא מלך המשיח:

יב] **והנה אימה וגו'.** רמז לצרות וחשך של גליות:

יג] **כי גר יהיה זרעך.** משנולד יצחק עד שיצאו ישראל ממצרים ארבע מאות שנה. כיצד? יצחק בן ששים שנה כשנולד יעקב, ויעקב כשירד למצרים אמר: "ימי שני מגורי שלשים ומאת שנה" (להלן מז, ט), הרי מאה ותשעים. ובמצרים היו מאתים ועשר כמנין 'רד"ו', הרי ארבע מאות שנה. ואם תאמר, במצרים היו ארבע מאות – הרי קהת מיורדי מצרים היה, צא וחשב שנותיו של קהת ושל עמרם ושמונים של משה שהיה כשיצאו ישראל ממצרים, אין אתה מוצא אלא שלש מאות וחמשים, ואתה צריך להוציא מהן כל השנים שחי קהת אחר לדת עמרם, ושחי עמרם אחר לדת משה: **בארץ לא להם.** ולא נאמר 'בארץ מצרים', אלא "לא להם", ומשנולד יצחק: "ויגר אברהם" וגו' (להלן כא, לד), ויצחק – "ויגר בגרר" (להלן כו, ו), "ויעקב גר בארץ חם" (תהלים קה, כג), "לגור בארץ באנו" (להלן מז, ד):

יד] **וגם את הגוי.** "וגם" לרבות ארבע מלכיות, שאף הן כלים על שמשעבדו את ישראל: **דן אנכי.** בעשר מכות: **ברכש גדול.** בממון גדול, כמו שנאמר: "וינצלו את מצרים" (שמות יב, לו):

טו] **ואתה תבוא אל אבתיך.** ולא תראה

הרחבות

'אימה חשכה גדלה' אין בידינו תיאורים רבים על תחושותיהם של הנביאים. עם זאת, נראה שהאימה הנזכרת כאן קשורה במהותה למצבים אחדים של המחזה הנבואי. במקרא מסופר על כמה נביאים שנפלו על פניהם או איבדו את כוחותיהם בעת שניבאו. האימה הגדולה המתלווה לחוויית הנבואה, המתוארת גם במקומות אחרים, איננה חלק ממהות הנבואה (ראו שמואל א' יט,כד; יחזקאל א,כח; ג,כג; דניאל י,ז–ט). היא נופלת על הנביא קודם להתגלות הנבואית וכהכנה לה. הרגשת הנוכחות העליונה אינה מתרחשת באופן נינוח ורגוע. היא נוראה, כלומר מטילת

ביאור

יא **וַיֵּרֶד הָעַיִט**. כאן אין זה שמו של עוף מסוים, אלא שם כולל
לעופות העטים על הטרף,[46] **עַל הַפְּגָרִים**. העופות העטים על הטרף
מסמלים את האויבים המנסים להתנכל לברית. **וַיַּשֵּׁב אֹתָם אַבְרָם**.
אברם הבריח אותם. הוא ניסה להילחם באויבים סמליים אלה כדי
לגרשם. יש בכך כדי לבשר כי הברית ומימושה צפויות להיתקל
בקשיים ובאיומים רבים, ויהיה צורך לעמוד כנגדם בעתיד.[47]

נראה כי המהלך המסופר כאן כלל שלושה שלבים: ראשית,
החזון הנבואי, שאותו חזה אברם בלילה, ככל הנראה; שנית,
הכנת טקס הברית וירידת העופות על הפגרים – בשעות היום;
ושלישית – יב **וַיְהִי הַשֶּׁמֶשׁ לָבוֹא**, לשקוע, **וְתַרְדֵּמָה נָפְלָה עַל אַבְרָם**,
אין מדובר בשינה פשוטה הבאה מתוך עייפות, אלא בהיעדר
אפשרות להישאר ער, כאילו דבר מה מרדים אותו מן החוץ. **וְהִנֵּה**
עם התרדמה **אֵימָה חֲשֵׁכָה גְדֹלָה**, פחד קודר שאין לו משמעות ואין
לו תוכן מסוים, **נֹפֶלֶת עָלָיו**.

כאן מגיע ניסוח הברית כנבואה מוגדרת ומפורטת – יג **וַיֹּאמֶר ה'**
לְאַבְרָם: יָדֹעַ תֵּדַע כִּי גֵר יִהְיֶה זַרְעֲךָ. אכן יהיו לך ילדים, ואף תירש
את הארץ, אלא שצאצאיך לא יזכו בה מיד. הברית לא תתממש
באופן חלק ופשוט. לפני כן עליהם להיות גרים ונוודים, כמוך, אך
בניגוד אליך, הם לא ינדדו בארץ הזאת, אלא **בְּאֶרֶץ לֹא לָהֶם**. ומעבר
לכך – **וַעֲבָדוּם**, ישעבדו אותם **וְעִנּוּ אֹתָם אַרְבַּע מֵאוֹת שָׁנָה**. כפי
שהראו חכמים, מספר שנים זה כולל את התהליך מראשיתו, מאז
לידת זרעו של אברהם בארץ לא לו, ואילו עבודת הפרך בארץ מצרים
הייתה מאתים ועשר שנים.[48] תוכנה של הנבואה הולם את האימה
שחש אברם, אך מיד ה' הבטיח לו: יד **וְגַם אֶת הַגּוֹי אֲשֶׁר יַעֲבֹדוּ**
דָּן אָנֹכִי, בניך יסבלו שם בשל חישובים כלשהם, אך העם שיעביד
אותם ייענש על כך. **וְאַחֲרֵי כֵן**, אחרי שיעבור הזמן היעוד, בניך **יֵצְאוּ**

הרחבות

יראה, ומרוקנת את האדם מכל תודעה אישית נבדלת. היא משתקת את הנביא בדומה להרדמה שלפני ניתוח.

'וגם את הגוי אשר יעבדו דן אנכי' אם נגזר על ישראל לגלות מארצם ולהיות מעונים, מדוע נענשים הגויים המקיימים את הגזרה? על שאלה זו ניתנו תשובות רבות. לפי הרמב"ם, באופן בסיסי בחירתו של האדם חופשית, אף כי לעתים נראה כי בחירתו מצטמצמת; למשל, כשהפרט נסחף בתוך אספסוף משתולל. עם זאת, אין בכך כדי לשלול את האחריות האישית מכל אדם ואדם. אכן, נגזר על בני אברם

תָּב֥וֹא אֶל־אֲבֹתֶ֖יךָ בְּשָׁל֑וֹם תִּקָּבֵ֖ר בְּשֵׂיבָ֥ה טוֹבָֽה׃
טז וְד֥וֹר רְבִיעִ֖י יָשׁ֣וּבוּ הֵ֑נָּה כִּ֛י לֹא־שָׁלֵ֥ם עֲוֺ֥ן הָאֱמֹרִ֖י עַד־
יז הֵֽנָּה׃ וַיְהִ֤י הַשֶּׁ֙מֶשׁ֙ בָּ֔אָה וַעֲלָטָ֖ה הָיָ֑ה וְהִנֵּ֨ה תַנּ֤וּר
עָשָׁן֙ וְלַפִּ֣יד אֵ֔שׁ אֲשֶׁ֣ר עָבַ֔ר בֵּ֖ין הַגְּזָרִ֥ים הָאֵֽלֶּה׃
יח בַּיּ֣וֹם הַה֗וּא כָּרַ֧ת יְהוָ֛ה אֶת־אַבְרָ֖ם בְּרִ֣ית לֵאמֹ֑ר
לְזַרְעֲךָ֗ נָתַ֙תִּי֙ אֶת־הָאָ֣רֶץ הַזֹּ֔את מִנְּהַ֣ר מִצְרַ֔יִם עַד־
יט הַנָּהָ֥ר הַגָּדֹ֖ל נְהַר־פְּרָֽת׃ אֶת־הַקֵּינִי֙ וְאֶת־הַקְּנִזִּ֔י וְאֵ֖ת

רש"י

כָּל חֵלֶּה: **אֶל אֲבֹתֶיךָ.** אָבִיו עוֹבֵד עֲבוֹדָה זָרָה וְהוּא מְבַשְּׂרוֹ שֶׁיָּבֹא אֵלָיו?! לִמֶּדְךָ שֶׁעָשָׂה תֶּרַח תְּשׁוּבָה: **תִּקָּבֵר בְּשֵׂיבָה טוֹבָה.** בִּשְּׂרוֹ שֶׁיַּעֲשֶׂה יִשְׁמָעֵאל תְּשׁוּבָה בְּיָמָיו, וְלֹא יֵצֵא עֵשָׂו לְתַרְבּוּת רָעָה בְּיָמָיו, וּלְפִיכָךְ מֵת חָמֵשׁ שָׁנִים קֹדֶם זְמַנּוֹ, וּבוֹ בַּיּוֹם מָרַד עֵשָׂו:

טז| **וְדוֹר רְבִיעִי.** לְאַחַר שֶׁיִּגְלוּ לְמִצְרַיִם יִהְיוּ שָׁם שְׁלֹשָׁה דוֹרוֹת, וְהָרְבִיעִי יָשׁוּבוּ לָאָרֶץ הַזֹּאת, לְפִי שֶׁבְּאֶרֶץ כְּנַעַן הָיָה מְדַבֵּר עִמּוֹ וְכָרַת בְּרִית זוֹ, כִּדְכְתִיב: "לָתֶת לְךָ אֶת הָאָרֶץ הַזֹּאת לְרִשְׁתָּהּ" (לעיל פסוק ז). וְכֵן הָיָה: יַעֲקֹב יָרַד לְמִצְרַיִם, צֵא וַחֲשֹׁב דּוֹרוֹתָיו – יְהוּדָה פֶּרֶץ וְחֶצְרוֹן, וְכָלֵב בֶּן חֶצְרוֹן מִבָּאֵי הָאָרֶץ הָיָה: **כִּי לֹא שָׁלֵם עֲוֹן הָאֱמֹרִי.** לִהְיוֹת מִשְׁתַּלֵּחַ מֵאַרְצוֹ עַד אוֹתוֹ זְמַן, שֶׁאֵין הַקָּדוֹשׁ בָּרוּךְ הוּא נִפְרָע מֵאֻמָּה עַד שֶׁתִּתְמַלֵּא סְאָתָהּ, שֶׁנֶּאֱמַר: "בְּסַאסְּאָה בְּשַׁלְּחָהּ תְּרִיבֶנָּה" (ישעיה כז, ח):

יז| **וַיְהִי הַשֶּׁמֶשׁ בָּאָה.** כְּמוֹ: "וַיְהִי הֵם מְרִיקִים שַׂקֵּיהֶם" (להלן מב, לה), "וַיְהִי הֵם קֹבְרִים אִישׁ" (מלכים ב' יג, כא), כְּלוֹמַר, וַיְהִי דָּבָר זֶה: **הַשֶּׁמֶשׁ בָּאָה.** שָׁקְעָה: **וַעֲלָטָה הָיָה.** חָשַׁךְ הַיּוֹם: **וְהִנֵּה תַנּוּר עָשָׁן וְגוֹ'.** רָמַז לוֹ שֶׁיִּפְּלוּ הַמַּלְכֻיּוֹת בְּגֵיהִנָּם: **בָּאָה.** טַעְמוֹ לְמַעְלָה, לְכָךְ הוּא מְאֻחָר שֶׁבָּאָה כְּבָר. וְאִם הָיָה טַעְמוֹ לְמַטָּה בָּאָלֶ"ף, הָיָה מְאֻחָר כְּשֶׁהִיא שׁוֹקַעַת; וְאִי אֶפְשָׁר כֵּן, שֶׁהֲרֵי כְּבָר כָּתַב: "וַיְהִי הַשֶּׁמֶשׁ לָבוֹא" (לעיל פסוק יב), וְהַעֲבָרַת תַּנּוּר עָשָׁן לְאַחַר מִכָּאן הָיְתָה, נִמְצָא שֶׁכְּבָר שָׁקְעָה. וְזֶה חִלּוּק בְּכָל תֵּבָה לְשׁוֹן נְקֵבָה שֶׁיְּסוֹדָהּ שְׁתֵּי אוֹתִיּוֹת, כְּשֶׁהַטַּעַם לְמַעְלָה לְשׁוֹן שֶׁעָבַר הוּא, כְּגוֹן זֶה, וּכְגוֹן: "וְרָחֵל בָּאָה" (להלן כט, ט), "קָמָה אֲלֻמָּתִי" (להלן לז, ז), "הִנֵּה שָׁבָה יְבִמְתֵּךְ" (רות א, טו), וּכְשֶׁהַטַּעַם לְמַטָּה הוּא לְשׁוֹן הֹוֶה, דָּבָר שֶׁנַּעֲשֶׂה עַכְשָׁיו וְהוֹלֵךְ, כְּמוֹ: "בָּאָה עִם הַצֹּאן" (להלן כט, ו), "קָמָה בְחָמוֹתָהּ" (מיכה ז, ו), "וּבַבֹּקֶר הִיא שָׁבָה" (אסתר ב, יד):

יח| **לְזַרְעֲךָ נָתַתִּי.** אֲמִירָתוֹ שֶׁל הַקָּדוֹשׁ בָּרוּךְ הוּא כְּאִלּוּ הִיא עֲשׂוּיָה: **הַנָּהָר הַגָּדֹל.** לְפִי שֶׁהוּא דָּבוּק לְאֶרֶץ יִשְׂרָאֵל קְרָאָהוּ גָּדוֹל, אַף עַל פִּי שֶׁהוּא מְאֻחָר בְּאַרְבָּעָה נְהָרוֹת הַיּוֹצְאִים מֵעֵדֶן, שֶׁנֶּאֱמַר: "וְהַנָּהָר הָרְבִיעִי הוּא פְרָת" (לעיל ב, יד); מְשַׁל הֶדְיוֹט: עֶבֶד מֶלֶךְ – מֶלֶךְ, הִדָּבֵק לְשַׁחוּר וְיִשְׁתַּחֲווּ לָךְ:

יט| **אֶת הַקֵּינִי.** עֶשֶׂר אֻמּוֹת יֵשׁ כָּאן, וְלֹא נָתַן לָהֶם אֶלָּא שִׁבְעָה גוֹיִם, וְהַשְּׁלֹשָׁה

ביאור | **בִּרְכֻשׁ גָּדוֹל.** טו **וְאַתָּה** באופן אישי, לא תִּגלה ולא תעונה, אלא **תָּבוֹא אֶל אֲבֹתֶיךָ**, תמות **בְּשָׁלוֹם**, תשוב ותתאחד עם אבותיך ואף **תִּקָּבֵר בְּשֵׂיבָה טוֹבָה**, חייך יעברו בשלום. טז **וְדוֹר רְבִיעִי** של צאצאיך **יָשׁוּבוּ הֵנָּה**, לרשת את הארץ שהובטחה, **כִּי לֹא שָׁלֵם עֲוֹן הָאֱמֹרִי עַד הֵנָּה.** קיום ההבטחה נדחה, בין השאר, משום שישנם חשבונות נוספים בהתנהלות ההיסטורית. האמורי ושאר העמים היושבים בארץ כנען אינם נוהגים כראוי. מעשיהם המגונים – בעבודתם הזרה ובהתנהגות המינית המופקרת שלהם – מצטברים והולכים. רק כאשר יגיע הזמן להענישם, יכבשו בניך את הארץ ויהיו כלי העונשין ביד אלוקים.

כאמור, החזון התחיל כאשר השמש נטתה לשקוע. יז **וַיְהִי הַשֶּׁמֶשׁ בָּאָה**, לאחר שהשמש שקעה, **וַעֲלָטָה**, חושך גדול **הָיָה**, **וְהִנֵּה** מראה של **תַנּוּר עָשָׁן**, ענן עשן סמיך, כפי שהוא יוצא מן התנור,[49] **וְלַפִּיד אֵשׁ אֲשֶׁר עָבַר בֵּין הַגְּזָרִים הָאֵלֶּה** תנור העשן ולפיד האש מסמלים את הנוכחות האלוקית, שעברה בין הבתרים הללו, ובכך נשלם הצד הטקסי של הברית.

כראוי לברית, תכניה מנוסחים גם במלים מדויקות: יח **בַּיּוֹם הַהוּא כָּרַת ה׳ אֶת אַבְרָם בְּרִית לֵאמֹר: לְזַרְעֲךָ נָתַתִּי אֶת הָאָרֶץ הַזֹּאת** בהיקפה הגדול ביותר – **מִנְּהַר מִצְרַיִם.** מסתבר כי הוא הזרוע המזרחית של הנילוס, הנקראת ברוב המקומות נַחַל מִצְרַיִם.[50] זהו גבולה הדרומי-מערבי של ארץ ישראל. **עַד הַנָּהָר הַגָּדֹל, נְהַר פְּרָת,** התוחם אותה בצדה הצפוני-מזרחי. ההבטחה על ירושת הארץ כוללת את הורשת העמים היושבים בה: יט **אֶת הַקֵּינִי וְאֶת הַקְּנִזִּי וְאֵת הַקַּדְמֹנִי**, שזהותם

הרחבות | לגלות ולהשתעבד, וגזרה זו מציבה פיתוי גדול בפני מלכים ופוליטיקאים לשעבד אותם. מנגד, על איש מן המשעבדים בפועל לא הוטלה חובה אישית לבצע גזרה זו. על כן הם יתנו על כך את הדין. דומה הדבר לכך שקיימת ודאות סטטיסטית מסוימת לגבי מספר האנשים שימותו בכל שנה בתאונות דרכים, אבל אין פירוש הדבר שמי שידרוס ילד ברחוב לא יישא באחריות למעשיו (ראו רמב"ם הלכות תשובה ו,ג).

׳כי לא שלם עון האמרי עד הנה׳ השאלות התיאולוגיות הנכרכות בברית בין הבתרים עוסקות לא רק באחריותם של המשעבדים, אלא גם בענישתם של האמוריים. המרכיבים השונים של זכויותיהן וחובותיהן של אומות נשזרים זה בזה. במימוש הברית מעורבים שיקולים הקשורים לאחריות האישית וכאלה המתייחסים למעשה הכללי, הגזרה העליונה הרחבה הנגזרת מראש והפרטים שבאמצעותם תתממש.

׳מנהר מצרים עד הנהר הגדל׳ מעולם לא היה אזור זה כולו תחת שלטונם של ישראל, אף לא בזמנם של דוד המלך

הַקַּדְמֹנִי: וְאֶת־הַחִתִּי וְאֶת־הַפְּרִזִּי וְאֶת־הָרְפָאִים: כ
וְאֶת־הָאֱמֹרִי וְאֶת־הַכְּנַעֲנִי וְאֶת־הַגִּרְגָּשִׁי וְאֶת־ כא
יג הַיְבוּסִי: וְשָׂרַי אֵשֶׁת אַבְרָם לֹא יָלְדָה לוֹ א טז
וְלָהּ שִׁפְחָה מִצְרִית וּשְׁמָהּ הָגָר: וַתֹּאמֶר שָׂרַי אֶל־ ב
אַבְרָם הִנֵּה־נָא עֲצָרַנִי יהוה מִלֶּדֶת בֹּא־נָא אֶל־
שִׁפְחָתִי אוּלַי אִבָּנֶה מִמֶּנָּה וַיִּשְׁמַע אַבְרָם לְקוֹל שָׂרָי:
וַתִּקַּח שָׂרַי ׀ אֵשֶׁת אַבְרָם אֶת־הָגָר הַמִּצְרִית שִׁפְחָתָהּ ג
מִקֵּץ עֶשֶׂר שָׁנִים לְשֶׁבֶת אַבְרָם בְּאֶרֶץ כְּנָעַן וַתִּתֵּן

רש"י | אֱדוֹם וּמוֹאָב וְעַמּוֹן, וְהֵם קֵינִי קְנִזִּי קַדְמֹנִי, וַעֲתִידִים לִהְיוֹת יְרֻשָּׁה לֶעָתִיד, שֶׁנֶּאֱמַר: "אֱדוֹם וּמוֹאָב מִשְׁלוֹחַ יָדָם וּבְנֵי עַמּוֹן מִשְׁמַעְתָּם" (ישעיה יא, יד)

כ] וְאֶת הָרְפָאִים. אֶרֶץ עוֹג, שֶׁנֶּאֱמַר בָּהּ: "הַהוּא יִקָּרֵא אֶרֶץ רְפָאִים" (דברים ג, יג)

פרק טז

א] שִׁפְחָה מִצְרִית. בַּת פַּרְעֹה הָיְתָה, כְּשֶׁרָאָה נִסִּים שֶׁנַּעֲשׂוּ לְשָׂרָה, אָמַר: מוּטָב שֶׁתְּהֵא בִתִּי שִׁפְחָה בְּבַיִת זֶה וְלֹא גְבִירָה בְּבַיִת אַחֵר:

ב] אוּלַי אִבָּנֶה מִמֶּנָּה. לִמֵּד עַל מִי שֶׁאֵין לוֹ בָּנִים שֶׁאֵינוֹ בָנוּי אֶלָּא הָרוּס: אִבָּנֶה מִמֶּנָּה. בִּזְכוּת שֶׁאַכְנִיס צָרָתִי לְבֵיתִי: לְקוֹל שָׂרָי. לְרוּחַ הַקֹּדֶשׁ שֶׁבָּהּ:

ג] וַתִּקַּח שָׂרַי. לְקָחַתָּה בִּדְבָרִים: אַשְׁרֶיךָ שֶׁזָּכִית לְדַבֵּק בְּגוּף קָדוֹשׁ כָּזֶה: מִקֵּץ עֶשֶׂר שָׁנִים. מוֹעֵד הַקָּבוּעַ לְאִשָּׁה שֶׁשָּׁהֲתָה עֶשֶׂר שָׁנִים וְלֹא יָלְדָה לְבַעְלָהּ, חַיָּב לִשָּׂא אַחֶרֶת: לְשֶׁבֶת אַבְרָם וְגוֹ'. מַגִּיד שֶׁאֵין יְשִׁיבַת חוּצָה לָאָרֶץ עוֹלָה לוֹ מִן הַמִּנְיָן, לְפִי שֶׁלֹּא נֶאֱמַר לוֹ: "וְאֶעֶשְׂךָ לְגוֹי גָּדוֹל" (לעיל יב, ב) עַד שֶׁיָּבֹא לְאֶרֶץ יִשְׂרָאֵל:

הרחבות | ושלמה בנו, שהתקרבו לעבר נהר פרת. נחלה זו גדולה הרבה יותר מארץ כנען בכל הגדרה פוליטית שהייתה לה, בין בזמן המצרים ובין בזמנים אחרים. היא כוללת כמעט את כל הסהרון הפורה. הבטחה זו מתייחסת לשליטה כמעט מוחלטת בכל עבר הנהר, כלומר בכל צדו המערבי של נהר פרת, הנחשב כיחידה אחת.

'ולה שפחה מצרית' אף על פי שאיננו יודעים מה הייתה המסגרת המשפטית של האבות, אפשר לשער שחוקיהם היו דומים למערכות המשפטיות שנהגו בקרב עמי האזור שבקרבם ולצדם חיו אברם ושרי, כגון חוקי חמורבי, החוק של אשנונה והחוק של מארי. לפי חוקים אלו, הנשים לא היו נתונות לחלוטין ברשות בעליהן. היה להן מעמד אישי ומשפטי משל עצמן. אף כאן בולט שלשרי יש רכוש משלה, ובתוכו – שפחה מצרית.

'אולי אִבָּנֶה ממנה' פעמים אחדות מסופר במקרא על זוגות שלא זכו לפרי בטן, ובעקבות הכנסת ילד למשפחה – לרוב ילד של שפחה או של אשה אחרת הנתונה תחת חסותה של האשה העצורה – הם נפקדים, והיא יולדת. בכמה מקומות נרמז כי היו מניחים את התינוק לאחר היוולדו

ביאור | אינה ידועה, אך מניחים כי עמים אלו ישבו מחוץ לארץ כנען במובנה
המצומצם. כ **וְאֶת הַחִתִּי וְאֶת הַפְּרִזִּי**, מעמי כנען **וְאֶת הָרְפָאִים**,
הענקים[51] כא **וְאֶת הָאֱמֹרִי וְאֶת הַכְּנַעֲנִי וְאֶת הַגִּרְגָּשִׁי וְאֶת הַיְבוּסִי.**

הריון הגר ולידת ישמעאל

פרק טז

בעניין זה אפשר לראות המשך חלקי לנושא המשכיות זרעו של אברם, שעמד במרכז שיחתו של אברם עם אלוקים בתחילת העניין הקודם.

פרק טז א **וְשָׂרַי אֵשֶׁת אַבְרָם לֹא יָלְדָה לוֹ**, אף שהיו נשואים שנים
רבות,[52] **וְלָהּ שִׁפְחָה מִצְרִית וּשְׁמָהּ הָגָר.** כפי הנראה, הייתה שפחתה
הפרטית של שרי. ב **וַתֹּאמֶר שָׂרַי אֶל אַבְרָם: הִנֵּה נָא עֲצָרַנִי ה׳ מִלֶּדֶת**,
אינני יכולה ללדת, **בֹּא נָא אֶל שִׁפְחָתִי, אוּלַי אִבָּנֶה מִמֶּנָּה**, אולי יהיו לי
בנים ממנה. ייתכן ששרי חשה שהגיעה לסוף תקופת פריונה, והיא
מקווה שמעשה זה יגרום אף לה ללדת. **וַיִּשְׁמַע אַבְרָם לְקוֹל שָׂרָי.**
אברם לא יזם את העניין ממניעיו הוא, אלא שיתף פעולה עם שרי
וציית לה למענה בלבד. ג **וַתִּקַּח שָׂרַי אֵשֶׁת אַבְרָם אֶת הָגָר הַמִּצְרִית
שִׁפְחָתָהּ, מִקֵּץ עֶשֶׂר שָׁנִים לְשֶׁבֶת אַבְרָם בְּאֶרֶץ כְּנָעַן.** הצעתה של שרי
באה לאחר ששניהם עברו מסעות רחוקים יחדיו, וכבר עברו עשר
שנים מאז הגיעו לכנען, ועדיין לא היה להם פרי בטן.[53] **וַתִּתֵּן אֹתָהּ**

הרחבות | על ברכי האם המאמצת (ראו לשון הכתובים להלן ל,ג; נ,כג. פעולה סמלית זו מתועדת גם בתעודות מהמזרח הקדום), וייתכן גם שהאשה חשוכת הילדים ישבה על המשבר ליד היולדת. ושמא המלים אִבָּנֶה מִמֶּנָּה מרמזות על הישיבה על האבניים עם היולדת. נראה כי נוהג זה נתפס כסגולה להיריון, אך הוא דומה לתופעה מוכרת ומתועדת היום – אימוץ ילד על ידי זוג חשוך ילדים, שבעקבותיו הם זוכים גם בצאצא ביולוגי משלהם.

'ותקח שרי אשת אברם את הגר... ותתן אֹתה לאברם אישה לו לאשה' הקשר בין שרי ואברם לא היה קשר משפטי או פורמלי בלבד, אלא הייתה זו קרבה גדולה. מן המסופר על שרי אפשר להתרשם כי הייתה אשה יוזמנית המחליטה החלטות עצמאיות, וכי היא עוררה באברם יחס של כבוד אל רגשותיה ודעתה. לשום אשה לא פשוט להציע לבעלה לקחת אשה נוספת, ועל אחת כמה וכמה – כשמדובר באשה בעלת מעמד משלה. אכן, אף העובדה שהיא הציעה לו את שפחתה, שייתכן שחשה קרובה אליה, לא הקלה עליהם.

אֹתָהּ לְאַבְרָם אִישָׁהּ לוֹ לְאִשָּׁה: וַיָּבֹא אֶל־הָגָר וַתַּהַר ד
וַתֵּרֶא כִּי הָרָתָה וַתֵּקַל גְּבִרְתָּהּ בְּעֵינֶיהָ: וַתֹּאמֶר שָׂרַי ה
אֶל־אַבְרָם חֲמָסִי עָלֶיךָ אָנֹכִי נָתַתִּי שִׁפְחָתִי בְּחֵיקֶךָ
וַתֵּרֶא כִּי הָרָתָה וָאֵקַל בְּעֵינֶיהָ יִשְׁפֹּט יְהוָה בֵּינִי
וּבֵינֶיךָ: וַיֹּאמֶר אַבְרָם אֶל־שָׂרַי הִנֵּה שִׁפְחָתֵךְ בְּיָדֵךְ ו
עֲשִׂי־לָהּ הַטּוֹב בְּעֵינָיִךְ וַתְּעַנֶּהָ שָׂרַי וַתִּבְרַח מִפָּנֶיהָ:
וַיִּמְצָאָהּ מַלְאַךְ יְהוָה עַל־עֵין הַמַּיִם בַּמִּדְבָּר עַל־ ז
הָעַיִן בְּדֶרֶךְ שׁוּר: וַיֹּאמַר הָגָר שִׁפְחַת שָׂרַי אֵי־מִזֶּה ח
בָאת וְאָנָה תֵלֵכִי וַתֹּאמֶר מִפְּנֵי שָׂרַי גְּבִרְתִּי אָנֹכִי

רש"י

ד) **וַיָּבֹא אֶל הָגָר וַתַּהַר.** מִבִּיאָה רִאשׁוֹנָה: **וַתֵּקַל גְּבִרְתָּהּ בְּעֵינֶיהָ.** אָמְרָה: שָׂרָה זוֹ אֵין סִתְרָהּ כְּגִלּוּיָהּ, מַרְאָה עַצְמָהּ כְּאִלּוּ הִיא צַדֶּקֶת וְאֵינָהּ צַדֶּקֶת, שֶׁלֹּא זָכְתָה לְהֵרָיוֹן כָּל הַשָּׁנִים הַלָּלוּ, וַאֲנִי נִתְעַבַּרְתִּי מִבִּיאָה רִאשׁוֹנָה:

ה) **חֲמָסִי עָלֶיךָ.** חָמָס הֶעָשׂוּי לִי, עָלֶיךָ אֲנִי מְטִילָה הָעֹנֶשׁ; כְּשֶׁהִתְפַּלַּלְתָּ לְהַקָּדוֹשׁ בָּרוּךְ הוּא: "מַה תִּתֶּן לִי וְאָנֹכִי הוֹלֵךְ עֲרִירִי" (לעיל טו, ב) לֹא הִתְפַּלַּלְתָּ אֶלָּא עָלֶיךָ, וְהָיָה לְךָ לְהִתְפַּלֵּל עַל שְׁנֵינוּ וְהָיִיתִי אֲנִי נִפְקֶדֶת עִמְּךָ. וְעוֹד, דְּבָרֶיךָ אַתָּה חוֹמֵס מִמֶּנִּי, שֶׁאַתָּה שׁוֹמֵעַ בִּזְיוֹנִי וְשׁוֹתֵק:

אָנֹכִי נָתַתִּי שִׁפְחָתִי וגו' בֵּינִי וּבֵינֶיךָ. כָּל 'בֵּינֶךָ' שֶׁבַּמִּקְרָא חָסֵר וְזֶה מָלֵא, קְרִי בֵּיהּ: 'וּבֵינֶיךָ', שֶׁהִכְנִיסָה עַיִן הָרָע בְּעִבּוּרָהּ שֶׁל הָגָר וְהִפִּילָה עֻבָּרָהּ. הוּא שֶׁהַמַּלְאָךְ אוֹמֵר לְהָגָר: "הִנָּךְ הָרָה" (להלן פסוק יא), וַהֲלֹא כְּבָר הָרְתָה, וְהוּא מְבַשֵּׂר לָהּ שֶׁתַּהַר?! אֶלָּא מְלַמֵּד שֶׁהִפִּילָה הֵרָיוֹן הָרִאשׁוֹן:

ו) **וַתְּעַנֶּהָ שָׂרָי.** הָיְתָה מְשַׁעְבֶּדֶת בָּהּ בְּקֹשִׁי:

ח) **אֵי מִזֶּה בָאת.** מֵהֵיכָן בָּאת. יוֹדֵעַ הָיָה, אֶלָּא לִתֵּן לָהּ פֶּתַח לִכָּנֵס עִמָּהּ בִּדְבָרִים. וּלְשׁוֹן "אֵי מִזֶּה", אַיֵּה הַמָּקוֹם שֶׁתֹּאמַר עָלָיו "מִזֶּה" אֲנִי בָּאָה:

הרחבות

"ותענהָ שרי" הרמב"ן כותב ששרי לא נהגה כראוי בהגר. אמנם לפי חוקי העולם העתיק, כגון חוקי חמורבי, היו מענישים שפחה שהרתה לאדון והחלה להקל בכבודה של גברתה. שרי נהגה אפוא בהתאם למשפט המקובל, אם כי לא כך מצופה שתנהג אם רחמנייה. גם אם אפשר להבין לנפשה של שרי, אין בכך כדי להצדיק את מעשיה מבחינה מוסרית.

ביאור | **לְאַבְרָם אִישָׁהּ לוֹ לְאִשָּׁה.** נראה שהגר ניתנה כאשה חוקית ולא כשפחה או פילגש בלבד. אולם השינוי שחל במעמדה הוא שיעורר בעיות בהמשך –
ד **וַיָּבֹא** אברם **אֶל הָגָר וַתַּהַר** תוך זמן קצר, **וַתֵּרֶא כִּי הָרָתָה – וַתֵּקַל גְּבִרְתָּהּ בְּעֵינֶיהָ.** הגר פירשה את הריונה כסימן לשינוי במעמדה. לפי דרשות שונות, הגר פירשה את הריונה כאות לעדיפותה המוסרית על פני גברתה.[54] אפשר להסביר את השינוי ביחסה של הגר לשרי גם באופן אחר: לפי חוקיהן ומנהגיהן של כמה מדינות בעולם העתיק, אשה הנשואה לגבר שיש לו כמה נשים, והיא היולדת לו ילד – ובעיקר אם הוא בן – הופכת לאשה הראשית. לפיכך הריונה של הגר מעצים אותה, וגם אם איננה מזלזלת באופן גלוי בגברתה, הרי שדימויה העצמי מתחזק.[55]

יחסה הנפשי של שרי להריונה של הגר אמביוולנטי –
ה **וַתֹּאמֶר שָׂרַי אֶל אַבְרָם: חֲמָסִי עָלֶיךָ.** גרמת לי עוול. חמס כאן אינו גנבה או גזֵלה, אלא מעשה שנעשה שלא כדין ושלא כראוי. **אָנֹכִי נָתַתִּי שִׁפְחָתִי בְּחֵיקֶךָ,** הייתה זו שפחתי, והמעשה נבע מהחלטתי, **וַתֵּרֶא כִּי הָרָתָה – וָאֵקַל בְּעֵינֶיהָ. יִשְׁפֹּט ה' בֵּינִי וּבֵינֶיךָ.** אין בדברים אלה האשמה ברורה, אלא דרישה מאברם שיעמוד לצדה באופן בולט יותר.

ו **וַיֹּאמֶר אַבְרָם אֶל שָׂרַי: הִנֵּה שִׁפְחָתֵךְ בְּיָדֵךְ.** למרות הריונה, לא אגן עליה. את יכולה לקבלה חזרה בתור שפחה. נראה כי אין לאברם קשר עמוק עם הגר, או שמא התפתח קשר כזה, אך אברם נכון לוותר עליו למען שרי – **עֲשִׂי לָהּ הַטּוֹב בְּעֵינָיִךְ. וַתְּעַנֶּהָ שָׂרַי,** שרי הציקה להגר. הכתוב אינו מפרש אם מדובר בהצקה נפשית או גופנית, אם בנזיפות, בקללות, בהטלת עבודה קשה או בדברים אחרים. **וַתִּבְרַח** הגר **מִפָּנֶיהָ.**

ז **וַיִּמְצָאָהּ מַלְאַךְ ה' עַל עֵין הַמַּיִם בַּמִּדְבָּר, עַל הָעַיִן,** ליד המעיין **בְּדֶרֶךְ שׁוּר** בנגב.
ח **וַיֹּאמַר: הָגָר שִׁפְחַת שָׂרַי,** המלאך קרא לה בשמה; הוא הכיר אותה. **אֵי מִזֶּה,** מאין **בָאת, וְאָנָה,** ולאן **תֵלֵכִי?**

העולם | **דֶּרֶךְ שׁוּר** שבין קָדֵשׁ-ברנע וּבֵין בָּרֶד, המזוהה עם ביר חסנה שבמרכז סיני. שור הוא גם שם מדבר הסמוך למצרים ממזרח (להלן כה,יח; שמות טו,כב). על כן רואים בה את הדרך העוברת במרכז סיני מבאר-שבע דרך קדש-ברנע, ברד, רפידים ועד אסמעיליה במצרים. שור היא חומה בארמית, והדרך קרויה כך בגלל המצודות לאורך גבולה המזרחי של מצרים, בקו תעלת-סואץ.

בֹּרַחַת: וַיֹּאמֶר לָהּ מַלְאַךְ יְהוָה שׁוּבִי אֶל־גְּבִרְתֵּךְ ט
וְהִתְעַנִּי תַּחַת יָדֶיהָ: וַיֹּאמֶר לָהּ מַלְאַךְ יְהוָה הַרְבָּה י
אַרְבֶּה אֶת־זַרְעֵךְ וְלֹא יִסָּפֵר מֵרֹב: וַיֹּאמֶר לָהּ מַלְאַךְ יא
יְהוָה הִנָּךְ הָרָה וְיֹלַדְתְּ בֵּן וְקָרָאת שְׁמוֹ יִשְׁמָעֵאל
כִּי־שָׁמַע יְהוָה אֶל־עָנְיֵךְ: וְהוּא יִהְיֶה פֶּרֶא אָדָם יָדוֹ יב
בַּכֹּל וְיַד כֹּל בּוֹ וְעַל־פְּנֵי כָל־אֶחָיו יִשְׁכֹּן: וַתִּקְרָא שֵׁם־ יג
יְהוָה הַדֹּבֵר אֵלֶיהָ אַתָּה אֵל רֳאִי כִּי אָמְרָה הֲגַם הֲלֹם
רָאִיתִי אַחֲרֵי רֹאִי: עַל־כֵּן קָרָא לַבְּאֵר בְּאֵר לַחַי רֹאִי יד
הִנֵּה בֵין־קָדֵשׁ וּבֵין בָּרֶד: וַתֵּלֶד הָגָר לְאַבְרָם בֵּן טו
וַיִּקְרָא אַבְרָם שֶׁם־בְּנוֹ אֲשֶׁר־יָלְדָה הָגָר יִשְׁמָעֵאל:

רש"י

ט| **וַיֹּאמֶר לָהּ מַלְאַךְ וגו'.** עַל כָּל אֲמִירָה הָיָה שָׁלוּחַ לָהּ מַלְאָךְ אַחֵר מַלְאָךְ, לְכָךְ נֶאֱמַר 'מַלְאָךְ' בְּכָל אֲמִירָה וַאֲמִירָה:

יא| **הִנָּךְ הָרָה.** כְּשֶׁתָּשׁוּבִי תַּהֲרִי, כְּמוֹ: "הִנָּךְ הָרָה" (שופטים יג, ה) דְּאֵשֶׁת מָנוֹחַ: **וְיֹלַדְתְּ בֵּן.** כְּמוֹ 'וְיוֹלֶדֶת'. וְדוֹמֶה לוֹ: "יֹשַׁבְתְּ בַּלְּבָנוֹן מְקֻנַּנְתְּ בָּאֲרָזִים" (ירמיה כב, כג): **וְקָרָאת שְׁמוֹ.** צִוּוּי הוּא, כְּמוֹ שֶׁאוֹמֵר לַזָּכָר: "וְקָרָאתָ אֶת שְׁמוֹ יִצְחָק" (להלן יז, יט):

יב| **פֶּרֶא אָדָם.** אוֹהֵב מִדְבָּרוֹת לָצוּד חַיּוֹת, כְּמוֹ שֶׁכָּתוּב: "וַיֵּשֶׁב בַּמִּדְבָּר וַיְהִי רֹבֶה קַשָּׁת" (להלן כא, כ): **יָדוֹ בַּכֹּל.** לִסְטִים: **וְיַד כֹּל בּוֹ.** הַכֹּל שׂוֹנְאִין אוֹתוֹ וּמִתְגָּרִין בּוֹ: **וְעַל פְּנֵי כָל אֶחָיו יִשְׁכֹּן.** שֶׁיִּהְיֶה זַרְעוֹ גָּדוֹל:

יג| **אַתָּה אֵל רֳאִי.** נָקוּד חֲטַף קָמָץ מִפְּנֵי שֶׁהוּא שֵׁם דָּבָר, אֱלוֹהַּ הָרְאִיָּה, שֶׁרוֹאֶה בְּעֶלְבּוֹן שֶׁל עֲלוּבִין: **הֲגַם הֲלֹם.** לְשׁוֹן תֵּמַהּ, וְכִי סְבוּרָה הָיִיתִי שֶׁאַף הֲלוֹם בַּמִּדְבָּרוֹת רָאִיתִי שְׁלוּחוֹ שֶׁל מָקוֹם, "אַחֲרֵי רֹאִי" אוֹתָם בְּבֵיתוֹ שֶׁל אַבְרָהָם שֶׁשָּׁם הָיִיתִי רְגִילָה לִרְאוֹת מַלְאָכִים? וְתֵדַע שֶׁהָיְתָה רְגִילָה לִרְאוֹתָם, שֶׁהֲרֵי מָנוֹחַ רָאָה אֶת הַמַּלְאָךְ פַּעַם אַחַת וְאָמַר: "מוֹת נָמוּת" (שופטים יג, כב), וְזוֹ רָאֲתָה אַרְבָּעָה זֶה אַחַר זֶה וְלֹא חָרְדָה:

יד| **בְּאֵר לַחַי רֹאִי.** כְּתַרְגּוּמוֹ: "דְּמַלְאַךְ קַיָּמָא אִתַּחְזִי עֲלַהּ":

טו| **וַיִּקְרָא אַבְרָם שֵׁם וגו'.** אַף עַל פִּי שֶׁלֹּא שָׁמַע אַבְרָהָם דִּבְרֵי הַמַּלְאָךְ שֶׁאָמַר: "וְקָרָאת שְׁמוֹ יִשְׁמָעֵאל" (לעיל פסוק יא), שָׁרְתָה רוּחַ הַקֹּדֶשׁ עָלָיו וּקְרָאוֹ יִשְׁמָעֵאל:

העולם | **בָּרֶד** על פי תרגום יונתן היא חלוצה שמצפון לקדש-ברנע. במחקר זוהתה עם ביר חסנה במרכז חצי-האי סיני.

ביאור

וַתֹּאמֶר: מִפְּנֵי שָׂרַי גְּבִרְתִּי אָנֹכִי בֹּרַחַת.

ט **וַיֹּאמֶר לָהּ מַלְאַךְ ה': שׁוּבִי אֶל גְּבִרְתֵּךְ, וְהִתְעַנִּי תַּחַת יָדֶיהָ.** כך נגזר
עלייך, וזו הדרך הטובה עבורך. י **וַיֹּאמֶר לָהּ מַלְאַךְ ה': הַרְבָּה אַרְבֶּה
אֶת זַרְעֵךְ,** הילד שברחמך יגדל ויהיה לעם גדול, **וְלֹא יִסָּפֵר מֵרֹב.** אף
בנה של הגר יזכה בהתגשמותה של ברכת הזרע ועצמתו שניתנה
לאברם. יא **וַיֹּאמֶר לָהּ מַלְאַךְ ה': הִנָּךְ הָרָה,** כפי שאת כבר יודעת,
אבל אני מבשר לך – **וְיֹלַדְתְּ בֵּן,** ולא בת. **וְקָרָאת שְׁמוֹ יִשְׁמָעֵאל כִּי
שָׁמַע ה' אֶל עָנְיֵךְ.** יב **וְהוּא יִהְיֶה פֶּרֶא אָדָם,** בין בני האדם הוא יהיה
דמות פראית, בלתי ממוסדת ובלתי מיושבת. **יָדוֹ בַכֹּל וְיַד כֹּל בּוֹ,**
תמיד יהיה מעורב בתגרות, בקטטות ובמלחמות. ייתכן שהמלאך
רומז בדבריו לנטייתם של ישמעאל וצאצאיו לחיי נוודות, וכדרכם
של נוודים, הם צפויים לחיי שוד וסכסוכים, ובכל זאת - **וְעַל פְּנֵי כָל
אֶחָיו יִשְׁכֹּן.** הוא יגיע לגדולה בעיני אחיו ובני משפחתו.

יג **וַתִּקְרָא שֵׁם ה' הַדֹּבֵר אֵלֶיהָ** - שהרי המלאך אינו אלא שליח.
אמנם קשה לדעת הרבה על דמותה השקטה של הגר, ובכל זאת,
כמי שהגיעה מבית אברם, ספגה הגר את השקפת עולמו. על כן
ידעה שהמלאך איננו אל לעצמו, אלא ה' מדבר אליה באמצעותו.
משום כך היא קוראת לה': **אַתָּה אֵל רֳאִי,** אתה האל הנראה, האל
המתגלה. **כִּי אָמְרָה: הֲגַם הֲלֹם,** אף כאן **רָאִיתִי** התגלות **אַחֲרֵי רֹאִי,**
בנוסף על מה שראיתי בבית אברם. כאשה שזכתה להכיר מלאכים
כבר קודם לכן, וכמי שאף בהווה חיה בעולם מיסטי, היא אמרה
בהתפעלות כי אפילו כאן, במדבר המרוחק, מתגלה אליה האל
שהכירה בבית אֵ-ל רֳאִי. יד **עַל כֵּן קָרָא** הקורא[56] **לַבְּאֵר: בְּאֵר לַחַי
רֹאִי.** בארו של ה', החי הנראה. **הִנֵּה** באר זו עדיין ידועה,[57] ומקומה
הוא **בֵּין קָדֵשׁ וּבֵין בָּרֶד,** בדרומה של כנען.

טו הגר שבה הביתה כמאמר המלאך, ולבסוף, **וַתֵּלֶד הָגָר לְאַבְרָם בֵּן.
וַיִּקְרָא אַבְרָם שֶׁם בְּנוֹ אֲשֶׁר יָלְדָה הָגָר, יִשְׁמָעֵאל.** ייתכן שאף על פי

הרחבות

שילוש המלים 'ויאמר לה מלאך ה'' חכמי המדרש דרשו את הפתיחה החוזרת במשולש בפסוקים האחרונים, וַיֹּאמֶר לָהּ מַלְאַךְ ה', ואמרו כי בכל פעם נראה לה מלאך אחר (בראשית רבה מה,ז). ייתכן גם שהמלאך שינה עמדה ותפקיד בכל אחת מפניותיו. בפנייה הראשונה המלאך שאל שאלה; בשנייה - ציווה עליה לעשות מעשה; ובשלישית - בירך וניבא את עתיד צאצאיה.

וְאַבְרָם בֶּן־שְׁמֹנִים שָׁנָה וְשֵׁשׁ שָׁנִים בְּלֶדֶת־הָגָר אֶת־ טז
יד יִשְׁמָעֵאל לְאַבְרָם׃ וַיְהִי אַבְרָם בֶּן־ א יז
תִּשְׁעִים שָׁנָה וְתֵשַׁע שָׁנִים וַיֵּרָא יְהֹוָה אֶל־אַבְרָם
וַיֹּאמֶר אֵלָיו אֲנִי־אֵל שַׁדַּי הִתְהַלֵּךְ לְפָנַי וֶהְיֵה תָמִים׃
וְאֶתְּנָה בְרִיתִי בֵּינִי וּבֵינֶךָ וְאַרְבֶּה אוֹתְךָ בִּמְאֹד מְאֹד׃ ב
וַיִּפֹּל אַבְרָם עַל־פָּנָיו וַיְדַבֵּר אִתּוֹ אֱלֹהִים לֵאמֹר׃ אֲנִי ג ד
הִנֵּה בְרִיתִי אִתָּךְ וְהָיִיתָ לְאַב הֲמוֹן גּוֹיִם׃ וְלֹא־יִקָּרֵא ה

רש"י

טז) **וְאַבְרָם בֶּן שְׁמֹנִים וְגוֹ'.** לְשִׁבְחוֹ שֶׁל יִשְׁמָעֵאל נִכְתַּב, לְהוֹדִיעַ שֶׁהָיָה בֶּן שְׁלֹשׁ עֶשְׂרֵה שָׁנָה כְּשֶׁנִּמּוֹל וְלֹא עִכֵּב:

פרק יז

א) **אֲנִי אֵל שַׁדַּי.** אֲנִי הוּא שֶׁיֵּשׁ דַּי בֶּאֱלָהוּתִי לְכָל בְּרִיָּה, לְפִיכָךְ "הִתְהַלֵּךְ לְפָנַי" וְאֶהְיֶה לְךָ לֶאֱלוֹהַּ וּלְפַטְרוֹן. וְכֵן כָּל מָקוֹם שֶׁהוּא בַּמִּקְרָא, פֵּרוּשׁוֹ: דַּי שֶׁלּוֹ, לְפִי הָעִנְיָן: **הִתְהַלֵּךְ לְפָנַי.** כְּתַרְגּוּמוֹ: "פְּלַח קֳדָמַי", הִדָּבֵק בַּעֲבוֹדָתִי: **וֶהְיֵה תָמִים.** אַף זֶה צִוּוּי אַחַר צִוּוּי, הֱיֵה שָׁלֵם בְּכָל נִסְיוֹנוֹתַי. וּלְפִי מִדְרָשׁוֹ, "הִתְהַלֵּךְ לְפָנַי" בְּמִצְוַת מִילָה, וּבַדָּבָר הַזֶּה תִּהְיֶה תָמִים, שֶׁכָּל זְמַן שֶׁהָעָרְלָה בְּךָ אַתָּה בַּעַל מוּם לְפָנַי. דָּבָר אַחֵר, "וֶהְיֵה תָמִים", מוֹסִיף אֲנִי אוֹת עַל שִׁמְךָ וְיִהְיוּ מִנְיַן אוֹתִיּוֹתֶיךָ רמ"ח כְּמִנְיַן אֵיבָרֶיךָ:

ב) **וְאֶתְּנָה בְרִיתִי.** בְּרִית שֶׁל אַהֲבָה וּבְרִית הָאָרֶץ לְהוֹרִישָׁהּ לְךָ עַל יְדֵי מִצְוָה זוֹ:

ג) **וַיִּפֹּל אַבְרָם עַל פָּנָיו.** מִמּוֹרָא הַשְּׁכִינָה, שֶׁעַד שֶׁלֹּא מָל לֹא הָיָה בּוֹ כֹּחַ לַעֲמֹד וְרוּחַ הַקֹּדֶשׁ נִצֶּבֶת עָלָיו. וְזֶהוּ שֶׁנֶּאֱמַר בְּבִלְעָם: "נֹפֵל וּגְלוּי עֵינָיִם" (במדבר כד, ד). בִּבְרַיְתָא דְּרַבִּי אֱלִיעֶזֶר:

ביאור | שאברם לא שמע מהגר את השם שעליו המליץ המלאך, הוא בחר בעצמו שם זה, כיוון שה׳ שמע אליו ואל עוניו, כשנתן לו את בנו בכורו. טז **וְאַבְרָם בֶּן שְׁמֹנִים שָׁנָה וְשֵׁשׁ שָׁנִים בְּלֶדֶת הָגָר אֶת יִשְׁמָעֵאל לְאַבְרָם.** חשיפת גילו של אברם עם הולדת ישמעאל מסייעת להבין את סדרם של המאורעות, שכן סדר הכתובים במקרא אינו משקף בהכרח את סדר ההתרחשויות. למשל, אין ודאות באשר לזמנה של ברית בין הבתרים ביחס למועד הגעתו של אברם לארץ. הפעם הראשונה שבה הוזכר תאריך ביחס לחיי אברם, הייתה ביציאתו מחרן, ואילו כאן, עם לידת בנו הראשון, נזכר שוב גילו, כאחת עשרה שנים לאחר הגעתו לארץ כנען.

ברית מילה

פרק יז

גם עניין זה עוסק בהמשך תולדותיו של אברם. עם זאת, אפשר לראות בו גם מעין נקודת מפנה בחיי אברם. ה׳ משנה את שמו וכורת עמו ברית שסימנה ייחקק בבשרו, במילת הערלה.

אירוע זה מציב את אברהם כדמות השלישית בין הדמויות המכוננות את האנושות: אדם הראשון, נח – שממנו השתלשלה האנושות שלאחר המבול, ואברהם – הסולל דרך חדשה והנחשב לאביהם של מלכים ושל אומות רבות.

פרק יז א **וַיְהִי אַבְרָם בֶּן תִּשְׁעִים שָׁנָה וְתֵשַׁע שָׁנִים. וַיֵּרָא ה׳ אֶל אַבְרָם וַיֹּאמֶר אֵלָיו: אֲנִי אֵל שַׁדַּי.** שם מיוחד זה מבטא, לדעת רוב המפרשים, את עצמתו של אלוקים ואת מעורבותו במציאות, כמשדד מערכות וכיוצר מערכות חדשות בעולם.[58] **הִתְהַלֵּךְ לְפָנַי,** שרת אותי, **וֶהְיֵה תָמִים,** מושלם. ה׳ כבר כרת עם אברם את ברית בין הבתרים, שהיו לה מאפיינים קיומיים-קנייניים – אלוקים הבטיח לאברם את הארץ לנחלה לזרעו לעולם. ב הברית הנכרתת כאן אישית יותר – **וְאֶתְּנָה בְרִיתִי בֵּינִי וּבֵינֶךָ,** ברית זו נכרתת עם אברם כאדם יחיד, ואף עם כל אחד מבניו באופן אישי. **וְאַרְבֶּה אוֹתְךָ בִּמְאֹד מְאֹד.**

ג **וַיִּפֹּל אַבְרָם עַל פָּנָיו** מחמת הנבואה, מחמת היראה וכביטוי להכנעתו הגמורה כלפי מה שאלוקים עומד לומר לו, שהרי ההבטחה נושאת עמה גם התחייבות. **וַיְדַבֵּר אִתּוֹ אֱלֹהִים לֵאמֹר:** ד **אֲנִי הִנֵּה בְרִיתִי אִתָּךְ,** אני כורת אתך ברית, **וְהָיִיתָ לְאַב הֲמוֹן גּוֹיִם.** זהו מעמד חדש ה **וְעַל**

עוֹד אֶת־שִׁמְךָ אַבְרָם וְהָיָה שִׁמְךָ אַבְרָהָם כִּי אַב־
הֲמוֹן גּוֹיִם נְתַתִּיךָ: וְהִפְרֵתִי אֹתְךָ בִּמְאֹד מְאֹד ו
שביעי וּנְתַתִּיךָ לְגוֹיִם וּמְלָכִים מִמְּךָ יֵצֵאוּ: וַהֲקִמֹתִי אֶת־ ז
בְּרִיתִי בֵּינִי וּבֵינֶךָ וּבֵין זַרְעֲךָ אַחֲרֶיךָ לְדֹרֹתָם לִבְרִית
עוֹלָם לִהְיוֹת לְךָ לֵאלֹהִים וּלְזַרְעֲךָ אַחֲרֶיךָ: וְנָתַתִּי ח
לְךָ וּלְזַרְעֲךָ אַחֲרֶיךָ אֵת ׀ אֶרֶץ מְגֻרֶיךָ אֵת כָּל־אֶרֶץ
כְּנַעַן לַאֲחֻזַּת עוֹלָם וְהָיִיתִי לָהֶם לֵאלֹהִים: וַיֹּאמֶר ט
אֱלֹהִים אֶל־אַבְרָהָם וְאַתָּה אֶת־בְּרִיתִי תִשְׁמֹר אַתָּה
וְזַרְעֲךָ אַחֲרֶיךָ לְדֹרֹתָם: זֹאת בְּרִיתִי אֲשֶׁר תִּשְׁמְרוּ י
בֵּינִי וּבֵינֵיכֶם וּבֵין זַרְעֲךָ אַחֲרֶיךָ הִמּוֹל לָכֶם כָּל־זָכָר:
וּנְמַלְתֶּם אֵת בְּשַׂר עָרְלַתְכֶם וְהָיָה לְאוֹת בְּרִית יא

רש"י

ה | **כִּי אַב הֲמוֹן גּוֹיִם.** לְשׁוֹן נוֹטָרִיקוֹן שֶׁל שְׁמוֹ, וְרֵי"שׁ שֶׁהָיְתָה בּוֹ בַּתְּחִלָּה, שֶׁלֹּא הָיָה אָב אֶלָּא לַאֲרָם שֶׁהוּא מְקוֹמוֹ, וְעַכְשָׁיו לֹא זָזָה מִמְּקוֹמָהּ; שֶׁאַף יוּ"ד שֶׁל שָׂרַי נִתְרַעֲמָה עַל הַשְּׁכִינָה עַד שֶׁהוֹסִיפָהּ לִיהוֹשֻׁעַ, שֶׁנֶּאֱמַר: "וַיִּקְרָא מֹשֶׁה לְהוֹשֵׁעַ בִּן נוּן יְהוֹשֻׁעַ" (במדבר יג, טז):

ו | **וּנְתַתִּיךָ לְגוֹיִם.** יִשְׂרָאֵל וֶאֱדוֹם, שֶׁהֲרֵי יִשְׁמָעֵאל כְּבָר הָיָה לוֹ וְלֹא הָיָה מְבַשְּׂרוֹ עָלָיו:

ז | **וַהֲקִמֹתִי אֶת בְּרִיתִי.** וּמַה הִיא הַבְּרִית? "לִהְיוֹת לְךָ לֵאלֹהִים":

ח | **לַאֲחֻזַּת עוֹלָם.** וְשָׁם אֶהְיֶה לָכֶם לֵאלֹהִים, אֲבָל הַדָּר בְּחוּצָה לָאָרֶץ כְּמִי שֶׁאֵין לוֹ אֱלוֹהַּ:

ט-י | **וְאַתָּה.** וָי"ו זוֹ מוּסָף עַל עִנְיָן רִאשׁוֹן, "אֲנִי הִנֵּה בְרִיתִי אִתָּךְ" (לעיל פסוק ד), וְאַתָּה הֱוֵי זָהִיר לְשָׁמְרוֹ, וּמַה הִיא שְׁמִירָתוֹ? "זֹאת בְּרִיתִי אֲשֶׁר תִּשְׁמְרוּ... הִמּוֹל לָכֶם" וְגוֹ': **בֵּינִי וּבֵינֵיכֶם.** אוֹתָם שֶׁל עַכְשָׁיו: **וּבֵין זַרְעֲךָ אַחֲרֶיךָ.** הָעֲתִידִין לְהִוָּלֵד אַחֲרֶיךָ: **הִמּוֹל.** כְּמוֹ 'לְהִמּוֹל', כְּמוֹ שֶׁאַתָּה אוֹמֵר 'עָשׂוֹת' כְּמוֹ 'לַעֲשׂוֹת':

יא | **וּנְמַלְתֶּם.** כְּמוֹ 'וּמַלְתֶּם', וְהַנּוּ"ן בּוֹ יְתֵרָה לַיְסוֹד הַנּוֹפֵל בּוֹ לִפְרָקִים, כְּמוֹ נוּ"ן שֶׁל 'נוֹשֵׁךְ' וְנוּ"ן שֶׁל 'נוֹשֵׂא'. 'וּנְמַלְתֶּם' כְּמוֹ 'וּנְשָׂאתֶם' (להלן מה, יט),

הרחבות

'זאת בריתי... הִמּוֹל לכם כל זכר' כמו בימינו, אף בזמנו של אברהם היו מלבדו אנשים שנימולו, ורבים אחרים שלא נימולו. אות ברית המילה לא נועד אפוא להבחין בין בני אברהם לשאר האנושות, אלא הוא חותָם החקוק בבשרנו, אשר נועד לעורר את תודעתנו לברית.

כן – **לֹא יִקָּרֵא עוֹד אֶת שִׁמְךָ אַבְרָם**, שם שמשמעותו פשוטה – אב ביאור
רם. **וְהָיָה שִׁמְךָ אַבְרָהָם, כִּי אַב הֲמוֹן גּוֹיִם נְתַתִּיךָ**. כחלק מהברית
מוחלף השם שנתנו לו הוריו, בשם שנותן לו אלוקים. משמעותו
של שם זה מורכבת יותר, והכתוב עצמו דורש אותו – אב המון, או:
אב רם המון. בניגוד לנח, שהוצג כצדיק תמים בראשית סיפורו,[59]
על אברם לא נמצא עד כה שיפוט ברור, אלא נפרשו מאורעותיו
בזה אחר זה. שינוי שמו מן השם שניתן לו בלידתו – אברם, לשם
שזכה בו בזכות פעולותיו וחייו – אברהם, הוא ביטוי לתמורה
שעברה דמותו. ו כחלק מהיותו אב להמון גויים, מובטח לו: **וְהִפְרֵתִי
אֹתְךָ בִּמְאֹד מְאֹד, וּנְתַתִּיךָ לְגוֹיִם**, לעמים שונים, **וּמְלָכִים מִמְּךָ יֵצֵאוּ**,
כל אחד מהם ימלוך במקומו. ז **וַהֲקִמֹתִי אֶת בְּרִיתִי בֵּינִי וּבֵינֶךָ**,
קשר פרטי ואישי, **וּבֵין זַרְעֲךָ אַחֲרֶיךָ לְדֹרֹתָם לִבְרִית עוֹלָם, לִהְיוֹת לְךָ
לֵאלֹהִים וּלְזַרְעֲךָ אַחֲרֶיךָ**. אלוקי העולם ומלכו, בורא כל העולמות,
הכוכבים והשמשות, כורת עתה עם אברהם ועם זרעו ברית אישית
ומשפחתית, המבטאת קשר שונה מן הקשר שלו עם שאר האנשים,
הבריות והעולמות. כחלק מן הברית הזאת: ח **וְנָתַתִּי לְךָ וּלְזַרְעֲךָ
אַחֲרֶיךָ אֵת אֶרֶץ מְגֻרֶיךָ, אֵת כָּל אֶרֶץ כְּנַעַן לַאֲחֻזַּת עוֹלָם**, בכך הוא
חוזר על ההבטחה הקודמת, ובזאת הוא גם מודיע כי הברית הזאת
אינה מחליפה את ברית בין הבתרים כברית רוחנית ותיאולוגית
חדשה, אלא היא תוספת על הברית הקודמת. ועליה מופיעה
הבטחה נוספת – **וְהָיִיתִי לָהֶם לֵאלֹהִים**. מכאן ואילך יופיע הביטוי
אֱלֹהֵי אַבְרָהָם,[60] משום שמעתה הקדוש ברוך הוא אינו רק קֹנֵה
שָׁמַיִם וָאָרֶץ,[61] אלא הוא גם אלוקינו שלנו, של בני אברהם.

ט **וַיֹּאמֶר אֱלֹהִים אֶל אַבְרָהָם: וְאַתָּה אֶת בְּרִיתִי תִשְׁמֹר, אַתָּה וְזַרְעֲךָ
אַחֲרֶיךָ לְדֹרֹתָם**. גם עליך מוטלת חובה: י **זֹאת בְּרִיתִי אֲשֶׁר תִּשְׁמְרוּ,
בֵּינִי וּבֵינֵיכֶם וּבֵין זַרְעֲךָ אַחֲרֶיךָ: הִמּוֹל לָכֶם כָּל זָכָר**. יא **וּנְמַלְתֶּם אֵת
בְּשַׂר עָרְלַתְכֶם, וְהָיָה** חיתוך הבשר **לְאוֹת בְּרִית בֵּינִי וּבֵינֵיכֶם**. הברית
היא עצם הקשר, ואילו המילה היא אות הברית, הסימן המציין את
הברית. הטקס המכונה בפינו 'ברית מילה' אינו יוצר את הברית, אלא
הוא ציון האות והסימן לקיומה. כשם שצורבים בבשרם של בעלי
חיים – להבדיל – סימני שייכות לבעליהם, כך המילה היא חתימת

בֵּינִ֖י וּבֵינֵיכֶֽם׃ וּבֶן־שְׁמֹנַ֣ת יָמִ֗ים יִמּ֥וֹל לָכֶ֛ם כָּל־ יב
זָכָ֖ר לְדֹרֹתֵיכֶ֑ם יְלִ֣יד בָּ֔יִת וּמִקְנַת־כֶּ֙סֶף֙ מִכֹּ֣ל בֶּן־
נֵכָ֔ר אֲשֶׁ֛ר לֹ֥א מִֽזַּרְעֲךָ֖ הֽוּא׃ הִמּ֧וֹל ׀ יִמּ֛וֹל יְלִ֥יד בֵּֽיתְךָ֖ יג
וּמִקְנַ֣ת כַּסְפֶּ֑ךָ וְהָיְתָ֧ה בְרִיתִ֛י בִּבְשַׂרְכֶ֖ם לִבְרִ֥ית
עוֹלָֽם׃ וְעָרֵ֣ל ׀ זָכָ֗ר אֲשֶׁ֤ר לֹֽא־יִמּוֹל֙ אֶת־בְּשַׂ֣ר עָרְלָת֔וֹ יד
וְנִכְרְתָ֛ה הַנֶּ֥פֶשׁ הַהִ֖וא מֵעַמֶּ֑יהָ אֶת־בְּרִיתִ֖י
הֵפַֽר׃ וַיֹּ֤אמֶר אֱלֹהִים֙ אֶל־אַבְרָהָ֔ם שָׂרַ֣י טו
אִשְׁתְּךָ֔ לֹא־תִקְרָ֥א אֶת־שְׁמָ֖הּ שָׂרָ֑י כִּ֥י שָׂרָ֖ה שְׁמָֽהּ׃
וּבֵרַכְתִּ֣י אֹתָ֔הּ וְגַ֨ם נָתַ֧תִּי מִמֶּ֛נָּה לְךָ֖ בֵּ֑ן וּבֵֽרַכְתִּ֙יהָ֙ טז

רש״י

אֲבָל 'יִמּוֹל' לְשׁוֹן יִפָּעֵל, כְּמוֹ: יֵעָשֶׂה, יֵאָכֵל:

יב| **יְלִיד בָּיִת.** שֶׁיְּלָדַתּוּ הַשִּׁפְחָה בַּבַּיִת: **וּמִקְנַת כֶּסֶף.** שֶׁקְּנָאוֹ מִשֶּׁנּוֹלַד:

יג| **הִמּוֹל יִמּוֹל יְלִיד בֵּיתְךָ.** כָּאן כָּפַל עָלָיו וְלֹא אָמַר לִשְׁמֹנָה יָמִים, לְלַמֶּדְךָ שֶׁיֵּשׁ יְלִיד בַּיִת נִמּוֹל לְאֶחָד, וּכְמוֹ שֶׁמְּפֹרָשׁ בְּמַסֶּכֶת שַׁבָּת (דף קלה ע״ב):

יד| **וְעָרֵל זָכָר.** כָּאן לִמֵּד שֶׁהַמִּילָה בְּאוֹתוֹ מָקוֹם שֶׁהוּא מַבְדִּיל בֵּין זָכָר לִנְקֵבָה: **אֲשֶׁר לֹא יִמּוֹל.** מִשֶּׁיַּגִּיעַ לִכְלַל עֳנָשִׁין – ״וְנִכְרְתָה״. אֲבָל אָבִיו אֵין עָנוּשׁ עָלָיו כָּרֵת, אֲבָל עוֹבֵר בַּעֲשֵׂה: **וְנִכְרְתָה הַנֶּפֶשׁ.** הוֹלֵךְ עֲרִירִי וּמֵת קֹדֶם זְמַנּוֹ:

טו| **לֹא תִקְרָא אֶת שְׁמָהּ שָׂרָי.** דְּמַשְׁמַע שָׂרַי לִי וְלֹא לַאֲחֵרִים, ״כִּי שָׂרָה״ סְתָם ״שְׁמָהּ״, שֶׁתְּהֵא שָׂרָה עַל כֹּל:

טז| **וּבֵרַכְתִּי אֹתָהּ.** וּמַה הִיא הַבְּרָכָה? שֶׁחָזְרָה לְנַעֲרוּתָהּ, שֶׁנֶּאֱמַר: ״הָיְתָה לִּי עֶדְנָה״ (להלן יח, יב): **וּבֵרַכְתִּיהָ.** בַּהֲנָקַת שָׁדַיִם כְּשֶׁנִּצְרְכָה לְכָךְ, בְּיוֹם מִשְׁתֵּה יִצְחָק, שֶׁהָיוּ מְרַנְּנִים עֲלֵיהֶם שֶׁהֵבִיאוּ אֲסוּפִי מִן הַשּׁוּק וְאוֹמְרִים בְּנֵנוּ הוּא, וְהֵבִיאָה כָּל אַחַת בְּנָהּ עִמָּהּ וּמֵנִיקָתָהּ לֹא הֵבִיאָה, וְהִיא הֵינִיקָה אֶת כֻּלָּם. הוּא שֶׁנֶּאֱמַר: ״הֵינִיקָה

שייכות בבשרם של בני אדם. הסימן לברית ניתן בכם דווקא, משום
שהסימן אינו מיועד לאלוקים אלא הוא מהווה תזכורת לאדם כי
ה' הוא אלוקיו, וכי עמו כרותה לו ברית. דומה הדבר לאות הברית
של הקשת בענן, שבאה אף היא כדי להזכיר לאדם שהקדוש ברוך
הוא נאמן בבריתו.[62]

וכאן מופיעה הגדרה הלכתית, נורמטיבית, המתאימה בסגנונה לספרי
מקרא אחרים: יב **וּבֶן שְׁמֹנַת יָמִים יִמּוֹל לָכֶם כָּל זָכָר לְדֹרֹתֵיכֶם, יְלִיד
בָּיִת**, בן משפחה וכן כל מי שנולד במשפחה הזאת, אף שאינו צאצא
ביולוגי של אברהם, **וּמִקְנַת כֶּסֶף**, העבדים שאתם קונים **מִכֹּל בֶּן נֵכָר
אֲשֶׁר לֹא מִזַּרְעֲךָ הוּא**. לא רק זרעו של אברהם צריך להימול, אלא
אף כל קניינו. יג **הִמּוֹל יִמּוֹל יְלִיד בֵּיתְךָ וּמִקְנַת כַּסְפֶּךָ, וְהָיְתָה בְרִיתִי
בִּבְשַׂרְכֶם לִבְרִית עוֹלָם**. עליכם לשמור את הברית מדור לדור. יד **וְעָרֵל
זָכָר אֲשֶׁר לֹא יִמּוֹל אֶת בְּשַׂר עָרְלָתוֹ** מבין צאצאיכם - **וְנִכְרְתָה הַנֶּפֶשׁ
הַהִוא מֵעַמֶּיהָ**. זהו העונש החמור ביותר: הנפש תכלה ותנותק. עונש
זה מתחיל במוות, וממשיך בחיי הנפש בעולמות העליונים לאחר
המוות,[63] כי **אֶת בְּרִיתִי הֵפַר**. הברית חלה על כל אנשי בית אברהם
משעה שנולדו, אך אות הברית ניתן בבשרם ביום השמיני. מי שאינו
נימול נחשב כמפר ברית, כלומר הוא מכריז, כביכול, שאינו מעוניין
בברית, ולכן נענש בחומרה כה רבה.

שרי אינה אשה הנספחת אל בעלה. לכל אחד מבני הזוג אברהם
ושרי מעמד שווה או דומה. על כן אף על פי שברית מילת הבשר
ניתנה לאברהם ולבניו אחריו, ההבטחה, הקשר והייחוד מתייחסים
גם לשרי. כיוון ששניהם יחדיו מייסדים את קיומו של העם ואת
המשכה של הברית, אף שמה של שרי ישתנה באותה עת. טו **וַיֹּאמֶר
אֱלֹהִים אֶל אַבְרָהָם**, שמכאן ואילך נקרא אַבְרָהָם בלבד, ושמו הקודם
לא יופיע בהמשך: **שָׂרַי אִשְׁתְּךָ. לֹא תִקְרָא אֶת שְׁמָהּ שָׂרָי, כִּי שָׂרָה
שְׁמָהּ**. אם מתפרש השם שָׂרָי כ'שרה שלי', הרי שהוא מבטא צמצום
מסוים בשררתה. עתה, כשבעלה עובר מגדר אדם פרטי לאב המון
גויים, אף היא, שרי, 'השרה שלי' או 'המלכה שלי', הופכת להיות
'המלכה', 'השרה' של הכול. טז **וּבֵרַכְתִּי אֹתָהּ** בברכות שונות **וְגַם**

וְהָיְתָה לְגוֹיִם מַלְכֵי עַמִּים מִמֶּנָּה יִהְיוּ: וַיִּפֹּל אַבְרָהָם יז
עַל־פָּנָיו וַיִּצְחָק וַיֹּאמֶר בְּלִבּוֹ הַלְּבֶן מֵאָה־שָׁנָה יִוָּלֵד
וְאִם־שָׂרָה הֲבַת־תִּשְׁעִים שָׁנָה תֵּלֵד: וַיֹּאמֶר אַבְרָהָם יח
אֶל־הָאֱלֹהִים לוּ יִשְׁמָעֵאל יִחְיֶה לְפָנֶיךָ: וַיֹּאמֶר יט
אֱלֹהִים אֲבָל שָׂרָה אִשְׁתְּךָ יֹלֶדֶת לְךָ בֵּן וְקָרָאתָ אֶת־
שְׁמוֹ יִצְחָק וַהֲקִמֹתִי אֶת־בְּרִיתִי אִתּוֹ לִבְרִית עוֹלָם
לְזַרְעוֹ אַחֲרָיו: וּלְיִשְׁמָעֵאל שְׁמַעְתִּיךָ הִנֵּה ׀ בֵּרַכְתִּי כ
אֹתוֹ וְהִפְרֵיתִי אֹתוֹ וְהִרְבֵּיתִי אֹתוֹ בִּמְאֹד מְאֹד שְׁנֵים־
עָשָׂר נְשִׂיאִם יוֹלִיד וּנְתַתִּיו לְגוֹי גָּדוֹל: וְאֶת־בְּרִיתִי כא

רש"י

בָּנִים שָׂרָה" (להלן כח, ז). כְּאֵלּוּ רַבָּה רְמָזוֹ בְּמִקְנָת (נג, ט): וְעַד אַבְרָהָם שֶׁמִּהֲרוּ תּוֹלְדוֹתֵיהֶן בְּנֵי שְׁלֹשִׁים וּבְנֵי שִׁבְעִים:

יז| **וַיִּפֹּל אַבְרָהָם עַל פָּנָיו וַיִּצְחָק.** זֶה תִּרְגֵּם אוּנְקְלוֹס לְשׁוֹן שִׂמְחָה: 'וַחֲדִי', וְשֶׁל שָׂרָה לְשׁוֹן מָחוֹךְ (להלן יח, יב), לָמַדְתָּ שֶׁאַבְרָהָם הֶאֱמִין וְשָׂמַח, וְשָׂרָה לֹא הֶאֱמִינָה וְלִגְלְגָה, וְזֶהוּ שֶׁהִקְפִּיד הַקָּדוֹשׁ בָּרוּךְ הוּא עַל שָׂרָה וְלֹא הִקְפִּיד עַל אַבְרָהָם: **הַלְּבֶן.** יֵשׁ תְּמִיהוֹת שֶׁהֵן קִיּוּמוֹת, כְּמוֹ: "הֲנִגְלֹה נִגְלֵיתִי" (שמואל א' ב, כז), "הֲרוֹאֶה אַתָּה" (שמואל ב' טו, כז), אַף זוֹ קִיֶּמֶת, וְכָךְ אָמַר בְּלִבּוֹ: הֲנַעֲשָׂה חֶסֶד זֶה לְאַחֵר, מַה שֶּׁהַקָּדוֹשׁ בָּרוּךְ הוּא עוֹשֶׂה לִי?: **וְאִם שָׂרָה הֲבַת תִּשְׁעִים שָׁנָה.** הָיְתָה כְּדַאי לֵילֵד? וְאַף עַל פִּי שֶׁדּוֹרוֹת הָרִאשׁוֹנִים הָיוּ מוֹלִידִין בְּנֵי חֲמֵשׁ מֵאוֹת שָׁנָה, בִּימֵי אַבְרָהָם נִתְמַעֲטוּ הַשָּׁנִים כְּבָר וּבָא תַּשּׁוּת כֹּחַ לָעוֹלָם; וְצֵא וּלְמַד מֵעֲשָׂרָה דוֹרוֹת שֶׁמִּנֹּחַ

יח| **לוּ יִשְׁמָעֵאל יִחְיֶה.** הַלְוַאי שֶׁיִּחְיֶה יִשְׁמָעֵאל, אֵינִי כְּדַאי לְקַבֵּל מַתַּן שָׂכָר כָּזֶה: **יִחְיֶה לְפָנֶיךָ.** יִחְיֶה בְּיִרְאָתְךָ, כְּמוֹ: "הִתְהַלֵּךְ לְפָנַי" (לעיל פסוק א) – "פְּלַח קֳדָמַי":

יט| **אֲבָל.** לְשׁוֹן אֲמִתַּת דְּבָרִים, וְכֵן: "אֲבָל אֲשֵׁמִים אֲנַחְנוּ" (להלן מב, כא), "אֲבָל בֵּן אֵין לָהּ" (מלכים ב' ד, יד): **וְקָרָאתָ אֶת שְׁמוֹ יִצְחָק.** עַל שֵׁם הַצְּחוֹק; וְעַל שֵׁם עֲשָׂרָה נִסְיוֹנוֹת, וְתִשְׁעִים שָׁנָה שֶׁל שָׂרָה, וּשְׁמוֹנָה יָמִים שֶׁנִּמּוֹל, וּמֵאָה שָׁנָה שֶׁל אַבְרָהָם: **אֶת בְּרִיתִי.** בְּרִית הַמִּילָה תְּהֵא מְסוּרָה לְזַרְעוֹ:

כ| **שְׁנֵים עָשָׂר נְשִׂיאִם.** כַּעֲנָנִים יִכְלוּ, כְּמוֹ: "נְשִׂיאִים וְרוּחַ" (משלי כה, יד):

הרחבות

'וַיִּצְחָק' אברהם אינו מגיב לדבר מה מצחיק. צחוקו נובע מהשתאותו מן הבשורה הטובה ששמע. לכן התרגומים מתרגמים את הפועל וַיִּצְחָק כאן – 'וחדי', שמשמעו 'ושמח' (ראו אונקלוס ויונתן). צחוקו של אברהם אומר: ראו איזה פלא

ביאור | **נָתַתִּי מִמֶּנָּה לְךָ בֵּן. וּבֵרַכְתִּיהָ וְהָיְתָה** גם היא **לְגוֹיִם**, למנהיגים,[64] או: לשבטים.[65] **מַלְכֵי עַמִּים מִמֶּנָּה יִהְיוּ.** שרה אינה מתברכת רק בשמה החדש, המציין התקדמות למעלה חדשה,[66] אלא אף בבשורה שתלד בן מאברהם. בצד חשיבותה האישית של ברכת שרה בבן, היא מתבשרת גם בהיותה ראשיתו של עם שלם.

יז בעקבות הדברים הללו – **וַיִּפֹּל אַבְרָהָם עַל פָּנָיו** בהכנעה **וַיִּצְחָק. וַיֹּאמֶר בְּלִבּוֹ: הַלְּבֶן מֵאָה שָׁנָה יִוָּלֵד?** באותה עת אברהם בן תשעים ותשע. מאה הוא הגיל שבו ייוולד לו בן, אם שרה תהרה עתה. **וְאִם שָׂרָה, הֲבַת תִּשְׁעִים שָׁנָה תֵּלֵד?** שזה בוודאי אינו מתיישב עם חוקי הטבע.

יח **וַיֹּאמֶר אַבְרָהָם אֶל הָאֱלֹהִים: לוּ יִשְׁמָעֵאל יִחְיֶה לְפָנֶיךָ.** אתה מבטיח לי הבטחה נסית, החורגת מגדר הטבע, אך יש לי כבר בן, ישמעאל. הלוואי שייחשב הוא בני ויתברך בברכה זו.

יט **וַיֹּאמֶר אֱלֹהִים: אֲבָל**, אכן, באמת **שָׂרָה אִשְׁתְּךָ יֹלֶדֶת לְךָ בֵּן, וְקָרָאתָ אֶת שְׁמוֹ יִצְחָק**, שם הקשור בוודאי בצחוקו של אברהם,[67] **וַהֲקִמֹתִי אֶת בְּרִיתִי אִתּוֹ לִבְרִית עוֹלָם לְזַרְעוֹ אַחֲרָיו.** הוא יהיה הבן שאִתו תישמר הברית המיוחדת. כ **וּלְיִשְׁמָעֵאל**, ובעניין בקשתך על חייו של ישמעאל – **שְׁמַעְתִּיךָ.** בקשתך לא תשוב ריקם - **הִנֵּה בֵּרַכְתִּי אֹתוֹ, וְהִפְרֵיתִי אֹתוֹ, וְהִרְבֵּיתִי אֹתוֹ בִּמְאֹד מְאֹד. שְׁנֵים עָשָׂר נְשִׂיאִם יוֹלִיד, וּנְתַתִּיו לְגוֹי גָּדוֹל.** גם ממנו יצא עם גדול, כא ואולם **אֶת בְּרִיתִי**

הרחבות | נעשה בעולם! אופי צחוקו של אברהם יידון ביתר דיוק בהשוואה לצחוקה של שרה, שיופיע בעניין הבא.

'אבל' בתורה אינו מופיע כמלת ניגוד כמו אך, אולם (שימוש שהופיע בספרי הכתובים ואולי גם בנביאים. ראו למשל עזרא י,יב-יג) אלא משמעו 'אכן', 'באמת'. במשמעות זו שימשה המלה 'אבל' גם בלשונם של חכמים.

אָקִים אֶת־יִצְחָק אֲשֶׁר תֵּלֵד לְךָ שָׂרָה לַמּוֹעֵד הַזֶּה
בַּשָּׁנָה הָאַחֶרֶת׃ וַיְכַל לְדַבֵּר אִתּוֹ וַיַּעַל אֱלֹהִים מֵעַל כב
אַבְרָהָם׃ וַיִּקַּח אַבְרָהָם אֶת־יִשְׁמָעֵאל בְּנוֹ וְאֵת כָּל־ כג
יְלִידֵי בֵיתוֹ וְאֵת כָּל־מִקְנַת כַּסְפּוֹ כָּל־זָכָר בְּאַנְשֵׁי בֵּית
אַבְרָהָם וַיָּמָל אֶת־בְּשַׂר עָרְלָתָם בְּעֶצֶם הַיּוֹם הַזֶּה
מפטיר כַּאֲשֶׁר דִּבֶּר אִתּוֹ אֱלֹהִים׃ וְאַבְרָהָם בֶּן־תִּשְׁעִים כד
וָתֵשַׁע שָׁנָה בְּהִמֹּלוֹ בְּשַׂר עָרְלָתוֹ׃ וְיִשְׁמָעֵאל בְּנוֹ כה
בֶּן־שְׁלֹשׁ עֶשְׂרֵה שָׁנָה בְּהִמֹּלוֹ אֵת בְּשַׂר עָרְלָתוֹ׃
בְּעֶצֶם הַיּוֹם הַזֶּה נִמּוֹל אַבְרָהָם וְיִשְׁמָעֵאל בְּנוֹ׃ וְכָל־ כו כז
אַנְשֵׁי בֵיתוֹ יְלִיד בָּיִת וּמִקְנַת־כֶּסֶף מֵאֵת בֶּן־נֵכָר
נִמֹּלוּ אִתּוֹ׃

רש״י

כב) **מֵעַל אַבְרָהָם.** לָשׁוֹן נְקִיָּה הוּא כְּלַפֵּי שְׁכִינָה, וְלָמַדְנוּ שֶׁהַצַּדִּיקִים מֶרְכַּבְתּוֹ שֶׁל מָקוֹם:

כג) **בְּעֶצֶם הַיּוֹם.** בּוֹ בַּיּוֹם שֶׁנִּצְטַוָּה, בַּיּוֹם וְלֹא בַּלַּיְלָה, לֹא נִתְיָרֵא לֹא מִן הַגּוֹיִם וְלֹא מִן הַלֵּיצָנִים, וְשֶׁלֹּא יִהְיוּ אוֹיְבָיו וּבְנֵי דוֹרוֹ אוֹמְרִים: אִלּוּ רְאִינוּהוּ לֹא הִנַּחְנוּהוּ לָמוּל וּלְקַיֵּם מִצְוָתוֹ שֶׁל מָקוֹם: **וַיָּמָל.** לְשׁוֹן וַיִּפְעַל:

כד) **בְּהִמֹּלוֹ.** בְּהִפָּעֲלוֹ, כְּמוֹ: ״בְּהִבָּרְאָם״ (לעיל ב, ד): **בְּהִמֹּלוֹ בְּשַׂר עָרְלָתוֹ.** בְּאַבְרָהָם לֹא נֶאֱמַר ׳אֵת׳ לְפִי שֶׁלֹּא הָיָה חָסֵר אֶלָּא חִתּוּךְ בָּשָׂר, שֶׁכְּבָר נִתְמַעֵךְ עַל יְדֵי תַּשְׁמִישׁ, אֲבָל יִשְׁמָעֵאל שֶׁהָיָה יֶלֶד הֻזְקַק לַחְתֹּךְ עָרְלָה וְלִפְרֹעַ הַמִּילָה, לְכָךְ נֶאֱמַר בּוֹ ׳אֵת׳ (להלן פסוק כה):

כו) **בְּעֶצֶם הַיּוֹם הַזֶּה.** שֶׁמָּלְאוּ לְאַבְרָהָם תִּשְׁעִים וָתֵשַׁע שָׁנָה וּלְיִשְׁמָעֵאל שְׁלֹשׁ עֶשְׂרֵה שָׁנִים, ״נִמּוֹל אַבְרָהָם וְיִשְׁמָעֵאל בְּנוֹ״:

ביאור

אָקִים אֶת, עִם יִצְחָק. ה׳ מדגיש את ההבדל בין בני אברהם: ישמעאל,
בנו הראשון, שגדל בביתו, והיה מן הסתם אהוב על אביו, מתברך
בפריון רב ובהתעצמות, אבל הקשר המיוחד והאישי המגולם בברית
שמור רק ליצחק, **אֲשֶׁר תֵּלֵד לְךָ שָׂרָה לַמּוֹעֵד הַזֶּה בַּשָּׁנָה הָאַחֶרֶת.**
בעוד שנה באותו תאריך.

כב **וַיְכַל,** אלוקים סיים **לְדַבֵּר אִתּוֹ, וַיַּעַל אֱלֹהִים מֵעַל אַבְרָהָם.** אלוקים
יורד, כביכול, אל הנביא בכך שהוא מדבר אתו, ומשמסתיימת
הנבואה הוא מתעלה למרום.

כג **וַיִּקַּח אַבְרָהָם אֶת יִשְׁמָעֵאל בְּנוֹ וְאֵת כָּל יְלִידֵי בֵיתוֹ וְאֵת כָּל
מִקְנַת כַּסְפּוֹ, כָּל זָכָר בְּאַנְשֵׁי בֵּית אַבְרָהָם, וַיָּמָל אֶת בְּשַׂר עָרְלָתָם
בְּעֶצֶם הַיּוֹם הַזֶּה,** באותו יום שבו שמע את דבר ה׳, **כַּאֲשֶׁר דִּבֶּר אִתּוֹ
אֱלֹהִים.** בהקשרים שונים אפשר לראות כי אברהם אינו משתהה
בעשיית דברים. תיכף לאחר ששומע את דבר ה׳ הוא מציית לו,
בלא שיתעכב ויהרהר בעצם הדבר או בשאלות הגותיות. מיד
לאחר שה׳ שינה את שמו - הרי שיש לו שם חדש; מיד לאחר
שהצטווה למול את עצמו, את משפחתו ועבדיו - הוא מממש צו
קשה זה, אף שבאותה עת הוא קשיש - כד **וְאַבְרָהָם בֶּן תִּשְׁעִים
וָתֵשַׁע שָׁנָה בְּהִמֹּלוֹ בְּשַׂר עָרְלָתוֹ.** כה **וְיִשְׁמָעֵאל בְּנוֹ בֶּן שְׁלֹשׁ עֶשְׂרֵה
שָׁנָה בְּהִמֹּלוֹ אֵת בְּשַׂר עָרְלָתוֹ,** ואף על פי שגם בגיל הזה קשה היא
המילה מבחינות שונות. כו **בְּעֶצֶם הַיּוֹם הַזֶּה נִמּוֹל אַבְרָהָם וְיִשְׁמָעֵאל
בְּנוֹ.** כז **וְכָל אַנְשֵׁי בֵיתוֹ, יְלִיד בָּיִת וּמִקְנַת כֶּסֶף מֵאֵת בֶּן נֵכָר, נִמֹּלוּ
אִתּוֹ.**

וירא טו וַיֵּרָא אֵלָיו יְהוָה בְּאֵלֹנֵי מַמְרֵא וְהוּא יֹשֵׁב פֶּתַח־ יח א
הָאֹהֶל כְּחֹם הַיּוֹם: וַיִּשָּׂא עֵינָיו וַיַּרְא וְהִנֵּה שְׁלֹשָׁה ב
אֲנָשִׁים נִצָּבִים עָלָיו וַיַּרְא וַיָּרָץ לִקְרָאתָם מִפֶּתַח
הָאֹהֶל וַיִּשְׁתַּחוּ אָרְצָה: וַיֹּאמַר אֲדֹנָי אִם־נָא מָצָאתִי ג
חֵן בְּעֵינֶיךָ אַל־נָא תַעֲבֹר מֵעַל עַבְדֶּךָ: יֻקַּח־נָא ד
מְעַט־מַיִם וְרַחֲצוּ רַגְלֵיכֶם וְהִשָּׁעֲנוּ תַּחַת הָעֵץ:

רש"י | פרק יח

א| **וַיֵּרָא אֵלָיו.** לְבַקֵּר אֶת הַחוֹלֶה. אָמַר רַבִּי חָמָא בַּר חֲנִינָא: יוֹם שְׁלִישִׁי לְמִילָתוֹ הָיָה, וּבָא הַקָּדוֹשׁ בָּרוּךְ הוּא וְשָׁאַל בּוֹ: **בְּאֵלֹנֵי מַמְרֵא.** הוּא שֶׁנָּתַן לוֹ עֵצָה עַל הַמִּילָה, לְפִיכָךְ נִגְלָה עָלָיו בְּחֶלְקוֹ: **יֹשֵׁב.** 'יָשַׁב' כְּתִיב, בִּקֵּשׁ לַעֲמֹד, אָמַר לוֹ הַקָּדוֹשׁ בָּרוּךְ הוּא: שֵׁב, וַאֲתָה סִימָן לְבָנֶיךָ שֶׁעָתִיד אֲנִי לְהִתְיַצֵּב בַּעֲדַת הַדַּיָּנִים וְהֵן יוֹשְׁבִים: **פֶּתַח הָאֹהֶל.** לִרְאוֹת אִם יֵשׁ עוֹבֵר וָשָׁב, וְיַכְנִיסֵם בְּבֵיתוֹ: **כְּחֹם הַיּוֹם.** הוֹצִיא הַקָּדוֹשׁ בָּרוּךְ הוּא חַמָּה מִנַּרְתִּיקָהּ שֶׁלֹּא לְהַטְרִיחוֹ בְּאוֹרְחִים, וּלְפִי שֶׁרָאָהוּ מִצְטַעֵר שֶׁלֹּא הָיוּ אוֹרְחִים בָּאִים, הֵבִיא הַמַּלְאָכִים עָלָיו בִּדְמוּת אֲנָשִׁים:

ב| **וְהִנֵּה שְׁלֹשָׁה אֲנָשִׁים.** אֶחָד לְבַשֵּׂר אֶת שָׂרָה וְאֶחָד לַהֲפֹךְ אֶת סְדוֹם וְאֶחָד לְרַפְּאוֹת אֶת אַבְרָהָם, שֶׁאֵין מַלְאָךְ אֶחָד עוֹשֶׂה שְׁתֵּי שְׁלִיחוּיוֹת, תֵּדַע לְךָ שֶׁכֵּן כָּל הַפָּרָשָׁה הוּא מַזְכִּירָן בִּלְשׁוֹן רַבִּים, "וַיֹּאכֵלוּ" (להלן פסוק ח), "וַיֹּאמְרוּ אֵלָיו" (שם פסוק ט), וּבַבְּשׂוֹרָה נֶאֱמַר: "וַיֹּאמֶר שׁוֹב אָשׁוּב" (שם פסוק י), וּבַהֲפִיכַת סְדוֹם הוּא אוֹמֵר: "כִּי לֹא אוּכַל לַעֲשׂוֹת דָּבָר" (להלן יט, כב), "לְבִלְתִּי הָפְכִּי" (שם פסוק כא). וּרְפָאֵל שֶׁרִפֵּא אֶת אַבְרָהָם הָלַךְ מִשָּׁם לְהַצִּיל אֶת לוֹט, הוּא שֶׁנֶּאֱמַר: "וַיְהִי כְהוֹצִיאָם אֹתָם הַחוּצָה וַיֹּאמֶר הִמָּלֵט עַל נַפְשֶׁךָ" (שם יז), לָמַדְתָּ שֶׁהָאֶחָד הָיָה מַצִּיל: **נִצָּבִים עָלָיו.** לְפָנָיו, אֲבָל לָשׁוֹן נְקִיָּה הוּא כְּלַפֵּי הַמַּלְאָכִים: **וַיַּרְא.** מַהוּ "וַיַּרְא... וַיַּרְא" שְׁנֵי פְּעָמִים? הָרִאשׁוֹן כְּמַשְׁמָעוֹ, וְהַשֵּׁנִי לְשׁוֹן הֲבָנָה – נִסְתַּכֵּל שֶׁהָיוּ נִצָּבִים בְּמָקוֹם אֶחָד וְהֵבִין שֶׁלֹּא הָיוּ רוֹצִים לְהַטְרִיחוֹ, וְקָדַם הוּא וְרָץ לִקְרָאתָם. בְּבָבָא מְצִיעָא (דף פו ע"ב): כְּתִיב "נִצָּבִים עָלָיו" וּכְתִיב "וַיָּרָץ לִקְרָאתָם", כַּד חַזְיוּהּ דַּהֲוָה שָׁרֵי וְאָסַר, פֵּרְשׁוּ הֵימֶנּוּ. מִיָּד – "וַיָּרָץ לִקְרָאתָם":

ג| **וַיֹּאמַר אֲדֹנָי אִם נָא וְגוֹ'.** לַגָּדוֹל שֶׁבָּהֶם אָמַר, וּקְרָאָם כֻּלָּם אֲדוֹנִים, וְלַגָּדוֹל אָמַר: "אַל נָא תַעֲבֹר", וְכֵיוָן שֶׁלֹּא יַעֲבֹר הוּא יַעַמְדוּ חֲבֵרָיו עִמּוֹ, וּבְלָשׁוֹן זֶה הוּא חוֹל. דָּבָר אַחֵר, קֹדֶשׁ הוּא, וְהָיָה אוֹמֵר לְהַקָּדוֹשׁ בָּרוּךְ הוּא לְהַמְתִּין לוֹ עַד שֶׁיָּרוּץ וְיַכְנִיס אֶת הָאוֹרְחִים, וְאַף עַל פִּי שֶׁכָּתוּב אַחַר "וַיָּרָץ לִקְרָאתָם", הָאֲמִירָה קֹדֶם לָכֵן הָיְתָה, וְדֶרֶךְ הַמִּקְרָאוֹת לְדַבֵּר כֵּן, כְּמוֹ שֶׁפֵּרַשְׁתִּי אֵצֶל "לֹא יָדוֹן רוּחִי בָאָדָם" (לעיל ו, ג) שֶׁנִּכְתַּב אַחַר "וַיּוֹלֶד נֹחַ" (לעיל ה, לב), וְאִי אֶפְשָׁר לוֹמַר אֶלָּא אִם כֵּן קֹדֶם הַגְּזֵרָה עֶשְׂרִים שָׁנָה. וּשְׁתֵּי הַלְּשׁוֹנוֹת בִּבְרֵאשִׁית רַבָּה (מח, י; מט, ז):

ד| **יֻקַּח נָא.** עַל יְדֵי שָׁלִיחַ, וְהַקָּדוֹשׁ בָּרוּךְ הוּא שִׁלֵּם לְבָנָיו עַל יְדֵי שָׁלִיחַ, שֶׁנֶּאֱמַר: "וַיָּרֶם מֹשֶׁה אֶת יָדוֹ וַיַּךְ אֶת הַסֶּלַע" (במדבר כ, יא): **וְרַחֲצוּ רַגְלֵיכֶם.** כִּסְבוּר שֶׁהֵם עַרְבִיִּים שֶׁמִּשְׁתַּחֲוִים לַאֲבַק רַגְלֵיהֶם וְהִקְפִּיד שֶׁלֹּא לְהַכְנִיס עֲבוֹדָה זָרָה לְבֵיתוֹ. אֲבָל לוֹט שֶׁלֹּא הִקְפִּיד הִקְדִּים לִינָה לִרְחִיצָה,

התגלות ה' וביקור המלאכים אצל אברהם

פרק יח

בעניין זה, מתרחשות במקביל התגלות אלוקית והגעת אורחים לאוהלו של אברהם. הקטע מתחיל בתיאור מפורט של הכנסת האורחים הנדיבה של אברהם, אף על פי שנראה כי בעיסוקים ארציים אלו כרוכה השהיית המפגש עם הקדוש ברוך הוא. ואולם משהאורחים מבשרים את הולדת בנם של אברהם ושרה, נראה כי ה' משתתף בשיחה. עם הסתלקותם של האורחים לסדם ה' רוצה לגלות את אוזנו של אברהם כי בדעתו להשחית את סדם. כך מתברר כי אין האורחים אלא מלאכיו–שלוחיו של האל, אשר נשלחו אל אברהם לבשרו על הולדת בנו, ואשר עושים את דרכם לסדם כדי להשחיתה.

חסדו וזריזותו של אברהם באים לביטוי בעניין זה הן בהכנסת האורחים הזרים, הן במאבקו למען תושבי העיר סדם.

ביאור | איננו יודעים מתוך הכתוב מתי מל אברהם את עצמו ואת כל בני ביתו, אך בדורות מאוחרים אמרו שהדבר אירע בתקופת השנה שבה חל חג הפסח.[1] זמן קצר לאחר מכן – פרק יח א **וַיֵּרָא אֵלָיו ה' בְּאֵלֹנֵי מַמְרֵא, וְהוּא,** אברהם **יֹשֵׁב פֶּתַח הָאֹהֶל כְּחֹם הַיּוֹם.** ב **וַיִּשָּׂא** אברהם **עֵינָיו וַיַּרְא וְהִנֵּה שְׁלֹשָׁה אֲנָשִׁים נִצָּבִים עָלָיו.** קודם לכן הוא לא שם לב שהאנשים הולכים בדרכם, ולפתע הוא רואה אותם עומדים בקרבת מקום. **וַיַּרְא וַיָּרָץ לִקְרָאתָם מִפֶּתַח הָאֹהֶל, וַיִּשְׁתַּחוּ אָרְצָה.** אברהם לא קיבל את אורחיו רק כשהגיעו אל אוהלו; ביחסו האוהב כלפי אורחים הוא רץ להביאם אליו מן החוץ ונהג בהם כבוד והכנעה. ג **וַיֹּאמַר: אֲדֹנָי,** ה', **אִם נָא מָצָאתִי חֵן בְּעֵינֶיךָ,** אם רצונך בכך, **אַל נָא תַעֲבֹר מֵעַל עַבְדֶּךָ.** רוב מפרשי המקרא פירשו משפט זה כפונה אל אלוקים, שזה עתה התגלה אליו.[2] בזמן שאברהם רץ לעבר אורחיו הוא ביקש מהקדוש ברוך הוא שימתין לו, שכן עליו לקבל את האורחים. עתה פונה אברהם אל האנשים ואומר להם: ד **יֻקַּח נָא מְעַט מַיִם וְרַחֲצוּ רַגְלֵיכֶם,** שכן באתם מדרך רחוקה, ובוודאי רגליכם עייפות. רחיצת הרגליים, בין שהן נעולות נעליים ובין שהן יחפות, היא אחד האופנים הראשונים למנוחתן. **וְהִשָּׁעֲנוּ**

הרחבות | 'וירא וירץ לקראתם' ממעשיו אלו של אברהם למדו חכמים כי "גדולה הכנסת אורחין מהקבלת פני שכינה" (שבת קכז ע"א). השכינה אינה רעבה; היא אינה עלולה להצטנן בקור או להינזק מן החום, ואילו הכנסת אורחים היא התחייבות אישית, ישירה ומידית.

וְאֶקְחָה פַת־לֶחֶם וְסַעֲדוּ לִבְּכֶם אַחַר תַּעֲבֹרוּ כִּי־עַל־ ה
כֵּן עֲבַרְתֶּם עַל־עַבְדְּכֶם וַיֹּאמְרוּ כֵּן תַּעֲשֶׂה כַּאֲשֶׁר
דִּבַּרְתָּ׃ · וַיְמַהֵר אַבְרָהָם הָאֹהֱלָה אֶל־שָׂרָה וַיֹּאמֶר ו
מַהֲרִי שְׁלֹשׁ סְאִים קֶמַח סֹלֶת לוּשִׁי וַעֲשִׂי עֻגוֹת׃
וְאֶל־הַבָּקָר רָץ אַבְרָהָם וַיִּקַּח בֶּן־בָּקָר רַךְ וָטוֹב וַיִּתֵּן ז
אֶל־הַנַּעַר וַיְמַהֵר לַעֲשׂוֹת אֹתוֹ׃ וַיִּקַּח חֶמְאָה וְחָלָב ח
וּבֶן־הַבָּקָר אֲשֶׁר עָשָׂה וַיִּתֵּן לִפְנֵיהֶם וְהוּא עֹמֵד
עֲלֵיהֶם תַּחַת הָעֵץ וַיֹּאכֵלוּ׃ · וַיֹּאמְרוּ אֵלָיו אַיֵּה שָׂרָה ט
אִשְׁתֶּךָ וַיֹּאמֶר הִנֵּה בָאֹהֶל׃ וַיֹּאמֶר שׁוֹב אָשׁוּב אֵלֶיךָ י

רש"י

שֶׁנֶּאֱמַר: "וְלִינוּ וְרַחֲצוּ רַגְלֵיכֶם" (להלן יט, ב): **תַּחַת הָעֵץ.** תַּחַת הָאִילָן:

ה] **וְסַעֲדוּ לִבְּכֶם.** בַּתּוֹרָה בַּנְּבִיאִים וּבַכְּתוּבִים מָצִינוּ דְּפִתָּא סַעֲדְתָּא דְּלִבָּא. בַּתּוֹרָה: "וְסַעֲדוּ לִבְּכֶם", בַּנְּבִיאִים: "סְעָד לִבְּךָ פַּת לֶחֶם" (שופטים יט, ה), בַּכְּתוּבִים: "וְלֶחֶם לְבַב אֱנוֹשׁ יִסְעָד" (תהלים קד, טו). אָמַר רַבִּי חָמָא: 'לְבַבְכֶם' אֵין כְּתִיב כָּאן אֶלָּא 'לִבְּכֶם', מַגִּיד שֶׁאֵין יֵצֶר הָרָע שׁוֹלֵט בַּמַּלְאָכִים: **אַחַר תַּעֲבֹרוּ.** אַחַר כֵּן תֵּלְכוּ: **כִּי עַל כֵּן עֲבַרְתֶּם.** כִּי הַדָּבָר הַזֶּה אֲנִי מְבַקֵּשׁ מִכֶּם מֵאַחַר שֶׁעֲבַרְתֶּם עָלַי לְכְבוֹדִי. "כִּי עַל כֵּן" – כְּמוֹ: 'עַל אֲשֶׁר', וְכֵן כָּל 'כִּי עַל כֵּן' שֶׁבַּמִּקְרָא: "כִּי עַל כֵּן בָּאוּ בְּצֵל קֹרָתִי" (להלן יט, ח), "כִּי עַל כֵּן רָאִיתִי פָנֶיךָ" (להלן לג, י), "כִּי עַל כֵּן לֹא נְתַתִּיהָ" (להלן לח, כו), "כִּי עַל כֵּן יָדַעְתָּ חֲנֹתֵנוּ" (במדבר י, לא):

ו] **קֶמַח סֹלֶת.** סֹלֶת לְעוּגוֹת, קֶמַח לַעֲמִילָן שֶׁל טַבָּחִים לְכַסּוֹת אֶת הַקְּדֵרָה לִשְׁאֹב אֶת הַזֻּהֲמָא:

ז] **בֶּן בָּקָר רַךְ וָטוֹב.** שְׁלֹשָׁה פָרִים הָיוּ, כְּדֵי לְהַאֲכִילָן שָׁלֹשׁ לְשׁוֹנוֹת בְּחַרְדָּל: **אֶל הַנַּעַר.** זֶה יִשְׁמָעֵאל, לְחַנְּכוֹ בְּמִצְוֹת:

ח] **וַיִּקַּח חֶמְאָה וְגוֹ'.** וְלֶחֶם לֹא הֵבִיא, לְפִי שֶׁפֵּרְסָה שָׂרָה נִדָּה שֶׁחָזַר לָהּ אֹרַח כַּנָּשִׁים אוֹתוֹ הַיּוֹם, וְנִטְמֵאת הָעִסָּה: **חֶמְאָה.** שֻׁמַּן הֶחָלָב שֶׁקּוֹלְטִין מֵעַל פָּנָיו: **וּבֶן הַבָּקָר אֲשֶׁר עָשָׂה.** אֲשֶׁר תִּקֵּן. קַמָּא קַמָּא שֶׁתִּקֵּן אַמְטֵי וְאַיְתֵי קַמַּיְהוּ: **וַיֹּאכֵלוּ.** נִרְאוּ כְּמוֹ שֶׁאָכְלוּ, מִכָּאן שֶׁלֹּא יְשַׁנֶּה אָדָם מִן הַמִּנְהָג:

ט] **וַיֹּאמְרוּ אֵלָיו.** נָקוּד עַל אי"ו, וְתַנְיָא, רַבִּי שִׁמְעוֹן בֶּן אֶלְעָזָר אוֹמֵר: כָּל מָקוֹם שֶׁהַכְּתָב רָבָה עַל הַנְּקֻדָּה אַתָּה דּוֹרֵשׁ הַכְּתָב, וְכָאן נְקֻדָּה רָבָה עַל הַכְּתָב וְאַתָּה דּוֹרֵשׁ הַנְּקֻדָּה, שֶׁאַף לְשָׂרָה שָׁאֲלוּ: אַיּוֹ אַבְרָהָם? לָמַדְנוּ שֶׁיִּשְׁאַל אָדָם בְּאַכְסַנְיָא שֶׁלּוֹ לָאִישׁ עַל הָאִשָּׁה וְלָאִשָּׁה עַל הָאִישׁ. בְּבָבָא מְצִיעָא (דף פז ע"א) אוֹמְרִים: יוֹדְעִים הָיוּ מַלְאֲכֵי הַשָּׁרֵת שָׂרָה אִמֵּנוּ הֵיכָן הָיְתָה, אֶלָּא לְהוֹדִיעַ שֶׁצְּנוּעָה הָיְתָה כְּדֵי לְחַבְּבָהּ עַל בַּעְלָהּ. אָמַר רַבִּי יוֹסֵי בְּרַבִּי חֲנִינָא: כְּדֵי לְשַׁגֵּר לָהּ כּוֹס שֶׁל בְּרָכָה: **הִנֵּה בָאֹהֶל.** צְנוּעָה הִיא:

ביאור | תַּחַת הָעֵץ, תוכלו לנוח בצל העץ. ה וְאֶקְחָה פַת לֶחֶם, פרוסת לחם, וְסַעֲדוּ לִבְּכֶם, אַחַר תַּעֲבֹרוּ. אינני רוצה לעכב אתכם הרבה. לאחר שתנוחו מעט ותטעמו משהו, תמשיכו בדרככם,[3] כִּי עַל כֵּן עֲבַרְתֶּם עַל עַבְדְּכֶם, אם הזדמנתם לכאן, ראוי שתתארחו אצלי.

וַיֹּאמְרוּ בנימוס: כֵּן תַּעֲשֶׂה כַּאֲשֶׁר דִּבַּרְתָּ. אנא עשה כפי שאמרת בלבד, מעט מים, ישיבה תחת העץ, פת לחם, ודי לנו בכך.[4]

אולם שוב התגלתה זריזותו ומעשיותו של אברהם: ו וַיְמַהֵר אַבְרָהָם הָאֹהֱלָה אֶל שָׂרָה, וַיֹּאמֶר: מַהֲרִי שְׁלֹשׁ סְאִים, כמות ניכרת למדי של קֶמַח סֹלֶת. סולת נעשית על ידי טחינה גסה של גרעין החיטה. לוּשִׁי וַעֲשִׂי עֻגוֹת, מין לחם עגול.

ז וְאֶל הַבָּקָר רָץ אַבְרָהָם. וַיִּקַּח בֶּן בָּקָר רַךְ, צעיר וָטוֹב, ומובחר, וַיִּתֵּן אֶל הַנַּעַר שהיה שם, וַיְמַהֵר לַעֲשׂוֹת אֹתוֹ. הוא ציווה על נערו לשחוט את הבקר, להפשיטו ולהכינו לסעודה. ח וַיִּקַּח חֶמְאָה וְחָלָב, וּבֶן הַבָּקָר אֲשֶׁר עָשָׂה, וַיִּתֵּן לִפְנֵיהֶם, לפני אורחיו. אברהם שש על הזכות לארח. על כן הוא עצמו רץ להכין הכול. אף שמן הסתם יש בביתו לחם, הוא דואג שיאפו עבורם לחם חדש. אפיית הלחם ושחיטת הבקר לכבוד האורחים הן גם מעשים טקסיים המדגישים את התלהבותו ואת רצונו הטוב ביחס אליהם. וְהוּא עֹמֵד עֲלֵיהֶם, משרת אותם[5] תַּחַת הָעֵץ, וַיֹּאכֵלוּ.

אף על פי שמדובר בעוברי אורח, ייתכן שהם ידעו דבר מה על אברהם – ט וַיֹּאמְרוּ אֵלָיו: אַיֵּה שָׂרָה אִשְׁתֶּךָ? שמא מקובל היה שהאשה תצא לקראת האורחים החשובים.

וַיֹּאמֶר: הִנֵּה בָאֹהֶל, ואין היא רוצה להתערב בטקס הזה.

כָּעֵת חַיָּה וְהִנֵּה־בֵן לְשָׂרָה אִשְׁתֶּךָ וְשָׂרָה שֹׁמַעַת
יא פֶּתַח הָאֹהֶל וְהוּא אַחֲרָיו׃ וְאַבְרָהָם וְשָׂרָה זְקֵנִים
בָּאִים בַּיָּמִים חָדַל לִהְיוֹת לְשָׂרָה אֹרַח כַּנָּשִׁים׃
יב וַתִּצְחַק שָׂרָה בְּקִרְבָּהּ לֵאמֹר אַחֲרֵי בְלֹתִי הָיְתָה־לִּי
יג עֶדְנָה וַאדֹנִי זָקֵן׃ וַיֹּאמֶר יְהוָה אֶל־אַבְרָהָם לָמָּה זֶּה
צָחֲקָה שָׂרָה לֵאמֹר הַאַף אֻמְנָם אֵלֵד וַאֲנִי זָקַנְתִּי׃
יד הֲיִפָּלֵא מֵיְהוָה דָּבָר לַמּוֹעֵד אָשׁוּב אֵלֶיךָ כָּעֵת חַיָּה
טו שני וּלְשָׂרָה בֵן׃ וַתְּכַחֵשׁ שָׂרָה ׀ לֵאמֹר לֹא צָחַקְתִּי כִּי ׀
טז יָרֵאָה וַיֹּאמֶר ׀ לֹא כִּי צָחָקְתְּ׃ וַיָּקֻמוּ מִשָּׁם הָאֲנָשִׁים

רש"י

י] **כָּעֵת חַיָּה.** כָּעֵת הַזֹּאת לַשָּׁנָה הַבָּאָה, וּפֶסַח הָיָה, וּלְפֶסַח הַבָּא נוֹלַד יִצְחָק, מִדְּלָא קָרֵינַן כְּעֵת חַיָּה: **כָּעֵת חַיָּה.** כָּעֵת הַזֹּאת שֶׁתְּהֵא חַיָּה לָכֶם, שֶׁתִּהְיוּ כֻּלְּכֶם שְׁלֵמִים וְקַיָּמִים: **שׁוֹב אָשׁוּב.** לֹא בִּשְּׂרוֹ הַמַּלְאָךְ שֶׁיָּשׁוּב אֵלָיו, אֶלָּא בִּשְׁלִיחוּתוֹ שֶׁל מָקוֹם אָמַר לוֹ, כְּמוֹ: "וַיֹּאמֶר לָהּ מַלְאַךְ ה' הַרְבָּה אַרְבֶּה" (לעיל טז, י) וְהוּא אֵין בְּיָדוֹ לְהַרְבּוֹת, אֶלָּא בִּשְׁלִיחוּתוֹ שֶׁל מָקוֹם אָמַר לָהּ, אַף כָּאן בִּשְׁלִיחוּתוֹ שֶׁל מָקוֹם אָמַר לוֹ: **וְהוּא אַחֲרָיו.** הַפֶּתַח הָיָה אַחַר הַמַּלְאָךְ:

יא] **חָדַל לִהְיוֹת.** פָּסַק מִמֶּנָּה דֶּרֶךְ נָשִׁים – נִדּוּת:

יב] **בְּקִרְבָּהּ לֵאמֹר.** מִסְתַּכֶּלֶת בְּמֵעֶיהָ: אֶפְשָׁר הַקְּרָבַיִם הַלָּלוּ טוֹעֲנִין וָלָד? הַשָּׁדַיִם הַלָּלוּ שֶׁצָּמְקוּ מוֹשְׁכִין חָלָב? תַּנְחוּמָא (שופטים יח): **עֶדְנָה.** צַחוּת בָּשָׂר, וּלְשׁוֹן מִשְׁנָה: "מַשִּׁיר אֶת הַשֵּׂעָר וּמְעַדֵּן אֶת הַבָּשָׂר". דָּבָר אַחֵר, לְשׁוֹן עִדָּן, זְמַן וֶסֶת נִדּוּת:

יג] **הַאַף אֻמְנָם.** הֲגַם אֱמֶת "אֵלֵד": **וַאֲנִי זָקַנְתִּי.** שִׁנָּה הַכָּתוּב מִפְּנֵי הַשָּׁלוֹם, שֶׁהֲרֵי הִיא אָמְרָה: "וַאדֹנִי זָקֵן":

יד] **הֲיִפָּלֵא.** כְּתַרְגּוּמוֹ, "הֲיִתְכַּסֵּי", וְכִי שׁוּם דָּבָר מֻפְלָא וּמֻפְרָד וּמְכֻסֶּה מִמֶּנִּי מִלַּעֲשׂוֹת כִּרְצוֹנִי?: **לַמּוֹעֵד.** לְאוֹתוֹ מוֹעֵד הַמְיֻחָד שֶׁקָּבַעְתִּי לְךָ אֶתְמוֹל, "לַמּוֹעֵד הַזֶּה בַּשָּׁנָה הָאַחֶרֶת" (לעיל יז, כא):

טו] **כִּי יָרֵאָה. כִּי צָחָקְתְּ.** הָרִאשׁוֹן מְשַׁמֵּשׁ לְשׁוֹן 'דְּהָא', שֶׁהוּא נוֹתֵן טַעַם לַדָּבָר: וַתְּכַחֵשׁ שָׂרָה לְפִי שֶׁיָּרְאָה. וְהַשֵּׁנִי מְשַׁמֵּשׁ בִּלְשׁוֹן 'אֶלָּא': וַיֹּאמֶר, לֹא כִּדְבָרַיִךְ הוּא, אֶלָּא צָחָקְתְּ; שֶׁאָמְרוּ רַבּוֹתֵינוּ: 'כִּי' מְשַׁמֵּשׁ בְּאַרְבַּע לְשׁוֹנוֹת, אִי, דִּלְמָא, אֶלָּא, דְּהָא:

י **וַיֹּאמֶר** אולי הגדול שבאורחים: **שׁוֹב אָשׁוּב אֵלֶיךָ כָּעֵת חַיָּה** כעת | ביאור
בעוד שנה, אם נזכה ונחיה בעוד שנה, **וְהִנֵּה בֵן לְשָׂרָה אִשְׁתֶּךָ.**
וְשָׂרָה שֹׁמַעַת פֶּתַח הָאֹהֶל, נראה שהאוהל לא היה רחוק מן העץ.
וְהוּא אַחֲרָיו. כנראה, האיש עמד אחרי הפתח,[6] ופנה לכיוון השני, כך
שלא הבחין ששרה ראתה ושמעה הכול.

יא **וְאַבְרָהָם וְשָׂרָה זְקֵנִים בָּאִים בַּיָּמִים**, זקנים מופלגים – אברהם
באותה עת בן תשעים ותשע שנה, ושרה בת תשעים. **חָדַל לִהְיוֹת
לְשָׂרָה אֹרַח כַּנָּשִׁים.** מחזור הווסת של שרה כבר פסק. יב על כן
כששמעה דברים אלה – **וַתִּצְחַק שָׂרָה בְּקִרְבָּהּ**, שרה, הנמצאת לבדה,
צחקה בלא קול. **לֵאמֹר: אַחֲרֵי בְלֹתִי הָיְתָה לִּי עֶדְנָה?** האם אחרי
שהזדקנתי ופסק המחזור שלי, ישוב גופי ויתעדן? הרי תהליך זה
אינו הפיך. מלבד זאת, **וַאדֹנִי**, אברהם **זָקֵן.**

יג **וַיֹּאמֶר ה' אֶל אַבְרָהָם** – כך התגלה כי האנשים אינם אלא מלאכים,
שליחי האל שהתלבשו בדמות אדם. ייתכן אפוא שגם כאן הדובר
הוא אחד האנשים, ובתור מלאך ה' הוא יכול להיקרא בשם ה'.[7]
אפשר גם לפרש כי ה' עצמו הוא הדובר עתה, שהרי אף שאברהם
יושב ומשוחח עם האורחים, באותה עת הוא עודנו מצוי לפני ה'.[8]
לפי פירוש זה, הקדוש ברוך הוא התערב בשיחה שקיים אברהם עם
האורחים, ומתוך כך התגלה כי אין הם אלא שלוחיו: **לָמָּה זֶּה צָחֲקָה
שָׂרָה לֵאמֹר: "הַאַף אֻמְנָם אֵלֵד וַאֲנִי זָקַנְתִּי"?** הצחוק מתפרש כאן
כביטוי להטלת ספק בכך שהדבר יכול להתקיים. יד **הֲיִפָּלֵא מֵה'
דָּבָר**, האם קיים דבר הנבצר מיכולתו של אלוקים?! **לַמּוֹעֵד אָשׁוּב
אֵלֶיךָ כָּעֵת חַיָּה, וּלְשָׂרָה בֵן.** הדבר אכן יקרה, ואז שוב אתגלה אליך.

טו **וַתְּכַחֵשׁ שָׂרָה לֵאמֹר: לֹא צָחַקְתִּי.** נראה כי אברהם, שעמד עד כה
סמוך לאוהל, נכנס עתה לתוכו כדי לדבר אִתה. ייתכן שהוא חש
שונה משרה כלפי הבשורה. וכיוון שה' סיפר לו על צחוקה של שרה,
הוא ניגש לשאול אותה לפשרו. אלא ששרה – שלא השמיעה כל
קול – מכחישה את הדבר, **כִּי יָרֵאָה** – משום שפחדה להודות בצחוקה.
הדבר מחזק את הפירוש שזהו צחוק המבטא חוסר אמונה. אילו היה
זה ביטוי לשמחה גרידא, לא הייתה רואה לנכון להכחישו.
וַיֹּאמֶר אברהם, או: ה':[9] **לֹא, כִּי צָחָקְתְּ.**

וַיַּשְׁקִפוּ עַל־פְּנֵי סְדֹם וְאַבְרָהָם הֹלֵךְ עִמָּם לְשַׁלְּחָם׃
וַיהוָה אָמָר הַמְכַסֶּה אֲנִי מֵאַבְרָהָם אֲשֶׁר אֲנִי עֹשֶׂה׃ יז
וְאַבְרָהָם הָיוֹ יִהְיֶה לְגוֹי גָּדוֹל וְעָצוּם וְנִבְרְכוּ־בוֹ כֹּל יח
גּוֹיֵי הָאָרֶץ׃ כִּי יְדַעְתִּיו לְמַעַן אֲשֶׁר יְצַוֶּה אֶת־בָּנָיו יט
וְאֶת־בֵּיתוֹ אַחֲרָיו וְשָׁמְרוּ דֶּרֶךְ יְהוָה לַעֲשׂוֹת צְדָקָה
וּמִשְׁפָּט לְמַעַן הָבִיא יְהוָה עַל־אַבְרָהָם אֵת אֲשֶׁר־
דִּבֶּר עָלָיו׃ וַיֹּאמֶר יְהוָה זַעֲקַת סְדֹם וַעֲמֹרָה כִּי־ כ
רָבָּה וְחַטָּאתָם כִּי כָבְדָה מְאֹד׃ אֵרְדָה־נָּא וְאֶרְאֶה כא

רש"י

טז| **וישקפו.** כל השקפה שבמקרא לרעה, חוץ מ"השקיפה ממעון קדשך" (דברים כו, טו), שגדול כח מתנות עניים שהופך מדת הרגז לרחמים: **לשלחם.** ללוותם, כסבור אורחים הם:

יז| **המכסה אני.** בתמיה, מה שאני עושה בסדום?! לא יפה לי לעשות דבר זה שלא מדעתו! אני נתתי לו את הארץ הזאת וחמשה כרכין הללו שלו הן, שנאמר: "גבול הכנעני מצידן... באכה סדמה ועמרה" וגו' (לעיל י, יט), קראתי אותו אברהם, "אב המון גוים" (לעיל יז, ה), ואשמיד את הבנים ולא אודיע לאב שהוא אוהבי?!:

יח| **ואברהם היו יהיה.** מדרש אגדה, זכר צדיק לברכה (משלי י, ז), הואיל והזכירו ברכו. ופשוטו, וכי ממנו אני מעלים? והרי הוא חביב לפני להיות לגוי גדול ולהתברך בו כל גויי הארץ:

יט| **כי ידעתיו.** לשון חבה, כמו: "מודע לאישה" (רות ב, א), "הלא בעז מדעתנו" (שם ג, ב), "ואדעך בשם" (שמות לג, יז). ואמנם עקר לשון כלם אינו אלא לשון ידיעה, שהמחבב את האדם מקרבו אצלו ויודעו ומכירו. ולמה ידעתיו? "למען אשר יצוה", לפי שהוא מצוה את בניו עלי לשמר דרכי. ואם תפרשהו כתרגומו: יודע אני בו שיצוה את בניו וגו', אין 'למען' נופל על הלשון: **יצוה.** לשון הוה, כמו: "ככה יעשה איוב" (איוב א, ה): **למען הביא.** כך הוא מצוה לבניו: שמרו דרך ה' כדי שיביא ה' על אברהם וגו'; 'על בית אברהם' לא נאמר אלא "על אברהם", למדנו כל המעמיד בן צדיק כאלו אינו מת:

כ| **ויאמר ה'.** אל אברהם: **זעקת סדם** וגו'. **כי רבה.** כל 'רבה' שבמקרא הטעם בבי"ת, לפי שהן מתרגמין 'גדולה' או 'גדלה והולכת', אבל זה טעמו למעלה ברי"ש לפי שמתרגם 'גדלה' כבר, כמו שפרשתי: "ויהי השמש באה" (לעיל טו, יז), "הנה שבה יבמתך" (רות א, טו):

כא| **ארדה נא.** למד לדיינים שלא יפסקו דיני נפשות אלא בראיה, הכל כמו שפרשתי בפרשת הפלגה (לעיל יא, ה).

ביאור

השיחה בין אברהם ושרה התרחשה בזמן שהאורחים עדיין אכלו,
טז ולאחר זמן – **וַיָּקֻמוּ מִשָּׁם הָאֲנָשִׁים וַיַּשְׁקִפוּ עַל פְּנֵי סְדֹם**, הסתכלו
מלמעלה ומרחוק אל סדֹם שבבקעת הירדן. **וְאַבְרָהָם הֹלֵךְ עִמָּם**
לְשַׁלְּחָם. אברהם מלווה אותם, כפי שראוי לנהוג באורחים.

יז **וַה' אָמָר** בלבו:[10] **הַמְכַסֶּה אֲנִי**, האם אני מסתיר **מֵאַבְרָהָם אֲשֶׁר אֲנִי**
עֹשֶׂה? הרי אברהם חביב עלי, יח **וְאַבְרָהָם הָיוֹ יִהְיֶה לְגוֹי גָּדוֹל וְעָצוּם**,
דמותו תהיה מרכזית, **וְנִבְרְכוּ בוֹ כֹּל גּוֹיֵי הָאָרֶץ**, הכול יטענו כי הם
קשורים ומיוחסים אליו. יט **כִּי יְדַעְתִּיו**, אהבתי אותו,[11] **לְמַעַן אֲשֶׁר**, כי
יְצַוֶּה אֶת בָּנָיו וְאֶת בֵּיתוֹ אַחֲרָיו, וְשָׁמְרוּ דֶּרֶךְ ה' לַעֲשׂוֹת צְדָקָה וּמִשְׁפָּט,
לְמַעַן, בעבור **הָבִיא ה' עַל אַבְרָהָם אֵת אֲשֶׁר דִּבֶּר עָלָיו**. וכך יוכל דבר
ה' להתממש באברהם. ה' בחר באברהם כאב האומה שתנחל ברכות
שונות ותירש את הארץ. כיוון שארץ כנען הובטחה לו, ראוי שידע
מה מתכוון הקדוש ברוך הוא לעשות בה. כ **וַיֹּאמֶר ה': זַעֲקַת סְדֹם**
וַעֲמֹרָה כִּי רָבָּה, הזעקה הנשמעת מסדֹם ומעמֹרה גדלה והולכת,
וְחַטָּאתָם הנשמעת בצעקותיהם של נפגעי סדֹם ועמֹרה, **כִּי כָבְדָה**
מְאֹד. כא **אֵרְדָה נָּא וְאֶרְאֶה**, אתבונן, כביכול, במציאות זו ואבחן

הרחבות

'וחטאתם כי כבדה מאד' האופן שבו תיארו חז"ל את סדֹם הולם את התיאור המקראי ומפתח אותו (ראו סנהדרין קט ומדרשים על אתר). לפי דרשותיהם, בסדֹם שררה תפיסה מגונה של צדק, שהייתה מושתתת על נוקשות ואטימות כלפי בני האדם. הכול התנהל באופן רשמי על פי החוק. הרשעות של סדֹם לא הייתה ספונטנית, פרי תאווה, אלא רשעות ממוסדת. רשעות כזאת מזכירה את גרמניה הנאצית. בניגוד לאנטישמיות במקומות ובזמנים אחרים בגרמניה התממשה שנאת ישראל באופן ממוסד ומאורגן ביותר. שעת התחלת הפוגרום הייתה מתפרסמת בעיתון, ובפועל התממשה על פי התכנית. אחד משורדי ליל הבדולח סיפר ששעתיים לאחר מכן פגש את אחד הגרמנים שהשתתף בפוגרום, שהוריד בפניו את כובעו – הפוגרום נגמר והחיים שבו למסלולם...

הַכְּצַעֲקָתָ֛הּ הַבָּ֥אָה אֵלַ֖י עָשׂ֣וּ ׀ כָּלָ֑ה וְאִם־לֹ֖א אֵדָֽעָה׃
וַיִּפְנ֤וּ מִשָּׁם֙ הָֽאֲנָשִׁ֔ים וַיֵּלְכ֖וּ סְדֹ֑מָה וְאַ֨בְרָהָ֔ם עוֹדֶ֥נּוּ כב
עֹמֵ֖ד לִפְנֵ֥י יְהוָֽה׃ וַיִּגַּ֥שׁ אַבְרָהָ֖ם וַיֹּאמַ֑ר הַאַ֣ף תִּסְפֶּ֔ה כג
צַדִּ֖יק עִם־רָשָֽׁע׃ אוּלַ֥י יֵ֛שׁ חֲמִשִּׁ֥ים צַדִּיקִ֖ם בְּת֣וֹךְ כד
הָעִ֑יר הַאַ֤ף תִּסְפֶּה֙ וְלֹא־תִשָּׂ֣א לַמָּק֔וֹם לְמַ֛עַן חֲמִשִּׁ֥ים
הַצַּדִּיקִ֖ם אֲשֶׁ֥ר בְּקִרְבָּֽהּ׃ חָלִ֨לָה לְּךָ֜ מֵעֲשֹׂ֣ת ׀ כַּדָּבָ֣ר כה
הַזֶּ֗ה לְהָמִ֤ית צַדִּיק֙ עִם־רָשָׁ֔ע וְהָיָ֥ה כַצַּדִּ֖יק כָּרָשָׁ֑ע
חָלִ֣לָה לָּ֔ךְ הֲשֹׁפֵט֙ כָּל־הָאָ֔רֶץ לֹ֥א יַעֲשֶׂ֖ה מִשְׁפָּֽט׃

רש"י

דָּבָר אַחֵר, "אֵרְדָה נָּא" לְסוֹף מַעֲשֵׂיהֶם: **הַכְּצַעֲקָתָהּ.** שֶׁל מְדִינָה: **הַבָּאָה אֵלַי עָשׂוּ.** וְהֵן עוֹמְדִים בְּמִרְדָּם – "כָּלָה" אֲנִי עוֹשֶׂה בָּהֶם, "וְאִם לֹא" יַעַמְדוּ בְּמִרְדָּם – "אֵדְעָה" מָה אֶעֱשֶׂה, לְהִפָּרַע מֵהֶם בְּיִסּוּרִין, וְלֹא אֲכַלֶּה אוֹתָם. וְכַיּוֹצֵא בוֹ מָצִינוּ בְּמָקוֹם אַחֵר: "וְעַתָּה הוֹרֵד עֶדְיְךָ מֵעָלֶיךָ וְאֵדְעָה מָה אֶעֱשֶׂה לָּךְ" (שמות לג, ה). וּלְפִיכָךְ יֵשׁ הֶפְסֵק נְקֻדַּת פָּסֵק בֵּין 'עָשׂוּ' לְ'כָלָה', כְּדֵי לְהַפְרִידָם תֵּבָה מֵחֲבֶרְתָּהּ. וְרַבּוֹתֵינוּ דָּרְשׁוּ: "הַכְּצַעֲקָתָהּ", צַעֲקַת רִיבָה אַחַת שֶׁהָרְגוּ מִיתָה מְשֻׁנָּה עַל שֶׁנָּתְנָה מָזוֹן לְעָנִי, כַּמְפֹרָשׁ בְּ'חֵלֶק' (סנהדרין קט ע"ב):

כב) **וַיִּפְנוּ מִשָּׁם.** מִמָּקוֹם שֶׁאַבְרָהָם לִוָּם שָׁם: **עוֹדֶנּוּ עֹמֵד וְגוֹ'.** וַהֲלֹא לֹא הָלַךְ לַעֲמֹד לְפָנָיו, אֶלָּא הַקָּדוֹשׁ בָּרוּךְ הוּא בָּא אֶצְלוֹ וְאָמַר לוֹ: "זַעֲקַת סְדֹם וַעֲמֹרָה" וְגוֹ' (לעיל פסוק כ), וְהָיָה לוֹ לִכְתֹּב: 'וַה' עוֹדֶנּוּ עוֹמֵד עַל אַבְרָהָם'? אֶלָּא תִּקּוּן סוֹפְרִים הוּא זֶה:

כג) **וַיִּגַּשׁ אַבְרָהָם.** מָצִינוּ הַגָּשָׁה לַמִּלְחָמָה: "וַיִּגַּשׁ יוֹאָב" וְגוֹ' (דברי הימים א' יט, יד); הַגָּשָׁה לְפִיּוּס: "וַיִּגַּשׁ אֵלָיו יְהוּדָה" (להלן מד, יח); וְהַגָּשָׁה לִתְפִלָּה: "וַיִּגַּשׁ אֵלִיָּהוּ הַנָּבִיא" (מלכים א' יח, לו); וּלְכָל אֵלֶּה נִכְנַס אַבְרָהָם: לְדַבֵּר קָשׁוֹת וּלְפִיּוּס וְלִתְפִלָּה: **הַאַף תִּסְפֶּה.** הֲגַם תִּסְפֶּה. וּלְתַרְגּוּם שֶׁל אוּנְקְלוֹס שֶׁתִּרְגְּמוֹ לְשׁוֹן רֹגֶז, כָּךְ פֵּרוּשׁוֹ: הַאַף יַשִּׂיאֲךָ שֶׁתִּסְפֶּה צַדִּיק עִם רָשָׁע?:

כד) **חֲמִשִּׁים צַדִּיקִם.** עֲשָׂרָה צַדִּיקִים לְכָל כְּרַךְ וּכְרַךְ, חֲמִשָּׁה מְקוֹמוֹת יֵשׁ.

כה) **חָלִלָה לְּךָ.** וְאִם תֹּאמַר, לֹא יַצִּילוּ הַצַּדִּיקִים אֶת הָרְשָׁעִים, לָמָּה תָּמִית הַצַּדִּיקִים? חֻלִּין הוּא לְךָ! יֹאמְרוּ: כָּךְ הִיא אֻמָּנוּתוֹ, שׁוֹטֵף הַכֹּל, צַדִּיקִים וּרְשָׁעִים; כָּךְ עָשִׂיתָ לְדוֹר הַמַּבּוּל וּלְדוֹר הַפַּלָּגָה: **כַּדָּבָר הַזֶּה.** לֹא הוּא וְלֹא כַּיּוֹצֵא בוֹ: **חָלִלָה לְּךָ.** לָעוֹלָם הַבָּא: **הֲשֹׁפֵט כָּל הָאָרֶץ.** נָקוּד בַּחֲטַף פַּתָּח הֵ"א שֶׁל 'הֲשֹׁפֵט', לְשׁוֹן תְּמִיָּה, וְכִי מִי שֶׁהוּא שׁוֹפֵט לֹא יַעֲשֶׂה מִשְׁפַּט אֱמֶת?!:

ביאור

הַכְּצַעֲקָתָהּ הַבָּאָה אֵלַי עָשׂוּ, האם הצעקה תואמת את מעשיהם, שהרי לא תמיד זעקת הנפגעים מן החוק מעידה על עוול. ייתכן שהיא נובעת מבירוקרטיה, מחוסר רגישות ולאו דווקא מרוע ממשי. אם אכן פעלו כצעקתה – אף אני אעשה אִתם **כָּלָה**, אכלֶה אותם. **וְאִם לֹא – אֵדָעָה**, אדע מה בדיוק קורה שם.

כב **וַיִּפְנוּ מִשָּׁם הָאֲנָשִׁים**, לאחר שאברהם ליווה אותם, **וַיֵּלְכוּ סְדֹמָה**,
לסדום, **וְאַבְרָהָם עוֹדֶנּוּ עֹמֵד לִפְנֵי ה'**. ההתגלות או התקשורת בין ה'
לאברהם עדיין נמשכת.[12]

נראה כי ה' גילה לאברהם שהוא עומד להשמיד את סדם. כג **וַיִּגַּשׁ
אַבְרָהָם וַיֹּאמַר: הַאַף תִּסְפֶּה צַדִּיק עִם רָשָׁע?** האם תשמיד את הצדיקים
עם הרשעים? כד **אוּלַי יֵשׁ חֲמִשִּׁים צַדִּיקִם בְּתוֹךְ הָעִיר. הַאַף תִּסְפֶּה
וְלֹא תִשָּׂא**, תסלח **לַמָּקוֹם, לְמַעַן חֲמִשִּׁים הַצַּדִּיקִם אֲשֶׁר בְּקִרְבָּהּ?** כל
אוכלוסיה טבעית מעורבת מאנשים חיוביים ושליליים. אף בסדום
אמורים לגור לצד האנשים הרעים, גם צדיקים. כה אם כן – **חָלִלָה
לְּךָ**, אל לך, **מֵעֲשֹׂת**, לא הייתי מצפה ממך לעשות **כַּדָּבָר הַזֶּה, לְהָמִית
צַדִּיק עִם רָשָׁע, וְהָיָה כַצַּדִּיק כָּרָשָׁע**. לצדיק ולרשע יהיה גורל זהה.
חָלִלָה לָּךְ הֲשֹׁפֵט כָּל הָאָרֶץ לֹא יַעֲשֶׂה מִשְׁפָּט?!

וַיֹּאמֶר יְהוָה אִם־אֶמְצָא בִסְדֹם חֲמִשִּׁים צַדִּיקִם כו
בְּתוֹךְ הָעִיר וְנָשָׂאתִי לְכָל־הַמָּקוֹם בַּעֲבוּרָם: וַיַּעַן כז
אַבְרָהָם וַיֹּאמַר הִנֵּה־נָא הוֹאַלְתִּי לְדַבֵּר אֶל־אֲדֹנָי
וְאָנֹכִי עָפָר וָאֵפֶר: אוּלַי יַחְסְרוּן חֲמִשִּׁים הַצַּדִּיקִם כח
חֲמִשָּׁה הֲתַשְׁחִית בַּחֲמִשָּׁה אֶת־כָּל־הָעִיר וַיֹּאמֶר לֹא
אַשְׁחִית אִם־אֶמְצָא שָׁם אַרְבָּעִים וַחֲמִשָּׁה: וַיֹּסֶף כט
עוֹד לְדַבֵּר אֵלָיו וַיֹּאמַר אוּלַי יִמָּצְאוּן שָׁם אַרְבָּעִים
וַיֹּאמֶר לֹא אֶעֱשֶׂה בַּעֲבוּר הָאַרְבָּעִים: וַיֹּאמֶר אַל־ ל
נָא יִחַר לַאדֹנָי וַאֲדַבֵּרָה אוּלַי יִמָּצְאוּן שָׁם שְׁלֹשִׁים
וַיֹּאמֶר לֹא אֶעֱשֶׂה אִם־אֶמְצָא שָׁם שְׁלֹשִׁים: וַיֹּאמֶר לא
הִנֵּה־נָא הוֹאַלְתִּי לְדַבֵּר אֶל־אֲדֹנָי אוּלַי יִמָּצְאוּן שָׁם
עֶשְׂרִים וַיֹּאמֶר לֹא אַשְׁחִית בַּעֲבוּר הָעֶשְׂרִים: וַיֹּאמֶר לב
אַל־נָא יִחַר לַאדֹנָי וַאֲדַבְּרָה אַךְ־הַפַּעַם אוּלַי יִמָּצְאוּן
שָׁם עֲשָׂרָה וַיֹּאמֶר לֹא אַשְׁחִית בַּעֲבוּר הָעֲשָׂרָה:
וַיֵּלֶךְ יְהוָה כַּאֲשֶׁר כִּלָּה לְדַבֵּר אֶל־אַבְרָהָם וְאַבְרָהָם לג

רש"י

כו) אִם אֶמְצָא בִסְדֹם וְגוֹ'. לְפִי שֶׁסְּדוֹם הָיְתָה מֶטְרוֹפּוֹלִין וַחֲשׁוּבָה מִכֻּלָּם, תָּלָה בָהּ הַכָּתוּב:

כח) הֲתַשְׁחִית בַּחֲמִשָּׁה. וַהֲלֹא הֵן תִּשְׁעָה לְכָל כְּרָךְ, וְאַתָּה צַדִּיקוֹ שֶׁל עוֹלָם תִּצְטָרֵף עִמָּהֶם:

כט) אוּלַי יִמָּצְאוּן שָׁם אַרְבָּעִים. וְיִמָּלְטוּ אַרְבָּעָה הַכְּרַכִּים. וְכֵן שְׁלֹשִׁים יַצִּילוּ שְׁלֹשָׁה מֵהֶם, אוֹ עֶשְׂרִים יַצִּילוּ שְׁנַיִם מֵהֶם, אוֹ עֲשָׂרָה יַצִּילוּ אֶחָד מֵהֶם:

לא) הוֹאַלְתִּי. רָצִיתִי, כְּמוֹ: "וַיּוֹאֶל מֹשֶׁה" (שמות ב, כא):

לב) אוּלַי יִמָּצְאוּן שָׁם עֲשָׂרָה. עַל הַפָּחוֹת לֹא בִקֵּשׁ, אָמַר: דּוֹר הַמַּבּוּל הָיוּ שְׁמוֹנָה, נֹחַ וּבָנָיו וּנְשֵׁיהֶם, וְלֹא הִצִּילוּ עַל דּוֹרָם. וְעַל תִּשְׁעָה עַל יְדֵי צֵרוּף כְּבָר בִּקֵּשׁ וְלֹא מָצָא:

לג) וַיֵּלֶךְ ה' וְגוֹ'. כֵּיוָן שֶׁנִּשְׁתַּתֵּק הַסָּנֵגוֹר הָלַךְ לוֹ הַדַּיָּן; וְאַבְרָהָם שָׁב לִמְקוֹמוֹ. נִסְתַּלֵּק הַדַּיָּן נִסְתַּלֵּק הַסָּנֵגוֹר, וְהַקָּטֵגוֹר מְקַטְרֵג, לְפִיכָךְ "וַיָּבֹאוּ שְׁנֵי הַמַּלְאָכִים סְדֹמָה" (להלן יט, א), לְהַשְׁחִית.

ביאור

כו וַיֹּאמֶר ה': אִם אֶמְצָא בִסְדֹם חֲמִשִּׁים צַדִּיקִם בְּתוֹךְ הָעִיר – וְנָשָׂאתִי, אסלח לְכָל הַמָּקוֹם בַּעֲבוּרָם, בזכות חמישים הצדיקים שבתוכו.

אברהם מנסה להתמקח – כז וַיַּעַן אַבְרָהָם וַיֹּאמַר: הִנֵּה נָא הוֹאַלְתִּי, קיבלתי על עצמי, לְדַבֵּר אֶל אֲדֹנָי, וְאָנֹכִי עָפָר וָאֵפֶר, אף על פי שאינני אלא יצור נחות. אוּלַי יַחְסְרוּן חֲמִשִּׁים הַצַּדִּיקִם חֲמִשָּׁה, אולי יהיו בסדם רק ארבעים וחמישה צדיקים, הֲתַשְׁחִית בַּחֲמִשָּׁה, האם בגלל חסרונם של חמישה צדיקים תשחית, אֶת כָּל הָעִיר?

כח וַיֹּאמֶר ה': לֹא אַשְׁחִית אִם אֶמְצָא שָׁם אַרְבָּעִים וַחֲמִשָּׁה.

כט וַיֹּסֶף עוֹד לְדַבֵּר אֵלָיו, וַיֹּאמַר: אוּלַי יִמָּצְאוּן שָׁם אַרְבָּעִים צדיקים.

וַיֹּאמֶר: לֹא אֶעֱשֶׂה גם בַּעֲבוּר הָאַרְבָּעִים.

ל וַיֹּאמֶר: אַל נָא יִחַר לַאדֹנָי, אל תכעס, וַאֲדַבֵּרָה, אוּלַי יִמָּצְאוּן שָׁם שְׁלֹשִׁים.

וַיֹּאמֶר: לֹא אֶעֱשֶׂה אִם אֶמְצָא שָׁם שְׁלֹשִׁים.

לא וַיֹּאמֶר: הִנֵּה נָא הוֹאַלְתִּי לְדַבֵּר אֶל אֲדֹנָי, אוּלַי יִמָּצְאוּן שָׁם עֶשְׂרִים.

וַיֹּאמֶר: לֹא אַשְׁחִית בַּעֲבוּר הָעֶשְׂרִים.

לב וַיֹּאמֶר: אַל נָא יִחַר לַאדֹנָי וַאֲדַבְּרָה אַךְ הַפַּעַם, אוּלַי יִמָּצְאוּן שָׁם עֲשָׂרָה.

וַיֹּאמֶר: לֹא אַשְׁחִית בַּעֲבוּר הָעֲשָׂרָה. עשרה צדיקים הם כנראה הייצוג הקטן ביותר של ציבור שעשוי להציל את העיר. אם מספר הצדיקים פחות מכך – אולי אפשר לגונן עליהם כפרטים, אך בהיותם מספר כה זעום, הבטל בקרב תושבי העיר – אין ביכולתם להביא להצלת העיר כולה.

לג וַיֵּלֶךְ ה', ה' שב והתעלה, כביכול, כַּאֲשֶׁר כִּלָּה, סיים לְדַבֵּר אֶל אַבְרָהָם, וְאַבְרָהָם שָׁב לִמְקֹמוֹ מן הסתם – בדאגה ובחוסר בהירות לאשר עתיד להתרחש.

הרחבות

'לא אשחית בעבור העשרה' אם מספר הצדיקים פחות מכך – אולי אפשר לגונן עליהם כפרטים, אך בהיותם מספר כה זעום, הבטל בקרב תושבי העיר – אין ביכולתם להביא להצלת העיר כולה. מאוחר יותר ייקבע גם להלכה המינימום המייצג ציבור כעשרה, והוא יכונה בדברי חכמים 'עדה' ו'ציבור', ואף נקרא סתם 'מניין'.

שלישי טז שָׁב לִמְקֹמוֹ׃ וַיָּבֹאוּ שְׁנֵי הַמַּלְאָכִים סְדֹמָה בָּעֶרֶב א יט
וְלוֹט יֹשֵׁב בְּשַׁעַר־סְדֹם וַיַּרְא־לוֹט וַיָּקָם לִקְרָאתָם
וַיִּשְׁתַּחוּ אַפַּיִם אָרְצָה׃ וַיֹּאמֶר הִנֶּה נָּא־אֲדֹנַי סוּרוּ נָא ב
אֶל־בֵּית עַבְדְּכֶם וְלִינוּ וְרַחֲצוּ רַגְלֵיכֶם וְהִשְׁכַּמְתֶּם
וַהֲלַכְתֶּם לְדַרְכְּכֶם וַיֹּאמְרוּ לֹּא כִּי בָרְחוֹב נָלִין׃
וַיִּפְצַר־בָּם מְאֹד וַיָּסֻרוּ אֵלָיו וַיָּבֹאוּ אֶל־בֵּיתוֹ וַיַּעַשׂ ג
לָהֶם מִשְׁתֶּה וּמַצּוֹת אָפָה וַיֹּאכֵלוּ׃ טֶרֶם יִשְׁכָּבוּ ד
וְאַנְשֵׁי הָעִיר אַנְשֵׁי סְדֹם נָסַבּוּ עַל־הַבַּיִת מִנַּעַר וְעַד־
זָקֵן כָּל־הָעָם מִקָּצֶה׃ וַיִּקְרְאוּ אֶל־לוֹט וַיֹּאמְרוּ לוֹ ה

רש״י | פרק יט

א] **וַיָּבֹאוּ שְׁנֵי.** וְהַשְּׁלִישִׁי שֶׁבָּא לְבַשֵּׂר אֶת שָׂרָה, כֵּיוָן שֶׁעָשָׂה שְׁלִיחוּתוֹ נִסְתַּלֵּק לוֹ: **הַמַּלְאָכִים.** וּלְהַלָּן (לעיל יח, ב) קְרָאָם ׳אֲנָשִׁים׳; כְּשֶׁהָיְתָה שְׁכִינָה עִמָּהֶם קְרָאָם ׳אֲנָשִׁים׳. דָּבָר אַחֵר, אֵצֶל אַבְרָהָם שֶׁכֹּחוֹ גָּדוֹל וְהָיוּ הַמַּלְאָכִים תְּדִירִין אֶצְלוֹ כַּאֲנָשִׁים, קְרָאָם ׳אֲנָשִׁים׳, וְאֵצֶל לוֹט קְרָאָם ׳מַלְאָכִים׳: **בָּעֶרֶב.** וְכִי כָּל כָּךְ שָׁהוּ הַמַּלְאָכִים מֵחֶבְרוֹן לִסְדוֹם? אֶלָּא מַלְאֲכֵי רַחֲמִים הָיוּ וּמַמְתִּינִים שֶׁמָּא יוּכַל אַבְרָהָם לְלַמֵּד עֲלֵיהֶם סָנֵגוֹרְיָא: **וְלוֹט יֹשֵׁב בְּשַׁעַר סְדֹם.** ׳יָשַׁב׳ כְּתִיב, אוֹתוֹ הַיּוֹם מִנּוּהוּ שׁוֹפֵט עַל הַשּׁוֹפְטִים: **וַיַּרְא לוֹט וְגוֹ׳.** מִבֵּית אַבְרָהָם לָמַד לְחַזֵּר עַל הָאוֹרְחִים:

ב] **הִנֶּה נָּא אֲדֹנַי.** הִנֵּה נָא אַתֶּם אֲדוֹנִים לִי אַחַר שֶׁעֲבַרְתֶּם עָלַי. דָּבָר אַחֵר, ״הִנֵּה נָא״, צְרִיכִים אַתֶּם לָתֵת לֵב עַל הָרְשָׁעִים הַלָּלוּ שֶׁלֹּא יַכִּירוּ בָּכֶם; וְזוֹ הִיא עֵצָה נְכוֹנָה: ״סוּרוּ נָא״ וְגוֹ׳ – עַקְּמוּ אֶת הַדֶּרֶךְ לְבֵיתִי דֶּרֶךְ עֲקַלָּתוֹן, שֶׁלֹּא יַכִּירוּ שֶׁאַתֶּם נִכְנָסִים שָׁם, לְכָךְ נֶאֱמַר ״סוּרוּ״. בְּרֵאשִׁית רַבָּה (נ, ד): **וַיֹּאמְרוּ לֹּא.** לְאַבְרָהָם אָמְרוּ: ״כֵּן תַּעֲשֶׂה״ (לעיל יח, ה), מִכָּאן שֶׁמְּסָרְבִין לַקָּטָן וְאֵין מְסָרְבִין לַגָּדוֹל: **כִּי בָרְחוֹב נָלִין.** הֲרֵי ׳כִּי׳ מְשַׁמֵּשׁ בִּלְשׁוֹן ׳אֶלָּא׳, שֶׁאָמְרוּ: לֹא נָסוּר אֶל בֵּיתְךָ אֶלָּא בִּרְחוֹבָהּ שֶׁל עִיר נָלִין:

ג] **וַיָּסֻרוּ אֵלָיו.** עִקְּמוּ אֶת הַדֶּרֶךְ לְצַד בֵּיתוֹ: **וּמַצּוֹת אָפָה.** פֶּסַח הָיָה:

ד] **טֶרֶם יִשְׁכָּבוּ וְאַנְשֵׁי הָעִיר אַנְשֵׁי סְדֹם.** כָּךְ נִדְרַשׁ בִּבְרֵאשִׁית רַבָּה (נ, ה): ״טֶרֶם יִשְׁכָּבוּ וְאַנְשֵׁי הָעִיר״ הָיוּ בְּפִיהֶם שֶׁל מַלְאָכִים, שֶׁהָיוּ שׁוֹאֲלִים לְלוֹט: מַה טִּיבָם וּמַעֲשֵׂיהֶם? וְהוּא אוֹמֵר לָהֶם: רֻבָּם רְשָׁעִים. עוֹדָם מְדַבְּרִים בָּהֶם, וְ״אַנְשֵׁי סְדֹם נָסַבּוּ״ וְגוֹ׳. וּפְשׁוּטוֹ שֶׁל מִקְרָא: וְאַנְשֵׁי הָעִיר, אַנְשֵׁי רֶשַׁע, נָסַבּוּ עַל הַבַּיִת; עַל שֶׁהָיוּ רְשָׁעִים נִקְרָאִים ״אַנְשֵׁי סְדֹם״, כְּמוֹ שֶׁאָמַר הַכָּתוּב: ״וְאַנְשֵׁי סְדֹם רָעִים וְחַטָּאִים״ (לעיל יג, יג): **כָּל הָעָם מִקָּצֶה.** מִקְּצֵה הָעִיר עַד הַקָּצֶה, שֶׁאֵין אֶחָד מוֹחֶה בְּיָדָם, שֶׁאֲפִלּוּ צַדִּיק אֶחָד אֵין בָּהֶם:

הפיכת סדֹם
והצלת לוט ומשפחתו

פרק יט

שניים מן המלאכים שהתארחו אצל אברהם, מתארחים אצל לוט בסדם סמיכותם של שני סיפורי התארחות המלאכים זה לזה, מאפשרת לעמוד על הדמיון וגם על השוני התהומי בין לוט לבין דודו, אברהם. בחשיפת דמויותיהם המורכבות של לוט ובנות משפחתו יש כדי להדגיש כי הצלתם מסדם באה בראש ובראשונה בזכות קרבת המשפחה של לוט לאברהם.

פרק יט א **וַיָּבֹאוּ שְׁנֵי הַמַּלְאָכִים סְדֹמָה בָּעֶרֶב.** חכמים אמרו, שתפקידו | ביאור
של המלאך השלישי, שלא הגיע לסדם, הושלם בבשורה על הולדת
בנם של אברהם ושרה, ואילו על שני המלאכים האחרים הוטל
לבצע את שליחויותיהם בסדם. **וְלוֹט יֹשֵׁב בְּשַׁעַר סְדֹם.** הישיבה
בשער מעידה בדרך כלל על מעמדו הנכבד של האדם. בשער העיר
היו יושבים השופטים והיועצים. **וַיַּרְא לוֹט** את האורחים, **וַיָּקָם**
לִקְרָאתָם, וַיִּשְׁתַּחוּ אַפַּיִם אָרְצָה. נראה כי את מידת הכנסת האורחים
למד מאברהם – או אולי ממסורת האבות המשותפת. ב **וַיֹּאמֶר:**
הִנֶּה נָּא אֲדֹנַי, רבותי, **סוּרוּ נָא אֶל בֵּית עַבְדְּכֶם, וְלִינוּ וְרַחֲצוּ רַגְלֵיכֶם,**
וְהִשְׁכַּמְתֶּם וַהֲלַכְתֶּם לְדַרְכְּכֶם. אמנם לשונו של לוט נדיבה פחות מזו
של אברהם, שהציע לאורחיו גם אכילה ושתייה, ובכל זאת הוא
הציע להם אכסניה לשינה ולהתרעננות.

וַיֹּאמְרוּ: לֹּא, כִּי בָרְחוֹב נָלִין.

ג **וַיִּפְצַר בָּם מְאֹד,** עד שלבסוף – **וַיָּסֻרוּ אֵלָיו, וַיָּבֹאוּ אֶל בֵּיתוֹ. וַיַּעַשׂ לָהֶם**
מִשְׁתֶּה, וּמַצּוֹת אָפָה, וַיֹּאכֵלוּ. בפועל הוא אף האכיל והשקה אותם.

ד **טֶרֶם יִשְׁכָּבוּ,** לפני שעלו על משכבם, **וְאַנְשֵׁי הָעִיר, אַנְשֵׁי סְדֹם.** יש
כאן תזכורת למה שכבר נאמר לעיל על אנשי סדם: וְאַנְשֵׁי סְדֹם
רָעִים וְחַטָּאִים לַה' מְאֹד.[13] **נָסַבּוּ עַל הַבַּיִת מִנַּעַר וְעַד זָקֵן, כָּל הָעָם**
מִקָּצֶה. ה **וַיִּקְרְאוּ אֶל לוֹט וַיֹּאמְרוּ לוֹ: אַיֵּה הָאֲנָשִׁים אֲשֶׁר בָּאוּ אֵלֶיךָ**

אַיֵּה הָאֲנָשִׁים אֲשֶׁר־בָּאוּ אֵלֶיךָ הַלָּיְלָה הוֹצִיאֵם
ו אֵלֵינוּ וְנֵדְעָה אֹתָם׃ וַיֵּצֵא אֲלֵהֶם לוֹט הַפֶּתְחָה
ז וְהַדֶּלֶת סָגַר אַחֲרָיו׃ וַיֹּאמַר אַל־נָא אַחַי תָּרֵעוּ׃
ח הִנֵּה־נָא לִי שְׁתֵּי בָנוֹת אֲשֶׁר לֹא־יָדְעוּ אִישׁ אוֹצִיאָה־
נָּא אֶתְהֶן אֲלֵיכֶם וַעֲשׂוּ לָהֶן כַּטּוֹב בְּעֵינֵיכֶם רַק
לָאֲנָשִׁים הָאֵל אַל־תַּעֲשׂוּ דָבָר כִּי־עַל־כֵּן בָּאוּ בְּצֵל
ט קֹרָתִי׃ וַיֹּאמְרוּ ׀ גֶּשׁ־הָלְאָה וַיֹּאמְרוּ הָאֶחָד בָּא־לָגוּר
וַיִּשְׁפֹּט שָׁפוֹט עַתָּה נָרַע לְךָ מֵהֶם וַיִּפְצְרוּ בָאִישׁ
י בְּלוֹט מְאֹד וַיִּגְּשׁוּ לִשְׁבֹּר הַדָּלֶת׃ וַיִּשְׁלְחוּ הָאֲנָשִׁים
אֶת־יָדָם וַיָּבִיאוּ אֶת־לוֹט אֲלֵיהֶם הַבָּיְתָה וְאֶת־
יא הַדֶּלֶת סָגָרוּ׃ וְאֶת־הָאֲנָשִׁים אֲשֶׁר־פֶּתַח הַבַּיִת הִכּוּ
בַּסַּנְוֵרִים מִקָּטֹן וְעַד־גָּדוֹל וַיִּלְאוּ לִמְצֹא הַפָּתַח׃

רש"י

ה] **וְנֵדְעָה אֹתָם.** בְּמִשְׁכַּב זָכוּר, כְּמוֹ: "אֲשֶׁר לֹא יָדְעוּ אִישׁ" (להלן פסוק ח).

ח] **הָאֵל.** כְּמוֹ 'הָאֵלֶּה'. **כִּי עַל כֵּן בָּאוּ.** כִּי הַטּוֹבָה הַזֹּאת תַּעֲשׂוּ לִכְבוֹדִי עַל אֲשֶׁר "בָּאוּ בְּצֵל קֹרָתִי", "בְּטְלַל שָׁרִיתִי", תַּרְגּוּם שֶׁל 'קוֹרָה' – שָׁרִיתָא:

ט] **גֶּשׁ הָלְאָה.** כְּשֶׁאָמַר לָהֶם עַל הַבָּנוֹת, אָמְרוּ לוֹ: "גֶּשׁ הָלְאָה", לְשׁוֹן נַחַת. וְעַל שֶׁאַתָּה מֵלִיץ עַל הָאוֹרְחִין, אָמְרוּ לוֹ: אֵיךְ מְלָאֲךָ לִבְּךָ? "הָאֶחָד בָּא לָגוּר" – אָדָם נָכְרִי יְחִידִי אַתָּה בֵּינֵינוּ שֶׁבָּאתָ לָגוּר, "וַיִּשְׁפֹּט שָׁפוֹט" – נַעֲשֵׂיתָ מוֹכִיחַ אוֹתָנוּ. [וְר' יוֹסֵף בַּר' שִׁמְעוֹן (קרא) אוֹמֵר הֲלֹא "גֶּשׁ הָלְאָה" אֵינוֹ אֶלָּא לְשׁוֹן דְּחִיָּה וּדְחִיפָה, כְּמוֹ "קְרַב אֵלֶיךָ אַל תִּגַּשׁ בִּי" (ישעיה סה, ה) וּכְמוֹ "וְאֶת הָאֵשׁ זְרֵה הָלְאָה" (במדבר יז, ב) וּכְמוֹ "וְהִגְלֵיתִי אֶתְכֶם מֵהָלְאָה לְדַמָּשֶׂק" (עמוס ה, כז) שֶׁאַף כָּאן לוֹט הָיָה מִתְחַנֵּט לִפְנֵיהֶם עַל הָאַכְסְנָאִים, וְהֵם אוֹמְרִים לוֹ: קְרַב אֵלֶיךָ אַל תִּפְגַּע בָּנוּ; שֶׁאִם אַתָּה אוֹמֵר קְרַב אֵלֵינוּ וּשְׁמַע דְּבָרֵינוּ הוּא, מַה צּוֹרֶךְ לְדָבָר זֶה? וַהֲלֹא לוֹט קָרוֹב אֲלֵיהֶם עוֹמֵד, כְּמוֹ שֶׁמָּצִינוּ "וַיֵּצֵא אֲלֵהֶם לוֹט הַפֶּתְחָה" (לעיל פסוק ו)! אֶלָּא עַל כָּרְחֲךָ לְשׁוֹן הַרְחָקָה הוּא, כְּלוֹמַר, לֵךְ מֵעִמָּנוּ. וְהוֹדָה הַמּוֹרֶה לִדְבָרָיו]: **הַדֶּלֶת.** הַסּוֹבֶבֶת לִנְעֹל וְלִפְתֹּחַ:

יא] **פֶּתַח.** הוּא הֶחָלָל שֶׁבּוֹ נִכְנָסִין וְיוֹצְאִין: **בַּסַּנְוֵרִים.** מַכַּת עִוָּרוֹן: **מִקָּטֹן וְעַד גָּדוֹל.** הַקְּטַנִּים הִתְחִילוּ בַּעֲבֵרָה תְּחִלָּה, שֶׁנֶּאֱמַר: "מִנַּעַר וְעַד זָקֵן" (לעיל פסוק ד), לְפִיכָךְ הִתְחִילָה הַפֻּרְעָנוּת מֵהֶם.

ביאור | **הַלָּיְלָה? הוֹצִיאֵם אֵלֵינוּ וְנֵדְעָה אֹתָם** במשכב זכר. כל תושבי העיר
דרשו מלוט שיוציא את אורחיו, כדי שיוכלו לנהוג בהם כך. לא ברור
אם הדבר נבע מתאווה, או שבכך ביטאו את סלידתם מאורחים,
כפי שפירשו חכמים.[14] ואכן, היחיד שהכניס אורחים בסדום היה
לוט, שמוצאו מחוצה לה.

ו **וַיֵּצֵא אֲלֵהֶם**, אל אנשי העיר **לוֹט הַפֶּתְחָה**, אל הפתח, **וְהַדֶּלֶת סָגַר**
אַחֲרָיו, על מנת שלא יוכלו להיכנס לביתו. ז **וַיֹּאמַר: אַל נָא, אַחַי,**
תָּרֵעוּ. הוא מבקש מהם לוותר על דרישתם הרעה. ח **הִנֵּה נָא לִי**
שְׁתֵּי בָנוֹת אֲשֶׁר לֹא יָדְעוּ אִישׁ, בתולות, **אוֹצִיאָה נָּא אֶתְהֶן אֲלֵיכֶם,**
וַעֲשׂוּ לָהֶן כַּטּוֹב בְּעֵינֵיכֶם. רַק לָאֲנָשִׁים הָאֵל, האלה **אַל תַּעֲשׂוּ דָבָר, כִּי**
עַל כֵּן בָּאוּ בְּצֵל קֹרָתִי. לוט מניח כי עליו לדאוג ככל יכולתו לשלומם
ולטובתם של האורחים החוסים בביתו. לשם כך הוא נכון להקריב
אפילו את בנותיו, ולפדות בהן את האורחים.[15] הצעתו זו מצביעה
על היותו מכניס אורחים, ועם זאת, על עיוות מוסרי ועל חוסר
איזון בתפיסותיו או באישיותו.

ט **וַיֹּאמְרוּ: גֶּשׁ הָלְאָה**, צא מכאן! **וַיֹּאמְרוּ: הָאֶחָד בָּא לָגוּר וַיִּשְׁפֹּט**
שָׁפוֹט?! – הרי אינך מאנשי העיר המקוריים; אינך אלא זר שהגיע
לגור כאן – ואתה מעז לקבוע את אמות המידה להתנהגותנו?! **עַתָּה**
נָרַע לְךָ מֵהֶם, אם תתעקש, נעשה לך רעה יותר מאשר להם. ביטוי
זה יכול לרמוז כי לא תשוקה מינית היא שהניעה את הסובבים את
הבית, אלא הרצון להרע. תביעתם מלוט להפקיר את אורחיו נבעה
מן הרצון להשפילם. **וַיִּפְצְרוּ בָאִישׁ בְּלוֹט מְאֹד.** לאחר שלא הצליחו
לשכנע אותו להוציא את האנשים – **וַיִּגְּשׁוּ לִשְׁבֹּר הַדָּלֶת**, שהייתה
סגורה ונעולה מאחריו.

י **וַיִּשְׁלְחוּ הָאֲנָשִׁים**, המלאכים שנראו כאנשים **אֶת יָדָם, וַיָּבִיאוּ אֶת**
לוֹט אֲלֵיהֶם הַבָּיְתָה, וְאֶת הַדֶּלֶת סָגָרוּ. בכוחות על־אנושיים הצליחו
המלאכים לעשות זאת חרף הקהל הגדול שצבא על הבית. יא **וְאֶת**
הָאֲנָשִׁים אֲשֶׁר פֶּתַח הַבַּיִת הִכּוּ בַּסַּנְוֵרִים, בעיוורון, או: בטשטוש
הראייה **מִקָּטֹן וְעַד גָּדוֹל, וַיִּלְאוּ לִמְצֹא הַפָּתַח.** האספסוף הרב מוכה
הסנוורים לא הצליח למצוא את הפתח, ובכך הוסר האיום מעל
לוט ומעל אורחיו.

יב וַיֹּאמְרוּ הָאֲנָשִׁים אֶל־לוֹט עֹד מִי־לְךָ פֹה חָתָן וּבָנֶיךָ
וּבְנֹתֶיךָ וְכֹל אֲשֶׁר־לְךָ בָּעִיר הוֹצֵא מִן־הַמָּקוֹם׃
יג כִּי־מַשְׁחִתִים אֲנַחְנוּ אֶת־הַמָּקוֹם הַזֶּה כִּי־גָדְלָה
צַעֲקָתָם אֶת־פְּנֵי יְהוָה וַיְשַׁלְּחֵנוּ יְהוָה לְשַׁחֲתָהּ׃
יד וַיֵּצֵא לוֹט וַיְדַבֵּר ׀ אֶל־חֲתָנָיו ׀ לֹקְחֵי בְנֹתָיו וַיֹּאמֶר
קוּמוּ צְּאוּ מִן־הַמָּקוֹם הַזֶּה כִּי־מַשְׁחִית יְהוָה אֶת־
טו הָעִיר וַיְהִי כִמְצַחֵק בְּעֵינֵי חֲתָנָיו׃ וּכְמוֹ הַשַּׁחַר עָלָה
וַיָּאִיצוּ הַמַּלְאָכִים בְּלוֹט לֵאמֹר קוּם קַח אֶת־אִשְׁתְּךָ
וְאֶת־שְׁתֵּי בְנֹתֶיךָ הַנִּמְצָאֹת פֶּן־תִּסָּפֶה בַּעֲוֺן הָעִיר׃
טז וַיִּתְמַהְמָהּ ׀ וַיַּחֲזִיקוּ הָאֲנָשִׁים בְּיָדוֹ וּבְיַד־אִשְׁתּוֹ וּבְיַד
שְׁתֵּי בְנֹתָיו בְּחֶמְלַת יְהוָה עָלָיו וַיֹּצִאֻהוּ וַיַּנִּחֻהוּ מִחוּץ
יז לָעִיר׃ וַיְהִי כְהוֹצִיאָם אֹתָם הַחוּצָה וַיֹּאמֶר הִמָּלֵט

רש"י

יב| **עֹד מִי לְךָ פֹה.** פְּשׁוּטוֹ שֶׁל מִקְרָא, מִי יֵשׁ לְךָ עוֹד בָּעִיר הַזֹּאת חוּץ מֵאִשְׁתְּךָ וּבְנוֹתֶיךָ שֶׁבַּבַּיִת: **חָתָן וּבָנֶיךָ וּבְנֹתֶיךָ.** אִם יֵשׁ לְךָ חָתָן אוֹ בָּנִים וּבָנוֹת, "הוֹצֵא מִן הַמָּקוֹם": **וּבָנֶיךָ.** בְּנֵי בְּנוֹתֶיךָ הַנְּשׂוּאוֹת. וּמִדְרַשׁ אַגָּדָה, "עֹד" – מֵאַחַר שֶׁעוֹשִׂין נְבָלָה כָּזֹאת, "מִי לְךָ" פִּתְחוֹן פֶּה לְלַמֵּד סָנֵגוֹרְיָא עֲלֵיהֶם, שֶׁכָּל הַלַּיְלָה הָיָה מֵלִיץ עֲלֵיהֶם טוֹבוֹת. קְרִי בֵּיהּ: 'מִי לְךָ פֶּה':

יד| **חֲתָנָיו.** שְׁתֵּי בָּנוֹת נְשׂוּאוֹת הָיוּ לוֹ בָּעִיר: **לֹקְחֵי בְנֹתָיו.** שֶׁאוֹתָן שֶׁבַּבַּיִת אֲרוּסוֹת לָהֶם:

טו| **וַיָּאִיצוּ.** כְּתַרְגּוּמוֹ 'וּדְחִיקוּ', מִהֲרוּהוּ: **הַנִּמְצָאֹת.** הַמְּזֻמָּנוֹת לְךָ בַּבַּיִת לְהַצִּילָם. וּמִדְרַשׁ אַגָּדָה יֵשׁ, וְזֶה יִשּׁוּבוֹ שֶׁל מִקְרָא: **תִּסָּפֶה.** תִּהְיֶה כָלֶה; "עַד תֹּם כָּל הַדּוֹר" (דברים ב, יד) מְתֻרְגָּם: "עַד דְּסָף":

טז| **וַיִּתְמַהְמָהּ.** כְּדֵי לְהַצִּיל אֶת מָמוֹנוֹ: **וַיַּחֲזִיקוּ.** אֶחָד מֵהֶם הָיָה שָׁלִיחַ לְהַצִּילוֹ, וַחֲבֵרוֹ לַהֲפֹךְ אֶת סְדוֹם, לְכָךְ נֶאֱמַר: "וַיֹּאמֶר הִמָּלֵט" (להלן פסוק יז) וְלֹא נֶאֱמַר 'וַיֹּאמְרוּ':

יז| **הִמָּלֵט עַל נַפְשֶׁךָ.** דַּיֶּיךָ לְהַצִּיל נְפָשׁוֹת, אַל תָּחוּס עַל הַמָּמוֹן: **אַל תַּבִּיט אַחֲרֶיךָ.** אַתָּה הִרְשַׁעְתָּ עִמָּהֶם וּבִזְכוּת אַבְרָהָם אַתָּה נִצּוֹל, אֵינְךָ כְּדַאי לִרְאוֹת

ביאור | שתי שליחויות עדיין מוטלות על שני המלאכים: השמדת סדֹם והצלת לוט. אמנם לוט לא היה אדם גדול וצדיק, אך הוא ניצל בזכות אברהם, דודו. יב וַיֹּאמְרוּ הָאֲנָשִׁים אֶל לוֹט: עֹד מִי לְךָ פֹה? האם יש לך קרוב משפחה בעיר הזאת? – חָתָן וּבָנֶיךָ וּבְנֹתֶיךָ, וְכֹל אֲשֶׁר לְךָ בָּעִיר – הוֹצֵא את כל בני משפחתך מִן הַמָּקוֹם. יג כִּי מַשְׁחִתִים אֲנַחְנוּ אֶת הַמָּקוֹם הַזֶּה. כִּי גָדְלָה צַעֲקָתָם של העשוקים והנפגעים בעיר הזו אֶת פְּנֵי ה׳, וַיְשַׁלְּחֵנוּ ה׳ לְשַׁחֲתָהּ.

יד וַיֵּצֵא לוֹט, וַיְדַבֵּר אֶל חֲתָנָיו לֹקְחֵי בְנֹתָיו. לוט מספר לבני משפחתו, שהם בוודאי מבני העיר, את מה שעומד לקרות. וַיֹּאמֶר: קוּמוּ צְּאוּ מִן הַמָּקוֹם הַזֶּה, כִּי מַשְׁחִית ה׳ אֶת הָעִיר.

וַיְהִי כִמְצַחֵק בְּעֵינֵי חֲתָנָיו. החתנים לא האמינו לדבריו ודחו את אזהרתו.

טו וּכְמוֹ, בערך בשעה שבה הַשַּׁחַר עָלָה, וַיָּאִיצוּ הַמַּלְאָכִים בְּלוֹט לֵאמֹר: קוּם, קַח אֶת אִשְׁתְּךָ וְאֶת שְׁתֵּי בְנֹתֶיךָ הַנִּמְצָאֹת, פֶּן תִּסָּפֶה גם אתה בַּעֲוֹן הָעִיר. אין בידינו לעשות למען שאר בני משפחתך, שאותם לא הצלחת לשכנע. עתה הגיעה שעתך לצאת מן העיר.

אולי אף לוט עצמו אינו מאמין עד תום בדברי המלאכים. אמנם העובדה שהכו את תושבי העיר בסנוורים בוודאי עשתה עליו רושם, אך ייתכן שהוא עדיין אינו בוטח בהם לחלוטין, והוא חושש מפני מה שצופן לו העתיד העלום, לאחר שיֵּצא מן העיר. טז משום כך – וַיִּתְמַהְמָהּ. וַיַּחֲזִקוּ הָאֲנָשִׁים בתוקף ובחוזקה בְּיָדוֹ וּבְיַד אִשְׁתּוֹ וּבְיַד שְׁתֵּי בְנֹתָיו הנמצאות בבית, וכל זה נעשה בְּחֶמְלַת ה׳ עָלָיו. לוט לא היה ראוי להינצל, ובכל זאת הוטל על המלאכים להצילו אפילו בעל כורחו. וַיֹּצִאֻהוּ, וַיַּנִּחֻהוּ מִחוּץ לָעִיר, ייתכן שהם הוליכוהו בתוך העיר עד ליציאתו, או שמא מצא את עצמו לפתע מחוץ לעיר מכוח המלאכים.

יז וַיְהִי כְהוֹצִיאָם אֹתָם הַחוּצָה, וַיֹּאמֶר אחד המלאכים: הִמָּלֵט עַל

עַל־נַפְשֶׁךָ אַל־תַּבִּיט אַחֲרֶיךָ וְאַל־תַּעֲמֹד בְּכָל־
הַכִּכָּר הָהָרָה הִמָּלֵט פֶּן־תִּסָּפֶה׃ וַיֹּאמֶר לוֹט אֲלֵהֶם יח
אַל־נָא אֲדֹנָי׃ הִנֵּה־נָא מָצָא עַבְדְּךָ חֵן בְּעֵינֶיךָ וַתַּגְדֵּל יט
חַסְדְּךָ אֲשֶׁר עָשִׂיתָ עִמָּדִי לְהַחֲיוֹת אֶת־נַפְשִׁי וְאָנֹכִי
לֹא אוּכַל לְהִמָּלֵט הָהָרָה פֶּן־תִּדְבָּקַנִי הָרָעָה וָמַתִּי׃
הִנֵּה־נָא הָעִיר הַזֹּאת קְרֹבָה לָנוּס שָׁמָּה וְהִוא מִצְעָר כ
אִמָּלְטָה נָּא שָׁמָּה הֲלֹא מִצְעָר הִוא וּתְחִי נַפְשִׁי׃

רש"י

בְּפֻרְעָנוּתָם וְאַתָּה נִצּוֹל: **בְּכָל הַכִּכָּר.** כִּכַּר הַיַּרְדֵּן: **הָהָרָה הִמָּלֵט.** אֵצֶל אַבְרָהָם בְּרַח שֶׁהָיָה יוֹשֵׁב בָּהָר, שֶׁנֶּאֱמַר: "וַיַּעְתֵּק מִשָּׁם הָהָרָה" (לעיל יב, ח), וְאַף עַכְשָׁיו הָיָה יוֹשֵׁב שָׁם, שֶׁנֶּאֱמַר: "עַד הַמָּקוֹם אֲשֶׁר הָיָה שָׁם אָהֳלֹה בַּתְּחִלָּה" (לעיל יג, ג); וְאַף עַל פִּי שֶׁכָּתוּב: "וַיֶּאֱהַל אַבְרָם" וְגוֹ' (שם יח), אֹהָלִים הַרְבֵּה הָיוּ לוֹ וְנִמְשְׁכוּ עַד חֶבְרוֹן: **הִמָּלֵט.** לְשׁוֹן הַשְׁמָטָה, וְכֵן כָּל הַמְלָטָה שֶׁבַּמִּקְרָא אשמוצי"ר בְּלַעַז, וְכֵן: "וְהִמְלִיטָה זָכָר" (ישעיה סו, ז), שֶׁנִּשְׁמַט הָעֻבָּר מִן הָרֶחֶם, "כְּצִפּוֹר נִמְלְטָה" (תהלים קכד, ז), "לֹא יָכְלוּ מַלֵּט מַשָּׂא" (ישעיה מו, ב), לְהַשְׁמִיט מַשָּׂא הָרְעִי שֶׁבְּנִקְבֵיהֶם:

יח) **אַל נָא אֲדֹנָי.** רַבּוֹתֵינוּ אָמְרוּ שֶׁשֵּׁם זֶה קֹדֶשׁ, שֶׁנֶּאֱמַר בּוֹ: "לְהַחֲיוֹת אֶת נַפְשִׁי" (להלן פסוק יט) – מִי שֶׁיֵּשׁ בְּיָדוֹ לְהָמִית וּלְהַחֲיוֹת, וְתַרְגּוּמוֹ "בְּבָעוּ כְעַן ה'": **אַל נָא.** אַל תֹּאמְרוּ אֵלַי לְהִמָּלֵט הָהָרָה: **נָא.** לְשׁוֹן בַּקָּשָׁה:

יט) **פֶּן תִּדְבָּקַנִי הָרָעָה.** כְּשֶׁהָיִיתִי אֵצֶל אַנְשֵׁי סְדוֹם הָיָה הַקָּדוֹשׁ בָּרוּךְ הוּא רוֹאֶה מַעֲשַׂי וּמַעֲשֵׂה בְּנֵי עִירִי וְהָיִיתִי נִרְאֶה צַדִּיק וּכְדַאי לְהִנָּצֵל, וּכְשֶׁאָבֹא אֵצֶל צַדִּיק אֲנִי כְּרָשָׁע. וְכֵן אָמְרָה הַצָּרְפִית לְאֵלִיָּהוּ: "בָּאתָ אֵלַי לְהַזְכִּיר אֶת עֲוֹנִי" (מלכים א' יז, יח) – עַד שֶׁלֹּא בָּאתָ אֶצְלִי הָיָה הַקָּדוֹשׁ בָּרוּךְ הוּא רוֹאֶה מַעֲשַׂי וּמַעֲשֵׂה עַמִּי וַאֲנִי צַדֶּקֶת בֵּינֵיהֶם, וּמִשֶּׁבָּאתָ אֶצְלִי, לְפִי מַעֲשֶׂיךָ אֲנִי רְשָׁעָה:

כ) **הָעִיר הַזֹּאת קְרֹבָה.** יְשִׁיבָתָהּ קְרוֹבָה, וְלֹא נִתְמַלֵּאת סְאָתָהּ עֲדַיִן. וּמָה הָיְתָה קְרִיבָתָהּ? מִדּוֹר הַפַּלָּגָה, שֶׁנִּתְפַּלְּגוּ הָאֲנָשִׁים וְהִתְחִילוּ לְהִתְיַשֵּׁב אִישׁ אִישׁ בִּמְקוֹמוֹ, וְהִיא הָיְתָה בִּשְׁנַת מוֹת פֶּלֶג, וּמִשָּׁם עַד כָּאן חֲמִשִּׁים וּשְׁתַּיִם שָׁנָה, שֶׁפֶּלֶג מֵת בִּשְׁנַת אַרְבָּעִים וּשְׁמֹנֶה לְאַבְרָהָם. כֵּיצַד? פֶּלֶג חַי אַחֲרֵי הוֹלִידוֹ אֶת רְעוּ מָאתַיִם וָתֵשַׁע שָׁנָה, מֵהֶם כָּלוּ שְׁלֹשִׁים וּשְׁתַּיִם כְּשֶׁנּוֹלַד שְׂרוּג וּמִשְּׂרוּג עַד שֶׁנּוֹלַד נָחוֹר שְׁלֹשִׁים, הֲרֵי שִׁשִּׁים וּשְׁתַּיִם, וּמִנָּחוֹר עַד שֶׁנּוֹלַד תֶּרַח עֶשְׂרִים וָתֵשַׁע, הֲרֵי תִּשְׁעִים וְאַחַת, וּמִשָּׁם עַד שֶׁנּוֹלַד אַבְרָהָם שִׁבְעִים, הֲרֵי מֵאָה שִׁשִּׁים וְאַחַת, תֵּן לָהֶם אַרְבָּעִים וּשְׁמֹנֶה, הֲרֵי מָאתַיִם וָתֵשַׁע, וְאוֹתָהּ שָׁנָה הָיְתָה שְׁנַת הַפַּלָּגָה. וּכְשֶׁנֶּחֶרְבָה סְדוֹם הָיָה אַבְרָהָם בֶּן תִּשְׁעִים וָתֵשַׁע שָׁנָה, הֲרֵי מִדּוֹר הַפַּלָּגָה עַד כָּאן חֲמִשִּׁים וּשְׁתַּיִם שָׁנָה. וְנוֹעַר אַחֲרָהּ יְשִׁיבָתָהּ אַחֲרֵי יְשִׁיבַת סְדוֹם וַחֲבֵרוֹתֶיהָ שָׁנָה אַחַת, הוּא שֶׁנֶּאֱמַר: "אִמָּלְטָה נָּא", 'נָא' בְּגִימַטְרִיָּא חֲמִשִּׁים וְאַחַת: **הֲלֹא מִצְעָר הוּא.** עֲוֹנוֹתֶיהָ מוּעָטִין וְיָכוֹל אַתָּה לְהַנִּיחָהּ "וּתְחִי נַפְשִׁי" בָּהּ, זֶהוּ מִדְרָשׁוֹ. וּפְשׁוּטוֹ שֶׁל מִקְרָא, הֲלֹא עִיר קְטַנָּה הִיא

ביאור

נַפְשֶׁךָ, אַל תַּבִּיט אַחֲרֶיךָ וְאַל תַּעֲמֹד בְּכָל הַכִּכָּר, כיכר הירדן, המישור שהקיף את סדם. **הָהָרָה הִמָּלֵט פֶּן תִּסָּפֶה.** ברח אל ההרים שמסביב לכיכר הירדן, כדי שתינצל.

יח **וַיֹּאמֶר לוֹט אֲלֵהֶם: אַל נָא, אֲדֹנָי**, בבקשה מכם, רבותי. יט **הִנֵּה
נָא מָצָא עַבְדְּךָ חֵן בְּעֵינֶיךָ וַתַּגְדֵּל חַסְדְּךָ אֲשֶׁר עָשִׂיתָ עִמָּדִי לְהַחֲיוֹת
אֶת נַפְשִׁי**, אבל – **וְאָנֹכִי לֹא אוּכַל לְהִמָּלֵט הָהָרָה**, ההר רחוק מדי;
העלייה אליו אינה קלה; אולי לוט חשב שהוא כבר אינו צעיר דיו
למסע המאתגר הזה, **פֶּן תִּדְבָּקַנִי הָרָעָה, וָמַתִּי.** כיוון שלוט חשב שלא
יוכל לציית להוראת המלאכים, הוא חשש שבפועל יישאר בכיכר
וימות. כ **הִנֵּה נָא הָעִיר הַזֹּאת קְרֹבָה לָנוּס שָׁמָּה, וְהִוא מִצְעָר**, קטנה.
אִמָּלְטָה נָּא שָׁמָּה. הֲלֹא מִצְעָר הִוא, אמנם היא עיר, ואף בראשה
עומד מלך,[16] אלא שאין היא עד כדי כך חשובה שראוי להרסה.
וכך – **וּתְחִי נַפְשִׁי.**

הרחבות

'אל תביט' הפיכת סדם לא הייתה אסון טבע גרידא; היא חרגה מגדרי הטבע; מה שהתרחש בסדם הוא פרי התערבותו הישירה של ה'. אמנם התחולל שם אירוע הרסני, אך אין ספק כי זו הייתה התגלות. על כן במקרה זה, כבמקרים נוספים של התגלות האל, האדם מנוע מלהביט בכך ישירות (ראו שמות ג,ו; לג,כ; מלכים א' יט,יג; ישעיה ו,ה ועוד).

רביעי

כא וַיֹּאמֶר אֵלָיו הִנֵּה נָשָׂאתִי פָנֶיךָ גַּם לַדָּבָר הַזֶּה לְבִלְתִּי
כב הָפְכִּי אֶת־הָעִיר אֲשֶׁר דִּבַּרְתָּ׃ מַהֵר הִמָּלֵט שָׁמָּה כִּי
לֹא אוּכַל לַעֲשׂוֹת דָּבָר עַד־בֹּאֲךָ שָׁמָּה עַל־כֵּן קָרָא
כג שֵׁם־הָעִיר צוֹעַר׃ הַשֶּׁמֶשׁ יָצָא עַל־הָאָרֶץ וְלוֹט בָּא
כד צֹעֲרָה׃ וַיהוָה הִמְטִיר עַל־סְדֹם וְעַל־עֲמֹרָה גָּפְרִית
כה וָאֵשׁ מֵאֵת יְהוָה מִן־הַשָּׁמָיִם׃ וַיַּהֲפֹךְ אֶת־הֶעָרִים
הָאֵל וְאֵת כָּל־הַכִּכָּר וְאֵת כָּל־יֹשְׁבֵי הֶעָרִים וְצֶמַח
כו הָאֲדָמָה׃ וַתַּבֵּט אִשְׁתּוֹ מֵאַחֲרָיו וַתְּהִי נְצִיב מֶלַח׃

רש"י

ואנשים בה מעט, אין לך להקפיד אם תניחנה "ותחי נפשי" בה:

כא) **גם לדבר הזה.** לא דייך שאתה נצל אלא אף כל העיר אציל בגללך: **הפכי.** הופך אני, כמו "עד באי" (להלן מח, ה), "אחרי דברי בו" (לעיל טז, יג), "מדי דברי בו" (ירמיה לא, יט):

כב) **כי לא אוכל לעשות.** זה ענשן של מלאכים על שאמרו: "כי משחיתים אנחנו" (לעיל פסוק יג) ותלו הדבר בעצמן, לפיכך לא זזו משם עד שהזקקו לומר שאין הדבר ברשותן: **כי לא אוכל.** לשון יחיד, מכאן אתה למד שהאחד הופך והאחד מציל, שאין שני מלאכים נשלחים לדבר אחד: **על כן קרא שם העיר צוער.** על שם "והיא מצער" (לעיל פסוק כ):

כד) **וה' המטיר.** כל מקום שנאמר "וה'" – הוא ובית דינו: **המטיר על סדם.** בעלות השחר, כמו שנאמר: "וכמו השחר עלה" (לעיל פסוק טו). שעה שהלבנה עומדת ברקיע עם החמה, לפי שהיו מהם עובדים לחמה ומהם ללבנה, אמר הקדוש ברוך הוא: אם אפרע מהם ביום יהיו עובדי לבנה אומרים, אלו לבנה מושלת לא היינו חרבין; ואם אפרע מהם בלילה יהיו עובדי החמה אומרים, אלו היה ביום כשהחמה מושלת לא היינו חרבין; לכך כתיב: "וכמו השחר עלה", ונפרע מהם בשעה שהחמה והלבנה מושלים: **המטיר... גפרית ואש.** בתחלה מטר ונעשה גפרית ואש: **מאת ה'.** דרך מקראות לדבר כן, כמו: "נשי למך" (לעיל ד, כג) ולא אמר 'נשי'; וכן אמר דוד: "קחו עמכם את עבדי אדניכם" (מלכים א' א, לג) ולא אמר 'את עבדי'; וכן באחשורוש: "בשם המלך" (אסתר ח, ח) ולא אמר 'בשמי'; אף כאן אמר: "מאת ה'" ולא אמר 'מאתו': **מן השמים.** הוא שאמר הכתוב: "כי בם ידין עמים" וגו' (איוב לו, לא). כשבא ליסר הבריות מביא עליהם אש מן השמים כמו שעשה לסדום, וכשבא להוריד המן – מן השמים, "הנני ממטיר לכם לחם מן השמים" (שמות טז, ד):

כה) **ויהפך את הערים וגו'.** ארבעתן יושבות בסלע אחד והפכן מלמעלה למטה, שנאמר: "בחלמיש שלח ידו" וגו' (איוב כח, ט):

כו) **ותבט אשתו מאחריו.** מאחריו של לוט: **ותהי נציב מלח.** במלח חטאה

ביאור | כא **וַיֹּאמֶר אֵלָיו** המלאך: **הִנֵּה** הוצאתי אותך מן העיר, ולא זו בלבד,
אלא **שֶׁנָּשָׂאתִי פָנֶיךָ**, אקבל את בקשתך **גַּם לַדָּבָר הַזֶּה** – **לְבִלְתִּי**
הָפְכִּי אֶת הָעִיר אֲשֶׁר דִּבַּרְתָּ. אהפוך את ערי הכיכר הגדולות - סדֹם
ועמֹרה, אדמה וצבויים, ואת העיר הזאת אשאיר. כב **מַהֵר הִמָּלֵט**
שָׁמָּה, כִּי לֹא אוּכַל לַעֲשׂוֹת דָּבָר עַד בֹּאֲךָ שָׁמָּה. כיוון שהמלאך אינו
אלא שליח, הוא כפוף למשימות שהוטלו עליו. כאמור, הוטל על
המלאכים להשמיד את ערי החטאים ולהציל את לוט. כל עוד לוט
עלול להינזק, אין הם יכולים להשחית את הערים.

וכאן מגיעה הערה: **עַל כֵּן**, כיוון שהיא מִצְעָר, עיר קטנה, **קָרָא שֵׁם**
הָעִיר צוֹעַר. כונתה העיר בשם המשני צוער.

לוט ומשפחתו יצאו עם שחר. כג **הַשֶּׁמֶשׁ יָצָא עַל הָאָרֶץ**, כאשר
השמש כבר זרחה, **וְלוֹט בָּא צֹעֲרָה**, לצוער. כד **וַה׳ הִמְטִיר עַל סְדֹם**
וְעַל עֲמֹרָה וכן על שתי הערים הנוספות, אדמה וצבויים, **גָּפְרִית וָאֵשׁ**,
מֵאֵת ה׳ מִן הַשָּׁמָיִם. כה ובנוסף על כך - **וַיַּהֲפֹךְ אֶת הֶעָרִים הָאֵל**,
האלה **וְאֵת כָּל הַכִּכָּר וְאֵת כָּל יֹשְׁבֵי הֶעָרִים וְצֶמַח הָאֲדָמָה**. מלבד מטר
האש והגפרית מן השמים הייתה גם רעידת אדמה שהפכה את כל
האזור. דבר לא נותר כמות שהיה.

כו **וַתַּבֵּט אִשְׁתּוֹ** של לוט **מֵאַחֲרָיו** למרות אזהרתו של המלאך. ייתכן
שאשתו הייתה מבנות סדֹם. היא ניצלה מגורל סדֹם בהיותה אשתו
של לוט, אך כנראה חשה קשורה לסדֹם. מתוך סקרנות או קשר
נפשי היא פנתה להביט אל עירה. **וַתְּהִי נְצִיב מֶלַח**, נציב מלח של
ממש, או: ביטוי מושאל שמשמעו - קפאה במקומה ומתה.

וַיַּשְׁכֵּם אַבְרָהָם בַּבֹּקֶר אֶל־הַמָּקוֹם אֲשֶׁר־עָמַד שָׁם כז
אֶת־פְּנֵי יְהוָה׃ וַיַּשְׁקֵף עַל־פְּנֵי סְדֹם וַעֲמֹרָה וְעַל כָּל־ כח
פְּנֵי אֶרֶץ הַכִּכָּר וַיַּרְא וְהִנֵּה עָלָה קִיטֹר הָאָרֶץ כְּקִיטֹר
הַכִּבְשָׁן׃ וַיְהִי בְּשַׁחֵת אֱלֹהִים אֶת־עָרֵי הַכִּכָּר וַיִּזְכֹּר כט
אֱלֹהִים אֶת־אַבְרָהָם וַיְשַׁלַּח אֶת־לוֹט מִתּוֹךְ הַהֲפֵכָה
בַּהֲפֹךְ אֶת־הֶעָרִים אֲשֶׁר־יָשַׁב בָּהֵן לוֹט׃ וַיַּעַל לוֹט ל
מִצּוֹעַר וַיֵּשֶׁב בָּהָר וּשְׁתֵּי בְנֹתָיו עִמּוֹ כִּי יָרֵא לָשֶׁבֶת
בְּצוֹעַר וַיֵּשֶׁב בַּמְּעָרָה הוּא וּשְׁתֵּי בְנֹתָיו׃ וַתֹּאמֶר לא
הַבְּכִירָה אֶל־הַצְּעִירָה אָבִינוּ זָקֵן וְאִישׁ אֵין בָּאָרֶץ
לָבוֹא עָלֵינוּ כְּדֶרֶךְ כָּל־הָאָרֶץ׃ לְכָה נַשְׁקֶה אֶת־ לב
אָבִינוּ יַיִן וְנִשְׁכְּבָה עִמּוֹ וּנְחַיֶּה מֵאָבִינוּ זָרַע׃ וַתַּשְׁקֶיןָ לג

רש"י

וּבְמֶלַח לָקְתָה, אָמַר לָהּ: תְּנִי מְעַט מֶלַח לָאוֹרְחִים הַלָּלוּ, אָמְרָה לוֹ: אַף הַמִּנְהָג הָרָע הַזֶּה אַתָּה בָּא לְהַנְהִיג בַּמָּקוֹם הַזֶּה?!:

כח) **קִיטֹר.** תִּמּוּר שֶׁל עָשָׁן, טורק"א בְּלַעַז: **כִּבְשָׁן.** חֲפִירָה שֶׁשּׂוֹרְפִין בָּהּ אֶת הָאֲבָנִים לְסִיד, וְכֵן כָּל 'כִּבְשָׁן' שֶׁבַּתּוֹרָה:

כט) **וַיִּזְכֹּר אֱלֹהִים אֶת אַבְרָהָם.** מַה הִיא זְכִירָתוֹ שֶׁל אַבְרָהָם עַל לוֹט? נִזְכַּר, שֶׁהָיָה יוֹדֵעַ שֶׁשָּׂרָה אִשְׁתּוֹ שֶׁל אַבְרָהָם, וְשָׁמַע שֶׁאָמַר אַבְרָהָם בְּמִצְרַיִם עַל שָׂרָה: "אֲחֹתִי הִיא" (לעיל יב, יט) וְלֹא גִּלָּה הַדָּבָר, שֶׁהָיָה חָס עָלָיו, לְפִיכָךְ חָס הַקָּדוֹשׁ בָּרוּךְ הוּא עָלָיו:

ל) **כִּי יָרֵא לָשֶׁבֶת בְּצוֹעַר.** לְפִי שֶׁהָיְתָה קְרוֹבָה לִסְדוֹם:

לא) **אָבִינוּ זָקֵן.** וְאִם לֹא עַכְשָׁיו אֵימָתַי? שֶׁמָּא יָמוּת אוֹ יִפְסֹק מִלֵּדָה: **וְאִישׁ אֵין בָּאָרֶץ.** סְבוּרוֹת הָיוּ שֶׁכָּל הָעוֹלָם נֶחֱרַב כְּמוֹ בְּדוֹר הַמַּבּוּל. בְּרֵאשִׁית רַבָּה (נא, ח):

לג) **וַתַּשְׁקֶיןָ וגו'.** יַיִן נִזְדַּמֵּן לָהֶן בַּמְּעָרָה

ביאור כז **וַיַּשְׁכֵּם אַבְרָהָם בַּבֹּקֶר אֶל הַמָּקוֹם אֲשֶׁר עָמַד שָׁם אֶת פְּנֵי**
ה'. כח **וַיַּשְׁקֵף עַל פְּנֵי סְדֹם וַעֲמֹרָה, וְעַל כָּל פְּנֵי אֶרֶץ הַכִּכָּר**, כיכר הירדן,
אזור ים המלח, **וַיַּרְא וְהִנֵּה עָלָה קִיטֹר**, עשן **הָאָרֶץ כְּקִיטֹר הַכִּבְשָׁן**,
עשן רב וסמיך. בנוסף על מטר האש והפיכת הערים, המקום עלה
כולו באש ולא נשאר ממנו דבר.

כאן מופיע הסבר מסכם: כט **וַיְהִי בְּשַׁחֵת אֱלֹהִים אֶת עָרֵי הַכִּכָּר,**
וַיִּזְכֹּר אֱלֹהִים אֶת אַבְרָהָם, ובזכותו – **וַיְשַׁלַּח אֶת לוֹט מִתּוֹךְ הַהֲפֵכָה,**
בַּהֲפֹךְ אֶת הֶעָרִים אֲשֶׁר יָשַׁב בָּהֵן לוֹט.

ל **וַיַּעַל לוֹט מִצּוֹעַר וַיֵּשֶׁב בָּהָר, וּשְׁתֵּי בְנֹתָיו עִמּוֹ, כִּי יָרֵא לָשֶׁבֶת בְּצוֹעַר.**
באותו לילה שהה לוט בצוער, אך כנראה פחד להישאר בעיר זו,
שכן בתור אחת מערי הכיכר נכללה תחילה בגזרה והייתה אמורה
להישמד. לוט חשש שמא השמדתה של צוער רק נדחתה; שמא
עונשה של העיר לא בוצע רק משום שהוא שוהה בה, אבל הוא לא
חש בטוח. לכן לבסוף עלה אל ההר, כפי שהורה לו המלאך, **וַיֵּשֶׁב**
בַּמְּעָרָה הוּא וּשְׁתֵּי בְנֹתָיו.

לוט ושתי בנותיו ישבו במערה לבדם, ומסביבם שממה גמורה. מן
הסתם הפיכת סדם גרמה לכך שאיש לא התקרב אל האזור. בנות
לוט לא ידעו שההרס מוגבל לסדם ולסביבתה. הן הניחו שאירעה
קטסטרופה שהחריבה את העולם כולו, מעין המבול, ושהם לבדם
שרדו. לא כיוון שכך – **וַתֹּאמֶר הַבְּכִירָה אֶל הַצְּעִירָה**. שתיהן צעירות
למדי ושתיהן לא היו נשואות: **אָבִינוּ זָקֵן**, אל לנו לצַפות שאבינו
יישאר בכוחותיו הגופניים במשך זמן רב, **וְאִישׁ אֵין בָּאָרֶץ לָבוֹא**
עָלֵינוּ כְּדֶרֶךְ כָּל הָאָרֶץ. אין שום גבר אחר בעולם מלבדו. באבינו ובנו
תלויה התקווה להמשך קיום האנושות. אמנם אנחנו בנותיו, אך
כדי למנוע את השמדתו המוחלטת של המין האנושי, עלינו לנהוג
כמו בזמנו של אדם הראשון: בני משפחה קרובים יפרו וירבו מתוך
עצמם. לב **לְכָה**, הבה **נַשְׁקֶה אֶת אָבִינוּ יַיִן** כדי שישתכר, **וְנִשְׁכְּבָה**
עִמּוֹ, וּנְחַיֶּה מֵאָבִינוּ זָרַע. בנות לוט בחרו בהשקיית אביהן, משום
שחששו מתגובתו השלילית או משום שהתביישו ממנו.

אֶת־אֲבִיהֶן יַיִן בַּלַּיְלָה הוּא וַתָּבֹא הַבְּכִירָה וַתִּשְׁכַּב
לד אֶת־אָבִיהָ וְלֹא־יָדַע בְּשִׁכְבָהּ וּבְקוּמָהּ: וַיְהִי מִמָּחֳרָת
וַתֹּאמֶר הַבְּכִירָה אֶל־הַצְּעִירָה הֵן־שָׁכַבְתִּי אֶמֶשׁ
אֶת־אָבִי נַשְׁקֶנּוּ יַיִן גַּם־הַלַּיְלָה וּבֹאִי שִׁכְבִי עִמּוֹ
לה וּנְחַיֶּה מֵאָבִינוּ זָרַע: וַתַּשְׁקֶיןָ גַּם בַּלַּיְלָה הַהוּא אֶת־
אֲבִיהֶן יָיִן וַתָּקָם הַצְּעִירָה וַתִּשְׁכַּב עִמּוֹ וְלֹא־יָדַע
לו בְּשִׁכְבָהּ וּבְקֻמָהּ: וַתַּהֲרֶיןָ שְׁתֵּי בְנוֹת־לוֹט מֵאֲבִיהֶן:
לז וַתֵּלֶד הַבְּכִירָה בֵּן וַתִּקְרָא שְׁמוֹ מוֹאָב הוּא אֲבִי־
לח מוֹאָב עַד־הַיּוֹם: וְהַצְּעִירָה גַם־הִוא יָלְדָה בֵּן
וַתִּקְרָא שְׁמוֹ בֶּן־עַמִּי הוּא אֲבִי בְנֵי־עַמּוֹן עַד־
כ א יז הַיּוֹם: וַיִּסַּע מִשָּׁם אַבְרָהָם אַרְצָה הַנֶּגֶב
ב וַיֵּשֶׁב בֵּין־קָדֵשׁ וּבֵין שׁוּר וַיָּגָר בִּגְרָר: וַיֹּאמֶר אַבְרָהָם

רש"י

לְהוֹצִיא מֵהֶן שְׁתֵּי אֻמּוֹת: **וַתִּשְׁכַּב אֶת אָבִיהָ.** וּבַצְּעִירָה כְּתִיב: "וַתִּשְׁכַּב עִמּוֹ" (להלן פסוק לה). צְעִירָה לְפִי שֶׁלֹּא פָּתְחָה בִּזְנוּת אֶלָּא אֲחוֹתָהּ לִמְּדַתָּה, חִסֵּךְ עָלֶיהָ הַכָּתוּב וְלֹא פֵּרֵשׁ גְּנוּתָהּ, אֲבָל בְּכִירָה שֶׁפָּתְחָה בִּזְנוּת פִּרְסְמָהּ הַכָּתוּב בִּמְפֹרָשׁ. "וּבְקוּמָהּ" שֶׁל בְּכִירָה נָקוּד, הֲרֵי הוּא כְּאִלּוּ לֹא נִכְתַּב, לוֹמַר שֶׁבְּקוּמָהּ יָדַע, וְאַף עַל פִּי כֵן לֹא נִשְׁמַר לֵיל שֵׁנִי מִלִּשְׁתּוֹת:

לו| **וַתַּהֲרֶיןָ.** אַף עַל פִּי שֶׁאֵין הָאִשָּׁה מִתְעַבֶּרֶת מִבִּיאָה רִאשׁוֹנָה, אֵלּוּ שָׁלְטוּ בְּעַצְמָן וְהוֹצִיאוּ עֶרְוָתָן לַחוּץ וְעִבְּרוּ מִבִּיאָה רִאשׁוֹנָה:

לז| **מוֹאָב.** זוֹ שֶׁלֹּא הָיְתָה צְנוּעָה פֵּרְשָׁה שֶׁמֵּאָבִיהָ הוּא, אֲבָל צְעִירָה קְרָאַתּוּ בְּלָשׁוֹן נְקִיָּה, וְקִבְּלוּ שָׂכָר בִּימֵי מֹשֶׁה, שֶׁנֶּאֱמַר בִּבְנֵי עַמּוֹן: "וְאַל תִּתְגָּר בָּם" (דברים ב, יט) כְּלָל, וּבְמוֹאָב לֹא הִזְהִיר אֶלָּא שֶׁלֹּא יִלָּחֵם בָּם, אֲבָל לְצַעֲרָן הִתִּיר לוֹ:

פרק כ

א| **וַיִּסַּע מִשָּׁם אַבְרָהָם.** כְּשֶׁרָאָה שֶׁחָרְבוּ הַכְּרַכִּים וּפָסְקוּ הָעוֹבְרִים וְהַשָּׁבִים נָסַע לוֹ מִשָּׁם. דָּבָר אַחֵר, לְהִתְרַחֵק מִלּוֹט שֶׁיָּצָא עָלָיו שֵׁם רָע שֶׁבָּא עַל בְּנוֹתָיו:

ב| **וַיֹּאמֶר אַבְרָהָם.** כָּאן לֹא נָטַל רְשׁוּת, אֶלָּא עַל כָּרְחָהּ שֶׁלֹּא בְּטוֹבָתָהּ, לְפִי שֶׁכְּבָר לֻקְחָה לְבֵית פַּרְעֹה עַל יְדֵי כֵן: **אֶל שָׂרָה אִשְׁתּוֹ.** עַל שָׂרָה אִשְׁתּוֹ. כַּיּוֹצֵא בוֹ: "אֶל הִלָּקַח אֲרוֹן וְגוֹ' וְאֶל חָמִיהָ" (שמואל א' ד, כא), שְׁנֵיהֶם בִּלְשׁוֹן 'עַל':

ביאור | לג **וַתַּשְׁקֶיןָ אֶת אֲבִיהֶן יַיִן בַּלַּיְלָה הוּא**, ייתכן שהביאו עמם את היין
מצוער, לבד שאר מזונות ומשקים שהצטיידו בהם כדי שיוכלו לשרוד
במערה. **וַתָּבֹא הַבְּכִירָה וַתִּשְׁכַּב אֶת אָבִיהָ, וְלֹא יָדַע בְּשִׁכְבָהּ וּבְקוּמָהּ**
מתוך שכרותו. לד **וַיְהִי מִמָּחֳרָת, וַתֹּאמֶר הַבְּכִירָה אֶל הַצְּעִירָה: הֵן**
שָׁכַבְתִּי אֶמֶשׁ אֶת אָבִי, אחרי שאני הפרתי את האיסור, את הבושה
ואת האימה, **נַשְׁקֶנּוּ יַיִן גַּם הַלַּיְלָה, וּבֹאִי שִׁכְבִי עִמּוֹ, וּנְחַיֶּה מֵאָבִינוּ**
זָרַע. איננו יודעות אם הצלחתי להרות. כיוון שעלינו לדאוג לקיום
העולם, כדאי שנגדיל את סיכויי הפריון, אם את תשכבי אתו.

לה **וַתַּשְׁקֶיןָ גַּם בַּלַּיְלָה הַהוּא אֶת אֲבִיהֶן יָיִן. וַתָּקָם הַצְּעִירָה וַתִּשְׁכַּב**
עִמּוֹ, וְלֹא יָדַע בְּשִׁכְבָהּ וּבְקֻמָהּ.

לו **וַתַּהֲרֶיןָ שְׁתֵּי בְנוֹת לוֹט מֵאֲבִיהֶן.** לז **וַתֵּלֶד הַבְּכִירָה בֵּן, וַתִּקְרָא שְׁמוֹ**
מוֹאָב. הוּא אֲבִי העם הנקרא **מוֹאָב עַד הַיּוֹם**. שם זה מבטא כמעט
במפורש את העובדה שהילד בא מן האב. לח **וְהַצְּעִירָה גַם הִוא**
יָלְדָה בֵּן, וַתִּקְרָא שְׁמוֹ בֶּן עַמִּי. משמעותו של שם זה דומה. עַמִּי עשוי
להתפרש כמשפחתי, ואולי מבטא אף קרבה רבה יותר.[17] ובכל זאת
היא בחרה בכינוי מעודן יותר. **הוּא אֲבִי בְנֵי עַמּוֹן עַד הַיּוֹם.**

אברהם ושרה בגרר

פרק כ

הכתוב ממשיך בסיפורם של אברהם ושרה. מסעם של בני הזוג לגרר מזמן להם אירוע דומה לאשר אירע אותם במצרים.

חכמים עמדו על סמיכות מסעו של אברהם להפיכת סדֹם.[18] ייתכן שאברהם עוזב את חברון בעקבות השפעת האירוע הקשה על סביבותיו. אם התפרסם המעשה המגונה שבין לוט ובנותיו – אף שמועה זו יכולה הייתה להניע את אברהם לעקור ממקומו.

פרק כ א **וַיִּסַּע מִשָּׁם אַבְרָהָם אַרְצָה הַנֶּגֶב, וַיֵּשֶׁב בֵּין קָדֵשׁ וּבֵין שׁוּר**
שבנגב, **וַיָּגָר בִּגְרָר**, אחת מערי פלשתים.

הרחבות | **מואב ועמון** משני הבנים הללו יָצאו שני עמים שיתיישבו ממזרח לים המלח ויחיו שם במשך דורות רבים. במהלך ההיסטוריה יופיעו יחסים קרובים בין העמים הללו לבין בניו של אברהם, אבל בעטיה של התנהגותם הקלוקלת של עמון ומואב ביחסי אנוש, שאולי גם קשורה לייחוסם המפוקפק, עם ישראל יתייחס לעמי מואב ועמון באופן מסויג.

אֶל־שָׂרָה אִשְׁתּוֹ אֲחֹתִי הִוא וַיִּשְׁלַח אֲבִימֶלֶךְ מֶלֶךְ
גְּרָר וַיִּקַּח אֶת־שָׂרָה׃ וַיָּבֹא אֱלֹהִים אֶל־אֲבִימֶלֶךְ ג
בַּחֲלוֹם הַלָּיְלָה וַיֹּאמֶר לוֹ הִנְּךָ מֵת עַל־הָאִשָּׁה אֲשֶׁר־
לָקַחְתָּ וְהִוא בְּעֻלַת בָּעַל׃ וַאֲבִימֶלֶךְ לֹא קָרַב אֵלֶיהָ ד
וַיֹּאמַר אֲדֹנָי הֲגוֹי גַּם־צַדִּיק תַּהֲרֹג׃ הֲלֹא הוּא אָמַר־ ה
לִי אֲחֹתִי הִוא וְהִיא־גַם־הִוא אָמְרָה אָחִי הוּא בְּתָם־
לְבָבִי וּבְנִקְיֹן כַּפַּי עָשִׂיתִי זֹאת׃ וַיֹּאמֶר אֵלָיו הָאֱלֹהִים ו
בַּחֲלֹם גַּם אָנֹכִי יָדַעְתִּי כִּי בְתָם־לְבָבְךָ עָשִׂיתָ זֹּאת
וָאֶחְשֹׂךְ גַּם־אָנֹכִי אוֹתְךָ מֵחֲטוֹ־לִי עַל־כֵּן לֹא־נְתַתִּיךָ
לִנְגֹּעַ אֵלֶיהָ׃ וְעַתָּה הָשֵׁב אֵשֶׁת־הָאִישׁ כִּי־נָבִיא הוּא ז
וְיִתְפַּלֵּל בַּעַדְךָ וֶחְיֵה וְאִם־אֵינְךָ מֵשִׁיב דַּע כִּי־מוֹת
תָּמוּת אַתָּה וְכָל־אֲשֶׁר־לָךְ׃ וַיַּשְׁכֵּם אֲבִימֶלֶךְ בַּבֹּקֶר ח
וַיִּקְרָא לְכָל־עֲבָדָיו וַיְדַבֵּר אֶת־כָּל־הַדְּבָרִים הָאֵלֶּה
בְּאָזְנֵיהֶם וַיִּירְאוּ הָאֲנָשִׁים מְאֹד׃ וַיִּקְרָא אֲבִימֶלֶךְ ט

רש"י

ד) **לא קרב אליה.** המלאך מנעו, כמה שנאמר: "לא נתתיך לנגע אליה" (להלן פסוק ו): **הגוי גם צדיק תהרג.** אף אם הוא צדיק תהרגנו? שמא כך דרכך לאבד אומות חנם? כך עשית לדור המבול ולדור הפלגה, אף אני אומר שהרגתם על לא דבר כשם שאתה אומר להרגני:

ה) **גם הוא.** לרבות עבדים וגמלים וחמרים שלה, את כלם שאלתי ואמרו לי: אחיה הוא: **בתם לבבי.** שלא דמיתי לחטוא: **ובנקין כפי.** נקי אני מן החטא, שלא נגעתי בה:

ו) **ידעתי כי בתם לבבך וגו'.** אמת שלא דמית מתחלה לחטוא, אבל נקיון כפים אין כאן שלא ממך היה שלא נגעת בה, אלא אני חשכתי אותך מחטוא: **לא נתתיך.** לא נתתי לך כח, וכן: "ולא נתנו אלהים להרע" (להלן לא, ז), וכן: "ולא נתנו אביה לבוא" (שופטים טו, ב) - לא נתן לו מקום:

ז) **השב אשת האיש.** ואל תהא סבור שתתגנה בעיניו ולא יקבלנה, או ישנאנה ולא יתפלל עליך: **כי נביא הוא.** ויודע שלא נגעת בה, לפיכך "ויתפלל בעדך":

ב וַיֹּאמֶר אַבְרָהָם אֶל, על, שָׂרָה אִשְׁתּוֹ: "אֲחֹתִי הִוא". אמנם עתה הוא | ביאור
הגיע למקום קטן יותר ממצרים, ובכל זאת שב ונקט אותם אמצעי
זהירות שנקט שם. וַיִּשְׁלַח אֲבִימֶלֶךְ מֶלֶךְ גְּרָר, וַיִּקַּח אֶת שָׂרָה. ייתכן
שעשה זאת מתוך שיקולים אישיים או מתוך שיקולים פוליטיים
וכלכליים.

ג אולם כאן, בשונה מאשר במצרים - וַיָּבֹא אֱלֹהִים אֶל אֲבִימֶלֶךְ
בַּחֲלוֹם הַלָּיְלָה, וַיֹּאמֶר לוֹ: הִנְּךָ מֵת עַל הָאִשָּׁה אֲשֶׁר לָקַחְתָּ, תמות
בגללה, וְהִוא בְּעֻלַת בָּעַל, שכן היא נשואה.

ד וַאֲבִימֶלֶךְ לֹא קָרַב אֵלֶיהָ, אף קודם לכן לא היו ביניהם בינתיים
יחסים. וַיֹּאמַר בחלום או בהקיץ: אֲדֹנָי! הֲגוֹי, מנהיג העם, המלך גַּם
צַדִּיק תַּהֲרֹג? האם אתה הורג אדם שהוא מלך וגם צדיק?! אבימלך
התחנן על נפשו: מדוע עלי למות, הרי לא עשיתי רעה?! ה הֲלֹא
הוּא, אברהם אָמַר לִי: "אֲחֹתִי הִוא", וְהִיא גַם הוּא, שרה, אָמְרָה דיברה
באופן שממנו משתמע: "אָחִי הוּא". בְּתָם לְבָבִי וּבְנִקְיֹן כַּפַּי עָשִׂיתִי זֹאת.

ו וַיֹּאמֶר אֵלָיו הָאֱלֹהִים בַּחֲלֹם: גַּם אָנֹכִי יָדַעְתִּי כִּי בְתָם לְבָבְךָ עָשִׂיתָ
זֹּאת, וָאֶחְשֹׂךְ גַּם אָנֹכִי אוֹתְךָ מֵחֲטוֹ לִי. אכן יכולת לקחת את האשה,
אך גם אני מנעתי אותך מלחטוא לי. עַל כֵּן לֹא נְתַתִּיךָ לִנְגֹּעַ אֵלֶיהָ,
מעבר ללקיחתה לא אפשרתי לך לגעת בה. ז וְעַתָּה הָשֵׁב אֵשֶׁת
הָאִישׁ, כִּי נָבִיא הוּא, וְיִתְפַּלֵּל בַּעַדְךָ וֶחְיֵה. כנראה העובדה שאברהם
נביא אינה הנימוק לדרישה להשיב אליו את אשתו. מסתבר יותר
שכיוון שהוא נביא ואדם קדוש, בכוחו להתפלל בעדך, כדי שתחיה.
עליך להשיב לו את אשתו, ולא זו בלבד, אף בקש ממנו שיתפלל
עליך. וְאִם אֵינְךָ מֵשִׁיב – דַּע כִּי מוֹת תָּמוּת, אַתָּה וְכָל אֲשֶׁר לָךְ.

ח וַיַּשְׁכֵּם אֲבִימֶלֶךְ בַּבֹּקֶר, וַיִּקְרָא לְכָל עֲבָדָיו, וַיְדַבֵּר אֶת כָּל הַדְּבָרִים
הָאֵלֶּה בְּאָזְנֵיהֶם. וַיִּירְאוּ הָאֲנָשִׁים מְאֹד מחמת הגזרה על מות המלך.

לְאַבְרָהָם וַיֹּאמֶר לוֹ מֶה־עָשִׂיתָ לָּנוּ וּמֶה־חָטָאתִי לָךְ
כִּי־הֵבֵאתָ עָלַי וְעַל־מַמְלַכְתִּי חֲטָאָה גְדֹלָה מַעֲשִׂים
אֲשֶׁר לֹא־יֵעָשׂוּ עָשִׂיתָ עִמָּדִי׃ וַיֹּאמֶר אֲבִימֶלֶךְ אֶל־ י
אַבְרָהָם מָה רָאִיתָ כִּי עָשִׂיתָ אֶת־הַדָּבָר הַזֶּה׃ וַיֹּאמֶר יא
אַבְרָהָם כִּי אָמַרְתִּי רַק אֵין־יִרְאַת אֱלֹהִים בַּמָּקוֹם
הַזֶּה וַהֲרָגוּנִי עַל־דְּבַר אִשְׁתִּי׃ וְגַם־אָמְנָה אֲחֹתִי יב
בַת־אָבִי הִוא אַךְ לֹא בַת־אִמִּי וַתְּהִי־לִי לְאִשָּׁה׃
וַיְהִי כַּאֲשֶׁר הִתְעוּ אֹתִי אֱלֹהִים מִבֵּית אָבִי וָאֹמַר יג
לָהּ זֶה חַסְדֵּךְ אֲשֶׁר תַּעֲשִׂי עִמָּדִי אֶל כָּל־הַמָּקוֹם
אֲשֶׁר נָבוֹא שָׁמָּה אִמְרִי־לִי אָחִי הוּא׃ וַיִּקַּח אֲבִימֶלֶךְ יד

רש"י

ט] **מַעֲשִׂים אֲשֶׁר לֹא יֵעָשׂוּ.** מַכָּה אֲשֶׁר לֹא הֻרְגְּלָה לָבֹא עַל בְּרִיָּה בָּאָה לָנוּ עַל יָדְךָ – עֲצִירַת כָּל נְקָבִים שֶׁל זֶרַע וְשֶׁל קְטַנִּים וּרְעִי וְאָזְנַיִם וְחֹטֶם:

יא] **רַק אֵין יִרְאַת אֱלֹהִים.** אַכְסְנַאי שֶׁבָּא לָעִיר, עַל עִסְקֵי אֲכִילָה וּשְׁתִיָּה שׁוֹאֲלִין אוֹתוֹ אוֹ עַל עִסְקֵי אִשְׁתּוֹ שׁוֹאֲלִין אוֹתוֹ, אִשְׁתְּךָ הִיא אוֹ אֲחוֹתְךָ הִיא?:

יב] **אֲחֹתִי בַת אָבִי הִיא.** וּבַת אָב מֻתֶּרֶת לְבֶן נֹחַ, שֶׁאֵין אָב לְגוֹי; וּכְדֵי לְאַמֵּת דְּבָרָיו הֱשִׁיבָם כֵּן. וְאִם תֹּאמַר, וַהֲלֹא בַּת אָחִיו הָיְתָה! בְּנֵי בָנִים הֲרֵי הֵם כְּבָנִים וַהֲרֵי הִיא בִּתּוֹ שֶׁל תֶּרַח, וְכָךְ הוּא אוֹמֵר לְלוֹט: "כִּי אֲנָשִׁים אַחִים אֲנָחְנוּ" (לעיל יג, ח): **אַךְ לֹא בַת אִמִּי.** הָרָן מֵאֵם אַחֶרֶת הָיָה:

יג] **וַיְהִי כַּאֲשֶׁר הִתְעוּ אֹתִי וְגוֹ'.** אוּנְקְלוֹס תִּרְגֵּם מַה שֶּׁתִּרְגֵּם; וְיֵשׁ לְיַשְּׁבוֹ עוֹד דָּבָר דָּבוּר עַל אָפְנָיו: כְּשֶׁהוֹצִיאַנִי הַקָּדוֹשׁ בָּרוּךְ הוּא מִבֵּית אָבִי לִהְיוֹת מְשׁוֹטֵט וְנָד מִמָּקוֹם לְמָקוֹם וְיָדַעְתִּי שֶׁאֶעֱבֹר בִּמְקוֹם רְשָׁעִים, "וָאֹמַר לָהּ זֶה חַסְדֵּךְ": **כַּאֲשֶׁר הִתְעוּ.** לְשׁוֹן רַבִּים. וְאַל תִּתְמַהּ, כִּי הַרְבֵּה מְקוֹמוֹת לְשׁוֹן אֱלֹהוּת וּלְשׁוֹן מָרוּת קָרוּי בִּלְשׁוֹן רַבִּים: "אֲשֶׁר הָלְכוּ אֱלֹהִים" (שמואל ב' ז, כג), "אֱלֹהִים חַיִּים" (דברים ה, כג), "אֱלֹהִים קְדֹשִׁים" (יהושע כד, יט), וְכָל לְשׁוֹן 'אֱלֹהִים' לְשׁוֹן רַבִּים. וְכֵן: "וַיִּקַּח אֲדֹנֵי יוֹסֵף" (להלן לט, כ), "וַאֲדֹנֵי הָאֲדֹנִים" (דברים י, יז), "אֲדֹנֵי הָאָרֶץ" (להלן מב, לג); וְכֵן: "בְּעָלָיו עִמּוֹ" (שמות כב, יד), "וְהוּעַד בִּבְעָלָיו" (שם כא, כט). וְאִם תֹּאמַר, מַהוּ לְשׁוֹן 'הִתְעוּ'? כָּל הַגּוֹלֶה מִמְּקוֹמוֹ וְאֵינוֹ מְיֻשָּׁב קָרוּי 'תּוֹעֶה', כְּמוֹ: "וַתֵּלֶךְ וַתֵּתַע" (להלן כא, יד), "תָּעִיתִי כְּשֶׂה אֹבֵד" (תהלים קיט, קעו), "יִתְעוּ לִבְלִי אֹכֶל" (איוב לח, מא), יֵצְאוּ וְיִתְעוּ לְבַקֵּשׁ אָכְלָם: **אִמְרִי לִי.** עָלַי, וְכֵן: "וַיִּשְׁאֲלוּ אַנְשֵׁי הַמָּקוֹם לְאִשְׁתּוֹ" (להלן כו, ז) עַל אִשְׁתּוֹ, וְכֵן: "וְאָמַר פַּרְעֹה לִבְנֵי יִשְׂרָאֵל" (שמות יד, ג), "פֶּן יֹאמְרוּ לִי אִשָּׁה הֲרָגָתְהוּ" (שופטים ט, נד):

ביאור

ט **וַיִּקְרָא אֲבִימֶלֶךְ לְאַבְרָהָם, וַיֹּאמֶר לוֹ: מֶה עָשִׂיתָ לָּנוּ, וּמֶה חָטָאתִי**
לָךְ, כִּי הֵבֵאתָ עָלַי וְעַל מַמְלַכְתִּי חֲטָאָה גְדֹלָה?! מַעֲשִׂים אֲשֶׁר לֹא
יֵעָשׂוּ עָשִׂיתָ עִמָּדִי. אברהם לא ענה על טענתו זו של אבימלך, שכן
אברהם לא היה אשם. הוא רק העלים חלק מן הפרטים, ואילו
אבימלך הוא שלקח את האשה שלא מתוך הסכם ברור עם אברהם.
י לאחר שראה כי אברהם לא השיב על האשמתו, ביקש אבימלך
לברר את מניעיו – **וַיֹּאמֶר אֲבִימֶלֶךְ אֶל אַבְרָהָם: מָה רָאִיתָ כִּי עָשִׂיתָ**
אֶת הַדָּבָר הַזֶּה?

יא **וַיֹּאמֶר אַבְרָהָם: כִּי אָמַרְתִּי, רַק אֵין יִרְאַת אֱלֹהִים בַּמָּקוֹם הַזֶּה** – אינני
מכיר את המקום. אך אני מתרשם שאין כאן יראת אלוקים, ובמקום
כזה איש לא ייתן את הדעת לנורמות מוסריות של עריות ורצח.
אילו אמרתי ששרה היא אשתי – **וַהֲרָגוּנִי עַל דְּבַר אִשְׁתִּי**, היו הורגים
אותי בגללה. יב **וְגַם** לא אמרתי דבר שקר גמור – **אָמְנָה**, אמנם,
אכן **אֲחֹתִי בַת אָבִי הִוא**. מוצאה של שרה אינו ברור מהכתובים.
לפי דרשת חז"ל, ששרה הייתה בתו של הרן,[19] אברהם יכול היה
להציגה כאחותו, כלומר מצאצאי אביו, תרח, כשם שאמר ללוט:
אֲנָשִׁים אַחִים אֲנָחְנוּ. **אַךְ לֹא בַת אִמִּי**, כנראה גם בזמנים ההם אסור
היה לבוא על בת אם,[20] **וַתְּהִי לִי לְאִשָּׁה.** יג **וַיְהִי כַּאֲשֶׁר הִתְעוּ אֹתִי**
אֱלֹהִים מִבֵּית אָבִי, כאשר ה' טלטל אותי ממקומי והביאני לחיי
נדודים, **וָאֹמַר לָהּ**, לאשתי: **זֶה חַסְדֵּךְ אֲשֶׁר תַּעֲשִׂי עִמָּדִי: אֶל כָּל הַמָּקוֹם**
אֲשֶׁר נָבוֹא שָׁמָּה – אִמְרִי לִי, עלי: **"אָחִי הוּא".**

הרחבות

'אמנה, אחתי בת אבי הוא' כמו בדברי אברהם אל לוט בן אחיו: אֲנָשִׁים אַחִים אֲנָחְנוּ (לעיל יג,ח), וכמו שאמר יעקב לרחל בפגישתו עמה כִּי אֲחִי אָבִיהָ הוּא (להלן כט,יב), ולא היה אלא בן אחותו, כך יכולה שרה בת אחיו של אברהם להיחשב אחותו. (בדומה, חנמאל נקרא דודו של ירמיהו, אף שהיה בן דודו. ראו ירמיה לב,ז ח יב. וכיוצא באלה בדברי הימים א' כג,כב; ב' טו,ח ורד"ק שם; שם לו,י.)

צֹאן וּבָקָר וַעֲבָדִים וּשְׁפָחֹת וַיִּתֵּן לְאַבְרָהָם וַיָּשֶׁב
לוֹ אֵת שָׂרָה אִשְׁתּוֹ: וַיֹּאמֶר אֲבִימֶלֶךְ הִנֵּה אַרְצִי טו
לְפָנֶיךָ בַּטּוֹב בְּעֵינֶיךָ שֵׁב: וּלְשָׂרָה אָמַר הִנֵּה נָתַתִּי טז
אֶלֶף כֶּסֶף לְאָחִיךְ הִנֵּה הוּא־לָךְ כְּסוּת עֵינַיִם לְכֹל
אֲשֶׁר אִתָּךְ וְאֵת־כֹּל וְנֹכָחַת: וַיִּתְפַּלֵּל אַבְרָהָם יז
אֶל־הָאֱלֹהִים וַיִּרְפָּא אֱלֹהִים אֶת־אֲבִימֶלֶךְ וְאֶת־
אִשְׁתּוֹ וְאַמְהֹתָיו וַיֵּלֵדוּ: כִּי־עָצֹר עָצַר יְהוָה בְּעַד יח
כָּל־רֶחֶם לְבֵית אֲבִימֶלֶךְ עַל־דְּבַר שָׂרָה אֵשֶׁת
יח אַבְרָהָם: וַיהוָה פָּקַד אֶת־שָׂרָה כַּאֲשֶׁר א כא
אָמָר וַיַּעַשׂ יְהוָה לְשָׂרָה כַּאֲשֶׁר דִּבֵּר: וַתַּהַר וַתֵּלֶד ב

רש"י

יד| וַיִּתֵּן לְאַבְרָהָם. כְּדֵי שֶׁיִּתְפַּיֵּס וְיִתְפַּלֵּל עָלָיו:

טו| הִנֵּה אַרְצִי לְפָנֶיךָ. אֲבָל פַּרְעֹה אָמַר לוֹ: "הִנֵּה אִשְׁתְּךָ קַח וָלֵךְ" (לעיל יב, יט), לְפִי שֶׁנִּתְיָרֵא, שֶׁהַמִּצְרִים שְׁטוּפֵי זִמָּה:

טז| וּלְשָׂרָה אָמַר. אֲבִימֶלֶךְ לִכְבוֹדָהּ, כְּדֵי לְפַיְּסָהּ: הִנֵּה עָשִׂיתִי לָךְ כָּבוֹד זֶה, נָתַתִּי מָמוֹן לְאָחִיךְ שֶׁאָמַרְתְּ עָלָיו "אָחִי הוּא", הִנֵּה הַכָּבוֹד הַזֶּה לָךְ "כְּסוּת עֵינַיִם לְכֹל אֲשֶׁר אִתָּךְ" – יְכַסֶּה עֵינֵיהֶם שֶׁלֹּא יְקִלּוּךְ, שֶׁאִלּוּ הֲשִׁיבוֹתִיךְ רֵיקָנִית יֵשׁ לָהֶם לוֹמַר, לְאַחַר שֶׁנִּתְעַלֵּל בָּהּ הֶחֱזִירָהּ, עַכְשָׁיו שֶׁהֻצְרַכְתִּי לְבַזְבֵּז מָמוֹן וּלְפַיְּסֵךְ, יוֹדְעִים יִהְיוּ שֶׁעַל כָּרְחִי הֲשִׁיבוֹתִיךְ וְעַל יְדֵי נֵס: וְאֵת כֹּל. וְעִם כָּל בָּאֵי עוֹלָם: וְנֹכָחַת. יְהֵא לָךְ פִּתְחוֹן פֶּה לְהִתְוַכֵּחַ וּלְהַרְאוֹת דְּבָרִים נִכָּרִים הַלָּלוּ. וּלְשׁוֹן 'הוֹכָחָה' בְּכָל מָקוֹם בֵּרוּר דְּבָרִים, וּבְלַעַז אשפרובי"ר. וְאוּנְקְלוֹס תִּרְגֵּם בְּפָנִים אֲחֵרִים, וּלְשׁוֹן הַמִּקְרָא כָּךְ הוּא נוֹפֵל עַל תַּרְגּוּמוֹ שֶׁל אוּנְקְלוֹס: הִנֵּה הוּא לָךְ כְּסוּת שֶׁל כָּבוֹד עַל הָעֵינַיִם שֶׁלִּי שֶׁשָּׁלְטוּ בָּךְ וּבְכָל אֲשֶׁר אִתָּךְ, וְעַל כֵּן תִּרְגֵּם: "וַחֲזֵית יָתִיךְ וְיָת כָּל דְּעִמִּיךְ". וְיֵשׁ מִדְרְשֵׁי אַגָּדָה, אֲבָל יִשּׁוּב לְשׁוֹן הַמִּקְרָא פֵּרַשְׁתִּי:

יז| וַיֵּלֵדוּ. כְּתַרְגּוּמוֹ "וְאִתְרְוַחוּ", נִפְתְּחוּ נִקְבֵיהֶם וְהוֹצִיאוּ, וְהִיא לֵדָה שֶׁלָּהֶם:

יח| בְּעַד כָּל רֶחֶם. כְּנֶגֶד כָּל פֶּתַח: עַל דְּבַר שָׂרָה. עַל פִּי דִּבּוּרָהּ שֶׁל שָׂרָה:

פרק כא

א| וַה' פָּקַד אֶת שָׂרָה. סָמַךְ פָּרָשָׁה זוֹ לְכָאן, לְלַמֶּדְךָ שֶׁכָּל הַמְבַקֵּשׁ רַחֲמִים עַל חֲבֵרוֹ וְהוּא צָרִיךְ לְאוֹתוֹ דָּבָר הוּא נַעֲנֶה תְּחִלָּה, שֶׁנֶּאֱמַר: "וַיִּתְפַּלֵּל" וְגוֹ' (לעיל כ, יז) וַה' פָּקַד אֶת שָׂרָה", שֶׁפָּקַד כְּבָר קֹדֶם שֶׁרִפָּא אֶת אֲבִימֶלֶךְ: פָּקַד. בְּהֵרָיוֹן: כַּאֲשֶׁר דִּבֵּר. בְּלֵדָה. וּמַה הִיא אֲמִירָה וְהֵיכָן הוּא דִּבּוּר? אֲמִירָה: "וַיֹּאמֶר אֱלֹהִים אֲבָל שָׂרָה אִשְׁתְּךָ" וְגוֹ' (לעיל יז, יט), דִּבּוּר: "הָיָה דְבַר ה' אֶל אַבְרָם" (לעיל טו, א) בִּבְרִית בֵּין הַבְּתָרִים,

ביאור | יד **וַיִּקַּח אֲבִימֶלֶךְ צֹאן וּבָקָר וַעֲבָדִים וּשְׁפָחֹת וַיִּתֵּן לְאַבְרָהָם**, כמתנה,
וַיָּשֶׁב לוֹ אֵת שָׂרָה אִשְׁתּוֹ. טו **וַיֹּאמֶר אֲבִימֶלֶךְ: הִנֵּה אַרְצִי לְפָנֶיךָ** –
בַּטּוֹב בְּעֵינֶיךָ שֵׁב. אינני נוטר לך טינה, ואני מסכים שתתיישב פה
כרצונך. טז **וּלְשָׂרָה אָמַר**: כיוון שיצאת מבית בעלך לביתו של גבר
אחר, הדבר עלול להיראות שערורייתי. על כן **הִנֵּה נָתַתִּי אֶלֶף כֶּסֶף**
לְאָחִיךְ אברהם. הצאן, הבקר, העבדים והשפחות, השווים כסף
רב.[21] **הִנֵּה הוּא**, הכסף הזה, **לָךְ כְּסוּת עֵינַיִם**, הוא יכסה את העיניים
המביטות בך בביקורת ובבוז, **לְכֹל אֲשֶׁר אִתָּךְ**, של כל מי שיבוא לדון
עמך, **וְאֵת כֹּל וְנֹכָחַת**, ויהיה בכך כדי להוכיח את צדקתך. הפיצויים
הללו יעידו כי נהגת כהוגן, ולא תצטרכי להתבייש.

יז **וַיִּתְפַּלֵּל אַבְרָהָם אֶל הָאֱלֹהִים**, כמו שאמר ה' לאבימלך, **וַיִּרְפָּא**
אֱלֹהִים אֶת אֲבִימֶלֶךְ וְאֶת אִשְׁתּוֹ וְאַמְהֹתָיו, ושפחותיו, **וַיֵּלֵדוּ.** יח וכאן
מבואר מה עורר את אבימלך להיכנע לדבר ה' קודם לכן: **כִּי עָצֹר**
עָצַר ה' בְּעַד כָּל רֶחֶם לְבֵית אֲבִימֶלֶךְ, עַל דְּבַר שָׂרָה אֵשֶׁת אַבְרָהָם.
בתקופה שבה נלקחה שרה לא נולד כל ילד בבית אבימלך, לא
מנשיו ולא מִשְׁפחותיו. אבימלך חשש שהקושי אף יחמיר. המחלה
שפקדה את ביתו של אבימלך לא החריפה, ולא זו בלבד, בעקבות
תפילתו של אברהם היא נרפאה כליל.

יצחק מלידה עד גמילה

פרק כא פס' א–ח

בתוך הפרוזה המקראית, המתארת את השתלשלות המעשים, בולט הפסוק החגיגי, המבשר על הולדת בנה של שרה. הפסוק מנוסח כשיר המכיל תקבולת, ובכך מודגשת חשיבותו הדרמטית של אירוע פקידת שרה והולדת הבן המובטח, שימשיך את בית אברהם.

פרק כא א **וַה' פָּקַד**, זכר **אֶת שָׂרָה** ואף נתן לה את ההירין, שהתבקש
מזכירה זו,[22] **כַּאֲשֶׁר אָמָר. וַיַּעַשׂ ה' לְשָׂרָה כַּאֲשֶׁר דִּבֵּר.** ב **וַתַּהַר וַתֵּלֶד**

הרחבות | **אבימלך ואברהם** כאשר שרי נלקחה לבית פרעה במצרים, לא התקיימה שיחת ליבון. פרעה הוכה, נבהל ושילח את אברם ואת שרי מארצו מיד. לעומת זאת, בפני אבימלך – הרואה את עצמו כמלך הגון, טוען טענות ועורך בירורים – אברהם צריך להתנצל ולהסביר שאין הוא אשם. יתר על כן, בניגוד לפרעה, אבימלך היה מעוניין בקשר עם אברהם. גם בהמשך ניווכח ברצונו של אבימלך להתקרב אל אברהם ואף לכרות עמו ברית.

שָׂרָה לְאַבְרָהָם בֵּן לִזְקֻנָיו לַמּוֹעֵד אֲשֶׁר־דִּבֶּר אֹתוֹ
אֱלֹהִים׃ וַיִּקְרָא אַבְרָהָם אֶת־שֶׁם־בְּנוֹ הַנּוֹלַד־לוֹ ג
אֲשֶׁר־יָלְדָה־לּוֹ שָׂרָה יִצְחָק׃ וַיָּמָל אַבְרָהָם אֶת־ ד
יִצְחָק בְּנוֹ בֶּן־שְׁמֹנַת יָמִים כַּאֲשֶׁר צִוָּה אֹתוֹ אֱלֹהִים׃
וְאַבְרָהָם בֶּן־מְאַת שָׁנָה בְּהִוָּלֶד לוֹ אֵת יִצְחָק בְּנוֹ׃ ה חמישי
וַתֹּאמֶר שָׂרָה צְחֹק עָשָׂה לִי אֱלֹהִים כָּל־הַשֹּׁמֵעַ ו
יִצְחַק־לִי׃ וַתֹּאמֶר מִי מִלֵּל לְאַבְרָהָם הֵינִיקָה בָנִים ז
שָׂרָה כִּי־יָלַדְתִּי בֵן לִזְקֻנָיו׃ וַיִּגְדַּל הַיֶּלֶד וַיִּגָּמַל וַיַּעַשׂ ח
אַבְרָהָם מִשְׁתֶּה גָדוֹל בְּיוֹם הִגָּמֵל אֶת־יִצְחָק׃ וַתֵּרֶא ט
שָׂרָה אֶת־בֶּן־הָגָר הַמִּצְרִית אֲשֶׁר־יָלְדָה לְאַבְרָהָם

רש"י

שָׁם נֶאֱמַר: "לֹא יִירָשְׁךָ זֶה" וְגוֹ' (שם ד), וְהֵבִיא הַיּוֹרֵשׁ מִשָּׂרָה: וַיַּעַשׂ ה' לְשָׂרָה כַּאֲשֶׁר דִּבֵּר. לְאַבְרָהָם:

ב] לַמּוֹעֵד אֲשֶׁר דִּבֶּר אֹתוֹ. "דְּמַלֵּיל יָתֵיהּ", אֶת הַמּוֹעֵד דִּבֵּר וְקָבַע כְּשֶׁאָמַר לוֹ: "לַמּוֹעֵד אָשׁוּב אֵלֶיךָ" (לעיל יח, יד), שָׂרַט לוֹ שְׂרִיטָה בַּכֹּתֶל, אָמַר לוֹ: כְּשֶׁתַּגִּיעַ חַמָּה לִשְׂרִיטָה זוֹ בַּשָּׁנָה הָאַחֶרֶת – תֵּלֵד:

ו] יִצְחַק לִי. יִשְׂמַח עָלַי. וּמִדְרַשׁ אַגָּדָה, הַרְבֵּה עֲקָרוֹת נִפְקְדוּ עִמָּהּ, הַרְבֵּה חוֹלִים נִתְרַפְּאוּ בּוֹ בַּיּוֹם, הַרְבֵּה תְּפִלּוֹת נַעֲנוּ עִמָּהּ, וְרַב שְׂחוֹק הָיָה בָּעוֹלָם:

ז] מִי מִלֵּל לְאַבְרָהָם. לְשׁוֹן שֶׁבַח וַחֲשִׁיבוּת, רְאוּ מִי הוּא וְכַמָּה הוּא גָּדוֹל, שׁוֹמֵר הַבְטָחָתוֹ, וּמַבְטִיחַ וְעוֹשֶׂה: מִלֵּל. שִׁנָּה הַכָּתוּב וְלֹא אָמַר 'דִּבֶּר', גִּימַטְרִיָּא שֶׁלּוֹ מֵאָה, כְּלוֹמַר לְסוֹף מֵאָה לְאַבְרָהָם

"הֵינִיקָה בָנִים שָׂרָה". וּמַהוּ 'בָּנִים' לְשׁוֹן רַבִּים? בְּיוֹם הַמִּשְׁתֶּה הֵבִיאוּ הַשָּׂרוֹת בְּנֵיהֶן עִמָּהֶן, שֶׁהָיוּ אוֹמְרוֹת: לֹא יָלְדָה שָׂרָה, אֶלָּא אֲסוּפִי הֵבִיאָה מִן הַשּׁוּק – וְהֵינִיקָה אוֹתָם:

ח] וַיִּגָּמַל. לְסוֹף עֶשְׂרִים וְאַרְבָּעָה חֹדֶשׁ: מִשְׁתֶּה גָדוֹל. שֶׁהָיוּ שָׁם גְּדוֹלֵי הַדּוֹר, שֵׁם וְעֵבֶר וַאֲבִימֶלֶךְ:

ט] מְצַחֵק. לְשׁוֹן עֲבוֹדָה זָרָה, שֶׁנֶּאֱמַר: "וַיָּקֻמוּ לְצַחֵק" (שמות לב, ו); לְשׁוֹן רְצִיחָה, "יָקוּמוּ נָא הַנְּעָרִים וִישַׂחֲקוּ לְפָנֵינוּ" (שמואל ב' ב, יד); לְשׁוֹן גִּלּוּי עֲרָיוֹת, כְּמוֹ: "לְצַחֶק בִּי" (להלן לט, יז). הָיָה מֵרִיב עִם יִצְחָק עַל הַיְרֻשָּׁה וְאוֹמֵר: אֲנִי בְּכוֹר וְנוֹטֵל פִּי שְׁנַיִם, וְיוֹצְאִים לַשָּׂדֶה וְנוֹטֵל קַשְׁתּוֹ וְיוֹרֶה בּוֹ חִצִּים, כְּמָה דְּאַתְּ אָמַר: "כְּמִתְלַהְלֵהַּ הַיֹּרֶה זִקִּים וְגוֹ' וְאָמַר הֲלֹא מְשַׂחֵק אָנִי" (משלי כו, יח-יט):

ביאור | **שָׂרָה לְאַבְרָהָם בֵּן לִזְקֻנָיו, לַמּוֹעֵד אֲשֶׁר דִּבֶּר אֹתוֹ אֱלֹהִים**, שנה לאחר ביקורם של המלאכים באוהלו.

ג **וַיִּקְרָא אַבְרָהָם אֶת שֶׁם בְּנוֹ הַנּוֹלַד לוֹ, אֲשֶׁר יָלְדָה לּוֹ שָׂרָה, יִצְחָק**, כפי שאמר לו הקדוש ברוך הוא, שכן נולד בעקבות צחוק – הן צחוקו של אברהם, הן צחוקה של שרה. מעבר לכך, טמונים בשם זה גם רמזים למהותו של האיש ולדברים העתידים לבוא עליו.[23]
ד **וַיָּמָל אַבְרָהָם אֶת יִצְחָק בְּנוֹ בֶּן שְׁמֹנַת יָמִים, כַּאֲשֶׁר צִוָּה אֹתוֹ אֱלֹהִים** בפרשת המילה.[24] יצחק היה הבן הראשון שנימול לשמונה ימים.
ה **וְאַבְרָהָם בֶּן מְאַת שָׁנָה בְּהִוָּלֶד לוֹ אֵת יִצְחָק בְּנוֹ.**

ו **וַתֹּאמֶר שָׂרָה: צְחֹק עָשָׂה לִי אֱלֹהִים**, זהו מאורע מוזר, משמח, העשוי להתקשר גם למשחק. **כָּל הַשֹּׁמֵעַ יִצְחַק לִי.** נדירותו של האירוע והשמחה הכרוכה בו תעורר את כל מי שישמע עליו להשתתף בשמחתי.
ז **וַתֹּאמֶר: מִי מִלֵּל**, יכול היה להגיד **לְאַבְרָהָם** מלים אלה: **"הֵינִיקָה בָנִים שָׂרָה"**, כפי שקורה כעת?! שהרי אני נשואה לאברהם שנים רבות מאוד ולא ילדתי, ומפאת גילי לא היה כל סיכוי שאלד – **כִּי יָלַדְתִּי בֵן לִזְקֻנָיו.**

ח **וַיִּגְדַּל הַיֶּלֶד וַיִּגָּמַל.** לא ברור באיזה גיל היה בדיוק. לפעמים נמשכה ההנקה אף עד גיל שלוש. **וַיַּעַשׂ אַבְרָהָם מִשְׁתֶּה גָדוֹל בְּיוֹם הִגָּמֵל אֶת יִצְחָק.** אברהם חגג את הפיכתו של יצחק מתינוק יונק לילד גמול, כנהוג.[25]

גירוש הגר וישמעאל

פרק כא פס' ט–כא

התפתחותו הראויה של יצחק, יורשו וממשיכו של אברהם, כרוכה בגירושו של בנו הבכור של אברהם. שרה יוזמת את גירושם של ישמעאל ושל אמו, הגר, בעקבות התנהגותו הבעייתית של ישמעאל, ששורשה נגזר מאותו שורש של שם בנה – ישמעאל מצחק, והיא חוששת להשפעתו השלילית על בנה, יצחק.

ט **וַתֵּרֶא שָׂרָה אֶת בֶּן הָגָר הַמִּצְרִית אֲשֶׁר יָלְדָה לְאַבְרָהָם**, ישמעאל, **מְצַחֵק.** נראה שאין משמעותו של פועל זה כאן משחק, אלא מדובר במשמעות מינית מפורשת או רמוזה – שרה ראתה את ישמעאל

מְצַחֵק: וַתֹּאמֶר לְאַבְרָהָם גָּרֵשׁ הָאָמָה הַזֹּאת וְאֶת־ י
בְּנָהּ כִּי לֹא יִירַשׁ בֶּן־הָאָמָה הַזֹּאת עִם־בְּנִי עִם־
יא יִצְחָק: וַיֵּרַע הַדָּבָר מְאֹד בְּעֵינֵי אַבְרָהָם עַל אוֹדֹת
יב בְּנוֹ: וַיֹּאמֶר אֱלֹהִים אֶל־אַבְרָהָם אַל־יֵרַע בְּעֵינֶיךָ
עַל־הַנַּעַר וְעַל־אֲמָתֶךָ כֹּל אֲשֶׁר תֹּאמַר אֵלֶיךָ שָׂרָה
יג שְׁמַע בְּקֹלָהּ כִּי בְיִצְחָק יִקָּרֵא לְךָ זָרַע: וְגַם אֶת־בֶּן־
יד הָאָמָה לְגוֹי אֲשִׂימֶנּוּ כִּי זַרְעֲךָ הוּא: וַיַּשְׁכֵּם אַבְרָהָם ׀
בַּבֹּקֶר וַיִּקַּח־לֶחֶם וְחֵמַת מַיִם וַיִּתֵּן אֶל־הָגָר שָׂם עַל־
שִׁכְמָהּ וְאֶת־הַיֶּלֶד וַיְשַׁלְּחֶהָ וַתֵּלֶךְ וַתֵּתַע בְּמִדְבַּר

רש"י

י] **עִם בְּנִי עִם יִצְחָק.** מִכֵּיוָן שֶׁהוּא בְּנִי, אֲפִלּוּ אִם אֵינוֹ הָגוּן כְּיִצְחָק, אוֹ הָגוּן כְּיִצְחָק אֲפִלּוּ אֵינוֹ בְּנִי, אֵין זֶה כְּדַאי לִירַשׁ עִמּוֹ, קַל וָחֹמֶר "עִם בְּנִי עִם יִצְחָק", שֶׁשְּׁתֵּיהֶם בּוֹ:

יא] **עַל אוֹדֹת בְּנוֹ.** שֶׁיָּצָא לְתַרְבּוּת רָעָה. וּפְשׁוּטוֹ, עַל שֶׁשּׁוֹמַעַת לוֹ לְשַׁלְּחוֹ:

יב] **שְׁמַע בְּקֹלָהּ.** לָמַדְנוּ שֶׁהָיָה אַבְרָהָם טָפֵל לְשָׂרָה בִּנְבִיאוּת:

יד] **לֶחֶם וְחֵמַת מַיִם.** וְלֹא כֶּסֶף וְזָהָב, לְפִי שֶׁהָיָה שׂוֹנְאוֹ עַל שֶׁיָּצָא לְתַרְבּוּת רָעָה: **וְאֶת הַיֶּלֶד.** אַף הַיֶּלֶד "שָׂם עַל שִׁכְמָהּ", שֶׁהִכְנִיסָה בּוֹ שָׂרָה עַיִן רָעָה, וַאֲחָזַתּוּ חַמָּה וְלֹא יָכֹל לֵילֵךְ בְּרַגְלָיו: **וַתֵּלֶךְ וַתֵּתַע.** חָזְרָה לְגִלּוּלֵי בֵּית אָבִיהָ:

הרחבות

'כל אשר תאמר אליך שרה שמע בקלה' בעקבות סיפור זה אמרו חכמים: "שהיה אברהם טפל לשרה בנביאות", כלומר ששרה הייתה נביאה גדולה יותר מאברהם. (תנחומא שמות א). חז"ל אף דרשו את זיהויה של שרה עם יסכה – "שסכתה ברוח הקודש" (מגילה יד ע"א, וראו גם ירושלמי סוטה ז,ה ולקח טוב בראשית כג,א). ה' מאשר כי יצחק צריך לגדול לבדו, וכי ישמעאל אמור לגדול במקום אחר, כדי שתתקיים בו נבואת המלאך להגר. ישמעאל עתיד להיות בן המדבר ולא בן היישוב התרבותי. אפשר להיווכח שגם רבקה הייתה מצוינת ביותר בנבואתה (ראו שוחר טוב ט,ז; ילקוט שמעוני חיי שרה קט ועוד). כפי הנראה, הנשים הללו ראו את העתיד בצורה בהירה יותר מבעליהן.

'וגם את בן האמה לגוי אשימנו' מסיפור ישמעאל עולה כי הנהגת ה' בעולם אינה פשוטה וחד-צדדית. מהוראתו של אלוקים לשלח את הגר ואת בנה, יכול להתקבל הרושם כאילו אין כל חשיבות לבן זה. אולם בהמשך מתברר כי קולו של ישמעאל נשמע כאשר הוא בוכה וסובל, וההשגחה האלוקית הפרטית מצילה אותו בדרך נס. אין בכך סתירה, שכן הקדוש

ביאור

עושה מעשים מגונים.[26] י וַתֹּאמֶר לְאַבְרָהָם: **גָּרֵשׁ הָאָמָה הַזֹּאת**
וְאֶת בְּנָהּ, יש לגרש את ישמעאל, אך מכיוון שהוא צעיר ויזדקק
לאמו, יש לגרש גם את הגר, **כִּי לֹא יִירַשׁ בֶּן הָאָמָה הַזֹּאת עִם בְּנִי,**
עִם יִצְחָק. אין מדובר כאן בירושה בלבד – שהרי שרה לא הייתה
זכאית ומסוגלת להכתיב למי תינתן ירושתו של אברהם,[27] אלא
בעצם הקשר בין הבנים. שרה התנגדה לכך שישמעאל ויצחק יחיו
באותו בית, יתיידדו ויראו עצמם כאחים.

יא **וַיֵּרַע הַדָּבָר מְאֹד בְּעֵינֵי אַבְרָהָם, עַל אוֹדֹת בְּנוֹ**, ולאו דווקא על
אודות שפחתו. כנראה התקבל על דעתו יותר שאשתו תהיה מסויגת
מנוכחותה של שפחתו, אך גירושו של בנו הוא שחרה וכאב לו.

יב **וַיֹּאמֶר אֱלֹהִים אֶל אַבְרָהָם: אַל יֵרַע בְּעֵינֶיךָ עַל הַנַּעַר וְעַל אֲמָתֶךָ.**
ה' הדגיש שלא ירע לו גם על ישמעאל וגם על הגר. **כֹּל אֲשֶׁר תֹּאמַר**
אֵלֶיךָ שָׂרָה – שְׁמַע בְּקֹלָהּ, בין שאתה מבין ומזדהה עם דבריה, ובין
שאינך מבין ומזדהה – שרה מבטאת עכשיו את רצוני. לפיכך, אף
שדרישתה אינה הולמת את דעתך, עליך לציית לקולה, **כִּי בְיִצְחָק**
יִקָּרֵא לְךָ זָרַע. יש לך בן משרה, ולא זו בלבד, בן זה הוא שיהיה יורשך
וממשיכך. גם אם ייוולדו לך ילדים ביולוגיים אחרים – רק יצחק
ייקרא 'זרע אברהם'. יג **וְגַם אֶת בֶּן הָאָמָה לְגוֹי אֲשִׂימֶנּוּ**, ישמעאל
אינו מושלך ככלי אין חפץ בו, **כִּי זַרְעֲךָ הוּא**, וזכות אביו אברהם
עומדת לו. משום כך, גם מחלציו יצא עם גדול, אלא שהוא לא
ייקרא זרע אברהם המיוחד.

יד כשאברהם מקבל פקודה מה', אין הוא ממתין לשעה נוחה, אלא –
וַיַּשְׁכֵּם אַבְרָהָם בַּבֹּקֶר, הזדרז לקיים את הצו בהקדם האפשרי.[28]
וַיִּקַּח לֶחֶם וְחֵמַת, נאד **מַיִם, וַיִּתֵּן אֶל הָגָר, שָׂם** את אלה **עַל שִׁכְמָהּ,**
ונתן לה[29] **אֶת הַיֶּלֶד, וַיְשַׁלְּחֶהָ.**

הרחבות

ברוך הוא תומך מצד אחד בחשבון של שרה ואברהם ובהחלטתם, אבל לנגד עיניו עומד גם חשבונם של הגר וישמעאל. אין זו חלוקה פשטנית בין טובים ורעים, אלא התייחסות מורכבת לשני מסלולים שונים.

'שם על שכמה ואת הילד' לפי החשבון, ישמעאל באותו הזמן לא היה כבר תינוק או ילד קטן שעליה לשאתו. הוא היה בן ארבע עשרה או חמש עשרה לכל הפחות, שהרי עברו שנתיים או יותר מאז שנימול בגיל שלוש עשרה. חכמים הסבירו – ויש לכך בסיס במקרא – שישמעאל היה חולה, ולכן היה עליה לתמוך בו ללא הפסקה, ובמידת הצורך אף לשאתו לכשיתעייף. השלכתו מן הבית במצב כזה הייתה ניסיון קשה הרבה יותר (ראו בראשית רבה נג, יג; רש"י ורד"ק על אתר).

בְּאֵ֥ר שָֽׁבַע׃ וַיִּכְל֥וּ הַמַּ֖יִם מִן־הַחֵ֑מֶת וַתַּשְׁלֵ֣ךְ אֶת־ טו
הַיֶּ֔לֶד תַּ֖חַת אַחַ֥ד הַשִּׂיחִֽם׃ וַתֵּ֨לֶךְ וַתֵּ֤שֶׁב לָהּ֙ מִנֶּ֔גֶד טז
הַרְחֵק֙ כִּמְטַחֲוֵ֣י קֶ֔שֶׁת כִּ֣י אָֽמְרָ֔ה אַל־אֶרְאֶ֖ה בְּמ֣וֹת
הַיָּ֑לֶד וַתֵּ֣שֶׁב מִנֶּ֔גֶד וַתִּשָּׂ֥א אֶת־קֹלָ֖הּ וַתֵּֽבְךְּ׃ וַיִּשְׁמַ֣ע יז
אֱלֹהִים֮ אֶת־ק֣וֹל הַנַּ֒עַר֒ וַיִּקְרָא֩ מַלְאַ֨ךְ אֱלֹהִ֤ים ׀ אֶל־
הָגָר֙ מִן־הַשָּׁמַ֔יִם וַיֹּ֥אמֶר לָ֖הּ מַה־לָּ֣ךְ הָגָ֑ר אַל־תִּ֣ירְאִ֔י
כִּֽי־שָׁמַ֧ע אֱלֹהִ֛ים אֶל־ק֥וֹל הַנַּ֖עַר בַּאֲשֶׁ֥ר הוּא־שָֽׁם׃
ק֚וּמִי שְׂאִ֣י אֶת־הַנַּ֔עַר וְהַחֲזִ֥יקִי אֶת־יָדֵ֖ךְ בּ֑וֹ כִּֽי־לְג֥וֹי יח
גָּד֖וֹל אֲשִׂימֶֽנּוּ׃ וַיִּפְקַ֤ח אֱלֹהִים֙ אֶת־עֵינֶ֔יהָ וַתֵּ֖רֶא בְּאֵ֣ר יט
מָ֑יִם וַתֵּ֜לֶךְ וַתְּמַלֵּ֤א אֶת־הַחֵ֙מֶת֙ מַ֔יִם וַתַּ֖שְׁק אֶת־

רש"י

טו) **וַיִּכְלוּ הַמַּיִם.** לְפִי שֶׁדֶּרֶךְ חוֹלִים לִשְׁתּוֹת הַרְבֵּה:

טז) **מִנֶּגֶד.** מֵרָחוֹק: **כִּמְטַחֲוֵי קֶשֶׁת.** כִּשְׁתֵּי טִיחוֹת, וְהוּא לְשׁוֹן יְרִיַּת חֵץ. בִּלְשׁוֹן מִשְׁנָה: "שֶׁהַטִּיחַ בְּאִשְׁתּוֹ", עַל שֵׁם שֶׁהַזֶּרַע יוֹרֶה כַּחֵץ. וְאִם תֹּאמַר, הָיָה לוֹ לִכְתֹּב 'כִּמְטַחֵי קֶשֶׁת'! מִשְׁפַּט הַוָּי"ו לִכָּנֵס לְכָאן, כְּמוֹ: "בְּחַגְוֵי הַסֶּלַע" (שיר השירים ב, יד) מִגִּזְרַת: "וְהָיְתָה אַדְמַת יְהוּדָה לְמִצְרַיִם לְחָגָּא" (ישעיה יט, יז) וּמִגִּזְרַת: "יָחוֹגּוּ וְיָנוּעוּ כַּשִּׁכּוֹר" (תהלים קז, כז), וְכֵן: "קַצְוֵי אֶרֶץ" (שם סה, ו) מִגִּזְרַת 'קָצֶה': **וַתֵּשֶׁב מִנֶּגֶד.** כֵּיוָן שֶׁקָּרַב לָמוּת הוֹסִיפָה לְהִתְרַחֵק:

יז) **אֶת קוֹל הַנַּעַר.** מִכָּאן שֶׁיָּפָה תְּפִלַּת הַחוֹלֶה מִתְּפִלַּת אֲחֵרִים עָלָיו, וְהִיא קוֹדֶמֶת לְהִתְקַבֵּל: **בַּאֲשֶׁר הוּא שָׁם.** לְפִי מַעֲשִׂים שֶׁהוּא עוֹשֶׂה עַכְשָׁיו הוּא נִדּוֹן, וְלֹא לְפִי מַה שֶּׁהוּא עָתִיד לַעֲשׂוֹת; לְפִי שֶׁהָיוּ מַלְאֲכֵי הַשָּׁרֵת מְקַטְרְגִים וְאוֹמְרִים: רִבּוֹנוֹ שֶׁל עוֹלָם, מִי שֶׁעָתִיד לְהָמִית בָּנֶיךָ בַּצָּמָא אַתָּה מַעֲלֶה לוֹ בְּאֵר? וְהוּא מְשִׁיבָם: עַכְשָׁיו מַה הוּא, צַדִּיק אוֹ רָשָׁע? אָמְרוּ לוֹ: צַדִּיק. אָמַר לָהֶם: לְפִי מַעֲשָׂיו שֶׁל עַכְשָׁיו אֲנִי דָּנוֹ, וְזֶהוּ "בַּאֲשֶׁר הוּא שָׁם". וְהֵיכָן הֵמִית אֶת יִשְׂרָאֵל בַּצָּמָא? כְּשֶׁהִגְלָם נְבוּכַדְנֶצַּר, שֶׁנֶּאֱמַר: "מַשָּׂא בַּעְרָב וְגוֹ' לִקְרַאת צָמֵא הֵתָיוּ מָיִם" וְגוֹ' (ישעיה כא, יג-יד), כְּשֶׁהָיוּ מוֹלִיכִין אוֹתָן אֵצֶל עַרְבִיִּים הָיוּ יִשְׂרָאֵל אוֹמְרִים לַשּׁוֹבִים, בְּבַקָּשָׁה מִכֶּם הוֹלִיכוּנוּ אֵצֶל בְּנֵי דּוֹדֵנוּ יִשְׁמָעֵאל וִירַחֲמוּ עָלֵינוּ, שֶׁנֶּאֱמַר: "אֹרְחוֹת דְּדָנִים" (שם), אַל תִּקְרֵי דְּדָנִים אֶלָּא דּוֹדִים; וְאֵלּוּ יוֹצְאִים לִקְרָאתָם וּמְבִיאִין לָהֶם בָּשָׂר מָלִיחַ וְנוֹדוֹת נְפוּחִים, כִּסְבוּרִים יִשְׂרָאֵל שֶׁהֵם מְלֵאִים מַיִם, וּכְשֶׁמַּכְנִיסוֹ לְתוֹךְ פִּיו וּפוֹתְחוֹ, הָרוּחַ נִכְנֶסֶת בְּגוּפוֹ וּמֵת:

ביאור

וַתֵּלֶךְ הגר, **וַתֵּתַע בְּמִדְבַּר בְּאֵר שָׁבַע**. לא ברור אם התכוונה להגיע לארץ מצרים, מולדתה. על כל פנים, במקום להגיע למקום יישוב, היא תעתה במדבר השמם. טו **וַיִּכְלוּ הַמַּיִם מִן הַחֵמֶת**, אזלו מי השתייה שלה, **וַתַּשְׁלֵךְ אֶת הַיֶּלֶד תַּחַת אַחַד הַשִּׂיחִם**, אחד משיחי המדבר, כדי שיצל עליו. תיאור זה מחזק את הסברה שישמעאל היה חולה, אולי מעולף, ולא היה מסוגל ללכת. טז **וַתֵּלֶךְ וַתֵּשֶׁב לָהּ מִנֶּגֶד**, במקום רחוק, **הַרְחֵק כִּמְטַחֲוֵי קֶשֶׁת**, בטווח של יריית קשת. בקשתות שהיו מצויות באותו זמן מדובר בטווח של כמאה ושבעים מטר.[30] מרחק זה אינו גדול מכדי להשקיף על הנעשה, אך גם אין הוא קטן, כך שיישמע קול בכיו של ילד, **כִּי אָמְרָה: אַל אֶרְאֶה בְּמוֹת הַיָּלֶד**. אינני רוצה לשבת מקרוב ולראותו גוסס. **וַתֵּשֶׁב מִנֶּגֶד, וַתִּשָּׂא אֶת קֹלָהּ וַתֵּבְךְּ**.

יז **וַיִּשְׁמַע אֱלֹהִים אֶת קוֹל הַנַּעַר. וַיִּקְרָא מַלְאַךְ אֱלֹהִים אֶל הָגָר מִן הַשָּׁמַיִם, וַיֹּאמֶר לָהּ: מַה לָּךְ, הָגָר? אַל תִּירְאִי**, תפחדי, **כִּי שָׁמַע אֱלֹהִים אֶל קוֹל הַנַּעַר בַּאֲשֶׁר הוּא שָׁם**. בכייתו וצרכיו נשמעו למעלה. בכל מקום ובכל נסיבות שבהם נתון נער זה, ה׳ שומר אותו. יח **קוּמִי שְׂאִי אֶת הַנַּעַר**, שהרי כאמור, הייתה צריכה לגרור אותו, או להחזיקו עליה מפאת חולשתו, **וְהַחֲזִיקִי אֶת יָדֵךְ בּוֹ** לתומכו, **כִּי לְגוֹי גָּדוֹל אֲשִׂימֶנּוּ**. הוא לא ימות עתה, שהרי עם גדול עתיד לצאת ממנו.

יט **וַיִּפְקַח אֱלֹהִים אֶת עֵינֶיהָ, וַתֵּרֶא בְּאֵר מָיִם. וַתֵּלֶךְ וַתְּמַלֵּא אֶת הַחֵמֶת מַיִם, וַתַּשְׁק אֶת הַנָּעַר**. בעקבות השתייה הוא התאושש, לאחר שהתעלף מאיבוד נוזלים.

הרחבות

הגר אין זו הפעם הראשונה שהגר משוחחת עם מלאכים. הגילויים הרבים שזכתה להם הביאו את חכמים לדרוש בשבחה ובמעלותיה. אמנם מסיבות שונות, שחלקן היו נסיבתיות, היא לא מצאה חן בעיני שרה, אך גירושה אינו מעיד בהכרח על חסרון או על פחיתות אישית. ייתכן שאישיותה המיוחדת של הגר היא שעוררה את התנגדותה של שרה (בראשית רבה מה,א; מה,ז; מה,י; ילקוט שמעוני יהושע ט).

כ הַנָּעַר: וַיְהִי אֱלֹהִים אֶת־הַנַּעַר וַיִּגְדָּל וַיֵּשֶׁב בַּמִּדְבָּר
כא וַיְהִי רֹבֶה קַשָּׁת: וַיֵּשֶׁב בְּמִדְבַּר פָּארָן וַתִּקַּח־לוֹ אִמּוֹ
אִשָּׁה מֵאֶרֶץ מִצְרָיִם:
ששי כב וַיְהִי בָּעֵת הַהִוא וַיֹּאמֶר אֲבִימֶלֶךְ וּפִיכֹל שַׂר־צְבָאוֹ
אֶל־אַבְרָהָם לֵאמֹר אֱלֹהִים עִמְּךָ בְּכֹל אֲשֶׁר־אַתָּה
כג עֹשֶׂה: וְעַתָּה הִשָּׁבְעָה לִּי בֵאלֹהִים הֵנָּה אִם־תִּשְׁקֹר
לִי וּלְנִינִי וּלְנֶכְדִּי כַּחֶסֶד אֲשֶׁר־עָשִׂיתִי עִמְּךָ תַּעֲשֶׂה
כד עִמָּדִי וְעִם־הָאָרֶץ אֲשֶׁר־גַּרְתָּה בָּהּ: וַיֹּאמֶר אַבְרָהָם
כה אָנֹכִי אִשָּׁבֵעַ: וְהוֹכִחַ אַבְרָהָם אֶת־אֲבִימֶלֶךְ עַל־
כו אֹדוֹת בְּאֵר הַמַּיִם אֲשֶׁר גָּזְלוּ עַבְדֵי אֲבִימֶלֶךְ: וַיֹּאמֶר
אֲבִימֶלֶךְ לֹא יָדַעְתִּי מִי עָשָׂה אֶת־הַדָּבָר הַזֶּה וְגַם־
אַתָּה לֹא־הִגַּדְתָּ לִּי וְגַם אָנֹכִי לֹא שָׁמַעְתִּי בִּלְתִּי הַיּוֹם:

רש"י

כ| **רֹבֶה קַשָּׁת.** יוֹרֶה חִצִּים בַּקֶּשֶׁת: קַשָּׁת. עַל שֵׁם הָאֻמָּנוּת, כְּמוֹ: חַמָּר, גַּמָּל, צַיָּד, לְפִיכָךְ הַשִּׁי"ן מְדֻגֶּשֶׁת. הָיָה יוֹשֵׁב בַּמִּדְבָּר וּמְלַסְטֵם אֶת הָעוֹבְרִים, הוּא שֶׁנֶּאֱמַר: "יָדוֹ בַכֹּל" וְגוֹ' (לעיל טז, יב):

כא| **מֵאֶרֶץ מִצְרָיִם.** מִמְּקוֹם גִּדּוּלֶיהָ, שֶׁנֶּאֱמַר: "וְלָהּ שִׁפְחָה מִצְרִית" וְגוֹ' (לעיל טז, א), הַיְנוּ דְּאָמְרֵי אֱנָשֵׁי: זְרֹק חוּטְרָא לַאֲוִירָא, אַעִקָּרֵיהּ קָאֵי:

כב| **אֱלֹהִים עִמְּךָ.** לְפִי שֶׁרָאוּ שֶׁיָּצָא מִשְּׁכוּנַת סְדוֹם לְשָׁלוֹם, וְעִם הַמְּלָכִים נִלְחַם וְנָפְלוּ בְּיָדוֹ, וְנִפְקְדָה אִשְׁתּוֹ לִזְקוּנָיו:

כג| **וּלְנִינִי וּלְנֶכְדִּי.** עַד כָּאן רַחֲמֵי הָאָב עַל הַבֵּן: **כַּחֶסֶד אֲשֶׁר עָשִׂיתִי עִמְּךָ תַּעֲשֶׂה עִמָּדִי.** שֶׁאָמַרְתִּי לְךָ: "הִנֵּה אַרְצִי לְפָנֶיךָ" (לעיל כ, טו):

כה| **וְהוֹכִחַ.** נִתְוַכַּח עִמּוֹ עַל כָּךְ:

הרחבות

המלה 'נין' במקרא אינה בן הנכד, אלא הבן, כפי שפירש אונקלוס, או אולי כל צאצא (ראו ישעיה יד,כב; איוב יח,יט). על כן זהו סדר המלים בפסוק. וראו עוד רש"י משלי כט,כא).

כ וַיְהִי אֱלֹהִים אֶת, עם הַנַּעַר וַיִּגְדָּל. וַיֵּשֶׁב בַּמִּדְבָּר, וַיְהִי רֹבֶה קַשָּׁת, איש | ביאור
צייד המיומן בירייה בקשתות. כא וַיֵּשֶׁב בְּמִדְבַּר פָּארָן, וַתִּקַּח לוֹ אִמּוֹ
אִשָּׁה מֵאֶרֶץ מִצְרָיִם, שהרי מוצאה במצרים. במדבר פארן התחילו
קורות חייו של ישמעאל, שהפך ברבות הימים לראש אומה גדולה.

אברהם ואבימלך כורתים ברית

פרק כא פס׳ כב–לד

קודם שנולדו לאברהם בנים, הוא נחשב כאדם פרטי העתיד לחלוף מן העולם. עתה, משנולד לו בנו ממשיכו, הסביבה מבינה שעליה להתחשב בו, שכן גם לאחר שיסתלק אברהם מן העולם, השבט שהוא יעמיד לא ייעלם.

כב וַיְהִי בָּעֵת הַהִוא, לאחר שנולד לאברהם בן, וַיֹּאמֶר אֲבִימֶלֶךְ
וּפִיכֹל, שם פרטי, או: תואר לתפקיד שר הצבא בלשון הפלשתית שַׂר
צְבָאוֹ אֶל אַבְרָהָם לֵאמֹר. אף על פי שהם מבקשים לשוחח שיחה
מדינית, הם מקדימים ואומרים: אֱלֹהִים עִמְּךָ בְּכֹל אֲשֶׁר אַתָּה עֹשֶׂה.
ניכר שאלוקים מסייע לך, אף שאין לך ממלכה גדולה. כג וְעַתָּה,
הִשָּׁבְעָה לִּי בֵאלֹהִים הֵנָּה, כאן ועכשיו, אִם תִּשְׁקֹר, תשקר, או: תבגוד
במחויבות שיש לך לִי וּלְנִינִי, לבני, או: לכל צאצא מצאצאי, וּלְנֶכְדִּי.
כַּחֶסֶד אֲשֶׁר עָשִׂיתִי עִמְּךָ, שהרשיתי לך לגור בתחומי והייתי אף
אחראי לשלומך במידה מסוימת, תַּעֲשֶׂה עִמָּדִי באופן אישי וְגם עִם
הָאָרֶץ אֲשֶׁר גַּרְתָּה בָּהּ.

כד וַיֹּאמֶר אַבְרָהָם: אָנֹכִי אִשָּׁבֵעַ. אני מסכים להישבע שאשמור על
יחסי אמון עם עמך ומדינתך. כה אולם בהזדמנות זו – וְהוֹכִחַ
אַבְרָהָם אֶת אֲבִימֶלֶךְ, עַל אֹדוֹת בְּאֵר הַמַּיִם אֲשֶׁר גָּזְלוּ עַבְדֵי אֲבִימֶלֶךְ.
קודם לכן אברהם חפר באר מים, ועבדי אבימלך גזלו אותה. בעת ההיא בחר אברהם שלא להתלונן על כך, אבל עתה, בהזדמנות שבה מוסדרים היחסים מחדש, אברהם מזכיר עניין בלתי פתור זה. כיוון שאבימלך הצהיר על יחסיו החיוביים עם אברהם ועל החסד שעשה עמו, אברהם מצא לנכון לציין את הליקויים שהיו ביחסים אלו וביקש ליישבם.

כו וַיֹּאמֶר אֲבִימֶלֶךְ: לֹא יָדַעְתִּי מִי עָשָׂה אֶת הַדָּבָר הַזֶּה, וְגַם אַתָּה לֹא
הִגַּדְתָּ לִּי, לא התלוננת בפני, וְגַם אָנֹכִי לֹא שָׁמַעְתִּי בִּלְתִּי הַיּוֹם, המעשה

כז וַיִּקַּח אַבְרָהָם צֹאן וּבָקָר וַיִּתֵּן לַאֲבִימֶלֶךְ וַיִּכְרְתוּ
כח שְׁנֵיהֶם בְּרִית: וַיַּצֵּב אַבְרָהָם אֶת־שֶׁבַע כִּבְשֹׂת הַצֹּאן
כט לְבַדְהֶן: וַיֹּאמֶר אֲבִימֶלֶךְ אֶל־אַבְרָהָם מָה הֵנָּה שֶׁבַע
ל כְּבָשֹׂת הָאֵלֶּה אֲשֶׁר הִצַּבְתָּ לְבַדָּנָה: וַיֹּאמֶר כִּי אֶת־
שֶׁבַע כְּבָשֹׂת תִּקַּח מִיָּדִי בַּעֲבוּר תִּהְיֶה־לִּי לְעֵדָה
לא כִּי חָפַרְתִּי אֶת־הַבְּאֵר הַזֹּאת: עַל־כֵּן קָרָא לַמָּקוֹם
לב הַהוּא בְּאֵר שָׁבַע כִּי שָׁם נִשְׁבְּעוּ שְׁנֵיהֶם: וַיִּכְרְתוּ
בְרִית בִּבְאֵר שָׁבַע וַיָּקָם אֲבִימֶלֶךְ וּפִיכֹל שַׂר־צְבָאוֹ
לג וַיָּשֻׁבוּ אֶל־אֶרֶץ פְּלִשְׁתִּים: וַיִּטַּע אֶשֶׁל בִּבְאֵר שָׁבַע
לד וַיִּקְרָא־שָׁם בְּשֵׁם יהוה אֵל עוֹלָם: וַיָּגָר אַבְרָהָם בְּאֶרֶץ
פְּלִשְׁתִּים יָמִים רַבִּים:

רש"י

ל) **בַּעֲבוּר תִּהְיֶה לִּי.** זֹאת, "לְעֵדָה" – לְשׁוֹן עֵדוּת שֶׁל נְקֵבָה, כְּמוֹ: "וְעֵדָה הַמַּצֵּבָה" (להלן לא, נב): **כִּי חָפַרְתִּי אֶת הַבְּאֵר.** מְרִיבִים הָיוּ עָלֶיהָ רוֹעֵי אֲבִימֶלֶךְ וְאוֹמְרִים: אֲנַחְנוּ חֲפַרְנוּהָ; אָמְרוּ בֵּינֵיהֶם, כָּל מִי שֶׁיִּתְרָאֶה עַל הַבְּאֵר וְיַעֲלוּ הַמַּיִם לִקְרָאתוֹ שֶׁלּוֹ הִיא, וְעָלוּ לִקְרַאת אַבְרָהָם:

לג) **אֶשֶׁל.** רַב וּשְׁמוּאֵל, חַד אָמַר: פַּרְדֵּס לְהָבִיא מִמֶּנּוּ פֵּרוֹת לָאוֹרְחִים בַּסְּעוּדָה; וְחַד אָמַר: פֻּנְדָּק לְאַכְסַנְיָא וּבוֹ כָּל מִינֵי פֵּרוֹת. וּמָצִינוּ לְשׁוֹן נְטִיעָה בְּאֹהָלִים, שֶׁנֶּאֱמַר: "וְיִטַּע אָהֳלֵי אַפַּדְנוֹ" (דניאל יא, מה): **וַיִּקְרָא שָׁם וגו'.** עַל יְדֵי אוֹתוֹ אֵשֶׁל נִקְרָא שְׁמוֹ שֶׁל הַקָּדוֹשׁ בָּרוּךְ הוּא אֱלוֹהַּ לְכָל הָעוֹלָם; לְאַחַר שֶׁאוֹכְלִים וְשׁוֹתִים אוֹמֵר לָהֶם: בָּרְכוּ לְמִי שֶׁאֲכַלְתֶּם מִשֶּׁלּוֹ; סְבוּרִים אַתֶּם שֶׁמִּשֶּׁלִּי אֲכַלְתֶּם? מִשֶּׁל מִי שֶׁאָמַר וְהָיָה הָעוֹלָם אֲכַלְתֶּם:

לד) **יָמִים רַבִּים.** מְרֻבִּים עַל שֶׁל חֶבְרוֹן; בְּחֶבְרוֹן עָשָׂה עֶשְׂרִים וְחָמֵשׁ שָׁנָה וְכָאן עֶשְׂרִים וָשֵׁשׁ, שֶׁהֲרֵי בֶּן שִׁבְעִים וְחָמֵשׁ שָׁנָה הָיָה בְּצֵאתוֹ מֵחָרָן, אוֹתָהּ שָׁנָה "וַיָּבֹא וַיֵּשֶׁב בְּאֵלֹנֵי מַמְרֵא" (לעיל יג, יח), שֶׁלֹּא מָצִינוּ קֹדֶם לָכֵן שֶׁנִּתְיַשֵּׁב אֶלָּא שָׁם, שֶׁבְּכָל מְקוֹמוֹתָיו הָיָה כְּאוֹרֵחַ חוֹנֶה וְנוֹסֵעַ וְהוֹלֵךְ, שֶׁנֶּאֱמַר: "וַיַּעֲבֹר אַבְרָם" (שם יב, ו), "וַיַּעְתֵּק מִשָּׁם" (שם ח), "וַיְהִי רָעָב בָּאָרֶץ וַיֵּרֶד אַבְרָם מִצְרַיְמָה" (שם י), וּבְמִצְרַיִם לֹא עָשָׂה אֶלָּא שְׁלֹשָׁה חֳדָשִׁים, שֶׁהֲרֵי שִׁלְּחוּ פַרְעֹה, מִיָּד "וַיֵּלֶךְ לְמַסָּעָיו" (לעיל יג, ג) עַד "וַיָּבֹא וַיֵּשֶׁב בְּאֵלֹנֵי מַמְרֵא אֲשֶׁר בְּחֶבְרוֹן" (שם יח), שָׁם יָשַׁב עַד שֶׁנֶּהֶפְכָה סְדוֹם, מִיָּד "וַיִּסַּע מִשָּׁם אַבְרָהָם" (לעיל כ, א) מִפְּנֵי בּוּשָׁה שֶׁל לוֹט, וּבָא לְאֶרֶץ פְּלִשְׁתִּים, וּבֶן תִּשְׁעִים וְתֵשַׁע שָׁנָה הָיָה, שֶׁהֲרֵי בַּשְּׁלִישִׁי לְמִילָתוֹ בָּאוּ אֶצְלוֹ הַמַּלְאָכִים, הֲרֵי עֶשְׂרִים וְחָמֵשׁ שָׁנָה, וְכָאן כְּתִיב: "יָמִים רַבִּים" – מְרֻבִּים עַל הָרִאשׁוֹנִים, וְלֹא בָא הַכָּתוּב לִסְתֹּם אֶלָּא לְפָרֵשׁ, וְאִם הָיוּ מְרֻבִּים עֲלֵיהֶם שְׁתֵּי שָׁנִים אוֹ יוֹתֵר הָיָה מְפָרְשָׁם, עַל כָּרְחָךְ אֵינָם יְתֵרִים יוֹתֵר מִשָּׁנָה, הֲרֵי

ביאור | כלל אינו תחת אחריותי. לא אני שלחתי את האנשים, ולא זו בלבד
אלא שאפילו לא שמעתי על המאורע עד היום הזה. בדבריו אלו
מודה אבימלך שהבאר שייכת לאברהם.

כז **וַיִּקַּח אַבְרָהָם צֹאן וּבָקָר וַיִּתֵּן לַאֲבִימֶלֶךְ** הן כדורון, הן כחלק
מהסעודה הנערכת שם, **וַיִּכְרְתוּ שְׁנֵיהֶם בְּרִית.** ייתכן שברית זו
כללה גם בעלי חיים שנבתרו לשניים.[31] כח **וַיַּצֵּב אַבְרָהָם אֶת שֶׁבַע**
כִּבְשֹׂת הַצֹּאן לְבַדְּהֶן. אברהם הפריש שבע כבשים מתוך מתנת
הצאן והבקר. כט **וַיֹּאמֶר אֲבִימֶלֶךְ אֶל אַבְרָהָם: מָה הֵנָּה שֶׁבַע כְּבָשֹׂת**
הָאֵלֶּה אֲשֶׁר הִצַּבְתָּ לְבַדָּנָה? אם ברצונך לתת לי את הכבשים הללו
או לתרום אותן לסעודה, מדוע הצבת אותן לחוד?

ל **וַיֹּאמֶר** אברהם: **כִּי אֶת שֶׁבַע כְּבָשֹׂת תִּקַּח מִיָּדִי** כעין מקדמה
המוכיחה על המתנה כולה, **בַּעֲבוּר תִּהְיֶה לִּי לְעֵדָה כִּי חָפַרְתִּי אֶת**
הַבְּאֵר הַזֹּאת. שבע הכבשים הללו יסמלו מעין חתימה על חוזה קטן
נפרד שבו תאושר שייכותה של הבאר לי ובו תתחייב שעבדיך לא
ישובו לגזול אותה ממני.

לא **עַל כֵּן קָרָא לַמָּקוֹם הַהוּא בְּאֵר שָׁבַע, כִּי שָׁם נִשְׁבְּעוּ שְׁנֵיהֶם.** השם
מתייחס הן לשבע הכבשות הן לשבועה. לב **וַיִּכְרְתוּ בְרִית בִּבְאֵר**
שָׁבַע. וַיָּקָם משם **אֲבִימֶלֶךְ וּפִיכֹל שַׂר צְבָאוֹ, וַיָּשֻׁבוּ אֶל אֶרֶץ פְּלִשְׁתִּים.**
שהרי קודם לכן יצאו מארצם למקום המאהל של אברהם. לג **וַיִּטַּע**
אברהם **אֶשֶׁל**, עץ מסוים **בִּבְאֵר שָׁבַע, וַיִּקְרָא שָׁם בְּשֵׁם ה' אֵל עוֹלָם.**
כך נהג אברהם לעשות בכל מקום שבו היה קובע את ישיבתו –
היה בונה בו מזבח, מלמד את הבריות דעת ה', ומקריא את שמו
בפי הבריות. לד אברהם לא חזר מיד לחברון, אלא – **וַיָּגָר**, חי כגר
אַבְרָהָם בְּאֶרֶץ פְּלִשְׁתִּים יָמִים רַבִּים.

הרחבות | 'ויגר אברהם בארץ פלשתים' הבאר שחפר אברהם וקראה באר-שבע, הייתה בתחום ארץ פלשתים, ושם גר אברהם. והפסוק וַיִּכְרְתוּ בְרִית בִּבְאֵר שָׁבַע, וַיָּקָם אֲבִימֶלֶךְ וּפִיכֹל שַׂר צְבָאוֹ, וַיָּשֻׁבוּ אֶל אֶרֶץ פְּלִשְׁתִּים מספר ששבו אל עיר הממלכה שממנה יצאו (רמב"ן. וראו ספורנו דרך אחרת).

שביעי יט וַיְהִי אַחַר הַדְּבָרִים הָאֵלֶּה וְהָאֱלֹהִים נִסָּה אֶת־ א כב
אַבְרָהָם וַיֹּאמֶר אֵלָיו אַבְרָהָם וַיֹּאמֶר הִנֵּנִי: וַיֹּאמֶר ב
קַח־נָא אֶת־בִּנְךָ אֶת־יְחִידְךָ אֲשֶׁר־אָהַבְתָּ אֶת־יִצְחָק
וְלֶךְ־לְךָ אֶל־אֶרֶץ הַמֹּרִיָּה וְהַעֲלֵהוּ שָׁם לְעֹלָה עַל
אַחַד הֶהָרִים אֲשֶׁר אֹמַר אֵלֶיךָ: וַיַּשְׁכֵּם אַבְרָהָם ג
בַּבֹּקֶר וַיַּחֲבֹשׁ אֶת־חֲמֹרוֹ וַיִּקַּח אֶת־שְׁנֵי נְעָרָיו אִתּוֹ
וְאֵת יִצְחָק בְּנוֹ וַיְבַקַּע עֲצֵי עֹלָה וַיָּקָם וַיֵּלֶךְ אֶל־

רש"י

עשרים ושש שנה. מיד יצא משם וחזר לחברון, ואותה שנה קדמה לפני עקדתו של יצחק שתים עשרה שנים. כך שנויה בסדר עולם:

פרק כב

א| **אחר הדברים האלה.** יש מרבותינו אומרים: אחר דבריו של שטן שהיה מקטרג ואומר: מכל סעודה שעשה אברהם לא הקריב לפניך פר אחד או איל אחד. אמר לו: כלום עשה אלא בשביל בנו, אלו הייתי אומר לו: זבח אותו לפני, לא היה מעכב. ויש אומרים: אחר דבריו של ישמעאל שהיה מתפאר על יצחק, שמל בן שלש עשרה שנה ולא מיחה. אמר לו יצחק: באבר אחד אתה מיראני, אלו אמר לי הקדוש ברוך הוא: זבח עצמך לפני, לא הייתי מעכב: **הנני.** כך היא ענייתם של חסידים, לשון ענוה הוא ולשון זמון:

ב| **קח נא.** אין 'נא' אלא לשון בקשה, אמר לו: בבקשה ממך עמד לי בזו, שלא יאמרו: הראשונות לא היה בהן ממש: **את בנך.** אמר לו: שני בנים יש לי. אמר לו: "את יחידך". אמר לו: זה יחיד לאמו וזה יחיד לאמו. אמר לו: "אשר אהבת". אמר לו: שניהם אני אוהב. אמר לו: "את יצחק". ולמה לא גלה לו מתחלה? שלא לערבבו פתאום ותזוח דעתו עליו ותטרף, וכדי לחבב עליו את המצוה וליתן לו שכר על כל דבור ודבור: **ארץ המריה.** ירושלים. וכן בדברי הימים (ב׳ ג, א): "לבנות את בית ה׳ בירושלם בהר המוריה". ורבותינו פרשו, על שם שמשם הוראה יוצאה לישראל. ואונקלוס תרגמו על שם עבודת הקטרת שיש בו מור נרד ושאר בשמים: **והעלהו.** לא אמר לו 'שחטהו', לפי שלא היה חפץ הקדוש ברוך הוא לשחטו אלא יעלהו להר לעשותו עולה, ומשהעלהו אמר לו הורידהו: **אחד ההרים.** הקדוש ברוך הוא מתהא הצדיקים ואחר כך מגלה להם, וכל זה כדי להרבות שכרן, וכן: "אל הארץ אשר אראך" (לעיל יב, א), וכן ביונה: "וקרא אליה את הקריאה" (יונה ג, ב):

ג| **וישכם.** נזדרז למצוה: **ויחבש.** הוא בעצמו, ולא צוה לאחד מעבדיו, שהאהבה מקלקלת השורה: **את שני נעריו.** ישמעאל ואליעזר, שאין אדם חשוב רשאי לצאת לדרך בלא שני אנשים, שאם יצטרך האחד לנקביו ויתרחק יהיה השני עמו: **ויבקע.** "ויצלח", כמו: "ויצלחו הירדן" (שמואל ב׳ יט, יח), לשון בקוע, פינדר"א בלעז:

עקדת יצחק

פרק כב פס׳ א–יט

סיפור העקדה הוא אחד העניינים הדרמטיים ביותר בתנ"ך. הוא מתרחש בקרבת זמן למעשים הקודמים, ונראה שיש ביניהם קשר. חייו של אברהם התבססו לאחר ששילח את הגר ואת ישמעאל, שקטו הרוחות במשפחתו, בנו–ממשיכו גדל והולך, והמלך השכן כורת אתו ברית. דווקא עתה, כשחיי אברהם התייצבו, מזעזע ניסיון העקדה את עולמו.

ביאור | פרק כב א **וַיְהִי אַחַר הַדְּבָרִים הָאֵלֶּה**, זמן לא רב לאחר המאורעות הקודמים,[32] **וְהָאֱלֹהִים נִסָּה אֶת אַבְרָהָם**. זוהי ההתרחשות הראשונה המתוארת כניסיון יזום על ידי אלוקים.

וַיֹּאמֶר אֵלָיו: אַבְרָהָם.

וַיֹּאמֶר: הִנֵּנִי. אין במלה זו רק אישור לכך שאברהם שמע את פניית ה׳, אלא ביטוי לנכונותו לקבל את הפקודות.

ב **וַיֹּאמֶר** לו ה׳: **קַח נָא אֶת בִּנְךָ, אֶת יְחִידְךָ**, שהרי בנו האחר של אברהם גורש; יתר על כן, נאמר כבר לאברהם שיצחק הוא הוא בנו האמתי, **אֲשֶׁר אָהַבְתָּ, אֶת יִצְחָק**, אמירה ארוכה זו נועדה להדגיש מה ה׳ עומד לבקש ממנו - **וְלֶךְ לְךָ אֶל אֶרֶץ הַמֹּרִיָּה**, שהמסורת מזהה אותה עם חלק מירושלים של היום, **וְהַעֲלֵהוּ שָׁם לְעֹלָה עַל אַחַד הֶהָרִים אֲשֶׁר אֹמַר אֵלֶיךָ.**

ג שוב אברהם הזדרז - **וַיַּשְׁכֵּם אַבְרָהָם בַּבֹּקֶר**, כיוון שקיבל פקודה בלילה או מעט לפני הלילה, הוא השכים קום כדי למלאה. **וַיַּחֲבֹשׁ אֶת חֲמֹרוֹ**, שעליו הוא נוסע לצרכים שונים, כדי לטעון עליו דברים שונים לקראת המסע, **וַיִּקַּח אֶת שְׁנֵי נְעָרָיו**, עוזריו, משרתיו **אִתּוֹ. וְאֵת יִצְחָק בְּנוֹ. וַיְבַקַּע עֲצֵי עֹלָה**. כיוון שנאמר לו להעלות את בנו לעולה, והוא לא ידע אם יימצאו לו עצים במקום ההקרבה, הוא

הרחבות | **'קח נא את בנך את יחידך'** אברהם נדרש לתת את המֵרב. אמנם בימי קדם נהגו פולחני הקרבת ילדים, אך בדרך כלל הוקרב הבן רק לאחר שהיו לאביו כמה וכמה ילדים. כאן, לעומת זאת, מודגש כינויו במלים בִּנְךָ... יְחִידְךָ – אין לך ילד אחר, וגם אין סיכוי גדול שייוולד לך בן אחר תחתיו.

ד הַמָּקוֹם אֲשֶׁר־אָמַר־לוֹ הָאֱלֹהִים׃ בַּיּוֹם הַשְּׁלִישִׁי
וַיִּשָּׂא אַבְרָהָם אֶת־עֵינָיו וַיַּרְא אֶת־הַמָּקוֹם מֵרָחֹק׃
ה וַיֹּאמֶר אַבְרָהָם אֶל־נְעָרָיו שְׁבוּ־לָכֶם פֹּה עִם־הַחֲמוֹר
וַאֲנִי וְהַנַּעַר נֵלְכָה עַד־כֹּה וְנִשְׁתַּחֲוֶה וְנָשׁוּבָה אֲלֵיכֶם׃
ו וַיִּקַּח אַבְרָהָם אֶת־עֲצֵי הָעֹלָה וַיָּשֶׂם עַל־יִצְחָק בְּנוֹ
וַיִּקַּח בְּיָדוֹ אֶת־הָאֵשׁ וְאֶת־הַמַּאֲכֶלֶת וַיֵּלְכוּ שְׁנֵיהֶם
ז יַחְדָּו׃ וַיֹּאמֶר יִצְחָק אֶל־אַבְרָהָם אָבִיו וַיֹּאמֶר אָבִי

רש"י

ד| **בַּיּוֹם הַשְּׁלִישִׁי.** לָמָּה אִחֵר מִלְּהַרְאוֹתוֹ מִיָּד? כְּדֵי שֶׁלֹּא יֹאמְרוּ: הֲמָמוֹ וְעִרְבְּבוֹ פִּתְאוֹם וְטָרַף דַּעְתּוֹ, וְאִלּוּ הָיָה לוֹ שָׁהוּת לְהִמָּלֵךְ אֶל לִבּוֹ לֹא הָיָה עוֹשֶׂה: **וַיַּרְא אֶת הַמָּקוֹם.** רָאָה עָנָן קָשׁוּר עַל הָהָר:

ה| **עַד כֹּה.** כְּלוֹמַר, דֶּרֶךְ מוּעָט לַמָּקוֹם אֲשֶׁר לְפָנֵינוּ. וּמִדְרַשׁ אַגָּדָה, רָאָה הֵיכָן הוּא מַה שֶּׁאָמַר לִי הַמָּקוֹם: "כֹּה יִהְיֶה זַרְעֶךָ" (לעיל טו, ה): **וְנָשׁוּבָה.** נִתְנַבֵּא שֶׁיָּשׁוּבוּ שְׁנֵיהֶם:

ו| **הַמַּאֲכֶלֶת.** סַכִּין, עַל שֵׁם שֶׁאוֹכֶלֶת אֶת הַבָּשָׂר, כְּמָה דְּתֵימָא: "וְחַרְבִּי תֹּאכַל בָּשָׂר" (דברים לב, מב), וְשֶׁמַּכְשֶׁרֶת בָּשָׂר לַאֲכִילָה. דָּבָר אַחֵר, זֹאת נִקְרֵאת מַאֲכֶלֶת, עַל שֵׁם שֶׁיִּשְׂרָאֵל אוֹכְלִים מַתַּן שְׂכָרָהּ: **וַיֵּלְכוּ שְׁנֵיהֶם יַחְדָּו.** אַבְרָהָם שֶׁהָיָה יוֹדֵעַ שֶׁהוֹלֵךְ לִשְׁחֹט אֶת בְּנוֹ, הָיָה הוֹלֵךְ בִּרְצוֹן וְשִׂמְחָה כְּיִצְחָק שֶׁלֹּא הָיָה מַרְגִּישׁ בַּדָּבָר:

הרחבות

'וירא את המקום' לא ברור מה בדיוק ראה. ייתכן שזיהה את ארץ המוריה, אבל לפי מה שנאמר לו, אין מדובר בהר מסוים, אלא באזור. אולי ראה על אחד ההרים סימן או אות מיוחד. אם מדובר בהר הבית, הוא אמנם בולט מעבר לעיר ירושלים, אבל אין הוא גבוה יותר מן ההרים שסביבו. לכן מסתבר שהבחירה בו דווקא הצריכה סימן כלשהו שניכר לעיני אברהם (ראו פרקי דרבי אליעזר לא; תנחומא וירא מו; רמב"ן על אתר).

'וישם את יצחק בנו' חכמים שהסתמכו בדרשתם על קשרי סמיכויות הפרשיות, קשרו את מעשה העקדה לתאריך הקרוב ביותר אליו – מותה של שרה, שיופיע בסמוך, בתחילת פרשת חיי שרה. לפי דרשת סמיכות זו, יצחק היה באותה שעה בן שלושים ושבע (סדר עולם רבה א; ויקרא רבה כ,ב; תנחומא וירא כג). מתוך הקשר הכתובים ומתוכן השיחה בין האב ובנו נראה שיצחק היה באותה עת נער צעיר, כבן עשר, אחת עשרה או שתים עשרה (ראו ראב"ע פס' ד), אך בוודאי לא היה ילד קטן, שהרי יכול היה לשאת את העצים בדרך ארוכה זו.

'וילכו שניהם יחדו' ההליכה יחדיו חוזרת בעניין זה שלוש פעמים. בהופעה זו של הצירוף וַיֵּלְכוּ שְׁנֵיהֶם יַחְדָּו מתבטא אופיה הטרגי של ההליכה הזאת: הולכים בצוותא אב ובנו – אברהם, הנושא על לבו את כל מה שהוא יודע על מטרת ההליכה, ובצדו יצחק, שאינו יודע על כך דבר. יצחק סובר לתומו כי הוא הולך לקיים עם אביו טקס דתי כלשהו, אך לא עולה בלבו שהוא יהיה

ביאור

חטב עצים במקומו.[33] **וַיָּקָם וַיֵּלֶךְ אֶל הַמָּקוֹם אֲשֶׁר אָמַר לוֹ הָאֱלֹהִים.** הוא ידע היכן המקום, ואליו הוא צעד.

נראה שאברהם היה אז בבאר-שבע.[34] ההליכה הרגילית ממנה עד אזור ירושלים נמשכת שעות רבות. מכיוון שברשותם היה חמור אחד, והם הלכו יחדיו, ארכה ההליכה מספר ימים.
ד **בַּיּוֹם הַשְּׁלִישִׁי וַיִּשָּׂא אַבְרָהָם אֶת עֵינָיו, וַיַּרְא אֶת הַמָּקוֹם מֵרָחֹק.**
ה **וַיֹּאמֶר אַבְרָהָם אֶל נְעָרָיו: שְׁבוּ לָכֶם**, הישארו, חכו לי **פֹּה עִם הַחֲמוֹר, וַאֲנִי וְהַנַּעַר** יצחק **נֵלְכָה עַד כֹּה**, עד שם, עד אותו מקום, **וְנִשְׁתַּחֲוֶה**, במשמעות רחבה – נתפלל או נעשה מעשה של פולחן, העשוי לכלול גם קרבן, **וְנָשׁוּבָה אֲלֵיכֶם.** אברהם לא רצה לגלות לאיש שהוא בדרכו לשחוט את בנו. הוא ביקש ליצור בלב הנערים את הרושם שהוא ויצחק יקריבו את קרבנם במקום כלשהו, ולאחר מכן ישובו אליהם.

ו **וַיִּקַּח אַבְרָהָם אֶת עֲצֵי הָעֹלָה, וַיָּשֶׂם עַל יִצְחָק בְּנוֹ.** בנשיאת העצים עליו משתתף יצחק כבר עתה בקרבן. **וַיִּקַּח בְּיָדוֹ אֶת הָאֵשׁ.** נראה שאין הכוונה לאש בוערת, אלא לכלי או לחומר שבאמצעותו מבעירים אש, **וְאֶת הַמַּאֲכֶלֶת**, הסכין, **וַיֵּלְכוּ שְׁנֵיהֶם יַחְדָּו.**

ז **וַיֹּאמֶר יִצְחָק אֶל אַבְרָהָם אָבִיו**, כעת, כשהיו לבדם, **וַיֹּאמֶר: אָבִי.**
וַיֹּאמֶר, שוב הגיב אברהם, כפי שהגיב לקריאתו של הקדוש ברוך הוא

הרחבות

הקרבן. וַיֵּלְכוּ שְׁנֵיהֶם יַחְדָּו – אברהם בסערת רוחו, ויצחק בפשטותו.

ניסיון העקדה חלק מעצמתו של סיפור העקדה טמון בכך שלא כתובה בו מלה על המחשבות העוברות בתודעתו של אברהם ועל הרגשות המסעירים את לבו, ואף לא על מה שמעסיק את יצחק במהלך המסע. אברהם אינו עושה מעשה תמוה וחפוז. התורה מבליטה את העובדה שהצו ששמע אינו מורה לו לשחוט את בנו מיד. עליו לצעוד שלושה ימים בדרך ולהרהר בדבר. באותם ימים בוודאי העסיקו אותו מחשבות קשות מאוד (ראו בראשית רבה נה,ה; רמב"ן על אתר).

בעיה אחת שאברהם הוגה בה בוודאי היא הניגוד בין הבטחתו של ה', כִּי בְיִצְחָק יִקָּרֵא לְךָ זָרַע (לעיל כא,יב), לבין הציווי להעלות את בנו כעולה כליל. מעבר לקרבן האישי ולסתירה שבין דברי ה', מתמודד אברהם גם עם בעיה אידיאית, הכרוכה במעשה: אברהם מתנגד בוודאי לקרבנות אדם, שהיו מקובלים בקרב עמי כנען (ראו דברים יב,לא), והנה הוא נדרש להקריב קרבן כזה בעצמו. בנסיבות אלה ניצב אדם, מצד אחד, מול משבר חיים אישי – נתינת בנו היחיד והאהוב, ומצד שני, מול משבר אמונה – עליו לבחון מחדש היכן הוא עומד מול הקדוש ברוך הוא ומול האידיאות שבהן הוא מאמין. בניסיון העקדה בולטת יכולתו של אברהם לציית ציות שלם ומוחלט. כיוון שה' הורה לו לעשות כן – אין הוא מהרהר אחריו, ואינו מתלונן (ראו תנחומא וירא מו).

וַיֹּאמֶר הִנֶּנִּי בְנִי וַיֹּאמֶר הִנֵּה הָאֵשׁ וְהָעֵצִים וְאַיֵּה
ח הַשֶּׂה לְעֹלָה: וַיֹּאמֶר אַבְרָהָם אֱלֹהִים יִרְאֶה־לּוֹ הַשֶּׂה
ט לְעֹלָה בְּנִי וַיֵּלְכוּ שְׁנֵיהֶם יַחְדָּו: וַיָּבֹאוּ אֶל־הַמָּקוֹם
אֲשֶׁר אָמַר־לוֹ הָאֱלֹהִים וַיִּבֶן שָׁם אַבְרָהָם אֶת־
הַמִּזְבֵּחַ וַיַּעֲרֹךְ אֶת־הָעֵצִים וַיַּעֲקֹד אֶת־יִצְחָק בְּנוֹ
י וַיָּשֶׂם אֹתוֹ עַל־הַמִּזְבֵּחַ מִמַּעַל לָעֵצִים: וַיִּשְׁלַח
אַבְרָהָם אֶת־יָדוֹ וַיִּקַּח אֶת־הַמַּאֲכֶלֶת לִשְׁחֹט אֶת־
יא בְּנוֹ: וַיִּקְרָא אֵלָיו מַלְאַךְ יהוה מִן־הַשָּׁמַיִם וַיֹּאמֶר
יב אַבְרָהָם | אַבְרָהָם וַיֹּאמֶר הִנֵּנִי: וַיֹּאמֶר אַל־תִּשְׁלַח
יָדְךָ אֶל־הַנַּעַר וְאַל־תַּעַשׂ לוֹ מְאוּמָה כִּי | עַתָּה יָדַעְתִּי
כִּי־יְרֵא אֱלֹהִים אַתָּה וְלֹא חָשַׂכְתָּ אֶת־בִּנְךָ אֶת־

רש"י

ח | **יִרְאֶה לּוֹ הַשֶּׂה.** כְּלוֹמַר, יִרְאֶה וְיִבְחַר לוֹ הַשֶּׂה, וְאִם אֵין שֶׂה – "לְעוֹלָה בְּנִי". וְאַף עַל פִּי שֶׁהֵבִין יִצְחָק שֶׁהוּא הוֹלֵךְ לְהִשָּׁחֵט, "וַיֵּלְכוּ שְׁנֵיהֶם יַחְדָּו" בְּלֵב שָׁוֶה:

ט | **וַיַּעֲקֹד.** יָדָיו וְרַגְלָיו מֵאֲחוֹרָיו. הַיָּדַיִם וְהָרַגְלַיִם בְּיַחַד הִיא עֲקֵדָה, וְהוּא לְשׁוֹן 'עֲקֻדִּים' (להלן ל, לט) שֶׁהָיוּ קַרְסֻלֵּיהֶם לְבָנִים, מָקוֹם שֶׁעוֹקְדִים אוֹתָן בּוֹ הָיָה נִכָּר:

יא | **אַבְרָהָם אַבְרָהָם.** לְשׁוֹן חִבָּה הוּא, שֶׁכּוֹפֵל אֶת שְׁמוֹ:

יב | **אַל תִּשְׁלַח.** לִשְׁחֹט. אָמַר לוֹ: אִם כֵּן לְחִנָּם בָּאתִי לְכָאן? אֶעֱשֶׂה בּוֹ חַבָּלָה וְאוֹצִיא מִמֶּנּוּ מְעַט דָּם! אָמַר לוֹ: "אַל תַּעַשׂ לוֹ מְאוּמָה": **כִּי עַתָּה יָדַעְתִּי.** מֵעַתָּה יֵשׁ לִי מַה לְּהָשִׁיב לַשָּׂטָן וְלָאֻמּוֹת, הַתְּמֵהִים מַה הִיא חִבָּתִי אֶצְלְךָ, יֵשׁ לִי פִּתְחוֹן פֶּה עַכְשָׁיו, שֶׁרוֹאִים "כִּי יְרֵא אֱלֹהִים אַתָּה":

הרחבות

תגובת יצחק אין הכתוב מגלה כיצד הגיב יצחק למעשהו של אביו: האם צעק? האם בכה? האם קיבל על עצמו את הדין? משתיקת הכתוב באשר לתגובתו, ומן העובדה שלמשמע דברי אביו, לא ברח ולא גילה סימני התנגדות, הבינו רבים שיצחק קיבל עליו מרצון שהוא יהיה השה לעולה. ברגע זה מתחיל היבט עמוק יותר של הברית, שאינו מתייחס לאברהם בלבד, ושאפשר לתארו כמעין מוטציה: זרע אברהם כבר אינו רק צאצאיו של אדם מסוים, אלא הוא קבוצת אנשים בעלת מורשה מיוחדת וייעוד מיוחד, ששורשיהם בהתנהגותו זו של יצחק.

'וישלח אברהם את ידו ויקח את המאכלת לשחט את בנו' אריכות הדברים בפסוק זה אינה מבטאת את התמהמהותו של אברהם

ביאור | בתחילת הפרשה: **הִנֵּנִי**, אני מאזין בדריכות, אני מוכן, **בְנִי**. אברהם לא התנתק מאהבתו כלפי יצחק, ולא ויתר על הקשב כלפיו. הוא העלה את בנו לקרבן, בלי שתתערער תחושת האבהות החמה המקננת בו.

וַיֹּאמֶר: **הִנֵּה הָאֵשׁ וְהָעֵצִים**, אבל אם אנחנו הולכים להקריב קרבן – חסר פה דבר – **וְאַיֵּה הַשֶּׂה לְעֹלָה?** היכן הקרבן?

ח **וַיֹּאמֶר אַבְרָהָם** משפט טעון ביותר: **אֱלֹהִים יִרְאֶה לּוֹ**, ימצא את מה שיהיה **הַשֶּׂה לְעֹלָה בְּנִי**. כאן בוודאי התעוררו ביצחק מחשבות נוספות: ומה אם לא יימצא השה? מה משמעות צירוף המלים הַשֶּׂה לְעֹלָה בְּנִי? יצחק ידע בוודאי על קיומם של פולחני הקרבת ילדים בעולם שסביבו.

למרות זאת חוזר ומופיע הביטוי המסמל את ההרמוניה ביניהם – **וַיֵּלְכוּ שְׁנֵיהֶם יַחְדָּו**. אם קודם לכן הלך אברהם הטרוד והדואג לצד יצחק, הבן המטייל בפשטות עם אביו, עתה שמע יצחק מלים מפחידות ביותר, ובכל זאת לא ברח או נעלם, אלא המשיך ללכת לצד אביו, באחדות.

ט **וַיָּבֹאוּ אֶל הַמָּקוֹם אֲשֶׁר אָמַר לוֹ הָאֱלֹהִים. וַיִּבֶן שָׁם אַבְרָהָם אֶת הַמִּזְבֵּחַ, וַיַּעֲרֹךְ אֶת הָעֵצִים, וַיַּעֲקֹד אֶת יִצְחָק בְּנוֹ**, קשר את ידיו ורגליו, כדי שיישאר במקומו ולא יזוז. **וַיָּשֶׂם אֹתוֹ עַל הַמִּזְבֵּחַ מִמַּעַל לָעֵצִים**. עכשיו יצחק מוכן להיות קרבן. י **וַיִּשְׁלַח אַבְרָהָם אֶת יָדוֹ וַיִּקַּח אֶת הַמַּאֲכֶלֶת**, הסכין **לִשְׁחֹט אֶת בְּנוֹ**.

יא **וַיִּקְרָא אֵלָיו מַלְאַךְ ה׳ מִן הַשָּׁמַיִם**, כיוון שאין המלאך מדבר בשם עצמו, אלא הוא שליחו של ה׳, הרי דבריו הם דברי ה׳. **וַיֹּאמֶר: אַבְרָהָם, אַבְרָהָם**.

וַיֹּאמֶר שוב: **הִנֵּנִי**. אברהם תמיד דרוך ומוכן, אף בעיצומה של פעולה על-אנושית כזו.

יב **וַיֹּאמֶר: אַל תִּשְׁלַח יָדְךָ אֶל הַנַּעַר, וְאַל תַּעַשׂ לוֹ מְאוּמָה**. אינך נדרש לשחוט אותו, ואף לא לפצעו או לעשות בו טקס סמלי כלשהו.[35] **כִּי עַתָּה יָדַעְתִּי כִּי יְרֵא אֱלֹהִים אַתָּה. וְלֹא חָשַׂכְתָּ אֶת בִּנְךָ אֶת יְחִידְךָ מִמֶּנִּי**.

הרחבות | **׳עתה ידעתי כי ירא אלהים אתה׳** עד ניסיון העקדה היה אברהם עושה את רצון ה׳ מתוך אהבתו (כפי שהוא מכונה בישעיה במעשיו אלא את עצמת הניסיון. כל פעולה ותזוזה נבחנת לעצמה, וגם שהיית הקורא עם המעשה מעצימה את תחושת הקושי.

יג יְחִידְךָ מִמֶּנִּי׃ וַיִּשָּׂא אַבְרָהָם אֶת־עֵינָיו וַיַּרְא וְהִנֵּה־
אַיִל אַחַר נֶאֱחַז בַּסְּבַךְ בְּקַרְנָיו וַיֵּלֶךְ אַבְרָהָם וַיִּקַּח
יד אֶת־הָאַיִל וַיַּעֲלֵהוּ לְעֹלָה תַּחַת בְּנוֹ׃ וַיִּקְרָא אַבְרָהָם
שֵׁם־הַמָּקוֹם הַהוּא יְהוָה ׀ יִרְאֶה אֲשֶׁר יֵאָמֵר הַיּוֹם
טו בְּהַר יְהוָה יֵרָאֶה׃ וַיִּקְרָא מַלְאַךְ יְהוָה אֶל־אַבְרָהָם
טז שֵׁנִית מִן־הַשָּׁמָיִם׃ וַיֹּאמֶר בִּי נִשְׁבַּעְתִּי נְאֻם־יְהוָה כִּי
יַעַן אֲשֶׁר עָשִׂיתָ אֶת־הַדָּבָר הַזֶּה וְלֹא חָשַׂכְתָּ אֶת־
יז בִּנְךָ אֶת־יְחִידֶךָ׃ כִּי־בָרֵךְ אֲבָרֶכְךָ וְהַרְבָּה אַרְבֶּה אֶת־
זַרְעֲךָ כְּכוֹכְבֵי הַשָּׁמַיִם וְכַחוֹל אֲשֶׁר עַל־שְׂפַת הַיָּם
יח וְיִרַשׁ זַרְעֲךָ אֵת שַׁעַר אֹיְבָיו׃ וְהִתְבָּרְכוּ בְזַרְעֲךָ כֹּל
יט גּוֹיֵי הָאָרֶץ עֵקֶב אֲשֶׁר שָׁמַעְתָּ בְּקֹלִי׃ וַיָּשָׁב אַבְרָהָם

רש"י

יג] **וְהִנֵּה אַיִל.** מוּכָן הָיָה לְכָךְ מִשֵּׁשֶׁת יְמֵי בְרֵאשִׁית: **אַחַר.** אַחֲרֵי שֶׁאָמַר לוֹ הַמַּלְאָךְ: "אַל תִּשְׁלַח יָדְךָ" רָאָהוּ כְּשֶׁהוּא נֶאֱחָז, וְהוּא שֶׁמְּתַרְגְּמִינַן: "וּזְקַף אַבְרָהָם יָת עֵינוֹהִי בָּתַר אִלֵּין": **בַּסְּבַךְ.** אִילָן: **בְּקַרְנָיו.** שֶׁהָיָה רָץ אֵצֶל אַבְרָהָם, וְהַשָּׂטָן סוֹבְכוֹ וּמְעַרְבְּבוֹ בָּאִילָנוֹת: **תַּחַת בְּנוֹ.** מֵאַחַר שֶׁכָּתוּב: "וַיַּעֲלֵהוּ לְעֹלָה" לֹא חָסֵר הַמִּקְרָא כְּלוּם, מַהוּ "תַּחַת בְּנוֹ"? עַל כָּל עֲבוֹדָה שֶׁעָשָׂה מִמֶּנּוּ הָיָה מִתְפַּלֵּל וְאוֹמֵר: יְהִי רָצוֹן שֶׁתְּהֵא זוֹ כְּאִלּוּ הִיא עֲשׂוּיָה בִּבְנִי, כְּאִלּוּ בְּנִי שָׁחוּט, כְּאִלּוּ דָּמוֹ זָרוּק, כְּאִלּוּ בְּנִי מֻפְשָׁט, כְּאִלּוּ הוּא נִקְטָר וְנַעֲשֶׂה דֶּשֶׁן:

יד] **ה' יִרְאֶה.** פְּשׁוּטוֹ כְּתַרְגּוּמוֹ: ה' יִבְחַר וְיִרְאֶה לוֹ אֶת הַמָּקוֹם הַזֶּה לְהַשְׁרוֹת בּוֹ שְׁכִינָתוֹ וּלְהַקְרִיב כָּאן קָרְבָּנוֹת: **אֲשֶׁר יֵאָמֵר הַיּוֹם.** שֶׁיֹּאמְרוּ לִימֵי הַדּוֹרוֹת עָלָיו: בְּהַר זֶה יֵרָאֶה הַקָּדוֹשׁ בָּרוּךְ הוּא לְעַמּוֹ: **הַיּוֹם.** הַיָּמִים הָעֲתִידִים, כְּמוֹ 'עַד הַיּוֹם הַזֶּה' שֶׁבְּכָל הַמִּקְרָא, שֶׁדּוֹרוֹת הַבָּאִים הַקּוֹרְאִים אֶת הַמִּקְרָא אוֹמְרִים עַל יוֹם שֶׁעוֹמְדִים בּוֹ: 'הַיּוֹם הַזֶּה'. וּמִדְרַשׁ אַגָּדָה, "ה' יִרְאֶה" עֲקֵדָה זוֹ לִסְלֹחַ לְיִשְׂרָאֵל בְּכָל שָׁנָה וּלְהַצִּילָם מִן הַפֻּרְעָנוּת, כְּדֵי שֶׁיֵּאָמֵר הַיּוֹם הַזֶּה בְּכָל דּוֹרוֹת הַבָּאִים: בְּהַר ה' יֵרָאֶה אֶפְרוֹ שֶׁל יִצְחָק צָבוּר וְעוֹמֵד לְכַפָּרָה:

יז] **בָּרֵךְ אֲבָרֶכְךָ.** אַחַת לָאָב וְאַחַת לַבֵּן: **וְהַרְבָּה אַרְבֶּה.** אַחַת לָאָב וְאַחַת לַבֵּן:

ביאור

יג **וַיִּשָּׂא אַבְרָהָם אֶת עֵינָיו, וַיַּרְא וְהִנֵּה אַיִל אַחַר נֶאֱחַז בַּסְּבַךְ בְּקַרְנָיו,**
הסתבך בסבך העצים. בדרך כלל איל, ואפילו איל שקרניו גדולות,
אינו מסתבך בסבך בקרניו. יתר על כן, איל זה הופיע פתאום במקום
שבו נמצאים בני אדם. משום כך, אברהם הבין שהאיל לא הגיע
במקרה, אלא הוא סימן ומופת,[36] ולכן - **וַיֵּלֶךְ אַבְרָהָם וַיִּקַּח אֶת**
הָאַיִל, וַיַּעֲלֵהוּ לְעֹלָה תַּחַת בְּנוֹ.

יד **וַיִּקְרָא אַבְרָהָם שֵׁם הַמָּקוֹם הַהוּא** שבו התרחש כל המאורע **ה׳**
יִרְאֶה, ה׳ הרואה תמיד, **אֲשֶׁר יֵאָמֵר** גם **הַיּוֹם,** לאחר זמן לגבי ההר
הזה: **בְּהַר ה׳ יֵרָאֶה,** ה׳ יֵרָאֶה בהר הזה.[37]

טו **וַיִּקְרָא מַלְאַךְ ה׳ אֶל אַבְרָהָם שֵׁנִית מִן הַשָּׁמָיִם,** טז **וַיֹּאמֶר: בִּי**
נִשְׁבַּעְתִּי, נְאֻם ה׳, כִּי יַעַן אֲשֶׁר עָשִׂיתָ אֶת הַדָּבָר הַזֶּה, וְלֹא חָשַׂכְתָּ
אֶת בִּנְךָ אֶת יְחִידֶךָ. יז כשכר על מסירותך מכאן ואילך - **כִּי בָרֵךְ**
אֲבָרֶכְךָ, וְהַרְבָּה אַרְבֶּה אֶת זַרְעֲךָ כְּכוֹכְבֵי הַשָּׁמַיִם וְכַחוֹל אֲשֶׁר עַל שְׂפַת
הַיָּם, וְיִרַשׁ זַרְעֲךָ אֵת שַׁעַר אֹיְבָיו. יח **וְהִתְבָּרְכוּ בְזַרְעֲךָ כֹּל גּוֹיֵי הָאָרֶץ,**
הכול יברכו את עצמם שיהיו דומים לזרעך, **עֵקֶב אֲשֶׁר שָׁמַעְתָּ בְּקֹלִי.**

הרחבות

מא,ח אַבְרָהָם אֹהֲבִי). התואר יְרֵא אֱלֹהִים מבטא את העניין המודגש בסיפור זה: ציותו המושלם של אברהם לפקודה שהופנתה אליו. יראת ה׳ - אין משמעה פחד. זהו קיום רצון ה׳ שלא מתוך הבנה ולא מתוך אינטרס במעשה או שמחה בו, אלא מתוך קבלה שהצו האלוקי הוא החוק העליון, העומד מעבר לכל החוקים, המחשבות והתכניות.

׳ויעלהו לעֹלה תחת בנו׳ בהקריבו את האיל ריכז אברהם את כל הכוונות, המחשבות והנכונות שגייס להקרבת בנו. האיל הזה הוא תַּחַת בְּנוֹ ממש; אין הוא קרבן אחר, אלא תמורת בנו (ראו במדבר רבה יז,ב; נה,ה). כך אפשר להבין גם את הביטוי התמוה: ״אפרו של יצחק שצבור על גבי המזבח״ (ראו לדוגמא ירושלמי תענית ב,א) - אף על פי שיצחק עצמו לא נשחט כמובן, מפני שהאיל עלה לעולה במקומו ממש.

אכן, רבים אמרו שכל עניינו של קרבן בהמה אינו אלא היותו התמורה של המקריב (ראו למשל רמב״ן ויקרא א,ט; ספר החינוך, עשה צה). האדם מקריב את עצמו באופן סמלי בהביאו איל או שור במקומו, והוא כאומר: אני מוכן למסור את נפשי ולהיות כבהמה זו, אך משום שלא נאמר לי להקריב את עצמי בפועל, אני עושה זאת באופן סמלי.

׳בהר ה׳ יֵראה׳ אף על פי שביטוי זה מתייחס להר המוריה, אפשר לשמוע בו גם רמז להר סיני, שכן בשני ההרים הללו נראה ה׳. (ראו שמות כד,י). חכמים דרשו שהר סיני הוא הר המוריה שנעקר ונתלש ממקום העקדה ובא למדבר (מדרש שוחר טוב סח,ט). ייתכן שבאופן ציורי זה אומרים חכמים כי שורשה של ירידת ה׳ על הר סיני ליתן תורה לבנים נעוץ בהעלאת נפשו של יצחק אבינו על הר המוריה.

שכר העקדה לדורות השכר על העקדה יימשך גם לזרע אברהם בדורות הבאים, משום שהעקדה היא נקודת מפנה, שבה עבר לא רק אברהם אלא גם זרעו כולו תמורה מהותית.

אֶל־נְעָרָיו וַיָּקֻמוּ וַיֵּלְכוּ יַחְדָּו אֶל־בְּאֵר שָׁבַע וַיֵּשֶׁב
אַבְרָהָם בִּבְאֵר שָׁבַע׃
מפטיר וַיְהִי אַחֲרֵי הַדְּבָרִים הָאֵלֶּה וַיֻּגַּד לְאַבְרָהָם לֵאמֹר כ
הִנֵּה יָלְדָה מִלְכָּה גַם־הִוא בָּנִים לְנָחוֹר אָחִיךָ׃ אֶת־ כא
עוּץ בְּכֹרוֹ וְאֶת־בּוּז אָחִיו וְאֶת־קְמוּאֵל אֲבִי אֲרָם׃
וְאֶת־כֶּשֶׂד וְאֶת־חֲזוֹ וְאֶת־פִּלְדָּשׁ וְאֶת־יִדְלָף וְאֵת כב
בְּתוּאֵל׃ וּבְתוּאֵל יָלַד אֶת־רִבְקָה שְׁמֹנָה אֵלֶּה יָלְדָה כג
מִלְכָּה לְנָחוֹר אֲחִי אַבְרָהָם׃ וּפִילַגְשׁוֹ וּשְׁמָהּ רְאוּמָה כד
וַתֵּלֶד גַּם־הִוא אֶת־טֶבַח וְאֶת־גַּחַם וְאֶת־תַּחַשׁ וְאֶת־
מַעֲכָה׃

רש"י

יט| **וַיֵּשֶׁב אַבְרָהָם בִּבְאֵר שָׁבַע.** לֹא יְשִׁיבָה מַמָּשׁ, שֶׁהֲרֵי בְּחֶבְרוֹן הָיָה יוֹשֵׁב. שְׁתֵּים עֶשְׂרֵה שָׁנִים לִפְנֵי עֲקֵדָתוֹ שֶׁל יִצְחָק יָצָא מִבְּאֵר שֶׁבַע וּבָא לוֹ לְחֶבְרוֹן, כְּמוֹ שֶׁנֶּאֱמַר: "וַיָּגָר אַבְרָהָם בְּאֶרֶץ פְּלִשְׁתִּים יָמִים רַבִּים" (לעיל כא, לד), מְרֻבִּים מִשֶּׁל חֶבְרוֹן הָרִאשׁוֹנִים, וְהֵם עֶשְׂרִים וָשֵׁשׁ שָׁנָה כְּמוֹ שֶׁפֵּרַשְׁנוּ לְמַעְלָה:

כ| **אַחֲרֵי הַדְּבָרִים הָאֵלֶּה וַיֻּגַּד וְגוֹ'.** בְּשׁוּבוֹ מֵהַר הַמּוֹרִיָּה הָיָה אַבְרָהָם מְהַרְהֵר וְאוֹמֵר: אִלּוּ הָיָה בְּנִי שָׁחוּט כְּבָר הָיָה הוֹלֵךְ בְּלֹא בָּנִים, הָיָה לִי לְהַשִּׂיאוֹ אִשָּׁה מִבְּנוֹת עָנֵר אֶשְׁכּוֹל וּמַמְרֵא; בִּשְּׂרוֹ הַקָּדוֹשׁ בָּרוּךְ הוּא שֶׁנּוֹלְדָה רִבְקָה בַּת זוּגוֹ. וְזֶהוּ "הַדְּבָרִים הָאֵלֶּה", הִרְהוּרֵי דְבָרִים שֶׁהָיוּ עַל יְדֵי הָעֲקֵדָה: **גַּם הִוא.** אַף הִיא הִשְׁוָת מִשְׁפְּחוֹתֶיהָ לְמִשְׁפְּחוֹת אַבְרָהָם שְׁתֵּים עֶשְׂרֵה, מָה אַבְרָהָם, שְׁבָטִים שֶׁיָּצְאוּ מִיַּעֲקֹב שְׁמוֹנָה בְּנֵי הַגְּבִירוֹת וְאַרְבָּעָה בְּנֵי שְׁפָחוֹת, אַף אֵלּוּ שְׁמוֹנָה בְּנֵי גְבִירוֹת וְאַרְבָּעָה בְּנֵי פִּילֶגֶשׁ:

כג| **וּבְתוּאֵל יָלַד אֶת רִבְקָה.** כָּל הַיִּחוּסִין הַלָּלוּ לֹא נִכְתְּבוּ אֶלָּא בִּשְׁבִיל פָּסוּק זֶה

הרחבות

'וילכו יחדו' שוב מתוארת ההליכה המשותפת הדמומה: עתה נושא אברהם את חוויותיו שלו, יצחק – את חוויותיו שלו, ולצדם הנערים, שאינם יודעים דבר מכל המאורע. על איש לא ניכר מה שהתרחש בהר, במאורע הפרטי והסודי שהיו שותפים לו רק האב, בנו ואלוקים.

בני נחור ייתכן שפירוט הבנים והדגשת מספרם משמעותי, שכן המספר שנים עשר, החוזר ומופיע בבני יעקב ובמקומות אחרים, נחשב למספר שלם. בדומה למשפחת אברהם, גם ילדיו של נחור – שכללה הן אנשים פשוטים הן מנהיגים – היו יחידה משפחתית שלמה (בראשית רבה נז,ג, וראו רש"י פס' כ).

יט **וַיָּשָׁב אַבְרָהָם אֶל נְעָרָיו, וַיָּקֻמוּ, וַיֵּלְכוּ יַחְדָּו אֶל בְּאֵר שָׁבַע. וַיֵּשֶׁב** | ביאור
אַבְרָהָם בִּבְאֵר שָׁבַע, שם המשיך לשבת שנים.

צאצאי נחור והולדת רבקה

פרק כב פס׳ כ–כד

מיד לאחר העקדה מופיעה שושלת נחור, אחיו של אברהם, שאינה קשורה כלל לסיפור העקדה. תיאור משפחתי זה רומז למה שעתיד לקרות הלאה. העקדה איננה סוף, אלא היא פתיחתו של מהלך חיים חדש, ששורשו מצוי בארץ רחוקה. זרע אברהם ימשיך להתקיים, והוא יפרה וירבה מיצחק – הבן הנעקד, ומרבקה – הבת שנולדה בינתיים בחרן.

כ **וַיְהִי אַחֲרֵי הַדְּבָרִים הָאֵלֶּה**, זמן ניכר לאחר מכן,[38] **וַיֻּגַּד לְאַבְרָהָם**
לֵאמֹר: הִנֵּה יָלְדָה מִלְכָּה, אשת נחור, **גַּם הִוא, בָּנִים לְנָחוֹר אָחִיךָ**.
הידיעה הגיעה מחרן שבאזור גבול תורכיה וסוריה, שם התגוררו
אחיו נחור ומשפחתו. נחור הוליד כמה בנים – כא **אֶת עוּץ**, שם
ארמי מסורתי, **בְּכֹרוֹ וְאֶת בּוּז אָחִיו וְאֶת קְמוּאֵל אֲבִי אֲרָם**, שהיה
כנראה אדם חשוב, ראש הארמים. מלבד אברהם, יתר משפחתו
הפכה למשפחה ארמית. כב **וְאֶת כֶּשֶׂד וְאֶת חֲזוֹ וְאֶת פִּלְדָּשׁ וְאֶת**
יִדְלָף וְאֵת בְּתוּאֵל. בנו הקטן של נחור.

כג **וּבְתוּאֵל יָלַד אֶת רִבְקָה**. כנראה היו לו ילדים נוספים. בהמשך נזכר בנו לבן – שהיה מבוגר מרבקה, אך לענייננו נוגעת הולדת רבקה לבתואל, מפני שרבקה תיכנס בהמשך לסיפורנו בתור אשת יצחק.[39] חשוב לציין כאן שאברהם ידע שיש במשפחתו לפחות בת אחת העשויה להתאים ליצחק. ואולי עליה חשב כאשר שלח בפועל שליחים אל משפחתו שבחרן. **שְׁמֹנָה אֵלֶּה**, את שמונת האחים
הללו, **יָלְדָה מִלְכָּה לְנָחוֹר אֲחִי אַבְרָהָם**. כד **וּפִילַגְשׁוֹ** של נחור, **וּשְׁמָהּ**
רְאוּמָה, וַתֵּלֶד גַּם הִוא בנים: **אֶת טֶבַח וְאֶת גַּחַם וְאֶת תַּחַשׁ וְאֶת מַעֲכָה**.

העולם | עוץ לעיל (י,כג) מופיע כבנו בכורו של ארם בן שם. להלן (לו,כח) הוא נזכר כבן הבכור של דישן מבני שעיר החורי, ואחיו הקטן של עוץ הוא ארן. הרי שלושה מקומות בספר בראשית שעוץ מוזכר בקרבה לארם או ארן. יש מקום לשער שגם ארץ עוץ, הנזכרת בתחילת ספר איוב, הייתה בארם (ראו רש"י שם). אמנם מצינו את הביטוי אֶרֶץ עוּץ באדום (איכה ד,כא), אך ייתכן שעוץ היה שבט שמושבו המקורי בארם נהרים, וחלקו הדרים לאדום.

חיי שרה

כג א וַיִּהְיוּ חַיֵּי שָׂרָה מֵאָה שָׁנָה וְעֶשְׂרִים שָׁנָה וְשֶׁבַע
ב שָׁנִים שְׁנֵי חַיֵּי שָׂרָה: וַתָּמָת שָׂרָה בְּקִרְיַת אַרְבַּע הִוא
חֶבְרוֹן בְּאֶרֶץ כְּנָעַן וַיָּבֹא אַבְרָהָם לִסְפֹּד לְשָׂרָה
ג וְלִבְכֹּתָהּ: וַיָּקָם אַבְרָהָם מֵעַל פְּנֵי מֵתוֹ וַיְדַבֵּר אֶל־
ד בְּנֵי־חֵת לֵאמֹר: גֵּר־וְתוֹשָׁב אָנֹכִי עִמָּכֶם תְּנוּ לִי
ה אֲחֻזַּת־קֶבֶר עִמָּכֶם וְאֶקְבְּרָה מֵתִי מִלְּפָנָי: וַיַּעֲנוּ בְנֵי־
ו חֵת אֶת־אַבְרָהָם לֵאמֹר לוֹ: שְׁמָעֵנוּ ׀ אֲדֹנִי נְשִׂיא
אֱלֹהִים אַתָּה בְּתוֹכֵנוּ בְּמִבְחַר קְבָרֵינוּ קְבֹר אֶת־

רש"י

א| **וַיִּהְיוּ חַיֵּי שָׂרָה מֵאָה שָׁנָה וְעֶשְׂרִים שָׁנָה וְשֶׁבַע שָׁנִים.** לְכָךְ נִכְתַּב 'שָׁנָה' בְּכָל כְּלָל וּכְלָל, לוֹמַר לְךָ שֶׁכָּל אֶחָד נִדְרָשׁ לְעַצְמוֹ: בַּת מֵאָה כְּבַת עֶשְׂרִים לְחֵטְא, מָה בַּת עֶשְׂרִים לֹא חָטְאָה שֶׁהֲרֵי אֵינָהּ בַּת עֳנָשִׁין, אַף בַּת מֵאָה בְּלֹא חֵטְא, וּבַת עֶשְׂרִים כְּבַת שֶׁבַע לְיֹפִי: **שְׁנֵי חַיֵּי שָׂרָה.** כֻּלָּן שָׁוִין לְטוֹבָה:

ב| **בְּקִרְיַת אַרְבַּע.** עַל שֵׁם אַרְבָּעָה עֲנָקִים שֶׁהָיוּ שָׁם: אֲחִימַן שֵׁשַׁי וְתַלְמַי וַאֲבִיהֶם. דָּבָר אַחֵר, עַל שֵׁם אַרְבָּעָה זוּגוֹת שֶׁנִּקְבְּרוּ שָׁם, אִישׁ וְאִשְׁתּוֹ: אָדָם וְחַוָּה, אַבְרָהָם וְשָׂרָה, יִצְחָק וְרִבְקָה, יַעֲקֹב וְלֵאָה: **וַיָּבֹא אַבְרָהָם.** מִבְּאֵר שֶׁבַע "לִסְפֹּד לְשָׂרָה וְלִבְכֹּתָהּ". וְנִסְמְכָה מִיתַת שָׂרָה לַעֲקֵדַת יִצְחָק, לְפִי שֶׁעַל יְדֵי בְּשׂוֹרַת הָעֲקֵדָה שֶׁנִּזְדַּמֵּן בְּנָהּ לִשְׁחִיטָה וְכִמְעַט שֶׁלֹּא נִשְׁחַט, פָּרְחָה נִשְׁמָתָהּ וּמֵתָה:

ד| **גֵּר וְתוֹשָׁב אָנֹכִי עִמָּכֶם.** גֵּר מֵאֶרֶץ אַחֶרֶת וְנִתְיַשַּׁבְתִּי עִמָּכֶם. וּמִדְרַשׁ אַגָּדָה: אִם תִּרְצוּ – הֲרֵינִי גֵּר, וְאִם לָאו – אֶהְיֶה תּוֹשָׁב וְאֶטְּלֶנָּה מִן הַדִּין, שֶׁאָמַר לִי הַקָּדוֹשׁ בָּרוּךְ הוּא: "לְזַרְעֲךָ אֶתֵּן אֶת הָאָרֶץ הַזֹּאת" (לעיל יב, ז): **אֲחֻזַּת קֶבֶר.** אֲחֻזַּת קַרְקַע לְבֵית הַקְּבָרוֹת:

הרחבות

'וידבר אל בני חת' בני חת חיו בארץ כנען, ונחשבו מעמי כנען, אך מוצאם בעם החתי שישב מצפון לארץ ישראל. הם נקראו כך, משום שהיו 'החתים הקטנים', ענף מהאומה החתית הגדולה. מן הסתם דיברו בני חת שישבו כאן בשפת כנען ולא בשפה החתית, אם כי נראה ששמרו חלק ממנהגי בני עמם וכן את שיטתם המשפטית. חוקיהם לא היו רחוקים מאוד מאלה שנהגו בסביבתו הראשונית של אברהם, שהרי החתים חיו באסיה הקטנה לא רחוק מחרן, מקום מגורי אברהם. אשר על כן, ייתכן מאוד כי היה לאברהם קשר כלשהו עם בני חת, מלבד הקשר האישי הטוב ששמר עם מספר אישים מקרית ארבע (ראו לעיל יד,יג; יד,כד; יחזקאל טז,ג).

'תנו לי אחֻזת קבר' אברהם לא ביקש פיסת קרקע בתוך בית הקברות אלא אחוזת קבר מיוחדת. אחוזת הקבר היא נחלה חשובה הנקשרת למשפחה ולמסורתה. על כן אין אברהם רוכש קבר לשרה בלבד, אלא אחוזה שבה תיקבר משפחת אברהם גם במשך הדורות הבאים, כפי שאכן אירע.

מות שרה וקבורתה

פרק כג

מסמיכות פרשת מותה של שרה לסיפור העקדה אפשר ללמוד ששרה נפטרה מיד לאחר שבנה נעקד. וכן דרשו חז"ל. ואולם לפי הרושם הפשוט שיוצר הסיפור, שיצחק היה נער צעיר בעקדה, הרי שעבר זמן רב מאז העקדה עד מות אמו.

אין בידינו פרטים על הקורות את שרה מאז לידת יצחק. אפשר לשער שהיא עסקה בגידולו. נראה שבמשך השנים הללו שרה חייתה בעיקר בחברון, ואילו אברהם נדד לכמה מקומות אחרים.

בהמשכו של העניין מסופרים פרטים על קניינו הראשון של אברהם בארץ כנען, שהיה ראשית אחיזתם של ישראל בארץ. הכתוב מודיע היכן מצויה אחוזת הקבר שרכש אברהם לצורך קבורת אשתו, שבה עתידים להיקבר בני המשפחה בדורות הבאים, ממי היא נקנתה, וכן פרטים על אופיו הפומבי והטקסי של המעמד.

ביאור | פרק כג א **וַיִּהְיוּ חַיֵּי שָׂרָה מֵאָה שָׁנָה וְעֶשְׂרִים שָׁנָה וְשֶׁבַע שָׁנִים, שְׁנֵי**
חַיֵּי שָׂרָה. היו שדרשו את הצגת המספר באופן ארוך, במקום לכתוב
שבע ועשרים ומאה שנים, כסימון יחידות זמן, המבטאות שלבים
שונים בחייה של שרה, ובביטוי המסכם, שְׁנֵי חַיֵּי שָׂרָה, שמעו רמז לכך
שבכל פרקי חייה חייתה שרה חיים מלאים ושלמים.[1] ב **וַתָּמָת שָׂרָה**
בְּקִרְיַת אַרְבַּע, הִוא חֶבְרוֹן, בְּאֶרֶץ כְּנָעַן. וַיָּבֹא אַבְרָהָם מבאר-שבע,
מקום מושבו בזמן העקדה ואחריה, **לִסְפֹּד לְשָׂרָה**, כדרך שעושים
באבלות, **וְלִבְכֹּתָהּ**, לבְכות ולבַכות עליה.

לאחר שלב האבל מתעוררת שאלת מקום קבורתה. ג **וַיָּקָם אַבְרָהָם**
מֵעַל פְּנֵי מֵתוֹ, וַיְדַבֵּר אֶל בְּנֵי חֵת, כנראה אל זקניהם ומנהיגיהם שישבו
בשער העיר חברון, **לֵאמֹר**: ד אמנם אני **גֵּר**, זר המתגורר כאן, אך
אני ומשפחתי חיים פה שנים רבות - **וְתוֹשָׁב אָנֹכִי עִמָּכֶם**, אין לי
זכויות במקום,[2] אבל אני ידיד ותיק שלכם. **תְּנוּ לִי** חלק בארצכם
שיוכל לשמש **כַּאֲחֻזַּת קֶבֶר עִמָּכֶם, וְאֶקְבְּרָה מֵתִי מִלְּפָנָי.**

ה **וַיַּעֲנוּ בְנֵי חֵת אֶת אַבְרָהָם לֵאמֹר לוֹ.** ייתכן שישבו ודנו בינם לבין
עצמם תחילה, ולבסוף ענו לו תשובה פורמלית: ו **שְׁמָעֵנוּ אֲדֹנִי!** אתה
אומר שאתה גר ותושב, אך אינך סתם אדם - **נְשִׂיא אֱלֹהִים אַתָּה**
בְּתוֹכֵנוּ, מעלתך יתרה ממעלתו של ראש שבט קטן. ולכן **בְּמִבְחַר**

הרחבות | **'נשיא אלהים אתה'** אף אבימלך בחלום הלילה שלו שמע שאברהם הוא נביא (לעיל כ,ז), וייתכן שיצא לאברהם שם של אדם קדוש. הכבוד המיוחד שאנשי חת רוחשים כלפי אברהם מזכיר את האופן שבו הוזכר מלכי צדק מלך שלם - לא כמלך בלבד, אלא כמלך שהוא כֹּהֵן לְאֵל עֶלְיוֹן (לעיל יד,יח).

מֵתֶ֑ךָ אִ֣ישׁ מִמֶּ֔נּוּ אֶת־קִבְר֛וֹ לֹֽא־יִכְלֶ֥ה מִמְּךָ֖ מִקְּבֹ֥ר
מֵתֶֽךָ׃ וַיָּ֧קָם אַבְרָהָ֛ם וַיִּשְׁתַּ֥חוּ לְעַם־הָאָ֖רֶץ לִבְנֵי־ ז
חֵֽת׃ וַיְדַבֵּ֥ר אִתָּ֖ם לֵאמֹ֑ר אִם־יֵ֣שׁ אֶֽת־נַפְשְׁכֶ֗ם ח
לִקְבֹּ֤ר אֶת־מֵתִי֙ מִלְּפָנַ֔י שְׁמָע֕וּנִי וּפִגְעוּ־לִ֖י בְּעֶפְר֥וֹן
בֶּן־צֹֽחַר׃ וְיִתֶּן־לִ֗י אֶת־מְעָרַ֤ת הַמַּכְפֵּלָה֙ אֲשֶׁר־ל֔וֹ ט
אֲשֶׁ֖ר בִּקְצֵ֣ה שָׂדֵ֑הוּ בְּכֶ֨סֶף מָלֵ֜א יִתְּנֶ֥נָּה לִּ֛י בְּתוֹכְכֶ֖ם
לַאֲחֻזַּת־קָֽבֶר׃ וְעֶפְר֥וֹן יֹשֵׁ֖ב בְּת֣וֹךְ בְּנֵי־חֵ֑ת וַיַּ֩עַן֩ י
עֶפְר֨וֹן הַחִתִּ֤י אֶת־אַבְרָהָם֙ בְּאָזְנֵ֣י בְנֵי־חֵ֔ת לְכֹ֛ל בָּאֵ֥י
שַֽׁעַר־עִיר֖וֹ לֵאמֹֽר׃ לֹֽא־אֲדֹנִ֣י שְׁמָעֵ֔נִי הַשָּׂדֶה֙ נָתַ֣תִּי יא
לָ֔ךְ וְהַמְּעָרָ֥ה אֲשֶׁר־בּ֖וֹ לְךָ֣ נְתַתִּ֑יהָ לְעֵינֵ֧י בְנֵי־עַמִּ֛י
נְתַתִּ֥יהָ לָּ֖ךְ קְבֹ֥ר מֵתֶֽךָ׃ וַיִּשְׁתַּ֨חוּ֙ אַבְרָהָ֔ם לִפְנֵ֖י עַם־ יב

רש"י

ו **לֹא יִכְלֶה.** לֹא יִמְנַע, כְּמוֹ: "לֹא תִכְלָא רַחֲמֶיךָ" (תהלים מ, יב), וּכְמוֹ: "וַיִּכָּלֵא הַגֶּשֶׁם" (לעיל ח, ב).

ח **נַפְשְׁכֶם.** רְצוֹנְכֶם. **וּפִגְעוּ לִי.** לְשׁוֹן בַּקָּשָׁה, כְּמוֹ: "אַל תִּפְגְּעִי בִי" (רות א, טז).

ט **הַמַּכְפֵּלָה.** בַּיִת וַעֲלִיָּה עַל גַּבָּיו. דָּבָר אַחֵר, שֶׁכְּפוּלָה בְּזוּגוֹת. **בְּכֶסֶף מָלֵא.** שָׁלֵם, כָּל שָׁוְיָה.

י **וְעֶפְרוֹן יֹשֵׁב.** כְּתִיב חָסֵר, אוֹתוֹ הַיּוֹם מִנּוּהוּ שׁוֹטֵר עֲלֵיהֶם; מִפְּנֵי חֲשִׁיבוּתוֹ שֶׁל אַבְרָהָם שֶׁהָיָה צָרִיךְ לוֹ, עָלָה לִגְדֻלָּה: **לְכֹל בָּאֵי שַׁעַר עִירוֹ.** שֶׁכֻּלָּן בָּטְלוּ מִמְּלַאכְתָּן וּבָאוּ לִגְמֹל חֶסֶד לְשָׂרָה.

יא **לֹא אֲדֹנִי.** לֹא תִקְנֶה אוֹתָהּ בְּדָמִים: **נָתַתִּי לָךְ.** הֲרֵי הִיא כְּמוֹ שֶׁנְּתַתִּיהָ לָךְ.

הרחבות

'מערת המכפלה' כיוון שלמערת המכפלה לא נכנסו זמן רב מאוד, המבנה שלה אינו ידוע. גם בעבר לא היה ברור אם המערה כפולה בכך שבתוכה מצויה מערה נוספת, האם מדובר בשתי מערות זו אחר זו, או שמא במערה אחת מעל חברתה (ראו עירובין נג ע"א, והשוו רש"י וראב"ע על אתר).

היו שאמרו שהייתה זו מערת קבורה עתיקה, ובה נקברו אדם וחוה. כיוון שאברהם חי בחברון, הוא ידע על קיומה, ואולי משום כך עמד על רצונו לקבור את שרה דווקא בה, ואף הציע לשלם תמורתה במיטב כספו (ילקוט שמעוני יהושע כח). אברהם אף ידע למי היא שייכת. ייתכן שבתור אדם מסודר המתכנן דברים מראש, הוא חשב על רכישתה גם קודם, שהרי לא יכול היה לדעת אם שרה תסתלק מן העולם לפניו או אחריו, אך לא הספיק. כפי שנאמר, הוא בא מרחוק לספוד לשרה ולבכותה. נראה שפטירתה הפתיעה אותו.

ביאור

קְבָרֵינוּ קְבֹר אֶת מֵתֶךָ. אִישׁ מִמֶּנּוּ אֶת קִבְרוֹ לֹא יִכְלֶה מִמְּךָ מִקְּבֹר מֵתֶךָ.
בְּחַר לך קבר בכל מקום שתרצה. בדברים אלו מכריזים בני המקום,
שלאברהם יש זכויות בלתי פורמליות לגבי ארצם.

ז **וַיָּקָם אַבְרָהָם וַיִּשְׁתַּחוּ**, השתחווה, או: החווה קידה[3] – ביטוי טקסי
המבטא כבוד ורגשי תודה – **לְעַם הָאָרֶץ לִבְנֵי חֵת.** ח למרות ביטויי
התודה, אברהם איננו רוצה לקבור את אשתו בתוך אחוזות הקברים
של בני חת, אלא מעוניין באחוזה מיוחדת. **וַיְדַבֵּר אִתָּם לֵאמֹר: אִם
יֵשׁ אֶת נַפְשְׁכֶם לִקְבֹּר אֶת מֵתִי מִלְּפָנַי**, אם באמת רוצים אתם למלא
את בקשתי, **שְׁמָעוּנִי וּפִגְעוּ לִי**, בקשו בעבורי מאדם מסוים – **בְּעֶפְרוֹן
בֶּן צֹחַר,** ט **וְיִתֶּן לִי אֶת מְעָרַת הַמַּכְפֵּלָה**, כך שמה, משום היותה
כפולה. **אֲשֶׁר לוֹ, אֲשֶׁר בִּקְצֵה שָׂדֵהוּ. בְּכֶסֶף מָלֵא יִתְּנֶנָּה לִי בְּתוֹכְכֶם
לַאֲחֻזַּת קָבֶר.** אף שהציעו לו להשתמש בכל נחלה שירצה, אברהם
התעקש לקנות את המקום בכסף מלא, מכיוון שמדובר באחוזת
נחלה שתשמש את המשפחה לצמיתות.[4]

י **וְעֶפְרוֹן**, שלא היה בהכרח מחשובי העיר **יֹשֵׁב**, נכח באותו זמן **בְּתוֹךְ**,
בין **בְּנֵי חֵת. וַיַּעַן עֶפְרוֹן הַחִתִּי אֶת אַבְרָהָם בְּאָזְנֵי בְנֵי חֵת, לְכֹל בָּאֵי
שַׁעַר עִירוֹ** אף הוא נהג בטקסיות – בא בפני מועצת העיר והכריז
הכרזה פומבית **לֵאמֹר:** יא **לֹא אֲדֹנִי**, הצעתָ לקנות חלק מאדמתי –
לא כך, אלא **שְׁמָעֵנִי: הַשָּׂדֶה נָתַתִּי לָךְ**, אני נותן לך את השדה כולו[5]
וְהַמְּעָרָה אֲשֶׁר בּוֹ לְךָ נְתַתִּיהָ. לְעֵינֵי בְנֵי עַמִּי נְתַתִּיהָ לָּךְ, כולם שומעים
את ההצהרה. אינני מעכב בעדך. **לֵךְ קְבֹר מֵתֶךָ.** אפנה את השטח
עבור אדם נכבד כמוך, והשטח כולו – שלך.

יב **וַיִּשְׁתַּחוּ אַבְרָהָם לִפְנֵי עַם הָאָרֶץ** פעם שנייה. במחווה הטקסית

הרחבות

המכירה לטקס המתואר כאן דמיון רב לנוסח ההתמקחות במזרח, והוא מתנהל על פי כללי המסחר בשוק מזרחי מסורתי: אדם פונה למוכר ומביע את רצונו לקנות דבר מסוים. תגובתו של המוכר – שאיננה תמיד ביטוי של לב טוב – היא: אתה ידידי הקרוב והאהוב, לך אינני מוכר – אתן לך את הדבר ללא תמורה. הקונה – היודע שזהו ביטוי טקסי בלבד, ואין להבינו באופן מילולי, עומד על כך שהוא מעוניין דווקא לקנות. לאחר מכן הוא מבקש ומתחנן לפני המוכר שינקוב מחיר כלשהו. בשלב זה נוקב המוכר בדרך כלל מחיר שהוא גדול לפעמים פי עשר משוויו האמתי של החפץ, ואז מתחיל המיקוח. העסקה מסתיימת כשמגיעים לעמק השווה. כאשר כלליה של מסורת התמקחות טקסית זו אינם נשמרים, חשים הן המוכר הן הקונה שהעסקה לא נעשתה כראוי. השיחה בין אברהם לעפרון היא אולי התיעוד הראשון בהיסטוריה של מתכונת המיקוח הזאת.

הָאָרֶץ: וַיְדַבֵּר אֶל־עֶפְרוֹן בְּאָזְנֵי עַם־הָאָרֶץ לֵאמֹר יג
אַךְ אִם־אַתָּה לוּ שְׁמָעֵנִי נָתַתִּי כֶּסֶף הַשָּׂדֶה קַח מִמֶּנִּי
וְאֶקְבְּרָה אֶת־מֵתִי שָׁמָּה: וַיַּעַן עֶפְרוֹן אֶת־אַבְרָהָם יד
לֵאמֹר לוֹ: אֲדֹנִי שְׁמָעֵנִי אֶרֶץ אַרְבַּע מֵאֹת שֶׁקֶל־ טו
כֶּסֶף בֵּינִי וּבֵינְךָ מַה־הִוא וְאֶת־מֵתְךָ קְבֹר: וַיִּשְׁמַע טז
אַבְרָהָם אֶל־עֶפְרוֹן וַיִּשְׁקֹל אַבְרָהָם לְעֶפְרֹן אֶת־
הַכֶּסֶף אֲשֶׁר דִּבֶּר בְּאָזְנֵי בְנֵי־חֵת אַרְבַּע מֵאוֹת
שני שֶׁקֶל כֶּסֶף עֹבֵר לַסֹּחֵר: וַיָּקָם | שְׂדֵה עֶפְרוֹן אֲשֶׁר יז
בַּמַּכְפֵּלָה אֲשֶׁר לִפְנֵי מַמְרֵא הַשָּׂדֶה וְהַמְּעָרָה אֲשֶׁר־
בּוֹ וְכָל־הָעֵץ אֲשֶׁר בַּשָּׂדֶה אֲשֶׁר בְּכָל־גְּבֻלוֹ סָבִיב:
לְאַבְרָהָם לְמִקְנָה לְעֵינֵי בְנֵי־חֵת בְּכֹל בָּאֵי שַׁעַר־עִירוֹ: יח
וְאַחֲרֵי־כֵן קָבַר אַבְרָהָם אֶת־שָׂרָה אִשְׁתּוֹ אֶל־מְעָרַת יט

רש"י

יג | **אַךְ אִם אַתָּה לוּ שְׁמָעֵנִי.** אַתָּה אוֹמֵר לִי לִשְׁמֹעַ לְךָ וְלִקַּח חִנָּם, אֲנִי אִי אֶפְשִׁי בְּכָךְ. **אַךְ אִם אַתָּה לוּ שְׁמָעֵנִי.** הַלְוַאי וְתִשְׁמָעֵנִי: **נָתַתִּי.** דונ"ר בְּלַעַז, מוּכָן הוּא אֶצְלִי וְהַלְוַאי נְתַתִּיו לְךָ כְּבָר:

טו | **בֵּינִי וּבֵינְךָ.** בֵּין שְׁנֵי אוֹהֲבִים כָּמוֹנוּ "מַה הִיא" – חֲשׁוּבָה לִכְלוּם, אֶלָּא הַנַּח אֶת הַמֶּכֶר "וְאֶת מֵתְךָ קְבֹר":

טז | **וַיִּשְׁקֹל אַבְרָהָם לְעֶפְרֹן.** חָסֵר וָי"ו, לְפִי שֶׁאָמַר הַרְבֵּה וַאֲפִלּוּ מְעַט לֹא עָשָׂה, שֶׁנָּטַל מִמֶּנּוּ שְׁקָלִים גְּדוֹלִים שֶׁהֵן קַנְטָרִין, שֶׁנֶּאֱמַר: "עֹבֵר לַסֹּחֵר", שֶׁמִּתְקַבְּלִים כְּשֶׁקֶל בְּכָל מָקוֹם, וְיֵשׁ מָקוֹם שֶׁשִּׁקְלֵיהֶן גְּדוֹלִים שֶׁהֵן קַנְטָרִין, צנטינאר"ש בְּלַעַז:

יז-יח | **וַיָּקָם שְׂדֵה עֶפְרוֹן.** תְּקוּמָה הָיְתָה לוֹ שֶׁיָּצָא מִיַּד הֶדְיוֹט לְיַד מֶלֶךְ. וּפְשׁוּטוֹ שֶׁל מִקְרָא: וַיָּקָם הַשָּׂדֶה וְהַמְּעָרָה אֲשֶׁר בּוֹ וְכָל הָעֵץ לְאַבְרָהָם לְמִקְנָה וְגוֹ': **בְּכֹל בָּאֵי שַׁעַר עִירוֹ.** בְּקֶרֶב כֻּלָּם וּבְמַעֲמַד כֻּלָּם הִקְנָהוּ לוֹ:

הרחבות

'ארבע מאות שקל כסף' איננו יודעים בדיוק מה היו מחירי הקרקעות באותם זמנים, אך מן התורה אפשר ללמוד כי מחירה של חלקה גדולה מאוד של קרקע חקלאית היה קטן יותר לאין ערוך (ראו להלן לג,יט). אם נזכור שמדובר כאן בארץ טרשים – שכן זוהי מערה, שאין זורעים ואין קוצרים בה ובסביבתה – הרי שהסכום שעפרון נקט גבוה בהרבה משוויו האמתי של הנכס. כאמור, עפרון לא ציפה לקבל את הסכום, ונקב מחיר המופרז כחלק מנוסח ההתמקחות המקובל.

ביאור | של ההשתחוויה החוזרת ביטא אברהם את תודתו להצעה הנדיבה
של עפרון. יג ובכל זאת – **וַיְדַבֵּר** אברהם **אֶל עֶפְרוֹן בְּאָזְנֵי עַם הָאָרֶץ**
לֵאמֹר: אַךְ אִם אַתָּה לוּ שְׁמָעֵנִי, כשפנית אלי ואמרת לי: לֹא אֲדֹנִי,
שְׁמָעֵנִי, הקשבתי לך; עכשיו, שְׁמע אתה אותי: **נָתַתִּי כֶּסֶף הַשָּׂדֶה**,
אני נותן את הכסף וקונה את השדה, בבקשה **קַח** את הכסף **מִמֶּנִּי**,
וְאֶקְבְּרָה אֶת מֵתִי שָׁמָּה.

עד כאן דובר באופן כללי, עתה עפרון צריך לנקוב במחיר. יד **וַיַּעַן**
עֶפְרוֹן אֶת אַבְרָהָם לֵאמֹר לוֹ: טו **אֲדֹנִי, שְׁמָעֵנִי, אֶרֶץ** זו שווה **אַרְבַּע**
מֵאֹת שֶׁקֶל כֶּסֶף, בֵּינִי וּבֵינְךָ מַה הִוא. הרי אנחנו קרובים ומיודדים,
על כן חלקה כזו איננה עניין שצריך להעסיק אותנו, **וְאֶת מֵתְךָ קְבֹר**,
ולא נתעכב סביב שאלת המחיר.

טז **וַיִּשְׁמַע אַבְרָהָם אֶל עֶפְרוֹן, וַיִּשְׁקֹל.** קרוב לוודאי שהכסף לא היה
אלא פיסות מתכת שבאו במשקל. **אַבְרָהָם לְעֶפְרֹן אֶת הַכֶּסֶף אֲשֶׁר**
דִּבֶּר בְּאָזְנֵי בְנֵי חֵת. אברהם הפתיע את עפרון, שציפה שאברהם
יציע סכום קטן, וכך הייתה ההתמקחות נמשכת להנאת הצדדים,
אך אברהם בחר להימנע מההתנהלות הטקסית, והוא שילם מיד
את הסכום המופקע – **אַרְבַּע מֵאוֹת שֶׁקֶל כֶּסֶף עֹבֵר לַסֹּחֵר**, כסף נקי
ומובחר, שיכול להתקבל ברצון על ידי כל אדם בעולם.

יז **וַיָּקָם שְׂדֵה עֶפְרוֹן אֲשֶׁר בַּמַּכְפֵּלָה**, השדה שהיה מסביב למערת
המכפלה, **אֲשֶׁר לִפְנֵי מַמְרֵא, הַשָּׂדֶה וְהַמְּעָרָה אֲשֶׁר בּוֹ, וְכָל הָעֵץ אֲשֶׁר**
בַּשָּׂדֶה אֲשֶׁר בְּכָל גְּבֻלוֹ סָבִיב. אברהם לא הסתפק ברכישת המערה
בלבד, אלא גם את השטח שסביבה ואת דרך הגישה אליה. יח כל
זה היה **לְאַבְרָהָם לְמִקְנָה לְעֵינֵי בְנֵי חֵת, בְּכֹל בָּאֵי שַׁעַר עִירוֹ.** יט **וְאַחֲרֵי**
כֵן, לאחר שהשטח עבר לבעלותו, **קָבַר אַבְרָהָם אֶת שָׂרָה אִשְׁתּוֹ אֶל**

הרחבות | **'לעיני בני חת, בכל באי שער עירו'** הכתוב חוזר ומדגיש שהקניין הראשון של אברהם בארץ לא נעשה באונס ולא בכפייה, אלא ברצונם ובהסכמתם של כל הנוגעים בדבר. הקניין היה מקובל על המוכר, ולא זו בלבד – גם כל בני העיר הסכימו לו. תושבי העיר היו יכולים להביע התנגדותם למכירתה של קרקע מקרקעות העיר לזרים, אך התושבים, שהיו נוכחים במעמד הסכימו להעברת הבעלות הפומבית והרשמית (ראו ספורנו פס' כ).

שְׂדֵה הַמַּכְפֵּלָה עַל־פְּנֵי מַמְרֵא הִוא חֶבְרוֹן בְּאֶרֶץ
כְּנָעַן: וַיָּקָם הַשָּׂדֶה וְהַמְּעָרָה אֲשֶׁר־בּוֹ לְאַבְרָהָם כ
כ לַאֲחֻזַּת־קָבֶר מֵאֵת בְּנֵי־חֵת: וְאַבְרָהָם א כד
זָקֵן בָּא בַּיָּמִים וַיהוה בֵּרַךְ אֶת־אַבְרָהָם בַּכֹּל: וַיֹּאמֶר ב
אַבְרָהָם אֶל־עַבְדּוֹ זְקַן בֵּיתוֹ הַמֹּשֵׁל בְּכָל־אֲשֶׁר־לוֹ
שִׂים־נָא יָדְךָ תַּחַת יְרֵכִי: וְאַשְׁבִּיעֲךָ בַּיהוה אֱלֹהֵי ג
הַשָּׁמַיִם וֵאלֹהֵי הָאָרֶץ אֲשֶׁר לֹא־תִקַּח אִשָּׁה לִבְנִי
מִבְּנוֹת הַכְּנַעֲנִי אֲשֶׁר אָנֹכִי יוֹשֵׁב בְּקִרְבּוֹ: כִּי אֶל־ ד
אַרְצִי וְאֶל־מוֹלַדְתִּי תֵּלֵךְ וְלָקַחְתָּ אִשָּׁה לִבְנִי לְיִצְחָק:

רש״י | פרק כד

א) **בֵּרַךְ אֶת אַבְרָהָם בַּכֹּל.** 'בַּכֹּל' עוֹלֶה בְּגִימַטְרִיָּא 'בֵּן', וּמֵאַחַר שֶׁהָיָה לוֹ בֵּן הָיָה צָרִיךְ לְהַשִּׂיאוֹ אִשָּׁה:

ב) **זְקַן בֵּיתוֹ.** לְפִי שֶׁהוּא דָּבוּק נָקוּד 'זְקַן':

תַּחַת יְרֵכִי. לְפִי שֶׁהַנִּשְׁבָּע צָרִיךְ לִטֹּל בְּיָדוֹ חֵפֶץ שֶׁל מִצְוָה כְּגוֹן סֵפֶר תּוֹרָה אוֹ תְּפִלִּין, וְהַמִּילָה הָיְתָה מִצְוָה רִאשׁוֹנָה לוֹ, וּבָאָה לוֹ עַל יְדֵי צַעַר וְהָיְתָה חֲבִיבָה עָלָיו, וּנְטָלָהּ:

הרחבות | **ויאמר אברהם אל עבדו'** בכל הפרשה לא נזכר שמו של עבד אברהם. לפי המסורת, שהתבססה על השוואה עם המסופר קודם לכן, וּבֶן מֶשֶׁק בֵּיתִי הוּא דַּמֶּשֶׂק אֱלִיעֶזֶר... הֵן לִי לֹא נָתַתָּה זָרַע וְהִנֵּה בֶן בֵּיתִי יוֹרֵשׁ אֹתִי (לעיל טו,ב-ג), עבד זה זוהה עם אליעזר (יומא כח ע״ב, וראו יונתן פס׳ ב).

ביאור | מְעָרַת, במערת[6] שְׂדֵה הַמַּכְפֵּלָה עַל פְּנֵי מַמְרֵא, הִוא חֶבְרוֹן, בְּאֶרֶץ כְּנָעַן. כ וַיָּקָם הַשָּׂדֶה וְהַמְּעָרָה אֲשֶׁר בּוֹ לְאַבְרָהָם לַאֲחֻזַּת קָבֶר של המשפחה, שאותה קנה מֵאֵת בְּנֵי חֵת.

אשה ליצחק

פרק כד

מציאתה של אשה ליצחק בן אברהם מסופרת בעניין זה בפירוט רב יותר מאשר כל פרק סיפורי כיוצא בו בתנ"ך. וכבר הרגישו בכך חכמים ואמרו: "יפה שיחתן של עבדי אבות לפני הקדוש ברוך הוא, יותר מתורתן של בנים, שהרי פרשה של אליעזר כפולה בתורה, והרבה גופי תורה לא ניתנו אלא ברמיזה". בפרשה זו מתוארת שרשרת הפעולות האנושיות עד פרטיהן האחרונים: דיווח על מה שנאמר בשיחות, ההליכה והחנייה, הטיפול בגמלים, האירוח וכדומה. את כל המאורעות הללו מלווה ההשגחה העליונה ומתזמנת אותם באופן מופלא. זהו סיפור אנושי מאוד שנסוך עליו חסד עליון.

פרק כד א וְאַבְרָהָם זָקֵן בָּא בַּיָּמִים. לפי חשבון הזמנים, גילו של יצחק באותה עת היה שלושים ושבע או שלושים ושמונה, ועל כן אברהם הוא בן מאה שלושים ושבע או מעט יותר. ייתכן שפתיחה זו משקפת גם את תחושתו של אברהם לגבי עצמו. וַה׳ בֵּרַךְ אֶת אַבְרָהָם בַּכֹּל, ברכה זו כוללת גם מנוחה ושלווה מטרדותיו וממסעות נדודיו.

ב וַיֹּאמֶר אַבְרָהָם אֶל עַבְדּוֹ זְקַן בֵּיתוֹ, לאו דווקא היה אדם זקן, אלא בעל התפקיד הבכיר והמכובד ביותר, הַמֹּשֵׁל בְּכָל אֲשֶׁר לוֹ, המנהל הכללי של משק ביתו של אברהם: שִׂים נָא יָדְךָ תַּחַת יְרֵכִי – טקס עתיק מאוד של שבועה. בניגוד לתקיעת כף או לחיצת יד – מחוות התחייבות הנעשית בין אנשים בני אותו מעמד, השבועה שבהנחת היד תחת ירכו של המשביע, בעוד הוא יושב, מתחוללת בין משביע בכיר לבין מי שכפוף לו. בפעולה זו מבטא הנשבע את התחייבותו לתת את ידו למשביע.[7] ג וְאַשְׁבִּיעֲךָ בַּה׳ אֱלֹהֵי הַשָּׁמַיִם וֵאלֹהֵי הָאָרֶץ, שבידו הכול, אֲשֶׁר לֹא תִקַּח אִשָּׁה לִבְנִי מִבְּנוֹת הַכְּנַעֲנִי אֲשֶׁר אָנֹכִי יוֹשֵׁב בְּקִרְבּוֹ. אברהם הזקן לא ידע כמה שנים עוד יחיה, ואם יצליח בעצמו להשיא אשה לבנו. על כן דרש מעבדו שידאג שלא להשיאו לבנות כנען, כאשר הוא עצמו כבר לא יהיה בין החיים. ד כִּי אֶל אַרְצִי ארם נהריים וְאֶל מוֹלַדְתִּי חרן, מקום משפחתי המורחבת, השבט שלתוכו נולדתי, לשם תֵּלֵךְ, וְלָקַחְתָּ אִשָּׁה לִבְנִי לְיִצְחָק משם.

ה וַיֹּאמֶר אֵלָיו הָעֶבֶד אוּלַי לֹא־תֹאבֶה הָאִשָּׁה לָלֶכֶת
אַחֲרַי אֶל־הָאָרֶץ הַזֹּאת הֶהָשֵׁב אָשִׁיב אֶת־בִּנְךָ אֶל־
ו הָאָרֶץ אֲשֶׁר־יָצָאתָ מִשָּׁם: וַיֹּאמֶר אֵלָיו אַבְרָהָם
ז הִשָּׁמֶר לְךָ פֶּן־תָּשִׁיב אֶת־בְּנִי שָׁמָּה: יְהוָה ׀ אֱלֹהֵי
הַשָּׁמַיִם אֲשֶׁר לְקָחַנִי מִבֵּית אָבִי וּמֵאֶרֶץ מוֹלַדְתִּי
וַאֲשֶׁר דִּבֶּר־לִי וַאֲשֶׁר נִשְׁבַּע־לִי לֵאמֹר לְזַרְעֲךָ אֶתֵּן
אֶת־הָאָרֶץ הַזֹּאת הוּא יִשְׁלַח מַלְאָכוֹ לְפָנֶיךָ וְלָקַחְתָּ
ח אִשָּׁה לִבְנִי מִשָּׁם: וְאִם־לֹא תֹאבֶה הָאִשָּׁה לָלֶכֶת
אַחֲרֶיךָ וְנִקִּיתָ מִשְּׁבֻעָתִי זֹאת רַק אֶת־בְּנִי לֹא תָשֵׁב
ט שָׁמָּה: וַיָּשֶׂם הָעֶבֶד אֶת־יָדוֹ תַּחַת יֶרֶךְ אַבְרָהָם אֲדֹנָיו
שלישי י וַיִּשָּׁבַע לוֹ עַל־הַדָּבָר הַזֶּה: וַיִּקַּח הָעֶבֶד עֲשָׂרָה
גְמַלִּים מִגְּמַלֵּי אֲדֹנָיו וַיֵּלֶךְ וְכָל־טוּב אֲדֹנָיו בְּיָדוֹ וַיָּקָם
יא וַיֵּלֶךְ אֶל־אֲרַם נַהֲרַיִם אֶל־עִיר נָחוֹר: וַיַּבְרֵךְ הַגְּמַלִּים

רש"י

ז| **ה' אֱלֹהֵי הַשָּׁמַיִם אֲשֶׁר לְקָחַנִי מִבֵּית אָבִי.** וְלֹא אָמַר 'וֵאלֹהֵי הָאָרֶץ', וּלְמַעְלָה אָמַר: "וְאַשְׁבִּיעֲךָ" וְגוֹ' (לעיל פסוק ג). אָמַר לוֹ: עַכְשָׁיו הוּא אֱלֹהֵי הַשָּׁמַיִם וֵאלֹהֵי הָאָרֶץ, שֶׁהִרְגַּלְתִּיו בְּפִי הַבְּרִיּוֹת, אֲבָל כְּשֶׁלְּקָחַנִי מִבֵּית אָבִי הָיָה אֱלֹהֵי הַשָּׁמַיִם וְלֹא אֱלֹהֵי הָאָרֶץ, שֶׁלֹּא הָיוּ בָּאֵי עוֹלָם מַכִּירִים בּוֹ: **מִבֵּית אָבִי.** מֵחָרָן: **וּמֵאֶרֶץ מוֹלַדְתִּי.** מֵאוּר כַּשְׂדִּים: **וַאֲשֶׁר דִּבֶּר לִי.** לְצָרְכִּי, כְּמוֹ: 'אֲשֶׁר דִּבֶּר עָלַי'. וְכֵן כָּל 'לִי' 'לוֹ' 'לָהֶם' הַסְּמוּכִים אֵצֶל דִּבּוּר מְפֹרָשִׁים בִּלְשׁוֹן 'עַל', וְתַרְגּוּם שֶׁלָּהֶם: 'עֲלַי' 'עֲלוֹהִי' 'עֲלֵיהוֹן', שֶׁאֵין נוֹפֵל אֵצֶל דִּבּוּר לְשׁוֹן 'לִי' 'לוֹ' 'לָהֶם', אֶלָּא 'אֵלַי' 'אֵלָיו' 'אֲלֵיהֶם', וְתַרְגּוּם שֶׁלָּהֶם: 'עִמִּי' 'עִמֵּיהּ' 'עִמְּהוֹן'. אֲבָל אֵצֶל אֲמִירָה נוֹפֵל 'לִי' 'לוֹ' 'לָהֶם': **וַאֲשֶׁר נִשְׁבַּע לִי.** בֵּין הַבְּתָרִים:

ח| **וְנִקִּיתָ מִשְּׁבֻעָתִי.** וְקַח לוֹ אִשָּׁה מִבְּנוֹת עָנֵר אֶשְׁכּוֹל וּמַמְרֵא: **רַק אֶת בְּנִי וְגוֹ'.** 'רַק' מִעוּט הוּא – בְּנִי אֵינוֹ חוֹזֵר, אֲבָל יַעֲקֹב בֶּן בְּנִי סוֹפוֹ לַחֲזֹר:

י| **מִגְּמַלֵּי אֲדֹנָיו.** נִכָּרִין הָיוּ מִשְּׁאָר גְּמַלִּים, שֶׁהָיוּ יוֹצְאִין זְמוּמִין מִפְּנֵי הַגָּזֵל שֶׁלֹּא יִרְעוּ בִּשְׂדוֹת אֲחֵרִים: **וְכָל טוּב אֲדֹנָיו בְּיָדוֹ.** שְׁטַר מַתָּנָה כָּתַב לְיִצְחָק עַל כָּל אֲשֶׁר לוֹ, כְּדֵי שֶׁיִּקְפְּצוּ לִשְׁלֹחַ לוֹ בִּתָּם: **אֲרַם נַהֲרַיִם.** בֵּין שְׁתֵּי נְהָרוֹת יוֹשֶׁבֶת:

יא| **וַיַּבְרֵךְ הַגְּמַלִּים.** הִרְבִּיצָם:

ביאור

ה וַיֹּאמֶר אֵלָיו הָעֶבֶד: אוּלַי לֹא תֹאבֶה, תרצה הָאִשָּׁה לָלֶכֶת אַחֲרַי
אֶל הָאָרֶץ הַזֹּאת. חרן מצויה הרחק מכאן, בגבולה הדרומי של
תורכיה של היום. זוהי הליכה רבה. כיצד אנהג אם היא תסרב
להרחיק מביתה עד לכאן – הֶהָשֵׁב אָשִׁיב אֶת בִּנְךָ אֶל הָאָרֶץ אֲשֶׁר
יָצָאתָ מִשָּׁם?

ו וַיֹּאמֶר אֵלָיו אַבְרָהָם: הִשָּׁמֶר לְךָ פֶּן תָּשִׁיב אֶת בְּנִי שָׁמָּה. לא אני
בחרתי להרחיק נדוד מארץ מולדתי, ז אלא – ה׳ אֱלֹהֵי הַשָּׁמַיִם, אֲשֶׁר
לְקָחַנִי מִבֵּית אָבִי וּמֵאֶרֶץ מוֹלַדְתִּי, וַאֲשֶׁר דִּבֶּר לִי בנבואה, וַאֲשֶׁר נִשְׁבַּע
לִי לֵאמֹר: ״לְזַרְעֲךָ אֶתֵּן אֶת הָאָרֶץ הַזֹּאת״ – הוּא יִשְׁלַח מַלְאָכוֹ לְפָנֶיךָ,
הוא יעזור לך, וְלָקַחְתָּ, ואתה תצליח למצוא אִשָּׁה לִבְנִי מִשָּׁם. ח וְאִם
לֹא תֹאבֶה, תרצה הָאִשָּׁה לָלֶכֶת אַחֲרֶיךָ – וְנִקִּיתָ מִשְּׁבֻעָתִי זֹאת, ולא
תצטרך לחפש עוד. רַק אֶת בְּנִי לֹא תָשֵׁב שָׁמָּה. יצחק צריך להישאר
בארץ הזאת. את הארץ הזאת נתן לי ה׳, ובה ציווה עלי לשבת, ועל
כן גם בני לא יצא ממנה.[8]

ט וַיָּשֶׂם הָעֶבֶד אֶת יָדוֹ תַּחַת יֶרֶךְ אַבְרָהָם אֲדֹנָיו, וַיִּשָּׁבַע לוֹ עַל הַדָּבָר
הַזֶּה. י וַיִּקַּח הָעֶבֶד עֲשָׂרָה גְמַלִּים מִגְּמַלֵּי אֲדֹנָיו לשם המסע הממושך
והקשה הזה מדרום ארץ כנען עד חרן, וַיֵּלֶךְ וְכָל טוּב אֲדֹנָיו בְּיָדוֹ.
מתנות וחפצים מיוחדים אחרים, שבאמצעותם יוכל לייצג את
מעמדו ואת כוחו של אברהם, וכן דברים שיזדקק להם במסעו.[9]
וַיָּקָם וַיֵּלֶךְ אֶל אֲרַם נַהֲרַיִם, אֶל עִיר נָחוֹר.

יא בסוף מסעו – וַיַּבְרֵךְ הַגְּמַלִּים, בניגוד לסוסים וחמורים, הנשארים

הרחבות

׳רק את בני לא תשב שָׁמה׳ ואכן, במשך כל חייו נשאר יצחק בגבולות הארץ. הוא, הנעקד על המזבח, היחיד מבין שלושת האבות שלא יצא מארץ כנען.

מִחוּץ לָעִיר אֶל־בְּאֵר הַמָּיִם לְעֵת עֶרֶב לְעֵת צֵאת
הַשֹּׁאֲבֹת: וַיֹּאמַר ׀ יְהוָה אֱלֹהֵי אֲדֹנִי אַבְרָהָם הַקְרֵה־ יב
נָא לְפָנַי הַיּוֹם וַעֲשֵׂה־חֶסֶד עִם אֲדֹנִי אַבְרָהָם: הִנֵּה יג
אָנֹכִי נִצָּב עַל־עֵין הַמָּיִם וּבְנוֹת אַנְשֵׁי הָעִיר יֹצְאֹת
לִשְׁאֹב מָיִם: וְהָיָה הַנַּעֲרָ אֲשֶׁר אֹמַר אֵלֶיהָ הַטִּי־נָא יד
כַדֵּךְ וְאֶשְׁתֶּה וְאָמְרָה שְׁתֵה וְגַם־גְּמַלֶּיךָ אַשְׁקֶה אֹתָהּ
הֹכַחְתָּ לְעַבְדְּךָ לְיִצְחָק וּבָהּ אֵדַע כִּי־עָשִׂיתָ חֶסֶד
עִם־אֲדֹנִי: וַיְהִי־הוּא טֶרֶם כִּלָּה לְדַבֵּר וְהִנֵּה רִבְקָה טו
יֹצֵאת אֲשֶׁר יֻלְּדָה לִבְתוּאֵל בֶּן־מִלְכָּה אֵשֶׁת נָחוֹר
אֲחִי אַבְרָהָם וְכַדָּהּ עַל־שִׁכְמָהּ: וְהַנַּעֲרָ טֹבַת מַרְאֶה טז
מְאֹד בְּתוּלָה וְאִישׁ לֹא יְדָעָהּ וַתֵּרֶד הָעַיְנָה וַתְּמַלֵּא
כַדָּהּ וַתָּעַל: וַיָּרָץ הָעֶבֶד לִקְרָאתָהּ וַיֹּאמֶר הַגְמִיאִינִי יז
נָא מְעַט־מַיִם מִכַּדֵּךְ: וַתֹּאמֶר שְׁתֵה אֲדֹנִי וַתְּמַהֵר יח
וַתֹּרֶד כַּדָּהּ עַל־יָדָהּ וַתַּשְׁקֵהוּ: וַתְּכַל לְהַשְׁקֹתוֹ יט

רש"י

יד] **אֹתָהּ הֹכַחְתָּ.** רְאוּיָה הִיא לוֹ, שֶׁתְּהֵא גּוֹמֶלֶת חֲסָדִים וּכְדַאי לִכָּנֵס בְּבֵיתוֹ שֶׁל אַבְרָהָם. וּלְשׁוֹן 'הוֹכַחְתָּ' בֵּרַרְתָּ, אפרובי"ט בְּלַעַז: **וּבָהּ אֵדַע.** לְשׁוֹן תְּחִנָּה, הוֹדַע לִי בָּהּ: **כִּי עָשִׂיתָ חֶסֶד.** אִם תִּהְיֶה מִמִּשְׁפַּחְתּוֹ וְהוֹגֶנֶת לוֹ אֵדַע כִּי עָשִׂיתָ חֶסֶד:

טז] **בְּתוּלָה.** מִמְּקוֹם בְּתוּלִים: **וְאִישׁ לֹא יְדָעָהּ.** שֶׁלֹּא כְּדַרְכָּהּ. לְפִי שֶׁבְּנוֹת הַגּוֹיִם מְשַׁמְּרוֹת מְקוֹם בְּתוּלֵיהֶן וּמַפְקִירוֹת עַצְמָן מִמָּקוֹם אַחֵר, הֵעִיד עַל זוֹ שֶׁנְּקִיָּה מִכֹּל:

יז] **וַיָּרָץ הָעֶבֶד לִקְרָאתָהּ.** לְפִי שֶׁרָאָה שֶׁעָלוּ הַמַּיִם לִקְרָאתָהּ: **הַגְמִיאִינִי.** לְשׁוֹן גְּמִיעָה, הומי"ר בְּלַעַז:

יח] **וַתֹּרֶד כַּדָּהּ.** מֵעַל שִׁכְמָהּ:

הרחבות

'ובה אדע כי עשית חסד עם אדני' עבד אברהם היה זר במקום, ועל כן טבעי היה שיבקש לשתות קצת מים. צפוי היה שתימצא בחורה שתיענה לבקשתו ותשקה אותו. ואולם השקיית הגמלים – שאף בעבורם יש לשאוב מים, מפני שאין הם יכולים לשתות מן הבאר העמוקה – היא ביטוי לנדיבות יתרה. הצעתה של נערה

ביאור

לרוב בעמידה, הגמלים רובצים על ברכיהם, **מִחוּץ לָעִיר אֶל בְּאֵר**
הַמָּיִם, סמוך לבאר המים **לְעֵת עֶרֶב, לְעֵת צֵאת הַשֹּׁאֲבֹת**. כיוון שעבד
אברהם אינו יכול לעבור מבית לבית ולחפש אשה נאה לבן אדוניו,
הוא מעריך שבשעה זו, שעת הערב, ובמקום זה, ליד הבאר, יוכל
לראות את בנות הארץ.

יב **וַיֹּאמַר** בתפילה: **ה' אֱלֹהֵי אֲדֹנִי אַבְרָהָם, הַקְרֵה**, זַמֵּן **נָא לְפָנַי הַיּוֹם,**
וַעֲשֵׂה חֶסֶד עִם אֲדֹנִי אַבְרָהָם למענו ולמען כבודו. יג **הִנֵּה אָנֹכִי נִצָּב**
עַל עֵין, מעיין **הַמָּיִם, וּבְנוֹת אַנְשֵׁי הָעִיר יֹצְאֹת לִשְׁאֹב מָיִם.** יד **וְהָיָה**
הַנַּעֲרָ אֲשֶׁר אֹמַר אֵלֶיהָ: "הַטִּי נָא כַדֵּךְ וְאֶשְׁתֶּה", הטיית הכד בעודו על
הכתף הייתה הדרך המקובלת להשקיית הזולת. **וְאָמְרָה** אותה נערה:
"שְׁתֵה, וְגַם גְּמַלֶּיךָ אַשְׁקֶה" – אבין שזאת היא הנערה **שאֹתָהּ הֹכַחְתָּ**,
קבעת להיות לאשה **לְעַבְדְּךָ לְיִצְחָק, וּבָהּ**, אם אמצא כזאת – **אֵדַע**
כִּי עָשִׂיתָ חֶסֶד עִם אֲדֹנִי.

טו **וַיְהִי הוּא טֶרֶם כִּלָּה לְדַבֵּר**, בעודנו עומד ומתפלל, **וְהִנֵּה רִבְקָה**,
שכבר נזכרה קודם לכן,[10] **יֹצֵאת**, אולי יצאה ראשונה, או: בלטה
באופן כלשהו. ייחוסה מתואר בפירוט: **אֲשֶׁר יֻלְּדָה לִבְתוּאֵל**, שהוא
בֶּן מִלְכָּה אֵשֶׁת נָחוֹר, שהייתה האשה הראשית ולא הפילגש,[11]
אֲחִי אַבְרָהָם, זוהי המשפחה הקרובה ביותר של אברהם. **וְכַדָּהּ עַל**
שִׁכְמָהּ. טז **וְהַנַּעֲרָ טֹבַת מַרְאֶה**, יפה **מְאֹד, בְּתוּלָה, וְאִישׁ לֹא יְדָעָהּ**,
ומכאן שהיא צנועה. מידע זה, כמובן, שמע לאחר מכן. **וַתֵּרֶד הָעַיְנָה**,
למעיין, **וַתְּמַלֵּא כַדָּהּ, וַתָּעַל** מן המעיין, הנמוך מעט מהקרקע. הנערה,
שכנראה לבושה העיד שאין היא נשואה, ואשר נראתה בעיניו מהוגנת
ומתאימה מבחינת הגיל – הרשימה אותו, יז ועל כן – **וַיָּרָץ הָעֶבֶד**
לִקְרָאתָהּ. וַיֹּאמֶר: הַגְמִיאִינִי נָא, אפשרי לי לגמוע **מְעַט מַיִם מִכַּדֵּךְ.**

יח **וַתֹּאמֶר: שְׁתֵה, אֲדֹנִי.**

וַתְּמַהֵר, וַתֹּרֶד כַּדָּהּ עַל יָדָהּ וַתַּשְׁקֵהוּ, במקום להטות את הכד, בעודו
על כתפה, רבקה התאמצה להוריד את הכד הכבד מן הכתף, כדי
להקל על שתיית העבד.[12] יט **וַתְּכַל לְהַשְׁקֹתוֹ**, לאחר ששתה די צורכו,

הרחבות

לעשות זאת תעיד על רצון טוב במיוחד לעזור לאורח הזר, הרבה מעבר לגדרי החובה והנימוס. כך יזהה העבד נערה נדיבה במיוחד, הרוצה בכל לבה להכניס אורחים. התנהגות זו תעיד על התאמתה לבית אברהם, הלהוט אחר הכנסת אורחים (ראו רש"י פס' יד).

וַתֹּאמֶר גַּם לִגְמַלֶּיךָ אֶשְׁאָב עַד אִם־כִּלּוּ לִשְׁתֹּת׃
וַתְּמַהֵר וַתְּעַר כַּדָּהּ אֶל־הַשֹּׁקֶת וַתָּרָץ עוֹד אֶל־ כ
הַבְּאֵר לִשְׁאֹב וַתִּשְׁאַב לְכָל־גְּמַלָּיו׃ וְהָאִישׁ מִשְׁתָּאֵה כא
לָהּ מַחֲרִישׁ לָדַעַת הַהִצְלִיחַ יְהוָה דַּרְכּוֹ אִם־לֹא׃
וַיְהִי כַּאֲשֶׁר כִּלּוּ הַגְּמַלִּים לִשְׁתּוֹת וַיִּקַּח הָאִישׁ נֶזֶם כב
זָהָב בֶּקַע מִשְׁקָלוֹ וּשְׁנֵי צְמִידִים עַל־יָדֶיהָ עֲשָׂרָה
זָהָב מִשְׁקָלָם׃ וַיֹּאמֶר בַּת־מִי אַתְּ הַגִּידִי נָא לִי הֲיֵשׁ כג
בֵּית־אָבִיךְ מָקוֹם לָנוּ לָלִין׃ וַתֹּאמֶר אֵלָיו בַּת־ כד

רש"י

יט| עַד אִם כִּלּוּ. הֲרֵי 'אִם' מְשַׁמֵּשׁ בִּלְשׁוֹן 'אֲשֶׁר': אִם כִּלּוּ. "דִּיסַפִּיקוּן", שֶׁזּוֹ הָיְתָה גְּמַר שְׁתִיָּתָן כְּשֶׁשָּׁתוּ דֵּי סִפְקָן:

כ| וַתְּעַר. לְשׁוֹן נְפִיצָה, וְהַרְבֵּה יֵשׁ בִּלְשׁוֹן מִשְׁנָה: "הַמְעָרֶה מִכְּלִי אֶל כְּלִי" (עבודה זרה עב ע"א), וּבַמִּקְרָא יֵשׁ לוֹ דּוֹמֶה: "אַל תְּעַר נַפְשִׁי" (תהלים קמא, ח), "אֲשֶׁר הֶעֱרָה לַמָּוֶת נַפְשׁוֹ" (ישעיה נג, יב): הַשֹּׁקֶת. אֶבֶן חֲלוּלָה שֶׁשּׁוֹתִים בָּהּ הַגְּמַלִּים:

כא| מִשְׁתָּאֵה. לְשׁוֹן שְׁאִיָּה, כְּמוֹ: "שָׁאוּ עָרִים", "תִּשָּׁאֶה שְׁמָמָה" (שם ו, יא): מִשְׁתָּאֵה. מִשְׁתּוֹמֵם וּמִתְבַּהֵל עַל שֶׁרָאָה דְּבָרוֹ קָרוֹב לְהַצְלִיחַ, אֲבָל אֵינוֹ יוֹדֵעַ אִם מִמִּשְׁפַּחַת אַבְרָהָם הִיא אִם לָאו. וְאַל תִּתְמַהּ בַּתָּי"ו שֶׁל "מִשְׁתָּאֵה", שֶׁאֵין לְךָ תֵּבָה שֶׁתְּחִלַּת יְסוֹדָהּ שִׁי"ן וּמְדַבֶּרֶת בִּלְשׁוֹן מִתְפַּעֵל שֶׁאֵין תָּי"ו מַפְרִידָהּ בֵּין שְׁתֵּי אוֹתִיּוֹת שֶׁל עִקַּר הַיְסוֹד, כְּגוֹן: "מִשְׁתָּאֵה", "מִשְׁתּוֹלֵל" (שם נט, טו) מִגִּזְרַת 'שׁוֹלֵל', "וַיִּשְׁתּוֹמֵם" (שם סג, ה) מִגִּזְרַת 'שְׁמָמָה', "וְיִשְׁתַּמֵּר חֻקּוֹת עָמְרִי" (מיכה ו, טז) מִגִּזְרַת 'וַיִּשְׁמֹר', אַף כָּאן "מִשְׁתָּאֵה" מִגִּזְרַת 'תִּשָּׁאֶה'. וּכְשֵׁם שֶׁשְּׁאִיָּה מוּסָב לְשׁוֹן מְשׁוֹמֵם כְּאָדָם נִבְהָל וְנֶאֱלָם וּבַעַל מַחֲשָׁבוֹת, כְּמוֹ: "עַל יוֹמוֹ נָשַׁמּוּ אַחֲרֹנִים" (איוב יח, כ), "שֹׁמּוּ שָׁמַיִם" (ירמיה ב, יב), "אֶשְׁתּוֹמַם כְּשָׁעָה חֲדָה" (דניאל ד, טז), כָּךְ תְּפָרֵשׁ לְשׁוֹן 'שְׁאִיָּה' כְּאָדָם בָּהוּל וּבַעַל מַחֲשָׁבוֹת. וְאוּנְקְלוֹס תִּרְגֵּם לְשׁוֹן 'שְׁהִיָּה', "וְגַבְרָא שָׁהֵי", שׁוֹהֶא וְעוֹמֵד בְּמָקוֹם אֶחָד לִרְאוֹת "הַהִצְלִיחַ ה' דַּרְכּוֹ". וְאֵין לְתַרְגֵּם 'שָׁתֵי', שֶׁהֲרֵי אֵינוֹ לְשׁוֹן שְׁתִיָּה, שֶׁאֵין אָלֶ"ף נוֹפֶלֶת בִּלְשׁוֹן שְׁתִיָּה: מִשְׁתָּאֵה לָהּ. מִשְׁתּוֹמֵם עָלֶיהָ, כְּמוֹ: "אִמְרִי לִי אָחִי הוּא" (לעיל כ, יג), "אַנְשֵׁי הַמָּקוֹם לְאִשְׁתּוֹ" (להלן כו, ז):

כב| בֶּקַע. רֶמֶז לְשִׁקְלֵי יִשְׂרָאֵל בֶּקַע לַגֻּלְגֹּלֶת (שמות לח, כו): וּשְׁנֵי צְמִידִים. רֶמֶז לִשְׁנֵי לוּחוֹת מְצֻמָּדוֹת: עֲשָׂרָה זָהָב מִשְׁקָלָם. רֶמֶז לַעֲשֶׂרֶת הַדִּבְּרוֹת שֶׁבָּהֶן:

כג| וַיֹּאמֶר בַּת מִי אַתְּ. לְאַחַר שֶׁנָּתַן לָהּ שְׁאָלָהּ, לְפִי שֶׁהָיָה בָּטוּחַ בִּזְכוּתוֹ שֶׁל אַבְרָהָם שֶׁהִצְלִיחַ הַקָּדוֹשׁ בָּרוּךְ הוּא דַּרְכּוֹ: לָלִין. לִינָה אַחַת, 'לִין' שֵׁם דָּבָר, וְהִיא אָמְרָה "לָלוּן" (להלן פסוק כה), כַּמָּה לֵינוֹת אַתָּה יָכוֹל לָלוּן אֶצְלֵנוּ:

ביאור **וַתֹּאמֶר: גַּם לִגְמַלֶּיךָ אֶשְׁאָב, עַד אִם כִּלּוּ לִשְׁתֹּת.** לא די בכך שאתה
תשתה; אשקה גם את גמליך, עד שירוו את צימאונם. כ **וַתְּמַהֵר,**
וַתְּעַר, שפכה את המים שנותרו **בְּכַדָּהּ אֶל הַשֹּׁקֶת. וַתָּרָץ עוֹד אֶל**
הַבְּאֵר לִשְׁאֹב, וַתִּשְׁאַב לְכָל גְּמַלָּיו. השקייתם של עשרה גמלים אינה
עניין של מה–בכך. אפילו גמל בודד הבא מדרך ארוכה שותה כמות
עצומה של מים; ועשרה גמלים - על אחת כמה וכמה. כא על
כן - **וְהָאִישׁ מִשְׁתָּאֵה לָהּ,** מסתכל בה מתרוצצת הלוך ושוב מן הבאר
אל השוקת ומתפלא, **מַחֲרִישׁ,** עדיין אינו אומר דבר, **לָדַעַת הַהִצְלִיחַ**
ה׳ דַּרְכּוֹ אִם לֹא. לנוכח התנהגותה הוא בוודאי שואל את עצמו מי
הנערה הזאת, מאיזו משפחה היא, וכיצד יוכל לדעת עליה עוד.

כב **וַיְהִי כַּאֲשֶׁר כִּלּוּ הַגְּמַלִּים לִשְׁתּוֹת, וַיִּקַּח הָאִישׁ נֶזֶם זָהָב,** תכשיט
שתולים על האף או על האוזן, **שֶׁבֶּקַע,** חצי שקל **מִשְׁקָלוֹ. וּשְׁנֵי**
צְמִידִים המיועדים לענידה **עַל יָדֶיהָ, שֶׁעֲשָׂרָה זָהָב מִשְׁקָלָם** – מתוך
השוואה למקומות אחרים עולה שאלו הם תכשיטים גדולים ויקרים.
תחילה העבד רק הוציא את התכשיטים הללו מאמתחתו, אחר כך
שאל אותה לזהותה, ורק כשקיבל תשובה משביעה רצון - נתן לה
את הנזם והצמידים.[13]

כג שתי שאלות שאל העבד את רבקה: **וַיֹּאמֶר:** א. **בַּת מִי אַתְּ?** –
הַגִּידִי נָא לִי. אין זה מן הנימוס לשאול אותה לשמה, ולכן שאל
לאיזו משפחה היא שייכת. ב. **הֲיֵשׁ בֵּית אָבִיךְ מָקוֹם לָנוּ לָלִין?** שכן
נראה שבאת ממשפחה מכניסת אורחים.

בְּתוּאֵל אָנֹכִי בֶּן־מִלְכָּה אֲשֶׁר יָלְדָה לְנָחוֹר׃ וַתֹּאמֶר כה
אֵלָיו גַּם־תֶּבֶן גַּם־מִסְפּוֹא רַב עִמָּנוּ גַּם־מָקוֹם לָלוּן׃
רביעי וַיִּקֹּד הָאִישׁ וַיִּשְׁתַּחוּ לַיהוָה׃ וַיֹּאמֶר בָּרוּךְ יהוה כו כז
אֱלֹהֵי אֲדֹנִי אַבְרָהָם אֲשֶׁר לֹא־עָזַב חַסְדּוֹ וַאֲמִתּוֹ
מֵעִם אֲדֹנִי אָנֹכִי בַּדֶּרֶךְ נָחַנִי יהוה בֵּית אֲחֵי אֲדֹנִי׃
וַתָּרָץ הַנַּעֲרָ וַתַּגֵּד לְבֵית אִמָּהּ כַּדְּבָרִים הָאֵלֶּה׃ כח
וּלְרִבְקָה אָח וּשְׁמוֹ לָבָן וַיָּרָץ לָבָן אֶל־הָאִישׁ הַחוּצָה כט
אֶל־הָעָיִן׃ וַיְהִי ׀ כִּרְאֹת אֶת־הַנֶּזֶם וְאֶת־הַצְּמִדִים ל
עַל־יְדֵי אֲחֹתוֹ וּכְשָׁמְעוֹ אֶת־דִּבְרֵי רִבְקָה אֲחֹתוֹ
לֵאמֹר כֹּה־דִבֶּר אֵלַי הָאִישׁ וַיָּבֹא אֶל־הָאִישׁ וְהִנֵּה
עֹמֵד עַל־הַגְּמַלִּים עַל־הָעָיִן׃ וַיֹּאמֶר בּוֹא בְּרוּךְ יהוה לא
לָמָּה תַעֲמֹד בַּחוּץ וְאָנֹכִי פִּנִּיתִי הַבַּיִת וּמָקוֹם
לַגְּמַלִּים׃ וַיָּבֹא הָאִישׁ הַבַּיְתָה וַיְפַתַּח הַגְּמַלִּים וַיִּתֵּן לב
תֶּבֶן וּמִסְפּוֹא לַגְּמַלִּים וּמַיִם לִרְחֹץ רַגְלָיו וְרַגְלֵי
וַיּוּשַׂם הָאֲנָשִׁים אֲשֶׁר אִתּוֹ׃ ויישם לְפָנָיו לֶאֱכֹל וַיֹּאמֶר לג

רש"י

כד] בַּת בְּתוּאֵל. הֱשִׁיבַתּוּ עַל רִאשׁוֹן רִאשׁוֹן וְעַל אַחֲרוֹן אַחֲרוֹן:

כה] מִסְפּוֹא. כָּל מַאֲכַל הַגְּמַלִּים קָרוּי 'מִסְפּוֹא', כְּגוֹן תֶּבֶן וּשְׂעוֹרִים:

כז] בַּדֶּרֶךְ. דֶּרֶךְ הַמְזֻמָּן, דֶּרֶךְ הַיָּשָׁר, בְּאוֹתוֹ דֶּרֶךְ שֶׁהָיִיתִי צָרִיךְ. וְכֵן כָּל בֵּי"ת וְלָמֶ"ד וְהֵ"א הַמְשַׁמְּשִׁים בְּרֹאשׁ הַתֵּבָה וּנְקוּדִים בְּפַתָּח, מְדַבְּרִים בְּדָבָר הַפָּשׁוּט שֶׁנִּכַּר כְּבָר בְּמָקוֹם אַחֵר, אוֹ שֶׁהוּא מֻכְלָל וְנִכָּר בְּאֵיזוֹ הוּא מְדַבֵּר:

כח] לְבֵית אִמָּהּ. דֶּרֶךְ הַנָּשִׁים הָיְתָה לִהְיוֹת לָהֶן בַּיִת לֵישֵׁב בּוֹ לִמְלַאכְתָּן, וְאֵין הַבַּת מַגֶּדֶת אֶלָּא לְאִמָּהּ:

כט] וַיָּרָץ. לָמָּה רָץ וְעַל מָה רָץ? "וַיְהִי כִּרְאֹת אֶת הַנֶּזֶם" (בפסוק הבא), אָמַר: עָשִׁיר הוּא זֶה, וְנָתַן עֵינָיו בַּמָּמוֹן:

ל] עַל הַגְּמַלִּים. לְשָׁמְרָן, כְּמוֹ: "וְהוּא עֹמֵד עֲלֵיהֶם" (לעיל יח, ח) לְשַׁמְּשָׁם:

לא] פִּנִּיתִי הַבַּיִת. מֵעֲבוֹדָה זָרָה:

לב] וַיְפַתַּח. הִתִּיר זְמָם שֶׁלָּהֶם, שֶׁהָיָה סוֹתֵם אֶת פִּיהֶם שֶׁלֹּא יִרְעוּ בַּדֶּרֶךְ בִּשְׂדוֹת אֲחֵרִים:

ביאור

כד וַתֹּאמֶר אֵלָיו: בַּת בְּתוּאֵל אָנֹכִי, בֶּן מִלְכָּה, אֲשֶׁר יָלְדָה לְנָחוֹר. וַתֹּאמֶר אֵלָיו: ובאשר לשאלתך השנייה – כה גַּם תֶּבֶן גַּם מִסְפּוֹא רַב עִמָּנוּ, ויש גַּם מָקוֹם לָלוּן. תשובותיה ערוכות לפי סדר השאלות.[14]

כו הסימן כשלעצמו אינו אלא ניחוש, ועדיין אינו מוכיח דבר,[15] אך כיוון שהתברר שאותה נערה שהתקיים בה הסימן, היא גם ממשפחתו הקרובה ביותר של אברהם, וַיִּקֹּד הָאִישׁ וַיִּשְׁתַּחוּ לַה׳. כז וַיֹּאמֶר: בָּרוּךְ ה׳ אֱלֹהֵי אֲדֹנִי אַבְרָהָם, אֲשֶׁר לֹא עָזַב חַסְדּוֹ וַאֲמִתּוֹ מֵעִם אֲדֹנִי. אָנֹכִי בַּדֶּרֶךְ הנכונה והישרה נָחַנִי, הדריך אותי ה׳, ובדיוק הגעתי אל בֵּית אֲחֵי אֲדֹנִי.

כח וַתָּרָץ הַנַּעֲרָ, וַתַּגֵּד לְבֵית אִמָּהּ כַּדְּבָרִים הָאֵלֶּה.

כט וּלְרִבְקָה אָח וּשְׁמוֹ לָבָן. מן ההמשך נראה שהוא היה הבכור ובעל הכוח במשפחה. וַיָּרָץ לָבָן אֶל הָאִישׁ הַחוּצָה אֶל הָעָיִן. לאחר ריצתה הביתה מתוארת ריצת אחיה לכיוון השני – לראות מיהו אותו איש מסתורי שבא מרחוק, נתן מתנות לאחותו, שאל אותה שאלות וביקש להתארח בביתם. ייתכן שבתור האח הגדול ביקש לבן לוודא שהכל מתרחש בדרך הראויה והמוסרית, ומשום כך רץ לעבר העבד, אך יש הסבר נוסף לריצתו – ל וַיְהִי כִּרְאֹת אֶת הַנֶּזֶם וְאֶת הַצְּמִדִים עַל יְדֵי אֲחֹתוֹ, מתנה המבטאת עושר, וּכְשָׁמְעוֹ אֶת דִּבְרֵי רִבְקָה אֲחֹתוֹ לֵאמֹר: כֹּה דִבֶּר אֵלַי הָאִישׁ. הוא שאל אותי שאלות אלו, עשה מעשים שונים והתפלל, אך לא סיפר דבר על עצמו. וַיָּבֹא אֶל הָאִישׁ, וְהִנֵּה עֹמֵד עַל, ליד הַגְּמַלִּים עַל הָעָיִן, סמוך למעיין. לא וַיֹּאמֶר לבן: בּוֹא, בְּרוּךְ ה׳! לָמָּה תַעֲמֹד בַּחוּץ? וְאָנֹכִי פִּנִּיתִי הַבַּיִת, ויהיה לך ולאנשיך מקום ללון בו, שהרי אל עבד אברהם התלוו עבדים זוטרים, ויש אף מָקוֹם לַגְּמַלִּים, שכן עשרה גמלים תופסים הרבה מקום. לב וַיָּבֹא הָאִישׁ הַבַּיְתָה וַיְפַתַּח, לבן[16] עזר להוריד את המשא מן הַגְּמַלִּים, וַיִּתֵּן תֶּבֶן וּמִסְפּוֹא לַגְּמַלִּים, וכפי שהיו רגילים לעשות לאורח שבא מדרך רחוקה – וּמַיִם לִרְחֹץ רַגְלָיו וְרַגְלֵי הָאֲנָשִׁים אֲשֶׁר אִתּוֹ.

הרחבות

׳ותרץ הנער ותגד לבית אמה׳ איננו יודעים בת כמה הייתה רבקה, אך מהתנהגותה ומהגדרתה כנערה, נראה בפשטות שהייתה כבת אחת עשרה או שתים עשרה. גם תגובתה לפגישה עם העבד שנתן לה תכשיטים – ריצתה הביתה לספר לאמה על החוויות שעברה – מתאימה לילדה בגיל הזה. (ראו עוד יבמות סא ע״ב, ובחידושי הרמב״ן והרשב״א שם; מדרש הגדול כה,כ; אברבנאל כה,יט).

לֹא אֹכַל עַד אִם־דִּבַּרְתִּי דְּבָרָי וַיֹּאמֶר דַּבֵּר: וַיֹּאמַר לד
עֶבֶד אַבְרָהָם אָנֹכִי: וַיהוָה בֵּרַךְ אֶת־אֲדֹנִי מְאֹד לה
וַיִּגְדָּל וַיִּתֶּן־לוֹ צֹאן וּבָקָר וְכֶסֶף וְזָהָב וַעֲבָדִם וּשְׁפָחֹת
וּגְמַלִּים וַחֲמֹרִים: וַתֵּלֶד שָׂרָה אֵשֶׁת אֲדֹנִי בֵן לַאדֹנִי לו
אַחֲרֵי זִקְנָתָהּ וַיִּתֶּן־לוֹ אֶת־כָּל־אֲשֶׁר־לוֹ: וַיַּשְׁבִּעֵנִי לז
אֲדֹנִי לֵאמֹר לֹא־תִקַּח אִשָּׁה לִבְנִי מִבְּנוֹת הַכְּנַעֲנִי
אֲשֶׁר אָנֹכִי יֹשֵׁב בְּאַרְצוֹ: אִם־לֹא אֶל־בֵּית־אָבִי תֵּלֵךְ לח
וְאֶל־מִשְׁפַּחְתִּי וְלָקַחְתָּ אִשָּׁה לִבְנִי: וָאֹמַר אֶל־אֲדֹנִי לט
אֻלַי לֹא־תֵלֵךְ הָאִשָּׁה אַחֲרָי: וַיֹּאמֶר אֵלָי יְהוָה מ
אֲשֶׁר־הִתְהַלַּכְתִּי לְפָנָיו יִשְׁלַח מַלְאָכוֹ אִתָּךְ וְהִצְלִיחַ
דַּרְכֶּךָ וְלָקַחְתָּ אִשָּׁה לִבְנִי מִמִּשְׁפַּחְתִּי וּמִבֵּית אָבִי:
אָז תִּנָּקֶה מֵאָלָתִי כִּי תָבוֹא אֶל־מִשְׁפַּחְתִּי וְאִם־לֹא מא
כא יִתְּנוּ לָךְ וְהָיִיתָ נָקִי מֵאָלָתִי: וָאָבֹא הַיּוֹם אֶל־הָעָיִן מב

רש"י

לג) **עַד אִם דִּבַּרְתִּי.** הֲרֵי 'אִם' מְשַׁמֵּשׁ בִּלְשׁוֹן 'אֲשֶׁר' וּבִלְשׁוֹן 'כִּי', כְּמוֹ: "עַד כִּי יָבֹא שִׁילֹה" (להלן מט, י), וְזֶהוּ שֶׁאָמְרוּ חֲכָמִים: 'כִּי' מְשַׁמֵּשׁ בְּאַרְבַּע לְשׁוֹנוֹת, וְהָאֶחָד 'אִי' וְהוּא 'אִם':

לו) **וַיִּתֶּן לוֹ אֶת כָּל אֲשֶׁר לוֹ.** שְׁטַר הַמַּתָּנָה בְּיָדִי:

לז-לח) **לֹא תִקַּח אִשָּׁה לִבְנִי מִבְּנוֹת הַכְּנַעֲנִי.** אִם לֹא תֵּלֵךְ תְּחִלָּה אֶל בֵּית אָבִי וְלֹא תֹאבֶה לָלֶכֶת אַחֲרֶיךָ:

לט) **אֻלַי לֹא תֵלֵךְ הָאִשָּׁה.** 'אֵלַי' כְּתִיב, בַּת הָיְתָה לוֹ לֶאֱלִיעֶזֶר, וְהָיָה מְחַזֵּר לִמְצֹא עִלָּה שֶׁיֹּאמַר לוֹ אַבְרָהָם לִפְנוֹת אֵלָיו לְהַשִּׂיאוֹ בִּתּוֹ. אָמַר לוֹ אַבְרָהָם: בְּנִי בָּרוּךְ וְאַתָּה אָרוּר, וְאֵין אָרוּר מִדַּבֵּק בְּבָרוּךְ:

ביאור

לג אחרי קבלת הפנים נכנס עבד אברהם הביתה, **וַיּוּשַׂם לְפָנָיו לֶאֱכֹל,**
וַיֹּאמֶר העבד: **לֹא אֹכַל, עַד אִם דִּבַּרְתִּי דְּבָרָי.** אם העבד יאכל עם
בעלי הבית וישב בביתם, הוא מבטא בכך מחויבות כלשהי כלפי
בעל הבית. לכן הוא ביקש להגדיר תחילה את כוונותיו ועמדתו,
ורק לאחר שישטח אותן בפניו, יאכל.

וַיֹּאמֶר לבן: **דַּבֵּר.**

לד **וַיֹּאמַר: עֶבֶד אַבְרָהָם אָנֹכִי.** אני האיש הממונה על ענייניו של
אברהם. לה **וַה' בֵּרַךְ אֶת אֲדֹנִי מְאֹד וַיִּגְדָּל** יותר ממה שהכרתם
אותו, כאשר חי במחיצת משפחתכם, **וַיִּתֶּן** ה' **לוֹ צֹאן וּבָקָר וְכֶסֶף**
וְזָהָב וַעֲבָדִם וּשְׁפָחֹת וּגְמַלִּים וַחֲמֹרִים. הוא הפך עשיר, ומלבד זאת,
כשאברהם ושרה יצאו מחרן הם היו מבוגרים למדי וחשוכי ילדים,
לו ובינתיים - **וַתֵּלֶד שָׂרָה אֵשֶׁת אֲדֹנִי בֵן לַאדֹנִי אַחֲרֵי זִקְנָתָהּ.** בן זה של
אברהם נולד לו מאשה שאתם מכירים היטב, אף היא ממשפחתכם.
ומכיוון שהוא בנו החשוב של אברהם - **וַיִּתֶּן לוֹ אֶת כָּל אֲשֶׁר לוֹ.**

כאן עלולה להתעורר השאלה: אם אברהם גדול ועשיר כל כך, ואת
כל רכושו יירש בן אחד, מדוע הוא שולח את עבדו למצוא אשה
לבנו במרחקים? לפיכך העבד מסביר: לז **וַיַּשְׁבִּעֵנִי אֲדֹנִי לֵאמֹר: "לֹא**
תִקַּח אִשָּׁה לִבְנִי מִבְּנוֹת הַכְּנַעֲנִי אֲשֶׁר אָנֹכִי יֹשֵׁב בְּאַרְצוֹ. לח **אִם לֹא**
אֶל בֵּית אָבִי תֵּלֵךְ וְאֶל מִשְׁפַּחְתִּי, וְלָקַחְתָּ אִשָּׁה לִבְנִי". כיוון שאדוני
רוצה לדבוק במשפחתו, הוא עמד על כך שלא אביא לבנו אשה מן
העמים האחרים, אלא מן המשפחה בלבד.

לט **וָאֹמַר אֶל אֲדֹנִי: "אֻלַי לֹא תֵלֵךְ הָאִשָּׁה אַחֲרָי".** עניין זה משמעותי
להבנת המשך ההתרחשויות.

מ **וַיֹּאמֶר אֵלָי: "ה' אֲשֶׁר הִתְהַלַּכְתִּי לְפָנָיו,** שירתי אותו, **יִשְׁלַח מַלְאָכוֹ**
אִתָּךְ וְהִצְלִיחַ דַּרְכֶּךָ, וְלָקַחְתָּ אִשָּׁה לִבְנִי מִמִּשְׁפַּחְתִּי וּמִבֵּית אָבִי. מא אם
תיקח אשה כזאת **אָז תִּנָּקֶה מֵאָלָתִי,** משבועתי,[17] **כִּי תָבוֹא אֶל**
מִשְׁפַּחְתִּי, ותבקש מהם אשה, **וְאִם לֹא יִתְּנוּ לָךְ – וְהָיִיתָ נָקִי מֵאָלָתִי".**

הרחבות

'עבד אברהם אנכי' ההזדהות כעבדו של אדם מכובד אינה ביטוי של השפלה. להבדיל, גם הביטוי עֶבֶד ה' שנאמר במשה (דברים לד,ה), בא לשבחו. באותו מטבע לשון השתמשו גם דורות רבים מאוחר יותר. כך נמצאו בארץ ישראל חותמות מפוארים מאוד שבהם מופיע הכיתוב 'עבד פלוני' כתואר לנושא תפקיד: עבד המלך.

וָאֹמַר יְהוָה אֱלֹהֵי אֲדֹנִי אַבְרָהָם אִם־יֶשְׁךָ־נָּא מַצְלִיחַ
דַּרְכִּי אֲשֶׁר אָנֹכִי הֹלֵךְ עָלֶיהָ׃ הִנֵּה אָנֹכִי נִצָּב עַל־ מג
עֵין הַמָּיִם וְהָיָה הָעַלְמָה הַיֹּצֵאת לִשְׁאֹב וְאָמַרְתִּי
אֵלֶיהָ הַשְׁקִינִי־נָא מְעַט־מַיִם מִכַּדֵּךְ׃ וְאָמְרָה אֵלַי מד
גַּם־אַתָּה שְׁתֵה וְגַם לִגְמַלֶּיךָ אֶשְׁאָב הִוא הָאִשָּׁה
אֲשֶׁר־הֹכִיחַ יְהוָה לְבֶן־אֲדֹנִי׃ אֲנִי טֶרֶם אֲכַלֶּה לְדַבֵּר מה
אֶל־לִבִּי וְהִנֵּה רִבְקָה יֹצֵאת וְכַדָּהּ עַל־שִׁכְמָהּ וַתֵּרֶד
הָעַיְנָה וַתִּשְׁאָב וָאֹמַר אֵלֶיהָ הַשְׁקִינִי נָא׃ וַתְּמַהֵר מו
וַתּוֹרֶד כַּדָּהּ מֵעָלֶיהָ וַתֹּאמֶר שְׁתֵה וְגַם־גְּמַלֶּיךָ אַשְׁקֶה
וָאֵשְׁתְּ וְגַם הַגְּמַלִּים הִשְׁקָתָה׃ וָאֶשְׁאַל אֹתָהּ וָאֹמַר מז
בַּת־מִי אַתְּ וַתֹּאמֶר בַּת־בְּתוּאֵל בֶּן־נָחוֹר אֲשֶׁר
יָלְדָה־לּוֹ מִלְכָּה וָאָשִׂם הַנֶּזֶם עַל־אַפָּהּ וְהַצְּמִידִים
עַל־יָדֶיהָ׃ וָאֶקֹּד וָאֶשְׁתַּחֲוֶה לַיהוָה וָאֲבָרֵךְ אֶת־יְהוָה מח
אֱלֹהֵי אֲדֹנִי אַבְרָהָם אֲשֶׁר הִנְחַנִי בְּדֶרֶךְ אֱמֶת לָקַחַת
אֶת־בַּת־אֲחִי אֲדֹנִי לִבְנוֹ׃ וְעַתָּה אִם־יֶשְׁכֶם עֹשִׂים מט

רש"י

מב) **וָאָבֹא הַיּוֹם.** הַיּוֹם יָצָאתִי וְהַיּוֹם בָּאתִי; מִכָּאן שֶׁקָּפְצָה לוֹ הָאָרֶץ. אָמַר רַבִּי אַחָא: יָפָה שִׂיחָתָן שֶׁל עַבְדֵי אָבוֹת לִפְנֵי הַמָּקוֹם מִתּוֹרָתָן שֶׁל בָּנִים, שֶׁהֲרֵי פָּרָשָׁה שֶׁל אֱלִיעֶזֶר כְּפוּלָה בַּתּוֹרָה, וְהַרְבֵּה גּוּפֵי תוֹרָה לֹא נִתְּנוּ אֶלָּא בִּרְמִיזָה:

מד) **גַּם אַתָּה.** 'גַּם' לְרַבּוֹת אֲנָשִׁים שֶׁעִמּוֹ: **הֹכִיחַ.** בֵּרֵר וְהוֹדִיעַ, וְכֵן כָּל הוֹכָחָה שֶׁבַּמִּקְרָא בֵּרוּר דָּבָר:

מה) **טֶרֶם אֲכַלֶּה.** טֶרֶם שֶׁאֲנִי מְכַלֶּה, וְכֵן כָּל לָשׁוֹן הַזֶּה, פְּעָמִים שֶׁהוּא מְדַבֵּר בִּלְשׁוֹן עָבָר, וְיָכוֹל לִכְתֹּב 'טֶרֶם כִּלִּיתִי', וּפְעָמִים שֶׁמְּדַבֵּר בִּלְשׁוֹן עָתִיד; כְּמוֹ: "כִּי אָמַר אִיּוֹב" (איוב א, ה) הֲרֵי לָשׁוֹן עָבָר, "כָּכָה יַעֲשֶׂה אִיּוֹב" (שם) הֲרֵי לָשׁוֹן עָתִיד, וּפֵרוּשׁ שְׁנֵיהֶם לָשׁוֹן הֹוֶה: כִּי אוֹמֵר הָיָה אִיּוֹב: "אוּלַי חָטְאוּ בָנַי" וְגוֹ' (שם) וְהָיָה עוֹשֶׂה כָּךְ:

מז) **וָאֶשְׁאַל... וָאָשִׂם.** שִׁנָּה הַסֵּדֶר, שֶׁהֲרֵי הוּא תְּחִלָּה נָתַן וְאַחַר כָּךְ שָׁאַל, אֶלָּא שֶׁלֹּא יִתְפְּשׂוּהוּ בִּדְבָרָיו וְיֹאמְרוּ: הֵיאַךְ נָתַתָּ לָהּ וַעֲדַיִן אֵינְךָ יוֹדֵעַ מִי הִיא?

ביאור

מב וָאָבֹא הַיּוֹם אֶל הָעָיִן, וָאֹמַר: ה׳ אֱלֹהֵי אֲדֹנִי אַבְרָהָם! אִם יֶשְׁךָ נָּא
מַצְלִיחַ דַּרְכִּי אֲשֶׁר אָנֹכִי הֹלֵךְ עָלֶיהָ. מג הִנֵּה אָנֹכִי נִצָּב עַל עֵין הַמָּיִם,
וְהָיָה הָעַלְמָה, האשה הצעירה, הַיֹּצֵאת לִשְׁאֹב וְאָמַרְתִּי אֵלֶיהָ: ״הַשְׁקִינִי
נָא מְעַט מַיִם מִכַּדֵּךְ״. מד וְאָמְרָה אֵלַי: ״גַּם אַתָּה שְׁתֵה וְגַם לִגְמַלֶּיךָ
אֶשְׁאָב״ – הִוא הָאִשָּׁה אֲשֶׁר הֹכִיחַ ה׳ לְבֶן אֲדֹנִי.

מה אֲנִי טֶרֶם אֲכַלֶּה, עוד לא סיימתי לְדַבֵּר אֶל לִבִּי, וְהִנֵּה רִבְקָה
יֹצֵאת וְכַדָּהּ עַל שִׁכְמָהּ, וַתֵּרֶד הָעַיְנָה וַתִּשְׁאָב. וָאֹמַר אֵלֶיהָ: ״הַשְׁקִינִי
נָא״. מו וַתְּמַהֵר וַתּוֹרֶד כַּדָּהּ מֵעָלֶיהָ, וַתֹּאמֶר: ״שְׁתֵה, וְגַם גְּמַלֶּיךָ אַשְׁקֶה״.
וָאֵשְׁתְּ, וְגַם הַגְּמַלִּים הִשְׁקָתָה. מז ואז, וָאֶשְׁאַל אֹתָהּ וָאֹמַר: ״בַּת מִי
אַתְּ?״ וַתֹּאמֶר: ״בַּת בְּתוּאֵל בֶּן נָחוֹר אֲשֶׁר יָלְדָה לּוֹ מִלְכָּה״. וָאָשִׂם
הַנֶּזֶם עַל אַפָּהּ וְהַצְּמִידִים עַל יָדֶיהָ. מח וָאֶקֹּד וָאֶשְׁתַּחֲוֶה לַה׳. וָאֲבָרֵךְ
אֶת ה׳ אֱלֹהֵי אֲדֹנִי אַבְרָהָם, אֲשֶׁר הִנְחַנִי בְּדֶרֶךְ אֱמֶת, לָקַחַת אֶת בַּת
אֲחִי אֲדֹנִי לִבְנוֹ. עד כאן סיפור מאורעותי –

מט וְעַתָּה, אִם יֶשְׁכֶם עֹשִׂים חֶסֶד וֶאֱמֶת אֶת אֲדֹנִי, ותסכימו לתת את

הרחבות

שיחתו המפורטת של העבד סיפור דברים מפורט זה נועד למנוע היסוסים העלולים להתעורר בקרב המשפחה. אחרי הכול, מדובר בסיפור מוזר. כדי למנוע את התנגדותם הצפויה, אומר להם העבד: רְאו כיצד המלאך מוביל אותי, וכיצד הפלא מתרחש לנגד עיני ולנגד עיניכם.

חֶ֥סֶד וֶאֱמֶ֛ת אֶת־אֲדֹנִ֖י הַגִּ֣ידוּ לִ֑י וְאִם־לֹ֕א הַגִּ֣ידוּ לִ֔י
וְאֶפְנֶ֥ה עַל־יָמִ֖ין א֥וֹ עַל־שְׂמֹֽאל׃ וַיַּ֨עַן לָבָ֤ן וּבְתוּאֵל֙ נ
וַיֹּ֣אמְר֔וּ מֵיְהוָ֖ה יָצָ֣א הַדָּבָ֑ר לֹ֥א נוּכַ֛ל דַּבֵּ֥ר אֵלֶ֖יךָ רַ֥ע
אוֹ־טֽוֹב׃ הִנֵּֽה־רִבְקָ֥ה לְפָנֶ֖יךָ קַ֣ח וָלֵ֑ךְ וּתְהִ֤י אִשָּׁה֙ נא
לְבֶן־אֲדֹנֶ֔יךָ כַּאֲשֶׁ֖ר דִּבֶּ֥ר יְהוָֽה׃ וַיְהִ֕י כַּאֲשֶׁ֥ר שָׁמַ֛ע נב
עֶ֥בֶד אַבְרָהָ֖ם אֶת־דִּבְרֵיהֶ֑ם וַיִּשְׁתַּ֥חוּ אַ֖רְצָה לַֽיהוָֽה׃
וַיּוֹצֵ֨א הָעֶ֜בֶד כְּלֵי־כֶ֨סֶף וּכְלֵ֤י זָהָב֙ וּבְגָדִ֔ים וַיִּתֵּ֖ן לְרִבְקָ֑ה נג חמישי
וּמִ֨גְדָּנֹ֔ת נָתַ֥ן לְאָחִ֖יהָ וּלְאִמָּֽהּ׃ וַיֹּאכְל֣וּ וַיִּשְׁתּ֗וּ ה֛וּא נד
וְהָאֲנָשִׁ֥ים אֲשֶׁר־עִמּ֖וֹ וַיָּלִ֑ינוּ וַיָּק֣וּמוּ בַבֹּ֔קֶר וַיֹּ֖אמֶר
שַׁלְּחֻ֥נִי לַֽאדֹנִֽי׃ וַיֹּ֤אמֶר אָחִ֙יהָ֙ וְאִמָּ֔הּ תֵּשֵׁ֨ב הַנַּעֲרָ֥ נה
אִתָּ֛נוּ יָמִ֖ים א֣וֹ עָשׂ֑וֹר אַחַ֖ר תֵּלֵֽךְ׃ וַיֹּ֤אמֶר אֲלֵהֶם֙ אַל־ נו
תְּאַחֲר֣וּ אֹתִ֔י וַֽיהוָ֖ה הִצְלִ֣יחַ דַּרְכִּ֑י שַׁלְּח֕וּנִי וְאֵלְכָ֖ה
לַֽאדֹנִֽי׃ וַיֹּאמְר֖וּ נִקְרָ֣א לַֽנַּעֲרָ֑ וְנִשְׁאֲלָ֖ה אֶת־פִּֽיהָ׃ נז
וַיִּקְרְא֤וּ לְרִבְקָה֙ וַיֹּאמְר֣וּ אֵלֶ֔יהָ הֲתֵֽלְכִ֖י עִם־הָאִ֣ישׁ נח

רש"י

מט) **עַל יָמִין.** מִבְּנוֹת יִשְׁמָעֵאל: **עַל שְׂמֹאל.** מִבְּנוֹת לוֹט, שֶׁהָיָה יוֹשֵׁב לִשְׂמֹאלוֹ שֶׁל אַבְרָהָם. בְּרֵאשִׁית רַבָּה (ס, ט):

נ) **וַיַּעַן לָבָן וּבְתוּאֵל.** רָשָׁע הָיָה וְקָפַץ לְהָשִׁיב לִפְנֵי אָבִיו: **לֹא נוּכַל דַּבֵּר אֵלֶיךָ.** לְמָאֵן בְּדָבָר הַזֶּה, לֹא עַל יְדֵי תְשׁוּבַת דָּבָר רַע וְלֹא עַל יְדֵי תְשׁוּבַת דָּבָר הָגוּן וְנִכָּר, לְפִי שֶׁמֵּה' יָצָא הַדָּבָר לְפִי דְבָרֶיךָ שֶׁזִּמְּנָהּ לְךָ:

נב) **וַיִּשְׁתַּחוּ אַרְצָה.** מִכָּאן שֶׁמּוֹדִים עַל בְּשׂוֹרָה טוֹבָה:

נג) **וּמִגְדָּנֹת.** מְגָדִים, שֶׁהֵבִיא עִמּוֹ מִינֵי פֵרוֹת שֶׁל אֶרֶץ יִשְׂרָאֵל:

נד) **וַיָּלִינוּ.** כָּל לִינָה שֶׁבַּמִּקְרָא לִינַת לַיְלָה אֶחָד:

נה) **וַיֹּאמֶר אָחִיהָ וְאִמָּהּ.** וּבְתוּאֵל הֵיכָן הָיָה? רוֹצֶה הָיָה לְעַכֵּב וּבָא מַלְאָךְ וֶהֱמִיתוֹ: **יָמִים.** שָׁנָה, כְּמוֹ: "יָמִים תִּהְיֶה גְאֻלָּתוֹ" (ויקרא כה, כט), שֶׁכָּךְ נוֹתְנִין לִבְתוּלָה זְמַן שְׁנֵים עָשָׂר חֹדֶשׁ לְפַרְנֵס עַצְמָהּ בְּתַכְשִׁיטֶיהָ: **אוֹ עָשׂוֹר.** עֲשָׂרָה חֳדָשִׁים. וְאִם תֹּאמַר, 'יָמִים' מַמָּשׁ, אֵין דֶּרֶךְ הַמְבַקְשִׁים לְבַקֵּשׁ דָּבָר מוּעָט, וְאִם לֹא תִרְצֶה - תֵּן לָנוּ מְרֻבֶּה מִזֶּה:

נז) **וְנִשְׁאֲלָה אֶת פִּיהָ.** מִכָּאן שֶׁאֵין מַשִּׂיאִין אֶת הָאִשָּׁה אֶלָּא מִדַּעְתָּהּ:

ביאור

הנערה לבן אדוני – הַגִּידוּ לִי, וְאִם לֹא – הַגִּידוּ לִי, וְאֶפְנֶה עַל יָמִין אוֹ
עַל שְׂמֹאל. הרי מצויים כאן בני משפחה נוספים. אם אינכם רוצים
בזיווג זה, אחפש אשה לבן אדוני במקומות אחרים.

נ וַיַּעַן לָבָן וּבְתוּאֵל, מהקדמת שמו של לבן לבתואל אביו ניכר שלבן
הוא האיש הדומיננטי. ייתכן שבתואל חלוש או חולה, וַיֹּאמְרוּ: מֵה׳
יָצָא הַדָּבָר. כיוון שרבקה מיועדת ליצחק מן השמים, לֹא נוּכַל דַּבֵּר
אֵלֶיךָ רַע אוֹ טוֹב.
נא הִנֵּה רִבְקָה לְפָנֶיךָ – קַח וָלֵךְ, וּתְהִי אִשָּׁה לְבֶן
אֲדֹנֶיךָ, כַּאֲשֶׁר דִּבֶּר ה׳.

נב וַיְהִי כַּאֲשֶׁר שָׁמַע עֶבֶד אַבְרָהָם אֶת דִּבְרֵיהֶם ואת הסכמתם, וַיִּשְׁתַּחוּ
אַרְצָה לַה׳. שוב הוא מודה לה׳ כי הצליח משימתו.
נג וַיּוֹצֵא הָעֶבֶד
כְּלֵי כֶסֶף וּכְלֵי זָהָב וּבְגָדִים וַיִּתֵּן לְרִבְקָה, וּמִגְדָּנֹת, מיני מאכלים, או:
מתנות נָתַן לְאָחִיהָ וּלְאִמָּהּ, לכבדם בעקבות השידוך.

נד וַיֹּאכְלוּ וַיִּשְׁתּוּ, הוּא וְהָאֲנָשִׁים אֲשֶׁר עִמּוֹ, וַיָּלִינוּ. כל זה נעשה
בשעות הערב. את רבקה פגש בעת צאת השואבות, בעוד השמש
זורחת; מן הסתם הגיע לביתם בתחילת הערב, ושם סעדו. וַיָּקוּמוּ
בַבֹּקֶר, וַיֹּאמֶר העבד: שַׁלְּחֻנִי לַאדֹנִי. ברצוני לשוב אל אדוני ולמלא
מצוותו. מאחורי מלותיו מסתתרת הבקשה: שלחוני עם הנערה,
כדי שאמלא את שליחותי.

נה וַיֹּאמֶר אָחִיהָ וְאִמָּהּ, גם כאן האח מדבר ראשון: תֵּשֵׁב הַנַּעֲרָ אִתָּנוּ
יָמִים, מניין שלם של ימים, כלומר שנה אוֹ עָשׂוֹר, עשרה חודשים,
אַחַר תֵּלֵךְ. ראוי שהיא תתעכב כאן, ולאחר שנעשה את כל ההכנות
הראויות לעזיבתה ולחתונתה, תצא לדרכה.

נו וַיֹּאמֶר אֲלֵהֶם: אַל תְּאַחֲרוּ, תעכבו אֹתִי, וַה׳ הִצְלִיחַ דַּרְכִּי. שַׁלְּחוּנִי
וְאֵלְכָה לַאדֹנִי.

נז וַיֹּאמְרוּ: נִקְרָא לַנַּעֲרָ וְנִשְׁאֲלָה אֶת פִּיהָ.

נח וַיִּקְרְאוּ לְרִבְקָה וַיֹּאמְרוּ אֵלֶיהָ: הֲתֵלְכִי עִם הָאִישׁ הַזֶּה? היו ששמעו

הרחבות

׳אל תאחרו אֹתי׳ אילו התעקשו לעכב את הבת, אולי היה העבד נאלץ להישאר שם ולהמתין. מן הסתם היה מסביר להם – והם יודעים זאת גם לפי חשבון הזמנים – שאברהם הוא המבוגר מבני המשפחה שנותרו בחיים, שהרי נחור איננו מופיע עוד בסיפור. העבד מזדרז לשוב, לא רק כדי להביא ליצחק את הנערה, אלא גם כדי לדווח לאברהם על מילוי שליחותו.

הַזֶּה וַתֹּאמֶר אֵלֵךְ: וַיְשַׁלְּחוּ אֶת־רִבְקָה אֲחֹתָם וְאֶת־ נט
מֵנִקְתָּהּ וְאֶת־עֶבֶד אַבְרָהָם וְאֶת־אֲנָשָׁיו: וַיְבָרְכוּ ס
אֶת־רִבְקָה וַיֹּאמְרוּ לָהּ אֲחֹתֵנוּ אַתְּ הֲיִי לְאַלְפֵי רְבָבָה
וְיִירַשׁ זַרְעֵךְ אֵת שַׁעַר שֹׂנְאָיו: וַתָּקָם רִבְקָה וְנַעֲרֹתֶיהָ סא
וַתִּרְכַּבְנָה עַל־הַגְּמַלִּים וַתֵּלַכְנָה אַחֲרֵי הָאִישׁ וַיִּקַּח
הָעֶבֶד אֶת־רִבְקָה וַיֵּלַךְ: וְיִצְחָק בָּא מִבּוֹא בְּאֵר לַחַי סב
רֹאִי וְהוּא יוֹשֵׁב בְּאֶרֶץ הַנֶּגֶב: וַיֵּצֵא יִצְחָק לָשׂוּחַ סג
בַּשָּׂדֶה לִפְנוֹת עָרֶב וַיִּשָּׂא עֵינָיו וַיַּרְא וְהִנֵּה גְמַלִּים
בָּאִים: וַתִּשָּׂא רִבְקָה אֶת־עֵינֶיהָ וַתֵּרֶא אֶת־יִצְחָק סד
וַתִּפֹּל מֵעַל הַגָּמָל: וַתֹּאמֶר אֶל־הָעֶבֶד מִי־הָאִישׁ סה
הַלָּזֶה הַהֹלֵךְ בַּשָּׂדֶה לִקְרָאתֵנוּ וַיֹּאמֶר הָעֶבֶד הוּא

רש"י

נח| **וַתֹּאמֶר אֵלֵךְ.** מֵעַצְמִי, וְאַף אִם אֵינְכֶם רוֹצִים:

ס| **אַתְּ הֲיִי לְאַלְפֵי רְבָבָה.** אַתְּ וְזַרְעֵךְ תְּקַבְּלוּ אוֹתָהּ בְּרָכָה שֶׁנֶּאֱמַר לְאַבְרָהָם בְּהַר הַמּוֹרִיָּה: "הַרְבָּה אַרְבֶּה אֶת זַרְעֲךָ" וְגוֹ' (לעיל כב, יז), יְהִי רָצוֹן שֶׁיְּהֵא אוֹתוֹ הַזֶּרַע מִמֵּךְ וְלֹא מֵאִשָּׁה אַחֶרֶת:

סב| **מִבּוֹא בְּאֵר לַחַי רֹאִי.** שֶׁהָלַךְ לְהָבִיא הָגָר לְאַבְרָהָם אָבִיו שֶׁיִּשָּׂאֶנָּה: **יוֹשֵׁב בְּאֶרֶץ הַנֶּגֶב.** קָרוֹב לְאוֹתוֹ בְּאֵר, שֶׁנֶּאֱמַר: "אַרְצָה הַנֶּגֶב וַיֵּשֶׁב בֵּין קָדֵשׁ וּבֵין שׁוּר" (לעיל כ, א), וְשָׁם הָיָה הַבְּאֵר, שֶׁנֶּאֱמַר: "הִנֵּה בֵין קָדֵשׁ וּבֵין בָּרֶד" (לעיל טז, יד):

סג| **לָשׂוּחַ.** לְשׁוֹן תְּפִלָּה, כְּמוֹ "יִשְׁפֹּךְ שִׂיחוֹ" (תהלים קב, א):

סד| **וַתֵּרֶא אֶת יִצְחָק.** רָאֲתָה אוֹתוֹ הָדוּר וְתָוְהָה מִפָּנָיו: **וַתִּפֹּל.** הִשְׁמִיטָה עַצְמָהּ לָאָרֶץ, כְּתַרְגּוּמוֹ: "וְאִתְרְכִינַת", הִטַּת עַצְמָהּ לָאָרֶץ וְלֹא הִגִּיעָה עַד הַקַּרְקַע, כְּמוֹ: "הַטִּי נָא כַדֵּךְ" (לעיל פסוק יד) "אַרְכִּינִי", "וַיֵּט שָׁמַיִם" (שמואל ב' כב, י; תהלים יח, י) "וְאַרְכִּין", לְשׁוֹן מַטֶּה לָאָרֶץ, וְדוֹמֶה לוֹ: "כִּי יִפֹּל לֹא

הרחבות

'אלך' זוהי אחת הדוגמאות הראשונות לעצמאותה של רבקה, שתשוב ותבוא לביטוי גם הלאה. עד כה העבד התרשם ממנה בתור הילדה הקטנה טובת הלב ומכניסת האורחים, וכן יכול היה לשמוע כי היא נבונה ומדברת באופן ענייני; כעת הוא נוכח גם באישיותה העצמאית.

המינקת כראוי למשפחה מכובדת, את רבקה שירתה מינקת שטיפלה בה מאז הייתה ילדה. היה זה שכיח למדי, שלאחר

ביאור | במלים הָאִישׁ הַזֶּה – במקום 'עבד אברהם' – התראה רמוזה: האמנם
תסכימי לצאת אל הדרך הארוכה הזאת עם אדם שאינך מכירה?[18]

וַתֹּאמֶר: אֵלֵךְ.

כיוון שכך, לא הייתה להם ברירה. נט **וַיְשַׁלְּחוּ אֶת רִבְקָה אֲחֹתָם**
וְאֶת מֵנִקְתָּהּ, אומנתה **וְאֶת עֶבֶד אַבְרָהָם וְאֶת אֲנָשָׁיו.**

ס **וַיְבָרְכוּ אֶת רִבְקָה וַיֹּאמְרוּ לָהּ: אֲחֹתֵנוּ! אַתְּ הֲיִי לְאַלְפֵי רְבָבָה**, יֵצא
ממך עם גדול, **וְיִירַשׁ זַרְעֵךְ אֵת שַׁעַר שֹׂנְאָיו**, ינצח את אויביו.

סא **וַתָּקָם רִבְקָה וְנַעֲרֹתֶיהָ**, כיוון שבית נחור הוא משפחת אצולה
עשירה, נשלחו עמה המינקת ובנות לוויה נוספות. **וַתִּרְכַּבְנָה עַל**
הַגְּמַלִּים, וַתֵּלַכְנָה אַחֲרֵי הָאִישׁ. וַיִּקַּח הָעֶבֶד אֶת רִבְקָה תחת חסותו.
המינקת ושאר הנערות רכבו על הגמלים, והעבדים האחרים הוליכו
אותם, ואילו על רבקה השגיח עבד אברהם באופן אישי, **וַיֵּלַךְ.**

סב **וְיִצְחָק בָּא מִבּוֹא**, מביקורו בסביבת **בְּאֵר לַחַי רֹאִי**. אותה באר
שבה מצא מלאך ה' את הגר, ושנקראה כך על שם ראיית ה'.[19]
וְהוּא, יצחק, **יוֹשֵׁב בְּאֶרֶץ הַנֶּגֶב.** סג **וַיֵּצֵא יִצְחָק לָשׂוּחַ**, לטייל בין
השיחים[20] **בַּשָּׂדֶה לִפְנוֹת עָרֶב. וַיִּשָּׂא עֵינָיו וַיַּרְא וְהִנֵּה גְמַלִּים בָּאִים.**

מן הסתם רבקה ידעה ששיירתם מתקרבת אל המקום שבו מתגוררת
המשפחה. סד **וַתִּשָּׂא רִבְקָה אֶת עֵינֶיהָ, וַתֵּרֶא אֶת יִצְחָק**. אולי תיארו
לה את דמותו קודם לכן, אולי היא זיהתה אותו בשל אופן לבושו
כאיש אצולה, שהרי עתה לא עבד אלא טייל בשדה, ושמא חשה
אינטואיטיבית שזהו האיש. בוודאי התרגשה, **וַתִּפֹּל מֵעַל הַגָּמָל.**
כנראה גחנה אל העבד ההולך לידה ומוליך את הגמל.[21]

סה **וַתֹּאמֶר אֶל הָעֶבֶד: מִי הָאִישׁ הַלָּזֶה הַהֹלֵךְ בַּשָּׂדֶה לִקְרָאתֵנוּ?**
שכן הוא נראה לי אדם מיוחד. **וַיֹּאמֶר הָעֶבֶד: הוּא אֲדֹנִי**, יצחק.

הרחבות | שהמינקת סיימה את מלאכת ההנקה, הייתה הופכת לאומנת של הילדה הקטנה, ולבת לוויה לה כמעט כל חייה. יתר על כן, אף על פי שלא הרבה מסופר על מינקת רבקה, מסופר שעם מותה, אחרי שנים רבות, בכה לה יעקב, בנה של רבקה (ראו להלן לה,ח; פרקי דרבי אליעזר טז). שם נזכר אפילו שמה – דבורה. הזכרת שמה של אשה צדדית במקרא היא תופעה נדירה בהחלט. מכאן שלמינקת רבקה היה מעמד חשוב בתוך המשפחה.

אֲדֹנִ֑י וַתִּקַּ֥ח הַצָּעִ֖יף וַתִּתְכָּֽס׃ וַיְסַפֵּ֥ר הָעֶ֖בֶד לְיִצְחָ֑ק סו
אֵ֥ת כָּל־הַדְּבָרִ֖ים אֲשֶׁ֥ר עָשָֽׂה׃ וַיְבִאֶ֣הָ יִצְחָ֗ק הָאֹ֙הֱלָה֙ סז
שָׂרָ֣ה אִמּ֔וֹ וַיִּקַּ֧ח אֶת־רִבְקָ֛ה וַתְּהִי־ל֥וֹ לְאִשָּׁ֖ה וַיֶּאֱהָבֶ֑הָ
וַיִּנָּחֵ֥ם יִצְחָ֖ק אַחֲרֵ֥י אִמּֽוֹ׃
ששי כב וַיֹּ֧סֶף אַבְרָהָ֛ם וַיִּקַּ֥ח אִשָּׁ֖ה וּשְׁמָ֥הּ קְטוּרָֽה׃ וַתֵּ֣לֶד ל֗וֹ א ב כה
אֶת־זִמְרָן֙ וְאֶת־יָקְשָׁ֔ן וְאֶת־מְדָ֖ן וְאֶת־מִדְיָ֑ן וְאֶת־
יִשְׁבָּ֖ק וְאֶת־שֽׁוּחַ׃ וְיָקְשָׁ֣ן יָלַ֔ד אֶת־שְׁבָ֖א וְאֶת־דְּדָ֑ן ג
וּבְנֵ֣י דְדָ֔ן הָי֛וּ אַשּׁוּרִ֥ם וּלְטוּשִׁ֖ם וּלְאֻמִּֽים׃ וּבְנֵ֣י מִדְיָ֗ן ד

רש"י

יוּטָל" (תהלים לז, כד), כְּלוֹמַר, אִם יִטֶּה לָאָרֶץ לֹא יַגִּיעַ עַד הַקַּרְקַע:

סה| **וַתִּתְכָּס.** לְשׁוֹן מִתְפַּעֵל, כְּמוֹ: "וַתִּקָּבֵר" (להלן לה, ח), "וַתִּלָּכֵד" (שמואל א' י, כח), "וַתִּשָּׁבֵר" (שם ד, יח):

סו| **וַיְסַפֵּר הָעֶבֶד.** גִּלָּה לוֹ נִסִּים שֶׁנַּעֲשׂוּ לוֹ, שֶׁקָּפְצָה לוֹ הָאָרֶץ וְשֶׁנִּזְדַּמְּנָה לוֹ רִבְקָה בִּתְפִלָּתוֹ:

סז| **הָאֹהֱלָה שָׂרָה אִמּוֹ.** וַיְבִאֶהָ הָאֹהֱלָה וְנַעֲשֵׂית דֻּגְמַת שָׂרָה אִמּוֹ, כְּלוֹמַר, וַהֲרֵי הִיא שָׂרָה אִמּוֹ, שֶׁכָּל זְמַן שֶׁשָּׂרָה קַיֶּמֶת הָיָה נֵר דָּלוּק מֵעֶרֶב שַׁבָּת לְעֶרֶב שַׁבָּת וּבְרָכָה מְצוּיָה בָּעִסָּה וְעָנָן קָשׁוּר עַל הָאֹהֶל, וּמִשֶּׁמֵּתָה פָּסְקוּ, וּכְשֶׁבָּאת רִבְקָה חָזְרוּ. בְּרֵאשִׁית רַבָּה (ס, טז): **אַחֲרֵי אִמּוֹ.** דֶּרֶךְ אֶרֶץ, כָּל זְמַן שֶׁאִמּוֹ שֶׁל אָדָם קַיֶּמֶת כָּרוּךְ הוּא אֶצְלָהּ, וּמִשֶּׁמֵּתָה – הוּא מִתְנַחֵם בְּאִשְׁתּוֹ:

פרק כה

א| **קְטוּרָה.** זוֹ הָגָר, וְנִקְרֵאת קְטוּרָה עַל שֵׁם שֶׁנָּאִים מַעֲשֶׂיהָ כִּקְטֹרֶת, וְשֶׁקָּשְׁרָה פִּתְחָהּ, שֶׁלֹּא נִזְדַּוְּגָה לְאָדָם מִיּוֹם שֶׁפֵּרְשָׁה מֵאַבְרָהָם:

ג| **אַשּׁוּרִם וּלְטוּשִׁם.** שֵׁם רָאשֵׁי אֻמּוֹת. וְתַרְגּוּם שֶׁל אוּנְקְלוֹס אֵין לִי לְיַשְּׁבוֹ עַל לְשׁוֹן הַמִּקְרָא:

הרחבות

'ותקח הציעף ותתכס' ייתכן שזהו מקור המנהג הנוהג עד היום, שהכלה מכסה את פניה בהינומה, לפני שהיא פוגשת את החתן. מלבד פרט זה מופיעים בסיפור כמה רמזים נוספים למעשים שנהגו בתחום הנישואין במשך אלפי השנים שעברו מאז, כגון שליחת סבלונות לכלה, ונתינת י"ב חודש לבתולה להכין עצמה עד הנישואין.

קטורה נראה שזו אשה חדשה (ראו רשב"ם וראב"ע על אתר; ילקוט שמעוני, איוב תתקד). אולם בבראשית רבה (סא,ד) ובתרגום יונתן ובעקבותיהם ברש"י על אתר, דרשו שקטורה היא כינוייה של הגר, שאותה השיב עתה אברהם.

מדין שבטי מדין שנדדו במזרח ארץ ישראל יוזכרו במקרא כאויבי ישראל (ראו במדבר כה,יז-יח; שופטים ז), וכן בהקשרים אחרים: מדנים ומדיינים ייזכרו כשבטים נודדים בסיפור מכירת יוסף (ראו להלן לז,לו). אף אשתו של משה רבנו הייתה מדיינית (ראו שמות ב,טז-כא).

ביאור | **וַתִּקַּח הַצָּעִיף וַתִּתְכָּס**. מכיון שמסעה בדרך הסתיים, ועתה היא באה בין אנשים אצילים, היא מכסה את עצמה בצעיף באופן רשמי ומסודר.

סו **וַיְסַפֵּר הָעֶבֶד לְיִצְחָק אֵת כָּל הַדְּבָרִים אֲשֶׁר עָשָׂה**, הן על מעשיו והן על הנס שהוכיח את מימוש שליחותו.

סז **וַיְבִאֶהָ יִצְחָק הָאֹהֱלָה שָׂרָה אִמּוֹ**. נראה שבתור אשה מכובדת, היה לשרה אוהל מיוחד, ובו חפציה ואביזריה האישיים. אוהל זה שבחברון נותר פנוי מאז מותה, ואליו הביא יצחק את רבקה.[22] **וַיִּקַּח אֶת רִבְקָה, וַתְּהִי לוֹ לְאִשָּׁה וַיֶּאֱהָבֶהָ. וַיִּנָּחֵם יִצְחָק אַחֲרֵי אִמּוֹ**. כפי הנראה, אמו מתה זמן לא רב לפני כן. בהיותו בנה היחיד של שרה, נפער בנפשו חלל עמוק עם הסתלקותה. עם הגעת רבקה הוא מצא בה השלמה לחייו. עתה, כשהגיע ההמשך הפוטנציאלי לקיומו, יוכל להתנחם אחרי אמו. הוא הכניס את רבקה לאוהל שרה, משום שהיא אמורה למלא את מקום אם המשפחה, תפקיד שאכן תמלא בהמשך.

שאר צאצאי אברהם, מות אברהם וישמעאל

פרק כה פס׳ א-יח

לאחר שנבנה ביתם של יצחק ורבקה, וקודם שיסופר באריכות בתולדותיהם, בא סיכום קצר של חיי אברהם בערוב ימיו. אף על פי שאברהם המשיך לחיות למעלה משלושים שנה מאז, אין מסופר על שנות חייו אלו אלא מעט. הסיפור העיקרי יתמקד ביצחק.

תם מעשהו של אברהם בייסוד בית ישראל. עתה הוא מוסיף להעמיד משפחות רבות ובכך משלים את ייעודו כאב המון גויים. אברהם משלח את בניו הרבים, שהם ראשי אומות, מזרחה ובידם מתנותיו, ואת כל אשר לו הוא מוריש ליצחק.

בהמשך יסופר על מות אברהם בשיבה טובה וכן על מות ישמעאל ועל תולדותיו.

לאחר שישמעאל גורש אל המדבר עם הגר, שרה מתה, ויצחק נשא
אשה, נשאר אברהם בגפו. פרק כה א **וַיֹּסֶף אַבְרָהָם וַיִּקַּח אִשָּׁה
וּשְׁמָהּ קְטוּרָה**, ב **וַתֵּלֶד לוֹ** האשה הזו **אֶת זִמְרָן וְאֶת יָקְשָׁן וְאֶת מְדָן
וְאֶת מִדְיָן וְאֶת יִשְׁבָּק וְאֶת שׁוּחַ**. ג **וְיָקְשָׁן יָלַד אֶת שְׁבָא וְאֶת דְּדָן**,
ייתכן ששבטים אלו חיו בערב הדרומית.[23] שבא ודדן הופיעו גם
ברשימת בני רעמה בן כוש בן חם.[24] **וּבְנֵי דְדָן הָיוּ אַשּׁוּרִם וּלְטוּשִׁים**

עֵיפָה וָעֵפֶר וַחֲנֹךְ וַאֲבִידָע וְאֶלְדָּעָה כָּל־אֵלֶּה בְּנֵי
ה קְטוּרָה: וַיִּתֵּן אַבְרָהָם אֶת־כָּל־אֲשֶׁר־לוֹ לְיִצְחָק:
ו וְלִבְנֵי הַפִּילַגְשִׁים אֲשֶׁר לְאַבְרָהָם נָתַן אַבְרָהָם מַתָּנֹת
וַיְשַׁלְּחֵם מֵעַל יִצְחָק בְּנוֹ בְּעוֹדֶנּוּ חַי קֵדְמָה אֶל־אֶרֶץ
ז קֶדֶם: וְאֵלֶּה יְמֵי שְׁנֵי־חַיֵּי אַבְרָהָם אֲשֶׁר־חָי מְאַת
ח שָׁנָה וְשִׁבְעִים שָׁנָה וְחָמֵשׁ שָׁנִים: וַיִּגְוַע וַיָּמָת אַבְרָהָם
ט בְּשֵׂיבָה טוֹבָה זָקֵן וְשָׂבֵעַ וַיֵּאָסֶף אֶל־עַמָּיו: וַיִּקְבְּרוּ
אֹתוֹ יִצְחָק וְיִשְׁמָעֵאל בָּנָיו אֶל־מְעָרַת הַמַּכְפֵּלָה
אֶל־שְׂדֵה עֶפְרֹן בֶּן־צֹחַר הַחִתִּי אֲשֶׁר עַל־פְּנֵי מַמְרֵא:
י הַשָּׂדֶה אֲשֶׁר־קָנָה אַבְרָהָם מֵאֵת בְּנֵי־חֵת שָׁמָּה
יא קֻבַּר אַבְרָהָם וְשָׂרָה אִשְׁתּוֹ: וַיְהִי אַחֲרֵי מוֹת אַבְרָהָם
וַיְבָרֶךְ אֱלֹהִים אֶת־יִצְחָק בְּנוֹ וַיֵּשֶׁב יִצְחָק עִם־בְּאֵר
לַחַי רֹאִי:

רש"י

ה) וַיִּתֵּן אַבְרָהָם וְגוֹ'. אָמַר רַבִּי נְחֶמְיָה: בְּרָכָה וּדְיָיתִיקִי נָתַן לוֹ. שֶׁאָמַר לוֹ הַקָּדוֹשׁ בָּרוּךְ הוּא לְאַבְרָהָם: "וֶהְיֵה בְּרָכָה" (לעיל יב, ב), הַבְּרָכוֹת מְסוּרוֹת בְּיָדְךָ לְבָרֵךְ אֶת מִי שֶׁתִּרְצֶה, וְאַבְרָהָם מְסָרָן לְיִצְחָק:

ו) הַפִּילַגְשִׁים. חָסֵר כְּתִיב, שֶׁלֹּא הָיְתָה אֶלָּא פִּילֶגֶשׁ אַחַת, הִיא הָגָר הִיא קְטוּרָה. נָשִׁים בִּכְתֻבָּה, פִּילַגְשִׁים בְּלֹא כְתֻבָּה, כִּדְאָמְרִינַן בְּסַנְהֶדְרִין בְּנָשִׁים וּפִילַגְשִׁים דְּדָוִד: נָתַן אַבְרָהָם מַתָּנֹת. פֵּרְשׁוּ רַבּוֹתֵינוּ, שֵׁם טֻמְאָה מָסַר לָהֶם:

ז) מְאַת שָׁנָה וְשִׁבְעִים שָׁנָה וְחָמֵשׁ שָׁנִים. בֶּן מֵאָה כְּבֶן שִׁבְעִים, וּבֶן שִׁבְעִים כְּבֶן חָמֵשׁ בְּלֹא חֵטְא:

ט) יִצְחָק וְיִשְׁמָעֵאל. מִכָּאן שֶׁעָשָׂה יִשְׁמָעֵאל תְּשׁוּבָה וְהוֹלִיךְ אֶת יִצְחָק לְפָנָיו, וְהִיא "שֵׂיבָה טוֹבָה" (לעיל טו, טו) שֶׁנֶּאֶמְרָה בְּאַבְרָהָם:

יא) וַיְהִי אַחֲרֵי מוֹת אַבְרָהָם וַיְבָרֶךְ וְגוֹ'. נִחֲמוֹ תַּנְחוּמֵי אֲבֵלִים. דָּבָר אַחֵר, אַף עַל פִּי שֶׁמָּסַר הַקָּדוֹשׁ בָּרוּךְ הוּא אֶת הַבְּרָכוֹת לְאַבְרָהָם, נִתְיָרֵא לְבָרֵךְ אֶת יִצְחָק, מִפְּנֵי שֶׁצָּפָה אֶת עֵשָׂו יוֹצֵא מִמֶּנּוּ. אָמַר: יָבֹא בַּעַל הָעוֹלָם וִיבָרֵךְ אֶת אֲשֶׁר יִיטַב בְּעֵינָיו. וּבָא הַקָּדוֹשׁ בָּרוּךְ הוּא וּבֵרְכוֹ:

ביאור

וּלְאֻמִּים, שמות שבטים,[25] או: תארים שמשמעם: חונים במחנות,
זריזים, ויחידות לאומיות.[26] ד **וּבְנֵי מִדְיָן**, שנמנה כאן בין בניו של
אברהם, היו **עֵיפָה וָעֵפֶר וַחֲנֹךְ וַאֲבִידָע וְאֶלְדָּעָה, כָּל אֵלֶּה בְּנֵי קְטוּרָה.**
היו שטענו כי היו אלה בניה של קטורה ולא של אברהם; ואברהם
גידלם בביתו,[27] אך אין הדברים מוכחים. אמנם אברהם ראה עצמו
כזקן בא בימים, אך נראה שעדיין כוחו היה במתניו, והוא הוליד
מקטורה ילדים אחדים. כמו מסיפור לידת ישמעאל, גם מפסוקים
אלה עולה שבעיית הפריון הייתה של שרה בלבד.

ה אף שנולדו לאברהם צאצאים נוספים, **וַיִּתֵּן אַבְרָהָם אֶת כָּל אֲשֶׁר לוֹ
לְיִצְחָק.** ו **וְלִבְנֵי הַפִּילַגְשִׁים אֲשֶׁר לְאַבְרָהָם**, הגר וקטורה **נָתַן אַבְרָהָם
מַתָּנֹת**, כיוון שלא החשיבם כיורשיו, העניק להם מתנות – כסף או
דברי ערך, ולא קרקע, **וַיְשַׁלְּחֵם מֵעַל יִצְחָק בְּנוֹ בְּעוֹדֶנּוּ חַי**, כדי שלא
יתחרו עם יצחק. בני הפילגשים נסעו **קֵדְמָה אֶל אֶרֶץ קֶדֶם.** העמים
המוכרים לנו מתוכם אכן ישבו בעבר הירדן המזרחי והגיעו עד
לדרום הנגב, ואולי גם לחצי–האי ערב. עמים אלה נשלחו מזרחה,
וחיו עם בני ישמעאל, ובכך יצאו מהמשך הסיפור.

ז **וְאֵלֶּה יְמֵי שְׁנֵי חַיֵּי אַבְרָהָם אֲשֶׁר חָי: מְאַת שָׁנָה וְשִׁבְעִים שָׁנָה וְחָמֵשׁ
שָׁנִים.** אברהם האריך ימים הרבה אחרי אשתו. ח **וַיִּגְוַע** נטה למות,
וַיָּמָת אַבְרָהָם בְּשֵׂיבָה טוֹבָה, ימי זקנותו היו יפים, ללא מלחמות,
סכסוכים ומתחים במשפחה, **זָקֵן** בשנים **וְשָׂבֵעַ**, שבע רצון ומסופק
מחייו. **וַיֵּאָסֶף אֶל עַמָּיו**, נפשו חזרה אל מקורה. בביטויים אלו נוהג
הכתוב רק לתיאור הסתלקותם של צדיקים. ט **וַיִּקְבְּרוּ אֹתוֹ יִצְחָק
וְיִשְׁמָעֵאל בָּנָיו** הבכירים **אֶל מְעָרַת הַמַּכְפֵּלָה, אֶל שְׂדֵה עֶפְרֹן בֶּן צֹחַר
הַחִתִּי אֲשֶׁר** נמצאת **עַל פְּנֵי**, לפני **מַמְרֵא**, כיוון שידעו על אחוזת הקבר
שרכש בחייו, ובה קבר את שרה. י **הַשָּׂדֶה אֲשֶׁר קָנָה אַבְרָהָם מֵאֵת
בְּנֵי חֵת – שָׁמָּה קֻבַּר אַבְרָהָם וְשָׂרָה אִשְׁתּוֹ**, ושם גם ייקברו הדורות
הבאים.

יא **וַיְהִי אַחֲרֵי מוֹת אַבְרָהָם, וַיְבָרֶךְ אֱלֹהִים אֶת יִצְחָק בְּנוֹ, וַיֵּשֶׁב יִצְחָק
עִם**, ליד **בְּאֵר לַחַי רֹאִי**, שבארץ הנגב, שם עסק בעיקר ברעיית צאן.
בהמשך יסופר כי שלח ידו גם בחקלאות.

שביעי יב וְאֵלֶּה תֹּלְדֹת יִשְׁמָעֵאל בֶּן־אַבְרָהָם אֲשֶׁר יָלְדָה הָגָר
יג הַמִּצְרִית שִׁפְחַת שָׂרָה לְאַבְרָהָם׃ וְאֵלֶּה שְׁמוֹת בְּנֵי
יִשְׁמָעֵאל בִּשְׁמֹתָם לְתוֹלְדֹתָם בְּכֹר יִשְׁמָעֵאל נְבָיֹת
יד וְקֵדָר וְאַדְבְּאֵל וּמִבְשָׂם׃ וּמִשְׁמָע וְדוּמָה וּמַשָּׂא׃
מפטיר טו טז חֲדַד וְתֵימָא יְטוּר נָפִישׁ וָקֵדְמָה׃ אֵלֶּה הֵם בְּנֵי
יִשְׁמָעֵאל וְאֵלֶּה שְׁמֹתָם בְּחַצְרֵיהֶם וּבְטִירֹתָם שְׁנֵים־
יז עָשָׂר נְשִׂיאִם לְאֻמֹּתָם׃ וְאֵלֶּה שְׁנֵי חַיֵּי יִשְׁמָעֵאל
מְאַת שָׁנָה וּשְׁלֹשִׁים שָׁנָה וְשֶׁבַע שָׁנִים וַיִּגְוַע וַיָּמָת
יח וַיֵּאָסֶף אֶל־עַמָּיו׃ וַיִּשְׁכְּנוּ מֵחֲוִילָה עַד־שׁוּר אֲשֶׁר
עַל־פְּנֵי מִצְרַיִם בֹּאֲכָה אַשּׁוּרָה עַל־פְּנֵי כָל־אֶחָיו
נָפָל׃

רש"י

יג **בִּשְׁמֹתָם לְתוֹלְדֹתָם.** סֵדֶר לֵדָתָן זֶה אַחַר זֶה:

טז **בְּחַצְרֵיהֶם.** כְּרַכִּים שֶׁאֵין לָהֶם חוֹמָה, כְּתַרְגּוּמוֹ: "בְּפַצְחֵיהוֹן", שֶׁהֵם מְפֻצָּחִים, לְשׁוֹן פְּתִיחָה, כְּמוֹ: "פִּצְחוּ וְרַנְּנוּ" (תהלים צח, ד):

יז **וְאֵלֶּה שְׁנֵי חַיֵּי יִשְׁמָעֵאל וגו'.** אָמַר רַבִּי חִיָּא בַּר אַבָּא: לָמָּה נִמְנוּ שְׁנוֹתָיו שֶׁל יִשְׁמָעֵאל? כְּדֵי לְיַחֵס בָּהֶם שְׁנוֹתָיו שֶׁל יַעֲקֹב. מִשְּׁנוֹתָיו שֶׁל יִשְׁמָעֵאל לָמַדְנוּ שֶׁשִּׁמֵּשׁ יַעֲקֹב בְּבֵית עֵבֶר אַרְבַּע עֶשְׂרֵה שָׁנָה כְּשֶׁפֵּרַשׁ מֵאָבִיו קֹדֶם שֶׁבָּא אֵצֶל לָבָן, שֶׁהֲרֵי כְּשֶׁפֵּרַשׁ יַעֲקֹב מֵאָבִיו מֵת יִשְׁמָעֵאל, שֶׁנֶּאֱמַר: "וַיֵּלֶךְ עֵשָׂו אֶל יִשְׁמָעֵאל" וְגוֹ' (להלן כח, ט), כְּמוֹ שֶׁמְּפֹרָשׁ בְּסוֹף 'מְגִלָּה נִקְרֵאת' (מגילה יז ע"א): **וַיִּגְוַע.** לֹא נֶאֶמְרָה 'גְּוִיעָה' אֶלָּא בַּצַּדִּיקִים:

יח **נָפָל.** שָׁכַן, כְּמוֹ: "וּמִדְיָן וַעֲמָלֵק וְכָל בְּנֵי קֶדֶם נֹפְלִים בָּעֵמֶק" (שופטים ז, יב). כָּאן הוּא אוֹמֵר לְשׁוֹן נְפִילָה, וּלְהַלָּן הוּא אוֹמֵר: "עַל פְּנֵי כָל אֶחָיו יִשְׁכֹּן" (לעיל טז, יב), עַד שֶׁלֹּא מֵת אַבְרָהָם – "יִשְׁכֹּן", מִשֶּׁמֵּת אַבְרָהָם – "נָפָל":

הרחבות

'שנים עשר נשיאם' בדומה למשפחת נחור, אף מספרם של בני ישמעאל משמעותי. מניין בניו שווה למניין בני יעקב, כפי שיסופר בהמשך – שנים עשר, מספר הנחשב לנאה ושלם.

'ויגוע וימת ויאסף אל עמיו' מותו של ישמעאל מתואר בדומה לדרך שבה מתוארת מיתתם של צדיקים. שום גוון שלילי אינו מתלווה אליו. אדרבא, חכמים הדגישו שבאחרית ימיו קיבל על

ביאור | לאחר שנגמר סיפורו של אברהם, נפרש סיפור התולדות הצדדי, המשלים את התמונה: יב **וְאֵלֶּה תֹּלְדֹת יִשְׁמָעֵאל בֶּן אַבְרָהָם, אֲשֶׁר יָלְדָה הָגָר הַמִּצְרִית שִׁפְחַת שָׂרָה לְאַבְרָהָם.** יג **וְאֵלֶּה שְׁמוֹת בְּנֵי יִשְׁמָעֵאל בִּשְׁמֹתָם לְתוֹלְדֹתָם: בְּכֹר יִשְׁמָעֵאל** הוא **נְבָיֹת**, המזוהה כשבט הערבי Habaiate, שוכן הספר המדברי של ארץ ישראל.[28] שאר בניו של ישמעאל, שחלקם נעשו ראשי משפחות, ראשי שבטים או אבות לעמים קטנים הם: **וְקֵדָר וְאַדְבְּאֵל וּמִבְשָׂם,** יד **וּמִשְׁמָע וְדוּמָה וּמַשָּׂא,** טו **חֲדַד וְתֵימָא, יְטוּר נָפִישׁ וָקֵדְמָה.** טז **אֵלֶּה הֵם בְּנֵי יִשְׁמָעֵאל וְאֵלֶּה שְׁמֹתָם**, בני ישמעאל לא נטו לבנות יישובי קבע. הם התגוררו **בְּחַצְרֵיהֶם**, מקומות קבועים למחצה **וּבְטִירֹתָם**, מאהליהם הגדורים באבנים. סך כל בני ישמעאל **שְׁנֵים עָשָׂר נְשִׂיאִם לְאֻמֹּתָם.** כל אחד מהם היה נשיאה של אומה קטנה.

יז **וְאֵלֶּה שְׁנֵי חַיֵּי יִשְׁמָעֵאל:** ישמעאל חי **מְאַת שָׁנָה וּשְׁלֹשִׁים שָׁנָה וְשֶׁבַע שָׁנִים. וַיִּגְוַע וַיָּמָת, וַיֵּאָסֶף אֶל עַמָּיו.** ישמעאל הגיע לגיל מופלג.

יח **וַיִּשְׁכְּנוּ** בני ישמעאל, **מֵחֲוִילָה**[29] **עַד שׁוּר, אֲשֶׁר עַל פְּנֵי מִצְרַיִם בֹּאֲכָה אַשּׁוּרָה. עַל פְּנֵי כָל אֶחָיו נָפָל.** שכַן, חבר[30] או: נפל חלקו וגורלו. אולי יש לראות ביטוי זה במשמעות כיבוש, כלומר, שבטי ישמעאל שלטו על אחיהם, בני קטורה.

הרחבות | עצמו את מרותו של יצחק, הצעיר ממנו (בבא בתרא טז ע"ב). נראה כי אף על פי שישמעאל לא הוריש לבניו אחריו את מורשת אברהם כולה, בזקנותו הוא ביטא חלק מן המורשת הזאת: בוודאי לימד את בניו את ערכי הכנסת אורחים שהיו נוהגים במשפחת המוצא שלו, ואף הנהיג את ברית המילה, חוק שצאצאיו והנלווים אליהם ממשיכים לשמור עד היום.

תולדות כג וְאֵלֶּה תּוֹלְדֹת יִצְחָק בֶּן־אַבְרָהָם אַבְרָהָם הוֹלִיד אֶת־ יט
יִצְחָק: וַיְהִי יִצְחָק בֶּן־אַרְבָּעִים שָׁנָה בְּקַחְתּוֹ אֶת־ כ
רִבְקָה בַּת־בְּתוּאֵל הָאֲרַמִּי מִפַּדַּן אֲרָם אֲחוֹת לָבָן
הָאֲרַמִּי לוֹ לְאִשָּׁה: וַיֶּעְתַּר יִצְחָק לַיהוה לְנֹכַח אִשְׁתּוֹ כא
כִּי עֲקָרָה הִוא וַיֵּעָתֶר לוֹ יהוה וַתַּהַר רִבְקָה אִשְׁתּוֹ:
וַיִּתְרֹצְצוּ הַבָּנִים בְּקִרְבָּהּ וַתֹּאמֶר אִם־כֵּן לָמָּה זֶּה כב

רש"י

יט| **וְאֵלֶּה תּוֹלְדֹת יִצְחָק.** יַעֲקֹב וְעֵשָׂו הָאֲמוּרִים בַּפָּרָשָׁה; וְעַל יְדֵי שֶׁכָּתַב הַכָּתוּב: "יִצְחָק בֶּן אַבְרָהָם" הֻזְקַק לוֹמַר: "אַבְרָהָם הוֹלִיד אֶת יִצְחָק", לְפִי שֶׁהָיוּ לֵיצָנֵי הַדּוֹר אוֹמְרִים: מֵאֲבִימֶלֶךְ נִתְעַבְּרָה שָׂרָה, שֶׁהֲרֵי כַּמָּה שָׁנִים שָׁהֲתָה עִם אַבְרָהָם וְלֹא נִתְעַבְּרָה הֵימֶנּוּ. מֶה עָשָׂה הַקָּדוֹשׁ בָּרוּךְ הוּא? צָר קְלַסְתֵּר פָּנָיו שֶׁל יִצְחָק דּוֹמֶה לְאַבְרָהָם, וְהֵעִידוּ הַכֹּל: אַבְרָהָם הוֹלִיד אֶת יִצְחָק. וְזֶהוּ שֶׁכָּתוּב כָּאן: "יִצְחָק בֶּן אַבְרָהָם", שֶׁהֲרֵי עֵדוּת יֵשׁ שֶׁ"אַבְרָהָם הוֹלִיד אֶת יִצְחָק":

כ| **בֶּן אַרְבָּעִים שָׁנָה.** שֶׁהֲרֵי כְּשֶׁבָּא אַבְרָהָם מֵהַר הַמּוֹרִיָּה נִתְבַּשֵּׂר שֶׁנּוֹלְדָה רִבְקָה, וְיִצְחָק הָיָה בֶּן שְׁלֹשִׁים וָשֶׁבַע שָׁנָה, שֶׁהֲרֵי בּוֹ בַּפֶּרֶק מֵתָה שָׂרָה, וּמִשֶּׁנּוֹלַד יִצְחָק עַד שֶׁמֵּתָה שָׂרָה שְׁלֹשִׁים וָשֶׁבַע שָׁנִים הָיוּ – בַּת תִּשְׁעִים הָיְתָה כְּשֶׁנּוֹלַד, וּבַת מֵאָה עֶשְׂרִים וָשֶׁבַע שָׁנָה הָיְתָה כְּשֶׁמֵּתָה, שֶׁנֶּאֱמַר (לעיל כג, א): "וַיִּהְיוּ חַיֵּי שָׂרָה" וְגוֹ', הֲרֵי לְיִצְחָק שְׁלֹשִׁים וָשֶׁבַע שָׁנִים. וּבוֹ בַּפֶּרֶק נוֹלְדָה רִבְקָה. הִמְתִּין לָהּ עַד שֶׁתְּהֵא רְאוּיָה לְבִיאָה שָׁלֹשׁ שָׁנִים וּנְשָׂאָהּ: **בַּת בְּתוּאֵל מִפַּדַּן אֲרָם אֲחוֹת לָבָן.** וְכִי עֲדַיִן לֹא נִכְתַּב שֶׁהִיא בַּת בְּתוּאֵל וַאֲחוֹת לָבָן וּמִפַּדַּן אֲרָם? אֶלָּא לְהַגִּיד שִׁבְחָהּ, שֶׁהָיְתָה בַּת רָשָׁע וַאֲחוֹת רָשָׁע וּמְקוֹמָהּ אַנְשֵׁי רֶשַׁע, וְלֹא לָמְדָה מִמַּעֲשֵׂיהֶם: **מִפַּדַּן אֲרָם.** עַל שֵׁם שֶׁשְּׁנֵי אֲרָם הָיוּ, אֲרַם נַהֲרַיִם וַאֲרַם צוֹבָה, קוֹרֵא אוֹתוֹ 'פַּדָּן', לְשׁוֹן: "צֶמֶד בָּקָר" (שמואל א' יא, ז) תַּרְגּוּם: "פַּדַּן תּוֹרִין". וְיֵשׁ פּוֹתְרִים 'פַּדַּן אֲרָם' כְּמוֹ "שְׂדֵה אֲרָם" (הושע יב, יג), שֶׁבִּלְשׁוֹן יִשְׁמָעֵאל קוֹרִין לְשָׂדֶה 'פַּדַּן':

כא| **וַיֶּעְתַּר.** הִרְבָּה וְהִפְצִיר בִּתְפִלָּה: **וַיֵּעָתֶר לוֹ.** נִתְפַּצֵּר לוֹ וְנִתְפַּתָּה לוֹ. וְאוֹמֵר אֲנִי, כָּל לְשׁוֹן 'עֶתֶר' לְשׁוֹן הַפְצָרָה וְרִבּוּי הוּא, וְכֵן: "וַעֲתַר עֲנַן הַקְּטֹרֶת" (יחזקאל ח, יא) – מַרְבִּית עֲלִיַּת הֶעָשָׁן, וְכֵן: "וְהַעְתַּרְתֶּם עָלַי דִּבְרֵיכֶם" (שם לה, יג), וְכֵן: "וְנַעְתָּרוֹת נְשִׁיקוֹת שׂוֹנֵא" (משלי כז, ו) – דּוֹמוֹת לְמַרְבּוֹת וְהֵנָּם לְמַשָּׂא, אינקריסמנ"ט בְּלַעַז: **לְנֹכַח אִשְׁתּוֹ.** זֶה עוֹמֵד בְּזָוִית זוֹ וּמִתְפַּלֵּל, וְזוֹ עוֹמֶדֶת בְּזָוִית זוֹ וּמִתְפַּלֶּלֶת: **וַיֵּעָתֶר לוֹ.** וְאֵין דּוֹמָה תְּפִלַּת צַדִּיק בֶּן רָשָׁע לִתְפִלַּת צַדִּיק בֶּן צַדִּיק, לְפִיכָךְ לוֹ וְלֹא לָהּ:

כב| **וַיִּתְרֹצְצוּ.** עַל כָּרְחֲךָ הַמִּקְרָא הַזֶּה אוֹמֵר דָּרְשֵׁנִי, שֶׁסָּתַם מַה הִיא רְצִיצָה זוֹ וְכָתַב: "אִם כֵּן לָמָּה זֶה אָנֹכִי". רַבּוֹתֵינוּ דְּרָשׁוּהוּ לְשׁוֹן רִיצָה: כְּשֶׁהָיְתָה עוֹבֶרֶת עַל פִּתְחֵי תוֹרָה שֶׁל שֵׁם וָעֵבֶר יַעֲקֹב רָץ וּמְפַרְכֵּס לָצֵאת, עוֹבֶרֶת עַל פֶּתַח עֲבוֹדָה זָרָה וְעֵשָׂו מְפַרְכֵּס לָצֵאת. דָּבָר אַחֵר, מִתְרוֹצְצִים זֶה עִם זֶה וּמְרִיבִים בְּנַחֲלַת שְׁנֵי עוֹלָמוֹת: **וַתֹּאמֶר אִם כֵּן.** גָּדוֹל

יעקב, עשו והבכורה

פרק כה פס׳ יט–לד

לאחר שתוארו בקיצור גדול תולדותיו של ישמעאל, מתמקד הכתוב בתולדות יצחק. כאן התולדות אינן מתייחסות לרשימת הצאצאים בלבד אלא לסיפור החיים של יצחק, ובעיקר לשאלה מי משני הבנים שיוולדו לו ולרבקה – יעקב ועשו – יהיה ממשיכו. גם אם מה שיתרחש כאן ייתפס בעיני עשו כדבר של מה-בכך, הרי שיעקב רואה משמעות רבה במאורע זה, שכן בו ייקבע כי הוא יהיה ממשיכה העיקרי של המשפחה לאחר מותו של יצחק.

ביאור

יט **וְאֵלֶּה תּוֹלְדֹת**, השתלשלות המעשים של **יִצְחָק בֶּן אַבְרָהָם, אַבְרָהָם**
הוֹלִיד אֶת יִצְחָק: כ **וַיְהִי יִצְחָק בֶּן אַרְבָּעִים שָׁנָה בְּקַחְתּוֹ אֶת רִבְקָה**
בַּת בְּתוּאֵל הָאֲרַמִּי מִפַּדַּן, משׂדה[1] **אֲרָם**, שהייתה **אֲחוֹת לָבָן הָאֲרַמִּי,**
לוֹ לְאִשָּׁה.

כא **וַיֶּעְתַּר**, התפלל במרץ **יִצְחָק לַה׳ לְנֹכַח אִשְׁתּוֹ**, מול אשתו ועל
אשתו. כיוון שלא ילדה במשך השנים שעברו מאז נישאו ועד
שהפנה עתירתו לה׳,[2] הסיק יצחק – **כִּי עֲקָרָה הִוא. וַיֵּעָתֶר לוֹ ה׳,**
וַתַּהַר רִבְקָה אִשְׁתּוֹ.

כב **וַיִּתְרֹצֲצוּ הַבָּנִים בְּקִרְבָּהּ** בזמן ההיריון. מאוחר יותר יתברר שיש
בבטנה תאומים שאינם זהים. כיוון שחשה רבקה שדבר-מה חריג
ומטריד מתרחש בה, **וַתֹּאמֶר: אִם כֵּן**, אם קשה כל כך ההיריון – **לָמָּה**
זֶּה אָנֹכִי? למה אני מעוניינת בו? ואולי גם: אם הסבל כה מרובה,

הרחבות

׳תולדת יצחק בן אברהם, אברהם הוליד את יצחק׳ את הכפילות-לכאורה הזו אפשר להסביר בדמיון החיצוני שבין השניים: העובדה שאברהם הוליד את יצחק הייתה ניכרת לעין כל, שכן פני יצחק היו דומים באופן מובהק לפניו של אברהם (בבא מציעא פז ע״א; יונתן, רש״י ואברבנאל על אתר). יתר על כן, במשך כל ימי חייו יצחק ראה את עצמו כבנו של אברהם וכממשיך דרכו. מבחינת יצחק, העובדה שהיה בנו של אברהם הייתה משמעותית במיוחד. יִצְחָק בֶּן אַבְרָהָם הוא שמו בלבד, אך משמעה של הקביעה אַבְרָהָם הוֹלִיד אֶת יִצְחָק היא שיצחק הוא מי שנוצר בדמותו, בן טיפוחיו, יורשו וממשיכו (רמב״ן).

׳בת בתואל הארמי... אחות לבן הארמי׳ אזכורי אביה ואחיה של רבקה מדגישים את הניגוד בינה לבין בני משפחתה. הן בתואל הן לבן הם דמויות מפוקפקות למדי. בתואל הארמי מפדן ארם הופיע כאדם חלש וחסר יכולת החלטה (ראו לעיל כד,נ ולהלן כט,ה), ולבן הארמי יתגלה בהמשך כאדם ערמומי. חרף הרקע הבעייתי התפתחה בבית זה אישיות שונה בתכלית (ראו בראשית רבה ורש״י).

אָנֹכִי וַתֵּלֶךְ לִדְרֹשׁ אֶת־יְהוָה׃ וַיֹּאמֶר יְהוָה לָהּ שְׁנֵי כג
גוים גיים בְּבִטְנֵךְ וּשְׁנֵי לְאֻמִּים מִמֵּעַיִךְ יִפָּרֵדוּ וּלְאֹם מִלְאֹם
יֶאֱמָץ וְרַב יַעֲבֹד צָעִיר׃ וַיִּמְלְאוּ יָמֶיהָ לָלֶדֶת וְהִנֵּה כד
תוֹמִם בְּבִטְנָהּ׃ וַיֵּצֵא הָרִאשׁוֹן אַדְמוֹנִי כֻּלּוֹ כְּאַדֶּרֶת כה
שֵׂעָר וַיִּקְרְאוּ שְׁמוֹ עֵשָׂו׃ וְאַחֲרֵי־כֵן יָצָא אָחִיו וְיָדוֹ כו
אֹחֶזֶת בַּעֲקֵב עֵשָׂו וַיִּקְרָא שְׁמוֹ יַעֲקֹב וְיִצְחָק בֶּן־
שִׁשִּׁים שָׁנָה בְּלֶדֶת אֹתָם׃ וַיִּגְדְּלוּ הַנְּעָרִים וַיְהִי כז

רש"י

צַעַר הָעִבּוּר, "לָמָּה זֶּה אָנֹכִי" מִתְאַוָּה וּמִתְפַּלֶּלֶת עַל הֵרָיוֹן: וַתֵּלֶךְ לִדְרֹשׁ. לְבֵית מִדְרָשׁוֹ שֶׁל שֵׁם: לִדְרֹשׁ אֶת ה׳. לְהַגִּיד לָהּ מַה תְּהֵא בְּסוֹפָהּ:

כג) וַיֹּאמֶר ה׳ לָהּ. עַל יְדֵי שָׁלִיחַ, לְשֵׁם אָמַר בְּרוּחַ הַקֹּדֶשׁ וְהוּא אָמַר לָהּ: שְׁנֵי גוֹיִם בְּבִטְנֵךְ. 'גֵּיִים' כְּתִיב, אֵלּוּ אַנְטוֹנִינוּס וְרַבִּי, שֶׁלֹּא פָּסְקוּ מֵעַל שֻׁלְחָנָם לֹא צְנוֹן וְלֹא חֲזֶרֶת לֹא בִימוֹת הַחַמָּה וְלֹא בִימוֹת הַגְּשָׁמִים: וּשְׁנֵי לְאֻמִּים. אֵין 'לְאֹם' אֶלָּא מַלְכוּת: מִמֵּעַיִךְ יִפָּרֵדוּ. מִן הַמֵּעַיִם הֵם נִפְרָדִים, זֶה לְרִשְׁעוֹ וְזֶה לְתֻמּוֹ: מִלְאֹם יֶאֱמָץ. לֹא יִשְׁווּ בִּגְדֻלָּה, כְּשֶׁזֶּה קָם זֶה נוֹפֵל, וְכֵן הוּא אוֹמֵר: "אִמָּלְאָה הָחֳרָבָה" (יחזקאל כו, ב) – לֹא נִתְמַלְּאָה צֹר אֶלָּא מֵחֻרְבָּנָהּ שֶׁל יְרוּשָׁלַיִם:

כד) וַיִּמְלְאוּ יָמֶיהָ. אֲבָל בְּתָמָר כְּתִיב: "וַיְהִי בְּעֵת לִדְתָּהּ" (להלן לח, כז), שֶׁלֹּא מָלְאוּ יָמֶיהָ כִּי לְשִׁבְעָה חֳדָשִׁים יְלָדָתַם: וְהִנֵּה תוֹמִם. חָסֵר. וּבְתָמָר "תְאוֹמִים" מָלֵא, לְפִי שֶׁשְּׁנֵיהֶם צַדִּיקִים, אֲבָל כָּאן אֶחָד צַדִּיק וְאֶחָד רָשָׁע:

כה) אַדְמוֹנִי. סִימָן הוּא שֶׁיְּהֵא שׁוֹפֵךְ דָּמִים: כֻּלּוֹ כְּאַדֶּרֶת שֵׂעָר. מָלֵא שֵׂעָר כְּטַלִּית שֶׁל צֶמֶר הַמְלֵאָה שֵׂעָר, פלוקיד"א בְּלַעַז: וַיִּקְרְאוּ שְׁמוֹ עֵשָׂו. הַכֹּל קָרְאוּ לוֹ כֵּן, לְפִי שֶׁהָיָה נַעֲשֶׂה וְנִגְמָר בִּשְׂעָרוֹ כְּבֶן שָׁנִים הַרְבֵּה:

כו) בַּעֲקֵב עֵשָׂו. סִימָן שֶׁאֵין זֶה מַסְפִּיק לִגְמֹר מַלְכוּתוֹ עַד שֶׁזֶּה עוֹמֵד וְנוֹטְלָהּ הֵימֶנּוּ: וַיִּקְרָא שְׁמוֹ יַעֲקֹב. הַקָּדוֹשׁ בָּרוּךְ הוּא. דָּבָר אַחֵר, אָבִיו קָרָא לוֹ יַעֲקֹב עַל שֵׁם אֲחִיזַת הֶעָקֵב: בֶּן שִׁשִּׁים שָׁנָה. עֶשֶׂר שָׁנִים מִשֶּׁנְּשָׂאָהּ עַד שֶׁנַּעֲשֵׂית בַּת שְׁלֹשׁ עֶשְׂרֵה שָׁנָה וּרְאוּיָה לְהֵרָיוֹן, וְעֶשֶׂר שָׁנִים הַלָּלוּ צִפָּה וְהִמְתִּין לָהּ כְּמוֹ שֶׁעָשָׂה אָבִיו לְשָׂרָה (לעיל טז, ג). כֵּיוָן שֶׁלֹּא נִתְעַבְּרָה יָדַע שֶׁהִיא עֲקָרָה וְהִתְפַּלֵּל עָלֶיהָ. וְשִׁפְחָה לֹא רָצָה לִשָּׂא, לְפִי שֶׁנִּתְקַדֵּשׁ בְּהַר הַמּוֹרִיָּה לִהְיוֹת עוֹלָה תְמִימָה:

כז) וַיִּגְדְּלוּ הַנְּעָרִים וַיְהִי עֵשָׂו. כָּל זְמַן שֶׁהָיוּ קְטַנִּים לֹא הָיוּ נִכָּרִים בְּמַעֲשֵׂיהֶם וְאֵין אָדָם מְדַקְדֵּק בָּהֶם מַה טִּיבָם. כֵּיוָן

ביאור | למה אני חיה? **וַתֵּלֶךְ לִדְרֹשׁ אֶת ה׳**. באותה תקופה היו אנשים גדולים שהאמינו באמונה שבה דבקה משפחת אברהם, דוגמת מלכי צדק מלך שלם. רבקה חיפשה הוראה נבואית מאדם כזה.[3]

כג **וַיֹּאמֶר ה׳ לָהּ: שְׁנֵי גוֹיִם**, עמים, או: מנהיגים[4] **בְּבִטְנֵךְ, וּשְׁנֵי לְאֻמִּים מִמֵּעַיִךְ יִפָּרֵדוּ**. מיד לאחר שתלדי אותם, יתברר שהם שונים זה מזה. **וּלְאֹם מִלְאֹם יֶאֱמָץ**. המריבה ביניהם, שאת חשה כעת בבטנך, תימשך גם הלאה. **וְרַב**, הגדול **יַעֲבֹד** את **הַצָּעִיר**. גם אם הם תאומים, אחד מהם יצא מרחם אמו לפני חברו.

כד **וַיִּמְלְאוּ יָמֶיהָ לָלֶדֶת, וְהִנֵּה תוֹמִם**, תאומים **בְּבִטְנָהּ**. כה **וַיֵּצֵא**
הָרִאשׁוֹן אַדְמוֹנִי, עור גופו אדום מהרגיל,[5] והוא היה מכוסה **כֻּלּוֹ**
כְּאַדֶּרֶת שֵׂעָר, שעיר מאוד. **וַיִּקְרְאוּ שְׁמוֹ עֵשָׂו**, אולי משום שהיה ילד
גדול ושעיר היה כביכול עשוי.[6] כו **וְאַחֲרֵי כֵן יָצָא אָחִיו**, וגם בלידתו
אירע דבר לא רגיל – **וְיָדוֹ אֹחֶזֶת בַּעֲקֵב עֵשָׂו, וַיִּקְרָא שְׁמוֹ יַעֲקֹב**.

וכאן הערה: **וְיִצְחָק בֶּן שִׁשִּׁים שָׁנָה בְּלֶדֶת אֹתָם**. כיוון שנשא את רבקה כשהיה בן ארבעים, עברו עשרים שנה עד שהיא ילדה.

כז **וַיִּגְדְּלוּ הַנְּעָרִים**, והנבואה שבישרה שדרכיהם ייפרדו זו מזו, אכן התקיימה. בצד מילוי חובותיהם הדומות במסגרת המשפחה, במשק הבית ובחקלאות, החלו להופיע נטיות האופי השונות שלהם: **וַיְהִי**

הרחבות

׳ותלך לדרש את ה׳. ויאמר ה׳ לה״ לא ברור אם רבקה דיברה עם בעלה על סבלה. ייתכן שיצחק לא ידע על מצוקתה ואף על פנייתה לדרוש את ה׳. נראה שנאמרה לה נבואה פרטית. רבקה נצרה את דבר ה׳ בלבה והמשיכה לפעול על פיו (ראו חזקוני).

׳ויקרא שמו יעקב׳ מעבר לכך שיעקב נקרא כך, משום שהחזיק בעקב אחיו ונולד בעקבותיו, משמעות השורש ע,ק,ב היא ערמה או: עקמומיות (כמו בפסוק מישעיה מ,ד: וְהָיָה הֶעָקֹב לְמִישׁוֹר). משמעות זו תעלה בהמשך סביב יחסו עם עשו (להלן כז,לו). בשלב מאוחר יותר יחליף ה׳ את שמו, ויעניק לו שם שמשמעותו כמעט הפוכה – ישראל (להלן לב,כח).

׳ויגדלו הנערים׳ חכמים סברו כי יעקב ועשו היו באותה עת בני חמש עשרה (ראו בבא בתרא טז ע״ב; יונתן פס׳ כט; תנחומא תולדות ב), שכן בגיל זה מתבררות תכונותיהם הייחודיות של הילדים, אף על פי שעדיין לא הגיעו להתנהגות ולחשיבה בוגרת.

עֵשָׂו אִישׁ יֹדֵעַ צַיִד אִישׁ שָׂדֶה וְיַעֲקֹב אִישׁ תָּם יֹשֵׁב
כח אֹהָלִים: וַיֶּאֱהַב יִצְחָק אֶת־עֵשָׂו כִּי־צַיִד בְּפִיו וְרִבְקָה
כט אֹהֶבֶת אֶת־יַעֲקֹב: וַיָּזֶד יַעֲקֹב נָזִיד וַיָּבֹא עֵשָׂו מִן־
ל הַשָּׂדֶה וְהוּא עָיֵף: וַיֹּאמֶר עֵשָׂו אֶל־יַעֲקֹב הַלְעִיטֵנִי
נָא מִן־הָאָדֹם הָאָדֹם הַזֶּה כִּי עָיֵף אָנֹכִי עַל־כֵּן קָרָא־
לא שְׁמוֹ אֱדוֹם: וַיֹּאמֶר יַעֲקֹב מִכְרָה כַיּוֹם אֶת־בְּכֹרָתְךָ
לב לִי: וַיֹּאמֶר עֵשָׂו הִנֵּה אָנֹכִי הוֹלֵךְ לָמוּת וְלָמָּה־זֶּה לִי
לג בְּכֹרָה: וַיֹּאמֶר יַעֲקֹב הִשָּׁבְעָה לִּי כַּיּוֹם וַיִּשָּׁבַע לוֹ
לד וַיִּמְכֹּר אֶת־בְּכֹרָתוֹ לְיַעֲקֹב: וְיַעֲקֹב נָתַן לְעֵשָׂו לֶחֶם

רש"י | שֶׁנַּעֲשׂוּ בְּנֵי שְׁלֹשׁ עֶשְׂרֵה שָׁנָה, זֶה פֵּרַשׁ לְבָתֵּי מִדְרָשׁוֹת וְזֶה פֵּרַשׁ לַעֲבוֹדָה זָרָה: **יֹדֵעַ צַיִד.** לָצוּד וּלְרַמּוֹת אֶת אָבִיו בְּפִיו, וְשׁוֹאֵל: אַבָּא, הֵיאַךְ מְעַשְּׂרִין אֶת הַמֶּלַח? הֵיאַךְ מְעַשְּׂרִין אֶת הַתֶּבֶן? כִּסְבוּר אָבִיו שֶׁהוּא מְדַקְדֵּק בַּמִּצְוֹת: **אִישׁ שָׂדֶה.** כְּמַשְׁמָעוֹ, אָדָם בָּטֵל, וְצוֹדֶה בְּקַשְׁתּוֹ חַיּוֹת וְעוֹפוֹת: **תָּם.** אֵינוֹ בָּקִי בְּכָל אֵלֶּה, כְּלִבּוֹ כֵּן פִּיו. מִי שֶׁאֵינוֹ חָרִיף לְרַמּוֹת קָרוּי 'תָּם': **יֹשֵׁב אֹהָלִים.** אָהֳלוֹ שֶׁל שֵׁם וְאָהֳלוֹ שֶׁל עֵבֶר:

כח| **בְּפִיו.** כְּתַרְגּוּמוֹ, בְּפִיו שֶׁל יִצְחָק. וּמִדְרָשׁוֹ, בְּפִיו שֶׁל עֵשָׂו, שֶׁהָיָה צָד אוֹתוֹ וּמְרַמֵּהוּ בִּדְבָרָיו:

כט| **וַיָּזֶד.** לְשׁוֹן בִּשּׁוּל, כְּתַרְגּוּמוֹ: **וְהוּא עָיֵף.** בִּרְצִיחָה, כְּמָה דְּתֵימַר: "כִּי עָיְפָה נַפְשִׁי לְהֹרְגִים" (ירמיה ד, לא):

ל| **הַלְעִיטֵנִי.** אֶפְתַּח פִּי וּשְׁפֹךְ הַרְבֵּה לְתוֹכָהּ, כְּמוֹ שֶׁשָּׁנִינוּ: "אֵין אוֹבְסִין אֶת הַגָּמָל אֲבָל מַלְעִיטִין אוֹתוֹ" (שבת קנה ע"ב): **מִן הָאָדֹם הָאָדֹם.** עֲדָשִׁים אֲדֻמּוֹת, וְאוֹתוֹ הַיּוֹם מֵת אַבְרָהָם שֶׁלֹּא יִרְאֶה אֶת עֵשָׂו בֶּן בְּנוֹ יוֹצֵא לְתַרְבּוּת רָעָה, וְאֵין זוֹ "שֵׂיבָה טוֹבָה" שֶׁהִבְטִיחוֹ הַקָּדוֹשׁ בָּרוּךְ הוּא (לעיל טו, טו), לְפִיכָךְ קִצֵּר הַקָּדוֹשׁ בָּרוּךְ הוּא חָמֵשׁ שָׁנִים מִשְּׁנוֹתָיו, שֶׁיִּצְחָק חַי מֵאָה וּשְׁמוֹנִים שָׁנָה וְזֶה מֵאָה וְשִׁבְעִים וְחָמֵשׁ שָׁנָה, וּבִשֵּׁל יַעֲקֹב עֲדָשִׁים לְהַבְרוֹת אֶת הָאָבֵל. וְלָמָּה עֲדָשִׁים? שֶׁדּוֹמוֹת לְגַלְגַּל, שֶׁהָאֲבֵלוּת גַּלְגַּל שֶׁחוֹזֵר בָּעוֹלָם:

לא| **מִכְרָה כַיּוֹם.** כְּתַרְגּוּמוֹ: "כְּיוֹם דִּלְהֵן", כַּיּוֹם שֶׁהוּא בָּרוּר כָּךְ מְכֹר לִי מְכִירָה בְּרוּרָה: **בְּכֹרָתְךָ.** לְפִי שֶׁהָעֲבוֹדָה בַּבְּכוֹרוֹת, אָמַר יַעֲקֹב: אֵין רָשָׁע זֶה כְּדַאי שֶׁיַּקְרִיב לְהַקָּדוֹשׁ בָּרוּךְ הוּא:

לב| **הִנֵּה אָנֹכִי הוֹלֵךְ לָמוּת.** אָמַר עֵשָׂו: מַה טִּיבָהּ שֶׁל עֲבוֹדָה זוֹ? אָמַר לוֹ: כַּמָּה אַזְהָרוֹת וַעֲנָשִׁין וּמִיתוֹת תְּלוּיִין בָּהּ, כְּאוֹתָהּ שֶׁשָּׁנִינוּ: אֵלּוּ הֵן שֶׁבְּמִיתָה, שְׁתוּיֵי יַיִן וּפְרוּעֵי רֹאשׁ. אָמַר: אֲנִי הוֹלֵךְ לָמוּת עַל יָדָהּ, אִם כֵּן מַה חֵפֶץ לִי בָּהּ?:

ביאור

עֵשָׂו אִישׁ יֹדֵעַ צַיִד, דמות הרפתקנית, שאינה מסתפקת במלאכתה
הקרובה, אלא יוצאת לצוד בעלי חיים. אִישׁ שָׂדֶה, איש השדה הגדול,
איש המרחב. וְיַעֲקֹב – אִישׁ תָּם, אין הוא מעוניין לעסוק בתחבולות
ציד, במארבים ובטמינת מלכודות,[7] יֹשֵׁב אֹהָלִים, איש בית, או: רועה
מומחה בגידול צאן.[8] כח וַיֶּאֱהַב יִצְחָק אֶת עֵשָׂו כִּי צַיִד בְּפִיו. וְרִבְקָה
אֹהֶבֶת אֶת יַעֲקֹב, ייתכן שמשום שחי בבית, בקרבתה.

כט מכיוון שיעקב מצוי הרבה בבית, וַיָּזֶד, בישל יַעֲקֹב נָזִיד, מרק.
וַיָּבֹא עֵשָׂו מִן הַשָּׂדֶה, לאחר שהתרוצץ וכנראה לא מצא ציד, וְהוּא
עָיֵף, מותש וצמא.[9] ל וַיֹּאמֶר עֵשָׂו אֶל יַעֲקֹב: הַלְעִיטֵנִי, האכל אותי
נָא מִן הָאָדֹם הָאָדֹם הַזֶּה, עשו לא ידע מהו התבשיל האדום שבסיר,
כִּי עָיֵף אָנֹכִי, עד כדי כך שקשה לי להגיש את הכף לפי.

וכאן מובאת הערה: עַל כֵּן קָרָא שְׁמוֹ אֱדוֹם. אירוע זה, שבו נקשר עשו לאָדֹם הָאָדֹם הַזֶּה דבק בו לכל ימי חייו ולמשך דורות רבים, ונעשה לו כינוי נרדף.

לא וַיֹּאמֶר יַעֲקֹב: כשם שאתה פונה אלי בבקשה, אף אני אבקש ממך - מִכְרָה כַיּוֹם, עכשיו אֶת בְּכֹרָתְךָ לִי.

לב וַיֹּאמֶר עֵשָׂו: הִנֵּה אָנֹכִי הוֹלֵךְ לָמוּת, בעייפותי הרבה אני חש שאני עומד להתמוטט, וְלָמָּה זֶּה לִי בְּכֹרָה?! גם אם כרוך בבכורה צד כלכלי כלשהו, הוא יתממש רק בעתיד הרחוק, ואילו עשו, הצד חיות בשדה אינו אדם מחושב המתכנן תכניות ארוכות טווח.

לג וַיֹּאמֶר יַעֲקֹב: אינני מסתפק בהכרזתך זו, שאתה אדיש לבכורה, הִשָּׁבְעָה לִּי כַּיּוֹם שאתה מעביר אותה אלי. וַיִּשָּׁבַע לוֹ שהבכורה נתונה לו, וַיִּמְכֹּר אֶת בְּכֹרָתוֹ לְיַעֲקֹב. ייתכן שנזיד העדשים היה התמורה

הרחבות

'ויאהב יצחק את עשו... ורבקה אהבת את יעקב' העדפותיהם השונות של יצחק ורבקה הם חלק מן הבחירה המתרחשת באופן טבעי בכל משפחה, כאשר מתפתחים הבדלים גדולים בין תכונותיהם של הילדים. בפסוק זה אין עשו נזכר לגנאי. בתור בן המרחבים, הקשור לשדות הבר ולחיי הבר, היה צד בעלי חיים, ומתוך אהבתו לאביו והכבוד שרחש כלפיו, היה מביא אותם לסעודת אביו. ייתכן שיצחק היה מן המעדיפים את טעמו של בשר הציד על טעם בשרם של בעלי חיים ביתיים. מתנות אלו שהיו ערבות לחכו של אביו, העצימו את הקשר המיוחד בין יצחק לבין בנו הגדול (ראו רמב"ן ורד"ק).

ייתכן שיצחק אהב את עשו גם משום שהוא עצמו איש מופנם, מעין יושב אוהלים. אולי דווקא הבן השונה ממנו בתכלית הוא שמעורר את התפעלותו. לחלופין, אולי הדמיון בין עשו ליצחק, בהיות שניהם אנשי שדה, הוא שהביא לקרבת הנפש היתרה ביניהם.

וּנְזִ֣יד עֲדָשִׁ֔ים וַיֹּ֣אכַל וַיֵּ֔שְׁתְּ וַיָּ֖קָם וַיֵּלַ֑ךְ וַיִּ֥בֶז עֵשָׂ֖ו אֶת־
הַבְּכֹרָֽה׃

כו א וַיְהִ֤י רָעָב֙ בָּאָ֔רֶץ מִלְּבַד֙ הָרָעָ֣ב הָרִאשׁ֔וֹן אֲשֶׁ֥ר הָיָ֖ה
בִּימֵ֣י אַבְרָהָ֑ם וַיֵּ֧לֶךְ יִצְחָ֛ק אֶל־אֲבִימֶ֥לֶךְ מֶֽלֶךְ־
ב פְּלִשְׁתִּ֖ים גְּרָֽרָה׃ וַיֵּרָ֤א אֵלָיו֙ יהוה וַיֹּ֖אמֶר אַל־תֵּרֵ֣ד
ג מִצְרָ֑יְמָה שְׁכֹ֣ן בָּאָ֔רֶץ אֲשֶׁ֖ר אֹמַ֥ר אֵלֶֽיךָ׃ גּ֚וּר בָּאָ֣רֶץ
הַזֹּ֔את וְאֶֽהְיֶ֥ה עִמְּךָ֖ וַאֲבָרְכֶ֑ךָּ כִּֽי־לְךָ֣ וּֽלְזַרְעֲךָ֗ אֶתֵּן֙
אֶת־כָּל־הָאֲרָצֹ֣ת הָאֵ֔ל וַהֲקִמֹתִי֙ אֶת־הַשְּׁבֻעָ֔ה אֲשֶׁ֥ר
ד נִשְׁבַּ֖עְתִּי לְאַבְרָהָ֥ם אָבִֽיךָ׃ וְהִרְבֵּיתִ֤י אֶֽת־זַרְעֲךָ֙
כְּכוֹכְבֵ֣י הַשָּׁמַ֔יִם וְנָתַתִּ֣י לְזַרְעֲךָ֔ אֵ֖ת כָּל־הָאֲרָצֹ֣ת הָאֵ֑ל

רש"י

לד] **וַיִּבֶז עֵשָׂו.** הֵעִיד הַכָּתוּב עַל רִשְׁעוֹ שֶׁבִּזָּה עֲבוֹדָתוֹ שֶׁל מָקוֹם:

פרק כו

ב] **אַל תֵּרֵד מִצְרָיְמָה.** שֶׁהָיָה דַעְתּוֹ לָרֶדֶת מִצְרַיִם כְּמוֹ שֶׁיָּרַד אָבִיו בִּימֵי הָרָעָב. **אַל תֵּרֵד מִצְרָיְמָה.** שֶׁאַתָּה עוֹלָה תְמִימָה וְאֵין חוּצָה לָאָרֶץ כְּדַאי לְךָ:

ג] **הָאֵל.** כְּמוֹ 'הָאֵלֶּה':

הרחבות

הבכורה למרות הרמזים הפזורים בתורה לגבי עדיפותו של הבכור, נראה שבדורותיהם של האבות טרם התמסדה ירושתו הכפולה של הבן הבכור, שתופיע בחוק המקראי במפורש מאוחר יותר (דברים כא,יז). ייתכן שהבכורות לא היו מקבלים פי שניים, ואולי היו זוכים רק במענק מיוחד שיועד להם. עם זאת, האח הגדול היה הופך לממלא מקום אביו וראש המשפחה, ובכך הייתה עדיפותו מובהקת. על כן, בקניית הבכורה יעקב לא רכש בהכרח זכויות כלכליות מוגדרות (על פי רמב"ן). ראוי לציין, כי במשפחת אביהם האריכו ימים, ועל כן סביר כי המתח סביב הירושה עשוי להיות ממשי בעוד למעלה ממאה שנה. עשו גם מודע לכך שחייו מלאי ההרפתקאות עומדים בסיכון גבוה (ראו ראב"ע ורשב"ם). אין זו אפוא מריבה מעשית ולא ויכוח ממוני. יעקב מעוניין לקנות מעשו את מעמדו המועדף – להיות הרב ולא הצעיר.

'ויהי רעב בארץ' בשל מיקומה של ארץ כנען יש שנים שבהן חסר בה גשם, וכשהמחסור מתמשך וגובר, אין האדמה מכלכלת את עדרי הצאן ואת בני האדם ושורר בארץ רעב.

'וילך יצחק...גררה' יצחק הלך לגרר הסמוכה לים (ראו 'העולם' לבראשית י,יט), משום שביקש לעבור למצרים ב'דרך הים' שחיברה את קצה סוריה בצפון עם מצרים בדרום. מי שהרעב פגע בהם בכנען, פנו למצרים, משום שמצרים ניזונה ממי הנילוס, שמקורותיו נובעים הרחק בדרום, ועל כן לא סבלה בדרך כלל מן התנודות האקלימיות שאפיינו את כנען. גם כאשר בכנען שורר רעב, יכולה מצרים להיות פורייה ושופעת.

לבכורה. אולם אפשר שהנזיד, שהיה חלק ממזון המשפחה, אינו יכול להימכר על ידי יעקב לאחיו. אם כך, ייתכן שעשו מכר ליעקב את הבכורה תמורת תשלום ממשי שניתן מיד או שהובטח באותו מעמד.[10]

לד וְיַעֲקֹב נָתַן לְעֵשָׂו לֶחֶם וּנְזִיד עֲדָשִׁים. האכיל אותו, כשם שנוהגים
לקבוע סעודה עם סיומו של קניין כלשהו.[11] בקביעת סעודה זעירה
זאת מבטא יעקב את כובד הראש שבו הוא רואה את קניית הבכורה.
וַיֹּאכַל עשו וַיֵּשְׁתְּ, ולאחר שהתאושש, וכבר אינו הולך למות – וַיָּקָם
וַיֵּלַךְ, וַיִּבֶז עֵשָׂו אֶת הַבְּכֹרָה. אף על פי שזכר את המכירה, היה המעשה
מגוחך בעיניו, חסר טעם ומשמעות.

יצחק והארץ

פרק כו פס׳ א–לג

לאחר סיפור ראשיתו של המתח בין שני האחים ומכירת הבכורה, מתמקד הכתוב ביצחק. עד כה סופרו עליו בעיקר עובדות חיצוניות – היכן גר, עם מי התחתן וכדומה, אך לא נאמר כמעט דבר על אישיותו. כאן יתגלה לראשונה ה׳ אל יצחק, ואף יתואר יחסו המיוחד לארץ. בניגוד לאביו אברהם ולבנו יעקב, יצחק נשאר כל ימי חייו בארץ כנען. בעניין זה יסופר על היאחזותו בה, הצלחתו במציאת מים ובתנובת הארץ. יצחק מתעצם כלכלית ומעמדית, ומבסס את ישיבת המשפחה בארץ המובטחת לאביו.

פרק כו א וַיְהִי רָעָב בָּאָרֶץ, מִלְּבַד הָרָעָב הָרִאשׁוֹן אֲשֶׁר הָיָה בִּימֵי
אַבְרָהָם. וַיֵּלֶךְ יִצְחָק שהיה רועה צאן, כפי שעולה מהמשך העניין, וחי
בדרום הארץ, אֶל אֲבִימֶלֶךְ מֶלֶךְ פְּלִשְׁתִּים, אחד המושלים המקומיים
מטעם הפלשתים, שאולי היה באותה עת מלך כל הפלשתים,[12] גְּרָרָה.
ב וַיֵּרָא אֵלָיו ה׳ וַיֹּאמֶר: אַל תֵּרֵד מִצְרָיְמָה, שְׁכֹן בָּאָרֶץ אֲשֶׁר אֹמַר אֵלֶיךָ.
ככל האבות, אף יצחק זכה בהתגלות אלוקית. ג גּוּר בָּאָרֶץ הַזֹּאת,
וְאֶהְיֶה עִמְּךָ וַאֲבָרְכֶךָּ, כִּי לְךָ וּלְזַרְעֲךָ אֶתֵּן אֶת כָּל הָאֲרָצֹת הָאֵל, האלה,
וַהֲקִמֹתִי אֶת הַשְּׁבֻעָה אֲשֶׁר נִשְׁבַּעְתִּי לְאַבְרָהָם אָבִיךָ. אתה מחובר
לארץ הזאת, והיא שייכת לך ולצאצאיך, ועל כן עליך להישאר
לחיות בה. ד וְהִרְבֵּיתִי אֶת זַרְעֲךָ כְּכוֹכְבֵי הַשָּׁמַיִם. וְנָתַתִּי לְזַרְעֲךָ אֵת

ה וְהִתְבָּרְכוּ בְזַרְעֲךָ כֹּל גּוֹיֵי הָאָרֶץ׃ עֵקֶב אֲשֶׁר־שָׁמַע
אַבְרָהָם בְּקֹלִי וַיִּשְׁמֹר מִשְׁמַרְתִּי מִצְוֺתַי חֻקּוֹתַי
ו ז שני וְתוֹרֹתָי׃ • וַיֵּשֶׁב יִצְחָק בִּגְרָר׃ וַיִּשְׁאֲלוּ אַנְשֵׁי הַמָּקוֹם
לְאִשְׁתּוֹ וַיֹּאמֶר אֲחֹתִי הִוא כִּי יָרֵא לֵאמֹר אִשְׁתִּי פֶּן־
יַהַרְגֻנִי אַנְשֵׁי הַמָּקוֹם עַל־רִבְקָה כִּי־טוֹבַת מַרְאֶה
ח הִוא׃ וַיְהִי כִּי־אָרְכוּ־לוֹ שָׁם הַיָּמִים וַיַּשְׁקֵף אֲבִימֶלֶךְ
מֶלֶךְ פְּלִשְׁתִּים בְּעַד הַחַלּוֹן וַיַּרְא וְהִנֵּה יִצְחָק מְצַחֵק
ט אֵת רִבְקָה אִשְׁתּוֹ׃ וַיִּקְרָא אֲבִימֶלֶךְ לְיִצְחָק וַיֹּאמֶר
אַךְ הִנֵּה אִשְׁתְּךָ הִוא וְאֵיךְ אָמַרְתָּ אֲחֹתִי הִוא וַיֹּאמֶר
י אֵלָיו יִצְחָק כִּי אָמַרְתִּי פֶּן־אָמוּת עָלֶיהָ׃ וַיֹּאמֶר

רש"י

ד) **והתברכו בזרעך.** אדם אומר לבנו: יהא זרעך כזרעו של יצחק. וכן בכל המקרא, וזה אב לכלן: "בך יברך ישראל לאמר" וגו' (להלן מח, כ). ואף לענין הקללה מצינו כן: "והיתה האשה לאלה" (במדבר ה, כז), שהמקלל שונאו אומר: תהא כפלונית; וכן: "והנחתם שמכם לשבועה לבחירי" (ישעיה סה, טו), שהנשבע אומר: אהא כפלוני אם עשיתי כך וכך:

ה) **שמע אברהם בקלי.** כשנסיתי אותו: **וישמר משמרתי.** גזרות להרחקה על אזהרות שבתורה, כגון שניות לעריות ושבות לשבת: **מצותי.** דברים שאלו לא נכתבו ראוין הם להכתב, כגון גזל ושפיכות דמים: **חקותי.** דברים שיצר הרע ואמות העולם משיבים עליהם, כגון אכילת חזיר ולבישת שעטנז, שאין טעם בדבר אלא המלך גזר חקיו על עבדיו: **ותורתי.** להביא תורה שבעל פה, הלכה למשה מסיני:

ז) **לאשתו.** על אשתו, כמו: "אמרי לי אחי הוא" (לעיל כ, יג):

ח) **כי ארכו.** אמר: מעתה אין לי לדאג מאחר שלא אנסוה עד עכשיו, ולא נזהר להיות נשמר: **וישקף אבימלך.** ראהו משמש מטתו:

הרחבות

'וישמר משמרתי, מצותי חקותי ותורתי' בכל סיפור מסעותיו, מהלכיו ונדודיו מארץ לארץ ניכר שאברהם שמע בקול ה'. ה' אישר את התנהגותו בדבריו: כִּי יְדַעְתִּיו לְמַעַן אֲשֶׁר יְצַוֶּה אֶת בָּנָיו וְאֶת בֵּיתוֹ אַחֲרָיו וְשָׁמְרוּ דֶּרֶךְ ה' לַעֲשׂוֹת צְדָקָה וּמִשְׁפָּט (לעיל יח,יט). ואולם משמעיהם של הביטויים מִשְׁמַרְתִּי, מִצְוֺתַי, חֻקּוֹתַי וְתוֹרֹתָי ספציפיים יותר. אברהם לא היה רק אדם רליגיוזי, המתפעם מן ההתגלויות ומן החזיונות הנבואיים שהוא זוכה להם, ומאפשר לקול האלוקי להשפיע על חייו באופן

ביאור

כָּל הָאֲרָצֹת הָאֵל, האלה. **וְהִתְבָּרְכוּ בְזַרְעֲךָ כֹּל גּוֹיֵי הָאָרֶץ.** ה ואולם
זכותך לגבי הארץ אינה נובעת ממך בלבד, אלא תחילתה - **עֵקֶב**
אֲשֶׁר שָׁמַע אַבְרָהָם בְּקֹלִי, וַיִּשְׁמֹר מִשְׁמַרְתִּי, מִצְוֹתַי, חֻקּוֹתַי וְתוֹרֹתָי.

ו **וַיֵּשֶׁב יִצְחָק בִּגְרָר.** כיוון שנאסר עליו לצאת למצרים. ז **וַיִּשְׁאֲלוּ**
אַנְשֵׁי הַמָּקוֹם לְאִשְׁתּוֹ. וַיֹּאמֶר: אֲחֹתִי הִוא. בכך הוא צעד בעקבות
אברהם.[13] במובן מסוים הייתה אמירה זו מוצדקת, שכן רבקה
הייתה קרובת משפחתו. ייתכן שיצחק ורבקה היו מספיק דומים
זה לזה, כך שאמירה זו אף תתקבל על דעתם של שומעיו. **כִּי יָרֵא**
לֵאמֹר: אִשְׁתִּי, שכן אמר לעצמו: **פֶּן יַהַרְגֻנִי אַנְשֵׁי הַמָּקוֹם עַל רִבְקָה,**
כִּי טוֹבַת מַרְאֶה הִוא. כבר סופר על יופיה בהיותה נערה,[14] אך אין
אנו יודעים בת כמה הייתה בזמן המאורע הזה. ייתכן שלאור
חווייתם השלילית של אנשי גרר בביקורו של אברהם בעירם, הם
קיבלו עתה את דברי יצחק, ונזהרו שלא לקחת אשה מן השבט
הזה. ח אולם - **וַיְהִי כִּי אָרְכוּ לוֹ שָׁם הַיָּמִים**, וזהירותו של יצחק
נשחקה, **וַיַּשְׁקֵף אֲבִימֶלֶךְ מֶלֶךְ פְּלִשְׁתִּים בְּעַד הַחַלּוֹן.** מן הסתם חי
בארמון שהיה גבוה משאר הבניינים. **וַיַּרְא וְהִנֵּה יִצְחָק** בביתו **מְצַחֵק**
אֵת, מתייחס מינית **לְרִבְקָה אִשְׁתּוֹ.**

ט **וַיִּקְרָא אֲבִימֶלֶךְ לְיִצְחָק, וַיֹּאמֶר: אַךְ הִנֵּה אִשְׁתְּךָ הִוא**, כפי שראיתי,
וְאֵיךְ אָמַרְתָּ אֲחֹתִי הִוא?! מדוע רימית אותנו?!

וַיֹּאמֶר אֵלָיו יִצְחָק: כִּי אָמַרְתִּי, חשבתי, **פֶּן אָמוּת עָלֶיהָ**, שמא אם אגלה
שהיא אשתי, יהרגו אותי ויקחו אותה.

הרחבות

כללי; הוא וביתו שמרו תורה, כלומר צייתו למערכת מורכבת של מצוות וחוקים. המערכת שבה דבק אברהם הייתה מעשית ואינטלקטואלית: התורות הן החלקים העיוניים שבה, החוקות הן גזירות, ואילו המשמרת והמצוות הם החלקים המעשיים, ההימנעותיים והפעילים שאפשר להבינם. בהתבסס על פסוק זה אמרו חכמים: "אברהם שמר את כל התורה עד שלא [-עוד לפני ש]ניתנה" (משנה קדושין ד,יד). ייתכן שחוקי התורה היו ידועים ליחידים ולקבוצות מצומצמות עוד קודם מתן תורה, ובמעמד הר סיני ניתנה תורה זו בפומבי.

'פן יהרגני אנשי המקום על רבקה' הן אברהם הן יצחק ידעו כי לאנשים הסובבים אותם אין מצוות, חוקות ותורות, בדומה לאלה שלהן הם שומרים אמונים. גם אם התקיימו מערכות חוקי צדק בסביבתם, קשה לדעת עד כמה הם נשמרו. יתר על כן, לעתים חוקים אלה הגבילו בפועל רק את האנשים הפשוטים, ואילו המנהיגים והמלכים לא היו כפופים אליהם. יצוין כי התפיסה המקראית, שאף המלך, העומד בראש המערכת השלטונית, מוגבל על ידי החוק (דברים יז,יח-כ; שמואל ב' יב,א-יג. וראו עוד בהרחבה לויקרא ד,כב), לא התקבלה בכל מקום בפשטות אפילו אלפיים שנה לאחר תקופה האבות.

אֲבִימֶ֔לֶךְ מַה־זֹּ֖את עָשִׂ֣יתָ לָּ֑נוּ כִּמְעַ֗ט שָׁכַ֞ב אַחַ֤ד
הָעָם֙ אֶת־אִשְׁתֶּ֔ךָ וְהֵבֵאתָ֥ עָלֵ֖ינוּ אָשָֽׁם׃ וַיְצַ֣ו אֲבִימֶ֔לֶךְ יא
אֶת־כָּל־הָעָ֖ם לֵאמֹ֑ר הַנֹּגֵ֜עַ בָּאִ֥ישׁ הַזֶּ֛ה וּבְאִשְׁתּ֖וֹ מ֥וֹת
יוּמָֽת׃ וַיִּזְרַ֤ע יִצְחָק֙ בָּאָ֣רֶץ הַהִ֔וא וַיִּמְצָ֛א בַּשָּׁנָ֥ה הַהִ֖וא יב
מֵאָ֣ה שְׁעָרִ֑ים וַֽיְבָרְכֵ֖הוּ יְהוָֽה׃ וַיִּגְדַּ֖ל הָאִ֑ישׁ וַיֵּ֤לֶךְ יג שלישי
הָלוֹךְ֙ וְגָדֵ֔ל עַ֥ד כִּֽי־גָדַ֖ל מְאֹֽד׃ וַֽיְהִי־ל֤וֹ מִקְנֵה־צֹאן֙ יד
וּמִקְנֵ֣ה בָקָ֔ר וַעֲבֻדָּ֖ה רַבָּ֑ה וַיְקַנְא֥וּ אֹת֖וֹ פְּלִשְׁתִּֽים׃
וְכָל־הַבְּאֵרֹ֗ת אֲשֶׁ֤ר חָֽפְרוּ֙ עַבְדֵ֣י אָבִ֔יו בִּימֵ֖י אַבְרָהָ֣ם טו
אָבִ֑יו סִתְּמ֣וּם פְּלִשְׁתִּ֔ים וַיְמַלְא֖וּם עָפָֽר׃ וַיֹּ֥אמֶר טז
אֲבִימֶ֖לֶךְ אֶל־יִצְחָ֑ק לֵ֚ךְ מֵֽעִמָּ֔נוּ כִּֽי־עָצַֽמְתָּ־מִמֶּ֖נּוּ

רש"י

י| אַחַד הָעָם. הַמְיֻחָד בָּעָם, זֶה הַמֶּלֶךְ: וְהֵבֵאתָ עָלֵינוּ אָשָׁם. אִם שָׁכַב, כְּבָר הֵבֵאתָ אָשָׁם עָלֵינוּ:

יב| בָּאָרֶץ הַהִוא. אַף עַל פִּי שֶׁאֵינָהּ חֲשׁוּבָה כְּאֶרֶץ יִשְׂרָאֵל עַצְמָהּ, כְּאֶרֶץ שִׁבְעָה גּוֹיִם: בָּאָרֶץ הַהִוא בַּשָּׁנָה הַהִוא. הָאָרֶץ קָשָׁה וְהַשָּׁנָה קָשָׁה: בַּשָּׁנָה הַהִוא. אַף עַל פִּי שֶׁאֵינָהּ כְּתִקְנָהּ, שֶׁהָיְתָה שְׁנַת רְעָבוֹן: מֵאָה שְׁעָרִים. שֶׁאֲמָדוּהָ כַּמָּה רְאוּיָה לַעֲשׂוֹת, וְעָשְׂתָה עַל אַחַת שֶׁאֲמָדוּהָ מֵאָה. וְרַבּוֹתֵינוּ אָמְרוּ: אֹמֶד זֶה לְמַעַשְׂרוֹת הָיָה:

יג| כִּי גָדַל מְאֹד. שֶׁהָיוּ אוֹמְרִים: זֶבֶל פִּרְדוֹתָיו שֶׁל יִצְחָק וְלֹא כַּסְפּוֹ וּזְהָבוֹ שֶׁל אֲבִימֶלֶךְ:

יד| וַעֲבֻדָּה רַבָּה. פְּעֻלָּה רַבָּה, בִּלְשׁוֹן לַעַז אוברינ"א. 'עֲבוֹדָה' מַשְׁמָע עֲבוֹדָה אַחַת, 'עֲבֻדָּה' מַשְׁמָע פְּעֻלָּה רַבָּה:

טו| סִתְּמוּם פְּלִשְׁתִּים. מִפְּנֵי שֶׁאָמְרוּ: תַּקָּלָה הֵם לָנוּ מִפְּנֵי הַגְּיָסוֹת הַבָּאוֹת עָלֵינוּ. "טִמּוּנִין פְּלִשְׁתָּאֵי", לְשׁוֹן סְתִימָה, וּבִלְשׁוֹן מִשְׁנָה: "מְטַמְטֵם אֶת הַלֵּב" (פסחים מב ע"א):

הרחבות

'סתמום פלשתים' מתוך ההקשר נראה שסתימת הבארות לא נעשתה מתוך התנכלות לאברהם, שהרי אברהם כבר לא ישב לידן. ייתכן שהפלשתים ראו בבארות המצויות מחוץ לעיר סיכון בטחוני, שכן מימיהן יכולים לשמש כל אויב שיבוא לצור על גרר (רש"י פס' טו).

ביאור

י **וַיֹּאמֶר אֲבִימֶלֶךְ: מַה זֹּאת עָשִׂיתָ לָּנוּ**, שרימית אותנו? **כִּמְעַט שָׁכַב**
אַחַד מאנשי **הָעָם אֶת אִשְׁתֶּךָ**. היו שפירשו את הביטוי אַחַד הָעָם
כמתייחס אל המלך או אל אחד השרים.[15] לפי פירוש זה הוא רומז
בלשון מעודנת שהוא עצמו היה עלול לשכב עם רבקה, שכן חשב
שהיא אשה פנויה. **וְהֵבֵאתָ עָלֵינוּ אָשָׁם**, היית מביא עלינו חטא.

בין אם זהו אותו אבימלך שחי בזמנו של אברהם, ובין אם אדם
אחר הוא,[16] זכר מה שאירע בעקבות לקיחת שרה עדיין שמור בבית
אבימלך. על כן אין הוא סומך על מוסריותם של אנשי עירו – יא **וַיְצַו**
אֲבִימֶלֶךְ אֶת כָּל הָעָם לֵאמֹר: הַנֹּגֵעַ בָּאִישׁ הַזֶּה וּבְאִשְׁתּוֹ, כפי שהתברר
לנו עכשיו – **מוֹת יוּמָת.**

עד כאן דומים מאורעותיו של יצחק למוצאות את אברהם. בהמשך
יתוארו מעשים שעשה יצחק, שכנראה אברהם לא עסק בהם. נראה
כי אברהם הנודד שלח ידו בעיקר ברעיית צאן. לעומת זאת, יצחק
שישב בגרר, עסק גם בחקלאות – יב **וַיִּזְרַע יִצְחָק בָּאָרֶץ הַהִוא, וַיִּמְצָא**
בַּשָּׁנָה הַהִוא מֵאָה שְׁעָרִים, כל גרגר חיטה או שעורה שזרע הניב פי
מאה – תוצרת נאה מאוד גם בזמננו אנו. ההסבר לממדיו החריגים
של היבול הוא – **וַיְבָרְכֵהוּ ה׳.** יג **וַיִּגְדַּל הָאִישׁ, וַיֵּלֶךְ הָלוֹךְ וְגָדֵל עַד כִּי**
גָדַל מְאֹד. כיוון שיבולו צמח מעבר למה שנזקק לו, מכר את תוצרתו
והתעשר – יד **וַיְהִי לוֹ מִקְנֵה צֹאן וּמִקְנֵה בָקָר וַעֲבֻדָּה** – שם מופשט
לעבדים, שפחות וכל צוות עובדיו,[17] **רַבָּה, וַיְקַנְאוּ אֹתוֹ פְּלִשְׁתִּים.** שכן
שכניו לא מצאו ברכה כה גדולה בשדותיהם.

כאן מופיעה הערה, שתהיה חשובה להמשך הסיפור: טו **וְכָל הַבְּאֵרֹת**
אֲשֶׁר חָפְרוּ עַבְדֵי אָבִיו בִּימֵי אַבְרָהָם אָבִיו, סִתְּמוּם פְּלִשְׁתִּים אחרי
שאברהם יצא מגרר, **וַיְמַלְאוּם עָפָר.** יצחק לא חש נוח בגרר, לא רק
בשל רכושו הרב, שעורר את קנאת שכניו, אלא גם בשל סתימת
בארות אביו.

הקנאה והתחושה השלילית הכללית כלפי יצחק בקרב תושבי גרר
באה לביטוי גם בדברי המלך, המבטא את כלל הציבור: טז **וַיֹּאמֶר**
אֲבִימֶלֶךְ אֶל יִצְחָק: לֵךְ מֵעִמָּנוּ, כִּי עָצַמְתָּ מִמֶּנּוּ מְאֹד, נעשית גדול מדי
עבורנו. מי שמתעשר באופן חריג עלול לשבש את שיווי המשקל
החברתי והמדיני בסביבתו.

יז מְאֹד׃ וַיֵּלֶךְ מִשָּׁם יִצְחָק וַיִּחַן בְּנַחַל־גְּרָר וַיֵּשֶׁב שָׁם׃
יח וַיָּשָׁב יִצְחָק וַיַּחְפֹּר ׀ אֶת־בְּאֵרֹת הַמַּיִם אֲשֶׁר חָפְרוּ
בִּימֵי אַבְרָהָם אָבִיו וַיְסַתְּמוּם פְּלִשְׁתִּים אַחֲרֵי מוֹת
אַבְרָהָם וַיִּקְרָא לָהֶן שֵׁמוֹת כַּשֵּׁמֹת אֲשֶׁר־קָרָא לָהֶן
יט אָבִיו׃ וַיַּחְפְּרוּ עַבְדֵי־יִצְחָק בַּנָּחַל וַיִּמְצְאוּ־שָׁם בְּאֵר
כ מַיִם חַיִּים׃ וַיָּרִיבוּ רֹעֵי גְרָר עִם־רֹעֵי יִצְחָק לֵאמֹר לָנוּ
הַמָּיִם וַיִּקְרָא שֵׁם־הַבְּאֵר עֵשֶׂק כִּי הִתְעַשְּׂקוּ עִמּוֹ׃
כא וַיַּחְפְּרוּ בְּאֵר אַחֶרֶת וַיָּרִיבוּ גַּם־עָלֶיהָ וַיִּקְרָא שְׁמָהּ
כב שִׂטְנָה׃ וַיַּעְתֵּק מִשָּׁם וַיַּחְפֹּר בְּאֵר אַחֶרֶת וְלֹא רָבוּ
עָלֶיהָ וַיִּקְרָא שְׁמָהּ רְחֹבוֹת וַיֹּאמֶר כִּי־עַתָּה הִרְחִיב
כג כד יְהוָה לָנוּ וּפָרִינוּ בָאָרֶץ׃ וַיַּעַל מִשָּׁם בְּאֵר שָׁבַע׃ וַיֵּרָא רביעי
אֵלָיו יְהוָה בַּלַּיְלָה הַהוּא וַיֹּאמֶר אָנֹכִי אֱלֹהֵי אַבְרָהָם
אָבִיךָ אַל־תִּירָא כִּי־אִתְּךָ אָנֹכִי וּבֵרַכְתִּיךָ וְהִרְבֵּיתִי

רש"י

יז| בְּנַחַל גְּרָר. רָחוֹק מִן הָעִיר:

יח| וַיָּשָׁב וַיַּחְפֹּר. אֶת הַבְּאֵרוֹת אֲשֶׁר חָפְרוּ בִּימֵי אַבְרָהָם אָבִיו וּפְלִשְׁתִּים סִתְּמוּם קֹדֶם שֶׁנָּסַע יִצְחָק מִגְּרָר, חָזַר וַחֲפָרָן:

כ| עֵשֶׂק. עִרְעֵר: הִתְעַשְּׂקוּ. נִתְעַסְּקוּ עִמּוֹ עָלֶיהָ בִּמְרִיבָה וְעִרְעֵר:

כא| שִׂטְנָה. נוישמנ"ט:

כב| וּפָרִינוּ בָאָרֶץ. כְּתַרְגּוּמוֹ: "וְנִפּוֹשׁ בְּאַרְעָא":

העולם | נַחַל גְּרָר אחד הנחלים המרכזיים בנגב, שהוא גם קו גבול אקלימי וגאוגרפי בין הארץ הנושבת למדבר. הנחל יוצא מדרום הרי חברון ומתחבר לנחל הבשור. מי התהום באזור הנחל גבוהים ונגישים. בחלקו התיכון יש כ־50 מעיינות, וסמוך לו נמצאו שרידי יישובים רבים.

ביאור

יז **וַיֵּלֶךְ מִשָּׁם יִצְחָק** כנראה דרומה, **וַיִּחַן בְּנַחַל גְּרָר וַיֵּשֶׁב שָׁם.** יח מכיוון
שנזקק למים – **וַיָּשָׁב יִצְחָק וַיַּחְפֹּר אֶת בְּאֵרֹת הַמַּיִם אֲשֶׁר חָפְרוּ בִּימֵי
אַבְרָהָם אָבִיו, וַיְסַתְּמוּם פְּלִשְׁתִּים אַחֲרֵי מוֹת אַבְרָהָם.** בוודאי נותרו
סימנים לבארות אביו. **וַיִּקְרָא לָהֶן שֵׁמוֹת.** בשל חשיבותן היו מכנים
את הבארות הראויות בשמות. **כַּשֵּׁמֹת אֲשֶׁר קָרָא לָהֶן אָבִיו.**

יט **וַיַּחְפְּרוּ עַבְדֵי יִצְחָק בַּנָּחַל,** שכן באפיקי הנחלים קל למצוא מי
תהום, **וַיִּמְצְאוּ שָׁם בְּאֵר מַיִם חַיִּים.** כ **וַיָּרִיבוּ רֹעֵי גְרָר עִם רֹעֵי יִצְחָק
לֵאמֹר,** רועי גרר טענו: **לָנוּ הַמָּיִם.** כיוון שאתה יושב סמוך לגרר
עירנו, אתה מצוי בשטח ממלכתנו, ועל כן המים שייכים לנו. **וַיִּקְרָא
שֵׁם הַבְּאֵר עֵשֶׂק, כִּי הִתְעַשְּׂקוּ,** רבו **עִמּוֹ.**

כא **וַיַּחְפְּרוּ** עבדי יצחק **בְּאֵר אַחֶרֶת וַיָּרִיבוּ** הפלשתים **גַּם עָלֶיהָ, וַיִּקְרָא
שְׁמָהּ שִׂטְנָה.**

כב **וַיַּעְתֵּק,** יצחק שוב נסע **מִשָּׁם, וַיַּחְפֹּר בְּאֵר אַחֶרֶת, וְלֹא רָבוּ עָלֶיהָ.
וַיִּקְרָא שְׁמָהּ** של הבאר החדשה **רְחֹבוֹת, וַיֹּאמֶר: כִּי עַתָּה הִרְחִיב ה' לָנוּ
וּפָרִינוּ בָאָרֶץ,** נוכל לשכון במקומנו בשקט. נראה שהניח שרועי גרר
לא ייטפלו לבאר זאת, כיוון שמן הסתם ירצו לרעות סמוך לגרר,
ובאר זו הייתה רחוקה מתחומם.

כג **וַיַּעַל** יצחק **מִשָּׁם בְּאֵר שָׁבַע.** באר-שבע הייתה גבוהה מן המקום
שבו ישב יצחק בנחל גרר מפני שהייתה בנויה על תל. ואולי מפני
חשיבותה של העיר מכונה ההליכה אליה עלייה. כד **וַיֵּרָא אֵלָיו ה'
בַּלַּיְלָה הַהוּא, וַיֹּאמֶר: אָנֹכִי אֱלֹהֵי אַבְרָהָם אָבִיךָ, אַל תִּירָא,** אף על
פי שרחקת ממקומך בעטיים של הפלשתים, **כִּי אִתְּךָ אָנֹכִי. וּבֵרַכְתִּיךָ**

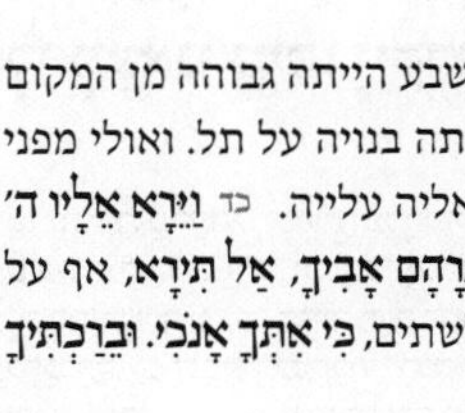

נחל גרר ובאר-שבע

כה אֶת־זַרְעֲךָ בַּעֲבוּר אַבְרָהָם עַבְדִּי: וַיִּבֶן שָׁם מִזְבֵּחַ
וַיִּקְרָא בְּשֵׁם יְהוָה וַיֶּט־שָׁם אָהֳלוֹ וַיִּכְרוּ־שָׁם עַבְדֵי־
כו יִצְחָק בְּאֵר: וַאֲבִימֶלֶךְ הָלַךְ אֵלָיו מִגְּרָר וַאֲחֻזַּת
כז מֵרֵעֵהוּ וּפִיכֹל שַׂר־צְבָאוֹ: וַיֹּאמֶר אֲלֵהֶם יִצְחָק מַדּוּעַ
בָּאתֶם אֵלָי וְאַתֶּם שְׂנֵאתֶם אֹתִי וַתְּשַׁלְּחוּנִי מֵאִתְּכֶם:
כח וַיֹּאמְרוּ רָאוֹ רָאִינוּ כִּי־הָיָה יְהוָה ׀ עִמָּךְ וַנֹּאמֶר תְּהִי
נָא אָלָה בֵּינוֹתֵינוּ בֵּינֵינוּ וּבֵינֶךָ וְנִכְרְתָה בְרִית עִמָּךְ:
כט אִם־תַּעֲשֵׂה עִמָּנוּ רָעָה כַּאֲשֶׁר לֹא נְגַעֲנוּךָ וְכַאֲשֶׁר
עָשִׂינוּ עִמְּךָ רַק־טוֹב וַנְּשַׁלֵּחֲךָ בְּשָׁלוֹם אַתָּה עַתָּה
חמישי ל בְּרוּךְ יְהוָה: וַיַּעַשׂ לָהֶם מִשְׁתֶּה וַיֹּאכְלוּ וַיִּשְׁתּוּ:
לא וַיַּשְׁכִּימוּ בַבֹּקֶר וַיִּשָּׁבְעוּ אִישׁ לְאָחִיו וַיְשַׁלְּחֵם יִצְחָק
לב וַיֵּלְכוּ מֵאִתּוֹ בְּשָׁלוֹם: וַיְהִי ׀ בַּיּוֹם הַהוּא וַיָּבֹאוּ עַבְדֵי
יִצְחָק וַיַּגִּדוּ לוֹ עַל־אֹדוֹת הַבְּאֵר אֲשֶׁר חָפָרוּ וַיֹּאמְרוּ
לג לוֹ מָצָאנוּ מָיִם: וַיִּקְרָא אֹתָהּ שִׁבְעָה עַל־כֵּן שֵׁם־

רש"י

כו) **וַאֲחֻזַּת מֵרֵעֵהוּ.** "סִיעַת מֵרַחֲמוֹהִי", סִיעָה מֵאוֹהֲבָיו. וְחֵלֶק תִּתְמַהּ עַל תָּי"ו שֶׁבַּ'אֲחֻזַּת' וְאַף עַל פִּי שֶׁאֵינָהּ תֵּבָה דְּבוּקָה לַחֲבֶרְתָּהּ, יֵשׁ דֻּגְמָתָהּ בַּמִּקְרָא: "הָבָה לָּנוּ עֶזְרַת מִצָּר" (תהלים ס, יג), "וְשִׂכְרַת וְלֹא מִיָּיִן" (ישעיה נא, כא). וְיֵשׁ פּוֹתְרִים 'מֵרֵעֵהוּ' הַמֵּ"ם מִיסוֹד הַתֵּבָה, כְּמוֹ "שְׁלֹשִׁים מֵרֵעִים" (שופטים יד, יא) דְּשִׁמְשׁוֹן, כְּדֵי לַעֲשׂוֹת 'וַאֲחֻזַּת' תֵּבָה דְּבוּקָה, וּמְתַרְגְּמִין "סִיעַת רָחֲמוֹהִי". **אֲחֻזַּת.** לְשׁוֹן קְבוּצָה וַאֲגֻדָּה, שֶׁנֶּאֱחָזִים יַחַד:

כח) **רָאוֹ רָאִינוּ.** רָאוּ בְּאָבִיךָ, רָאִינוּ בְּךָ: **תְּהִי נָא אָלָה בֵּינוֹתֵינוּ.** תְּהִי הָאָלָה אֲשֶׁר בֵּינוֹתֵינוּ מִימֵי אָבִיךָ, תְּהִי גַּם עַתָּה בֵּינֵינוּ וּבֵינֶךָ:

כט) **לֹא נְגַעֲנוּךָ.** כְּשֶׁאָמַרְנוּ לְךָ: "לֵךְ מֵעִמָּנוּ" (לעיל פסוק טז): **אַתָּה.** גַּם אַתָּה עֲשֵׂה לָנוּ כֵּן:

לג) **שִׁבְעָה.** עַל שֵׁם הַבְּרִית:

הרחבות

התנצלות אבימלך מלך גרר מָלַךְ באחת הערים הפלשתיות, אך כאמור ייתכן שבאותה עת היה אף המלך הראשי של הפלשתים, ובשאר ערי פלשתים משלו תחתיו הסרנים, המושלים המקומיים. שילוחו של יצחק מתקבל על הדעת, אם מביאים בחשבון שהתיישב בעיר חשובה בממלכה שאינה גדולה וחזקה. דמותו

ביאור |
וְהִרְבֵּיתִי אֶת זַרְעֲךָ, בַּעֲבוּר אַבְרָהָם עַבְדִּי. כה **וַיִּבֶן שָׁם מִזְבֵּחַ, וַיִּקְרָא**
בְּשֵׁם ה׳, כאברהם, אף יצחק קיים טקס או תפילה שבהם קרא
בפומבי בשם ה׳. **וַיֶּט שָׁם אָהֳלוֹ. וַיִּכְרוּ שָׁם**, ליד באר-שבע **עַבְדֵי**
יִצְחָק בְּאֵר.

כו מאוחר יותר - **וַאֲבִימֶלֶךְ** מלך פלשתים **הָלַךְ אֵלָיו**, אל יצחק, **מִגְּרָר**
עם משלחת - **וַאֲחֻזַּת מֵרֵעֵהוּ**, קבוצת ידידיו.[18] לפי פירוש אחר אֲחֻזַּת
היה שמו הפרטי של האיש שהיה רעו הקרוב של אבימלך,[19] יועצו
ואיש סודו.[20] **וּפִיכֹל שַׂר צְבָאוֹ.**

כז יצחק התרשם שהגיעה אליו משלחת ידידותית. על כן - **וַיֹּאמֶר**
אֲלֵהֶם יִצְחָק: מַדּוּעַ בָּאתֶם אֵלָי, וְאַתֶּם שְׂנֵאתֶם אֹתִי, וַתְּשַׁלְּחוּנִי
מֵאִתְּכֶם. הרי גירשתם אותי ממקומכם?!

כח **וַיֹּאמְרוּ: רָאוֹ רָאִינוּ כִּי הָיָה ה׳ עִמָּךְ**, מאחר שגדלת ושגשגת
מעבר למעמדו של אדם פרטי, **וַנֹּאמֶר: תְּהִי נָא אָלָה**, שבועה, ברית
בֵּינוֹתֵינוּ – בֵּינֵינוּ וּבֵינֶךָ, וְנִכְרְתָה בְרִית עִמָּךְ, כט **אִם**, כדי שלא[21]
תַּעֲשֵׂה עִמָּנוּ רָעָה, כַּאֲשֶׁר לֹא נְגַעֲנוּךָ, וְכַאֲשֶׁר עָשִׂינוּ עִמְּךָ רַק טוֹב
וַנְּשַׁלֵּחֲךָ בְּשָׁלוֹם. אמנם פחדנו ממך וסילקנו אותך מארצנו, אבל
בכל זאת שָׁהִית בינינו זמן מסוים, וכששולחת - לא נעשה הדבר
באלימות ולא בשנאה. ייתכן שטעינו כששילחנו אותך, מכל מקום
אנחנו רואים **שאַתָּה עַתָּה בְּרוּךְ ה׳**, ועל כן, אנו רוצים לכרות אתך
ברית.

ל יצחק הסכים לכך - **וַיַּעַשׂ לָהֶם מִשְׁתֶּה, וַיֹּאכְלוּ וַיִּשְׁתּוּ**, כנהוג
בעקבות כריתת ברית. לא **וַיַּשְׁכִּימוּ בַבֹּקֶר, וַיִּשָּׁבְעוּ אִישׁ לְאָחִיו**
שישמרו את הברית ויקיימו ביניהם יחסי ידידות מכאן והלאה.
וַיְשַׁלְּחֵם יִצְחָק חזרה, **וַיֵּלְכוּ מֵאִתּוֹ בְּשָׁלוֹם.**

לב **וַיְהִי בַּיּוֹם הַהוּא**, שבו יצא אבימלך, **וַיָּבֹאוּ עַבְדֵי יִצְחָק, וַיַּגִּדוּ לוֹ עַל**
אֹדוֹת הַבְּאֵר אֲשֶׁר חָפָרוּ. עבדי יצחק המשיכו לחפור בארות, **וַיֹּאמְרוּ**
לוֹ: מָצָאנוּ שוב **מָיִם.** לג **וַיִּקְרָא אֹתָהּ שִׁבְעָה**, על שם השבועה, **עַל**

הרחבות |
ההולכת וגדלה איימה על המבנה החברתי והפוליטי של המקום. אמנם דברי אבימלך אינם דיפלומטיים, אך הם גלויים והגונים. אבימלך מודה שהוא ואנשיו שילחו את יצחק מארצם, אך מצדיק מעשה זה. הרי מקובל לחשוש שמא נתין כה חזק יערער את מצב העיר.

הָעִיר בְּאֵר שֶׁבַע עַד הַיּוֹם הַזֶּה׃ וַיְהִי עֵשָׂו לד
בֶּן־אַרְבָּעִים שָׁנָה וַיִּקַּח אִשָּׁה אֶת־יְהוּדִית בַּת־בְּאֵרִי
הַחִתִּי וְאֶת־בָּשְׂמַת בַּת־אֵילֹן הַחִתִּי׃ וַתִּהְיֶיןָ מֹרַת לה
כד רוּחַ לְיִצְחָק וּלְרִבְקָה׃ וַיְהִי כִּי־זָקֵן יִצְחָק א כז
וַתִּכְהֶיןָ עֵינָיו מֵרְאֹת וַיִּקְרָא אֶת־עֵשָׂו ׀ בְּנוֹ הַגָּדֹל
וַיֹּאמֶר אֵלָיו בְּנִי וַיֹּאמֶר אֵלָיו הִנֵּנִי׃ וַיֹּאמֶר הִנֵּה־ ב
נָא זָקַנְתִּי לֹא יָדַעְתִּי יוֹם מוֹתִי׃ וְעַתָּה שָׂא־נָא כֵלֶיךָ ג
צַיִד תֶּלְיְךָ וְקַשְׁתֶּךָ וְצֵא הַשָּׂדֶה וְצוּדָה לִּי צידה׃ וַעֲשֵׂה־ ד

רש"י

לד| **בֶּן אַרְבָּעִים שָׁנָה.** עֵשָׂו נִמְשָׁל לַחֲזִיר, שֶׁנֶּאֱמַר: "יְכַרְסְמֶנָּה חֲזִיר מִיָּעַר" (תהלים פ, יד); הַחֲזִיר הַזֶּה כְּשֶׁהוּא שׁוֹכֵב פּוֹשֵׁט טְלָפָיו לוֹמַר: רְאוּ שֶׁאֲנִי טָהוֹר, כָּךְ אֵלּוּ גּוֹזְלִים וְחוֹמְסִים וּמַרְאִים עַצְמָם כְּשֵׁרִים. כָּל אַרְבָּעִים שָׁנָה הָיָה עֵשָׂו צָד נָשִׁים תַּחַת בַּעְלֵיהֶן וּמְעַנֶּה אוֹתָן; כְּשֶׁהָיָה בֶּן אַרְבָּעִים אָמַר: אַבָּא בֶּן אַרְבָּעִים שָׁנָה נָשָׂא אִשָּׁה, אַף אֲנִי כֵּן:

לה| **מֹרַת רוּחַ.** לְשׁוֹן: "מַמְרִים הֱיִיתֶם" (דברים ט, כד), כָּל מַעֲשֵׂיהֶן הָיוּ לְעִצָּבוֹן "לְיִצְחָק וּלְרִבְקָה", שֶׁהָיוּ עוֹבְדוֹת עֲבוֹדָה זָרָה:

פרק כז

א| **וַתִּכְהֶיןָ.** בַּעֲשָׁנָן שֶׁל אֵלּוּ. דָּבָר אַחֵר, כְּדֵי שֶׁיִּטֹּל יַעֲקֹב אֶת הַבְּרָכוֹת:

ב| **לֹא יָדַעְתִּי יוֹם מוֹתִי.** אָמַר רַבִּי יְהוֹשֻׁעַ בֶּן קָרְחָה: אִם מַגִּיעַ אָדָם לְפֶרֶק אֲבוֹתָיו יִדְאַג חָמֵשׁ שָׁנִים לִפְנֵי כֵן וְחָמֵשׁ לְאַחַר כֵּן, וְיִצְחָק הָיָה בֶּן מֵאָה וְעֶשְׂרִים וְשָׁלֹשׁ, אָמַר: שֶׁמָּא לְפֶרֶק אִמִּי אֲנִי מַגִּיעַ וְהִיא מֵתָה בַּת מֵאָה וְעֶשְׂרִים וָשֶׁבַע, וַהֲרֵינִי בְּחָמֵשׁ שָׁנִים סָמוּךְ לְפִרְקָהּ, לְפִיכָךְ "לֹא יָדַעְתִּי יוֹם מוֹתִי", שֶׁמָּא לְפֶרֶק אִמָּא שֶׁמָּא לְפֶרֶק אַבָּא:

ג| **תֶּלְיְךָ.** חַרְבְּךָ שֶׁדֶּרֶךְ לִתְלוֹתָהּ: **שָׂא נָא.** לְשׁוֹן הַשְׁחָזָה, כְּאוֹתָהּ שֶׁשָּׁנִינוּ: "אֵין מַשְׁחִיזִין אֶת הַסַּכִּין אֲבָל מַשִּׁיאָהּ עַל גַּבֵּי חֲבֶרְתָּהּ" (ביצה כח ע"א), חַדֵּד סַכִּינְךָ וּשְׁחוֹט יָפֶה, שֶׁלֹּא תַּאֲכִילֵנִי נְבֵלָה: **וְצוּדָה לִי.** מִן הַהֶפְקֵר וְלֹא מִן הַגָּזֵל:

הרחבות | 'וַתִּהְיֶיןָ מֹרַת רוּחַ' נראה שהעובדה ששתי הנשים החתיות שנשא עשו לא מצאו חן בעיני הוריו, לא נבעה מעניין אישי כלפי הנשים הללו דווקא אלא מעצם הבאתן של נשים מתרבות אחרת. בנות הארץ לא התאימו למנהגיו ולמהותו של השבט הזה, שמוצאו מרחוק. זרותן להוויית המשפחה היא שגרמה למורת הרוח.

ביאור | כֵּן שֵׁם הָעִיר בְּאֵר שֶׁבַע. כבר הוזכר לעיל שהמקום נקרא כך בגלל שבועה קודמת ובגלל שבע הכבשים של אברהם, שכרת ברית דומה.[22] כאן זכה השם בחיזוק, ואולי אף העיר התחזקה בינתיים.[23] ייתכן שבעקבות קריאת הבאר שִׁבְעָה נשאר שמה של העיר עַד הַיּוֹם הַזֶּה.

יעקב, עשו והברכות

פרק כו פס׳ לד – פרק כח פס׳ ט

את פרשת הברכות פותחת פסקה על נישואי עשו לנשים חתיות, וחותמת פסקה על נישואיו לבת ישמעאל. בבחירת נשיו סוטה עשו מן האידיאל שהתווה אברהם, שלא לקחת נשים מבנות ארץ כנען.

עיקרו של עניין זה בשאלה מי יזכה בברכותיו של יצחק, ולמי תועבר ברכת אברהם. בניגוד למה שנראה תחילה כתגובה אחידה של יצחק ורבקה כלפי הנשים שבחר עשו, לגבי הברכות אין ביניהם תמימות דעים. עם זאת, אף על פי שיעקב השיג במרמה את הברכות שהתכוון יצחק לברך את עשו, את ברכת אברהם יצחק בוחר ביודעין להעביר אל יעקב טרם יציאתו לחרן.

לד וַיְהִי עֵשָׂו בֶּן אַרְבָּעִים שָׁנָה. לפחות באופן חיצוני ניסה עשו להידמות לאביו. בבחירתו להתחתן בגיל ארבעים ניסה לחקות את אביו, ולהינשא, כמותו, בגיל שבו כבר עמד על דעתו[24] – וַיִּקַּח אִשָּׁה אֶת יְהוּדִית בַּת בְּאֵרִי הַחִתִּי וְאֶת בָּשְׂמַת בַּת אֵילֹן הַחִתִּי, שתי נשים חִתיות.

לה והכתוב מעיד – וַתִּהְיֶיןָ מֹרַת, מרירות רוּחַ לְיִצְחָק וּלְרִבְקָה.

פרק כז א וַיְהִי כִּי זָקֵן יִצְחָק. וַתִּכְהֶיןָ עֵינָיו מֵרְאֹת, התעוור, או: התמעט כושר ראייתו באופן ניכר, וַיִּקְרָא אֶת עֵשָׂו בְּנוֹ הַגָּדֹל, וַיֹּאמֶר אֵלָיו: בְּנִי.

וַיֹּאמֶר אֵלָיו: הִנֵּנִי. עשו הגיב כראוי. היחסים החיובים בינו לבין אביו היו הדדיים.

ב וַיֹּאמֶר יצחק: הִנֵּה נָא, עתה[25] זָקַנְתִּי, לֹא יָדַעְתִּי יוֹם מוֹתִי. יצחק ראה את מותו כקרוב אליו משהיה בפועל, שהרי לפי חישובים שונים המשיך לחיות שנים רבות מאוד אחרי כן. ייתכן שלא חי חיים פעילים, וחש כי הזקנה קופצת עליו. ג וְעַתָּה שָׂא נָא כֵלֶיךָ, קח את כלי הציד שלך – את תֶּלְיְךָ, אשפת חציך, הנתלית על הגב, וְאת קַשְׁתֶּךָ, וְצֵא הַשָּׂדֶה וְצוּדָה לִּי צָיִד. ד וַעֲשֵׂה לִי מַטְעַמִּים

לִי מַטְעַמִּים כַּאֲשֶׁר אָהַבְתִּי וְהָבִיאָה לִּי וְאֹכֵלָה
בַּעֲבוּר תְּבָרֶכְךָ נַפְשִׁי בְּטֶרֶם אָמוּת: וְרִבְקָה שֹׁמַעַת ה
בְּדַבֵּר יִצְחָק אֶל־עֵשָׂו בְּנוֹ וַיֵּלֶךְ עֵשָׂו הַשָּׂדֶה לָצוּד
צַיִד לְהָבִיא: וְרִבְקָה אָמְרָה אֶל־יַעֲקֹב בְּנָהּ לֵאמֹר ו
הִנֵּה שָׁמַעְתִּי אֶת־אָבִיךָ מְדַבֵּר אֶל־עֵשָׂו אָחִיךָ
לֵאמֹר: הָבִיאָה לִּי צַיִד וַעֲשֵׂה־לִי מַטְעַמִּים וְאֹכֵלָה ז
וַאֲבָרֶכְכָה לִפְנֵי יְהוָה לִפְנֵי מוֹתִי: וְעַתָּה בְנִי שְׁמַע ח
בְּקֹלִי לַאֲשֶׁר אֲנִי מְצַוָּה אֹתָךְ: לֶךְ־נָא אֶל־הַצֹּאן ט
וְקַח־לִי מִשָּׁם שְׁנֵי גְּדָיֵי עִזִּים טֹבִים וְאֶעֱשֶׂה אֹתָם
מַטְעַמִּים לְאָבִיךָ כַּאֲשֶׁר אָהֵב: וְהֵבֵאתָ לְאָבִיךָ וְאָכָל י
בַּעֲבֻר אֲשֶׁר יְבָרֶכְךָ לִפְנֵי מוֹתוֹ: וַיֹּאמֶר יַעֲקֹב אֶל־ יא
רִבְקָה אִמּוֹ הֵן עֵשָׂו אָחִי אִישׁ שָׂעִר וְאָנֹכִי אִישׁ חָלָק:
אוּלַי יְמֻשֵּׁנִי אָבִי וְהָיִיתִי בְעֵינָיו כִּמְתַעְתֵּעַ וְהֵבֵאתִי יב
עָלַי קְלָלָה וְלֹא בְרָכָה: וַתֹּאמֶר לוֹ אִמּוֹ עָלַי קִלְלָתְךָ יג
בְּנִי אַךְ שְׁמַע בְּקֹלִי וְלֵךְ קַח־לִי: וַיֵּלֶךְ וַיִּקַּח וַיָּבֵא יד

רש"י

ה] לָצוּד צַיִד לְהָבִיא. מַהוּ "לְהָבִיא"? אִם לֹא יִמְצָא צַיִד – יָבִיא מִן הַגָּזֵל:

ז] לִפְנֵי ה'. בִּרְשׁוּתוֹ, שֶׁיַּסְכִּים עַל יָדִי:

ט] וְקַח לִי. מִשֶּׁלִּי הֵם וְאֵינָם גָּזֵל, שֶׁכָּךְ כָּתַב לָהּ יִצְחָק בִּכְתֻבָּתָהּ לִטֹּל שְׁנֵי גְּדָיֵי עִזִּים בְּכָל יוֹם. בְּרֵאשִׁית רַבָּה (סה):

יא] אִישׁ שָׂעִר. בַּעַל שֵׂעָר:

יב] יְמֻשֵּׁנִי. כְּמוֹ: "מְמַשֵּׁשׁ בַּצָּהֳרַיִם" (דברים כח, כט):

הרחבות

'וַעֲשֵׂה לִי מטעמים... בעבור תברכך נפשי' ברכת יצחק אינה בגדר איחול נימוסי, אלא נבואה. כדי להגיע להלך הרוח של הנבואה על הנביא להירגע מכעס ומטרדות, ולדבר מתוך מצב נפשי מרווח או מאושר, כפי שעולה ממקומות אחרים

ביאור

מהציד שתצוד, **כַּאֲשֶׁר אָהַבְתִּי**, כמו שכבר סופר, שעשו היה מאכיל
את יצחק מצידו, ושיצחק חיבב זאת.[26] **וְהָבִיאָה לִּי וְאֹכֵלָה, בַּעֲבוּר
תְּבָרֶכְךָ נַפְשִׁי בְּטֶרֶם אָמוּת.**

ה **וְרִבְקָה שֹׁמַעַת בְּדַבֵּר יִצְחָק אֶל עֵשָׂו בְּנוֹ. וַיֵּלֶךְ עֵשָׂו הַשָּׂדֶה** כדברי
אביו, **לָצוּד צַיִד** כדי **לְהָבִיא.** ו **וְרִבְקָה אָמְרָה אֶל יַעֲקֹב בְּנָהּ לֵאמֹר:
הִנֵּה שָׁמַעְתִּי אֶת אָבִיךָ מְדַבֵּר אֶל עֵשָׂו אָחִיךָ לֵאמֹר,** כדברים
האלה: ז **הָבִיאָה לִּי צַיִד וַעֲשֵׂה לִי מַטְעַמִּים וְאֹכֵלָה, וַאֲבָרֶכְכָה לִפְנֵי
ה' לִפְנֵי מוֹתִי.** ח **וְעַתָּה, בְנִי, שְׁמַע בְּקֹלִי, לַאֲשֶׁר אֲנִי מְצַוָּה אֹתָךְ.**
רבקה פונה אל בנה באופן סמכותי, משום שהיא אומרת לו לעשות
מעשה מורכב ואפילו מפוקפק לכאורה. ט **לֶךְ נָא אֶל הַצֹּאן, וְקַח
לִי מִשָּׁם שְׁנֵי גְּדָיֵי עִזִּים טֹבִים.** נראה ששיערה כי הציד שעשו יוכל
להביא הוא צבי או שני צביים. על כן ביקשה מיעקב להביא לה
שני גדיים, שטעמם דומה.[27] **וְאֶעֱשֶׂה אֹתָם מַטְעַמִּים לְאָבִיךָ כַּאֲשֶׁר
אָהֵב.** מכיוון שידעה כיצד לבשל ליצחק, והכירה את רגישות חכו,
היה סיכוי שהיא תוכל להכין לו מטעמים כך שלא יבחין בהבדל
בין טעמו של בשר צבי לטעם בשר גדי. י **וְהֵבֵאתָ לְאָבִיךָ וְאָכָל,
בַּעֲבֻר אֲשֶׁר יְבָרֶכְךָ לִפְנֵי מוֹתוֹ.**

יא **וַיֹּאמֶר יַעֲקֹב אֶל רִבְקָה אִמּוֹ:** לא אוכל לבוא אל אבי בדמותו של
עשו – **הֵן עֵשָׂו אָחִי אִישׁ שָׂעִר,** עשו, שכבר בלידתו היה שעיר, מן
הסתם נעשה עם השנים שעיר יותר ויותר. **וְאָנֹכִי אִישׁ חָלָק.** ייתכן
שיעקב לא היה קרח משֵׂער, אלא בעל שִׂיעור רגיל, אך בהשוואה
לעשו, נחשב חלק. יב **אוּלַי יְמֻשֵּׁנִי,** ימשש אותי **אָבִי,** לאו דווקא כדי
לבדוק מי הדובר, אלא בתמימות, כיוון שנעמוד קרובים זה לזה,[28]
וְהָיִיתִי בְעֵינָיו כִּמְתַעְתֵּעַ, כרמאי, שכן יבין שאני מתחפש לעשו,
וְהֵבֵאתִי עָלַי קְלָלָה וְלֹא בְרָכָה, והדבר מסוכן.

יג **וַתֹּאמֶר לוֹ אִמּוֹ: עָלַי קִלְלָתְךָ בְּנִי.** אם תקולל – הקללה תחול עלי.
אין זה אלא ביטוי רטורי שבו היא מקבלת על עצמה את האחריות
לקללה.[29] **אַךְ** בינתיים **שְׁמַע בְּקֹלִי וְלֵךְ קַח לִי** את מה שציוויתי אותך.

הרחבות

בתנ"ך. היו נביאים שהזדקקו לנגינה כדי להגיע למצב נפשי כזה (מלכים ב' ג,טו). יצחק ביקש שבנו יביא לפניו מאכלי ציד העשויים לפי טעמו, שיסבו לו תחושת נוחות ונינוחות, ומתוכה יוכל לברך ברכה ראויה.

לְאִמּוֹ וַתַּעַשׂ אִמּוֹ מַטְעַמִּים כַּאֲשֶׁר אָהֵב אָבִיו׃
טו וַתִּקַּח רִבְקָה אֶת־בִּגְדֵי עֵשָׂו בְּנָהּ הַגָּדֹל הַחֲמֻדֹת
אֲשֶׁר אִתָּהּ בַּבָּיִת וַתַּלְבֵּשׁ אֶת־יַעֲקֹב בְּנָהּ הַקָּטָן׃
טז וְאֵת עֹרֹת גְּדָיֵי הָעִזִּים הִלְבִּישָׁה עַל־יָדָיו וְעַל חֶלְקַת
יז צַוָּארָיו׃ וַתִּתֵּן אֶת־הַמַּטְעַמִּים וְאֶת־הַלֶּחֶם אֲשֶׁר
יח עָשָׂתָה בְּיַד יַעֲקֹב בְּנָהּ׃ וַיָּבֹא אֶל־אָבִיו וַיֹּאמֶר אָבִי
יט וַיֹּאמֶר הִנֶּנִּי מִי אַתָּה בְּנִי׃ וַיֹּאמֶר יַעֲקֹב אֶל־אָבִיו
אָנֹכִי עֵשָׂו בְּכֹרֶךָ עָשִׂיתִי כַּאֲשֶׁר דִּבַּרְתָּ אֵלָי קוּם־נָא
כ שְׁבָה וְאָכְלָה מִצֵּידִי בַּעֲבוּר תְּבָרְכַנִּי נַפְשֶׁךָ׃ וַיֹּאמֶר
יִצְחָק אֶל־בְּנוֹ מַה־זֶּה מִהַרְתָּ לִמְצֹא בְּנִי וַיֹּאמֶר כִּי
כא הִקְרָה יְהוָה אֱלֹהֶיךָ לְפָנָי׃ וַיֹּאמֶר יִצְחָק אֶל־יַעֲקֹב
גְּשָׁה־נָּא וַאֲמֻשְׁךָ בְּנִי הַאַתָּה זֶה בְּנִי עֵשָׂו אִם־לֹא׃
כב וַיִּגַּשׁ יַעֲקֹב אֶל־יִצְחָק אָבִיו וַיְמֻשֵּׁהוּ וַיֹּאמֶר הַקֹּל קוֹל
כג יַעֲקֹב וְהַיָּדַיִם יְדֵי עֵשָׂו׃ וְלֹא הִכִּירוֹ כִּי־הָיוּ יָדָיו כִּידֵי
כד עֵשָׂו אָחִיו שְׂעִרֹת וַיְבָרְכֵהוּ׃ וַיֹּאמֶר אַתָּה זֶה בְּנִי עֵשָׂו

רש"י

טו) הַחֲמֻדֹת. הַנְּקִיּוֹת, "דַּכְיָתָא". דָּבָר אַחֵר, שֶׁחָמַד אוֹתָן מִן נִמְרוֹד: אֲשֶׁר אִתָּהּ בַּבָּיִת. וַהֲלֹא כַּמָּה נָשִׁים הָיוּ לוֹ וְהוּא מַפְקִיד אֵצֶל אִמּוֹ? אֶלָּא שֶׁהָיָה בָּקִי בְּמַעֲשֵׂיהֶן וְחוֹשְׁדָן:

יט) אָנֹכִי. הַמֵּבִיא לְךָ, וְעֵשָׂו הוּא בְּכֹרֶךָ: עָשִׂיתִי. כַּמָּה דְּבָרִים כַּאֲשֶׁר דִּבַּרְתָּ אֵלָי: שְׁבָה. לְשׁוֹן מֵסֵב עַל הַשֻּׁלְחָן, לְכָךְ מְתֻרְגָּם "אִסְתְּחַר":

כא) גְּשָׁה נָּא וַאֲמֻשְׁךָ. אָמַר בְּלִבּוֹ: אֵין דֶּרֶךְ עֵשָׂו לִהְיוֹת שֵׁם שָׁמַיִם שָׁגוּר בְּפִיו, וְזֶה אוֹמֵר: "כִּי הִקְרָה ה' אֱלֹהֶיךָ" (לעיל פסוק כ):

כב) קוֹל יַעֲקֹב. שֶׁמְּדַבֵּר בִּלְשׁוֹן תַּחֲנוּנִים, "קוּם נָא" (לעיל פסוק יט), אֲבָל עֵשָׂו בִּלְשׁוֹן קַנְטוּרְיָא דִּבֵּר, "יָקֻם אָבִי" (להלן פסוק לא):

ביאור

יד וַיֵּלֶךְ וַיִּקַּח, וַיָּבֵא לְאִמּוֹ כבקשתה, וַתַּעַשׂ אִמּוֹ מַטְעַמִּים כַּאֲשֶׁר
אָהֵב אָבִיו.

טו כדי להתמודד עם הבעיה שהעלה יעקב – וַתִּקַּח רִבְקָה אֶת בִּגְדֵי
עֵשָׂו בְּנָהּ הַגָּדֹל הַחֲמֻדֹת, בגדיו הטובים שנשמרו להזדמנויות מיוחדות,
אֲשֶׁר אִתָּהּ בַּבָּיִת, וַתַּלְבֵּשׁ בהם אֶת יַעֲקֹב בְּנָהּ הַקָּטָן, טז וְאֵת עֹרֹת
גְּדָיֵי הָעִזִּים הִלְבִּישָׁה כעין שרוולים עַל יָדָיו וְעַל חֶלְקַת צַוָּארָיו, שכן
במקומות החשופים בגוף עלול לבלוט ההבדל ביניהם. כך כשימשש
יצחק כהה העיניים את פרוות גדיי העזים, הוא ישער שלפניו
עשו. יז וַתִּתֵּן אֶת הַמַּטְעַמִּים וְאֶת הַלֶּחֶם אֲשֶׁר עָשָׂתָה בְּיַד יַעֲקֹב בְּנָהּ.

יח וַיָּבֹא אֶל אָבִיו, וַיֹּאמֶר: אָבִי.

וַיֹּאמֶר: הִנֶּנִּי, מִי אַתָּה, בְּנִי? ייתכן שקולותיהם של התאומים, יעקב ועשו, היו דומים מאוד, ולכן יצחק נזקק לשאול שאלה זו.

יט וַיֹּאמֶר יַעֲקֹב אֶל אָבִיו: אָנֹכִי עֵשָׂו בְּכֹרֶךָ, עָשִׂיתִי כַּאֲשֶׁר דִּבַּרְתָּ אֵלָי.
קוּם נָא שְׁבָה וְאָכְלָה מִצֵּידִי, בַּעֲבוּר תְּבָרְכַנִּי נַפְשֶׁךָ.

יעקב לא יצא לציד, אלא לקח את הגדיים מהדיר ולכן הקדים
להגיע. כ וַיֹּאמֶר יִצְחָק אֶל בְּנוֹ: מַה זֶּה מִהַרְתָּ לִמְצֹא בְּנִי, הרי לפי
חשבוני, הציד והכנתו אמורים לארוך זמן רב יותר?

וַיֹּאמֶר יעקב: כִּי הִקְרָה, זימן ה' אֱלֹהֶיךָ לְפָנָי את הציד מיד.

יצחק חש בדבר מה חריג. כא על כן – וַיֹּאמֶר יִצְחָק אֶל יַעֲקֹב: גְּשָׁה
נָּא וַאֲמֻשְׁךָ, אמשש אותך, בְּנִי, כדי שאדע הַאַתָּה זֶה בְּנִי עֵשָׂו אִם לֹא.
יצחק, שראייתו כבדה, לא הבחין היטב בין שני תאומיו.

כב וַיִּגַּשׁ יַעֲקֹב אֶל יִצְחָק אָבִיו וַיְמֻשֵּׁהוּ, וַיֹּאמֶר יצחק: הַקֹּל קוֹל יַעֲקֹב,
דקויות הקול מזכירות את קולו של יעקב, אבל – וְהַיָּדַיִם יְדֵי
עֵשָׂו. כג וְלֹא הִכִּירוֹ, כִּי הָיוּ יָדָיו כִּידֵי עֵשָׂו אָחִיו שְׂעִרֹת, וַיְבָרְכֵהוּ. קולו
של המתברך ערער את ביטחונו של יצחק, אך מגע ידיו היה כשל
ידי עשו. ייתכן שאפילו אוצר המלים שלו היה זהה לזה של עשו.[30]

כד וַיֹּאמֶר: אַתָּה זֶה בְּנִי עֵשָׂו? הוא חוזר ושואל כדי לוודא שוב.

הרחבות

'ויברכהו' יצחק דחה את האפשרות של הפיכת יעקב לאיש שעיר. שלא כיצחק, שאישיותו הייתה גלויה, רבקה הייתה מתוחכמת, אולי משום שגדלה באווירה תרבותית שבה היו שכיחות תחבולות.

וַיֹּאמֶר אָנִי: וַיֹּאמֶר הַגִּשָׁה לִּי וְאֹכְלָה מִצֵּיד בְּנִי לְמַעַן כה
תְּבָרֶכְךָ נַפְשִׁי וַיַּגֶּשׁ־לוֹ וַיֹּאכַל וַיָּבֵא לוֹ יַיִן וַיֵּשְׁתְּ:
וַיֹּאמֶר אֵלָיו יִצְחָק אָבִיו גְּשָׁה־נָּא וּשְׁקָה־לִּי בְּנִי: כו
וַיִּגַּשׁ וַיִּשַּׁק־לוֹ וַיָּרַח אֶת־רֵיחַ בְּגָדָיו וַיְבָרְכֵהוּ וַיֹּאמֶר כז
ששי כה רְאֵה רֵיחַ בְּנִי כְּרֵיחַ שָׂדֶה אֲשֶׁר בֵּרְכוֹ יהוה: וְיִתֶּן־לְךָ כח
הָאֱלֹהִים מִטַּל הַשָּׁמַיִם וּמִשְׁמַנֵּי הָאָרֶץ וְרֹב דָּגָן
וְתִירֹשׁ: יַעַבְדוּךָ עַמִּים וְיִשְׁתַּחֲוֻ לְךָ לְאֻמִּים הֱוֵה כט
גְבִיר לְאַחֶיךָ וְיִשְׁתַּחֲווּ לְךָ בְּנֵי אִמֶּךָ אֹרְרֶיךָ אָרוּר
וּמְבָרְכֶיךָ בָּרוּךְ: וַיְהִי כַּאֲשֶׁר כִּלָּה יִצְחָק לְבָרֵךְ אֶת־ ל
יַעֲקֹב וַיְהִי אַךְ יָצֹא יָצָא יַעֲקֹב מֵאֵת פְּנֵי יִצְחָק אָבִיו
וְעֵשָׂו אָחִיו בָּא מִצֵּידוֹ: וַיַּעַשׂ גַּם־הוּא מַטְעַמִּים לא

רש"י

כה] **וַיֹּאמֶר אָנִי.** לֹא אָמַר 'אֲנִי עֵשָׂו', אֶלָּא "אָנִי".

כז] **וַיָּרַח.** וַהֲלֹא אֵין רֵיחַ רַע יוֹתֵר מִשֶּׁטֶף הָעִזִּים? אֶלָּא מְלַמֵּד שֶׁנִּכְנְסָה עִמּוֹ גַּן עֵדֶן: **כְּרֵיחַ שָׂדֶה אֲשֶׁר בֵּרְכוֹ ה'.** שֶׁנָּתַן בּוֹ רֵיחַ טוֹב, וְזֶהוּ שְׂדֵה תַּפּוּחִים. כָּךְ דָּרְשׁוּ רַבּוֹתֵינוּ זִכְרוֹנָם לִבְרָכָה:

כח] **וְיִתֶּן לְךָ.** יִתֵּן וְיַחֲזֹר וְיִתֵּן. בְּרֵאשִׁית רַבָּה (סו, ג). וּלְפִי פְּשׁוּטוֹ מוּסָב לְעִנְיָן רִאשׁוֹן: רֵיחַ בְּנִי אֲשֶׁר נָתַן לְךָ הַקָּדוֹשׁ בָּרוּךְ הוּא כְּרֵיחַ שָׂדֶה וְגוֹ', וְעוֹד יִתֶּן לְךָ מִטַּל הַשָּׁמַיִם וְגוֹ' כְּמַשְׁמָעוֹ. וּמִדְרְשֵׁי אַגָּדָה יֵשׁ הַרְבֵּה לְכַמָּה פָּנִים:

כט] **בְּנֵי אִמֶּךָ.** וְיַעֲקֹב אָמַר לִיהוּדָה: "בְּנֵי אָבִיךָ" (להלן מט, ח), לְפִי שֶׁהָיוּ לוֹ בָּנִים מִכַּמָּה אִמָּהוֹת, וְכָאן שֶׁלֹּא נָשָׂא אֶלָּא אִשָּׁה אַחַת אָמַר: "בְּנֵי אִמֶּךָ": **אֹרְרֶיךָ אָרוּר וּמְבָרְכֶיךָ בָּרוּךְ.** וּבְבִלְעָם הוּא אוֹמֵר: "מְבָרְכֶיךָ בָרוּךְ וְאֹרְרֶיךָ אָרוּר" (במדבר כד, ט)? הַצַּדִּיקִים – תְּחִלָּתָם יִסּוּרִים וְסוֹפָן שַׁלְוָה וְאוֹרְרֵיהֶם וּמְצַעֲרֵיהֶם קוֹדְמִים לִמְבָרְכֵיהֶם, לְפִיכָךְ יִצְחָק הִקְדִּים קִלְלַת אוֹרְרִים לְבִרְכַּת מְבָרְכִים; וְהָרְשָׁעִים – תְּחִלָּתָם שַׁלְוָה וְסוֹפָן יִסּוּרִין, לְפִיכָךְ בִּלְעָם הִקְדִּים בְּרָכָה לִקְלָלָה:

ל] **יָצֹא יָצָא.** זֶה יוֹצֵא וְזֶה בָּא:

הרחבות

'ויגש וישק לו וירח... ויברכהו' ברכת יצחק לא הייתה התגלות נבואית מנותקת; היא ינקה מן המציאות הפיסית והרגשית. עוררו אותה קרבת הגוף אל הבן, המזון שהסעיד הבן את אביו וכלל ההתקשרות בין האב והבן, על החיבה והאהבה הכרוכות בה. משם הברכה עלתה והתגברה, עד שהפכה להשראה נבואית רבת עצמה.

ברכות יצחק ליעקב קיים דמיון בין הברכות

ביאור

וַיֹּאמֶר: אָנִי.

כה וַיֹּאמֶר אמירה טקסית למחצה: הַגִּשָׁה לִּי וְאֹכְלָה מִצֵּיד בְּנִי, לְמַעַן
תְּבָרֶכְךָ נַפְשִׁי. וַיַּגֶּשׁ לוֹ וַיֹּאכַל, וַיָּבֵא לוֹ יַיִן וַיֵּשְׁתְּ.

אחרי שיצחק סעד, הוא חש טוב יותר, והרגיש קרבה אל
בנו. כו וַיֹּאמֶר אֵלָיו יִצְחָק אָבִיו: גְּשָׁה נָּא וּשְׁקָה לִּי, ונשק אותי, בְּנִי.

כז וַיִּגַּשׁ יעקב וַיִּשַּׁק לוֹ, ליצחק, וַיָּרַח יצחק אֶת רֵיחַ בְּגָדָיו המעולים
והמיוחדים של עשו, שספגו את ריחו האופייני של מי שרגיל לצעוד
בשדות. וַיְבָרְכֵהוּ. וַיֹּאמֶר: רְאֵה רֵיחַ בְּנִי כְּרֵיחַ שָׂדֶה אֲשֶׁר בֵּרֲכוֹ ה׳.
חכמים אמרו שיצחק הריח ריח של שדה תפוחים,[31] שכן שדה
תבואה אינו מפיץ ניחוחות, ואילו במטע אפשר להריח את ריח
הפֵּרות. מתוך ריחו של השדה המבורך שמריח יצחק בהווה, הוא
מברך את בנו בברכת שדותיו כל חייו: כח וְיִתֶּן לְךָ הָאֱלֹהִים מִטַּל
הַשָּׁמַיִם וּמִשְׁמַנֵּי הָאָרֶץ, וְרֹב דָּגָן וְתִירֹשׁ. ומברכת הלחם והיין נוסקת
הברכה העתידית להתעצמות העם שיֵּצא ממנו: כט יַעַבְדוּךָ עַמִּים
וְיִשְׁתַּחֲווּ לְךָ לְאֻמִּים. הֱוֵה, הֱיֵה, גְבִיר, ראש וראשון לְאַחֶיךָ, תגבר
עליהם. וְיִשְׁתַּחֲווּ לְךָ בְּנֵי אִמֶּךָ. אולי היו ליצחק ולרבקה ילדים נוספים
שלא הוזכרו משום שאינם חשובים מבחינת הסיפור, ושמא אין זו
אלא ביטוי מטונימי המתייחס לבני עשו או בני אחי רבקה.[32] אֹרְרֶיךָ
אָרוּר, וּמְבָרְכֶיךָ בָּרוּךְ.

ל וַיְהִי כַּאֲשֶׁר כִּלָּה, סיים יִצְחָק לְבָרֵךְ אֶת יַעֲקֹב, וַיְהִי אַךְ יָצֹא יָצָא
יַעֲקֹב מֵאֵת פְּנֵי יִצְחָק אָבִיו, וְעֵשָׂו אָחִיו בָּא מִצֵּידוֹ. למזלו, עשו הגיע
רק לאחר שקיבל את הברכות ויצא מן החדר. לא וַיַּעַשׂ גַּם הוּא,

הרחבות

הללו לברכות ה׳ לאברהם: וַאֲבָרְכָה מְבָרְכֶיךָ וּמְקַלֶּלְךָ אָאֹר (לעיל יב,ג). בהמשך יסופר במפורש כי אחרי שיצחק העניק ליעקב ברכה פרטית, הוא העביר לו אף את הברכה שקיבל מאברהם. גם כאן יצחק מזכיר את הארץ ורומז על ירושתה, וכן את המברכים ואת המקללים. בכך הוא למעשה מייפה את כוחו של בנו ומעניק לו את הכוח ואת העצמה שבירושת אברהם.

וַיָּבֵא לְאָבִיו וַיֹּאמֶר לְאָבִיו יָקֻם אָבִי וְיֹאכַל מִצֵּיד בְּנוֹ
בַּעֲבֻר תְּבָרְכַנִּי נַפְשֶׁךָ׃ וַיֹּאמֶר לוֹ יִצְחָק אָבִיו מִי־ לב
אָתָּה וַיֹּאמֶר אֲנִי בִּנְךָ בְכֹרְךָ עֵשָׂו׃ וַיֶּחֱרַד יִצְחָק לג
חֲרָדָה גְּדֹלָה עַד־מְאֹד וַיֹּאמֶר מִי־אֵפוֹא הוּא הַצָּד־
צַיִד וַיָּבֵא לִי וָאֹכַל מִכֹּל בְּטֶרֶם תָּבוֹא וָאֲבָרְכֵהוּ גַּם־
בָּרוּךְ יִהְיֶה׃ כִּשְׁמֹעַ עֵשָׂו אֶת־דִּבְרֵי אָבִיו וַיִּצְעַק לד
צְעָקָה גְּדֹלָה וּמָרָה עַד־מְאֹד וַיֹּאמֶר לְאָבִיו בָּרְכֵנִי
גַם־אָנִי אָבִי׃ וַיֹּאמֶר בָּא אָחִיךָ בְּמִרְמָה וַיִּקַּח לה
בִּרְכָתֶךָ׃ וַיֹּאמֶר הֲכִי קָרָא שְׁמוֹ יַעֲקֹב וַיַּעְקְבֵנִי זֶה לו
פַעֲמַיִם אֶת־בְּכֹרָתִי לָקָח וְהִנֵּה עַתָּה לָקַח בִּרְכָתִי

רש"י

לג) **וַיֶּחֱרַד.** כְּמַשְׁמָעוֹ, לְשׁוֹן תְּמִיהָה. וּמִדְרָשׁוֹ, רָאָה גֵּיהִנֹּם פְּתוּחָה מִתַּחְתָּיו: **מִי אֵפוֹא.** לְשׁוֹן לְעַצְמוֹ, מְשַׁמֵּשׁ עִם כַּמָּה דְּבָרִים: "אֵיפוֹא" – אַיֵּה פֹה, מִי הוּא וְאֵיפֹה הוּא הַצָּד צַיִד?: **וָאֹכַל מִכֹּל.** מִכָּל טְעָמִים שֶׁבִּקַּשְׁתִּי לִטְעֹם טָעַמְתִּי בּוֹ: **גַּם בָּרוּךְ יִהְיֶה.** שֶׁלֹּא תֹּאמַר, אִלּוּלֵי שֶׁרִמָּה יַעֲקֹב לְאָבִיו לֹא נָטַל אֶת הַבְּרָכוֹת, לְכָךְ הִסְכִּים וּבֵרְכוֹ מִדַּעְתּוֹ:

לה) **בְּמִרְמָה.** בְּחָכְמָה:

לו) **הֲכִי קָרָא שְׁמוֹ.** לְשׁוֹן תֵּמַהּ הוּא, כְּמוֹ: "הֲכִי אָחִי אָתָּה" (להלן כט, טו), שֶׁמָּא לְכָךְ נִקְרָא שְׁמוֹ יַעֲקֹב, עַל שֵׁם סוֹפוֹ, שֶׁהוּא עָתִיד לְעָקְבֵנִי. תַּנְחוּמָא (תנחומא ישן כג): לָמָּה חָרַד יִצְחָק? אָמַר: שֶׁמָּא עָוֹן יֵשׁ בִּי שֶׁבֵּרַכְתִּי קָטָן לִפְנֵי גָּדוֹל וְשִׁנִּיתִי סֵדֶר הַיַּחַס, הִתְחִיל עֵשָׂו מְצַעֵק: "וַיַּעְקְבֵנִי זֶה פַעֲמַיִם", אָמַר לוֹ אָבִיו: מָה עָשָׂה לְךָ? אָמַר לוֹ: "אֶת בְּכֹרָתִי לָקָח". אָמַר: בְּכָךְ הָיִיתִי מֵצֵר וְחָרֵד שֶׁמָּא עָבַרְתִּי עַל שׁוּרַת הַדִּין, עַכְשָׁיו לַבְּכוֹר בֵּרַכְתִּי, "גַּם בָּרוּךְ יִהְיֶה": **וַיַּעְקְבֵנִי.** כְּתַרְגּוּמוֹ: "וְכַמְנַנִי" – חַכְמַנִי. "וְאָרַב" (דברים יט, יא) – "וְכַמַּן". וְיֵשׁ מְתַרְגְּמִין: "וְחַכְמַנִי", נִתְחַכֵּם

הרחבות

'גם ברוך יהיה' כאמור, מאמציה של רבקה להטות את הברכה ליעקב נבעו מן ההנחה שברכתו של יצחק אינה ביטוי פשוט למשאלות לב, אלא היא מעין התגלות שבכוחה להשפיע על מה שיתרחש. מתברר שיצחק לא רק העניק את הברכה, אלא היה מסוגל לחוש אם הברכה חלה. כאן הוא מציין כי הוא יודע שאכן הברכה שרתה על מי שהתברך.
בהמשך הסיפור יצחק לא הוכיח את יעקב על מעשה המרמה שלו. אולי נמנע מביקורת, משום שחש שברכתו אכן חלה על ראש יעקב, ודי היה לו בתחושה זו כשלעצמה כדי לאשר שהברכה הייתה

ביאור

עֵשָׂו, מַטְעַמִּים, **וַיָּבֵא לְאָבִיו. וַיֹּאמֶר לְאָבִיו: יָקֻם אָבִי וְיֹאכַל מִצֵּיד בְּנוֹ,**
בַּעֲבֻר תְּבָרְכַנִּי נַפְשֶׁךָ.

לב **וַיֹּאמֶר לוֹ יִצְחָק אָבִיו: מִי אָתָּה?** שהרי אין הוא מבין את הכפילות.
וַיֹּאמֶר: אֲנִי בִּנְךָ בְּכֹרְךָ עֵשָׂו.

לג **וַיֶּחֱרַד יִצְחָק חֲרָדָה גְּדֹלָה עַד מְאֹד,** שכן הוא גילה שמשהו נורא
קרה. **וַיֹּאמֶר: מִי אֵפוֹא הוּא הַצָּד צַיִד וַיָּבֵא לִי וָאֹכַל מִכֹּל בְּטֶרֶם תָּבוֹא**
ואכלתי, עוד קודם שבאת, **וָאֲבָרְכֵהוּ,** ובירכתי אותו? **גַּם בָּרוּךְ יִהְיֶה.**
ידוע לי שהברכה חלה עליו.

לד **כִּשְׁמֹעַ עֵשָׂו אֶת דִּבְרֵי אָבִיו, וַיִּצְעַק צְעָקָה גְּדֹלָה וּמָרָה עַד מְאֹד**
מתוך אכזבה, כעס ומפח נפש. **וַיֹּאמֶר לְאָבִיו: בָּרְכֵנִי גַם אָנִי אָבִי.**
כיוון שעשו לא שמע את דברי הברכה שניתנה ליעקב, הוא לא
ידע שבברכתו הכפיף יצחק אותו ליעקב. בקשתו לברכה נבעה הן
מאמונתו בכוחה הנבואי של הברכה, הן מכך שהברכה מבטאת את
הקשר האישי של האב כלפי הבן המתברך.

לה **וַיֹּאמֶר** לו יצחק: **בָּא אָחִיךָ בְּמִרְמָה וַיִּקַּח בִּרְכָתֶךָ.** הברכה כבר חלה
עליו, ואינני יכול לקחתה ממנו. את הנעשה אין להשיב.

לו **וַיֹּאמֶר** עשו בכעס: **הֲכִי,** האם לחינם **קָרָא שְׁמוֹ יַעֲקֹב?** אמנם
שמו של יעקב נגזר במקורו מאחיזת העקב, ומכך שבא בעקבות
עשו, אך כאן הוא משתמש בשורש זה במשמעות של עקמומיות
ומרמה - **וַיַּעְקְבֵנִי זֶה פַעֲמַיִם – אֶת בְּכֹרָתִי לָקָח,** הוא קנה ממני
במרמה את הבכורה, **וְהִנֵּה עַתָּה לָקַח** גם את **בִּרְכָתִי.**

הרחבות

צריכה להגיע ליעקב, גם אם נסיבות הדברים לא היו ישרות. יצחק ידע כי הוא נתון בידי כוחות גדולים ממנו, והם הקובעים שיעקב יהיה ממשיכו הראוי, ועל כן, עליו לקבל ידיעה ודאית זו, ואל לו להתנגד למה שאירע.

'ויעקבני זה פעמים' עשו הנסער אינו שוקל את מלותיו בתבונה. בהזכירו את מכירת הבכורה, הוא פועל למעשה נגד האינטרסים שלו (תנחומא תולדות כג; רש"י על אתר). אם יעקב קנה את הבכורה, הרי שמן הדין מגיעה לו גם הברכה. אף על פי שעשו מתאונן שיעקב רימה אותו פעמיים, למעשה ב'רמאות' האחת יש כדי להצדיק את ה'רמאות' השנייה.

לז וַיֹּאמַ֕ר הֲלֹֽא־אָצַ֥לְתָּ לִּ֖י בְּרָכָֽה׃ וַיַּ֨עַן יִצְחָ֜ק וַיֹּ֣אמֶר
לְעֵשָׂ֗ו הֵ֣ן גְּבִ֞יר שַׂמְתִּ֥יו לָךְ֙ וְאֶת־כָּל־אֶחָ֗יו נָתַ֤תִּי לוֹ֙
לַעֲבָדִ֔ים וְדָגָ֥ן וְתִירֹ֖שׁ סְמַכְתִּ֑יו וּלְכָ֣ה אֵפ֔וֹא מָ֥ה
לח אֶֽעֱשֶׂ֖ה בְּנִֽי׃ וַיֹּ֨אמֶר עֵשָׂ֜ו אֶל־אָבִ֗יו הַֽבְרָכָ֨ה אַחַ֤ת
הִֽוא־לְךָ֙ אָבִ֔י בָּרְכֵ֥נִי גַם־אָ֖נִי אָבִ֑י וַיִּשָּׂ֥א עֵשָׂ֛ו קֹל֖וֹ
לט וַיֵּֽבְךְּ׃ וַיַּ֛עַן יִצְחָ֥ק אָבִ֖יו וַיֹּ֣אמֶר אֵלָ֑יו הִנֵּ֞ה מִשְׁמַנֵּ֤י
מ הָאָ֙רֶץ֙ יִהְיֶ֣ה מֽוֹשָׁבֶ֔ךָ וּמִטַּ֥ל הַשָּׁמַ֖יִם מֵעָֽל׃ וְעַל־
חַרְבְּךָ֣ תִֽחְיֶ֔ה וְאֶת־אָחִ֖יךָ תַּעֲבֹ֑ד וְהָיָה֙ כַּאֲשֶׁ֣ר תָּרִ֔יד
מא וּפָרַקְתָּ֥ עֻלּ֖וֹ מֵעַ֥ל צַוָּארֶֽךָ׃ וַיִּשְׂטֹ֤ם עֵשָׂו֙ אֶֽת־יַעֲקֹ֔ב
עַל־הַ֨בְּרָכָ֔ה אֲשֶׁ֥ר בֵּרֲכ֖וֹ אָבִ֑יו וַיֹּ֨אמֶר עֵשָׂ֜ו בְּלִבּ֗וֹ
מב יִקְרְבוּ֙ יְמֵי֙ אֵ֣בֶל אָבִ֔י וְאַהַרְגָ֖ה אֶת־יַעֲקֹ֥ב אָחִֽי׃ וַיֻּגַּ֣ד
לְרִבְקָ֔ה אֶת־דִּבְרֵ֥י עֵשָׂ֖ו בְּנָ֣הּ הַגָּדֹ֑ל וַתִּשְׁלַ֞ח וַתִּקְרָ֤א

רש"י

לִי: אָצַלְתָּ. לְשׁוֹן הַפְרָשָׁה, כְּמוֹ: "וַיָּאצֶל" (במדבר יא, כה):

לז) **הֵן גְּבִיר.** בְּרָכָה זוֹ שְׁבִיעִית הִיא וְהוּא עוֹשֶׂה אוֹתָהּ רִאשׁוֹנָה? אֶלָּא אָמַר לוֹ: מַה תּוֹעֶלֶת לְךָ בִּבְרָכָה? אִם תִּקְנֶה נְכָסִים שֶׁלּוֹ הֵם, שֶׁהֲרֵי גְּבִיר שַׂמְתִּיו לָךְ, וּמַה שֶּׁקָּנָה עֶבֶד קָנָה רַבּוֹ!: **וּלְכָה אֵפוֹא מָה אֶעֱשֶׂה.** אַיֵּה אֵיפֹה אֲבַקֵּשׁ מַה לַּעֲשׂוֹת לְךָ?:

לח) **הַבְרָכָה אַחַת.** הֵ"א זוֹ מְשַׁמֶּשֶׁת לְשׁוֹן תְּמִיָּה, כְּמוֹ: "הַבְּמַחֲנִים" (במדבר יג, יט), "הַשְּׁמֵנָה הִיא" (שם כ), "הַכְּמוֹת נָבָל" (שמואל ב' ג, לג):

לט) **מִשְׁמַנֵּי הָאָרֶץ וְגוֹ'.** זוֹ אִיטַלְיָא שֶׁל יָוָן:

מ) **וְעַל חַרְבְּךָ.** כְּמוֹ: 'בְּחַרְבְּךָ', יֵשׁ 'עַל' שֶׁהוּא אֶלָּא בִּמְקוֹם אוֹת אַחַת, כְּגוֹן "עֲמַדְתֶּם עַל חַרְבְּכֶם" (יחזקאל לג, כו) 'בְּחַרְבְּכֶם', "עַל צִבְאֹתָם" (שמות ו, כו) 'בְּצִבְאֹתָם': **וְהָיָה כַּאֲשֶׁר תָּרִיד.** לְשׁוֹן צַעַר, כְּמוֹ: "אָרִיד בְּשִׂיחִי" (תהלים נה, ג), כְּלוֹמַר, כְּשֶׁיַּעַבְרוּ יִשְׂרָאֵל עַל הַתּוֹרָה וְיִהְיֶה לְךָ פִּתְחוֹן פֶּה לְהִצְטַעֵר עַל הַבְּרָכוֹת שֶׁנָּטַל – "וּפָרַקְתָּ עֻלּוֹ" וְגוֹ':

מא) **יִקְרְבוּ יְמֵי אֵבֶל אָבִי.** כְּמַשְׁמָעוֹ, שֶׁלֹּא אֲצַעֵר אֶת אַבָּא. וּמִדְרַשׁ אַגָּדָה לְכַמָּה פָּנִים יֵשׁ:

מב) **וַיֻּגַּד לְרִבְקָה.** בְּרוּחַ הַקֹּדֶשׁ הֻגַּד לָהּ מַה שֶּׁעֵשָׂו מְהַרְהֵר בְּלִבּוֹ: **מִתְנַחֵם.** נִחָם עַל הָאַחֲוָה לַחְשֹׁב מַחֲשָׁבָה אַחֶרֶת לְהִתְנַכֵּר לְךָ "לְהָרְגֶךָ". וּמִדְרַשׁ אַגָּדָה, כְּבָר אַתָּה מֵת בְּעֵינָיו וְשָׁתָה עָלֶיךָ כּוֹס תַּנְחוּמִים. לְשׁוֹן אַחֵר לִפְשׁוּטוֹ, לְשׁוֹן תַּנְחוּמִים, מִתְנַחֵם הוּא עַל הַבְּרָכוֹת בַּהֲרִיגָתְךָ:

ביאור

משהבין שאין בכוחו לבטל את מה שנעשה – **וַיֹּאמַר: הֲלֹא אָצַלְתָּ**
לִּי בְּרָכָה? האם השארת לי ברכה כלשהי? הרי לא ייתכן שבירכת
אותו בכל הברכות האפשריות.

לז **וַיַּעַן יִצְחָק וַיֹּאמֶר לְעֵשָׂו: הֵן גְּבִיר שַׂמְתִּיו לָךְ**, עשיתי אותו אדון לך,
וְאֶת כָּל אֶחָיו נָתַתִּי לוֹ לַעֲבָדִים, וְדָגָן וְתִירֹשׁ סְמַכְתִּיו. בירכתי אותו
בכך שהתבואה והיין ייִמצאו בהישג ידו, **וּלְכָה אֵפוֹא מָה אֶעֱשֶׂה בְּנִי?**
מאחר שאינני יכול לבטל את הברכה הקודמת, איזו ברכה אוכל
להעניק לך, שתעמוד כנגד ברכתו?

לח **וַיֹּאמֶר עֵשָׂו אֶל אָבִיו: הַבְרָכָה אַחַת הִוא לְךָ, אָבִי?** הרי יכולה
להיות ברכה שלא תסתור את הברכה הראשונה. **בָּרְכֵנִי גַם אָנִי, אָבִי**
בברכות כלשהן. בייאושו – **וַיִּשָּׂא עֵשָׂו קֹלוֹ וַיֵּבְךְּ**.
לבסוף יצחק מצא דרך לברך את בנו. לט **וַיַּעַן יִצְחָק אָבִיו וַיֹּאמֶר**
אֵלָיו: הִנֵּה מִשְׁמַנֵּי הָאָרֶץ יִהְיֶה מוֹשָׁבֶךָ, אף אתה תנחל אדמה דשנה,
וּמִטַּל הַשָּׁמַיִם מֵעָל. מ **וְעַל חַרְבְּךָ תִחְיֶה**, מאחר שאינך הבן הבכור,
אין לך זכות גמורה על המקום שתחיה בו, ותמיד תיאלץ להילחם
עליו. **וְאֶת אָחִיךָ תַּעֲבֹד. וְהָיָה כַּאֲשֶׁר תָּרִיד**, תתקומם, **וּפָרַקְתָּ עֻלּוֹ**
מֵעַל צַוָּארֶךָ, תצליח להשתחרר ממנו, אך במציאות הבסיסית הוא
יהיה האדון, ואתה תהיה לו לעבד.

מא **וַיִּשְׂטֹם**, שנא **עֵשָׂו אֶת יַעֲקֹב עַל הַבְּרָכָה אֲשֶׁר בֵּרְכוֹ אָבִיו**, ובגלל
תוצאותיה. **וַיֹּאמֶר עֵשָׂו בְּלִבּוֹ: יִקְרְבוּ יְמֵי אֵבֶל אָבִי**, כשאבי ימות –
וְאַהַרְגָה אֶת יַעֲקֹב אָחִי. שוב מתחשב עשו באביו ורואה בו סמכות.
על כן לא יעז להתנכל לאחיו כל עוד אביו חי.

מב **וַיֻּגַּד לְרִבְקָה אֶת דִּבְרֵי עֵשָׂו בְּנָהּ הַגָּדֹל**. ייתכן שעשו אמר את
הדברים לא רק בלבו. כדמות מוחצנת, אפשר לשער שהיה מוקף
בידידים, וביטא את מזימותיו במחיצתם, אולי בעת שהיה מבושם
ביין, וכך התגלגלו ונודעו לרבקה. לפי דעה אחרת, הדברים נאמרו
בלבו בלבד, ורבקה שמעה אותם בכוח הנבואי שבו ניחנה.[33] **וַתִּשְׁלַח**

הרחבות

׳והיה כאשר תריד ופרקת עֻלו מעל צוארך׳ נבואה זו התקיימה במשך הדורות: הארץ שבה שכנו בני אדום הספיקה לרוב לצורכיהם. במשך זמן רב מדינת אדום הייתה משועבדת למלכי יהודה, אך מפעם לפעם ניסו האדומים למרוד בשלטונם של צאצאי יעקב, ואף הצליחו בכך (ראו עוד הרחבה להלן לו,לט; דרשות הר״ן, ב ד״ה זה מצודת דוד דברי הימים ב׳ כ,א).

לְיַעֲקֹב בְּנָהּ הַקָּטָן וַתֹּאמֶר אֵלָיו הִנֵּה עֵשָׂו אָחִיךָ
מִתְנַחֵם לְךָ לְהָרְגֶךָ׃ וְעַתָּה בְנִי שְׁמַע בְּקֹלִי וְקוּם מג
בְּרַח־לְךָ אֶל־לָבָן אָחִי חָרָנָה׃ וְיָשַׁבְתָּ עִמּוֹ יָמִים מד
אֲחָדִים עַד אֲשֶׁר־תָּשׁוּב חֲמַת אָחִיךָ׃ עַד־שׁוּב מה
אַף־אָחִיךָ מִמְּךָ וְשָׁכַח אֵת אֲשֶׁר־עָשִׂיתָ לּוֹ וְשָׁלַחְתִּי
וּלְקַחְתִּיךָ מִשָּׁם לָמָה אֶשְׁכַּל גַּם־שְׁנֵיכֶם יוֹם אֶחָד׃
וַתֹּאמֶר רִבְקָה אֶל־יִצְחָק קַצְתִּי בְחַיַּי מִפְּנֵי בְּנוֹת מו
חֵת אִם־לֹקֵחַ יַעֲקֹב אִשָּׁה מִבְּנוֹת־חֵת כָּאֵלֶּה מִבְּנוֹת
הָאָרֶץ לָמָּה לִּי חַיִּים׃ וַיִּקְרָא יִצְחָק אֶל־יַעֲקֹב וַיְבָרֶךְ א כח
אֹתוֹ וַיְצַוֵּהוּ וַיֹּאמֶר לוֹ לֹא־תִקַּח אִשָּׁה מִבְּנוֹת
כְּנָעַן׃ קוּם לֵךְ פַּדֶּנָה אֲרָם בֵּיתָה בְתוּאֵל אֲבִי אִמֶּךָ ב
וְקַח־לְךָ מִשָּׁם אִשָּׁה מִבְּנוֹת לָבָן אֲחִי אִמֶּךָ׃ וְאֵל ג
שַׁדַּי יְבָרֵךְ אֹתְךָ וְיַפְרְךָ וְיַרְבֶּךָ וְהָיִיתָ לִקְהַל עַמִּים׃
וְיִתֶּן־לְךָ אֶת־בִּרְכַּת אַבְרָהָם לְךָ וּלְזַרְעֲךָ אִתָּךְ ד

רש"י

מד| אֲחָדִים. מוּעָטִים:

מה| לָמָּה אֶשְׁכַּל. תִּהְיֶה שְׁכוּלָה מִשְּׁנֵיכֶם; הַקּוֹבֵר אֶת בָּנָיו קָרוּי 'שַׁכּוּל', וְכֵן יַעֲקֹב אָמַר: "כַּאֲשֶׁר שָׁכֹלְתִּי שָׁכָלְתִּי" (להלן מג, יד). גַּם שְׁנֵיכֶם. אִם יָקוּם עָלֶיךָ וְאַתָּה תַּהַרְגֶנּוּ יַעַמְדוּ בָּנָיו וְיַהַרְגוּךָ. וְרוּחַ הַקֹּדֶשׁ נִזְרְקָה בָּהּ וְנִתְנַבְּאָה שֶׁבְּיוֹם אֶחָד יָמוּתוּ, כְּמוֹ שֶׁמְּפֹרָשׁ בְּ'הַמְקַנֵּא לְאִשְׁתּוֹ' (סוטה יג, ע"א):

מו| קַצְתִּי בְחַיַּי. מָאַסְתִּי בְחַיַּי:

פרק כח

ב| פַּדֶּנָה. כְּמוֹ 'לְפַדַּן'. בֵּיתָה בְתוּאֵל. לְבֵית בְּתוּאֵל, כָּל תֵּבָה שֶׁצְּרִיכָה לָמֶ"ד בִּתְחִלָּתָהּ הֵטִיל לָהּ הֵ"א בְּסוֹפָהּ:

ג| וְאֵל שַׁדַּי. מִי שֶׁדַּי בְּבִרְכוֹתָיו לַמִּתְבָּרְכִין מִפִּיו יְבָרֵךְ אוֹתְךָ:

ד| אֶת בִּרְכַּת אַבְרָהָם. שֶׁאָמַר לוֹ: "וְאֶעֶשְׂךָ לְגוֹי גָּדוֹל" (לעיל יב, ב), "וְהִתְבָּרְכוּ בְזַרְעֲךָ" (לעיל כב, יח) – יִהְיוּ אוֹתָן בְּרָכוֹת אֲמוּרוֹת

הרחבות

'למה אֶשְׁכַּל גם שניכם' אנשים נוטים לדמות את עשו כאיש גדול וחזק, ואת יעקב כאחיו הקטן, הרזה והמסכן. אולם מתוך כך שיצחק הבחין בין התאומים באמצעות המישוש בעורם ולא יכול היה לזהותם על פי קומתם ומבנה גופם,

ביאור | וַתִּקְרָא לְיַעֲקֹב בְּנָהּ הַקָּטָן, וַתֹּאמֶר אֵלָיו: הִנֵּה עֵשָׂו אָחִיךָ מִתְנַחֵם לְךָ לְהָרְגֶךָ, מנחם את עצמו במחשבה שיהרוג אותך.[34]

מג **וְעַתָּה בְנִי שְׁמַע בְּקֹלִי**, שמעת בקולי ובעקבות זאת נכנסת לסבך זה. כדאי שתמשיך לשמוע בקולי, והפעם – כדי לצאת ממנו – **וְקוּם בְּרַח לְךָ אֶל לָבָן אָחִי חָרָנָה**. אצלו תוכל לחסות. מד **וְיָשַׁבְתָּ עִמּוֹ יָמִים אֲחָדִים**, שנים אחדות, **עַד אֲשֶׁר תָּשׁוּב חֲמַת**, עד שישקוט כעסו של **אָחִיךָ**, מה **עַד שׁוּב אַף**, כעסו של **אָחִיךָ מִמְּךָ, וְשָׁכַח אֵת אֲשֶׁר עָשִׂיתָ לּוֹ**, עד שעניין הברכות יפסיק להטריד אותו. כשאדע שכעסו נרגע – **וְשָׁלַחְתִּי** שליח **וּלְקַחְתִּיךָ מִשָּׁם**, מחרן. שהרי אתם עלולים להילחם ולהרוג זה את זה – **לָמָה אֶשְׁכַּל גַּם שְׁנֵיכֶם יוֹם אֶחָד?**

מעשה הברכות לא היה נוח לאיש מבני המשפחה. רבקה התעלמה ממנו כשדיברה עם יצחק. אולי לא סיפרה לו על המתיחות הרבה ששררה בין האחים ועל מה שידעה על מזימותיו של עשו, משום שרצתה להימנע מלצער אותו. היא העדיפה להכשיר את הקרקע לנסיעתו של יעקב – מו **וַתֹּאמֶר רִבְקָה אֶל יִצְחָק: קַצְתִּי בְחַיַּי**, נמאסו עלי החיים **מִפְּנֵי בְּנוֹת חֵת**, שנשא כבר עשו,[35] אך **אִם לֹקֵחַ יַעֲקֹב אִשָּׁה מִבְּנוֹת חֵת כָּאֵלֶּה, מִבְּנוֹת הָאָרֶץ – לָמָּה לִּי חַיִּים?!** רבקה רומזת ליצחק, שיציע ליעקב לעשות כמותו – לקחת אשה ממשפחתו היושבת הרחק, ולא מבנות חת.

פרק כח א בהשפעת דברי רבקה אשתו, או שמא גמלה בלבו מחשבה זו מאליה – **וַיִּקְרָא יִצְחָק אֶל יַעֲקֹב, וַיְבָרֶךְ אֹתוֹ וַיְצַוֵּהוּ וַיֹּאמֶר לוֹ: לֹא תִקַּח אִשָּׁה מִבְּנוֹת כְּנָעַן**, כדרך שעשה אחיך. ב **קוּם לֵךְ פַּדֶּנָה אֲרָם, בֵּיתָה**, לבית **בְּתוּאֵל אֲבִי אִמֶּךָ, וְקַח לְךָ מִשָּׁם אִשָּׁה מִבְּנוֹת לָבָן אֲחִי אִמֶּךָ**. כנראה יצחק ידע שללבן בנות, משום שנשמר קשר כלשהו בין המשפחות.

ג עתה יצחק מוסיף ברכה ליעקב: **וְאֵל שַׁדַּי**, כינויו לה׳ המבטא את עצמתו ואת ריבוי פעולותיו, **יְבָרֵךְ אֹתְךָ, וְיַפְרְךָ וְיַרְבֶּךָ, וְהָיִיתָ לִקְהַל עַמִּים**, תהפוך לאומה גדולה. ד **וְיִתֶּן לְךָ אֶת בִּרְכַּת אַבְרָהָם – לְךָ**

הרחבות | עולה שמבנה הגוף שלהם היה דומה. גם מהחשש שמביעה כאן רבקה – שמא אם ינסה עשו להרוג את יעקב, תפרוץ ביניהם מלחמה, שבה עלולים שניהם למות – עולה שיעקב אינו גבר פגיע, קטן וחלוש (וראו להלן כט,י; הושע יב,ד).

לְרִשְׁתְּךָ֙ אֶת־אֶ֣רֶץ מְגֻרֶ֔יךָ אֲשֶׁר־נָתַ֥ן אֱלֹהִ֖ים
שביעי לְאַבְרָהָֽם׃ וַיִּשְׁלַ֤ח יִצְחָק֙ אֶת־יַעֲקֹ֔ב וַיֵּ֖לֶךְ פַּדֶּ֣נָֽה אֲרָ֑ם ה
אֶל־לָבָ֤ן בֶּן־בְּתוּאֵל֙ הָֽאֲרַמִּ֔י אֲחִ֣י רִבְקָ֔ה אֵ֥ם יַעֲקֹ֖ב
וְעֵשָֽׂו׃ וַיַּ֣רְא עֵשָׂ֗ו כִּֽי־בֵרַ֣ךְ יִצְחָק֮ אֶֽת־יַעֲקֹב֒ וְשִׁלַּ֤ח ו
אֹתוֹ֙ פַּדֶּ֣נָֽה אֲרָ֔ם לָקַֽחַת־ל֥וֹ מִשָּׁ֖ם אִשָּׁ֑ה בְּבָרְכ֣וֹ אֹת֔וֹ
וַיְצַ֤ו עָלָיו֙ לֵאמֹ֔ר לֹֽא־תִקַּ֥ח אִשָּׁ֖ה מִבְּנ֥וֹת כְּנָֽעַן׃
מפטיר וַיִּשְׁמַ֣ע יַעֲקֹ֔ב אֶל־אָבִ֖יו וְאֶל־אִמּ֑וֹ וַיֵּ֖לֶךְ פַּדֶּ֥נָֽה אֲרָֽם׃ ז
וַיַּ֣רְא עֵשָׂ֔ו כִּ֥י רָע֖וֹת בְּנ֣וֹת כְּנָ֑עַן בְּעֵינֵ֖י יִצְחָ֥ק אָבִֽיו׃
וַיֵּ֥לֶךְ עֵשָׂ֖ו אֶל־יִשְׁמָעֵ֑אל וַיִּקַּ֡ח אֶֽת־מָחֲלַ֣ת ׀ בַּת־ ט
יִשְׁמָעֵ֨אל בֶּן־אַבְרָהָ֜ם אֲח֧וֹת נְבָי֛וֹת עַל־נָשָׁ֖יו ל֥וֹ

רש"י

בִּשְׁבִילְךָ, מִמְּךָ יֵצֵא אוֹתוֹ הַגּוֹי וְאוֹתוֹ הַזֶּרַע הַמְבֹרָךְ:

ה) **אֵם יַעֲקֹב וְעֵשָׂו.** אֵינִי יוֹדֵעַ מַה מְּלַמְּדֵנוּ:

ז) **וַיִּשְׁמַע יַעֲקֹב.** מְחֻבָּר לָעִנְיָן שֶׁל מַעְלָה: "וַיַּרְא עֵשָׂו כִּי בֵרַךְ יִצְחָק" וְגוֹ' וְכִי שִׁלַּח אוֹתוֹ פַּדֶּנָה אֲרָם וְכִי שָׁמַע יַעֲקֹב אֶל אָבִיו וְהָלַךְ פַּדֶּנָה אֲרָם וְכִי רָעוֹת בְּנוֹת כְּנַעַן, וְהָלַךְ גַּם הוּא אֶל יִשְׁמָעֵאל:

ט) **אֲחוֹת נְבָיוֹת.** מִמַּשְׁמַע שֶׁנֶּאֱמַר: "בַּת יִשְׁמָעֵאל" אֵינִי יוֹדֵעַ שֶׁהִיא "אֲחוֹת נְבָיוֹת"? אֶלָּא לָמַדְנוּ שֶׁמֵּת יִשְׁמָעֵאל מִשֶּׁיְּעָדָהּ לְעֵשָׂו קֹדֶם נִשּׂוּאִין, וְהִשִּׂיאָהּ נְבָיוֹת אָחִיהָ. וְלָמַדְנוּ שֶׁהָיָה יַעֲקֹב בְּאוֹתוֹ הַפֶּרֶק בֶּן שִׁשִּׁים וְשָׁלֹשׁ שָׁנִים, שֶׁהֲרֵי יִשְׁמָעֵאל בֶּן שִׁבְעִים וְאַרְבַּע שָׁנִים הָיָה כְּשֶׁנּוֹלַד יַעֲקֹב – אַרְבַּע עֶשְׂרֵה שָׁנָה הָיָה גָּדוֹל יִשְׁמָעֵאל מִיִּצְחָק, "וְיִצְחָק בֶּן שִׁשִּׁים שָׁנָה בְּלֶדֶת אֹתָם" (לעיל כה, כו), הֲרֵי שִׁבְעִים וְאַרְבַּע – וּשְׁנוֹתָיו הָיוּ מֵאָה וּשְׁלֹשִׁים וָשֶׁבַע, שֶׁנֶּאֱמַר: "וְאֵלֶּה שְׁנֵי חַיֵּי יִשְׁמָעֵאל" וְגוֹ' (לעיל כה, יז), נִמְצָא יַעֲקֹב כְּשֶׁמֵּת יִשְׁמָעֵאל בֶּן שִׁשִּׁים וְשָׁלֹשׁ שָׁנִים הָיָה. וְלָמַדְנוּ מִכָּאן שֶׁנִּטְמַן בְּבֵית עֵבֶר אַרְבַּע עֶשְׂרֵה שָׁנָה וְאַחַר כָּךְ הָלַךְ לְחָרָן, שֶׁהֲרֵי לֹא שָׁהָה בְּבֵית לָבָן לִפְנֵי לֵדָתוֹ שֶׁל יוֹסֵף אֶלָּא אַרְבַּע עֶשְׂרֵה שָׁנָה, שֶׁנֶּאֱמַר: "עֲבַדְתִּיךָ אַרְבַּע עֶשְׂרֵה שָׁנָה בִּשְׁתֵּי בְנֹתֶיךָ וְשֵׁשׁ שָׁנִים בְּצֹאנֶךָ" (להלן לא, מא), וּשְׂכַר הַצֹּאן מִשֶּׁנּוֹלַד יוֹסֵף הָיָה, שֶׁנֶּאֱמַר: "וַיְהִי כַּאֲשֶׁר יָלְדָה רָחֵל אֶת יוֹסֵף" וְגוֹ' (להלן ל, כה). וְכָתוּב: "וְיוֹסֵף בֶּן שְׁלֹשִׁים שָׁנָה" (להלן מא, מו) כְּשֶׁמָּלַךְ, וּמִשָּׁם עַד שֶׁיָּרַד יַעֲקֹב לְמִצְרַיִם תֵּשַׁע שָׁנִים, שֶׁבַע שֶׁל שָׂבָע וּשְׁתַּיִם שֶׁל רָעָב, וְיַעֲקֹב אָמַר לְפַרְעֹה: "יְמֵי שְׁנֵי מְגוּרַי שְׁלֹשִׁים וּמְאַת שָׁנָה" (להלן מז, ט). צֵא וַחֲשֹׁב אַרְבַּע עֶשְׂרֵה שָׁנָה שֶׁלִּפְנֵי לֵדַת יוֹסֵף וּשְׁלֹשִׁים שֶׁל יוֹסֵף וְתֵשַׁע מִשֶּׁמָּלַךְ עַד שֶׁבָּא יַעֲקֹב, הֲרֵי חֲמִשִּׁים וְשָׁלֹשׁ, וּכְשֶׁפֵּרַשׁ מֵאָבִיו הָיָה בֶּן שִׁשִּׁים וְשָׁלֹשׁ, הֲרֵי מֵאָה וְשֵׁשׁ עֶשְׂרֵה, וְהוּא אוֹמֵר: "שְׁלֹשִׁים וּמְאַת שָׁנָה", הֲרֵי חֲסֵרִים אַרְבַּע עֶשְׂרֵה שָׁנִים. הָא לָמַדְתָּ שֶׁאַחַר שֶׁקִּבֵּל הַבְּרָכוֹת נִטְמַן

ביאור

וּלְזַרְעֲךָ אִתָּךְ, לְרִשְׁתְּךָ אֶת אֶרֶץ מְגֻרֶיךָ אֲשֶׁר נָתַן אֱלֹהִים לְאַבְרָהָם. בדברי ברכה אלה חוזר יצחק ומאשר את הברכה ליעקב – אכן, יעקב הוא ראש הנושאים את מורשת אברהם.[36]

ה **וַיִּשְׁלַח יִצְחָק אֶת יַעֲקֹב וַיֵּלֶךְ פַּדֶּנָה אֲרָם, אֶל לָבָן בֶּן בְּתוּאֵל הָאֲרַמִּי**
אֲחִי רִבְקָה, אֵם יַעֲקֹב וְעֵשָׂו.

ו **וַיַּרְא עֵשָׂו כִּי בֵרַךְ יִצְחָק אֶת יַעֲקֹב, וְשִׁלַּח אֹתוֹ פַּדֶּנָה אֲרָם לָקַחַת**
לוֹ מִשָּׁם אִשָּׁה בְּבָרְכוֹ אֹתוֹ, וַיְצַו עָלָיו לֵאמֹר: לֹא תִקַּח אִשָּׁה מִבְּנוֹת
כְּנָעַן, ז **וַיִּשְׁמַע יַעֲקֹב אֶל אָבִיו וְאֶל אִמּוֹ, וַיֵּלֶךְ פַּדֶּנָה אֲרָם.** ח **וַיַּרְא**
עֵשָׂו כִּי רָעוֹת בְּנוֹת כְּנָעַן בְּעֵינֵי יִצְחָק אָבִיו. ייתכן שעד כה עשו חשב
שאמו היא המתנגדת העיקרית לנישואיו עם בנות כנען, ורק עתה
נוכח לדעת עד כמה אביו אינו מרוצה מהן. ט כיוון שכך – **וַיֵּלֶךְ**
עֵשָׂו אֶל יִשְׁמָעֵאל, דודו, **וַיִּקַּח אֶת מָחֲלַת בַּת יִשְׁמָעֵאל בֶּן אַבְרָהָם,**
אֲחוֹת נְבָיוֹת, בנו הבכור של ישמעאל, **עַל נָשָׁיו,** בצד נשיו הקודמות
לוֹ לְאִשָּׁה. כך התחתן אף הוא עם בת דודו.

הרחבות

'לרשתך את ארץ מגֻריך אשר נתן אלהים לאברהם' עתה הוריש יצחק ליעקב את נחלת אברהם במפורש. מכאן עולה שיצחק קיבל באופן מוחלט שיעקב הוא ממשיכו. ואכן עשו יצא לארץ אחרת, מפני שידע שאין זו נחלתו.

אם יעקב ועשו מילים אלו מיותרות לכאורה. נראה שהן באות להדגיש שאף על פי שרבקה היא גם אמו של עשו, רק יעקב הוא שהלך אל משפחתה לחרן לשם נשיאת אשה. חכמים מסרו כי בנות לבן ידעו שבין המשפחות מתקיימת מעין הבטחה עלומה שהן יתחתנו עם בני רבקה (בבא בתרא קכג ע"א, וראו רש"י בראשית כט,יז). אולם עשו לא נטה ללכת בדרך הארוכה הזו לשם מציאת בת זוג, שכן כבר נשא שתיים מבנות חת.

אף על פי שמשפחת האבות עדיין לא הפכה לעם העומד בפני עצמו, האבות חשו ניכור כלפי יושבי כנען, וראו את עצמם כקשורים לשבט המוצא שלהם, למשפחת נחור. אף שיצחק לא ידע מה טיבן של בנות לבן, הוא הניח שהן יתאימו לבנו יותר מאשר בנות כנען החיות סביבו, שעל אופיין היה יכול לעמוד מקרוב. בכך שמרו האבות על אופייה המיוחד של משפחתם ההולכת ומתעצבת להיות עם.

'אחות נביות' בכמה מקומות במזרח נהגו לייחס חלק מהילדים לאחיהם הבכור. ייתכן שבאותה עת ישמעאל כבר לא חי, ונביות בכורו הוא שהחזיק עתה את הבית, ועל כן מחלת מתייחסת אליו (מגילה יז ע"ב; רש"י על אתר, והשוו רשב"ם).

ויצא כו לְאִשָּׁה׃ וַיֵּצֵא יַעֲקֹב מִבְּאֵר שָׁבַע וַיֵּלֶךְ י
חָרָנָה׃ וַיִּפְגַּע בַּמָּקוֹם וַיָּלֶן שָׁם כִּי־בָא הַשֶּׁמֶשׁ וַיִּקַּח יא
מֵאַבְנֵי הַמָּקוֹם וַיָּשֶׂם מְרַאֲשֹׁתָיו וַיִּשְׁכַּב בַּמָּקוֹם
הַהוּא׃ וַיַּחֲלֹם וְהִנֵּה סֻלָּם מֻצָּב אַרְצָה וְרֹאשׁוֹ מַגִּיעַ יב
הַשָּׁמָיְמָה וְהִנֵּה מַלְאֲכֵי אֱלֹהִים עֹלִים וְיֹרְדִים בּוֹ׃
וְהִנֵּה יְהוָה נִצָּב עָלָיו וַיֹּאמַר אֲנִי יְהוָה אֱלֹהֵי אַבְרָהָם יג

רש"י | בְּבֵית עֵבֶר אַרְבַּע עֶשְׂרֵה שָׁנָה: עַל נָשָׁיו. הוֹסִיף רִשְׁעָה עַל רִשְׁעָתוֹ, שֶׁלֹּא גֵּרַשׁ אֶת הָרִאשׁוֹנוֹת:

י| **וַיֵּצֵא יַעֲקֹב.** עַל יְדֵי שֶׁבִּשְׁבִיל שֶׁרָעוֹת בְּנוֹת כְּנַעַן בְּעֵינֵי יִצְחָק אָבִיו הָלַךְ עֵשָׂו אֶל יִשְׁמָעֵאל, הִפְסִיק הָעִנְיָן בְּפָרָשָׁתוֹ שֶׁל יַעֲקֹב וְכָתַב: "וַיַּרְא עֵשָׂו כִּי בֵרַךְ" וְגוֹ' (לעיל פסוק ו), וּמִשֶּׁגָּמַר – חָזַר לָעִנְיָן הָרִאשׁוֹן: **וַיֵּצֵא.** לֹא הָיָה צָרִיךְ לִכְתֹּב אֶלָּא 'וַיֵּלֶךְ יַעֲקֹב חָרָנָה', וְלָמָּה הִזְכִּיר יְצִיאָתוֹ? אֶלָּא מַגִּיד שֶׁיְּצִיאַת צַדִּיק מִן הַמָּקוֹם עוֹשָׂה רֹשֶׁם, שֶׁבִּזְמַן שֶׁהַצַּדִּיק בָּעִיר הוּא הוֹדָהּ הוּא זִיוָהּ הוּא הֲדָרָהּ; יָצָא מִשָּׁם, פָּנָה הוֹדָהּ פָּנָה זִיוָהּ פָּנָה הֲדָרָהּ, וְכֵן: "וַתֵּצֵא מִן הַמָּקוֹם" (רות א, ז) הָאָמוּר בְּנָעֳמִי וְרוּת: **וַיֵּלֶךְ חָרָנָה.** יָצָא לָלֶכֶת לְחָרָן:

יא| **וַיִּפְגַּע בַּמָּקוֹם.** לֹא הִזְכִּיר הַכָּתוּב בְּאֵיזֶה מָקוֹם, אֶלָּא בַּמָּקוֹם הַנִּזְכָּר בְּמָקוֹם אַחֵר, הוּא הַר הַמּוֹרִיָּה שֶׁנֶּאֱמַר בּוֹ: "וַיַּרְא אֶת הַמָּקוֹם מֵרָחֹק" (לעיל כב, ד): **וַיִּפְגַּע.** כְּמוֹ: "וּפָגַע בִּירִיחוֹ" (יהושע טז, ז), "וּפָגַע בְּדַבָּשֶׁת" (שם יט, יא). וְרַבּוֹתֵינוּ פֵּרְשׁוּ לְשׁוֹן תְּפִלָּה, כְּמוֹ: "וְאַל תִּפְגַּע בִּי" (ירמיה ז, טז), וְלִמְּדָנוּ שֶׁתִּקֵּן תְּפִלַּת עַרְבִית. וְשִׁנָּה הַכָּתוּב וְלֹא כָתַב 'וַיִּתְפַּלֵּל', לְלַמֶּדְךָ שֶׁקָּפְצָה לוֹ הָאָרֶץ, כְּמוֹ שֶׁמְּפֹרָשׁ בְּפֶרֶק 'גִּיד הַנָּשֶׁה' (חולין צא ע"ב): **כִּי בָא הַשֶּׁמֶשׁ.** הָיָה לוֹ לִכְתֹּב: 'וַיָּבֹא הַשֶּׁמֶשׁ וַיָּלֶן שָׁם', "כִּי בָא הַשֶּׁמֶשׁ" מַשְׁמַע שֶׁשָּׁקְעָה לוֹ חַמָּה פִּתְאוֹם שֶׁלֹּא בְּעוֹנָתָהּ, כְּדֵי שֶׁיָּלִין שָׁם: **וַיָּשֶׂם מְרַאֲשֹׁתָיו.** עֲשָׂאָן כְּמִין מַרְזֵב סָבִיב לְרֹאשׁוֹ מִפְּנֵי חַיּוֹת רָעוֹת. הִתְחִילוּ מְרִיבוֹת זוֹ עִם זוֹ, זֹאת אוֹמֶרֶת: עָלַי יַנִּיחַ צַדִּיק אֶת רֹאשׁוֹ, וְזֹאת אוֹמֶרֶת: עָלַי יַנִּיחַ, מִיָּד עֲשָׂאָן הַקָּדוֹשׁ בָּרוּךְ הוּא אֶבֶן אַחַת, וְזֶהוּ שֶׁנֶּאֱמַר: "וַיִּקַּח אֶת הָאֶבֶן אֲשֶׁר שָׂם מְרַאֲשֹׁתָיו" (להלן פסוק יח): **וַיִּשְׁכַּב בַּמָּקוֹם הַהוּא.** לְשׁוֹן מִעוּט – בְּאוֹתוֹ מָקוֹם שָׁכַב, אֲבָל אַרְבַּע עֶשְׂרֵה שָׁנִים שֶׁשִּׁמֵּשׁ בְּבֵית עֵבֶר לֹא שָׁכַב בַּלַּיְלָה, שֶׁהָיָה עוֹסֵק בַּתּוֹרָה:

יב| **עֹלִים וְיֹרְדִים.** עוֹלִים תְּחִלָּה וְאַחַר כָּךְ יוֹרְדִים? מַלְאָכִים שֶׁלִּוּוּהוּ בָּאָרֶץ אֵין יוֹצְאִים חוּצָה לָאָרֶץ, וְעָלוּ לָרָקִיעַ, וְיָרְדוּ מַלְאֲכֵי חוּצָה לָאָרֶץ לְלַוּוֹתוֹ:

יג| **נִצָּב עָלָיו.** לְשָׁמְרוֹ: **וֵאלֹהֵי יִצְחָק.** אַף עַל פִּי שֶׁלֹּא מָצִינוּ בַּמִּקְרָא שֶׁיִּחֵד הַקָּדוֹשׁ בָּרוּךְ הוּא שְׁמוֹ עַל הַצַּדִּיקִים בְּחַיֵּיהֶם לִכְתֹּב 'אֱלֹהֵי פְלוֹנִי', מִשּׁוּם שֶׁנֶּאֱמַר: "הֵן בִּקְדֹשָׁו לֹא יַאֲמִין" (איוב טו, טו), כָּאן יִחֵד שְׁמוֹ עַל יִצְחָק, לְפִי שֶׁכָּהוּ עֵינָיו וְכָלוּא בַּבַּיִת וַהֲרֵי הוּא כְּמֵת, וְיֵצֶר הָרַע פָּסַק

יעקב בבית אל – חלומו ונדרו

פרק כח פס׳ י–כב

יעקב נמלט מאחיו, עזב את הוריו וגלה לבדו מן הארץ שהונחלה לו. רק עתה החלו חייו העצמאיים. בחנייתו הלילית בבית אל יזכה בחזון שיחזקו בדרכו לקראת חייו החדשים בנכר. אף על פי שאין זו נבואה בהירה, אלא מראה עמום בחיזיון לילי, מסמלת ההתגלות המיוחדת הזאת את ראשית דרכו בעולם ואת היותו מסוגל לשמוע את דבר ה׳.

ביאור | אגב יציאת יעקב מבאר-שבע הוזכרו נישואיו הנוספים של עשו.
עתה ממשיך סיפורו של יעקב. י **וַיֵּצֵא יַעֲקֹב מִבְּאֵר שָׁבַע**. הליכתו
מבית הוריו בחברון לבאר-שבע אינה נזכרת בכתוב. כנראה קודם
יציאתו לחרן רצה להגיע למקום המזבח שבנו אבותיו, אברהם
ויצחק,[1] **וַיֵּלֶךְ חָרָנָה**. יא **וַיִּפְגַּע בַּמָּקוֹם**, הגיע למקום כלשהו, שנודע
לאחר מכן כמקום חשוב. **וַיָּלֶן שָׁם כִּי בָא**, שקעה **הַשֶּׁמֶשׁ**, וההליכה
בלילה אינה בטוחה. **וַיִּקַּח מֵאַבְנֵי הַמָּקוֹם, וַיָּשֶׂם מְרַאֲשֹׁתָיו**, בתור כר.
וַיִּשְׁכַּב בַּמָּקוֹם הַהוּא.

יב **וַיַּחֲלֹם**, וְהִנֵּה בחלומו **סֻלָּם מֻצָּב אַרְצָה וְרֹאשׁוֹ מַגִּיעַ הַשָּׁמָיְמָה**,
וְהִנֵּה מַלְאֲכֵי אֱלֹהִים עֹלִים וְיֹרְדִים בּוֹ, בסולם. יג **וְהִנֵּה ה׳** ללא
המלאכים **נִצָּב עָלָיו**, על יעקב, **וַיֹּאמַר: אֲנִי ה׳ אֱלֹהֵי אַבְרָהָם אָבִיךָ**

וַיִּקַּח מֵאַבְנֵי הַמָּקוֹם וַיָּשֶׂם מְרַאֲשֹׁתָיו

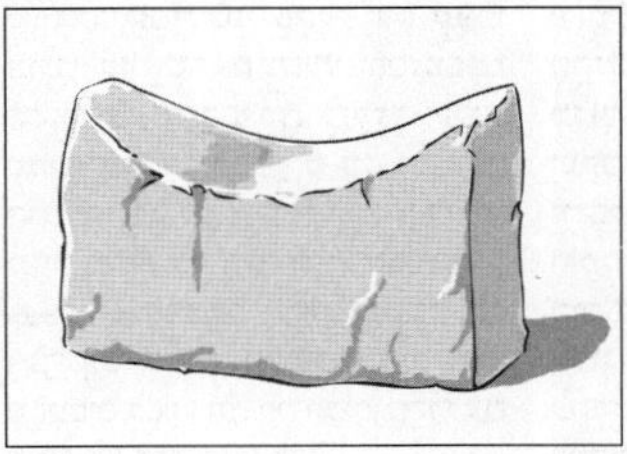

כרית אבן קדומה ממספוטמיה

הרחבות | **׳וישם מראשתיו׳** השענת הראש על כר קשה, עשוי מעץ או מחומרים אחרים, הייתה ידועה בעבר אצל המצרים, הבבלים, הסינים ועמים אחרים.

אָבִיךָ וֵאלֹהֵי יִצְחָק הָאָרֶץ אֲשֶׁר אַתָּה שֹׁכֵב עָלֶיהָ
לְךָ אֶתְּנֶנָּה וּלְזַרְעֶךָ: וְהָיָה זַרְעֲךָ כַּעֲפַר הָאָרֶץ יד
וּפָרַצְתָּ יָמָּה וָקֵדְמָה וְצָפֹנָה וָנֶגְבָּה וְנִבְרְכוּ בְךָ
כָּל־מִשְׁפְּחֹת הָאֲדָמָה וּבְזַרְעֶךָ: וְהִנֵּה אָנֹכִי עִמָּךְ טו
וּשְׁמַרְתִּיךָ בְּכֹל אֲשֶׁר־תֵּלֵךְ וַהֲשִׁבֹתִיךָ אֶל־הָאֲדָמָה
הַזֹּאת כִּי לֹא אֶעֱזָבְךָ עַד אֲשֶׁר אִם־עָשִׂיתִי אֵת
אֲשֶׁר־דִּבַּרְתִּי לָךְ: וַיִּיקַץ יַעֲקֹב מִשְּׁנָתוֹ וַיֹּאמֶר אָכֵן טז
יֵשׁ יְהוָה בַּמָּקוֹם הַזֶּה וְאָנֹכִי לֹא יָדָעְתִּי: וַיִּירָא וַיֹּאמַר יז
מַה־נּוֹרָא הַמָּקוֹם הַזֶּה אֵין זֶה כִּי אִם־בֵּית אֱלֹהִים
וְזֶה שַׁעַר הַשָּׁמָיִם: וַיַּשְׁכֵּם יַעֲקֹב בַּבֹּקֶר וַיִּקַּח אֶת־ יח

רש״י

מִמֶּנּוּ. תַּנְחוּמָא (תולדות ז): **שֹׁכֵב עָלֶיהָ.** קִפֵּל הַקָּדוֹשׁ בָּרוּךְ הוּא כָּל אֶרֶץ יִשְׂרָאֵל תַּחְתָּיו, כְּדֵי שֶׁתְּהֵא נוֹחָה לִכָּבֵשׁ לְבָנָיו:

יד) **וּפָרַצְתָּ.** וְחָזַקְתָּ, כְּמוֹ: "וְכֵן יִפְרֹץ" (שמות א, יב):

טו) **אָנֹכִי עִמָּךְ.** לְפִי שֶׁהָיָה יָרֵא מֵעֵשָׂו וּמִלָּבָן: **עַד אֲשֶׁר אִם עָשִׂיתִי.** 'אִם' מְשַׁמֵּשׁ בִּלְשׁוֹן 'כִּי': **דִּבַּרְתִּי לָךְ.** לְצָרְכְּךָ וְעָלֶיךָ, מַה שֶּׁהִבְטַחְתִּי לְאַבְרָהָם עַל זַרְעוֹ לְךָ הִבְטַחְתִּי וְלֹא לְעֵשָׂו, שֶׁלֹּא אָמַרְתִּי לוֹ: 'כִּי יִצְחָק יִקָּרֵא לְךָ זָרַע' אֶלָּא "כִּי בְיִצְחָק" (לעיל כא, יב) וְלֹא כָּל יִצְחָק. וְכֵן כָּל 'לִי' וְ'לְךָ' וְ'לוֹ' וְ'לָהֶם' הַסְּמוּכִים אֵצֶל דִּבּוּר מְשַׁמְּשִׁים לְשׁוֹן 'עַל', וְזֶה יוֹכִיחַ, שֶׁהֲרֵי עִם יַעֲקֹב לֹא דִּבֵּר קֹדֶם לָכֵן:

טז) **וְאָנֹכִי לֹא יָדָעְתִּי.** שֶׁאִם יָדַעְתִּי לֹא יָשַׁנְתִּי בְּמָקוֹם קָדוֹשׁ כָּזֶה:

יז) **כִּי אִם בֵּית אֱלֹהִים.** אָמַר רַבִּי אֶלְעָזָר בְּשֵׁם רַבִּי יוֹסֵי בֶּן זִמְרָא: הַסֻּלָּם הַזֶּה עוֹמֵד בִּבְאֵר שֶׁבַע וְאֶמְצָעוֹ מַגִּיעַ כְּנֶגֶד בֵּית הַמִּקְדָּשׁ, שֶׁבְּאֵר שֶׁבַע עוֹמֵד בִּדְרוֹמוֹ שֶׁל יְהוּדָה, וִירוּשָׁלַיִם בִּצְפוֹנוֹ בִּגְבוּל שֶׁבֵּין יְהוּדָה וּבִנְיָמִין, וּבֵית אֵל הָיָה בִּצְפוֹן שֶׁל נַחֲלַת בִּנְיָמִין בַּגְּבוּל שֶׁבֵּין בִּנְיָמִין וּבֵין בְּנֵי יוֹסֵף; נִמְצָא סֻלָּם שֶׁרַגְלָיו בִּבְאֵר שֶׁבַע וְרֹאשׁוֹ בְּבֵית אֵל מַגִּיעַ אֶמְצַע שִׁפּוּעוֹ נֶגֶד יְרוּשָׁלַיִם. וּכְלַפֵּי שֶׁאָמְרוּ רַבּוֹתֵינוּ שֶׁאָמַר הַקָּדוֹשׁ בָּרוּךְ הוּא, צַדִּיק זֶה בָּא לְבֵית מְלוֹנִי וְיִפָּטֵר בְּלֹא לִינָה?, וְעוֹד אָמְרוּ, יַעֲקֹב קְרָאוֹ בֵּית אֵל, וְזוֹ לוּז הִיא וְלֹא יְרוּשָׁלַיִם, וּמֵהֵיכָן לָמְדוּ לוֹמַר כֵּן? אֲנִי אוֹמֵר שֶׁנֶּעֱקַר הַר הַמּוֹרִיָּה וּבָא לְכָאן, וְזוֹ הִיא קְפִיצַת הָאָרֶץ הָאֲמוּרָה בִּשְׁחִיטַת חֻלִּין (חולין צא ע״ב), שֶׁבָּא בֵּית הַמִּקְדָּשׁ לִקְרָאתוֹ עַד בֵּית אֵל, וְזֶהוּ "וַיִּפְגַּע בַּמָּקוֹם" (לעיל פסוק יא): **מַה נּוֹרָא.** תַּרְגּוּם: "מָה דְּחִילוּ אַתְרָא הָדֵין". 'דְּחִילוּ' שֵׁם דָּבָר הוּא, כְּמוֹ 'סוּכְלְתָנוּ' 'וּכְסוּ לְמִלְבַּשׁ': **וְזֶה שַׁעַר הַשָּׁמָיִם.** מְקוֹם תְּפִלָּה לַעֲלוֹת תְּפִלָּתָם הַשָּׁמַיְמָה. וּמִדְרָשׁוֹ, שֶׁבֵּית הַמִּקְדָּשׁ שֶׁל מַעְלָה מְכֻוָּן כְּנֶגֶד בֵּית הַמִּקְדָּשׁ שֶׁל מַטָּה:

ביאור

וֵאלֹהֵי יִצְחָק. הָאָרֶץ אֲשֶׁר אַתָּה שֹׁכֵב עָלֶיהָ, ארץ כנען – **לְךָ אֶתְּנֶנָּה**
וּלְזַרְעֶךָ. יד **וְהָיָה זַרְעֲךָ** מרובה **כַּעֲפַר הָאָרֶץ וּפָרַצְתָּ**, תתפשט **יָמָּה**
וָקֵדְמָה וְצָפֹנָה וָנֶגְבָּה. וְנִבְרְכוּ בְךָ כָּל מִשְׁפְּחֹת הָאֲדָמָה וּבְזַרְעֶךָ. כל
העמים יתברכו בך ובזרעך. טו **וְהִנֵּה אָנֹכִי עִמָּךְ וּשְׁמַרְתִּיךָ בְּכֹל אֲשֶׁר**
תֵּלֵךְ, וַהֲשִׁבֹתִיךָ מחרן **אֶל הָאֲדָמָה הַזֹּאת**, אל ארץ כנען, **כִּי לֹא אֶעֱזָבְךָ**
עַד אֲשֶׁר אִם עָשִׂיתִי אֵת אֲשֶׁר דִּבַּרְתִּי לָךְ, שתשוב משם גדול וחזק
יותר, ותתחיל בבניית עמך.

טז **וַיִּיקַץ יַעֲקֹב מִשְּׁנָתוֹ. וַיֹּאמֶר: אָכֵן יֵשׁ ה׳ בַּמָּקוֹם הַזֶּה**, הודות לנוכחותו
של ה׳ במקום הזה חלמתי את חלום התגלותם של ה׳ ומלאכיו,
וְאָנֹכִי לֹא יָדָעְתִּי. קודם לכן לא ראיתי במקום זה אלא פיסת אדמה
שעליה הנחתי את גופי. יז **וַיִּירָא וַיֹּאמַר: מַה נּוֹרָא**, מעורר כבוד, נשגב
הַמָּקוֹם הַזֶּה! אֵין זֶה כִּי אִם בֵּית אֱלֹהִים, מקום זה ראוי להיות בית
אלוקים, וכאן **זֶה שַׁעַר הַשָּׁמָיִם**, שהרי ראיתי בו סולם המגיע לשמים,
והשמים נפתחו בפני. סולם המחבר ארץ לשמים הוא ההגדרה
היסודית ביותר של בית המקדש. נראה שיעקב התעורר מן החלום
באמצע שנתו ולא קם ממשכבו, משום שעוד לא עלה הבוקר.

יח **וַיַּשְׁכֵּם יַעֲקֹב בַּבֹּקֶר**, ולאות תודה לה׳ שנגלה אליו ושהבטיח
להמשיך ללוותו, ומתוך תחושת מחויבותו כלפיו – **וַיִּקַּח אֶת הָאֶבֶן**

הרחבות

׳הארץ אשר אתה שכב עליה לך אתננה׳ יעקב זוכה בברכה האלוקית בשלבים: תחילה קנה את הבכורה; אחר כך זכה בברכת יצחק בעקיבה; רק סמוך לצאתו קיבל בגלוי ובמישרין את ברכת אברהם, הכוללת את ירושת הארץ, מאביו; ועתה מאושרת ההבטחה על ידי ה׳.

׳אכן יש ה׳ במקום הזה׳ דברי חלומות מושפעים מהרהורי לבו של החולם. אולם לפי סיפורים רבים במקרא, הם עשויים לשמש צינור למסרים אלוקיים, אף על פי שדרך התגלות זו עמומה יותר מן הנבואה שזוכה לה האדם הער. יעקב בטוח באמתותו של מה שנאמר לו בחלום, אך אינו יודע אם יש לחלומו פתרון חד-משמעי, ואם כן – מהו פשרו המדויק.

הָאֶבֶן אֲשֶׁר־שָׂם מְרַאֲשֹׁתָיו וַיָּשֶׂם אֹתָהּ מַצֵּבָה וַיִּצֹק
יט שֶׁמֶן עַל־רֹאשָׁהּ׃ וַיִּקְרָא אֶת־שֵׁם־הַמָּקוֹם הַהוּא
כ בֵּית־אֵל וְאוּלָם לוּז שֵׁם־הָעִיר לָרִאשֹׁנָה׃ וַיִּדַּר יַעֲקֹב
נֶדֶר לֵאמֹר אִם־יִהְיֶה אֱלֹהִים עִמָּדִי וּשְׁמָרַנִי בַּדֶּרֶךְ
הַזֶּה אֲשֶׁר אָנֹכִי הוֹלֵךְ וְנָתַן־לִי לֶחֶם לֶאֱכֹל וּבֶגֶד
כא לִלְבֹּשׁ׃ וְשַׁבְתִּי בְשָׁלוֹם אֶל־בֵּית אָבִי וְהָיָה יְהוָה לִי
כב לֵאלֹהִים׃ וְהָאֶבֶן הַזֹּאת אֲשֶׁר־שַׂמְתִּי מַצֵּבָה יִהְיֶה
בֵּית אֱלֹהִים וְכֹל אֲשֶׁר תִּתֶּן־לִי עַשֵּׂר אֲעַשְּׂרֶנּוּ לָךְ׃ ▸

רש"י

כ-כא| **אִם יִהְיֶה אֱלֹהִים עִמָּדִי.** אִם יִשְׁמֹר לִי הַבְטָחוֹת הַלָּלוּ שֶׁהִבְטִיחַנִי לִהְיוֹת עִמָּדִי, כְּמוֹ שֶׁאָמַר לִי: "וְהִנֵּה אָנֹכִי עִמָּךְ" (לעיל פסוק טו): **וּשְׁמָרַנִי.** כְּמוֹ שֶׁאָמַר לִי: "וּשְׁמַרְתִּיךָ בְּכֹל אֲשֶׁר תֵּלֵךְ" (שם): **וְנָתַן לִי לֶחֶם לֶאֱכֹל.** כְּמוֹ שֶׁאָמַר: "כִּי לֹא אֶעֱזָבְךָ" (שם), וְהַמְבַקֵּשׁ לֶחֶם הוּא קָרוּי נֶעֱזָב, שֶׁנֶּאֱמַר: "וְלֹא רָאִיתִי צַדִּיק נֶעֱזָב וְזַרְעוֹ מְבַקֶּשׁ לָחֶם" (תהלים לז, כה): **וְשַׁבְתִּי.** כְּמוֹ שֶׁאָמַר לִי: "וַהֲשִׁבֹתִיךָ אֶל הָאֲדָמָה" (לעיל פסוק טו): **בְּשָׁלוֹם.** שָׁלֵם מִן הַחֵטְא, שֶׁלֹּא אֶלְמַד מִדַּרְכֵי לָבָן: **וְהָיָה ה' לִי לֵאלֹהִים.** שֶׁיָּחוּל שְׁמוֹ עָלַי מִתְּחִלָּה וְעַד סוֹף, שֶׁלֹּא יִמָּצֵא פְּסוּל בְּזַרְעִי, כְּמוֹ שֶׁאָמַר: "אֲשֶׁר דִּבַּרְתִּי לָךְ" (שם); וְהַבְטָחָה זוֹ הִבְטִיחַ לְאַבְרָהָם, שֶׁנֶּאֱמַר: "לִהְיוֹת לְךָ לֵאלֹהִים וּלְזַרְעֲךָ אַחֲרֶיךָ" (לעיל יז, ז):

כב| **וְהָאֶבֶן הַזֹּאת.** כָּךְ תְּפָרֵשׁ וָי"ו זוֹ שֶׁל 'וְהָאֶבֶן': אִם תַּעֲשֶׂה לִי אֶת אֵלֶּה וְאַף אֲנִי אֶעֱשֶׂה זֹאת: **וְהָאֶבֶן הַזֹּאת אֲשֶׁר שַׂמְתִּי מַצֵּבָה וְגוֹ'.** כְּתַרְגּוּמוֹ: "אֱיהֵי פָלַח עֲלַהּ קֳדָם ה'". וְכֵן עָשָׂה כְּשׁוּבוֹ מִפַּדַּן אֲרָם כְּשֶׁאָמַר לוֹ: "קוּם עֲלֵה בֵית אֵל" (להלן לה, א), מַה נֶּאֱמַר שָׁם? "וַיַּצֵּב יַעֲקֹב מַצֵּבָה וְגוֹ' וַיַּסֵּךְ עָלֶיהָ נָסֶךְ" (שם יד):

הרחבות

'בית אל' יעקב ראה שראוי לקדש את המקום הזה. לוז, שהפכה לבית-אל, נזכרת מאוחר יותר כעיר בגבול נחלת אפרים. הזיהוי בין לוז ובית-אל מופיע גם במקומות נוספים (יהושע יח,יג ושופטים א,כג). יש המשערים שלעיר לוז היה צמוד המתחם המקודש בית-אל (יהושע טז,ב. וראו שם במפרשים). במשך כשמונה מאות שנים נשארה בית-אל מקודשת, אף על פי שלא בנו בה מקדש (ראו שופטים כ,יח-כז; שמואל א' ז,טז; מלכים ב' ב,א-כג), ואף שלא תמיד שימשה למטרות חיוביות (מלכים א' יב,כט). היו חכמים שזיהו את בית-אל הנזכרת כאן עם מקום המקדש שבירושלים (ראו יונתן פס' יא; פסחים פח ע"א; חולין צא ע"א; רש"י פס' יז).

ביאור

אֲשֶׁר שָׂם מְרַאֲשֹׁתָיו, וַיָּשֶׂם אֹתָהּ מַצֵּבָה, העמידה כאבן פולחן, **וַיִּצֹק**
שֶׁמֶן, שמן הסתם היה אתו כדי ללַפֵּת בו את לחמו, **עַל רֹאשָׁהּ** של
המצבה. יט **וַיִּקְרָא** יעקב **אֶת שֵׁם הַמָּקוֹם הַהוּא** מאז **בֵּית אֵל. וְאוּלָם**
לוּז שֵׁם הָעִיר לָרִאשֹׁנָה. ייתכן שיעקב חשב שהוא ישן במקום ריק
לגמרי, אך התברר לו מאוחר יותר שכבר היה שם היישוב לוז, שעוד
ייזכר במקרא פעמים אחדות. יעקב שינה את שמו לבֵית אֵל.

כ **וַיִּדַּר יַעֲקֹב נֶדֶר לֵאמֹר: אִם** אכן **יִהְיֶה אֱלֹהִים עִמָּדִי**, כמו שנאמר
לי בחלום, **וּשְׁמָרַנִי בַּדֶּרֶךְ הַזֶּה אֲשֶׁר אָנֹכִי הוֹלֵךְ, וְנָתַן לִי לֶחֶם לֶאֱכֹל**
וּבֶגֶד לִלְבֹּשׁ, ויאפשר לי לקיים חיים בסיסיים, כא **וְשַׁבְתִּי**, ואם
אשוב **בְשָׁלוֹם אֶל בֵּית אָבִי**, אז **וְהָיָה ה׳ לִי לֵאלֹהִים**. אקבל על עצמי
להתמסר לעבודתו. יעקב האמין בה׳ אף קודם, אך כאן מתהדק
הקשר שלו אליו בהתחייבות אישית.[2] כב **וְהָאֶבֶן הַזֹּאת אֲשֶׁר שַׂמְתִּי**
מַצֵּבָה יִהְיֶה בֵּית אֱלֹהִים, יעקב מבטיח להקים מעין מקדש שיעמוד
לדורות, **וְכֹל אֲשֶׁר תִּתֶּן לִי עַשֵּׂר אֲעַשְּׂרֶנּוּ לָךְ**.

הרחבות

׳אם יהיה אלהים עמדי...׳ כיוון שיעקב לא ידע בבהירות אם חלם חלום רגיל, המושפע מתשוקותיו הסובייקטיביות, או שצפה בחיזיון נבואי, הוא קבע תנאי: אם הדברים יתקיימו, הוא יהפוך את המקום לאתר פולחן קבוע. יש להניח, שעד שובו אל המקום יעקב היה שרוי בספקות ולא היה בטוח לחלוטין שהייתה זו נבואה אמתית. רק לאחר שמה שנאמר לו התממש, היה יעקב בטוח במשמעותו הנבואית של החלום.

שני כט א וַיִּשָּׂא יַעֲקֹב רַגְלָיו וַיֵּלֶךְ אַרְצָה בְנֵי־קֶדֶם: וַיַּרְא וְהִנֵּה ב
בְאֵר בַּשָּׂדֶה וְהִנֵּה־שָׁם שְׁלֹשָׁה עֶדְרֵי־צֹאן רֹבְצִים
עָלֶיהָ כִּי מִן־הַבְּאֵר הַהִוא יַשְׁקוּ הָעֲדָרִים וְהָאֶבֶן
ג גְּדֹלָה עַל־פִּי הַבְּאֵר: וְנֶאֶסְפוּ־שָׁמָּה כָל־הָעֲדָרִים
וְגָלְלוּ אֶת־הָאֶבֶן מֵעַל פִּי הַבְּאֵר וְהִשְׁקוּ אֶת־הַצֹּאן
ד וְהֵשִׁיבוּ אֶת־הָאֶבֶן עַל־פִּי הַבְּאֵר לִמְקֹמָהּ: וַיֹּאמֶר
לָהֶם יַעֲקֹב אַחַי מֵאַיִן אַתֶּם וַיֹּאמְרוּ מֵחָרָן אֲנָחְנוּ:
ה וַיֹּאמֶר לָהֶם הַיְדַעְתֶּם אֶת־לָבָן בֶּן־נָחוֹר וַיֹּאמְרוּ
ו יָדָעְנוּ: וַיֹּאמֶר לָהֶם הֲשָׁלוֹם לוֹ וַיֹּאמְרוּ שָׁלוֹם וְהִנֵּה
ז רָחֵל בִּתּוֹ בָּאָה עִם־הַצֹּאן: וַיֹּאמֶר הֵן עוֹד הַיּוֹם גָּדוֹל
לֹא־עֵת הֵאָסֵף הַמִּקְנֶה הַשְׁקוּ הַצֹּאן וּלְכוּ רְעוּ:

רש"י | פרק כט

א) **וַיִּשָּׂא יַעֲקֹב רַגְלָיו.** מִשֶּׁנִּתְבַּשֵּׂר בְּשׂוֹרָה טוֹבָה וְהֻבְטַח בִּשְׁמִירָה, נָשָׂא לִבּוֹ אֶת רַגְלָיו וְנַעֲשָׂה קַל לָלֶכֶת. כָּךְ מְפֹרָשׁ בִּבְרֵאשִׁית רַבָּה (ע, ח):

ב) **יַשְׁקוּ הָעֲדָרִים.** מַשְׁקִים הָרוֹעִים אֶת הָעֲדָרִים, וְהַמִּקְרָא דִּבֵּר בְּלָשׁוֹן קְצָרָה:

ג) **וְנֶאֶסְפוּ.** רְגִילִים הָיוּ לְהֵאָסֵף, לְפִי שֶׁהָיְתָה הָאֶבֶן גְּדוֹלָה: **וְגָלֲלוּ.** וְגוֹלְלִין, וְתַרְגּוּמוֹ: "וּמְגַנְדְּרִין". כָּל לְשׁוֹן הֹוֶה מִשְׁתַּנֶּה לְדַבֵּר בִּלְשׁוֹן עָתִיד וּבִלְשׁוֹן עָבָר, לְפִי שֶׁכָּל דָּבָר הַהֹוֶה תָּמִיד כְּבָר הָיָה וְעָתִיד לִהְיוֹת: **וְהֵשִׁיבוּ.** "וּמְתִיבִין":

ו) **בָּאָה עִם הַצֹּאן.** הַטַּעַם בָּאָלֶ"ף, וְתַרְגּוּמוֹ: "אָתְיָא"; "וְרָחֵל בָּאָה" (להלן פסוק ט) הַטַּעַם לְמַעְלָה בַּבֵּי"ת וְתַרְגּוּמוֹ: "אֲתָת", הָרִאשׁוֹן לְשׁוֹן 'עוֹשָׂה' וְהַשֵּׁנִי לְשׁוֹן 'עָשְׂתָה':

ז) **הֵן עוֹד הַיּוֹם גָּדוֹל.** לְפִי שֶׁרָאָה אוֹתָם רוֹבְצִים, כְּסָבוּר שֶׁרוֹצִים לֶאֱסֹף הַמִּקְנֶה הַבַּיְתָה וְלֹא יִרְעוּ עוֹד. אָמַר לָהֶם: "הֵן עוֹד הַיּוֹם גָּדוֹל", אִם שְׂכִירִים אַתֶּם – לֹא הִשְׁלַמְתֶּם פְּעֻלַּת הַיּוֹם, וְאִם הַבְּהֵמוֹת שֶׁלָּכֶם – אַף עַל פִּי כֵן "לֹא עֵת הֵאָסֵף הַמִּקְנֶה" וְגוֹ'. בְּרֵאשִׁית רַבָּה (ע, יח):

נישואי יעקב בחרן

פרק כט פס׳ א–ל

אין התורה מספרת על מסלול ההליכה של יעקב לחרן, אך אפשר לשער שהלך בדרך דומה לנתיב שבו חזר לכנען, והצפין מעבר הירדן המזרחי הלאה עד חרן. כעבד אברהם, שחיפש אשה לאביו, יצחק, אף יעקב ימצא את אשתו על באר המים בחרן. אולם השוואה זו מדגישה את מצבו המורכב של יעקב, שנמלט מאחיו, ושעליו להתמודד בתבונה עם נכליו של לבן.

ביאור | יעקב יצא מבאר-שבע כפליט. מצב רוחו השתפר לאחר החיזיון
שראה בחלומו בבית אל. פרק כט א על כן – **וַיִּשָּׂא יַעֲקֹב רַגְלָיו.**
הליכתו נעשתה קלה, שכן חש עתה מלֻווה, שמור ומוגן.[3] **וַיֵּלֶךְ אַרְצָה**
בְנֵי קֶדֶם. בני המזרח, ובתוכם הארמיים. ב **וַיַּרְא** בקרבת חרן **וְהִנֵּה**
בְאֵר בַּשָּׂדֶה, וְהִנֵּה שָׁם שְׁלֹשָׁה עֶדְרֵי צֹאן רֹבְצִים עָלֶיהָ, לצד הבאר, **כִּי**
מִן הַבְּאֵר הַהִוא יַשְׁקוּ הָעֲדָרִים. וְהָאֶבֶן גְּדֹלָה עַל פִּי הַבְּאֵר. פתח הבאר,
שנועדה לשימוש אנשי העיר וצאנם, נחסם באבן גדולה, כדי שזרים
לא יוכלו להשתמש במימיה. ג **וְנֶאֶסְפוּ שָׁמָּה כָל הָעֲדָרִים, וְגָלֲלוּ אֶת**
הָאֶבֶן מֵעַל פִּי הַבְּאֵר. רק כאשר נאספים שם כל רועי העדרים יחדיו,
ביכולתם לגלול את האבן הכבדה. **וְהִשְׁקוּ אֶת הַצֹּאן, וְהֵשִׁיבוּ אֶת**
הָאֶבֶן עַל פִּי הַבְּאֵר לִמְקֹמָהּ.

יעקב יודע לאיזה כיוון הוא צועד, אך אין הוא בטוח באשר לזהות
המקום שאליו הוא נקלע. ד **וַיֹּאמֶר לָהֶם יַעֲקֹב: אַחַי, מֵאַיִן אַתֶּם?**
וַיֹּאמְרוּ: מֵחָרָן אֲנָחְנוּ.

ה **וַיֹּאמֶר לָהֶם: הַיְדַעְתֶּם אֶת לָבָן בֶּן נָחוֹר,** המתגורר בחרן? ייחוסו
לנחור סבו ולא לבתואל אביו מחזק את ההשערה שבתואל
כשלעצמו לא היה אישיות חשובה.[4]

וַיֹּאמְרוּ: יָדָעְנוּ.

ו **וַיֹּאמֶר לָהֶם: הֲשָׁלוֹם לוֹ?**

וַיֹּאמְרוּ: שָׁלוֹם, וְהִנֵּה רָחֵל בִּתּוֹ בָּאָה עִם הַצֹּאן. אם תרצה לדעת פרטים
נוספים – שְׁאל אותה. נראה כי אין לרועים אלה עניין לדבר עם הזר.

ז יעקב אינו מרפה מהם, ופונה אליהם שנית – **וַיֹּאמֶר: הֵן עוֹד הַיּוֹם**
גָּדוֹל, לֹא עֵת הֵאָסֵף הַמִּקְנֶה. עדיין לא החשיך היום, והצאן אמור

וַיֹּאמְרוּ לֹא נוּכַל עַד אֲשֶׁר יֵאָסְפוּ כָּל־הָעֲדָרִים וְגָלְלוּ ח
אֶת־הָאֶבֶן מֵעַל פִּי הַבְּאֵר וְהִשְׁקִינוּ הַצֹּאן׃ עוֹדֶנּוּ ט
מְדַבֵּר עִמָּם וְרָחֵל ׀ בָּאָה עִם־הַצֹּאן אֲשֶׁר לְאָבִיהָ כִּי
רֹעָה הִוא׃ וַיְהִי כַּאֲשֶׁר רָאָה יַעֲקֹב אֶת־רָחֵל בַּת־לָבָן י
אֲחִי אִמּוֹ וְאֶת־צֹאן לָבָן אֲחִי אִמּוֹ וַיִּגַּשׁ יַעֲקֹב וַיָּגֶל
אֶת־הָאֶבֶן מֵעַל פִּי הַבְּאֵר וַיַּשְׁקְ אֶת־צֹאן לָבָן אֲחִי
אִמּוֹ׃ וַיִּשַּׁק יַעֲקֹב לְרָחֵל וַיִּשָּׂא אֶת־קֹלוֹ וַיֵּבְךְּ׃ וַיַּגֵּד יא יב
יַעֲקֹב לְרָחֵל כִּי אֲחִי אָבִיהָ הוּא וְכִי בֶן־רִבְקָה הוּא
וַתָּרָץ וַתַּגֵּד לְאָבִיהָ׃ וַיְהִי כִשְׁמֹעַ לָבָן אֶת־שֵׁמַע ׀ יג
יַעֲקֹב בֶּן־אֲחֹתוֹ וַיָּרָץ לִקְרָאתוֹ וַיְחַבֶּק־לוֹ וַיְנַשֶּׁק־לוֹ

רש"י

ח] **לֹא נוּכַל.** לְהַשְׁקוֹת, לְפִי שֶׁהָאֶבֶן גְּדוֹלָה: **וְגָלְלוּ.** זֶה מְתֻרְגָּם: "וִיגַנְדְּרוּן", לְפִי שֶׁהוּא לְשׁוֹן עָתִיד:

י] **וַיִּגַּשׁ יַעֲקֹב וַיָּגֶל.** כְּאָדָם שֶׁמַּעֲבִיר אֶת הַפְּקָק מֵעַל פִּי צְלוֹחִית, לְהוֹדִיעֲךָ שֶׁכֹּחוֹ גָּדוֹל:

יא] **וַיֵּבְךְּ.** לְפִי שֶׁצָּפָה בְּרוּחַ הַקֹּדֶשׁ שֶׁאֵינָהּ נִכְנֶסֶת עִמּוֹ לַקְּבוּרָה. דָּבָר אַחֵר, לְפִי שֶׁבָּא בְּיָדַיִם רֵיקָנִיּוֹת, אָמַר: אֱלִיעֶזֶר עֶבֶד אֲבִי אַבָּא הָיוּ בְּיָדָיו נְזָמִים וּצְמִידִים וּמִגְדָּנוֹת, וַאֲנִי אֵין בְּיָדִי כְּלוּם. לְפִי שֶׁרָדַף אֱלִיפַז בֶּן עֵשָׂו בְּמִצְוַת אָבִיו אַחֲרָיו לְהָרְגוֹ, וְהִשִּׂיגוֹ, וּלְפִי שֶׁגָּדַל אֱלִיפַז בְּחֵיקוֹ שֶׁל יִצְחָק מָשַׁךְ יָדוֹ. אָמַר לוֹ: מָה אֶעֱשֶׂה לְצִוּוּי שֶׁל אַבָּא? אָמַר לוֹ יַעֲקֹב: טֹל מַה שֶּׁבְּיָדִי, וְהֶעָנִי חָשׁוּב כַּמֵּת:

יב] **כִּי אֲחִי אָבִיהָ הוּא.** קָרוֹב לְאָבִיהָ, כְּמוֹ: "אֲנָשִׁים אַחִים אֲנָחְנוּ" (לעיל יג, ח). וּמִדְרָשׁוֹ: אִם לְרַמָּאוּת הוּא בָּא – גַּם אֲנִי אָחִיו בְּרַמָּאוּת, וְאִם אָדָם כָּשֵׁר הוּא – גַּם אֲנִי "בֶּן רִבְקָה" אֲחוֹתוֹ הַכְּשֵׁרָה: **וַתַּגֵּד לְאָבִיהָ.** אִמָּהּ מֵתָה וְלֹא הָיָה לָהּ לְהַגִּיד אֶלָּא לוֹ:

יג] **וַיָּרָץ לִקְרָאתוֹ.** כְּסָבוּר מָמוֹן הוּא טָעוּן, שֶׁהֲרֵי עֶבֶד הַבַּיִת בָּא לְכָאן בַּעֲשָׂרָה גְּמַלִּים טְעוּנִין: **וַיְחַבֶּק.** כְּשֶׁלֹּא רָאָה עִמּוֹ כְּלוּם אָמַר: שֶׁמָּא זְהוּבִים הֵבִיא וַהֲרֵי הֵם בְּחֵיקוֹ: **וַיְנַשֶּׁק לוֹ.** אָמַר: שֶׁמָּא

הרחבות

'כִּי רֹעָה הִוא' שליחת נערה לרעות את צאן המשפחה הייתה מעשה חריג. אפשר ללמוד מכאן שבאותו זמן לא היו ללבן בנים, או שהיו לו בנים מבוגרים מדי או בנים שהתגוררו במקום מרוחק ולא יכלו לרעות את צאנו. מן הסתם, רחל הייתה אז ילדה כבת עשר או אחת עשרה לכל היותר. כנראה העדיפו לשלוח אותה אל המרעה במחיצת הרועים, שכן חששו לשלוח את אחותה

ביאור | להמשיך לרעות. **הַשְׁקוּ הַצֹּאן, וּלְכוּ רְעוּ.** מדוע אתם ממתינים כאן במקום לרעות את הצאן?

ח **וַיֹּאמְרוּ:** היינו רוצים להשקות את הצאן, אך **לֹא נוּכַל**, שכן האבן גדולה, **עַד אֲשֶׁר יֵאָסְפוּ כָל הָעֲדָרִים, וְגָלְלוּ** רועי העדרים **אֶת הָאֶבֶן מֵעַל פִּי הַבְּאֵר, וְהִשְׁקִינוּ הַצֹּאן.**

ט קודם לכן אמרו לו רק שרחל מתקרבת לבאר. ובינתיים – **עוֹדֶנּוּ מְדַבֵּר עִמָּם, וְרָחֵל בָּאָה**, הגיעה **עִם הַצֹּאן אֲשֶׁר לְאָבִיהָ, כִּי רֹעָה הִוא.** זה היה תפקידה במשפחה.

י **וַיְהִי כַּאֲשֶׁר רָאָה יַעֲקֹב אֶת רָחֵל**, קרובת משפחתו, **בַּת לָבָן אֲחִי אִמּוֹ, וְאֶת צֹאן לָבָן אֲחִי אִמּוֹ**, צאן השייך לקרוב משפחתו, **וַיִּגַּשׁ יַעֲקֹב** לבדו **וַיָּגֶל אֶת הָאֶבֶן מֵעַל פִּי הַבְּאֵר, וַיַּשְׁקְ אֶת צֹאן לָבָן אֲחִי אִמּוֹ.** יעקב היה חזק בגופו, והיה מסוגל להרים אבן ששלושה רועים לא יכלו להרים. יא **וַיִּשַּׁק יַעֲקֹב לְרָחֵל**, נשיקת חיבה לילדה קרובת משפחה.[5] **וַיִּשָּׂא אֶת קֹלוֹ וַיֵּבְךְּ** מתוך התרגשותו. לאחר הליכה ממושכת של מאות קילומטרים, שארכה לו בוודאי כמה חודשים, שבהם לן בכל לילה במקום אחר, פגש סוף סוף במשפחתו.

יב אחרי כל המעשים, התחיל יעקב לדבר. **וַיַּגֵּד יַעֲקֹב לְרָחֵל כִּי אֲחִי**, קרוב משפחת **אָבִיהָ הוּא, וְכִי בֶן רִבְקָה הוּא.** היא בוודאי שמעה על דודתה שנסעה למרחקים. עתה הוא מתוודע בתור בנה. רחל, הצעירה, התרגשה לשמע הידיעה, ועל כן – **וַתָּרָץ וַתַּגֵּד לְאָבִיהָ.**

יג **וַיְהִי כִשְׁמֹעַ לָבָן אֶת שֵׁמַע יַעֲקֹב בֶּן אֲחֹתוֹ**, שהגיע בן אחותו, **וַיָּרָץ לִקְרָאתוֹ וַיְחַבֶּק לוֹ וַיְנַשֶּׁק לוֹ, וַיְבִיאֵהוּ אֶל בֵּיתוֹ** כיאה לקרוב משפחה. עם זאת, בשל אופיו הבעייתי של לבן, שיתגלה בהמשך, היו שפירשו

הרחבות | הגדולה, לאה, שהייתה מבוגרת יותר (ראו רמב"ן).

'וַיָּגֶל את האבן' אמנם ייתכן שהרועים, בהיותם שכירים, לא התאמצו יתר על המידה לגול את האבן בעצמם, ובכל זאת המעשה שעשה יעקב מרשים. ייתכן שגולל את האבן מתוך ההתרגשות שאחזה בו, ושמא עשה זאת כדי להראות את יכולותיו הגופניות והנפשיות (ראו עקדת יצחק).

וַיְבִיאֵהוּ אֶל־בֵּיתוֹ וַיְסַפֵּר לְלָבָן אֵת כָּל־הַדְּבָרִים
הָאֵלֶּה׃ וַיֹּאמֶר לוֹ לָבָן אַךְ עַצְמִי וּבְשָׂרִי אָתָּה וַיֵּשֶׁב יד
עִמּוֹ חֹדֶשׁ יָמִים׃ וַיֹּאמֶר לָבָן לְיַעֲקֹב הֲכִי־אָחִי אַתָּה טו
וַעֲבַדְתַּנִי חִנָּם הַגִּידָה לִּי מַה־מַּשְׂכֻּרְתֶּךָ׃ וּלְלָבָן שְׁתֵּי טז
בָנוֹת שֵׁם הַגְּדֹלָה לֵאָה וְשֵׁם הַקְּטַנָּה רָחֵל׃ וְעֵינֵי יז
לֵאָה רַכּוֹת וְרָחֵל הָיְתָה יְפַת־תֹּאַר וִיפַת מַרְאֶה׃
שלישי וַיֶּאֱהַב יַעֲקֹב אֶת־רָחֵל וַיֹּאמֶר אֶעֱבָדְךָ שֶׁבַע שָׁנִים יח
בְּרָחֵל בִּתְּךָ הַקְּטַנָּה׃ וַיֹּאמֶר לָבָן טוֹב תִּתִּי אֹתָהּ לָךְ יט
מִתִּתִּי אֹתָהּ לְאִישׁ אַחֵר שְׁבָה עִמָּדִי׃ וַיַּעֲבֹד יַעֲקֹב כ

רש"י

מַרְגָּלִיּוֹת הָיָה וְהִנָּס בְּפִיו: **וַיְסַפֵּר לְלָבָן.** שֶׁלֹּא בָּא אֶלָּא מִתּוֹךְ אֹנֶס אָחִיו, וְשֶׁנָּטְלוּ מָמוֹנוֹ מִמֶּנּוּ:

יד) **אַךְ עַצְמִי וּבְשָׂרִי.** מֵעַתָּה אֵין לִי לְאָסְפְּךָ הַבַּיְתָה, הוֹאִיל וְאֵין בְּיָדְךָ כְּלוּם, אֶלָּא מִפְּנֵי קְרֻבָה אֲטַפֵּל בְּךָ חֹדֶשׁ יָמִים, וְכֵן עָשָׂה, וְאַף זוֹ לֹא לְחִנָּם, שֶׁהָיָה רוֹעֶה צֹאנוֹ:

טו) **הֲכִי אָחִי אַתָּה.** לְשׁוֹן תְּמִיהָה, וְכִי בִּשְׁבִיל שֶׁאָחִי אַתָּה תַּעַבְדֵנִי חִנָּם?: **וַעֲבַדְתַּנִי.** כְּמוֹ 'וְתַעַבְדֵנִי'. וְכֵן כָּל תֵּבָה שֶׁהִיא לְשׁוֹן עָבָר, הוֹסִיף וָי"ו בְּרֹאשָׁהּ וְהִיא הוֹפֶכֶת הַתֵּבָה לְהַבָּא:

יז) **רַכּוֹת.** שֶׁהָיְתָה סְבוּרָה לַעֲלוֹת בְּגוֹרָלוֹ שֶׁל עֵשָׂו וּבוֹכָה, שֶׁהָיוּ הַכֹּל אוֹמְרִים: שְׁנֵי בָּנִים לְרִבְקָה וּשְׁתֵּי בָנוֹת לְלָבָן, הַגְּדוֹלָה לַגָּדוֹל וְהַקְּטַנָּה לַקָּטָן: **תֹּאַר.** הוּא צוּרַת הַפַּרְצוּף, לְשׁוֹן: "יְתָאֲרֵהוּ בַשֶּׂרֶד" (ישעיה מד, יג), קונפ"ש בְּלַעַז: **מַרְאֶה.** הוּא זִיו קְלַסְתֵּר:

יח) **אֶעֱבָדְךָ שֶׁבַע שָׁנִים.** הֵם "יָמִים אֲחָדִים" שֶׁאָמְרָה לוֹ אִמּוֹ: "וְיָשַׁבְתָּ עִמּוֹ יָמִים אֲחָדִים" (לעיל כז, מד), וְתֵדַע שֶׁכֵּן הוּא, שֶׁהֲרֵי כְּתִיב: "וַיִּהְיוּ בְעֵינָיו כְּיָמִים אֲחָדִים" (להלן פסוק כ): **בְּרָחֵל בִּתְּךָ הַקְּטַנָּה.** כָּל הַסִּימָנִים הַלָּלוּ לָמָּה? לְפִי שֶׁיּוֹדֵעַ בּוֹ שֶׁהוּא רַמַּאי, אָמַר לוֹ: "אֶעֱבָדְךָ בְּרָחֵל", וְשֶׁמָּא תֹּאמַר רָחֵל אַחֶרֶת מִן הַשּׁוּק, תַּלְמוּד לוֹמַר: "בִּתְּךָ", וְשֶׁמָּא תֹּאמַר תַּחֲלִיף לְלֵאָה שְׁמָהּ וְתִקְרָא שְׁמָהּ רָחֵל, תַּלְמוּד לוֹמַר: "הַקְּטַנָּה". וְאַף עַל פִּי כֵן לֹא הוֹעִיל:

הרחבות

'ויספר ללבן את כל הדברים האלה' ראוי להשוות סיפור זה עם סיפורו של עבד אברהם – שבוודאי זכור ללבן היטב. עבד אברהם הביא עמו כסף, גמלים ומתנות, ולכן יכול היה לשאת ולתת מיד עם בואו, ולבקש לקחת עמו את בתם. יעקב, לעומת זאת, הגיע כאדם בודד שמעלתו היחידה היא השתייכותו למשפחה.

ביאור

כי קבלת הפנים הזו נעשתה מתוך מניעים זרים.[6] **וַיְסַפֵּר לְלָבָן אֵת כָּל הַדְּבָרִים הָאֵלֶּה.** ייתכן שסיפר לו שהגיע כדי ליצור קשרים עם משפחת הדוד, ושמא הסביר גם את נסיבות בריחתו מביתו.[7]

יד **וַיֹּאמֶר לוֹ לָבָן: אַךְ עַצְמִי וּבְשָׂרִי,** קרוב משפחה שלי **אָתָּה.**

ובינתיים – **וַיֵּשֶׁב עִמּוֹ,** עם לבן **חֹדֶשׁ יָמִים.** יעקב לא רק ישב אצל לבן, אלא גם התחיל לסייע לו, שכן חש מחויבות כלפי מארחיו קרובי משפחתו.

טו לאחר חודש ימים, **וַיֹּאמֶר לָבָן לְיַעֲקֹב: הֲכִי** האם משום **שֶׁאָחִי,** קרוב משפחתי **אַתָּה וַעֲבַדְתַּנִי חִנָּם?!** מכיוון שאתה רוצה לעבוד, יש לנהוג בך באופן מסודר. **הַגִּידָה לִּי מַה מַּשְׂכֻּרְתֶּךָ.**

טז כאן מופיעה הערה: **וּלְלָבָן** היו **שְׁתֵּי בָנוֹת, שֵׁם הַגְּדֹלָה לֵאָה וְשֵׁם הַקְּטַנָּה רָחֵל.** יז **וְעֵינֵי לֵאָה רַכּוֹת.** דבר–מה בעיניה היה פגום, ייתכן שעיניה היו רגישות, ואולי משום כך לא יצאה למרעה. ייתכן שעיניה היו כחולות, ועיניים כחולות נחשבו כרגישות יותר לאור השמש.[8] **וְרָחֵל הָיְתָה יְפַת תֹּאַר,** יפה מבחינת פרטי המראה שלה **וִיפַת מַרְאֶה,** מבחינת המראה הכללי שלה. יופיה היה מושלם.[9]

יח **וַיֶּאֱהַב יַעֲקֹב אֶת רָחֵל,** בין אם התעוררה אהבתו מיד כשראה אותה באה עם הצאן, ובין אם אהב אותה משהכירה מקרוב במשך החודש שבו חי בביתם. **וַיֹּאמֶר: אֶעֱבָדְךָ שֶׁבַע שָׁנִים בְּרָחֵל בִּתְּךָ הַקְּטַנָּה,** מעבר לשכר עבודתי שאני מקבל בכך שאני סועד על שולחנך. יעקב לא הביא עמו כסף, מוהר או מתן. על כן שילם בעבודתו. נראה שגם לבן ראה בשבע שנות עבודה תמורה הולמת לבתו רחל, ולכן קיבל את הצעתו.

יט **וַיֹּאמֶר לָבָן: טוֹב תִּתִּי אֹתָהּ לָךְ מִתִּתִּי אֹתָהּ לְאִישׁ אַחֵר. שְׁבָה עִמָּדִי.**

הרחבות

'טוב תתי אֹתה לך מִתתי אֹתה לאיש אחר' לבן אומר ליעקב: כיוון שבכל מקרה אתן את רחל לאיש, עדיף שאקבל את הצעתך ואשיאה לך, מאשר לאדם זר. לבן אמנם מראה שההסכם מקובל עליו וכדאי לו, אבל טון דיבורו מסויג, ואין בו כל ביטוי של חיבה כלפי יעקב. אדרבא, סגנון דיבורו דומה לסגנון אדם ממולח בשעת משא ומתן עסקי.

בְרָחֵל שֶׁבַע שָׁנִים וַיִּהְיוּ בְעֵינָיו כְּיָמִים אֲחָדִים
בְּאַהֲבָתוֹ אֹתָהּ: וַיֹּאמֶר יַעֲקֹב אֶל־לָבָן הָבָה אֶת־ כא
אִשְׁתִּי כִּי מָלְאוּ יָמָי וְאָבוֹאָה אֵלֶיהָ: וַיֶּאֱסֹף לָבָן אֶת־ כב
כָּל־אַנְשֵׁי הַמָּקוֹם וַיַּעַשׂ מִשְׁתֶּה: וַיְהִי בָעֶרֶב וַיִּקַּח כג
אֶת־לֵאָה בִתּוֹ וַיָּבֵא אֹתָהּ אֵלָיו וַיָּבֹא אֵלֶיהָ: וַיִּתֵּן כד
לָבָן לָהּ אֶת־זִלְפָּה שִׁפְחָתוֹ לְלֵאָה בִתּוֹ שִׁפְחָה: וַיְהִי כה
בַבֹּקֶר וְהִנֵּה־הִוא לֵאָה וַיֹּאמֶר אֶל־לָבָן מַה־זֹּאת
עָשִׂיתָ לִּי הֲלֹא בְרָחֵל עָבַדְתִּי עִמָּךְ וְלָמָּה רִמִּיתָנִי:
וַיֹּאמֶר לָבָן לֹא־יֵעָשֶׂה כֵן בִּמְקוֹמֵנוּ לָתֵת הַצְּעִירָה כו
לִפְנֵי הַבְּכִירָה: מַלֵּא שְׁבֻעַ זֹאת וְנִתְּנָה לְךָ גַּם־אֶת־ כז
זֹאת בַּעֲבֹדָה אֲשֶׁר תַּעֲבֹד עִמָּדִי עוֹד שֶׁבַע־שָׁנִים
אֲחֵרוֹת: וַיַּעַשׂ יַעֲקֹב כֵּן וַיְמַלֵּא שְׁבֻעַ זֹאת וַיִּתֶּן־לוֹ כח

רש"י

כא) **מָלְאוּ יָמָי.** שֶׁאָמְרָה לִי אִמִּי. וְעוֹד, "מָלְאוּ יָמַי", שֶׁהֲרֵי אֲנִי בֶּן שְׁמוֹנִים וְאַרְבַּע שָׁנָה, וְאֵימָתַי אַעֲמִיד שְׁנֵים עָשָׂר שְׁבָטִים? וְזֶהוּ שֶׁאָמַר: "וְאָבוֹאָה אֵלֶיהָ", וַהֲלֹא קַל שֶׁבְּקַלִּים אֵינוֹ אוֹמֵר כֵּן! אֶלָּא לְהוֹלִיד תּוֹלָדוֹת אָמַר כֵּן:

כה) **וַיְהִי בַבֹּקֶר וְהִנֵּה הִיא לֵאָה.** אֲבָל בַּלַּיְלָה לֹא הָיְתָה לֵאָה, לְפִי שֶׁמָּסַר יַעֲקֹב סִימָנִים לְרָחֵל, וּכְשֶׁרָאֲתָה שֶׁמַּכְנִיסִין לוֹ לֵאָה, אָמְרָה: עַכְשָׁיו תִּכָּלֵם אֲחוֹתִי. עָמְדָה וּמָסְרָה לָהּ אוֹתָן סִימָנִים:

כז) **מַלֵּא שְׁבֻעַ זֹאת.** דָּבוּק הוּא, שֶׁהֲרֵי נָקוּד בַּחֲטָף, שְׁבוּעַ שֶׁל זֹאת, וְהֵן שִׁבְעַת יְמֵי הַמִּשְׁתֶּה. בַּתַּלְמוּד יְרוּשַׁלְמִי בְּמוֹעֵד קָטָן. **וְנִתְּנָה לְךָ.** לְשׁוֹן רַבִּים, כְּמוֹ: "נֵרְדָה וְנָבְלָה" (לעיל יא, ז), "וְנִשְׂרְפָה" (שם פסוק ג), אַף זֶה לְשׁוֹן 'וְנִתֵּן'. **גַּם אֶת זֹאת.** מִיָּד לְאַחַר שִׁבְעַת יְמֵי הַמִּשְׁתֶּה, וְתַעֲבֹד לְאַחַר נִשּׂוּאֶיהָ:

הרחבות

'ויהי בערב ויקח את לאה בתו ויבא אתה אליו' הנשים והגברים חגגו במשתה הנישואין בנפרד. בחתונה נהגו גם לכסות את פני הכלה במעין הינומה, כך שהחתן לא ראה את כלתו באירוע עצמו. ייתכן שהאחיות אף היו דומות זו לזו במבנה גופן או לפחות בקולותיהן, והיו שאמרו שהיו תאומות (סדר עולם, ב). נראה שהדמיון ביניהן סייע ביד לבן למסור ליעקב את לאה במקום את רחל.

לבן החליף את בנותיו זו בזו, משום שהיה מעוניין באותה הזדמנות גם להשיא את לאה, וגם להרוויח מכך שנות עבודה נוספות. חכמים הניחו שאף שלבן הוא שיזם את המעשה, נדרש כאן שיתוף פעולה כלשהו מצד רחל, כדי שיעקב לא יבחין בין שתי האחיות. המעשה שעשה לבן, של החלפת האחיות, רחל בלאה, בחסות החשכה מקביל להולכת השולל שיזמה

ביאור

אני מקבל את ההסכם ואת תנאיו.

כ וַיַּעֲבֹד יַעֲקֹב בְּרָחֵל שֶׁבַע שָׁנִים. וַיִּהְיוּ בְעֵינָיו כְּיָמִים אֲחָדִים בְּאַהֲבָתוֹ
אֹתָהּ. כיוון שיעקב אהב את רחל, שבע שנות עבודה נראו לו תשלום
ראוי והגון עבורה.

כא וַיֹּאמֶר יַעֲקֹב אֶל לָבָן: הָבָה אֶת אִשְׁתִּי, כפי שסיכמנו, כִּי מָלְאוּ יָמָי,
השלמתי את ימי העבודה שקבענו, וְאָבוֹאָה אֵלֶיהָ. במשך כל אותן
שנים רחל הייתה מיועדת ליעקב, כעין מאורסת לו, ועתה ביקש
להשלים את התהליך בנישואין.

כב וַיֶּאֱסֹף לָבָן אֶת כָּל אַנְשֵׁי הַמָּקוֹם, וַיַּעַשׂ מִשְׁתֶּה חתונה. כג וַיְהִי
בָעֶרֶב, וַיִּקַּח לבן אֶת לֵאָה בִתּוֹ הגדולה, וַיָּבֵא אֹתָהּ אֵלָיו, אל יעקב.
וַיָּבֹא אֵלֶיהָ, שכן הניח שהיא רחל. כד וַיִּתֵּן לָבָן לָהּ אֶת זִלְפָּה שִׁפְחָתוֹ,
לְלֵאָה בִתּוֹ שִׁפְחָה כחלק ממתנות החתונה.

כה וַיְהִי בַבֹּקֶר, יעקב גילה – וְהִנֵּה הִוא לֵאָה. וַיֹּאמֶר אֶל לָבָן: מַה זֹּאת
עָשִׂיתָ לִּי?! הֲלֹא בְרָחֵל עָבַדְתִּי עִמָּךְ, וְלָמָּה רִמִּיתָנִי?

כו וַיֹּאמֶר לָבָן: לֹא יֵעָשֶׂה כֵן בִּמְקוֹמֵנוּ, לָתֵת הַצְּעִירָה לִפְנֵי הַבְּכִירָה.
לפי מנהגנו, הבכירה נישאת לפני אחותה הצעירה. זוהי עסקת
חבילה – כז מַלֵּא שְׁבֻעַ זֹאת, השלם את שבוע הנישואין של הכלה
הזאת, וְנִתְּנָה לְךָ גַּם אֶת זֹאת, את האחות השנייה בַּעֲבֹדָה תמורת
העבודה אֲשֶׁר תַּעֲבֹד עִמָּדִי עוֹד שֶׁבַע שָׁנִים אֲחֵרוֹת. בנותי חביבות
עלי במידה שווה, וכל אחת מהן שווה בעיני לשבע שנות עבודה.
אמנם חשבת שאתה עובד עבור רחל, אך למעשה עבדת עבור לאה.
אם אינך מסתפק בה – עליך לעבוד שבע שנים נוספות.

כח וַיַּעַשׂ יַעֲקֹב, שהיה זר במקום ובודד, כֵּן. בעל כרחו נכנע לתנאיו

הרחבות

רבקה. שם הוחלפו האחים, עשו ביעקב, בחסות החשכה הסובייקטיבית – עיוורונו של יצחק (ראו בבא בתרא קכג ע"א).

זלפה משמעות השם זִלְפָּה היא צדף הפנינה. חז"ל אומרים שזלפה הייתה בת צעירה של לבן שלא מן הנישואין (פרקי דרבי אליעזר לו; בראשית רבה עד,יג; רש"י בראשית לא,נ). העובדה שהיה לה מעמד מסוים, ולא הייתה שפחה ירודה, תבוא לביטוי בהמשך הסיפור.

'וימלא שבֻע זאת' אחדים ממנהגי החתונה המופיעים כאן נשתמרו בעם ישראל עד היום הזה. מעבר לעצם חגיגת החתונה במשתה ציבורי, המנהג המסוים לחגוג במשך שבעת ימי משתה החתונה – שורשו בסיפור זה, ואין הוא מופיע במקומות אחרים בתורה (וראו שופטים יד,יב).

אֶת־רָחֵל בִּתּוֹ לוֹ לְאִשָּׁה: וַיִּתֵּן לָבָן לְרָחֵל בִּתּוֹ אֶת־ כט
בִּלְהָה שִׁפְחָתוֹ לָהּ לְשִׁפְחָה: וַיָּבֹא גַּם אֶל־רָחֵל ל
וַיֶּאֱהַב גַּם־אֶת־רָחֵל מִלֵּאָה וַיַּעֲבֹד עִמּוֹ עוֹד שֶׁבַע־
כז שָׁנִים אֲחֵרוֹת: וַיַּרְא יהוה כִּי־שְׂנוּאָה לֵאָה וַיִּפְתַּח לא
אֶת־רַחְמָהּ וְרָחֵל עֲקָרָה: וַתַּהַר לֵאָה וַתֵּלֶד בֵּן לב
וַתִּקְרָא שְׁמוֹ רְאוּבֵן כִּי אָמְרָה כִּי־רָאָה יהוה בְּעָנְיִי
כִּי עַתָּה יֶאֱהָבַנִי אִישִׁי: וַתַּהַר עוֹד וַתֵּלֶד בֵּן וַתֹּאמֶר לג
כִּי־שָׁמַע יהוה כִּי־שְׂנוּאָה אָנֹכִי וַיִּתֶּן־לִי גַּם־אֶת־זֶה
וַתִּקְרָא שְׁמוֹ שִׁמְעוֹן: וַתַּהַר עוֹד וַתֵּלֶד בֵּן וַתֹּאמֶר לד
עַתָּה הַפַּעַם יִלָּוֶה אִישִׁי אֵלַי כִּי־יָלַדְתִּי לוֹ שְׁלֹשָׁה

רש"י

ל **שֶׁבַע שָׁנִים אֲחֵרוֹת.** אֲחֵרוֹת הִקִּישָׁן לָרִאשׁוֹנוֹת, מָה רִאשׁוֹנוֹת בֶּאֱמוּנָה אַף הָאַחֲרוֹנוֹת בֶּאֱמוּנָה, וְאַף עַל פִּי שֶׁבְּרַמָּאוּת בָּא עָלָיו:

לד **הַפַּעַם יִלָּוֶה אִישִׁי.** לְפִי שֶׁהָאִמָּהוֹת נְבִיאוֹת הָיוּ וְיוֹדְעוֹת שֶׁשְּׁנֵים עָשָׂר שְׁבָטִים יוֹצְאִים מִיַּעֲקֹב וְאַרְבַּע נָשִׁים יִשָּׂא, אָמְרָה: מֵעַתָּה אֵין לוֹ פִּתְחוֹן פֶּה עָלַי, שֶׁהֲרֵי נָטַלְתִּי כָּל חֶלְקִי בַּבָּנִים: **עַל כֵּן.** כָּל מִי שֶׁנֶּאֱמַר בּוֹ "עַל כֵּן" מְרֻבֶּה בְּאֻכְלוּסִין, חוּץ מִלֵּוִי, שֶׁהָאָרוֹן הָיָה מְכַלֶּה בָּהֶם:

הרחבות

'וירא ה' כי שנואה לאה' ייתכן שלאה אהבה את יעקב, שהיה קרוב משפחה ובעל מעלות הרבה. על לאה נגזר אפוא לאהוב אותו בדממה גמורה. אפשר שבמשך שבע שנים חלמה לזכות ביעקב, ועל כן שיתפה פעולה עם אביה במעשה התרמית. סביר שיעקב התרעם עליה על כך שלא גילתה לו את זהותה האמתית (ראו רמב"ן פס' לא). הוא התנהג עם לאה כראוי, אך רחל הייתה האשה המועדפת עליו. דומה לכך סיפורן של חנה ופנינה, שתי נשותיו של אלקנה (שמואל א' א,א-ה). גם אלקנה

ביאור | של לבן. **וַיְמַלֵּא שְׁבֻעַ זֹאת**, השלים את שבוע הנישואין של הבת
האחת – לאה, **וַיִּתֶּן לוֹ לבן אֶת רָחֵל בִּתּוֹ לוֹ לְאִשָּׁה**. לבן לא רצה
שרחל תמתין עוד שבע שנים. כנראה הגיעה לפרקה בעת שבה
יעקב חשב לשאתה. כט **וַיִּתֵּן לָבָן לְרָחֵל בִּתּוֹ אֶת בִּלְהָה שִׁפְחָתוֹ לָהּ**
לְשִׁפְחָה. ל **וַיָּבֹא גַּם אֶל רָחֵל, וַיֶּאֱהַב גַּם אֶת רָחֵל** יותר **מִלֵּאָה**. אף
שלא הייתה אתו בראשונה, העדיף אותה על לאה. **וַיַּעֲבֹד עִמּוֹ עוֹד**
שֶׁבַע שָׁנִים אֲחֵרוֹת, כפי שהוסכם.

הולדת אחד-עשר בני יעקב ובתו

פרק כט פס׳ לא – פרק ל פס׳ כד

רובם הגדול של צאצאי יעקב נולדו ממנו בגלות. שתי נשיו ושפחותיהן מעמידות ממנו את שנים-עשר השבטים. באמצעות מתן השמות לבנים והסבריהם נחשף גם משהו מעולמן הפנימי של האמהות.

לא **וַיַּרְא ה׳ כִּי שְׂנוּאָה לֵאָה** באופן יחסי לרחל,[10] לכן עזר ה׳ ללאה,
ומיד – **וַיִּפְתַּח אֶת רַחְמָהּ**, היא הרתה, **וְרָחֵל** הייתה **עֲקָרָה**. כיוון שהן
נישאו ליעקב בהפרש של שבוע ימים, בלטה העובדה שלאה הרתה,
ואילו אחותה נותרה חשוכת ילדים.

לב **וַתַּהַר לֵאָה וַתֵּלֶד בֵּן. וַתִּקְרָא שְׁמוֹ רְאוּבֵן, כִּי אָמְרָה: כִּי רָאָה ה׳**
בְּעָנְיִי, כִּי עַתָּה יֶאֱהָבַנִי אִישִׁי כאם בנו.

לג כעבור זמן **וַתַּהַר עוֹד, וַתֵּלֶד בֵּן. וַתֹּאמֶר: כִּי שָׁמַע ה׳ כִּי שְׂנוּאָה אָנֹכִי,**
וַיִּתֶּן לִי גַּם אֶת זֶה. וַתִּקְרָא שְׁמוֹ שִׁמְעוֹן. הסבר זה של לאה מפורש יותר,
אולי משום שהיחסים נעשו מובהקים. מן הסתם הולדת ראובן לא
שינתה באופן מהותי את יחסו של יעקב ללאה, לכן שם בנה השני
אינו מבטא את תקוותה להיות אהובה, אלא את היותה שנואה.

לד **וַתַּהַר עוֹד וַתֵּלֶד בֵּן. וַתֹּאמֶר**: בוודאי **עַתָּה הַפַּעַם יִלָּוֶה**, יתקרב **אִישִׁי**

הרחבות | אהב אהבה גדולה את האשה חשוכת הילדים, ואילו כלפי אֵם ילדיו התייחס באופן פורמלי בלבד.

׳עתה יאהבני אישי׳ בעקבות לידת בנו של השליט בחצרות מלכים ובמשפחות אצולה, פעמים רבות היה מעמדה של האשה שילדה אותו משתנה, והיא הייתה הופכת לאשה הראשית (ראו עוד לעיל טז,ד ובהרחבה לשמואל א׳ א,ו).

לה בָּנִים עַל־כֵּן קָרָא־שְׁמוֹ לֵוִי: וַתַּהַר עוֹד וַתֵּלֶד בֵּן
וַתֹּאמֶר הַפַּעַם אוֹדֶה אֶת־יְהוָה עַל־כֵּן קָרְאָה שְׁמוֹ
ל א יְהוּדָה וַתַּעֲמֹד מִלֶּדֶת: וַתֵּרֶא רָחֵל כִּי לֹא יָלְדָה
לְיַעֲקֹב וַתְּקַנֵּא רָחֵל בַּאֲחֹתָהּ וַתֹּאמֶר אֶל־יַעֲקֹב
ב הָבָה־לִּי בָנִים וְאִם־אַיִן מֵתָה אָנֹכִי: וַיִּחַר־אַף יַעֲקֹב
בְּרָחֵל וַיֹּאמֶר הֲתַחַת אֱלֹהִים אָנֹכִי אֲשֶׁר־מָנַע מִמֵּךְ
ג פְּרִי־בָטֶן: וַתֹּאמֶר הִנֵּה אֲמָתִי בִלְהָה בֹּא אֵלֶיהָ
ד וְתֵלֵד עַל־בִּרְכַּי וְאִבָּנֶה גַם־אָנֹכִי מִמֶּנָּה: וַתִּתֶּן־לוֹ
אֶת־בִּלְהָה שִׁפְחָתָהּ לְאִשָּׁה וַיָּבֹא אֵלֶיהָ יַעֲקֹב:
ה ו וַתַּהַר בִּלְהָה וַתֵּלֶד לְיַעֲקֹב בֵּן: וַתֹּאמֶר רָחֵל דָּנַנִּי

רש"י

קָרָא שְׁמוֹ לֵוִי. תָּמַהְתִּי, שֶׁבְּכֻלָּן כְּתִיב: "וַתִּקְרָא", וְזֶה כָּתַב בּוֹ: "קָרָא"! וְיֵשׁ מִדְרַשׁ אַגָּדָה בְּאֵלֶּה הַדְּבָרִים רַבָּה, שֶׁשָּׁלַח הַקָּדוֹשׁ בָּרוּךְ הוּא גַּבְרִיאֵל וֶהֱבִיאוֹ לְפָנָיו וְקָרָא לוֹ שֵׁם זֶה, וְנָתַן לוֹ עֶשְׂרִים וְאַרְבַּע מַתְּנוֹת כְּהֻנָּה, וְעַל שֵׁם שֶׁלִּוָּהוּ בְּמַתָּנוֹת קְרָאוֹ לֵוִי:

להו **הַפַּעַם אוֹדֶה.** שֶׁנָּטַלְתִּי יוֹתֵר מֵחֶלְקִי, מֵעַתָּה יֵשׁ לִי לְהוֹדוֹת:

פרק ל

או **וַתְּקַנֵּא רָחֵל בַּאֲחֹתָהּ.** קִנְּאָה בְּמַעֲשֶׂיהָ, אָמְרָה: אִלּוּלֵי שֶׁצַּדְּקָה מִמֶּנִּי לֹא זָכְתָה לְבָנִים: **הָבָה לִּי.** וְכִי כָּךְ עָשָׂה אָבִיךְ לְאִמֵּךְ? וַהֲלֹא הִתְפַּלֵּל עָלֶיהָ: **מֵתָה אָנֹכִי.** מִכָּאן לְמִי שֶׁאֵין לוֹ בָּנִים שֶׁחָשׁוּב כַּמֵּת:

בו **הֲתַחַת.** וְכִי בִּמְקוֹמוֹ אֲנִי? **אֲשֶׁר מָנַע מִמֵּךְ.** אַתְּ אוֹמֶרֶת שֶׁאֶעֱשֶׂה כְּאַבָּא, אֲנִי אֵינִי כְּאַבָּא, אַבָּא לֹא הָיוּ לוֹ בָּנִים, אֲנִי יֵשׁ לִי בָּנִים, מִמֵּךְ מָנַע וְלֹא מִמֶּנִּי:

גו **עַל בִּרְכַּי.** כְּתַרְגּוּמוֹ: "וַאֲנָא אֲרַבֵּי": **וְאִבָּנֶה גַם אָנֹכִי.** מַהוּ 'גַּם'? אָמְרָה לוֹ: זְקֵנְךָ אַבְרָהָם הָיוּ לוֹ בָּנִים מֵהָגָר וְחָגַר מָתְנָיו כְּנֶגֶד שָׂרָה. אָמַר לָהּ: זְקֵנָתִי הִכְנִיסָה צָרָתָהּ לְבֵיתָהּ. אָמְרָה לוֹ: אִם הַדָּבָר הַזֶּה מְעַכֵּב "הִנֵּה אֲמָתִי": **וְאִבָּנֶה גַם אָנֹכִי מִמֶּנָּה.** כְּשָׂרָה:

וו **דָּנַנִּי אֱלֹהִים.** דָּנַנִי וְזִכַּנִי:

הרחבות

שמות בני לאה סביר שלא כל שמות הבנים הללו חודשו על ידי לאה. הם לא נוצרו בהכרח בעקבות הטעם שניתן להם. מן הסתם שמות אלה היו כבר מצויים בעולם, ונבחרו משום שהתאימו למצב. שם דומה לשל יהודה, למשל, הופיע קודם לכן – אשתו של עשו נקראה 'יהודית' (לעיל כו,לד), אך לאה קראה לבנה בשם זה בגלל הצורך להודות שחשה לאחר לידתו.

'ותלד על ברכי ואִבָּנה גם אנכי ממנה' כבר שרה נקטה דרך זו, כאשר לא זכתה לפרי

ביאור | **אֵלַי, כִּי יָלַדְתִּי לוֹ שְׁלֹשָׁה בָנִים.** יעקב יהיה מרוצה מכך שילדתי לו בן נוסף, שכן הולדת בן היא חלק מהגשמת ייעודו של יעקב – הפיכתו לעם. ככל שיתרבו בניו – כך יתקדם תהליך זה. **עַל כֵּן קָרָא** יעקב[11] **שְׁמוֹ לֵוִי**, שאף הוא שמח בילד שנוסף ונלווה אליו.

לה **וַתַּהַר עוֹד וַתֵּלֶד בֵּן. וַתֹּאמֶר: הַפַּעַם אוֹדֶה אֶת ה׳**, לה׳ על האושר
שבלידת כל הילדים הללו ובאמהות. **עַל כֵּן קָרְאָה שְׁמוֹ יְהוּדָה,** מלשון הודאה.

לאחר שלאה ילדה כל שנה ילד נוסף[12] – **וַתַּעֲמֹד מִלֶּדֶת.** תקופה מסוימת היא נשארה אם לארבעה בנים, ולא המשיכה ללדת באותו קצב.

פרק ל א בניגוד לפוריותה המרשימה של לאה – **וַתֵּרֶא רָחֵל כִּי לֹא**
יָלְדָה לְיַעֲקֹב, וַתְּקַנֵּא רָחֵל בַּאֲחֹתָהּ, וַתֹּאמֶר אֶל יַעֲקֹב: הָבָה, תן **לִּי בָנִים, וְאִם אַיִן,** אם לא יהיו לי בנים – **מֵתָה אָנֹכִי.** לא יהיו לי חיים.

ב **וַיִּחַר אַף יַעֲקֹב בְּרָחֵל.** יעקב לא כעס עליה בגלל רצונה בבנים.
בוודאי לא מנע מאשתו האהובה את חברתו. נראה כי סגנונה התובעני והמתפנק וההנחה שהניחה כאילו יעקב מסוגל לפעול למען פוריותה גם בדרכים שאינן טבעיות, הם שעוררו את חמתו.[13] **וַיֹּאמֶר: הֲתַחַת אֱלֹהִים אָנֹכִי, אֲשֶׁר מָנַע מִמֵּךְ פְּרִי בָטֶן?** לא אלי את צריכה לפנות, שהרי אותי חנן ה׳ בילדים, ואם הוא מונע אותם ממך – זהו עניין שבינו לבינך.[14]

ג **וַתֹּאמֶר: הִנֵּה אֲמָתִי בִלְהָה – בֹּא אֵלֶיהָ, וְתֵלֵד עַל בִּרְכַּי, וְאִבָּנֶה גַם**
אָנֹכִי מִמֶּנָּה.

יעקב לא התנגד.[15] ד **וַתִּתֶּן לוֹ אֶת בִּלְהָה שִׁפְחָתָהּ לְאִשָּׁה** חוקית.
בלהה, שהייתה שפחה, השתחררה כדי להפוך לאשת יעקב, ולכך יהיו השלכות על מעמדם של בניה.[16] **וַיָּבֹא אֵלֶיהָ יַעֲקֹב.** ה **וַתַּהַר**

הרחבות | בטן. שרה נתנה את שפחתה לאברהם, לא כדי שיהיה לאברהם ילד, אלא כדי שהיא עצמה תוכל להיבנות ממנה (לעיל פרק טז). ייתכן שלידת השפחה על ברכי גברתה הייתה טקס ממשי, שבו ישבה היולדת בפועל על ברכיה של האשה שנזקקה לישועה, כאילו הלידה מתחוללת בשתיהן. כאמור, גם אם איננו יודעים כיצד פועלת סגולה זו, גם בימינו מוּכָּרים מקרים רבים שזוגות חשוכי ילדים מכניסים ילד לבתיהם, ובעקבות זאת זוכים בהיריון.

אֱלֹהִים וְגַם שָׁמַע בְּקֹלִי וַיִּתֶּן־לִי בֵּן עַל־כֵּן קָרְאָה
שְׁמוֹ דָּן: וַתַּהַר עוֹד וַתֵּלֶד בִּלְהָה שִׁפְחַת רָחֵל בֵּן שֵׁנִי ז
לְיַעֲקֹב: וַתֹּאמֶר רָחֵל נַפְתּוּלֵי אֱלֹהִים ׀ נִפְתַּלְתִּי עִם־ ח
אֲחֹתִי גַּם־יָכֹלְתִּי וַתִּקְרָא שְׁמוֹ נַפְתָּלִי: וַתֵּרֶא לֵאָה כִּי ט
עָמְדָה מִלֶּדֶת וַתִּקַּח אֶת־זִלְפָּה שִׁפְחָתָהּ וַתִּתֵּן אֹתָהּ
לְיַעֲקֹב לְאִשָּׁה: וַתֵּלֶד זִלְפָּה שִׁפְחַת לֵאָה לְיַעֲקֹב בֵּן: י
בָּא גָד וַתֹּאמֶר לֵאָה בָּגָד וַתִּקְרָא אֶת־שְׁמוֹ גָּד: וַתֵּלֶד זִלְפָּה יא יב
שִׁפְחַת לֵאָה בֵּן שֵׁנִי לְיַעֲקֹב: וַתֹּאמֶר לֵאָה בְּאָשְׁרִי יג
רביעי כִּי אִשְּׁרוּנִי בָּנוֹת וַתִּקְרָא אֶת־שְׁמוֹ אָשֵׁר: וַיֵּלֶךְ יד
רְאוּבֵן בִּימֵי קְצִיר־חִטִּים וַיִּמְצָא דוּדָאִים בַּשָּׂדֶה

רש"י

ח | **נַפְתּוּלֵי אֱלֹהִים.** מְנַחֵם בֶּן סָרוּק פֵּרְשׁוֹ בְּמַחְבֶּרֶת 'צָמִיד פָּתִיל' (במדבר יט, טו), חִבּוּרִים מֵאֵת הַמָּקוֹם נִתְחַבַּרְתִּי עִם אֲחוֹתִי לִזְכּוֹת לְבָנִים. וַאֲנִי מְפָרְשׁוֹ לְשׁוֹן 'עִקֵּשׁ וּפְתַלְתֹּל' (דברים לב, ה), נִתְעַקַּשְׁתִּי וְהִפְצַרְתִּי פְּצִירוֹת וְנַפְתּוּלִים לַמָּקוֹם לִהְיוֹת שָׁוָה לַאֲחוֹתִי. "גַּם יָכֹלְתִּי" – הִסְכִּים עַל יָדִי. וְאוּנְקְלוֹס תִּרְגֵּם לְשׁוֹן תְּפִלָּה, כְּמוֹ נַפְתּוּלֵי אֱלֹהִים נִפְתַּלְתִּי – בַּקָּשׁוֹת הַחֲבִיבוֹת לְפָנָיו נִתְקַבַּלְתִּי וְנֶעְתַּרְתִּי כַּאֲחוֹתִי. "נִפְתַּלְתִּי" – נִתְקַבְּלָה תְּפִלָּתִי. וּמִדְרְשֵׁי אַגָּדָה יֵשׁ רַבִּים בִּלְשׁוֹן נוֹטָרִיקוֹן:

י | **וַתֵּלֶד זִלְפָּה.** בְּכֻלָּן נֶאֱמַר הֵרָיוֹן חוּץ מִזִּלְפָּה, לְפִי שֶׁהָיְתָה בַּחוּרָה מִכֻּלָּן וְתִינֹקֶת בַּשָּׁנִים וְאֵין הֵרָיוֹן נִכָּר בָּהּ, וּכְדֵי לְרַמּוֹת אֶת יַעֲקֹב נְתָנָהּ לָבָן לְלֵאָה, שֶׁלֹּא יָבִין שֶׁמַּכְנִיסִין לוֹ אֶת לֵאָה, שֶׁכָּךְ מִנְהָג לָתֵת שִׁפְחָה הַגְּדוֹלָה לַגְּדוֹלָה וְהַקְּטַנָּה לַקְּטַנָּה:

יא | **בָּא גָד.** בָּא מַזָּל טוֹב לִי, כְּמוֹ: "גַּד גַּדִּי וְסַנּוֹק לָא" (שבת סז ע"ב). וּמִדְרַשׁ אַגָּדָה שֶׁנּוֹלַד מָהוּל, כְּמוֹ: "גֹּדּוּ אִילָנָא" (דניאל ד, יח), וְלֹא יָדַעְתִּי עַל מָה נִכְתַּב תֵּבָה אַחַת.

יד | **בִּימֵי קְצִיר חִטִּים.** לְהַגִּיד שִׁבְחָן שֶׁל שְׁבָטִים, שֶׁעֵת הַקָּצִיר הָיָה, וְלֹא פָּשַׁט יָדוֹ בְּגָזֵל לְהָבִיא חִטִּים וּשְׂעוֹרִים, אֶלָּא דָּבָר הַהֶפְקֵר שֶׁאֵין אָדָם מַקְפִּיד בּוֹ: **דּוּדָאִים.**

הרחבות

'ותרא לאה כי עמדה מלדת ותקח את זלפה שפחתה ותתן אֹתה ליעקב' יעקב שיתף פעולה עם מתנת השפחה מלאה והוליד ממנה ילדים. לשם מה נתנה לו לאה את זלפה, ומדוע קיבל אותה? נראה כי לאה רצתה בהולדת הילדים הללו, כשם שרחל רצתה בילדי שפחתה – כמאיץ לברכת פריון נוספת לה עצמה. היו שאמרו כי הם הניחו שבתור יורשה העתידי של הארץ, אל ליעקב להישאר אדם פרטי בלבד או בעל משפחה מצומצמת. משום כך ניסתה לאה לעודד הבאת צאצאים נוספים על ידי נתינת שפחתה בחיקו. אפשר לראות את המעשה של לאה כנובע ממסירותה לאידיאל המשפחה הגדולה, אף על פי שיש בכך כדי לגרוע מעט מחלקה שלה בבית יעקב; ואפשר לנעוץ את מניעיה

ביאור | בִּלְהָה, וַתֵּלֶד לְיַעֲקֹב בֵּן. ו וַתֹּאמֶר רָחֵל, שנהגה מנהג אמהות בתינוק
הזה, ועל כן היא שהעניקה לו את שמו: דָּנַנִּי אֱלֹהִים אם אני ראויה
לילדים, וְגַם שָׁמַע בְּקֹלִי, וַיִּתֶּן לִי בֵּן. עַל כֵּן קָרְאָה שְׁמוֹ דָּן.

ז וַתַּהַר עוֹד וַתֵּלֶד בִּלְהָה שִׁפְחַת רָחֵל בֵּן שֵׁנִי לְיַעֲקֹב. ח וַתֹּאמֶר רָחֵל:
נַפְתּוּלֵי אֱלֹהִים נִפְתַּלְתִּי עִם אֲחֹתִי, נאבקתי אתה בריב קמאי ועצום
על פרי הבטן. גַּם יָכֹלְתִּי, שהרי נולד לי בן נוסף. וַתִּקְרָא שְׁמוֹ נַפְתָּלִי.
אף על פי שבנים אלו לא היו בניה הביולוגיים, רחל התייחסה
אליהם כאילו היו בניה שלה.

ט וַתֵּרֶא לֵאָה כִּי עָמְדָה מִלֶּדֶת, לאחר לידת יהודה, וַתִּקַּח אֶת זִלְפָּה
שִׁפְחָתָהּ, וַתִּתֵּן אֹתָהּ לְיַעֲקֹב לְאִשָּׁה. י וַתֵּלֶד זִלְפָּה שִׁפְחַת לֵאָה לְיַעֲקֹב
בֵּן. יא וַתֹּאמֶר לֵאָה: בָּא גָד, מזל,[17] וַתִּקְרָא אֶת שְׁמוֹ גָּד.

יב וַתֵּלֶד זִלְפָּה שִׁפְחַת לֵאָה בֵּן שֵׁנִי לְיַעֲקֹב. יג וַתֹּאמֶר לֵאָה: בְּאָשְׁרִי,
אני מאושרת כִּי אִשְּׁרוּנִי בָּנוֹת. הנשים מעודדות ומחזקות אותי.
וַתִּקְרָא אֶת שְׁמוֹ אָשֵׁר.

בתוך סיפורי ההולדה של בני יעקב מופיע סיפור פנים-משפחתי

דודאים

העולם | **דּוּדָאִים** במשך הדורות זוהו עם עשבים שונים, אך נראה כי מדובר באותו צמח הקרוי גם היום בשם זה (שם מדעי: Mandragora autumnalis). פרותיו מבשילים בתקופת קציר חיטים, ויש בהם, ובמיוחד בזרעיהם, חומרים המשמשים לשיכוך כאבים. ברפואה העממית הוא נחשב מסייע לפריון.

דודאים הדודאים היו אפופים תמיד במסתורין, אך סגולת הפריון שהייתה כרוכה בצמח נקשרה אל שורשיו הארוכים

הרחבות | בתחרות הסמויה עם אחותה, שהרי בני זלפה, שפחתה, הרי הם כבניה (ראו רמב"ן). המתח בין לאה ורחל המרומז כאן, התפתח לאחר דורות לפיצול הגלוי שבין בית יהודה, צאצאי לאה, לבין בית יוסף, צאצאי רחל (ראו יהושע יח,ה; זכריה י,ו).

'ותלד זלפה' על זלפה לא כתוב וַתַּהַר. לכן אמרו חכמים שהייתה הצעירה מכולן, והריונה כמעט שלא נראה (בראשית רבה עא,ט). ייתכן שהיה זה היריון קצר מן הרגיל, כך שהולדת בנה הפתיעה את סביבתה.

וַיָּבֵא אֹתָם אֶל־לֵאָה אִמּוֹ וַתֹּאמֶר רָחֵל אֶל־לֵאָה
תְּנִי־נָא לִי מִדּוּדָאֵי בְּנֵךְ: וַתֹּאמֶר לָהּ הַמְעַט קַחְתֵּךְ טו
אֶת־אִישִׁי וְלָקַחַת גַּם אֶת־דּוּדָאֵי בְּנִי וַתֹּאמֶר רָחֵל
לָכֵן יִשְׁכַּב עִמָּךְ הַלַּיְלָה תַּחַת דּוּדָאֵי בְנֵךְ: וַיָּבֹא טז
יַעֲקֹב מִן־הַשָּׂדֶה בָּעֶרֶב וַתֵּצֵא לֵאָה לִקְרָאתוֹ
וַתֹּאמֶר אֵלַי תָּבוֹא כִּי שָׂכֹר שְׂכַרְתִּיךָ בְּדוּדָאֵי בְּנִי
וַיִּשְׁכַּב עִמָּהּ בַּלַּיְלָה הוּא: וַיִּשְׁמַע אֱלֹהִים אֶל־לֵאָה יז
וַתַּהַר וַתֵּלֶד לְיַעֲקֹב בֵּן חֲמִישִׁי: וַתֹּאמֶר לֵאָה נָתַן יח
אֱלֹהִים שְׂכָרִי אֲשֶׁר־נָתַתִּי שִׁפְחָתִי לְאִישִׁי וַתִּקְרָא
שְׁמוֹ יִשָּׂשכָר: וַתַּהַר עוֹד לֵאָה וַתֵּלֶד בֵּן־שִׁשִּׁי יט
לְיַעֲקֹב: וַתֹּאמֶר לֵאָה זְבָדַנִי אֱלֹהִים ׀ אֹתִי זֵבֶד טוֹב כ
הַפַּעַם יִזְבְּלֵנִי אִישִׁי כִּי־יָלַדְתִּי לוֹ שִׁשָּׁה בָנִים וַתִּקְרָא
אֶת־שְׁמוֹ זְבֻלוּן: וְאַחַר יָלְדָה בַּת וַתִּקְרָא אֶת־שְׁמָהּ כא

רש״י

סִיגְלֵי, עֵשֶׂב הוּא, וּבִלְשׁוֹן יִשְׁמָעֵאל יַסְמִין:

טו| וְלָקַחַת גַּם אֶת דּוּדָאֵי בְּנִי. בִּתְמִיָּה, וְלַעֲשׂוֹת עוֹד זֹאת לִקַּח גַּם אֶת דּוּדָאֵי בְּנִי? וְתַרְגּוּמוֹ: "וּלְמִסַּב". לָכֵן יִשְׁכַּב עִמָּךְ הַלַּיְלָה. שֶׁלִּי הָיְתָה שְׁכִיבַת לַיְלָה זוֹ, וַאֲנִי נוֹתְנָהּ לָךְ תַּחַת דּוּדָאֵי בְּנֵךְ. וּלְפִי שֶׁזִּלְזְלָה בְּמִשְׁכַּב הַצַּדִּיק לֹא זָכְתָה לִקָּבֵר עִמּוֹ:

טז| שָׂכֹר שְׂכַרְתִּיךָ. נָתַתִּי לְרָחֵל שְׂכָרָהּ. בַּלַּיְלָה הוּא. הַקָּדוֹשׁ בָּרוּךְ הוּא סִיֵּעַ בּוֹ שֶׁיָּצָא מִשָּׁם יִשָּׂשכָר:

יז| וַיִּשְׁמַע אֱלֹהִים אֶל לֵאָה. שֶׁהָיְתָה מִתְאַוָּה וּמְחַזֶּרֶת לְהַרְבּוֹת שְׁבָטִים:

כ| זֶבֶד טוֹב. כְּתַרְגּוּמוֹ: יִזְבְּלֵנִי. לְשׁוֹן 'בֵּית זְבֻל' (מלכים א׳ ח, יג), הירבירייר״א בְּלַעַז, בֵּית מָדוֹר. מֵעַתָּה לֹא תְּהֵא עִקַּר דִּירָתוֹ אֶלָּא עִמִּי, שֶׁיֵּשׁ לִי בָּנִים כְּנֶגֶד כָּל נָשָׁיו:

כא| דִּינָה. פֵּרְשׁוּ רַבּוֹתֵינוּ שֶׁדָּנָה לֵאָה דִּין בְּעַצְמָהּ: אִם זֶה זָכָר לֹא תְהֵא רָחֵל אֲחוֹתִי כְּאַחַת הַשְּׁפָחוֹת, וְנִתְפַּלְּלָה עָלָיו וְנֶהְפַּךְ לִנְקֵבָה:

העולם

והסבוכים הנראים כדמות אדם. מכיוון שכך, מסתבר שראובן לא אסף את פרות הדודאים בגלל הסגולות הרפואיות המיוחסות להם אלא מסיבה בולטת יותר לעין. נראה שהוא נמשך ליופים של הפרות, הדומים לכדורי זהב קטנים

ביאור

קטן: יד וַיֵּלֶךְ רְאוּבֵן בִּימֵי קְצִיר חִטִּים, וַיִּמְצָא דוּדָאִים בַּשָּׂדֶה. נראה
כי ראובן היה אז כבן ארבע או קצת יותר גדול.[18] וַיָּבֵא אֹתָם אֶל
לֵאָה אִמּוֹ כמתנה. בתור בנה הבכור, וכפי שיכול להשתקף גם
מהשם שנתנה לו, היה ראובן קרוב במיוחד לאמו. כיוון שהדבר לא
הוסתר - וַתֹּאמֶר רָחֵל אֶל לֵאָה: תְּנִי נָא לִי מִדּוּדָאֵי בְּנֵךְ. היו שראו
בצמח הדודאים סגולה לפריון, אך נראה שרחל רצתה בפֵּרות הללו
מאותה סיבה שראובן רצה בהם - בשל יופיים והריח שהם מפיצים.[19]

טו וַתֹּאמֶר לָהּ לאה: הַמְעַט קַחְתֵּךְ, לא די לך שלקחת אֶת אִישִׁי, שהרי
לבו של יעקב וזמנו נלקח על ידי רחל,[20] וְלָקַחַת, ואת רוצה לקחת
גַּם אֶת דּוּדָאֵי בְּנִי?! לפי ההסדר שכנראה היה בין הנשים, הלילה היה
התור של רחל. וַתֹּאמֶר רָחֵל: לָכֵן יִשְׁכַּב עִמָּךְ הַלַּיְלָה תַּחַת דּוּדָאֵי בְנֵךְ.
אוותר על יעקב הלילה תמורת הדודאים. ואכן כך הוסכם ביניהן.

מטעמי נימוס וצניעות היה לכל אחת מן הנשים אוהל
לעצמה. טז וַיָּבֹא יַעֲקֹב מִן הַשָּׂדֶה בָּעֶרֶב לביתו, וַתֵּצֵא לֵאָה לִקְרָאתוֹ,
קודם שפנה לאוהלה של רחל. וַתֹּאמֶר: אֵלַי תָּבוֹא, כִּי שָׂכֹר שְׂכַרְתִּיךָ
מאחותי בְּדוּדָאֵי בְּנִי. וַיִּשְׁכַּב עִמָּהּ בַּלַּיְלָה הוּא. יעקב קיבל את
ההסכם שבין נשותיו.

יז וַיִּשְׁמַע אֱלֹהִים אֶל לֵאָה. ולאחר שפסקה מלדת, שוב - וַתַּהַר וַתֵּלֶד
לְיַעֲקֹב בֵּן חֲמִישִׁי. יח וַתֹּאמֶר לֵאָה: נָתַן אֱלֹהִים שְׂכָרִי, אֲשֶׁר נָתַתִּי
שִׁפְחָתִי לְאִישִׁי. וַתִּקְרָא שְׁמוֹ יִשָּׂשכָר. ייתכן שנרמזת כאן גם שכירתו
של יעקב, אך במפורש היא מדגישה את השכר משמים שקיבלה
על נתינת זלפה ליעקב.

יט וַתַּהַר עוֹד לֵאָה, וַתֵּלֶד בֵּן שִׁשִּׁי לְיַעֲקֹב. כ וַתֹּאמֶר לֵאָה: זְבָדַנִי
אֱלֹהִים אֹתִי זֵבֶד טוֹב, ה' נתן לי מתנה טובה - הַפַּעַם יִזְבְּלֵנִי, ישכין
את מעונו אצלי אִישִׁי, כִּי יָלַדְתִּי לוֹ שִׁשָּׁה בָנִים. בין אם ראתה בחזונה
כי עתידים לצאת מיעקב שנים-עשר בנים, ובין אם לא - הרי זה
מספר גדול. וַתִּקְרָא אֶת שְׁמוֹ זְבֻלוּן.

העולם

ולריחם הנעים (כדברי הכתוב: הַדּוּדָאִים נָתְנוּ רֵיחַ. שיר השירים ז,יד). אמנם פרות אלה חבויים תחת עליהם, אך ילד קטן וסקרן שזמנו בידו יכול למצאם (ראו ראב"ע ורמב"ן פס' יד).

כח דִּינָה: וַיִּזְכֹּר אֱלֹהִים אֶת־רָחֵל וַיִּשְׁמַע אֵלֶיהָ אֱלֹהִים כב
וַיִּפְתַּח אֶת־רַחְמָהּ: וַתַּהַר וַתֵּלֶד בֵּן וַתֹּאמֶר אָסַף כג
אֱלֹהִים אֶת־חֶרְפָּתִי: וַתִּקְרָא אֶת־שְׁמוֹ יוֹסֵף לֵאמֹר כד
יֹסֵף יהוה לִי בֵּן אַחֵר: וַיְהִי כַּאֲשֶׁר יָלְדָה רָחֵל אֶת־ כה
יוֹסֵף וַיֹּאמֶר יַעֲקֹב אֶל־לָבָן שַׁלְּחֵנִי וְאֵלְכָה אֶל־
מְקוֹמִי וּלְאַרְצִי: תְּנָה אֶת־נָשַׁי וְאֶת־יְלָדַי אֲשֶׁר כו
עָבַדְתִּי אֹתְךָ בָּהֵן וְאֵלֵכָה כִּי אַתָּה יָדַעְתָּ אֶת־עֲבֹדָתִי
אֲשֶׁר עֲבַדְתִּיךָ: וַיֹּאמֶר אֵלָיו לָבָן אִם־נָא מָצָאתִי חֵן כז
חמישי בְּעֵינֶיךָ נִחַשְׁתִּי וַיְבָרְכֵנִי יהוה בִּגְלָלֶךָ: וַיֹּאמַר נָקְבָה כח

רש"י

כב] **וַיִּזְכֹּר אֱלֹהִים אֶת רָחֵל.** זָכַר לָהּ שֶׁמָּסְרָה סִימָנֶיהָ לַאֲחוֹתָהּ, וְשֶׁהָיְתָה מְצֵרָה שֶׁמָּא תַּעֲלֶה בְּגוֹרָלוֹ שֶׁל עֵשָׂו, שֶׁמָּא יְגָרְשֶׁנָּה יַעֲקֹב לְפִי שֶׁאֵין לָהּ בָּנִים; וְאַף עֵשָׂו הָרָשָׁע כָּךְ עָלָה בְּלִבּוֹ כְּשֶׁשָּׁמַע שֶׁאֵין לָהּ בָּנִים. הוּא שֶׁיִּסֵּד הַפַּיְּטָן: "הָאַדְמוֹנִי כְּבָט שֶׁלֹּא חָלָה, נָבָה לְקַחְתָּהּ לוֹ וְנִתְבַּהֲלָה" (בפיוט "אבן חוג" בקרובות ליום א' דר"ה שחרית).

כג] **אָסַף.** הִכְנִיסָהּ בְּמָקוֹם שֶׁלֹּא תֵּרָאֶה. וְכֵן: "אֱסֹף חֶרְפָּתֵנוּ" (ישעיה ד, א), "וְלֹא יֵאָסֵף הַבַּיְתָה" (שמות ט, יט), "אָסְפוּ נָגְהָם" (יואל ד, טו), "וִירֵחֵךְ לֹא יֵאָסֵף" (ישעיה ס, כ) – לֹא יִטָּמֵן. **חֶרְפָּתִי.** שֶׁהָיִיתִי לְחֶרְפָּה עַל שֶׁאֲנִי עֲקָרָה, וְהָיוּ אוֹמְרִים עָלַי שֶׁאֶעֱלֶה לְחֶלְקוֹ שֶׁל עֵשָׂו הָרָשָׁע. וְאַגָּדָה, כָּל זְמַן שֶׁאֵין לָאִשָּׁה בֵּן אֵין לָהּ בְּמִי לִתְלוֹת סִרְחוֹנָהּ, מִשֶּׁיֵּשׁ לָהּ בֵּן תּוֹלָה בּוֹ: מִי שָׁבַר כְּלִי זֶה? בִּנְךָ! מִי אָכַל תְּאֵנִים אֵלּוּ? בִּנְךָ!

כד] **יֹסֵף ה' לִי בֵּן אַחֵר.** יוֹדַעַת הָיְתָה בִּנְבוּאָה שֶׁאֵין יַעֲקֹב עָתִיד לְהַעֲמִיד אֶלָּא שְׁנֵים עָשָׂר שְׁבָטִים; אָמְרָה: יְהִי רָצוֹן שֶׁאוֹתוֹ שֶׁהוּא עָתִיד לְהַעֲמִיד יְהֵא מִמֶּנִּי, לְכָךְ לֹא נִתְפַּלְּלָה אֶלָּא עַל "בֵּן אַחֵר".

כה] **כַּאֲשֶׁר יָלְדָה רָחֵל אֶת יוֹסֵף.** מִשֶּׁנּוֹלַד שְׂטָנוֹ שֶׁל עֵשָׂו, שֶׁנֶּאֱמַר: "וְהָיָה בֵית יַעֲקֹב אֵשׁ וּבֵית יוֹסֵף לֶהָבָה וּבֵית עֵשָׂו לְקַשׁ" (עובדיה א, יח), אֵשׁ בְּלֹא לֶהָבָה אֵינוֹ שׁוֹלֵט לְמֵרָחוֹק; מִשֶּׁנּוֹלַד יוֹסֵף בָּטַח יַעֲקֹב בְּהַקָּדוֹשׁ בָּרוּךְ הוּא וְרָצָה לָשׁוּב.

כו] **תְּנָה אֶת נָשַׁי.** אֵינִי רוֹצֶה לָצֵאת כִּי אִם בִּרְשׁוּת.

כז] **נִחַשְׁתִּי.** מְנַחֵשׁ הָיָה; נִסִּיתִי בְּנִחוּשׁ שֶׁלִּי שֶׁעַל יָדְךָ בָּאָה לִי בְרָכָה; כְּשֶׁבָּאתָ לְכָאן לֹא הָיוּ לִי בָּנִים, שֶׁנֶּאֱמַר: "וְהִנֵּה רָחֵל בִּתּוֹ בָּאָה עִם הַצֹּאן" (לעיל כט, ו), אֶפְשָׁר יֵשׁ לוֹ בָּנִים וְהוּא שׁוֹלֵחַ בִּתּוֹ אֵצֶל הָרוֹעִים? עַכְשָׁיו הָיוּ לוֹ בָּנִים, שֶׁנֶּאֱמַר: "וַיִּשְׁמַע אֶת דִּבְרֵי בְנֵי לָבָן" (להלן לא, א).

כח] **נְקָבָה שְׂכָרְךָ.** כְּתַרְגּוּמוֹ: "פָּרֵשׁ אַגְרָךְ".

ביאור

כא וְאַחַר יָלְדָה בַּת וַתִּקְרָא אֶת שְׁמָהּ דִּינָה.

כב לאחר הלידות המרובות ולאחר שרחל הרבתה להתפלל
שתהרה, וַיִּזְכֹּר אֱלֹהִים אֶת רָחֵל, וַיִּשְׁמַע אֵלֶיהָ אֱלֹהִים, וַיִּפְתַּח אֶת
רַחְמָהּ. כג וַתַּהַר וַתֵּלֶד בֵּן, וַתֹּאמֶר: אָסַף אֱלֹהִים אֶת חֶרְפָּתִי. כד וַתִּקְרָא
אֶת שְׁמוֹ יוֹסֵף. היא לא בחרה בשם 'אסף', המבטא את דבריה
הקודמים בלבד, שכן השם יוסף מכיל הן את אספת החרפה, הן
את הבקשה לֵאמֹר: יֹסֵף ה' לִי בֵּן אַחֵר אחרי יוסף.

פרדת יעקב מלבן

פרק ל פס' כה–נה

נראה כי יעקב ציפה לשוב לארצו זמן רב, אך התעכב עד שימלאו ארבע-עשרה שנה שהתחייב ללבן,[21] ואולי גם כדי שיהיה לרחל ילד משלה.[22] ייתכן שחשב שיקל עליה להרות במקומה. עתה, עם הולדת יוסף, ביקש יעקב להיפרד מלבן.

ההינתקות מחמיו-מעסיקו לא הייתה פשוטה. היא הייתה כרוכה בהסדרת העניינים הכלכליים בין השניים אך גם בעניינים רגשיים מורכבים. גם לאחר שיחולק הממון ביניהם, לא יגיעו לכלל פרדה מוסכמת בחרן, ויעקב יימלט. אולם התברר שהניתוק לא היה מלא – תרפים מביתו של לבן היו חבויים בכר הגמל של רחל. הפרדה המלאה, הכוללת ברית בין יעקב וביתו לבין לבן חותנו, תתרחש רק הרחק משם, בהר הגלעד.

כה וַיְהִי כַּאֲשֶׁר יָלְדָה רָחֵל אֶת יוֹסֵף, וַיֹּאמֶר יַעֲקֹב אֶל לָבָן: עד כה
שהיתי אצלך ועבדתי עבורך, אבל עתה שַׁלְּחֵנִי וְאֵלְכָה אֶל מְקוֹמִי
וּלְאַרְצִי. כו תְּנָה אֶת נָשַׁי וְאֶת יְלָדַי, אֲשֶׁר עָבַדְתִּי אֹתְךָ בָּהֵן, בנשים,
וְאֵלֵכָה. כִּי אַתָּה יָדַעְתָּ אֶת עֲבֹדָתִי אֲשֶׁר עֲבַדְתִּיךָ. הרי מילאתי את
כל התחייבויותי.

כז וַיֹּאמֶר אֵלָיו לָבָן: אִם נָא מָצָאתִי חֵן בְּעֵינֶיךָ, בבקשה ממך, נִחַשְׁתִּי,
פעלתי בקסמי כדי לדעת מהו הגורם להצלחתי הכלכלית, וגיליתי

הרחבות

'אסף אלהים את חרפתי' מאחורי דבריה של רחל עומדת התפיסה שתפקידה של אשה הוא האמהות, ועל כן אשה חשוכת ילדים נמצאת במצב בזוי. (ראו עוד הרחבה לשמואל א' א,י).

שְׂכָרְךָ עָלַי וְאֶתֵּנָה׃ וַיֹּאמֶר אֵלָיו אַתָּה יָדַעְתָּ אֵת
כט אֲשֶׁר עֲבַדְתִּיךָ וְאֵת אֲשֶׁר־הָיָה מִקְנְךָ אִתִּי׃ כִּי מְעַט
ל אֲשֶׁר־הָיָה לְךָ לְפָנַי וַיִּפְרֹץ לָרֹב וַיְבָרֶךְ יהוה אֹתְךָ
לְרַגְלִי וְעַתָּה מָתַי אֶעֱשֶׂה גַם־אָנֹכִי לְבֵיתִי׃ וַיֹּאמֶר
לא מָה אֶתֶּן־לָךְ וַיֹּאמֶר יַעֲקֹב לֹא־תִתֶּן־לִי מְאוּמָה אִם־
תַּעֲשֶׂה־לִּי הַדָּבָר הַזֶּה אָשׁוּבָה אֶרְעֶה צֹאנְךָ אֶשְׁמֹר׃
לב אֶעֱבֹר בְּכָל־צֹאנְךָ הַיּוֹם הָסֵר מִשָּׁם כָּל־שֶׂה ׀ נָקֹד
וְטָלוּא וְכָל־שֶׂה־חוּם בַּכְּשָׂבִים וְטָלוּא וְנָקֹד בָּעִזִּים
לג וְהָיָה שְׂכָרִי׃ וְעָנְתָה־בִּי צִדְקָתִי בְּיוֹם מָחָר כִּי־תָבוֹא
עַל־שְׂכָרִי לְפָנֶיךָ כֹּל אֲשֶׁר־אֵינֶנּוּ נָקֹד וְטָלוּא בָּעִזִּים
לד וְחוּם בַּכְּשָׂבִים גָּנוּב הוּא אִתִּי׃ וַיֹּאמֶר לָבָן הֵן לוּ יְהִי
לה כִדְבָרֶךָ׃ וַיָּסַר בַּיּוֹם הַהוּא אֶת־הַתְּיָשִׁים הָעֲקֻדִּים

רש"י

כט| **וְאֵת אֲשֶׁר הָיָה מִקְנְךָ אִתִּי.** אֶת חֶשְׁבּוֹן מִעוּט מִקְנְךָ שֶׁבָּא לְיָדִי מִתְּחִלָּה, כַּמָּה הָיוּ:

ל| **לְרַגְלִי.** עִם רַגְלִי, בִּשְׁבִיל בִּיאַת רַגְלִי בָּאת אֶצְלְךָ הַבְּרָכָה, כְּמוֹ: "הָעָם אֲשֶׁר בְּרַגְלֶיךָ" (שמות יא, ח), "לָעָם אֲשֶׁר בְּרַגְלָי" (שופטים ח, ה) – הַבָּאִים עִמִּי: **גַּם אָנֹכִי לְבֵיתִי.** לְצֹרֶךְ בֵּיתִי; עַכְשָׁיו אֵין עוֹשִׂין לְצָרְכִּי אֶלָּא בָּנַי, וְצָרִיךְ אֲנִי לִהְיוֹת עוֹשֶׂה גַּם אֲנִי עִמָּהֶם וְסוֹמְכָן, וְזֶהוּ 'גַּם':

לב| **נָקֹד.** מְנֻמָּר בַּחֲבַרְבּוּרוֹת דַּקּוֹת כְּמוֹ נְקֻדָּה, פונטור"א בְּלַעַז: **וְטָלוּא.** לְשׁוֹן טְלָאִי, חֲבַרְבּוּרוֹת רְחָבוֹת: **חוּם.** "שָׁחוּם", דּוֹמֶה לְאָדוֹם, רו"ש בְּלַעַז, לְשׁוֹן מִשְׁנָה: "שְׁחַמְתִּית וְנִמְצֵאת לְבָנָה" (בבא בתרא פג ע"ב) לְעִנְיַן הַתְּבוּאָה: **וְהָיָה שְׂכָרִי.** אוֹתָן שֶׁיּוָּלְדוּ מִכָּאן וּלְהַבָּא נְקֻדִּים וּטְלוּאִים בָּעִזִּים וּשְׁחוּמִים בַּכְּשָׂבִים יִהְיוּ שֶׁלִּי, וְאוֹתָן שֶׁיֶּשְׁנָן עַכְשָׁיו הַפְרֵשׁ מֵהֶם וְהַפְקִידֵם בְּיַד בָּנֶיךָ, שֶׁלֹּא תֹאמַר לִי עַל הַנּוֹלָדִים מֵעַתָּה: אֵלּוּ הָיוּ שָׁם מִתְּחִלָּה; וְעוֹד, שֶׁלֹּא תֹאמַר לִי: עַל יְדֵי הַזְּכָרִים שֶׁהֵם נְקֻדִּים וּטְלוּאִים תֵּלַדְנָה הַנְּקֵבוֹת דֻּגְמָתָן מִכָּאן וְאֵילָךְ:

לג| **וְעָנְתָה בִּי וְגוֹ'.** אִם תַּחְשְׁדֵנִי שֶׁאֲנִי נוֹטֵל מִשֶּׁלְּךָ כְּלוּם, תַּעֲנֶה בִּי צִדְקָתִי, "כִּי תָבוֹא" צִדְקָתִי וְתָעִיד "עַל שְׂכָרִי לְפָנֶיךָ", שֶׁלֹּא תִמְצָא בַּעֲדָרַי כִּי אִם נְקֻדִּים וּטְלוּאִים, וְכָל שֶׁתִּמְצָא בָּהֶן שֶׁאֵינוֹ נָקֹד אוֹ טָלוּא אוֹ חוּם, בְּיָדוּעַ שֶׁגְּנַבְתִּיו לְךָ וּבִגְנֵבָה הוּא שָׁרוּי אֶצְלִי:

לד| **הֵן.** לְשׁוֹן הֵין, קַבָּלַת דְּבָרִים: **לוּ יְהִי כִדְבָרֶךָ.** הַלְוַאי שֶׁתַּחְפֹּץ בְּכָךְ:

לה| **וַיָּסַר.** לָבָן "בַּיּוֹם הַהוּא" וְגוֹ': **הַתְּיָשִׁים.**

ביאור – **וַיְבָרְכֵנִי ה׳ בִּגְלָלֶךָ.** כח **וַיֹּאמַר** לבן ליעקב: **נָקְבָה שְׂכָרְךָ עָלַי,** קבע
אתה את השכר המגיע לך ממני, **וְאֶתֵּנָה.** עד עתה עבדת תמורת
שתי נשיך, אך משנודע לי מניחושי שאתה הוא שהבאת עלי שגשוג
כלכלי – תוכל לנקוב בכל סכום שתרצה.

כט **וַיֹּאמֶר אֵלָיו** יעקב: **אַתָּה יָדַעְתָּ אֵת אֲשֶׁר עֲבַדְתִּיךָ, וְאֵת אֲשֶׁר**
הָיָה מִקְנְךָ אִתִּי, ל **כִּי מְעַט אֲשֶׁר הָיָה לְךָ לְפָנַי – וַיִּפְרֹץ לָרֹב, וַיְבָרֶךְ**
ה׳ אֹתְךָ לְרַגְלִי. יעקב אישר את דברי לבן, אך הדגיש בפניו שאין
צורך בניחושים נסתרים כדי לראות כיצד שורה הברכה בביתו,
מאז הגעתו של יעקב.[23] **וְעַתָּה, מָתַי אֶעֱשֶׂה גַם אָנֹכִי לְבֵיתִי?!** אין לי
דבר משלי, מלבד נשים וילדים, כיוון שעד כה עבדתי וחייתי אצלך.

לא **וַיֹּאמֶר** לבן ליעקב: **מָה אֶתֶּן לָךְ?** מה רצונך?
וַיֹּאמֶר יַעֲקֹב: לֹא תִתֶּן לִי מְאוּמָה. אל תשלם לי כסף או שווה כסף
מרכושך הנוכחי. **אִם תַּעֲשֶׂה לִּי הַדָּבָר הַזֶּה – אָשׁוּבָה** לעבוד אצלך,
אֶרְעֶה צֹאנְךָ, אֶשְׁמֹר. לב **אֶעֱבֹר** עמך **בְּכָל צֹאנְךָ הַיּוֹם, הָסֵר מִשָּׁם,**
הוצא מתוך הצאן **כָּל שֶׂה נָקֹד וְטָלוּא,** שיש עליו כתמים חומים.
צבעם של הכבשים החיות באזורנו הוא לרוב לבן, אבל לעתים מופיע
ביניהן שה שעל עורו כתמים.[24] **וְכָל שֶׂה** שהוא לגמרי **חוּם בַּכְּשָׂבִים,**
בין הכבשים. וכן, אם תמצא **טָלוּא וְנָקֹד בָּעִזִּים.** לרוב העזים שחורות
לגמרי, אך יש ביניהן גם עזים שעליהן כתמי צבע. **וְהָיָה שְׂכָרִי** כל
יוצאי הדופן הללו שיימצאו אצלי מכאן ולהבא, לאחר שתסיר את
אלו הנמצאים עתה בעדר. הצעתו של יעקב מאפשרת את הקצאת
שכרו ללא עמימות, העלולה לעורר ויכוחים – לג **וְעָנְתָה בִּי צִדְקָתִי**
בְּיוֹם מָחָר, כִּי תָבוֹא עַל שְׂכָרִי לְפָנֶיךָ, כאשר תשלם לי את שכרי, תוכל
לדעת בבירור שכֹּל **אֲשֶׁר אֵינֶנּוּ נָקֹד וְטָלוּא בָּעִזִּים וְחוּם בַּכְּשָׂבִים,** אם
תמצא אצלי בעלי חיים בעלי צבע טבעי אחר – **גָּנוּב הוּא אִתִּי.**

לד **וַיֹּאמֶר לָבָן: הֵן, לוּ יְהִי כִדְבָרֶךָ.** לבן ראה בכך הצעה מצוינת, שכן
מספר הבהמות הללו קטן יחסית.

לה כדי שלא ייוולדו כבשים ועזים נוספים טלואים ונקודים על
ידי תערובת – **וַיָּסַר לבן בַּיּוֹם הַהוּא אֶת הַתְּיָשִׁים,** בוגרי הכבשים

וְהַטְּלֻאִים וְאֵת כָּל־הָעִזִּים הַנְּקֻדּוֹת וְהַטְּלֻאֹת כֹּל
אֲשֶׁר־לָבָן בּוֹ וְכָל־חוּם בַּכְּשָׂבִים וַיִּתֵּן בְּיַד־בָּנָיו׃
לו וַיָּשֶׂם דֶּרֶךְ שְׁלֹשֶׁת יָמִים בֵּינוֹ וּבֵין יַעֲקֹב וְיַעֲקֹב רֹעֶה
לז אֶת־צֹאן לָבָן הַנּוֹתָרֹת׃ וַיִּקַּח־לוֹ יַעֲקֹב מַקַּל לִבְנֶה
לַח וְלוּז וְעַרְמוֹן וַיְפַצֵּל בָּהֵן פְּצָלוֹת לְבָנוֹת מַחְשֹׂף
לח הַלָּבָן אֲשֶׁר עַל־הַמַּקְלוֹת׃ וַיַּצֵּג אֶת־הַמַּקְלוֹת אֲשֶׁר
פִּצֵּל בָּרְהָטִים בְּשִׁקֲתוֹת הַמָּיִם אֲשֶׁר תָּבֹאןָ הַצֹּאן
לט לִשְׁתּוֹת לְנֹכַח הַצֹּאן וַיֵּחַמְנָה בְּבֹאָן לִשְׁתּוֹת׃ וַיֶּחֱמוּ
הַצֹּאן אֶל־הַמַּקְלוֹת וַתֵּלַדְןָ הַצֹּאן עֲקֻדִּים נְקֻדִּים

רש"י

עִזִּים זְכָרִים: **כֹּל אֲשֶׁר לָבָן בּוֹ.** כָּל חֲשֶׁר הָיְתָה בּוֹ חֲבַרְבֹּרֶת לְבָנָה: **וַיִּתֵּן.** לָבָן "בְּיַד בָּנָיו":

לו) **הַנּוֹתָרֹת.** הָרְעוּעוֹת שֶׁבָּהֶן, הַחוֹלוֹת וְהָעֲקָרוֹת שֶׁאֵינָן אֶלָּא שִׁירַיִם, אוֹתָן מָסַר לוֹ:

לז) **מַקַּל לִבְנֶה.** עֵץ הוּא וּשְׁמוֹ 'לִבְנֶה', כְּמָה דְּאַתְּ אָמַר: "תַּחַת אַלּוֹן וְלִבְנֶה" (הושע ד, יג). וְאוֹמֵר אֲנִי, הוּא שֶׁקּוֹרִין טרינבל"א שֶׁהוּא לָבָן: **לַח.** כְּשֶׁהוּא רָטֹב: **וְלוּז.** וְעוֹד לָקַח מַקַּל לוּז, עֵץ שֶׁגְּדֵלִין בּוֹ אֱגוֹזִים דַּקִּים, קולדר"י בְּלַעַז: **וְעַרְמוֹן.** קשטניי"ר בְּלַעַז: **פְּצָלוֹת.** קִלּוּפִים קִלּוּפִים, שֶׁהָיָה עוֹשֵׂהוּ מְנֻמָּר: **מַחְשֹׂף הַלָּבָן.** גִּלּוּי לֹבֶן שֶׁל מַקֵּל, כְּשֶׁהָיָה קוֹלְפוֹ הָיָה נִרְאֶה וְנִגְלֶה לָבְנוֹ שֶׁלּוֹ בִּמְקוֹם הַקִּלּוּף:

לח) **וַיַּצֵּג.** "וְדַעִיץ", לְשׁוֹן תְּחִיבָה וּנְעִיצָה הוּא בְּלָשׁוֹן אֲרַמִּי, וְהַרְבֵּה יֵשׁ בַּתַּלְמוּד: "דָּצַה וְשַׁלְפַהּ" (שבת נ ע"ב), "דָּן בֵּיהּ מִידֵי" (חולין נג ע"ב), 'דָּצַה' כְּמוֹ 'דַּעֲצַהּ', אֶלָּא שֶׁמְּקַצֵּר אֶת לְשׁוֹנוֹ: **בָּרְהָטִים.** בִּמְרוּצוֹת הַמַּיִם, בִּבְרֵכוֹת הָעֲשׂוּיוֹת בָּאָרֶץ לְהַשְׁקוֹת שָׁם הַצֹּאן: **אֲשֶׁר תָּבֹאןָ וגו'.** בָּרְהָטִים אֲשֶׁר תָּבֹאןָ הַצֹּאן לִשְׁתּוֹת, שָׁם הִצִּיג הַמַּקְלוֹת "לְנֹכַח הַצֹּאן": **וַיֵּחַמְנָה.** הַבְּהֵמָה רוֹאָה אֶת הַמַּקְלוֹת וְהִיא נִרְתַּעַת לַאֲחוֹרֶיהָ, וְהַזָּכָר רוֹבְעָהּ וְיוֹלֶדֶת כַּיּוֹצֵא בּוֹ. רַבִּי הוֹשַׁעְיָא אוֹמֵר: הַמַּיִם נַעֲשִׂין זֶרַע בִּמְעֵיהֶן וְלֹא הָיוּ צְרִיכוֹת לְזָכָר, וְזֶהוּ "וַיֵּחַמְנָה" וגו':

לט) **אֶל הַמַּקְלוֹת.** אֶל מַרְאִית הַמַּקְלוֹת: **עֲקֻדִּים.** מְשֻׁנִּים בִּמְקוֹם עֲקֵדָתָם, הֵם קַרְסֻלֵּי יְדֵיהֶם וְרַגְלֵיהֶם:

העולם

לִבְנֶה מוזכר בהושע (ד,יג) יחד עם עצי האלון והאלה. על כן היו שזיהו אותו עם הלבנה הרפואי (שם מדעי: Styrax officinalis), עץ נמוך שגובהו עד 6 מ', ועליו ופרחיו לבנים. אחרים זיהו אותו עם הצפצפה המכסיפה (שם מדעי: Populus alba), עץ שגובהו 30 מ', וענפיו נקלפים בקלות מקליפתם.

לוּז עץ השקד. וכן בארמית ובערבית.

ביאור

הָעֲקֻדִּים, שעל רגליהם במקום עקדתם, כלומר במקום כפיתתם,
מופיעים פסים שונים, וְהַטְּלֻאִים, וְאֵת כָּל הָעִזִּים הממליטות הַנְּקֻדּוֹת
וְהַטְּלֻאֹת, כֹּל אֲשֶׁר לָבָן בּוֹ, בעזים, וְכָל חוּם בַּכְּשָׂבִים. וַיִּתֵּן אותם
בְּיַד בָּנָיו בעדר רחוק, שלא יתערב בעדרו של יעקב. לו וַיָּשֶׂם דֶּרֶךְ
שְׁלֹשֶׁת יָמִים בֵּינוֹ וּבֵין יַעֲקֹב, מרחק גדול עבור צאן, וְיַעֲקֹב רֹעֶה אֶת
צֹאן לָבָן הַנּוֹתָרֹת במקום אחר.

לז וַיִּקַּח לוֹ יַעֲקֹב מַקַּל של עץ לִבְנֶה לַח, וְלוּז וְעַרְמוֹן, וַיְפַצֵּל בָּהֵן פְּצָלוֹת
לְבָנוֹת. חתך במקלות חיתוכים והסיר מעט מקליפתם, כך שהתגלה
מַחְשֹׂף הַלָּבָן אֲשֶׁר עַל הַמַּקְלוֹת, צבעו הלבן של גוף העץ. לח וַיַּצֵּג
אֶת הַמַּקְלוֹת אֲשֶׁר פִּצֵּל, בָּרְהָטִים, כלומר בְּשִׁקְתוֹת הַמָּיִם, אֲשֶׁר
מהן תָּבֹאןָ הַצֹּאן לִשְׁתּוֹת לְנֹכַח הַצֹּאן, מול שאר בני הצאן, כלומר
במקום שבו מתקבץ העדר, וַיֵּחַמְנָה, בצאן התעוררה תאווה בְּבֹאָן
לִשְׁתּוֹת. לט וַיֶּחֱמוּ הַצֹּאן אֶל, לנוכח הַמַּקְלוֹת, וַתֵּלַדְןָ הַצֹּאן עֲקֻדִּים

לבנה רפואי ('לבנה'?)

דולב ('ערמון')

צפצפה מכסיפה ('לבנה'?)

שוקת

העולם

עַרְמוֹן מופיע ביחזקאל (לא,ח) בצד הארזים והברושים. בתרגומים זוהה עם עץ הדולב המזרחי (שם מדעי: Platanus orientalis), עץ גבוה ומרשים, שכאשר מסירים את קליפתו הוא חלק ובהיר. אין זה העץ המכונה ערמון בימינו (Castanea).

וּטְלֻאִים: וְהַכְּשָׂבִים הִפְרִיד יַעֲקֹב וַיִּתֵּן פְּנֵי הַצֹּאן מ
אֶל־עָקֹד וְכָל־חוּם בְּצֹאן לָבָן וַיָּשֶׁת לוֹ עֲדָרִים לְבַדּוֹ
וְלֹא שָׁתָם עַל־צֹאן לָבָן: וְהָיָה בְּכָל־יַחֵם הַצֹּאן מא
הַמְקֻשָּׁרוֹת וְשָׂם יַעֲקֹב אֶת־הַמַּקְלוֹת לְעֵינֵי הַצֹּאן
בָּרֳהָטִים לְיַחְמֵנָּה בַּמַּקְלוֹת: וּבְהַעֲטִיף הַצֹּאן לֹא מב
יָשִׂים וְהָיָה הָעֲטֻפִים לְלָבָן וְהַקְּשֻׁרִים לְיַעֲקֹב: וַיִּפְרֹץ מג
הָאִישׁ מְאֹד מְאֹד וַיְהִי־לוֹ צֹאן רַבּוֹת וּשְׁפָחוֹת
וַעֲבָדִים וּגְמַלִּים וַחֲמֹרִים: וַיִּשְׁמַע אֶת־דִּבְרֵי בְנֵי־לָבָן א לא
לֵאמֹר לָקַח יַעֲקֹב אֵת כָּל־אֲשֶׁר לְאָבִינוּ וּמֵאֲשֶׁר
לְאָבִינוּ עָשָׂה אֵת כָּל־הַכָּבֹד הַזֶּה: וַיַּרְא יַעֲקֹב אֶת־ ב
כט פְּנֵי לָבָן וְהִנֵּה אֵינֶנּוּ עִמּוֹ כִּתְמוֹל שִׁלְשׁוֹם: וַיֹּאמֶר ג

רש"י

מ| **וְהַכְּשָׂבִים הִפְרִיד יַעֲקֹב.** הַנּוֹלָדִים עֲקֻדִּים וּנְקֻדִּים הִבְדִּיל וְהִפְרִישׁ לְעַצְמָן וְעָשָׂה אוֹתָן עֵדֶר עֵדֶר לְבַדּוֹ, וְהוֹלִיךְ אוֹתוֹ הָעֵדֶר הֶעָקֹד לִפְנֵי הַצֹּאן, וּפְנֵי הַצֹּאן הַהוֹלְכוֹת אַחֲרֵיהֶם צוֹפוֹת אֲלֵיהֶם, וְזֶהוּ שֶׁאָמַר: "וַיִּתֵּן פְּנֵי הַצֹּאן אֶל עָקֹד", שֶׁהָיוּ פְּנֵי הַצֹּאן אֶל הָעֲקֻדִּים וְאֶל "כָּל חוּם" שֶׁמָּצָא "בְּצֹאן לָבָן": **וַיָּשֶׁת לוֹ עֲדָרִים.** כְּמוֹ שֶׁפֵּרַשְׁתִּי:

מא| **הַמְקֻשָּׁרוֹת.** כְּתַרְגּוּמוֹ, הַבְּכִירוֹת, וְאֵין לִי עֵד בַּמִּקְרָא. וּמְנַחֵם חִבְּרוֹ עִם "אֲחִיתֹפֶל בַּקֹּשְׁרִים" (שמואל ב' טו, לא), "וַיְהִי הַקֶּשֶׁר אַמִּץ" (שם יב) – אוֹתָן הַמִּתְקַשְּׁרוֹת יַחַד לְמַהֵר עִבּוּרָן:

מב| **וּבְהַעֲטִיף.** לְשׁוֹן אִחוּר, כְּתַרְגּוּמוֹ "וּבְלַקִּישׁוּת". וּמְנַחֵם חִבְּרוֹ עִם "הַמַּחֲלָצוֹת וְהַמַּעֲטָפוֹת" (ישעיה ג, כב), לְשׁוֹן עֲטִיפַת כְּסוּת, כְּלוֹמַר, מִתְעַטְּפוֹת בְּעוֹרָן וְצַמְרָן וְאֵינָן מִתְאַוּוֹת לְהִתְיַחֵם עַל יְדֵי הַזְּכָרִים:

מג| **צֹאן רַבּוֹת.** פָּרוֹת וְרָבוֹת מִשְּׁאָר צֹאן: **וּשְׁפָחוֹת וַעֲבָדִים.** מוֹכֵר צֹאנוֹ בְּדָמִים יְקָרִים וְלוֹקֵחַ לוֹ כָּל אֵלֶּה:

פרק לא

א| **עָשָׂה.** כָּנַס, כְּמוֹ: "וַיַּעַשׂ חַיִל וַיַּךְ אֶת עֲמָלֵק" (שמואל א' יד, מח):

הרחבות

כיצד פעל המעשה של יעקב? כיוון שהצבע הטבעי והראשוני של הצאן איננו אחיד לחלוטין, כשמתבצעת הכלאה בלי השתדלות להביא לתוצאה מיוחדת או לגזע מיוחד, יתקבלו כבשים ועזים מגוונים. יעקב ידע שהצאן שאיננו בצבע האחיד הוא בעל גן דומיננטי, ולכן הצבעים הללו יחזרו ויופיעו – עם המקלות או בלעדיהם. נראה כי המקלות המפוצלים לא היו אלא אמצעים סמליים, מעין תחליף קלוש לבהמות שלבן הסיר. אף על פי שלבן עשוי לחשוב שזהו סודו של יעקב – לא היה זה

ביאור | נְקֻדִּים וּטְלֻאִים.

מ וְאת הַכְּשָׂבִים הִפְרִיד יַעֲקֹב ובודד אותם, וַיִּתֵּן פְּנֵי הַצֹּאן אֶל מול
עָקֹד וְכָל חוּם בְּצֹאן לָבָן, העמיד את אלו בראש הצאן, וַיָּשֶׁת לוֹ עֲדָרִים
לְבַדּוֹ וְלֹא שָׁתָם עַל, ולא שם אותם עם צֹאן לָבָן, שהרי לפי התנאים
שנקבעו, זהו עדרו של יעקב.

מא וְהָיָה בְּכָל יַחֵם, בעונת הייחום של הַצֹּאן הַמְקֻשָּׁרוֹת, הצאן
המשובחות, הקשורות יותר להזדווגות בעונה זו, או: שאלייתן
קשורה למעלה כדי שיעלו עליהן הזכרים,[25] וְשָׂם יַעֲקֹב אֶת הַמַּקְלוֹת
לְעֵינֵי הַצֹּאן בָּרְהָטִים, לְיַחְמֵנָּה בַּמַּקְלוֹת, לייחם אותן כשהן מסתכלות
במקלות. מב וּבְהַעֲטִיף הַצֹּאן, כאשר הצאן חלושות ורפות, כלומר
כשאין הן בעונת הייחום, או: אותן שהן מכוסות באליה כמצבן
הטבעי,[26] לֹא יָשִׂים את המקלות. וְהָיָה הָעֲטֻפִים, הכבשים והעזים
הנרפות, שאינן מתייחמות בזמן, לְלָבָן, וְהַקְּשֻׁרִים, המובחרות,
המתרבות יפה, לְיַעֲקֹב, מפני שיעקב חשב שלא כדאי לו להשקיע
מאמץ בחלשות.

מג וַיִּפְרֹץ הָאִישׁ, יעקב גדל מְאֹד מְאֹד, וַיְהִי לוֹ צֹאן רַבּוֹת, וכיוון שלא
היה זקוק לצאן רב כל כך, קנה תמורתו רכוש רב וּשְׁפָחוֹת וַעֲבָדִים
וּגְמַלִּים וַחֲמֹרִים, והפך לראש שבט.

פרק לא א כיוון שיעקב ישב בקרב משפחתו של לבן – וַיִּשְׁמַע יעקב
אֶת דִּבְרֵי בְנֵי לָבָן לֵאמֹר: לָקַח יַעֲקֹב אֵת כָּל אֲשֶׁר לְאָבִינוּ, וּמֵאֲשֶׁר
לְאָבִינוּ עָשָׂה אֵת כָּל הַכָּבֹד הַזֶּה. מתוך קנאתם דיברו בני לבן בינם
לבין עצמם סרה ביעקב, ואמרו כי גדל על חשבונם. ב נראה כי
השמצות אלו הגיעו גם לאוזני לבן – וַיַּרְא יַעֲקֹב אֶת פְּנֵי לָבָן, וְהִנֵּה
אֵינֶנּוּ עִמּוֹ כִּתְמוֹל שִׁלְשׁוֹם. גם אם לבן לא השתכנע בטענותיהם,

הרחבות | סודו כלל. עדרי הצאן שנוצרו אצל יעקב מזכירים קצת את צאן הבר, ולכן יש להם גם סיכויים גדולים יותר להצליח.

כבר בצעירותו, בהיותו בבית אביו היה יעקב יושב אהלי מקנה (ראו רשב"ם בראשית כה,כז). כאן הוא השתמש באוצר הידיעות המקצועיות שלו, שהיה כנראה גדול משל לבן. כיוון שכך, יעקב לא רימה במעשים אלו את לבן. אף על פי שלבן הופתע מן התוצאות, בחילופי ההאשמות בהמשך לבן לא יטיח בפני יעקב את המעשים הללו.

יְהוָה אֶל־יַעֲקֹב שׁוּב אֶל־אֶרֶץ אֲבוֹתֶיךָ וּלְמוֹלַדְתֶּךָ
וְאֶהְיֶה עִמָּךְ׃ וַיִּשְׁלַח יַעֲקֹב וַיִּקְרָא לְרָחֵל וּלְלֵאָה ד
הַשָּׂדֶה אֶל־צֹאנוֹ׃ וַיֹּאמֶר לָהֶן רֹאֶה אָנֹכִי אֶת־פְּנֵי ה
אֲבִיכֶן כִּי־אֵינֶנּוּ אֵלַי כִּתְמֹל שִׁלְשֹׁם וֵאלֹהֵי אָבִי הָיָה
עִמָּדִי׃ וְאַתֵּנָה יְדַעְתֶּן כִּי בְּכָל־כֹּחִי עָבַדְתִּי אֶת־ ו
אֲבִיכֶן׃ וַאֲבִיכֶן הֵתֶל בִּי וְהֶחֱלִף אֶת־מַשְׂכֻּרְתִּי עֲשֶׂרֶת ז
מֹנִים וְלֹא־נְתָנוֹ אֱלֹהִים לְהָרַע עִמָּדִי׃ אִם־כֹּה יֹאמַר ח
נְקֻדִּים יִהְיֶה שְׂכָרֶךָ וְיָלְדוּ כָל־הַצֹּאן נְקֻדִּים וְאִם־כֹּה
יֹאמַר עֲקֻדִּים יִהְיֶה שְׂכָרֶךָ וְיָלְדוּ כָל־הַצֹּאן עֲקֻדִּים׃
וַיַּצֵּל אֱלֹהִים אֶת־מִקְנֵה אֲבִיכֶם וַיִּתֶּן־לִי׃ וַיְהִי בְּעֵת ט
יַחֵם הַצֹּאן וָאֶשָּׂא עֵינַי וָאֵרֶא בַּחֲלוֹם וְהִנֵּה הָעַתֻּדִים
הָעֹלִים עַל־הַצֹּאן עֲקֻדִּים נְקֻדִּים וּבְרֻדִּים׃ וַיֹּאמֶר יא
אֵלַי מַלְאַךְ הָאֱלֹהִים בַּחֲלוֹם יַעֲקֹב וָאֹמַר הִנֵּנִי׃
וַיֹּאמֶר שָׂא־נָא עֵינֶיךָ וּרְאֵה כָּל־הָעַתֻּדִים הָעֹלִים יב
עַל־הַצֹּאן עֲקֻדִּים נְקֻדִּים וּבְרֻדִּים כִּי רָאִיתִי אֵת כָּל־

רש"י

ג) שׁוּב אֶל אֶרֶץ אֲבוֹתֶיךָ. וְשָׁם "אֶהְיֶה עִמָּךְ", אֲבָל בְּעוֹדְךָ מְחֻבָּר לַטָּמֵא אִי אֶפְשָׁר לְהַשְׁרוֹת שְׁכִינָתִי עָלֶיךָ:

ד) וַיִּקְרָא לְרָחֵל וּלְלֵאָה. לְרָחֵל תְּחִלָּה וְאַחַר כָּךְ לְלֵאָה, שֶׁהִיא הָיְתָה עִקַּר הַבַּיִת, שֶׁבִּשְׁבִילָהּ נִזְדַּוֵּג יַעֲקֹב עִם לָבָן. וְאַף בָּנֶיהָ שֶׁל לֵאָה מוֹדִים בַּדָּבָר, שֶׁהֲרֵי בֹּעַז וּבֵית דִּינוֹ מִשֵּׁבֶט יְהוּדָה אוֹמְרִים: "כְּרָחֵל וּכְלֵאָה אֲשֶׁר בָּנוּ שְׁתֵּיהֶם" וְגוֹ' (רות ד, יא), הִקְדִּימוּ רָחֵל לְלֵאָה:

ז) עֲשֶׂרֶת מֹנִים. אֵין 'מוֹנִים' פָּחוֹת מֵעֲשָׂרָה: מוֹנִים. לְשׁוֹן סְכוּם כְּלַל הַחֶשְׁבּוֹן, וְהֵן עֲשִׂירִיּוֹת, לָמַדְנוּ שֶׁהֶחֱלִיף תְּנָאוֹ מֵאָה פְּעָמִים:

י) וְהִנֵּה הָעַתֻּדִים. אַף עַל פִּי שֶׁהִבְדִּילָם לָבָן כֻּלָּם שֶׁלֹּא יִתְעַבְּרוּ הַצֹּאן דֻּגְמָתָן, הָיוּ הַמַּלְאָכִים מְבִיאִין אוֹתָן מֵעֵדֶר הַמָּסוּר בְּיַד בְּנֵי לָבָן לָעֵדֶר שֶׁבְּיַד יַעֲקֹב. וּבְרֻדִּים. כְּתַרְגּוּמוֹ: "וּפַצִּיחִין", פִּיסִי"ד בְּלַעַז, חוּט שֶׁל לָבָן מַקִּיף אֶת גּוּפוֹ סָבִיב, חֲבַרְבּוּרוֹת שֶׁלּוֹ פְּתוּחָה וּמְפֻלֶּשֶׁת מִזּוֹ אֶל זוֹ, וְאֵין לִי לְהָבִיא לוֹ עֵד מִן הַמִּקְרָא:

התעורר בו חשד כלפי יעקב, והדבר התבטא בפניו ואולי בהתנהגותו. | ביאור

ג באותו זמן – **וַיֹּאמֶר ה' אֶל יַעֲקֹב: שׁוּב אֶל אֶרֶץ אֲבוֹתֶיךָ וּלְמוֹלַדְתֶּךָ,**
וְאֶהְיֶה עִמָּךְ. ה' הורה לו לשוב, אף על פי שלא הגדיר מתי עליו
לעשות זאת.

ד **וַיִּשְׁלַח יַעֲקֹב וַיִּקְרָא לְרָחֵל וּלְלֵאָה הַשָּׂדֶה אֶל צֹאנוֹ** לשם שיחה
והתייעצות פרטית, שכן ידע שזו תהיה שיחה טעונה.[27] ה **וַיֹּאמֶר**
לָהֶן: רֹאֶה אָנֹכִי אֶת פְּנֵי אֲבִיכֶן, כִּי אֵינֶנּוּ אֵלַי כִּתְמֹל שִׁלְשֹׁם. התנהגותו
של אביכן כלפי השתנתה. **וֵאלֹהֵי אָבִי הָיָה עִמָּדִי.** ו **וְאַתֵּנָה,** אתן
יְדַעְתֶּן כִּי בְּכָל כֹּחִי עָבַדְתִּי אֶת אֲבִיכֶן, ז **וַאֲבִיכֶן הֵתֶל בִּי,** לא עמד
בהסכמים בינינו, **וְהֶחֱלִף אֶת מַשְׂכֻּרְתִּי,** שינה את תנאי השכר שלי
עֲשֶׂרֶת מֹנִים. פעמים רבות, ובכל זאת **לֹא נְתָנוֹ אֱלֹהִים לְהָרַע עִמָּדִי,**
לי. ח **אִם כֹּה יֹאמַר** לבן: **"נְקֻדִּים יִהְיֶה שְׂכָרֶךָ",** לך יהיה הצאן שיש
עליו נקודות – **וְיָלְדוּ כָל הַצֹּאן נְקֻדִּים.** וכך הרווחתי. **וְאִם כֹּה יֹאמַר:**
"עֲקֻדִּים יִהְיֶה שְׂכָרֶךָ" – וְיָלְדוּ כָל הַצֹּאן עֲקֻדִּים. מדברי יעקב מתברר
שלבן ניסה לשנות את החוזה פעם אחר פעם, ובסופו של דבר ניכר
כי על יעקב שורה ברכת שמים. ט **וַיַּצֵּל אֱלֹהִים אֶת מִקְנֵה אֲבִיכֶם**
וַיִּתֶּן לִי. ה' הוא שהעביר אלי צאן ממקנה אביכן. י **וַיְהִי בְּעֵת יַחֵם**
הַצֹּאן, וָאֶשָּׂא עֵינַי וָאֵרֶא בַּחֲלוֹם, וְהִנֵּה הָעַתֻּדִים, הזכרים, **הָעֹלִים עַל**
הַצֹּאן, המפרים את הצאן, הם **עֲקֻדִּים נְקֻדִּים וּבְרֻדִּים,** במגוון צבעים
מעורבים, אף על פי שלא תמיד כך היה במציאות. יא **וַיֹּאמֶר אֵלַי**
מַלְאַךְ הָאֱלֹהִים בַּחֲלוֹם: "יַעֲקֹב!" וָאֹמַר: "הִנֵּנִי". יב **וַיֹּאמֶר: "שָׂא נָא**
עֵינֶיךָ וּרְאֵה, כָּל הָעַתֻּדִים הָעֹלִים עַל הַצֹּאן עֲקֻדִּים נְקֻדִּים וּבְרֻדִּים, כִּי

אֲשֶׁר לָבָן עֹשֶׂה לָּךְ׃ אָנֹכִי הָאֵל בֵּית־אֵל אֲשֶׁר יג
מָשַׁחְתָּ שָּׁם מַצֵּבָה אֲשֶׁר נָדַרְתָּ לִּי שָׁם נֶדֶר עַתָּה
קוּם צֵא מִן־הָאָרֶץ הַזֹּאת וְשׁוּב אֶל־אֶרֶץ מוֹלַדְתֶּךָ׃
וַתַּעַן רָחֵל וְלֵאָה וַתֹּאמַרְנָה לוֹ הַעוֹד לָנוּ חֵלֶק יד
וְנַחֲלָה בְּבֵית אָבִינוּ׃ הֲלוֹא נָכְרִיּוֹת נֶחְשַׁבְנוּ לוֹ כִּי טו
מְכָרָנוּ וַיֹּאכַל גַּם־אָכוֹל אֶת־כַּסְפֵּנוּ׃ כִּי כָל־הָעֹשֶׁר טז
אֲשֶׁר הִצִּיל אֱלֹהִים מֵאָבִינוּ לָנוּ הוּא וּלְבָנֵינוּ וְעַתָּה
כֹּל אֲשֶׁר אָמַר אֱלֹהִים אֵלֶיךָ עֲשֵׂה׃ וַיָּקָם יַעֲקֹב וַיִּשָּׂא יז ששי
אֶת־בָּנָיו וְאֶת־נָשָׁיו עַל־הַגְּמַלִּים׃ וַיִּנְהַג אֶת־כָּל־ יח
מִקְנֵהוּ וְאֶת־כָּל־רְכֻשׁוֹ אֲשֶׁר רָכָשׁ מִקְנֵה קִנְיָנוֹ אֲשֶׁר
רָכַשׁ בְּפַדַּן אֲרָם לָבוֹא אֶל־יִצְחָק אָבִיו אַרְצָה כְּנָעַן׃
וְלָבָן הָלַךְ לִגְזֹז אֶת־צֹאנוֹ וַתִּגְנֹב רָחֵל אֶת־הַתְּרָפִים יט

רש"י

יג) **הָאֵל בֵּית אֵל.** כְּמוֹ 'הָאֵל בֵּית אֵל', הַהֵ"א יְתֵרָה, וְדֶרֶךְ מִקְרָאוֹת לְדַבֵּר כֵּן, כְּמוֹ: "כִּי אַתֶּם בָּאִים אֶל הָאָרֶץ כְּנָעַן" (במדבר לד, ב): **מָשַׁחְתָּ שָּׁם.** לְשׁוֹן רִבּוּי וּגְדֻלָּה כְּנִמְשָׁח לַמַּלְכוּת, כָּךְ "וַיִּצֹק שֶׁמֶן עַל רֹאשָׁהּ" (לעיל כח, יח) לִהְיוֹת מְשׁוּחָה לַמִּזְבֵּחַ: **אֲשֶׁר נָדַרְתָּ לִּי.** וְצָרִיךְ אַתָּה לְשַׁלְּמוֹ (שם), שֶׁאָמַרְתָּ: "יִהְיֶה בֵּית אֱלֹהִים" (לעיל כח, כב), שֶׁתַּקְרִיב שָׁם קָרְבָּנוֹת:

יד) **הַעוֹד לָנוּ.** לָמָּה נְעַכֵּב עַל יָדְךָ מִלָּשׁוּב, כְּלוּם אָנוּ מְיַחֲלוֹת לִירַשׁ מִנִּכְסֵי אָבִינוּ כְּלוּם בֵּין הַזְּכָרִים?:

טו) **הֲלוֹא נָכְרִיּוֹת נֶחְשַׁבְנוּ לוֹ.** אֲפִלּוּ בְּשָׁעָה שֶׁדֶּרֶךְ בְּנֵי אָדָם לָתֵת נְדוּנְיָא לִבְנוֹתָיו, בִּשְׁעַת נִשּׂוּאִין, נָהַג עִמָּנוּ כְּנָכְרִיּוֹת, "כִּי מְכָרָנוּ" לְךָ בִּשְׂכַר הַפְּעֻלָּה: **אֶת כַּסְפֵּנוּ.** שֶׁעִכֵּב דְּמֵי שְׂכַר פְּעֻלָּתְךָ:

טז) **כִּי כָל הָעֹשֶׁר.** 'כִּי' זֶה מְשַׁמֵּשׁ בִּלְשׁוֹן 'אֶלָּא', כְּלוֹמַר, מִשֶּׁל אָבִינוּ אֵין לָנוּ כְּלוּם, אֶלָּא מַה שֶּׁהִצִּיל הַקָּדוֹשׁ בָּרוּךְ הוּא מֵאָבִינוּ שֶׁלָּנוּ הוּא: **הִצִּיל.** לְשׁוֹן הִפְרִישׁ, וְכֵן כָּל לְשׁוֹן הַצָּלָה שֶׁבַּמִּקְרָא לְשׁוֹן הַפְרָשָׁה, שֶׁמַּפְרִישׁוֹ מִן הָרָעָה וּמִן הָאוֹיֵב:

יז) **אֶת בָּנָיו וְאֶת נָשָׁיו.** הִקְדִּים זְכָרִים לִנְקֵבוֹת, וְעֵשָׂו הִקְדִּים נְקֵבוֹת לִזְכָרִים, שֶׁנֶּאֱמַר: "וַיִּקַּח עֵשָׂו אֶת נָשָׁיו וְאֶת בָּנָיו" וְגוֹ' (להלן לו, ו):

יח) **מִקְנֵה קִנְיָנוֹ.** מַה שֶּׁקָּנָה מִצֹּאנוֹ, עֲבָדִים וּשְׁפָחוֹת וּגְמַלִּים וַחֲמוֹרִים:

יט) **לִגְזֹז אֶת צֹאנוֹ.** שֶׁנָּתַן בְּיַד בָּנָיו דֶּרֶךְ שְׁלֹשֶׁת יָמִים בֵּינוֹ וּבֵין יַעֲקֹב: **וַתִּגְנֹב רָחֵל אֶת הַתְּרָפִים.** לְהַפְרִישׁ אֶת אָבִיהָ מֵעֲבוֹדָה זָרָה נִתְכַּוְּנָה:

ביאור | רָאִיתִי אֵת כָּל אֲשֶׁר לָבָן עֹשֶׂה לָּךְ, ולכן אני בא לסייע לך. גם אם אינך רואה זאת עדיין במציאות, מה שאתה רואה בחלומך יתגשם, והצאן שייוולד יישא כתמים ונקודות שונות על גופו. יג אָנֹכִי הָאֵל שפגשת בבֵית אֵל, אֲשֶׁר מָשַׁחְתָּ שָּׁם מַצֵּבָה, שיצקת עליה שמן להקדישה, אֲשֶׁר נָדַרְתָּ לִּי שָׁם נֶדֶר.[28] עַתָּה קוּם צֵא מִן הָאָרֶץ הַזֹּאת, הגיע הזמן שתשלם נדרך וְשׁוּב אֶל אֶרֶץ מוֹלַדְתֶּךָ".

רחל ולאה מבטאות שיתוף פעולה עם יעקב. יד וַתַּעַן רָחֵל וְלֵאָה וַתֹּאמַרְנָה לוֹ: הַעוֹד לָנוּ חֵלֶק וְנַחֲלָה בְּבֵית אָבִינוּ?! איננו חשות קשורות למשפחת אבינו. טו הֲלוֹא נָכְרִיּוֹת נֶחְשַׁבְנוּ לוֹ כִּי מְכָרָנוּ תמורת עבודתך. הרי לא היה זה הסכם נישואין רגיל, הכרוך בהענקת מתנות גדולות בין בני הזוג, אלא עסקה מסחרית. וַיֹּאכַל גַּם אָכוֹל אֶת כַּסְפֵּנוּ. אפילו חלק מכסף זה לא ניתן לנו; כולו עמד לשימושו של אבינו בלי כל היסוס. טז כִּי כָל הָעֹשֶׁר אֲשֶׁר הִצִּיל אֱלֹהִים מֵאָבִינוּ – לָנוּ הוּא וּלְבָנֵינוּ. כל העושר והרכוש שבידך הם שלנו ושל בנינו. וְעַתָּה, כֹּל אֲשֶׁר אָמַר אֱלֹהִים אֵלֶיךָ – עֲשֵׂה. אנחנו מוכנות לעזוב את ביתנו ולנסוע אתך.

יז וַיָּקָם יַעֲקֹב וַיִּשָּׂא אֶת בָּנָיו וְאֶת נָשָׁיו עַל הַגְּמַלִּים. יח וַיִּנְהַג אֶת כָּל מִקְנֵהוּ וְאֶת כָּל רְכֻשׁוֹ אֲשֶׁר רָכָשׁ, מִקְנֵה קִנְיָנוֹ אֲשֶׁר רָכַשׁ בְּפַדַּן אֲרָם, לָבוֹא אֶל יִצְחָק אָבִיו אַרְצָה כְּנָעַן. נראה כי האריזות וההתארגנות למסע יכלו להתרחש בזכות היעדרותם של לבן ובניו - יט וְלָבָן הָלַךְ לִגְזֹז אֶת צֹאנוֹ. וצאנו, כאמור, הורחק כדי להפרידו מצאן יעקב. גז הצאן ארך כמה ימים, ויעקב ניצל את ההזדמנות.

וַתִּגְנֹב רָחֵל אֶת הַתְּרָפִים, אלילי הבית, ייתכן שהיו אלו צלמיות בדמות אדם שנועדו לכישוף,[29] אֲשֶׁר לְאָבִיהָ.

הרחבות | 'ותגנב רחל את התרפים' בדומה לסגולות למזל ולהצלחה המצויות עד היום בבתי רבים, בבתים רבים השתמשו באלילי בית, ששימשו בתחום הדמדומים שבין עבודה זרה לבין אמונות תפלות לצורך שמירה מכל מיני פורענויות. (ראו עוד הרחבה לשמואל א' יט,יג).

ייתכן שבמעשה גנבת התרפים ביקשה רחל לקחת מאביה את מזלו. אולי חששה שהתרפים יודיעו ללבן דברים נעלמים, ולכן דאגה לכך שלא יוכל להשתמש בהם. עם זאת, כיוון שהיא לא השליכה את התרפים במקום כלשהו, אלא לקחה אותם עמה, סביר שמעשה זה לא נועד להוציאם מהישג ידו של לבן בלבד, וייתכן שרחל הייתה מעוניינת בהם לעצמה (על פי ראב"ע פס' יט וב'שיטה השלישית' לראב"ע, לה,ב).

אֲשֶׁר לְאָבִיהָ׃ וַיִּגְנֹב יַעֲקֹב אֶת־לֵב לָבָן הָאֲרַמִּי עַל־ כ
בְּלִי הִגִּיד לוֹ כִּי בֹרֵחַ הוּא׃ וַיִּבְרַח הוּא וְכָל־אֲשֶׁר־לוֹ כא
וַיָּקָם וַיַּעֲבֹר אֶת־הַנָּהָר וַיָּשֶׂם אֶת־פָּנָיו הַר הַגִּלְעָד׃
וַיֻּגַּד לְלָבָן בַּיּוֹם הַשְּׁלִישִׁי כִּי בָרַח יַעֲקֹב׃ וַיִּקַּח אֶת־ כב כג
אֶחָיו עִמּוֹ וַיִּרְדֹּף אַחֲרָיו דֶּרֶךְ שִׁבְעַת יָמִים וַיַּדְבֵּק אֹתוֹ
בְּהַר הַגִּלְעָד׃ וַיָּבֹא אֱלֹהִים אֶל־לָבָן הָאֲרַמִּי בַּחֲלֹם כד
הַלָּיְלָה וַיֹּאמֶר לוֹ הִשָּׁמֶר לְךָ פֶּן־תְּדַבֵּר עִם־יַעֲקֹב
מִטּוֹב עַד־רָע׃ וַיַּשֵּׂג לָבָן אֶת־יַעֲקֹב וְיַעֲקֹב תָּקַע אֶת־ כה
אָהֳלוֹ בָּהָר וְלָבָן תָּקַע אֶת־אֶחָיו בְּהַר הַגִּלְעָד׃ וַיֹּאמֶר כו
לָבָן לְיַעֲקֹב מֶה עָשִׂיתָ וַתִּגְנֹב אֶת־לְבָבִי וַתְּנַהֵג אֶת־
בְּנֹתַי כִּשְׁבֻיוֹת חָרֶב׃ לָמָּה נַחְבֵּאתָ לִבְרֹחַ וַתִּגְנֹב כז
אֹתִי וְלֹא־הִגַּדְתָּ לִּי וָאֲשַׁלֵּחֲךָ בְּשִׂמְחָה וּבְשִׁרִים
בְּתֹף וּבְכִנּוֹר׃ וְלֹא נְטַשְׁתַּנִי לְנַשֵּׁק לְבָנַי וְלִבְנֹתָי עַתָּה כח
הִסְכַּלְתָּ עֲשׂוֹ׃ יֶשׁ־לְאֵל יָדִי לַעֲשׂוֹת עִמָּכֶם רָע כט

רש"י

כב) בַּיּוֹם הַשְּׁלִישִׁי. שֶׁהֲרֵי דֶּרֶךְ שְׁלֹשֶׁת יָמִים הָיָה בֵּינֵיהֶם:

כג) אֶת אֶחָיו. קְרוֹבָיו: דֶּרֶךְ שִׁבְעַת יָמִים. כָּל אוֹתָן שְׁלֹשָׁה יָמִים שֶׁהָלַךְ הַמַּגִּיד לְהַגִּיד לְלָבָן הָלַךְ יַעֲקֹב לְדַרְכּוֹ, נִמְצָא יַעֲקֹב רָחוֹק מִלָּבָן שִׁשָּׁה יָמִים, וּבַשְּׁבִיעִי הִשִּׂיגוֹ לָבָן. לָמַדְנוּ שֶׁכָּל מַה שֶּׁהָלַךְ יַעֲקֹב בְּשִׁבְעָה יָמִים הָלַךְ לָבָן בְּיוֹם אֶחָד:

כד) מִטּוֹב עַד רָע. כָּל טוֹבָתָן שֶׁל רְשָׁעִים רָעָה הִיא אֵצֶל הַצַּדִּיקִים:

כו) כִּשְׁבֻיוֹת חָרֶב. כָּל חַיִל הַבָּא לַמִּלְחָמָה קָרוּי חֶרֶב:

כז) וַתִּגְנֹב אֹתִי. גָּנַבְתָּ אֶת דַּעְתִּי:

כט) יֶשׁ לְאֵל יָדִי. יֵשׁ לְחַיִל וּלְכֹחַ יָדִי "לַעֲשׂוֹת עִמָּכֶם רָע". וְכָל 'אֵל' שֶׁהוּא קֹדֶשׁ, עַל שֵׁם עִזּוּז וְרֹב אוֹנִים הוּא:

ביאור

כ **וַיִּגְנֹב יַעֲקֹב אֶת לֵב לָבָן הָאֲרַמִּי, עַל בְּלִי הִגִּיד לוֹ כִּי בֹרֵחַ הוּא.** יעקב
לא גילה במלים ולא רמז במעשים שהוא עומד לנסוע. כא **וַיִּבְרַח**
הוּא וְכָל אֲשֶׁר לוֹ, עם צאצאיו וכל רכושו, **וַיָּקָם וַיַּעֲבֹר אֶת הַנָּהָר**, נהר
פרת. לאחר מכן פנה לדרום-מערב. **וַיָּשֶׂם אֶת פָּנָיו** אל **הַר הַגִּלְעָד**.
יעקב ביקש לשוב בדרך הנוחה ביותר – דרך עבר הירדן המזרחי.

כב **וַיֻּגַּד לְלָבָן בַּיּוֹם הַשְּׁלִישִׁי** לאחר יציאתו של יעקב, **כִּי בָרַח**
יַעֲקֹב. כג **וַיִּקַּח אֶת אֶחָיו**, את בני המשפחה הקרובים **עִמּוֹ, וַיִּרְדֹּף**
אַחֲרָיו דֶּרֶךְ שִׁבְעַת יָמִים. גם לבן נזקק לזמן התארגנות. כיוון שהניח
שיעקב פנה לשוב לכנען, הוא ואנשיו רדפו אחריו בכיוון זה. הם
היו צריכים להספיק ללכת לא רק את מהלך שלושת הימים שהיה
ביניהם מלכתחילה,[30] אלא גם את המרחק שהספיק יעקב לעשות
בינתיים. על כן ארך המרדף שבעה ימים. **וַיַּדְבֵּק אֹתוֹ**, לבן השיג
אותו **בְּהַר הַגִּלְעָד.** לבן הצליח לעבור מרחק גדול זה, משום שהוא
ואנשיו לא היו עמוסים במשפחה ובהתחייבויות, וייתכן שאף רכבו
על בעלי חיים.

כד **וַיָּבֹא אֱלֹהִים אֶל לָבָן הָאֲרַמִּי בַּחֲלֹם הַלָּיְלָה, וַיֹּאמֶר לוֹ: הִשָּׁמֶר לְךָ**
פֶּן תְּדַבֵּר, זוהי לשון קשה וחמורה יותר מאמירה,[31] **עִם יַעֲקֹב.** לבן
לא הצטווה שלא לשוחח אתו כלל, אלא להימנע מדיבורים נוקבים
עם יעקב. **מִטּוֹב**, מפיתוי ושידול **עַד רָע**, איומים.

כה **וַיַּשֵּׂג לָבָן אֶת יַעֲקֹב, וְיַעֲקֹב תָּקַע אֶת אָהֳלוֹ בָּהָר**, בגלעד, **וְגַם לָבָן**
תָּקַע אֶת אוהלי **אֶחָיו בְּהַר הַגִּלְעָד.** שני המחנות היו קרובים זה
לזה, ואז הגיע לבן אל מחנה יעקב – כו **וַיֹּאמֶר לָבָן לְיַעֲקֹב: מֶה**
עָשִׂיתָ וַתִּגְנֹב אֶת לְבָבִי, וַתְּנַהֵג אֶת בְּנֹתַי כִּשְׁבֻיוֹת חָרֶב?! לבן יכול
היה לשער שהן אינן שבויות, אבל בכעסו שש להאשים את יעקב.
כזכור, לבן ראה ביעקב את מי שהביא לשגשוגו הכלכלי, ובריחתו
הפתאומית של יעקב ערערה אותו. כז **לָמָּה נַחְבֵּאתָ לִבְרֹחַ**, ברחת
בהיחבא, **וַתִּגְנֹב אֹתִי** את לבי, **וְלֹא הִגַּדְתָּ לִּי**, הרי אילו הודעת לי –
וָאֲשַׁלֵּחֲךָ בְּשִׂמְחָה וּבְשִׁרִים בְּתֹף וּבְכִנּוֹר, הייתי נפרד ממך בחגיגיות
ובכבוד. כח **וְלֹא נְטַשְׁתַּנִי**, לא הנחת לי **לְנַשֵּׁק לְבָנַי**, לנכדי **וְלִבְנֹתָי.**
כנראה בעקבות החלום ניסה לבן תחילה להימנע מאיום על יעקב,
והסתפק בנזיפה – **עַתָּה הִסְכַּלְתָּ עֲשׂוֹ**, עשית מעשה טפשי; הרי אילו

וֵֽאלֹהֵ֨י אֲבִיכֶ֜ם אֶ֣מֶשׁ ׀ אָמַ֧ר אֵלַ֣י לֵאמֹ֗ר הִשָּׁ֧מֶר לְךָ֛
ל מִדַּבֵּ֥ר עִֽם־יַעֲקֹ֖ב מִטּ֥וֹב עַד־רָֽע׃ וְעַתָּה֙ הָלֹ֣ךְ הָלַ֔כְתָּ
כִּֽי־נִכְסֹ֥ף נִכְסַ֖פְתָּה לְבֵ֣ית אָבִ֑יךָ לָ֥מָּה גָנַ֖בְתָּ אֶת־
לא אֱלֹהָֽי׃ וַיַּ֥עַן יַעֲקֹ֖ב וַיֹּ֣אמֶר לְלָבָ֑ן כִּ֣י יָרֵ֔אתִי כִּ֣י אָמַ֔רְתִּי
לב פֶּן־תִּגְזֹ֥ל אֶת־בְּנוֹתֶ֖יךָ מֵעִמִּֽי׃ עִ֠ם אֲשֶׁ֨ר תִּמְצָ֜א אֶת־
אֱלֹהֶ֘יךָ֮ לֹ֣א יִֽחְיֶה֒ נֶ֣גֶד אַחֵ֧ינוּ הַכֶּר־לְךָ֛ מָ֥ה עִמָּדִ֖י וְקַח־
לג לָ֑ךְ וְלֹֽא־יָדַ֣ע יַעֲקֹ֔ב כִּ֥י רָחֵ֖ל גְּנָבָֽתַם׃ וַיָּבֹ֨א לָבָ֜ן
בְּאֹ֥הֶל־יַעֲקֹ֣ב ׀ וּבְאֹ֣הֶל לֵאָ֗ה וּבְאֹ֛הֶל שְׁתֵּ֥י הָאֲמָהֹ֖ת
לד וְלֹ֣א מָצָ֑א וַיֵּצֵא֙ מֵאֹ֣הֶל לֵאָ֔ה וַיָּבֹ֖א בְּאֹ֥הֶל רָחֵֽל׃ וְרָחֵ֞ל
לָקְחָ֣ה אֶת־הַתְּרָפִ֗ים וַתְּשִׂמֵ֛ם בְּכַ֥ר הַגָּמָ֖ל וַתֵּ֣שֶׁב
עֲלֵיהֶ֑ם וַיְמַשֵּׁ֥שׁ לָבָ֛ן אֶת־כָּל־הָאֹ֖הֶל וְלֹ֥א מָצָֽא׃

רש"י

ל] **נִכְסַפְתָּה.** חָמַדְתָּ, וְהַרְבֵּה יֵשׁ בַּמִּקְרָא: "נִכְסְפָה וְגַם כָּלְתָה נַפְשִׁי" (תהלים פד, ג), "לְמַעֲשֵׂה יָדֶיךָ תִכְסֹף" (איוב יד, טו):

לא] **כִּי יָרֵאתִי וְגוֹ'.** הֱשִׁיבוֹ עַל רִאשׁוֹן רִאשׁוֹן, שֶׁאָמַר לוֹ: "וַתִּנְהַג אֶת בְּנֹתַי" וְגוֹ' (לעיל פסוק כו):

לב] **לֹא יִחְיֶה.** וּמֵאוֹתָהּ קְלָלָה מֵתָה רָחֵל בַּדֶּרֶךְ: **מָה עִמָּדִי.** מִשֶּׁלְּךָ:

לג] **בְּאֹהֶל יַעֲקֹב.** הוּא אֹהֶל רָחֵל שֶׁהָיָה יַעֲקֹב תָּדִיר אֶצְלָהּ, וְכֵן הוּא אוֹמֵר: "בְּנֵי רָחֵל אֵשֶׁת יַעֲקֹב" (להלן מו, יט), וּבְכֻלָּן לֹא נֶאֱמַר 'אֵשֶׁת יַעֲקֹב': **וַיָּבֹא בְּאֹהֶל רָחֵל.** כְּשֶׁיָּצָא מֵאֹהֶל לֵאָה חָזַר לוֹ לְאֹהֶל רָחֵל קֹדֶם שֶׁחִפֵּשׂ בְּאֹהֶל הָאֲמָהוֹת. וְכָל כָּךְ לָמָּה? לְפִי שֶׁהָיָה מַכִּיר בָּהּ שֶׁהָיְתָה מְמַשְׁמֶשֶׁת:

לד] **בְּכַר הַגָּמָל.** לְשׁוֹן כָּרִים וּכְסָתוֹת, כְּתַרְגּוּמוֹ: "בַּעֲבִיטָא דְגַמְלָא", וְהִיא מַרְדַּעַת הָעֲשׂוּיָה כְּמִין כַּר. וּבְעֵרוּבִין

וַתְּשִׂמֵם בְּכַר הַגָּמָל

ביאור

לא ברחת ולא נהגת בכל התחבולות המיותרות הללו, אילו הודעת
לי על כוונותיך – הייתי עושה את רצונך. כט בסופו של דבר לא יכול
היה לבן להתאפק ואיים: **יֶשׁ לְאֵל יָדִי**, יש בכוחי ובכוח אנשַי **לַעֲשׂוֹת
עִמָּכֶם רָע**, ואני נמנע מכך. שוב לא הצליח להתאפק וגילה – **וֵאלֹהֵי
אֲבִיכֶם אֶמֶשׁ אָמַר אֵלַי לֵאמֹר: "הִשָּׁמֶר לְךָ מִדַּבֵּר עִם יַעֲקֹב מִטּוֹב
עַד רָע"**. ל **וְעַתָּה** גם אם **הָלֹךְ הָלַכְתָּ, כִּי נִכְסֹף נִכְסַפְתָּה**, משום
שהתגעגעת **לְבֵית אָבִיךָ**, לאחר עשרים שנות שהייה מחוץ לבית,
ולאחר שנפסק הקשר בינך לבין משפחתך – **לָמָּה גָנַבְתָּ אֶת אֱלֹהָי**?

לא **וַיַּעַן יַעֲקֹב וַיֹּאמֶר לְלָבָן**: על שאלתך לסיבת בריחתי – **כִּי יָרֵאתִי**
ממך, **כִּי אָמַרְתִּי: פֶּן תִּגְזֹל אֶת בְּנוֹתֶיךָ מֵעִמִּי**. חששתי שתשלח אותי
לבדי, כשם שהגעתי לבדי. לב ועל גנבת התרפים – **עִם אֲשֶׁר תִּמְצָא
אֶת אֱלֹהֶיךָ לֹא יִחְיֶה**, הוא יומת. **נֶגֶד** לעיני **אַחֵינוּ**, בני משפחת יעקב
ובני משפחת לבן, שאף הם נחשבים כבני משפחת יעקב, בייחוד
לאחר שנות שהותו הממושכות של יעקב בחרן. **הַכֶּר לְךָ מָה עִמָּדִי**.
אתה רשאי לחפש אצלי, ואם תמצא דבר שלקחתי ללא רשות, **קַח לָךְ**.

וְלֹא יָדַע יַעֲקֹב כִּי רָחֵל גְּנָבָתַם. אילו ידע זאת, לא היה אומר שאותו
אדם לא יחיה, אלא מסתפק בהבטחה להשיב את התרפים, ואולי
היה מבטיח גם לפצות על גנבתם. יעקב הניח שלבן בא אליו
בעלילת שווא, מפני שהוא מחפש תואנה לקרב, ולכן ביקש לנקות
עצמו לגמרי מכל חשד.

לג מכיוון שלבן קיבל רשות לבדוק אם חפציו נמצאים ברשות
יעקב – **וַיָּבֹא לָבָן בְּאֹהֶל יַעֲקֹב וּבְאֹהֶל לֵאָה וּבְאֹהֶל שְׁתֵּי הָאֲמָהֹת**,
השפחות, **וְלֹא מָצָא. וַיֵּצֵא מֵאֹהֶל לֵאָה וַיָּבֹא בְּאֹהֶל רָחֵל**. נראה כי
לנשות יעקב היו אוהלים משלהן.[32]

לד **וְרָחֵל לָקְחָה אֶת הַתְּרָפִים, וַתְּשִׂמֵם בְּכַר הַגָּמָל**, במסע ארוך לא
היו מניחים על הגמל אוכף קטן בלבד, אלא כר גדול, מעין מרבד.
תחתיו הניחה רחל את התרפים. **וַתֵּשֶׁב עֲלֵיהֶם. וַיְמַשֵּׁשׁ לָבָן אֶת כָּל
הָאֹהֶל וְלֹא מָצָא**.

בין אם רחל עדיין רצתה להשאיר אצלה את התרפים הללו, ובין
אם התחרטה כעת על גנבתם, היא סירבה להודות בכך. לה **וַתֹּאמֶר**

לה וַתֹּאמֶר אֶל־אָבִיהָ אַל־יִחַר בְּעֵינֵי אֲדֹנִי כִּי לוֹא
אוּכַל לָקוּם מִפָּנֶיךָ כִּי־דֶרֶךְ נָשִׁים לִי וַיְחַפֵּשׂ וְלֹא
לו מָצָא אֶת־הַתְּרָפִים׃ וַיִּחַר לְיַעֲקֹב וַיָּרֶב בְּלָבָן וַיַּעַן
יַעֲקֹב וַיֹּאמֶר לְלָבָן מַה־פִּשְׁעִי מַה חַטָּאתִי כִּי
לז דָלַקְתָּ אַחֲרָי׃ כִּי־מִשַּׁשְׁתָּ אֶת־כָּל־כֵּלַי מַה־מָּצָאתָ
מִכֹּל כְּלֵי־בֵיתֶךָ שִׂים כֹּה נֶגֶד אַחַי וְאַחֶיךָ וְיוֹכִיחוּ
לח בֵּין שְׁנֵינוּ׃ זֶה עֶשְׂרִים שָׁנָה אָנֹכִי עִמָּךְ רְחֵלֶיךָ
לט וְעִזֶּיךָ לֹא שִׁכֵּלוּ וְאֵילֵי צֹאנְךָ לֹא אָכָלְתִּי׃ טְרֵפָה
לֹא־הֵבֵאתִי אֵלֶיךָ אָנֹכִי אֲחַטֶּנָּה מִיָּדִי תְּבַקְשֶׁנָּה
מ גְּנֻבְתִי יוֹם וּגְנֻבְתִי לָיְלָה׃ הָיִיתִי בַיּוֹם אֲכָלַנִי חֹרֶב
מא וְקֶרַח בַּלָּיְלָה וַתִּדַּד שְׁנָתִי מֵעֵינָי׃ זֶה־לִּי עֶשְׂרִים
שָׁנָה בְּבֵיתֶךָ עֲבַדְתִּיךָ אַרְבַּע־עֶשְׂרֵה שָׁנָה בִּשְׁתֵּי
בְנֹתֶיךָ וְשֵׁשׁ שָׁנִים בְּצֹאנֶךָ וַתַּחֲלֵף אֶת־מַשְׂכֻּרְתִּי

רש"י

שְׁנֵינוּ: "הַקִּיפוּהָ בַּעֲבִיתִין" (דף טז ע"א), וְהֵן עֲבִיתֵי גְּמַלִּים, בסטי"ל בְּלַעַז:

לו) דָּלַקְתָּ. רָדַפְתָּ, כְּמוֹ: "עַל הֶהָרִים דְּלָקֻנוּ" (איכה ד, יט), וּכְמוֹ: "מִדְּלֹק אַחֲרֵי פְלִשְׁתִּים" (שמואל א' יז, נג):

לז) וְיוֹכִיחוּ. וִיבָרְרוּ עִם מִי הַדִּין, אפרובי"ר בְּלַעַז:

לח) לֹא שִׁכֵּלוּ. לֹא הִפִּילוּ עִבּוּרָם, כְּמוֹ: "רֶחֶם מַשְׁכִּיל" (הושע ט, יד), "תְּפַלֵּט פָּרָתוֹ וְלֹא תְשַׁכֵּל" (איוב כא, י): וְאֵילֵי צֹאנְךָ. מִכָּאן אָמְרוּ: אַיִל בֶּן יוֹמוֹ קָרוּי אַיִל, שֶׁאִם לֹא כֵן מַה שִּׁבְחוֹ? אֵילִים לֹא אָכַל אֲבָל כְּבָשִׂים אָכַל – אִם כֵּן גַּזְלָן הוּא!:

לט) טְרֵפָה. עַל יְדֵי אֲרִי וּזְאֵב: אָנֹכִי אֲחַטֶּנָּה. לְשׁוֹן: "אֶל הַשַּׂעֲרָה וְלֹא יַחֲטִא" (שופטים כ, טז), "אֲנִי וּבְנִי שְׁלֹמֹה חַטָּאִים" (מלכים א' א, כא) – חֲסֵרִים. אָנֹכִי אֲחַסְּרֶנָּה, אִם חָסְרָה חָסְרָה לִי, שֶׁ"מִּיָּדִי תְּבַקְשֶׁנָּה": גְּנֻבְתִי יוֹם וּגְנֻבְתִי לָיְלָה. גְּנוּבַת יוֹם אוֹ גְּנוּבַת לַיְלָה, הַכֹּל שִׁלַּמְתִּי: גְּנֻבְתִי. כְּמוֹ: "רַבָּתִי בַגּוֹיִם שָׂרָתִי בַּמְּדִינוֹת" (איכה א, א), "מְלֵאֲתִי מִשְׁפָּט" (ישעיה א, כא), "אֹהַבְתִּי לָדוּשׁ" (הושע י, יא):

מ) אֲכָלַנִי חֹרֶב. לְשׁוֹן "אֵשׁ אֹכְלָה" (דברים ד, כד): וְקֶרַח. כְּמוֹ: "מַשְׁלִיךְ קַרְחוֹ" (תהלים קמז, יז), תַּרְגּוּמוֹ: "גְּלִידָא": שְׁנָתִי. לְשׁוֹן שֵׁנָה:

מא) וַתַּחֲלֵף אֶת מַשְׂכֻּרְתִּי. הָיִיתָ מְשַׁנֶּה

ביאור | אֶל אָבִיהָ: אַל יִחַר בְּעֵינֵי אֲדֹנִי, תכעס, כִּי לוֹא אוּכַל לָקוּם מִפָּנֶיךָ,
לפניך, כִּי דֶרֶךְ נָשִׁים לִי. אני נידה, וקשה לי לקום.

ייתכן שנהגו אז להימנע משיחה עם אשה בזמן ווסתה, או לפחות קיצרו בשיחה עמה, ולא הרבו להימצא בחברתה.[33] על כן לבן לא המשיך לשוחח אתה, ולא ביקש ממנה לעמוד. וַיְחַפֵּשׂ גם בשאר חלקי האוהל, וְלֹא מָצָא אֶת הַתְּרָפִים.

לו כיוון שיעקב חשב שאין שחר לסיפור התרפים, הוא חש מבוזה
נוכח החיפוש שערך לבן באוהלו ובאוהלי נשיו – וַיִּחַר לְיַעֲקֹב, יעקב
כעס, וַיָּרֶב בְּלָבָן. וַיַּעַן יַעֲקֹב וַיֹּאמֶר לְלָבָן: מַה פִּשְׁעִי מַה חַטָּאתִי כִּי
דָלַקְתָּ, רדפת אַחֲרָי?! לז כִּי מִשַּׁשְׁתָּ אֶת כָּל כֵּלַי, מַה מָּצָאתָ מִכֹּל כְּלֵי
בֵיתֶךָ? אדרבא, אם מצאת חפץ כלשהו השייך לך – שִׂים כֹּה, פה נֶגֶד,
לעיני אַחַי וְאַחֶיךָ. הרי יש כאן אנשים המכירים את שנינו, ויודעים
בדיוק מהו רכושך – וְיוֹכִיחוּ בֵּין שְׁנֵינוּ. מן הסתם יעקב לא היה מעוניין
במשא ומתן, אבל מכיוון שכעס, החל לשטוח את טענותיו: לח זֶה
עֶשְׂרִים שָׁנָה אָנֹכִי עִמָּךְ, רְחֵלֶיךָ וְעִזֶּיךָ לֹא שִׁכֵּלוּ. כל השנים הללו
שרתה בעדרך ברכה. אפשר לפרש את דבריו גם כטענה: את כל
האחריות הטלת על כתפי בשנים הללו, וכלל לא הבאת בחשבון
שטליים וגדיים עלולים למות. כאשר מתה רחל או עז, תבעת את
התשלום עבורם ממני. וְאֵילֵי צֹאנְךָ לֹא אָכָלְתִּי. לט טְרֵפָה, בהמה
שנטרפה בידי חיות בר, ואפשר לזהות שנטרפה, משום שהטורף
משאיר ממנה חלק, לֹא הֵבֵאתִי אֵלֶיךָ בטענה שאין זו אשמתי. לרוב
נהגו שהעובד אינו אחראי לנזקי הטריפה, וכשמתרחשת תקלה כזאת,
העובד מביא את הטרפה לבעלים, והם רואים הפסד זה כנזק טבעי
של 'כוח עליון'. בכל זאת, אומר יעקב, גם כשנטרפה בהמה אָנֹכִי
אֲחַטֶּנָּה, הייתי צריך להשלים את חסרונה. מִיָּדִי תְּבַקְשֶׁנָּה, גְּנֻבְתִי יוֹם
וּגְנֻבְתִי לָיְלָה, בין שנגנב אצלי דבר ביום, ובין שנגנב בלילה. הטלת
עלי אחריות לכל הנזקים. מ הָיִיתִי בַיּוֹם, כשרעיתי את צאנך בשעות
היום, אֲכָלַנִי חֹרֶב, יובש, וְקֶרַח בַּלָּיְלָה. וַתִּדַּד שְׁנָתִי מֵעֵינָי, משום שהייתי
צריך לשמור על הרכוש ללא הרף. מא זֶה לִּי עֶשְׂרִים שָׁנָה בְּבֵיתֶךָ.
עֲבַדְתִּיךָ אַרְבַּע עֶשְׂרֵה שָׁנָה בִּשְׁתֵּי בְנֹתֶיךָ, וְשֵׁשׁ שָׁנִים בְּצֹאנֶךָ, משום
שהסכמנו שאקבל מקצת מן הצאן, ואתה – וַתַּחֲלֵף אֶת מַשְׂכֻּרְתִּי

עֲשֶׂרֶת מֹנִים: לוּלֵי אֱלֹהֵי אָבִי אֱלֹהֵי אַבְרָהָם וּפַחַד מב
יִצְחָק הָיָה לִי כִּי עַתָּה רֵיקָם שִׁלַּחְתָּנִי אֶת־עָנְיִי וְאֶת־
שביעי יְגִיעַ כַּפַּי רָאָה אֱלֹהִים וַיּוֹכַח אָמֶשׁ: וַיַּעַן לָבָן וַיֹּאמֶר מג
אֶל־יַעֲקֹב הַבָּנוֹת בְּנֹתַי וְהַבָּנִים בָּנַי וְהַצֹּאן צֹאנִי וְכֹל
אֲשֶׁר־אַתָּה רֹאֶה לִי־הוּא וְלִבְנֹתַי מָה־אֶעֱשֶׂה לָאֵלֶּה
הַיּוֹם אוֹ לִבְנֵיהֶן אֲשֶׁר יָלָדוּ: וְעַתָּה לְכָה נִכְרְתָה מד
בְרִית אֲנִי וָאָתָּה וְהָיָה לְעֵד בֵּינִי וּבֵינֶךָ: וַיִּקַּח יַעֲקֹב מה
אָבֶן וַיְרִימֶהָ מַצֵּבָה: וַיֹּאמֶר יַעֲקֹב לְאֶחָיו לִקְטוּ מו
אֲבָנִים וַיִּקְחוּ אֲבָנִים וַיַּעֲשׂוּ־גָל וַיֹּאכְלוּ שָׁם עַל־הַגָּל:
וַיִּקְרָא־לוֹ לָבָן יְגַר שָׂהֲדוּתָא וְיַעֲקֹב קָרָא לוֹ גַּלְעֵד: מז
וַיֹּאמֶר לָבָן הַגַּל הַזֶּה עֵד בֵּינִי וּבֵינְךָ הַיּוֹם עַל־כֵּן מח
קָרָא־שְׁמוֹ גַּלְעֵד: וְהַמִּצְפָּה אֲשֶׁר אָמַר יִצֶף יְהוָה בֵּינִי מט
וּבֵינֶךָ כִּי נִסָּתֵר אִישׁ מֵרֵעֵהוּ: אִם־תְּעַנֶּה אֶת־בְּנֹתַי נ

רש"י

תַּנְאֵי שֶׁבֵּינֵינוּ, מִנָּקֹד לִטְלוּאִים, לַעֲקֻדִּים, לִבְרֻדִּים:

מב] וּפַחַד יִצְחָק. לֹא רָצָה לוֹמַר 'אֱלֹהֵי יִצְחָק', שֶׁאֵין הַקָּדוֹשׁ בָּרוּךְ הוּא מְיַחֵד שְׁמוֹ עַל הַצַּדִּיקִים בְּחַיֵּיהֶם, וְאַף עַל פִּי שֶׁאָמַר לוֹ בְּצֵאתוֹ מִבְּאֵר שֶׁבַע: "אֲנִי ה' אֱלֹהֵי אַבְרָהָם אָבִיךָ וֵאלֹהֵי יִצְחָק" (לעיל כח, יג) בִּשְׁבִיל שֶׁכָּהוּ עֵינָיו וַהֲרֵי הוּא כְּמֵת, יַעֲקֹב נִתְיָרֵא לוֹמַר: וַיּוֹכַח. לְשׁוֹן תּוֹכָחָה הוּא וְלֹא לְשׁוֹן הוֹכָחָה:

מג] מָה אֶעֱשֶׂה לָאֵלֶּה. אֵיךְ תַּעֲלֶה עַל לִבִּי לְהָרַע לָהֶן?:

מד] וְהָיָה לְעֵד. הַקָּדוֹשׁ בָּרוּךְ הוּא:

מו] לְאֶחָיו. הֵם בָּנָיו, שֶׁהָיוּ לוֹ אַחִים נִגָּשִׁים לְצָרָה וּלְמִלְחָמָה עָלָיו:

מז-מח] יְגַר. תַּרְגּוּם שֶׁל גַּל: גַּלְעֵד. גַּל עֵד:

מט] וְהַמִּצְפָּה אֲשֶׁר אָמַר וְגוֹ'. וְהַמִּצְפָּה אֲשֶׁר בְּהַר הַגִּלְעָד, כְּמוֹ שֶׁכָּתוּב: "וַיַּעֲבֹר אֶת מִצְפֵּה גִלְעָד" (שופטים יא, כט), וְלָמָּה נִקְרֵאת שְׁמָהּ 'מִצְפָּה'? לְפִי שֶׁאָמַר כָּל אֶחָד מֵהֶם לַחֲבֵרוֹ: "יִצֶף ה' בֵּינִי וּבֵינֶךָ" אִם תַּעֲבֹר אֶת הַבְּרִית: כִּי נִסָּתֵר. וְלֹא נִרְאֶה אִישׁ אֶת רֵעֵהוּ:

נ] בְּנֹתַי... בְּנֹתַי. שְׁתֵּי פְעָמִים, אַף בִּלְהָה וְזִלְפָּה בְּנוֹתָיו הָיוּ מִפִּילֶגֶשׁ: אִם תְּעַנֶּה אֶת בְּנֹתַי. לִמְנוֹעַ מֵהֶן עוֹנַת תַּשְׁמִישׁ:

ביאור

עֲשֶׂרֶת מֹנִים, כפי שאמר גם לנשיו. מב לוּלֵי אֱלֹהֵי אָבִי, אֱלֹהֵי אַבְרָהָם
וּפַחַד יִצְחָק, כינוי לה׳, מי שיצחק פוחד ממנו,[34] הָיָה לִי, אתי, כִּי עַתָּה
רֵיקָם שִׁלַּחְתָּנִי ולא דאגת לי. אֶת עָנְיִי, סבלי וְאֶת יְגִיעַ כַּפַּי, עבודתי
באמונה רָאָה אֱלֹהִים, וַיּוֹכַח אָמֶשׁ. הרי אתמול בלילה הוא דיבר
אתך והוכיח את צדקתי.

מג לבן לא הודה בדבר, אלא חזר והדגיש את טענתו: וַיַּעַן לָבָן וַיֹּאמֶר
אֶל יַעֲקֹב: הַבָּנוֹת, נשיך הן בְּנֹתַי, וְהַבָּנִים שלהן הם בָּנַי, וְהַצֹּאן צֹאנִי.
וְכֹל אֲשֶׁר אַתָּה רֹאֶה לִי הוּא. כל מה שיש בידך לקחתָ ממני, ולכן
הכול שייך לי. וְלִבְנֹתַי – מָה אֶעֱשֶׂה לָאֵלֶּה הַיּוֹם, אוֹ לִבְנֵיהֶן אֲשֶׁר יָלָדוּ.
אינני יכול להילחם בך, שהרי אלו הם בנותי ונכדי. לאמתו של דבר
הכול שייך לי, אך לא אציק לבני משפחתי. אנו מסיימים עתה את
התקשרותנו, ולא נתראה עוד. מד רק למען העתיד – וְעַתָּה לְכָה
נִכְרְתָה בְרִית אֲנִי וָאָתָּה, וְהָיָה לְעֵד בֵּינִי וּבֵינֶךָ.

מה וַיִּקַּח יַעֲקֹב אָבֶן, וַיְרִימֶהָ מַצֵּבָה, סימן לזיכרון. מו וַיֹּאמֶר יַעֲקֹב
לְאֶחָיו, ילדיו שאולי כבר היו חזקים, עבדיו ושאר בני המחנה שלו:
לִקְטוּ אֲבָנִים. וַיִּקְחוּ אֲבָנִים וַיַּעֲשׂוּ גָל מסביב למצבה, וַיֹּאכְלוּ שָׁם עַל
הַגָּל כחלק מכריתת הברית. מז וַיִּקְרָא לוֹ, לגל הזה לָבָן יְגַר שָׂהֲדוּתָא,
שם שפירושו בארמית עתיקה, השגורה בפי לבן, ׳גל העדות׳,[35]
וְיַעֲקֹב קָרָא לוֹ גַּלְעֵד.

לבן נשא נאום רשמי כראש שבט. מח וַיֹּאמֶר לָבָן: הַגַּל הַזֶּה עֵד בֵּינִי
וּבֵינְךָ הַיּוֹם. עַל כֵּן קָרָא שְׁמוֹ גַּלְעֵד. מט וְהַמִּצְפָּה, שם המקום שהיה
באזור, גם הוא יעיד,[36] אֲשֶׁר אָמַר לבן: יִצֶף, יִצְפֶּה ה׳ בֵּינִי וּבֵינֶךָ, כִּי
נִסָּתֵר אִישׁ מֵרֵעֵהוּ, כיוון ששוב לא ניפגש, ה׳ הוא שישגיח שהכול
יתנהל כראוי – נ אִם תְּעַנֶּה אֶת בְּנֹתַי, וְאִם תִּקַּח נָשִׁים נוספות עַל
בְּנֹתַי, ואז יקופח חלקן של בנותי. לפיכך אתה מתחייב שלא לעשות

הרחבות

׳ויאכלו שם על הגל׳ כדי לכרות ברית היו חותכים בעלי חיים לשניים, ואת בתריהם אפשר היה אחר כך לאכול. באמצעות הדם והזבח המשותף אישרה הסעודה את הברית. (ראו עוד לעיל כא,כז; כו,כח-לא; ויקרא כד,ח).

העולם

הַמִּצְפָּה שם המשמש לציון יישובים שנבנו בשיאי הרים וגבעות. שם זה מתייחס לשלושה אתרים בעבר הירדן המזרחי: רָמַת הַמִּצְפֶּה שבצפון נחלת בני גד (יהושע יג,כו), מִצְפֵּה גִלְעָד (שופטים יא,כט) והַמִּצְפָּה (שם כ,כא). נראה שמקום המצפה שבפרקנו הוא מצפון לנחל יבֹּק ובקרבתו.

וְאִם־תִּקַּח נָשִׁים עַל־בְּנֹתַי אֵין אִישׁ עִמָּנוּ רְאֵה
אֱלֹהִים עֵד בֵּינִי וּבֵינֶךָ: וַיֹּאמֶר לָבָן לְיַעֲקֹב הִנֵּה | הַגַּל נא
הַזֶּה וְהִנֵּה הַמַּצֵּבָה אֲשֶׁר יָרִיתִי בֵּינִי וּבֵינֶךָ: עֵד הַגַּל נב
הַזֶּה וְעֵדָה הַמַּצֵּבָה אִם־אָנִי לֹא־אֶעֱבֹר אֵלֶיךָ אֶת־
הַגַּל הַזֶּה וְאִם־אַתָּה לֹא־תַעֲבֹר אֵלַי אֶת־הַגַּל הַזֶּה
וְאֶת־הַמַּצֵּבָה הַזֹּאת לְרָעָה: אֱלֹהֵי אַבְרָהָם וֵאלֹהֵי נג
נָחוֹר יִשְׁפְּטוּ בֵינֵינוּ אֱלֹהֵי אֲבִיהֶם וַיִּשָּׁבַע יַעֲקֹב
בְּפַחַד אָבִיו יִצְחָק: וַיִּזְבַּח יַעֲקֹב זֶבַח בָּהָר וַיִּקְרָא נד
מפטיר לְאֶחָיו לֶאֱכָל־לָחֶם וַיֹּאכְלוּ לֶחֶם וַיָּלִינוּ בָּהָר: וַיַּשְׁכֵּם נה
לָבָן בַּבֹּקֶר וַיְנַשֵּׁק לְבָנָיו וְלִבְנוֹתָיו וַיְבָרֶךְ אֶתְהֶם וַיֵּלֶךְ
וַיָּשָׁב לָבָן לִמְקֹמוֹ: וְיַעֲקֹב הָלַךְ לְדַרְכּוֹ וַיִּפְגְּעוּ־בוֹ א לב
מַלְאֲכֵי אֱלֹהִים: וַיֹּאמֶר יַעֲקֹב כַּאֲשֶׁר רָאָם מַחֲנֵה ב
אֱלֹהִים זֶה וַיִּקְרָא שֵׁם־הַמָּקוֹם הַהוּא מַחֲנָיִם:

רש"י

נא| **יָרִיתִי.** כְּמוֹ: "יָרָה בַיָּם" (שמות טו, ד), כָּזֶה שֶׁהוּא יוֹרֶה חֲנִית:

נב| **אִם אָנִי.** הֲרֵי 'אִם' מְשַׁמֵּשׁ בִּלְשׁוֹן 'אֲשֶׁר', כְּמוֹ: "עַד אִם דִּבַּרְתִּי דְּבָרָי" (לעיל כד, לג): **לְרָעָה.** לְרָעָה אִי אַתָּה עוֹבֵר, אֲבָל אַתָּה עוֹבֵר לִפְרַקְמַטְיָא:

נג| **אֱלֹהֵי אַבְרָהָם.** קֹדֶשׁ: **וֵאלֹהֵי נָחוֹר.** חֹל: **אֱלֹהֵי אֲבִיהֶם.** חֹל:

נד| **וַיִּזְבַּח יַעֲקֹב זֶבַח.** שָׁחַט בְּהֵמוֹת לְמִשְׁתֶּה: **לְאֶחָיו.** לְאוֹהֲבָיו שֶׁעִם לָבָן: **לֶאֱכָל לָחֶם.** כָּל דְּבַר מַאֲכָל קָרוּי לֶחֶם, כְּמוֹ: "עֲבַד לְחֶם רַב" (דניאל ה, א), "נַשְׁחִיתָה עֵץ בְּלַחְמוֹ" (ירמיה יא, יט):

פרק לב

א| **וַיִּפְגְּעוּ בוֹ מַלְאֲכֵי אֱלֹהִים.** מַלְאָכִים שֶׁל אֶרֶץ יִשְׂרָאֵל בָּאוּ לִקְרָאתוֹ לְלַוּוֹתוֹ לָאָרֶץ:

ב| **מַחֲנָיִם.** שְׁתֵּי מַחֲנוֹת, שֶׁל חוּצָה לָאָרֶץ שֶׁבָּאוּ עִמּוֹ עַד כָּאן, וְשֶׁל אֶרֶץ יִשְׂרָאֵל שֶׁבָּאוּ לִקְרָאתוֹ:

העולם

מַחֲנַיִם אחת מערי שבט גד שניתנה ללויים (יהושע יג,כו; ל; כא,לו), שהייתה עיר המחוז התיכון של עבר הירדן המזרחי בימי שלמה (מלכים א' ד,יד). משערים שהיא תל א-דהב על גדתו הצפונית של נחל יבק או ח'רבת מח'נה, השוכנת כ–20 ק"מ מצפון לנחל יבק, 4 ק"מ מצפון לעג'לון.

ביאור | זאת. אינני יכול לעמוד על קיום הדברים הללו - **אֵין אִישׁ עִמָּנוּ**, שיבדוק וימסור לי דין וחשבון. **רְאֵה, אֱלֹהִים עֵד בֵּינִי וּבֵינֶךָ.**

נא **וַיֹּאמֶר לָבָן לְיַעֲקֹב: הִנֵּה הַגַּל הַזֶּה וְהִנֵּה הַמַּצֵּבָה אֲשֶׁר יָרִיתִי**, העמדתי[37] **בֵּינִי וּבֵינֶךָ**. אף שלבן לא עשה זאת, הוא זוקף את המעשה
לזכותו. נב **עֵד הַגַּל הַזֶּה, וְעֵדָה הַמַּצֵּבָה, אִם אָנִי**, שאני **לֹא אֶעֱבֹר אֵלֶיךָ אֶת הַגַּל הַזֶּה, וְאִם אַתָּה**, ושאתה **לֹא תַעֲבֹר אֵלַי אֶת הַגַּל הַזֶּה וְאֶת הַמַּצֵּבָה הַזֹּאת לְרָעָה**. ייתכן שניפגש בעתיד, אך לא כלוחמים זה
בזה. נג **אֱלֹהֵי אַבְרָהָם וֵאלֹהֵי נָחוֹר יִשְׁפְּטוּ בֵינֵינוּ**, וכן **אֱלֹהֵי אֲבִיהֶם**. עבור לבן אלוקי אברהם, אלוקי נחור ואלוקי תרח הם היינו הך. בעיניו אלו הם אלוקיהם של שני הצדדים ושל סבם המשותף. **וַיִּשָּׁבַע יַעֲקֹב** שיקיים את ההסכם הזה, **בְּפַחַד**, באלוקי **אָבִיו יִצְחָק**.

נד **וַיִּזְבַּח יַעֲקֹב זֶבַח בָּהָר, וַיִּקְרָא לְאֶחָיו לֶאֱכָל לָחֶם**, סעודה חגיגית יותר המיועדת לכל הנוכחים במקום. **וַיֹּאכְלוּ לֶחֶם, וַיָּלִינוּ בָּהָר.**

נה **וַיַּשְׁכֵּם לָבָן בַּבֹּקֶר, וַיְנַשֵּׁק לְבָנָיו וְלִבְנוֹתָיו וַיְבָרֶךְ אֶתְהֶם**. הפרֵדה שנמנעה ממנו בחרן, התרחשה עתה בהר הגלעד. **וַיֵּלֶךְ וַיָּשָׁב לָבָן לִמְקֹמוֹ** ביחסי שלום.

מחנים

פרק לב פס׳ א–ב

עניין קצר זה חותם את פרשת ויצא, העוסקת כולה בגלותו הראשונה של יעקב. כשם שביציאתו מכנען, בראשית הפרשה, חזה במלאכים אשר עלו וירדו בסולם, אף בדרכו חזרה בסופה של הפרשה הוא נפגש במלאכים. נראה שיעקב התעצם במסעו. בראשיתו חלם על מלאכים, ואילו עתה - ואף בהמשך - הוא פוגש מלאכים בדרכו. גם כאן מזכירה לו פגישתו במלאכים שה׳ מלווה אותו בכל דרכיו, והיא מחזקת את רוחו לקראת המפגש עם עשו אחיו בפרשה הבאה.

פרק לב א לאחר הפרֵדה הסופית מלבן - **וְיַעֲקֹב הָלַךְ לְדַרְכּוֹ**. יעקב יצא עם מחנהו מן הגלעד, ולפניו דרך ארוכה עד בית אביו, השוכן
בבאר-שבע או בחברון. **וַיִּפְגְּעוּ**, פגשו **בוֹ מַלְאֲכֵי אֱלֹהִים**. ב **וַיֹּאמֶר יַעֲקֹב כַּאֲשֶׁר רָאָם**: כיוון שאין אלו מלאכים בודדים, אלא מחנה מלאכים - **מַחֲנֵה אֱלֹהִים זֶה**. על כן - **וַיִּקְרָא** את **שֵׁם הַמָּקוֹם הַהוּא מַחֲנָיִם**, על שם מחנהו שלו ומחנה אלוקים. מחנים נשאר שם מקום המצוי מדרום לגלעד בעבר הירדן המזרחי.[38]

וישלח ל

ג וַיִּשְׁלַח יַעֲקֹב מַלְאָכִים לְפָנָיו אֶל־עֵשָׂו אָחִיו אַרְצָה
ד שֵׂעִיר שְׂדֵה אֱדוֹם׃ וַיְצַו אֹתָם לֵאמֹר כֹּה תֹאמְרוּן
לַאדֹנִי לְעֵשָׂו כֹּה אָמַר עַבְדְּךָ יַעֲקֹב עִם־לָבָן גַּרְתִּי
ה וָאֵחַר עַד־עָתָּה׃ וַיְהִי־לִי שׁוֹר וַחֲמוֹר צֹאן וְעֶבֶד
וְשִׁפְחָה וָאֶשְׁלְחָה לְהַגִּיד לַאדֹנִי לִמְצֹא־חֵן בְּעֵינֶיךָ׃
ו וַיָּשֻׁבוּ הַמַּלְאָכִים אֶל־יַעֲקֹב לֵאמֹר בָּאנוּ אֶל־אָחִיךָ
אֶל־עֵשָׂו וְגַם הֹלֵךְ לִקְרָאתְךָ וְאַרְבַּע־מֵאוֹת אִישׁ
ז עִמּוֹ׃ וַיִּירָא יַעֲקֹב מְאֹד וַיֵּצֶר לוֹ וַיַּחַץ אֶת־הָעָם
אֲשֶׁר־אִתּוֹ וְאֶת־הַצֹּאן וְאֶת־הַבָּקָר וְהַגְּמַלִּים לִשְׁנֵי
ח מַחֲנוֹת׃ וַיֹּאמֶר אִם־יָבוֹא עֵשָׂו אֶל־הַמַּחֲנֶה הָאַחַת

רש"י

ג **וַיִּשְׁלַח יַעֲקֹב מַלְאָכִים.** מַלְאָכִים מַמָּשׁ: **אַרְצָה שֵׂעִיר.** לְאֶרֶץ שֵׂעִיר, כָּל תֵּבָה שֶׁצְּרִיכָה לָמֶ"ד בִּתְחִלָּתָהּ הִטִּיל לָהּ הֵ"א בְּסוֹפָהּ:

ד **גַּרְתִּי.** לֹא נַעֲשֵׂיתִי שַׂר וְחָשׁוּב אֶלָּא גֵּר, אֵינְךָ כְּדַאי לִשְׂנֹאתִי עַל בִּרְכוֹת אָבִיךָ, שֶׁאָמַר לִי "הֱוֵה גְבִיר לְאַחֶיךָ" (לעיל כז, כט) – לֹא נִתְקַיְּמָה בִּי. דָּבָר אַחֵר, "גַּרְתִּי" בְּגִימַטְרִיָּא תַּרְיַ"ג, כְּלוֹמַר, עִם לָבָן הָרָשָׁע גַּרְתִּי וְתַרְיַ"ג מִצְוֹת שָׁמַרְתִּי, וְלֹא לָמַדְתִּי מִמַּעֲשָׂיו הָרָעִים:

ה **וַיְהִי לִי שׁוֹר וַחֲמוֹר.** אַבָּא אָמַר לִי: "מִטַּל הַשָּׁמַיִם וּמִשְׁמַנֵּי הָאָרֶץ" (לעיל כז, כח); זוֹ אֵינָהּ לֹא מִן הַשָּׁמַיִם וְלֹא מִן הָאָרֶץ: **שׁוֹר וַחֲמוֹר.** דֶּרֶךְ אֶרֶץ לוֹמַר עַל שְׁוָרִים הַרְבֵּה 'שׁוֹר', אָדָם אוֹמֵר לַחֲבֵרוֹ: בַּלַּיְלָה קָרָא הַתַּרְנְגוֹל, וְאֵינוֹ אוֹמֵר: קָרְאוּ הַתַּרְנְגוֹלִים: **וָאֶשְׁלְחָה לְהַגִּיד לַאדֹנִי.** לְהוֹדִיעַ שֶׁאֲנִי בָּא אֵלֶיךָ: **לִמְצֹא חֵן בְּעֵינֶיךָ.** שֶׁאֲנִי שָׁלֵם עִמְּךָ וּמְבַקֵּשׁ אַהֲבָתְךָ:

ו **בָּאנוּ אֶל אָחִיךָ אֶל עֵשָׂו.** שֶׁהָיִיתָ אוֹמֵר אָחִי הוּא, אֲבָל הוּא נוֹהֵג עִמְּךָ כְּעֵשָׂו, עוֹדֶנּוּ בְּשִׂנְאָתוֹ:

ז **וַיִּירָא...וַיֵּצֶר.** "וַיִּירָא" שֶׁמָּא יֵהָרֵג, "וַיֵּצֶר לוֹ" אִם יַהֲרֹג הוּא אֶת אֲחֵרִים:

ח **הַמַּחֲנֶה הָאַחַת וְהִכָּהוּ.** 'מַחֲנֶה' מְשַׁמֵּשׁ לְשׁוֹן זָכָר וּלְשׁוֹן נְקֵבָה, "אִם תַּחֲנֶה עָלַי מַחֲנֶה" (תהלים כז, ג) הֲרֵי נְקֵבָה, "הַמַּחֲנֶה הַזֶּה" (להלן לג, ח) הֲרֵי זָכָר. וְכֵן יֵשׁ שְׁאָר דְּבָרִים

הרחבות

'אל עשו אחיו ארצה שעיר שדה אדום' במשך השנים הרבות שבהן שהה יעקב אצל לבן, עשו עזב את ארץ כנען שהובטחה ליעקב והתנחל בארץ שעיר. ארץ זו נקראה שעיר על שמם של השבטים הקודמים, ולאחר מכן היא נקראה גם אדום, על שמו. ייתכן שהשתלט על ארץ זו תוך שהסתייע בקשרי הנישואין שלו עם בנות התושבים המקומיים (ראו להלן פרק לו).

'כה אמר עבדך יעקב עם לבן גרתי ואחר עד עתה' יעקב לא התכוון להזכיר את חטאיו

הכנותיו של יעקב למפגש עם עשו

פרק לב פס׳ ג–כא

יעקב השב מגלותו בחרן עומד להיפגש עם אחיו. מפגש זה טעון ביותר, שכן יעקב גלה מביתו כשביקש עשו להרגו. לקראת המפגש המאיים מחשב יעקב היטב את צעדיו. הוא מתפלל אל ה׳ ופועל לקראת עשו הן בדרכי פיוס ושלום הן בהתגוננות מפני אפשרות של מלחמה.[1]

ביאור | יעקב ביקש להודיע לעשו שהוא עומד להיפגש עמו. ג **וַיִּשְׁלַח
יַעֲקֹב מַלְאָכִים**, שליחים[2] **לְפָנָיו אֶל עֵשָׂו אָחִיו אַרְצָה**, לארץ **שֵׂעִיר,
שְׂדֵה**, לאזור[3] **אֱדוֹם.** ד **וַיְצַו אֹתָם לֵאמֹר: כֹּה תֹאמְרוּן לַאדֹנִי לְעֵשָׂו:
כֹּה אָמַר עַבְדְּךָ יַעֲקֹב.** יעקב רצה שהשליחים יבינו את מורכבות
מערכת היחסים עם עשו, ועל כן תיאר בפניהם את עשו כאדוניו
ואת עצמו כעבדו: "**עִם לָבָן גַּרְתִּי, וָאֵחַר**, והתעכבתי **עַד עָתָּה.** ה **וַיְהִי
לִי שׁוֹר וַחֲמוֹר, צֹאן וְעֶבֶד וְשִׁפְחָה.** התבססתי כלכלית בתקופה שבה
לא התראינו, ועל כן אינני זקוק לתמיכתך. אולי אף אוכל להועיל לך,
אם תרצה.[4] **וָאֶשְׁלְחָה לְהַגִּיד לַאדֹנִי, לִמְצֹא חֵן בְּעֵינֶיךָ**", כפי שעושים
אחים טובים ומיודדים לקראת פגישתם.

ו **וַיָּשֻׁבוּ הַמַּלְאָכִים אֶל יַעֲקֹב, לֵאמֹר: בָּאנוּ אֶל אָחִיךָ אֶל עֵשָׂו, וְגַם
הֹלֵךְ לִקְרָאתְךָ, וְאַרְבַּע מֵאוֹת אִישׁ עִמּוֹ.** זהו גדוד משמעותי. על כן
חשד יעקב שמא אין זה משמר כבוד גרידא. עשו לא הגיב במישרין
לדבריהם של שליחי יעקב. הם רק ראו אותו פונה לכיוון יעקב.

ז **וַיִּירָא יַעֲקֹב מְאֹד** נוכח יחסי הכוחות המוטים ונוכח האיום
בשפיכות דמים, **וַיֵּצֶר לוֹ**, ציער אותו שזהו המצב, שהרי אין בלבו
על עשו.[5] כיוון שכך, הוא התגונן: **וַיַּחַץ אֶת הָעָם אֲשֶׁר אִתּוֹ**, העבדים
והשפחות, הידידים ושאר אנשים שנספחו אליו בראותם שהצליח
בחרן, **וְאֶת הַצֹּאן וְאֶת הַבָּקָר וְהַגְּמַלִּים – לִשְׁנֵי מַחֲנוֹת.** ח **וַיֹּאמֶר**

הרחבות | הישנים לאחיו, אלא להעמיד את מצב העניינים באור חדש. הוא היה מודע לכך שעשו עשוי עדיין לכעוס עליו, לא רק בגלל פרשת הברכות כשלעצמה אלא אף בשל לקיחת הבכורה עם כל הכרוך בה, ולכן יעקב התייחס אל אחיו בכבוד, כאל האח הבכיר, וכופף עצמו בפניו (רמב"ן).

'ויהי לי שור וחמור' ברור שביטויים אלו נאמרים בלשון יחיד כשמות עצם קיבוציים: שור, משמעו שוורים וכדומה.

ט וְהִכָּ֑הוּ וְהָיָ֛ה הַֽמַּחֲנֶ֥ה הַנִּשְׁאָ֖ר לִפְלֵיטָֽה׃ ׀ וַיֹּאמֶר֮
יַעֲקֹב֒ אֱלֹהֵי֙ אָבִ֣י אַבְרָהָ֔ם וֵאלֹהֵ֖י אָבִ֣י יִצְחָ֑ק יְהֹוָ֞ה
הָאֹמֵ֣ר אֵלַ֗י שׁ֧וּב לְאַרְצְךָ֛ וּלְמוֹלַדְתְּךָ֖ וְאֵיטִ֥יבָה עִמָּֽךְ׃
י קָטֹ֜נְתִּי מִכֹּ֤ל הַחֲסָדִים֙ וּמִכָּל־הָ֣אֱמֶ֔ת אֲשֶׁ֥ר עָשִׂ֖יתָ
אֶת־עַבְדֶּ֑ךָ כִּ֣י בְמַקְלִ֗י עָבַ֙רְתִּי֙ אֶת־הַיַּרְדֵּ֣ן הַזֶּ֔ה וְעַתָּ֥ה
יא הָיִ֖יתִי לִשְׁנֵ֥י מַחֲנֽוֹת׃ הַצִּילֵ֥נִי נָ֛א מִיַּ֥ד אָחִ֖י מִיַּ֣ד עֵשָׂ֑ו
כִּֽי־יָרֵ֤א אָנֹכִי֙ אֹת֔וֹ פֶּן־יָב֣וֹא וְהִכַּ֔נִי אֵ֖ם עַל־בָּנִֽים׃
יב וְאַתָּ֣ה אָמַ֔רְתָּ הֵיטֵ֥ב אֵיטִ֖יב עִמָּ֑ךְ וְשַׂמְתִּ֤י אֶת־זַרְעֲךָ֙
שני יג כְּח֣וֹל הַיָּ֔ם אֲשֶׁ֥ר לֹא־יִסָּפֵ֖ר מֵרֹֽב׃ ׀ וַיָּ֥לֶן שָׁ֖ם בַּלַּ֣יְלָה

רש"י

מְשַׁמְּשִׁים לְשׁוֹן זָכָר וּלְשׁוֹן נְקֵבָה: "הַשֶּׁמֶשׁ יָצָא עַל הָאָרֶץ" (לעיל יט, כג), "מִקְצֵה הַשָּׁמַיִם מוֹצָאוֹ" (תהלים יט, ז) הֲרֵי זָכָר, "וְהַשֶּׁמֶשׁ זָרְחָה עַל הַמָּיִם" (מלכים ב׳ ג, כב) הֲרֵי נְקֵבָה; וְכֵן רוּחַ, "וְהִנֵּה רוּחַ גְּדוֹלָה בָּאָה" (איוב א, יט) הֲרֵי נְקֵבָה, "וַיִּגַּע בְּאַרְבַּע פִּנּוֹת הַבַּיִת" (שם) הֲרֵי זָכָר, "וְרוּחַ גְּדוֹלָה וְחָזָק מְפָרֵק הָרִים" (מלכים א׳ יט, יא) הֲרֵי זָכָר וּנְקֵבָה: **וְהָיָה הַמַּחֲנֶה הַנִּשְׁאָר לִפְלֵיטָה.** עַל כָּרְחוֹ, כִּי אֶלָּחֵם עִמּוֹ. הִתְקִין עַצְמוֹ לִשְׁלֹשָׁה דְּבָרִים: לְדוֹרוֹן לִתְפִלָּה וּלְמִלְחָמָה. לְדוֹרוֹן, "וַתַּעֲבֹר הַמִּנְחָה עַל פָּנָיו" (להלן פסוק כא). לִתְפִלָּה, "אֱלֹהֵי אָבִי אַבְרָהָם" (להלן פסוק ט). לְמִלְחָמָה, "וְהָיָה הַמַּחֲנֶה הַנִּשְׁאָר לִפְלֵיטָה":

ט] **וֵאלֹהֵי אָבִי יִצְחָק.** וּלְהַלָּן הוּא אוֹמֵר: "וּפַחַד יִצְחָק" (לעיל לא, מב)! וְעוֹד, מַהוּ שֶׁחָזַר וְהִזְכִּיר שֵׁם הַמְיֻחָד? הָיָה לוֹ לִכְתֹּב: 'הָאֹמֵר אֵלַי שׁוּב לְאַרְצְךָ' וְגוֹ'! אֶלָּא כָּךְ אָמַר יַעֲקֹב לִפְנֵי הַקָּדוֹשׁ בָּרוּךְ הוּא: שְׁתֵּי הַבְטָחוֹת הִבְטַחְתַּנִי, אַחַת בְּצֵאתִי מִבֵּית אַבָּא אָמַרְתָּ לִי: "אֲנִי ה' אֱלֹהֵי אַבְרָהָם אָבִיךָ וֵאלֹהֵי יִצְחָק" (לעיל כח, יג), וְשָׁם אָמַרְתָּ לִי: "וּשְׁמַרְתִּיךָ בְּכֹל אֲשֶׁר תֵּלֵךְ" (שם טו); וּבְבֵית לָבָן אָמַרְתָּ לִי: "שׁוּב אֶל אֶרֶץ אֲבוֹתֶיךָ וּלְמוֹלַדְתֶּךָ וְאֶהְיֶה עִמָּךְ" (לעיל לא, ג), וְשָׁם נִגְלֵיתָ אֵלַי בְּשֵׁם הַמְיֻחָד לְבַדּוֹ, שֶׁנֶּאֱמַר: "וַיֹּאמֶר ה' אֶל יַעֲקֹב שׁוּב אֶל אֶרֶץ אֲבוֹתֶיךָ" וְגוֹ' – בִּשְׁתֵּי הַבְטָחוֹת הַלָּלוּ אֲנִי בָּא לְפָנֶיךָ:

י] **קָטֹנְתִּי מִכֹּל הַחֲסָדִים.** נִתְמַעֲטוּ זְכֻיּוֹתַי עַל יְדֵי הַחֲסָדִים וְהָאֱמֶת שֶׁעָשִׂיתָ עִמִּי, לְכָךְ אֲנִי יָרֵא, שֶׁמָּא מִשֶּׁהִבְטַחְתַּנִי נִתְלַכְלַכְתִּי בְּחֵטְא וְיִגְרֹם לִי לְהִמָּסֵר בְּיַד עֵשָׂו: **וּמִכָּל הָאֱמֶת.** אֲמִתַּת דְּבָרֶיךָ, שֶׁשָּׁמַרְתָּ לִי כָּל הַהַבְטָחוֹת שֶׁהִבְטַחְתַּנִי: **כִּי בְמַקְלִי.** לֹא הָיָה עִמִּי לֹא כֶּסֶף וְלֹא זָהָב וְלֹא מִקְנֶה אֶלָּא מַקְלִי לְבַדּוֹ. וּמִדְרַשׁ אַגָּדָה, נָתַן מַקְלוֹ בַּיַּרְדֵּן וְנִבְקַע הַיַּרְדֵּן:

יא] **מִיַּד אָחִי מִיַּד עֵשָׂו.** מִיַּד אָחִי שֶׁאֵין נוֹהֵג עִמִּי כְּאָח אֶלָּא כְּעֵשָׂו הָרָשָׁע:

יב] **הֵיטֵב אֵיטִיב.** "הֵיטֵב" בִּזְכוּתְךָ, "אֵיטִיב" בִּזְכוּת אֲבוֹתֶיךָ: **וְשַׂמְתִּי אֶת זַרְעֲךָ כְּחוֹל הַיָּם.** וְהֵיכָן אָמַר לוֹ כֵּן? וַהֲלֹא לֹא אָמַר לוֹ אֶלָּא "וְהָיָה זַרְעֲךָ כַּעֲפַר הָאָרֶץ" (לעיל כח, יד)! אֶלָּא שֶׁאָמַר לוֹ: "כִּי לֹא אֶעֱזָבְךָ עַד אֲשֶׁר אִם עָשִׂיתִי אֵת

ביאור | לאנשים שסביבו, או: בלבו: **אִם יָבוֹא עֵשָׂו** להילחם **אֶל הַמַּחֲנֶה הָאַחַת וְהִכָּהוּ** – אולי לא נצליח להתגונן מפניו – לפחות **וְהָיָה הַמַּחֲנֶה הַנִּשְׁאָר לִפְלֵיטָה.**

ט וכאן פנה יעקב בתפילה: **וַיֹּאמֶר יַעֲקֹב: אֱלֹהֵי אָבִי אַבְרָהָם וֵאלֹהֵי אָבִי יִצְחָק, ה', הָאֹמֵר אֵלַי: "שׁוּב לְאַרְצְךָ וּלְמוֹלַדְתְּךָ וְאֵיטִיבָה עִמָּךְ".** אני פונה אליך משום שאתה הוא שאמרת לי לחזור הביתה. אף על
פי שיעקב היה מאוים עתה, הוא פתח את תפילתו בהודיה: י **קָטֹנְתִּי מִכֹּל הַחֲסָדִים וּמִכָּל הָאֱמֶת אֲשֶׁר עָשִׂיתָ אֶת עַבְדֶּךָ, כִּי בְמַקְלִי עָבַרְתִּי אֶת הַיַּרְדֵּן הַזֶּה.** כשעברתי את הירדן בבריחתי מכנען, הייתי אדם בודד שרק מקלו ברשותו, **וְעַתָּה** אני עומד בראש שבט ובו אנשים ורכוש, עד כדי כך **שֶׁהָיִיתִי לִשְׁנֵי מַחֲנוֹת.** על כך אני מודה לך. יא אך
עם זאת **הַצִּילֵנִי נָא מִיַּד אָחִי מִיַּד עֵשָׂו, כִּי יָרֵא אָנֹכִי אֹתוֹ, פֶּן יָבוֹא וְהִכַּנִי אֵם עַל בָּנִים.** הוא עלול להרוג את כל אשר לי. יב **וְאַתָּה אָמַרְתָּ** במחזה הסולם שראיתי בבית אל: **"הֵיטֵב אֵיטִיב עִמָּךְ, וְשַׂמְתִּי אֶת זַרְעֲךָ כְּחוֹל הַיָּם אֲשֶׁר לֹא יִסָּפֵר מֵרֹב".** הבטחת שתגן עלי, ועתה אני זקוק להגנתך.

הרחבות | אולם ייתכן שיעקב בוחר לנקוט דווקא צורה זו כדי להמעיט בתיאור רכושו.

'אלהי אבי אברהם ואלהי אבי יצחק' שלא כבפעמים הקודמות, שבהן כינה יעקב את ה' בביטוי פַּחַד (אָבִיו) יִצְחָק, עכשיו הוא אומר: וֵאלֹהֵי אָבִי יִצְחָק, ביטוי המזכיר את דברי ה' אליו בהתגלות החלום – המוזכרת בפירוש בתפילתו – בצאתו לחרן: אֲנִי ה' אֱלֹהֵי אַבְרָהָם אָבִיךָ וֵאלֹהֵי יִצְחָק... אָנֹכִי עִמָּךְ וּשְׁמַרְתִּיךָ בְּכֹל אֲשֶׁר תֵּלֵךְ וַהֲשִׁבֹתִיךָ אֶל הָאֲדָמָה הַזֹּאת (לעיל כח,יג, וראו רש"י על אתר). פתיחת תפילתו האישית דומה לנוסח שהשתמר בתפילת עמידה בסידור.

הַהוּא וַיִּקַּח מִן־הַבָּא בְיָדוֹ מִנְחָה לְעֵשָׂו אָחִיו: עִזִּים יד
מָאתַיִם וּתְיָשִׁים עֶשְׂרִים רְחֵלִים מָאתַיִם וְאֵילִים
עֶשְׂרִים: גְּמַלִּים מֵינִיקוֹת וּבְנֵיהֶם שְׁלֹשִׁים פָּרוֹת טו
אַרְבָּעִים וּפָרִים עֲשָׂרָה אֲתֹנֹת עֶשְׂרִים וַעְיָרִם עֲשָׂרָה:
וַיִּתֵּן בְּיַד־עֲבָדָיו עֵדֶר עֵדֶר לְבַדּוֹ וַיֹּאמֶר אֶל־עֲבָדָיו טז
עִבְרוּ לְפָנַי וְרֶוַח תָּשִׂימוּ בֵּין עֵדֶר וּבֵין עֵדֶר: וַיְצַו אֶת־ יז
הָרִאשׁוֹן לֵאמֹר כִּי יִפְגָשְׁךָ עֵשָׂו אָחִי וּשְׁאֵלְךָ לֵאמֹר
לְמִי־אַתָּה וְאָנָה תֵלֵךְ וּלְמִי אֵלֶּה לְפָנֶיךָ: וְאָמַרְתָּ יח
לְעַבְדְּךָ לְיַעֲקֹב מִנְחָה הִוא שְׁלוּחָה לַאדֹנִי לְעֵשָׂו

רש"י

אֲשֶׁר דִּבַּרְתִּי לָךְ" (שם טו), וּלְאַבְרָהָם אָמַר: "וְהַרְבָּה אַרְבֶּה אֶת זַרְעֲךָ כְּכוֹכְבֵי הַשָּׁמַיִם וְכַחוֹל אֲשֶׁר עַל שְׂפַת הַיָּם" (לעיל כב, יז):

יג| **הַבָּא בְיָדוֹ.** בִּרְשׁוּתוֹ, וְכֵן "וַיִּקַּח אֶת כָּל אַרְצוֹ מִיָּדוֹ" (במדבר כא, כו). וּמִדְרַשׁ אַגָּדָה, "מִן הַבָּא בְיָדוֹ", אֲבָנִים טוֹבוֹת וּמַרְגָּלִיּוֹת שֶׁאָדָם צָר בִּצְרוֹר וְנוֹשְׂאָם בְּיָדוֹ:

יד| **עִזִּים מָאתַיִם וּתְיָשִׁים עֶשְׂרִים.** מָאתַיִם עִזִּים צְרִיכוֹת עֶשְׂרִים תְּיָשִׁים, וְכֵן כֻּלָּם הַזְּכָרִים כְּדֵי צֹרֶךְ הַנְּקֵבוֹת. וּבִבְרֵאשִׁית רַבָּה (עו, ז) דּוֹרֵשׁ מִכָּאן לָעוֹנָה הָאֲמוּרָה בַּתּוֹרָה, הַטַּיָּלִים בְּכָל יוֹם, הַפּוֹעֲלִים שְׁתַּיִם בְּשַׁבָּת, הַחַמָּרִים אַחַת בְּשַׁבָּת, הַגַּמָּלִים אַחַת לִשְׁלֹשִׁים יוֹם, הַסַּפָּנִים אַחַת לְשִׁשָּׁה חֳדָשִׁים. וְאֵינִי יוֹדֵעַ לְכַוֵּן הַמִּדְרָשׁ הַזֶּה בְּכִוּוּן, אַךְ נִרְאֶה בְּעֵינַי שֶׁלָּמַדְנוּ מִכָּאן שֶׁאֵין הָעוֹנָה שָׁוָה בְּכָל אָדָם אֶלָּא לְפִי טֹרַח הַמֻּטָּל עָלָיו, שֶׁמָּצִינוּ כָּאן שֶׁמָּסַר לְכָל תַּיִשׁ עֶשֶׂר עִזִּים, וְכֵן לְכָל אַיִל, לְפִי שֶׁהֵם פְּנוּיִים מִמְּלָאכָה דַּרְכָּן לְהַרְבּוֹת תַּשְׁמִישׁ וּלְעַבֵּר עֶשֶׂר נְקֵבוֹת, וּבְהֵמָה מִשֶּׁנִּתְעַבְּרָה אֵינָהּ מְקַבֶּלֶת זָכָר; וּפָרִים שֶׁעוֹסְקִין בִּמְלָאכָה לֹא מָסַר לְזָכָר אֶלָּא אַרְבַּע נְקֵבוֹת; וְלַחֲמוֹר שֶׁהוֹלֵךְ בְּדֶרֶךְ רְחוֹקָה – שְׁתֵּי נְקֵבוֹת לְזָכָר; וְלַגְּמַלִּים שֶׁהוֹלְכִים דֶּרֶךְ יוֹתֵר רְחוֹקָה – נְקֵבָה אַחַת לְזָכָר:

טו| **גְּמַלִּים מֵינִיקוֹת... שְׁלֹשִׁים.** וּבְנֵיהֶם עִמָּהֶם. וּמִדְרַשׁ אַגָּדָה, "וּבְנֵיהֶם", בַּנָּאֵיהֶם, זָכָר כְּנֶגֶד נְקֵבָה, וּלְפִי שֶׁצָּנוּעַ בְּתַשְׁמִישׁ לֹא פִּרְסְמוֹ הַכָּתוּב: **וַעְיָרִם.** חֲמוֹרִים זְכָרִים:

טז| **עֵדֶר עֵדֶר לְבַדּוֹ.** כָּל מִין וּמִין לְעַצְמוֹ: **עִבְרוּ לְפָנַי.** דֶּרֶךְ יוֹם אוֹ פָּחוֹת, וַאֲנִי אָבוֹא אַחֲרֵיכֶם: **וְרֶוַח תָּשִׂימוּ.** עֵדֶר לִפְנֵי חֲבֵרוֹ מְלֹא עַיִן, כְּדֵי לְהַשְׂבִּיעַ עֵינוֹ שֶׁל רָשָׁע וּלְתַוְּהוֹ עַל רִבּוּי הַדּוֹרוֹן:

יז| **לְמִי אַתָּה.** שֶׁל מִי אַתָּה? מִי שׁוֹלַחֲךָ? וְתַרְגּוּמוֹ: "דְּמַאן אַתְּ": **וּלְמִי אֵלֶּה.** לְמִי הַמִּנְחָה הַזֹּאת שְׁלוּחָה? לָמֶ"ד מְשַׁמֶּשֶׁת בְּרֹאשׁ הַתֵּבָה בִּמְקוֹם 'שֶׁל', כְּמוֹ: "וְכֹל אֲשֶׁר אַתָּה רֹאֶה לִי הוּא" (לעיל לא, מג), שֶׁלִּי הוּא, "לַה' הָאָרֶץ וּמְלוֹאָהּ" (תהלים כד, א), שֶׁל ה':

יח| **וְאָמַרְתָּ לְעַבְדְּךָ לְיַעֲקֹב.** עַל רִאשׁוֹן

ביאור
יג וַיָּלֶן שָׁם בַּלַּיְלָה הַהוּא. וַיִּקַּח מִן הַבָּא בְיָדוֹ מִנְחָה, מתנה לְעֵשָׂו
אָחיו: יד עִזִּים מָאתַיִם וּתְיָשִׁים עֶשְׂרִים, רְחֵלִים מָאתַיִם וְאֵילִים
עֶשְׂרִים, טו גְּמַלִּים מֵינִיקוֹת וּבְנֵיהֶם – שְׁלֹשִׁים, פָּרוֹת אַרְבָּעִים וּפָרִים
עֲשָׂרָה, אֲתֹנֹת עֶשְׂרִים וַעְיָרִם עֲשָׂרָה. מכל סוג שלח יעקב זכרים
ונקבות, כדי שתשרה ברכה במתנתו. היחסים הכמותיים בין הזכרים
והנקבות נעוצים בכך שזהו עדר המיועד לרבייה. גודלו המרשים של
עדר המנחה מעיד על ממדיו העצומים של מקנה יעקב. טז וַיִּתֵּן
בְּיַד עֲבָדָיו עֵדֶר עֵדֶר לְבַדּוֹ. כל אחד מהעדרים ניתן בידי רועה אחר.
וַיֹּאמֶר אֶל עֲבָדָיו: עִבְרוּ לְפָנַי, הקדימו את פגישתי עם עשו, וְרֶוַח
תָּשִׂימוּ בֵּין עֵדֶר וּבֵין עֵדֶר. פיזור המנחה נועד להשביע את עינו של
עשו ולהגדיל את הרושם.

יז וַיְצַו אֶת רועה הצאן של המחנה הָרִאשׁוֹן לֵאמֹר: כִּי יִפְגָשְׁךָ עֵשָׂו
אָחִי, וּשְׁאֵלְךָ לֵאמֹר: "לְמִי אַתָּה שייך, וְאָנָה, ולאן תֵלֵךְ, וּלְמִי שייכות
הבהמות הָאֵלֶּה לְפָנֶיךָ?" יח וְאָמַרְתָּ: "אני שייך לְעַבְדְּךָ לְיַעֲקֹב,
והבהמות האלה מִנְחָה הִיא שְׁלוּחָה לַאדֹנִי לְעֵשָׂו, וְהִנֵּה גַם הוּא,
יעקב אַחֲרֵינוּ, והוא מקדים למפגש את מתנותיו".

וְהִנֵּה גַם־הוּא אַחֲרֵינוּ׃ וַיְצַו גַּם אֶת־הַשֵּׁנִי גַּם אֶת־ יט
הַשְּׁלִישִׁי גַּם אֶת־כָּל־הַהֹלְכִים אַחֲרֵי הָעֲדָרִים לֵאמֹר
כַּדָּבָר הַזֶּה תְּדַבְּרוּן אֶל־עֵשָׂו בְּמֹצַאֲכֶם אֹתוֹ׃
וַאֲמַרְתֶּם גַּם הִנֵּה עַבְדְּךָ יַעֲקֹב אַחֲרֵינוּ כִּי־אָמַר כ
אֲכַפְּרָה פָנָיו בַּמִּנְחָה הַהֹלֶכֶת לְפָנָי וְאַחֲרֵי־כֵן אֶרְאֶה
פָנָיו אוּלַי יִשָּׂא פָנָי׃ וַתַּעֲבֹר הַמִּנְחָה עַל־פָּנָיו וְהוּא כא
לָן בַּלַּיְלָה־הַהוּא בַּמַּחֲנֶה׃ וַיָּקָם ׀ בַּלַּיְלָה הוּא וַיִּקַּח כב
אֶת־שְׁתֵּי נָשָׁיו וְאֶת־שְׁתֵּי שִׁפְחֹתָיו וְאֶת־אַחַד עָשָׂר
יְלָדָיו וַיַּעֲבֹר אֵת מַעֲבַר יַבֹּק׃ וַיִּקָּחֵם וַיַּעֲבִרֵם אֶת־ כג

רש"י

רִאשׁוֹן וְעַל אַחֲרוֹן אַחֲרוֹן. שֶׁשָּׁאַלְתָּ "לְמִי אַתָּה" – "לְעַבְדְּךָ לְיַעֲקֹב" אֲנִי, וְתַרְגּוּמוֹ: "דְּעַבְדָּךְ דְּיַעֲקֹב". וְשֶׁשָּׁאַלְתָּ "וּלְמִי אֵלֶּה לְפָנֶיךָ" – "מִנְחָה הִיא שְׁלוּחָה" וְגוֹ': **וְהִנֵּה גַם הוּא.** יַעֲקֹב:

כ| **אֲכַפְּרָה פָנָיו.** אֲבַטֵּל רָגְזוֹ, וְכֵן: "וְכֻפַּר בְּרִיתְכֶם אֶת מָוֶת" (ישעיה כח, יח), "לֹא תוּכְלִי כַּפְּרָהּ" (שם מז, יא). וְנִרְאֶה בְּעֵינַי שֶׁכָּל כַּפָּרָה שֶׁאֵצֶל עָוֹן וְחֵטְא וְאֵצֶל פָּנִים, כֻּלָּן לְשׁוֹן קִנּוּחַ וְהַעֲבָרָה הֵן, וּלְשׁוֹן אֲרַמִּי הוּא, וְהַרְבֵּה בַּתַּלְמוּד: "וְכַפַּר יְדֵהּ" (בבא מציעא כד ע"א) "בָּעֵי לְכַפּוּרֵי יְדֵהּ בְּהַהוּא גַּבְרָא" (גיטין נו ע"א). וְגַם בִּלְשׁוֹן הַמִּקְרָא נִקְרָאִים הַמִּזְרָקִים שֶׁל קֹדֶשׁ "כְּפוֹרֵי זָהָב" (עזרא א, י), עַל שֵׁם שֶׁהַכֹּהֵן מְקַנֵּחַ יָדָיו בָּהֶן בִּשְׂפַת הַמִּזְרָק:

כא| **עַל פָּנָיו.** כְּמוֹ לְפָנָיו, וְכֵן: "חָמָס וָשֹׁד יִשָּׁמַע בָּהּ עַל פָּנַי תָּמִיד" (ירמיה ו, ז), וְכֵן: "הַמַּכְעִסִים אֹתִי עַל פָּנַי" (ישעיה סה, ג). וּמִדְרַשׁ אַגָּדָה, "עַל פָּנָיו", אַף הוּא שָׁרוּי בְּכַעַס שֶׁהָיָה צָרִיךְ לְכָל זֶה:

כב| **וְאֵת אַחַד עָשָׂר יְלָדָיו.** וְדִינָה הֵיכָן הָיְתָה? נְתָנָהּ בְּתֵבָה וְנָעַל בְּפָנֶיהָ, שֶׁלֹּא יִתֵּן בָּהּ עֵשָׂו עֵינָיו, וּלְכָךְ נֶעֱנַשׁ יַעֲקֹב שֶׁמְּנָעָהּ מֵאָחִיו, שֶׁמָּא תַּחֲזִירֶנּוּ לְמוּטָב, וְנָפְלָה בְּיַד שְׁכֶם: **יַבֹּק.** שֵׁם הַנָּהָר:

אתרים בשיבת יעקב ארצה

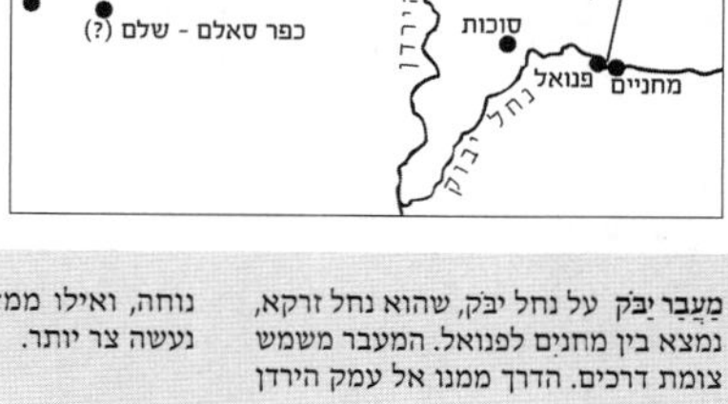

העולם

מַעֲבַר יַבֹּק על נחל יבֹק, שהוא נחל זרקא, נמצא בין מחנַים לפנואל. המעבר משמש צומת דרכים. הדרך ממנו אל עמק הירדן נוחה, ואילו ממזרח לַמעבר נחל היבֹק נעשה צר יותר.

יט וַיְצַו גַּם אֶת הַשֵּׁנִי, גַּם אֶת הַשְּׁלִישִׁי, גַּם אֶת כָּל הַהֹלְכִים אַחֲרֵי | ביאור
הָעֲדָרִים, לֵאמֹר: כַּדָּבָר הַזֶּה – שאתם עובדיו של יעקב, וכל זה
הוא שלח כמנחה לאדונו עשו – תְּדַבְּרוּן אֶל עֵשָׂו בְּמֹצַאֲכֶם
אֹתוֹ. כ וַאֲמַרְתֶּם: "גַּם הִנֵּה עַבְדְּךָ יַעֲקֹב יגיע לפגישה אַחֲרֵינוּ. הוא
אינו בורח, ואינך צריך לרדוף אחריו". כִּי אָמַר, יעקב חשב: אֲכַפְּרָה
פָנָיו, אֲרַצֶּה את עשו בַּמִּנְחָה הַהֹלֶכֶת לְפָנָי. וְאַחֲרֵי כֵן, אחרי שתגיע
אליו המנחה, אֶרְאֶה פָנָיו, אוּלַי יִשָּׂא פָנָי, יסלח לי על מה שעשיתי לו.

כא וַתַּעֲבֹר הַמִּנְחָה עַל פָּנָיו. העדרים עברו לפני יעקב, תחת פיקוחו.
וְהוּא לָן בַּלַּיְלָה הַהוּא בַּמַּחֲנֶה.

המאבק הלילי

פרק לב פס' כב–לב

בין הכנותיו למפגש עם אחיו לבין המפגש עצמו מתמודד יעקב, כשהוא נותר לבדו, עם דמות עלומה. אין ספק כי גם בהתרחשות לילית זו יש כדי להכין אותו לקראת המפגש עם עשו. חז"ל ראו במפגש זה את מאבק האיתנים המנטלי–רוחני של יעקב עם עשו, וכינו את האיש "שרו של עשו".

גם כשיעקב יצא מן הארץ, הוא פגש מלאכים. אז היה הדבר בחלומו. ביציאתו מן הארץ ובחזרתו הוא פוגש בכוחות לא טבעיים כשהוא שרוי לבדו בלילה.

יעקב פגש מלאכים גם בחזרתו מחרן, עם התקרבו לארץ כנען, במחנים. עתה הוא פוגש בלילה 'איש' בודד, ומזהה בו כוחות עליונים. ואולם, בניגוד לפגישה עם המלאכים במחנים, כאן אותה דמות מלאכית נאבקת עם יעקב, ואף פוגעת בו. בסופו של דבר הוא יכול לה ומכניעה, עד שזוכה לקבל ממנה ברכה. כמו במחנים, גם כאן קורא יעקב את המקום על שם פגישתו עם המלאך.

כב וַיָּקָם בַּלַּיְלָה הוּא, לאחר ששילח את עדרי המנחה, עשה יעקב
מעשה בעצמו: וַיִּקַּח אֶת שְׁתֵּי נָשָׁיו וְאֶת שְׁתֵּי שִׁפְחֹתָיו וְאֶת אַחַד עָשָׂר
יְלָדָיו, וַיַּעֲבֹר אֵת מַעֲבַר יַבֹּק. מקומו המדויק של המעבר אינו ידוע,
אבל עדיין קיים נחל בשם זה במרכז עבר הירדן. נחל זה אינו עמוק

הרחבות | 'אכפרה פניו במנחה' מאחורי המעשה הטקסי והמתוכנן היטב של יעקב עומדת ההנחה כי חשיבותה של המתנה אינה נמדדת בערכה האובייקטיבי, ואפילו לא בערכה עבור המקבל, כמו בעצם נתינתה. הנותן מתנה לחברו יוצר בו תגובה רגשית חיובית. זהו גם העיקרון העומד מאחורי מתן השוחד. מנחת יעקב נועדה אפוא לעורר בעשו את החלק החיובי שביחסי האחווה שלהם, ולהמעיט ברושמם של פגמי העבר.

הַנָּחַל וַיַּעֲבֵר אֶת־אֲשֶׁר־לוֹ: וַיִּוָּתֵר יַעֲקֹב לְבַדּוֹ כד
וַיֵּאָבֵק אִישׁ עִמּוֹ עַד עֲלוֹת הַשָּׁחַר: וַיַּרְא כִּי לֹא יָכֹל כה
לוֹ וַיִּגַּע בְּכַף־יְרֵכוֹ וַתֵּקַע כַּף־יֶרֶךְ יַעֲקֹב בְּהֵאָבְקוֹ
עִמּוֹ: וַיֹּאמֶר שַׁלְּחֵנִי כִּי עָלָה הַשָּׁחַר וַיֹּאמֶר לֹא כו
אֲשַׁלֵּחֲךָ כִּי אִם־בֵּרַכְתָּנִי: וַיֹּאמֶר אֵלָיו מַה־שְּׁמֶךָ כז
וַיֹּאמֶר יַעֲקֹב: וַיֹּאמֶר לֹא יַעֲקֹב יֵאָמֵר עוֹד שִׁמְךָ כִּי כח
אִם־יִשְׂרָאֵל כִּי־שָׂרִיתָ עִם־אֱלֹהִים וְעִם־אֲנָשִׁים

רש"י

כג) **אֶת אֲשֶׁר לוֹ.** הַבְּהֵמָה וְהַמִּטַּלְטְלִים, עָשָׂה עַצְמוֹ כְּגֶשֶׁר, נוֹטֵל מִכָּאן וּמַנִּיחַ כָּאן:

כד) **וַיִּוָּתֵר יַעֲקֹב.** שָׁכַח פַּכִּים קְטַנִּים וְחָזַר עֲלֵיהֶם: **וַיֵּאָבֵק אִישׁ.** מְנַחֵם פֵּרֵשׁ, וַיִּתְעַפֵּר אִישׁ, לְשׁוֹן אָבָק שֶׁהָיוּ מַעֲלִים עָפָר בְּרַגְלֵיהֶם עַל יְדֵי נִעְנוּעָם. וְלִי נִרְאֶה שֶׁהוּא לְשׁוֹן 'וַיִּתְקַשֵּׁר' (מלכים ב׳ ט, יד), וּלְשׁוֹן אֲרַמִּי הוּא: "בָּתַר דַּאֲבִיקוּ בֵּיהּ" (סנהדרין סג ע״ב) "וַאֲבֵיק לֵיהּ מֵיבַק" (מנחות מב ע״א) – לְשׁוֹן עֲנִיבָה, שֶׁכֵּן דֶּרֶךְ שְׁנַיִם שֶׁמִּתְעַצְּמִים לְהַפִּיל אִישׁ אֶת רֵעֵהוּ שֶׁחוֹבְקוֹ וְאוֹבְקוֹ בִּזְרוֹעוֹתָיו. וּפֵרְשׁוּ רַבּוֹתֵינוּ שֶׁהוּא שָׂרוֹ שֶׁל עֵשָׂו:

כה) **וַתֵּקַע.** נִתְקַעְקְעָה מִמְּקוֹם מַחְבַּרְתָּהּ. וְדוֹמֶה לוֹ: "פֶּן תֵּקַע נַפְשִׁי מִמֵּךְ" (ירמיה ו, ח), לְשׁוֹן הֲסָרָה. וּבַמִּשְׁנָה: "לְקַעְקֵעַ בֵּיצָתָן", לְשָׁרֵשׁ שָׁרְשֵׁיהֶן:

כו) **כִּי עָלָה הַשָּׁחַר.** וְצָרִיךְ אֲנִי לוֹמַר שִׁירָה: **בֵּרַכְתָּנִי.** הוֹדֵה לִי עַל הַבְּרָכוֹת שֶׁבֵּרְכַנִי אָבִי, שֶׁעֵשָׂו מְעַרְעֵר עֲלֵיהֶן:

כח) **לֹא יַעֲקֹב.** לֹא יֵאָמֵר עוֹד שֶׁהַבְּרָכוֹת בָּאוּ לְךָ בְּעָקְבָה וּרְמִיָּה, כִּי אִם בִּשְׂרָרָה וְגִלּוּי פָּנִים, וְסוֹפְךָ שֶׁהַקָּדוֹשׁ בָּרוּךְ הוּא נִגְלֶה עָלֶיךָ בְּבֵית אֵל וּמַחֲלִיף שִׁמְךָ וְשָׁם הוּא מְבָרֶכְךָ, וַאֲנִי שָׁם אֶהְיֶה וְאוֹדֶה לְךָ עֲלֵיהֶן, וְזֶה שֶׁכָּתוּב: "וַיָּשַׂר אֶל מַלְאָךְ וַיֻּכָל בָּכָה וַיִּתְחַנֶּן לוֹ" (הושע יב, ה) – בָּכָה הַמַּלְאָךְ וַיִּתְחַנֶּן לוֹ, וּמַה נִּתְחַנֵּן לוֹ? "בֵּית אֵל יִמְצָאֶנּוּ וְשָׁם יְדַבֵּר עִמָּנוּ" (הושע שם) – הַמְתֵּן לִי עַד שֶׁיְּדַבֵּר עִמָּנוּ שָׁם. וְלֹא רָצָה יַעֲקֹב, וְעַל כָּרְחוֹ הוֹדָה לוֹ עֲלֵיהֶן, וְזֶהוּ "וַיְבָרֶךְ אֹתוֹ שָׁם", שֶׁהָיָה מִתְחַנֵּן לְהַמְתִּין לוֹ וְלֹא רָצָה: **וְעִם אֲנָשִׁים.** עֵשָׂו וְלָבָן: וַתּוּכָל. לָהֶם:

הרחבות

'ויאבק איש עמו' בעת שיעקב היה טרוד ועייף מטלטולי הדרך, הוא מצא את עצמו במאבק עם דמות שהופיעה אליו לפתע, איש שאינו איש ממקום שאינו מקום. העימות מוגדר כמאבק גוף בגוף ללא נשק. התגוששות זו – בחלקה היא מלחמה, בחלקה ספורט ובחלקה פגישה מסתורית (בראשית רבה עז,ב-ג, וראו רשב"ם וחזקוני על אתר). הסיפור כולו אפוף מסתורין. נראה כי בשלב הראשון השניים נאבקו בדממה גמורה. האם הדבר נובע מכך שהוא הכיר את יעקב?

מאבקו של יעקב עם האיש, שמן ההמשך מסתבר שהוא מלאך או כוח עליון כלשהו שלבש דמות אנושית, אולי של עשו, נושא משמעות סמלית. לקראת פגישתו עם עשו מתנהל בנפשו של יעקב מאבק פנימי על עצמאותו ועל מהותו. יעקב נדרש להחזיק

ביאור

ואפשר לחצותו. כג **וַיִּקָּחֵם וַיַּעֲבִרֵם אֶת הַנָּחַל, וַיַּעֲבֵר אֶת אֲשֶׁר לוֹ,**
כדי להיפגש עם עשו מדרום לנחל יבֹק. מן הסתם, לא יכול היה
להעביר את נשיו, ילדיו בני הגילים השונים וחפציו בבת אחת,
ועל כן הצטרך לעבור את הנחל כמה פעמים. כד לבסוף, לאחר
שהמחנה כולו עבר – **וַיִּוָּתֵר יַעֲקֹב לְבַדּוֹ** על שפת הנחל, **וַיֵּאָבֵק אִישׁ**
עלום ומסתורי **עִמּוֹ עַד עֲלוֹת הַשָּׁחַר.**

כה **וַיַּרְא** האיש **כִּי לֹא יָכֹל לוֹ,** שלא הצליח להפיל את יעקב, **וַיִּגַּע,**
הכה אותו ופגע **בְּכַף יְרֵכוֹ,** בחלקה העליון של הרגל, **וַתֵּקַע** נקעה
ממקומה **כַּף יֶרֶךְ יַעֲקֹב בְּהֵאָבְקוֹ עִמּוֹ.** למרות הכאב הקשה שנגרם
לו, יעקב עדיין עמד על עמדו, ולא הובס. כו השניים היו לפותים
זה בזה – **וַיֹּאמֶר** האחר: **שַׁלְּחֵנִי,** שחרר אותי, **כִּי עָלָה הַשָּׁחַר.** אינני
יכול להישאר כאן עוד, שכן אני יצור לילי. כאן מתברר שאין הוא
אדם המתנפל על יעקב, אלא הוויה שאינה אנושית.

אף שהיה זה כוח עליון, יעקב חש כי בכוחו לגבור על האיש – **וַיֹּאמֶר**
יעקב: **לֹא אֲשַׁלֵּחֲךָ, כִּי אִם בֵּרַכְתָּנִי.** אם אתה מעוניין להשתחרר
ממני, עליך לברך אותי. יעקב לא דרש כניעה ולא התנצלות, אלא
קבלת מרות. הברכה תבטא שהזר משלים עם יעקב, ואף מסכים
לעשות דבר למענו.

כז **וַיֹּאמֶר אֵלָיו** האחר, המלאך: **מַה שְּׁמֶךָ? וַיֹּאמֶר: יַעֲקֹב.** אילו הייתה זו
שיחה אנושית רגילה, היה סביר שיעקב ישאל את האיש: אם אינך
יודע מי אני – לשם מה התנפלת עלי? כאן מדובר באירוע טקסי –
האיש שאל את יעקב לשמו, כיוון שרצה להתייחס לכך בברכתו.

כח **וַיֹּאמֶר** המלאך: **לֹא יַעֲקֹב יֵאָמֵר עוֹד שִׁמְךָ, כִּי אִם יִשְׂרָאֵל, כִּי שָׂרִיתָ,**
נאבקת **עִם אֱלֹהִים,** עם מלאך, עם כוח עליון **וְעִם אֲנָשִׁים וַתּוּכָל.**

הרחבות

בעצם הווייתו, לא להיכנע ולא להתבטל בפני בן-דמותו האפל, הרוחני למחצה. האחר הוא דמות קרובה מאוד ליעקב, אך מנוגדת לו באופן קוטבי, והמאבק מתנהל בין שווים. בין שמדובר בתאומו של יעקב או בצִלו, הקִרבה בין השניים מסבירה את העובדה שמאבקם התנהל בשתיקה, שכן הם הכירו היטב זה את זה. (את תבנית הפגישה והמאבק בין שתי הישויות המנוגדות הללו אפשר להציג גם באמצעות ציור היִין והיאנג – השחור והלבן הקוטביים זה לזה והעטופים זה בזה).

'לא יעקב יאמר עוד שמך כי אם ישראל' כאמור, יעקב נקרא בשמו, הן משום שנולד אחרי אחיו ואחז בעקבו בלידה, הן בשל העקמומיות והמרמה שאפיינו את פעולותיו מול עשו עד

כט וַתּוּכָל: וַיִּשְׁאַל יַעֲקֹב וַיֹּאמֶר הַגִּידָה־נָּא שְׁמֶךָ וַיֹּאמֶר
שלישי ל לָמָּה זֶּה תִּשְׁאַל לִשְׁמִי וַיְבָרֶךְ אֹתוֹ שָׁם: וַיִּקְרָא יַעֲקֹב
שֵׁם הַמָּקוֹם פְּנִיאֵל כִּי־רָאִיתִי אֱלֹהִים פָּנִים אֶל־פָּנִים
לא וַתִּנָּצֵל נַפְשִׁי: וַיִּזְרַח־לוֹ הַשֶּׁמֶשׁ כַּאֲשֶׁר עָבַר אֶת־
לב פְּנוּאֵל וְהוּא צֹלֵעַ עַל־יְרֵכוֹ: עַל־כֵּן לֹא־יֹאכְלוּ בְנֵי־
יִשְׂרָאֵל אֶת־גִּיד הַנָּשֶׁה אֲשֶׁר עַל־כַּף הַיָּרֵךְ עַד הַיּוֹם
לג א הַזֶּה כִּי נָגַע בְּכַף־יֶרֶךְ יַעֲקֹב בְּגִיד הַנָּשֶׁה: וַיִּשָּׂא יַעֲקֹב

רש"י כט| **לָמָּה זֶּה תִּשְׁאַל.** אֵין לָנוּ שֵׁם קָבוּעַ, מִשְׁתַּנִּים הֵם שְׁמוֹתֵינוּ הַכֹּל לְפִי מִצְוַת עֲבוֹדַת הַשְּׁלִיחוּת שֶׁאָנוּ מִשְׁתַּלְּחִים:

לא-לב| **וַיִּזְרַח לוֹ.** לְצָרְכוֹ, לְרַפֹּאת אֶת צַלְעָתוֹ, כְּמָה דְּאַתְּ אָמַר: "שֶׁמֶשׁ צְדָקָה וּמַרְפֵּא בִּכְנָפֶיהָ" (מלאכי ג, כ). וְאוֹתָן שָׁעוֹת שֶׁמִּהֲרָה לִשְׁקֹעַ כְּשֶׁיָּצָא מִבְּאֵר שֶׁבַע מִהֲרָה לִזְרֹחַ בִּשְׁבִילוֹ, וְהוּא הָיָה צוֹלֵעַ כְּשֶׁזָּרְחָה הַשֶּׁמֶשׁ:

לב| **גִּיד הַנָּשֶׁה.** לָמָּה נִקְרָא שְׁמוֹ 'גִּיד הַנָּשֶׁה'? שֶׁנָּשָׁה מִמְּקוֹמוֹ וְעָלָה, וְהוּא לְשׁוֹן קְפִיצָה, וְכֵן: "נָשְׁתָה גְבוּרָתָם" (ירמיה נא, ל), וְכֵן: "כִּי נַשַּׁנִי אֱלֹהִים אֶת כָּל עֲמָלִי" (להלן מא, נא):

העולם גיד הנשה (העצב האנכי שבמרכז)

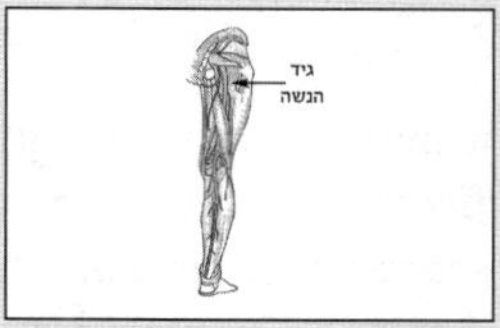

גִּיד הַנָּשֶׁה העצב המרכזי של הרגל (שם מדעי: Nervus ischiadicus) הנמשך מכף הירך ועד העקב. פגיעה בעצב זה יכולה להכאיב ואף לגרום שיתוק חלקי.

הרחבות כה, כפי שהטיח בו עשו (לעיל כז,לו). כיוון שיעקב ניצח במאבק, האיש בישר לו כי מכאן ואילך כבר אין הוא העוקב, המשני, או מי שצריך להתפתל ולרמות. משמעות השם החדש, יִשְׂרָאֵל, הוסברה ליעקב במפורש על ידי המלאך כשרייתו, כהתמודדותו המוצלחת עם אל ועם איש. אולם בשם טמונה משמעות נוספת, שכן מהדהדת בו גם המלה 'ישר' – ישר אל. היית העקוב, העקום, והפכת למישור. כיוון שעברת את מכשול המשניות, ומעתה אתה הראשון – תוכל לנהוג מעתה ביושר, ואינך זקוק לרמאות. (משמע היושר שבשם יִשְׂרָאֵל מודגש בשמו הנרדף, ישורון – ראו למשל דברים לג,ה).

'**למה זה תשאל לשמי**' חלק ממסתורין המפגש הזה נובע מהעלמת שמו של המלאך. לרוב במקרא אין מופיעים שמותיהם של המלאכים, אך בספרי התנ"ך האחרונים נזכרים שמות פרטיים של מלאכים, כגון מיכאל וגבריאל (למשל

ביאור

כט **וַיִּשְׁאַל יַעֲקֹב** את האיש **וַיֹּאמֶר: הַגִּידָה נָּא שְׁמֶךָ**. ייתכן ששאלַת שמו, כלומר מהותו או הגדרתו, לא נבעה מסקרנות גרידא, אלא מהצורך לברר עם עצמו את פשר המאבק, שהרי יעקב לא ידע אם הוא בן דמותו של עשו – "שרו של עשו",[6] האם הופיע רק לשם ניסיון, או שהיה בו איום ממשי מצד האופל.

וַיֹּאמֶר: לָמָּה זֶּה תִּשְׁאַל לִשְׁמִי? ידיעת שמי אינה נחוצה לך.

ושוב – **וַיְבָרֶךְ** המלאך **אֹתוֹ שָׁם.**

ל **וַיִּקְרָא יַעֲקֹב שֵׁם הַמָּקוֹם פְּנִיאֵל, כִּי רָאִיתִי אֱלֹהִים**, מלאך **פָּנִים אֶל פָּנִים**. היו מי שראו מלאך וחששו שהם עומדים למות.[7] יעקב לא רק ראה מלאך, הוא ידע בוודאות כי פגש בו פנים אל פנים, ובכל זאת – **וַתִּנָּצֵל נַפְשִׁי.**

לא המלאך נפרד מיעקב עם עלות השחר, ובינתיים – **וַיִּזְרַח לוֹ הַשֶּׁמֶשׁ כַּאֲשֶׁר עָבַר אֶת פְּנוּאֵל**. יעקב היה בוודאי נרגש ומזועזע הן מעצם הפגישה במלאך, הן מפציעתו – **וְהוּא צֹלֵעַ עַל יְרֵכוֹ.**

לב וכאן הערה הלכתית: **עַל כֵּן לֹא יֹאכְלוּ בְנֵי יִשְׂרָאֵל אֶת גִּיד הַנָּשֶׁה**, העצב או הגיד הגדול הנמשך מחלקה העליון של הירך ועד העקב, **אֲשֶׁר עַל כַּף**, שקע **הַיָּרֵךְ, עַד הַיּוֹם הַזֶּה. כִּי נָגַע בְּכַף יֶרֶךְ יַעֲקֹב, בְּגִיד הַנָּשֶׁה**, אזור פגיע בגוף. בעקבות נקעו של יעקב נאסרה אכילת גיד זה בבעלי החיים על זרעו לדורותיו.

הרחבות

דניאל ט,כא; יב,א). מכיוון שהמלאכים אינם דמויות עצמאיות, אלא שליחים והתגלמויות של כוחות עליונים, אין להם שמות יציבים. אם יש שם למלאך, הרי שהוא מבטא את שליחותו ההווית, ועל כן הוא עתיד להשתנות (רש"י פס' ל).

הופעת המלאכים בפני האבות לפגישתם של יעקב והאיש המסתורי היו היבטים גופניים, שהרי יעקב נקע את כף ירכו, והיו היבטים שאינם פיסיים כלל, שכן האויב שנאבק בו נעלם ולא נזכר עוד. הוויית המלאך המצויה בין העולמות והמתגלמת בדמות אנושית, הופיעה גם אצל אורחיו של אברהם שהגיעו ללוט. מצד אחד, הם נראו כבני אדם ולא זוהו מיד כמלאכים בעלי תפקידים ברורים, ומצד שני, התגלו כמלאכים רבי עצמה שהפכו עיר שלמה.

הופעת המלאכים באוהל אברהם והופעת המלאך בפני יעקב ליד מעבר יבֹּק היו קשורות בחידוש שמותיהם של האבות: המלאכים הופיעו באוהל אברהם, לאחר שנקרא בשם חדש. כאשר אברהם חדל להיקרא בשם שקראוהו אביו ואמו, ושמו כאדם פרטי הוחלף בשם שהצביע על ייעודו ותפקידו בעולם, בישרו לו המלאכים על מימושה של ההבטחה האלוקית (לעיל פרקים יח–יט). שמו החדש של יעקב התקבל מפי המלאך. יעקב לא קיבל את שמו מתוך נינוחות, כאברהם זקנו, אלא מתוך מאבק לילי, אך הדבר הולם את אופיים הסוער של חיי יעקב, שבהם דבר לא התנהל על מי מנוחות. באמצעות שינוי שמו ניבא לו המלאך על הפוטנציאל העשוי להתממש בו במהלך ההיסטוריה. כיוון שלא נכנע במאבק קשה זה, הוא

עֵינָיו וַיַּרְא וְהִנֵּה עֵשָׂו בָּא וְעִמּוֹ אַרְבַּע מֵאוֹת אִישׁ
וַיַּחַץ אֶת־הַיְלָדִים עַל־לֵאָה וְעַל־רָחֵל וְעַל שְׁתֵּי
הַשְּׁפָחוֹת׃ וַיָּשֶׂם אֶת־הַשְּׁפָחוֹת וְאֶת־יַלְדֵיהֶן רִאשֹׁנָה ב
וְאֶת־לֵאָה וִילָדֶיהָ אַחֲרֹנִים וְאֶת־רָחֵל וְאֶת־יוֹסֵף
אַחֲרֹנִים׃ וְהוּא עָבַר לִפְנֵיהֶם וַיִּשְׁתַּחוּ אַרְצָה שֶׁבַע ג
פְּעָמִים עַד־גִּשְׁתּוֹ עַד־אָחִיו׃ וַיָּרָץ עֵשָׂו לִקְרָאתוֹ ד
וַיְחַבְּקֵהוּ וַיִּפֹּל עַל־צַוָּארָו וַיִּשָּׁקֵהוּ וַיִּבְכּוּ׃ וַיִּשָּׂא אֶת־ ה
עֵינָיו וַיַּרְא אֶת־הַנָּשִׁים וְאֶת־הַיְלָדִים וַיֹּאמֶר מִי־אֵלֶּה
לָּךְ וַיֹּאמַר הַיְלָדִים אֲשֶׁר־חָנַן אֱלֹהִים אֶת־עַבְדֶּךָ׃ ▸
רביעי וַתִּגַּשְׁןָ הַשְּׁפָחוֹת הֵנָּה וְיַלְדֵיהֶן וַתִּשְׁתַּחֲוֶיןָ׃ וַתִּגַּשׁ ו ז
גַּם־לֵאָה וִילָדֶיהָ וַיִּשְׁתַּחֲווּ וְאַחַר נִגַּשׁ יוֹסֵף וְרָחֵל
וַיִּשְׁתַּחֲווּ׃ וַיֹּאמֶר מִי לְךָ כָּל־הַמַּחֲנֶה הַזֶּה אֲשֶׁר ח

רש"י | פרק לג

ב) **וְאֶת לֵאָה וִילָדֶיהָ אַחֲרֹנִים.** אַחֲרוֹן אַחֲרוֹן חָבִיב:

ג) **עָבַר לִפְנֵיהֶם.** אָמַר, אִם יָבֹא אוֹתוֹ רָשָׁע לְהִלָּחֵם, יִלָּחֵם בִּי תְּחִלָּה:

ד) **וַיְחַבְּקֵהוּ.** נִתְגַּלְגְּלוּ רַחֲמָיו כְּשֶׁרָאָהוּ מִשְׁתַּחֲוֶה כָּל הַהִשְׁתַּחֲוָיוֹת הַלָּלוּ: **וַיִּשָּׁקֵהוּ.** נָקוּד עָלָיו. וְיֵשׁ חוֹלְקִין בַּדָּבָר הַזֶּה בִּבְרַיְתָא דְּסִפְרֵי (בהעלתך סט): יֵשׁ שֶׁדָּרְשׁוּ נְקֻדָּה זוֹ לוֹמַר שֶׁלֹּא נְשָׁקוֹ בְּכָל לִבּוֹ; אָמַר רַבִּי שִׁמְעוֹן בֶּן יוֹחַאי: הֲלָכָה הִיא בְּיָדוּעַ שֶׁעֵשָׂו שׂוֹנֵא לְיַעֲקֹב, אֶלָּא שֶׁנִּכְמְרוּ רַחֲמָיו בְּאוֹתָהּ שָׁעָה וּנְשָׁקוֹ בְּכָל לִבּוֹ:

ה) **מִי אֵלֶּה לָּךְ.** מִי הֵלָּה לִהְיוֹת שֶׁלָּךְ?:

ז) **נִגַּשׁ יוֹסֵף וְרָחֵל.** בְּכֻלָּן הָאִמָּהוֹת נִגָּשׁוֹת לִפְנֵי הַבָּנִים, אֲבָל בְּרָחֵל – יוֹסֵף נִגַּשׁ לְפָנֶיהָ; אָמַר: אִמִּי יְפַת תֹּאַר, שֶׁמָּא יִתְלֶה בָּהּ עֵינָיו אוֹתוֹ רָשָׁע, אֶעֱמֹד כְּנֶגְדָּהּ וְאֶעַכְּבֶנּוּ מִלְּהִסְתַּכֵּל בָּהּ. מִכָּאן זָכָה יוֹסֵף לְבִרְכַּת "עֲלֵי עָיִן" (להלן מט, כב):

ח) **מִי לְךָ כָּל הַמַּחֲנֶה.** מִי כָּל הַמַּחֲנֶה אֲשֶׁר פָּגַשְׁתִּי שֶׁהוּא שֶׁלָּךְ? כְּלוֹמַר, לָמָּה הוּא לָךְ? פְּשׁוּטוֹ שֶׁל מִקְרָא עַל מוֹלִיכֵי הַמִּנְחָה, וּמִדְרָשׁוֹ, כִּתּוֹת שֶׁל מַלְאָכִים פָּגַע שֶׁהָיוּ דּוֹחֲפִין אוֹתוֹ וְאֶת אֲנָשָׁיו וְאוֹמְרִים לָהֶם: שֶׁל מִי אַתֶּם? וְהֵם אוֹמְרִים לָהֶם:

הרחבות | התבשר שלעולם לא ייכנע. גם אם ייפגע במשך הדורות ויצלע, מובטח לו שלא יישבר (רמב"ן פס' כו).

'וירץ עשו לקראתו ויחבקהו' בין אחים תאומים יש פעמים רבות קשר קרוב במיוחד. במפגשים המחודש של יעקב ועשו

המפגש בין יעקב ועשו

פרק לג פס׳ א–כ

לאחר ההכנות המעשיות והמילוליות, הדיפלומטיות, הצבאיות והרוחניות, היומיות והליליות – מגיע המפגש שממנו ירא יעקב כל השנים.

ביאור | יעקב נאבק באיש המסתורי עד עלות השחר. בינתיים עלתה השמש,
וההתרחשות האנושית נראתה לעין: פרק לג א **וַיִּשָּׂא יַעֲקֹב עֵינָיו,**
וַיַּרְא וְהִנֵּה עֵשָׂו בָּא, וְעִמּוֹ אַרְבַּע מֵאוֹת אִישׁ. מול מחנהו המשפחתי
המצומצם של יעקב, המלווה בעבדים, שפחות ונכסים, הופיע מחנה
צבאי גדול. **וַיַּחַץ אֶת הַיְלָדִים, עַל לֵאָה וְעַל רָחֵל וְעַל שְׁתֵּי הַשְּׁפָחוֹת.**
יעקב ארגן את צאצאיו, כך שכל אם תשגיח על ילדיה. ב **וַיָּשֶׂם**
אֶת הַשְּׁפָחוֹת וְאֶת יַלְדֵיהֶן רִאשֹׁנָה, וְאֶת לֵאָה וִילָדֶיהָ אַחֲרֹנִים, וְאֶת
רָחֵל וְאֶת יוֹסֵף אַחֲרֹנִים. כיוון שיעקב חשש מהתנהגותו הקשה של עשו, הוא העמיד אותם בסדר מהופך לסדר חשיבותם בעיניו: הוא הקדים את השפחות וילדיהן, אחריהן העמיד את לאה וילדיה, ולבסוף את רחל, אשתו האהובה ביותר, ואת בנה.[8]

ג **וְהוּא,** יעקב **עָבַר לִפְנֵיהֶם,** לפני בני המשפחה, **וַיִּשְׁתַּחוּ אַרְצָה שֶׁבַע פְּעָמִים,** מספר סמלי, **עַד גִּשְׁתּוֹ עַד אָחִיו.** הליכתו, שכללה השתחוויות רבות, ביטאה כבוד וקבלת מרותו של עשו, עוד קודם שנאמר ביניהם דבר.

ד **וַיָּרָץ עֵשָׂו לִקְרָאתוֹ וַיְחַבְּקֵהוּ וַיִּפֹּל עַל צַוָּארָו וַיִּשָּׁקֵהוּ, וַיִּבְכּוּ** יחד.

ה **וַיִּשָּׂא** עשו **אֶת עֵינָיו, וַיַּרְא אֶת הַנָּשִׁים וְאֶת הַיְלָדִים,** שצעדו לאחר יעקב. **וַיֹּאמֶר: מִי אֵלֶּה לָּךְ?** אף על פי שיכול היה לשער.

וַיֹּאמַר יעקב: **הַיְלָדִים אֲשֶׁר חָנַן אֱלֹהִים אֶת עַבְדֶּךָ.** אלו ילדַי. יעקב חזר וכינה עצמו עבדו של עשו. הוא העדיף להחניף לעשו, ובלבד שיישמרו היחסים ביניהם.

ו **וַתִּגַּשְׁןָ הַשְּׁפָחוֹת הֵנָּה וְיַלְדֵיהֶן, וַתִּשְׁתַּחֲוֶיןָ.** השפחות וילדיהן חיקו
את יעקב. ז **וַתִּגַּשׁ גַּם לֵאָה וִילָדֶיהָ וַיִּשְׁתַּחֲווּ, וְאַחַר נִגַּשׁ יוֹסֵף וְרָחֵל**
וַיִּשְׁתַּחֲווּ.

שניהם התרגשו. גם אם עשו לא מחל באופן מלא על הטינה שהייתה בלבו, היא אינה ניכרת כאן. ייתכן שהעובדה שיעקב

הרחבות | העמיד את עצמו כעבדו הכנוע של עשו כשלעצמה, ריצתה את עשו. עשו חש שהושב לו הכבוד והעצמה שנלקחו ממנו.

פָּגָשְׁתִּי וַיֹּאמֶר לִמְצֹא־חֵן בְּעֵינֵי אֲדֹנִי׃ וַיֹּאמֶר עֵשָׂו ט
יֶשׁ־לִי רָב אָחִי יְהִי לְךָ אֲשֶׁר־לָךְ׃ וַיֹּאמֶר יַעֲקֹב אַל־ י
נָא אִם־נָא מָצָאתִי חֵן בְּעֵינֶיךָ וְלָקַחְתָּ מִנְחָתִי מִיָּדִי
כִּי עַל־כֵּן רָאִיתִי פָנֶיךָ כִּרְאֹת פְּנֵי אֱלֹהִים וַתִּרְצֵנִי׃
קַח־נָא אֶת־בִּרְכָתִי אֲשֶׁר הֻבָאת לָךְ כִּי־חַנַּנִי אֱלֹהִים יא
וְכִי יֶשׁ־לִי־כֹל וַיִּפְצַר־בּוֹ וַיִּקָּח׃ וַיֹּאמֶר נִסְעָה וְנֵלֵכָה יב
וְאֵלְכָה לְנֶגְדֶּךָ׃ וַיֹּאמֶר אֵלָיו אֲדֹנִי יֹדֵעַ כִּי־הַיְלָדִים יג

רש"י

שֶׁל עֵשָׂו, וְהֵם אוֹמְרִים: הַכּוּ הַכּוּ. וְאֵלּוּ אוֹמְרִים: בְּנוֹ שֶׁל יִצְחָק הוּא, וְלֹא הָיוּ מַשְׁגִּיחִים; בֶּן בְּנוֹ שֶׁל אַבְרָהָם, וְלֹא הָיוּ מַשְׁגִּיחִים; אָחִיו שֶׁל יַעֲקֹב הוּא, וְאֵלּוּ אוֹמְרִים לָהֶם: אִם כֵּן מִשֶּׁלָּנוּ אַתֶּם:

ט] **יְהִי לְךָ אֲשֶׁר לָךְ.** כָּאן הוֹדָה לוֹ עַל הַבְּרָכוֹת:

י] **אַל נָא.** אַל נָא תֹּאמַר לִי כֵּן: **אִם נָא מָצָאתִי חֵן בְּעֵינֶיךָ וְלָקַחְתָּ מִנְחָתִי מִיָּדִי כִּי עַל כֵּן רָאִיתִי פָּנֶיךָ וגו'.** כִּי כְּדַאי וְהָגוּן לְךָ שֶׁתְּקַבֵּל מִנְחָתִי, עַל אֲשֶׁר רָאִיתִי פָּנֶיךָ וַהֲרֵי הֵן חֲשׁוּבִין לִי כִּרְאִיַּת פְּנֵי הַמַּלְאָךְ, שֶׁרָאִיתִי שַׂר שֶׁלְּךָ, וְעוֹד, עַל שֶׁנִּתְרַצֵּיתָ לִי לִמְחֹל עַל סָרְחָנִי. וְלָמָּה הִזְכִּיר לוֹ רְאִיַּת הַמַּלְאָךְ? כְּדֵי שֶׁיִּתְיָרֵא הֵימֶנּוּ וְיֹאמַר: רָאָה מַלְאָכִים וְנִצַּל, אֵינִי יָכוֹל לוֹ מֵעַתָּה: **וַתִּרְצֵנִי.** נִתְפַּיַּסְתָּ לִי, וְכֵן כָּל רָצוֹן שֶׁבַּמִּקְרָא לְשׁוֹן פִּיּוּס, אפיימנ"ט בְּלַעַז; "כִּי לֹא לְרָצוֹן יִהְיֶה לָכֶם" (ויקרא כב, כ) – הַקָּרְבָּנוֹת בָּאוֹת לְפַיֵּס וּלְרַצּוֹת, "שִׂפְתֵי צַדִּיק יֵדְעוּן רָצוֹן" (משלי י, לב) – יוֹדְעִים לְפַיֵּס וּלְרַצּוֹת:

יא] **בִּרְכָתִי.** מִנְחָה זוֹ הַבָּאָה עַל רְאִיַּת פָּנִים וְלִפְרָקִים, אֵינָהּ בָּאָה אֶלָּא לִשְׁאֵלַת שָׁלוֹם. וְכָל בְּרָכָה שֶׁהִיא לִרְאִיַּת פָּנִים, כְּגוֹן: "וַיְבָרֶךְ יַעֲקֹב אֶת פַּרְעֹה" (להלן מז, י), "עֲשׂוּ אִתִּי בְרָכָה" (מלכים ב' יח, לא) דְּסַנְחֵרִיב, וְכֵן: "לִשְׁאָל לוֹ לְשָׁלוֹם וּלְבָרְכוֹ" (שמואל ב' ח, י) דְּתֹעִי מֶלֶךְ חֲמָת, כֻּלָּם לְשׁוֹן בִּרְכַּת שָׁלוֹם הֵן, שֶׁקּוֹרִין בְּלַעַז סלודי"ר, אַף זוֹ, "בִּרְכָתִי" – מו"ן סלו"ד: **אֲשֶׁר הֻבָאת לָךְ.** לֹא טָרַחְתָּ בָּהּ וַאֲנִי יָגַעְתִּי לַהֲגִיעָהּ עַד שֶׁבָּאָה לְיָדְךָ: **חַנַּנִי.** נוּ"ן רִאשׁוֹנָה מְדֻגֶּשֶׁת לְפִי שֶׁהִיא מְשַׁמֶּשֶׁת בִּמְקוֹם שְׁתֵּי נוּנִי"ן, שֶׁהָיָה לוֹ לוֹמַר 'חֲנָנַנִי', שֶׁאֵין 'חָנַן' בְּלֹא שְׁתֵּי נוּנִי"ן, וְהַשְּׁלִישִׁית לְשִׁמּוּשׁ כְּמוֹ 'עָשָׂנִי' (ישעיה כט, טז), 'זְבָדַנִי' (לעיל ל, כ): **יֶשׁ לִי כֹל.** כָּל סִפּוּקִי. וְעֵשָׂו דִּבֵּר בִּלְשׁוֹן גַּאֲוָה: "יֶשׁ לִי רָב" (לעיל פסוק ט), יוֹתֵר וְיוֹתֵר מִכְּדֵי צָרְכִּי:

יב] **נִסְעָה.** כְּמוֹ: "שִׁמְעָה" (תהלים לט, יג), "סְלָחָה" (להלן מג, ח) שֶׁהוּא כְּמוֹ 'שְׁמַע', 'סְלַח', אַף 'נִסְעָה' כְּמוֹ 'נְסַע', וְהַנּוּ"ן יְסוֹד בַּתֵּבָה. וְתַרְגּוּם שֶׁל אוּנְקְלוֹס: "טוּל וּנְהָךְ", עֵשָׂו אָמַר לְיַעֲקֹב, נְסַע מִכָּאן וְנֵלֵךְ: **וְאֵלְכָה לְנֶגְדֶּךָ.** בְּשָׁוֶה לָךְ, טוֹבָה זוֹ אֶעֱשֶׂה לְךָ שֶׁאַאֲרִיךְ יְמֵי מַהֲלָכִי לָלֶכֶת לְאַט כַּאֲשֶׁר אַתָּה צָרִיךְ, וְזֶהוּ "לְנֶגְדֶּךָ" – בְּשָׁוֶה לָךְ:

ח **וַיֹּאמֶר** עשו: **מִי לְךָ כָּל הַמַּחֲנֶה הַזֶּה** של עדרי הצאן, הבקר, הגמלים | ביאור
ושאר הבהמות ששלחת, **אֲשֶׁר פָּגָשְׁתִּי**?

וַיֹּאמֶר יעקב: **לִמְצֹא חֵן בְּעֵינֵי אֲדֹנִי**. הבאתי לך מתנת פיוס, ואני מקווה שתקבל אותה ברצון.

ט **וַיֹּאמֶר עֵשָׂו: יֶשׁ לִי רָב**, הרבה, **אָחִי**. אינני זקוק למתנתך. קרוב
לוודאי שעשו דיבר בכנות, שכן עשו היה מושל במדינה קטנה. **יְהִי
לְךָ אֲשֶׁר לָךְ**. השאר את המתנה לעצמך.

י **וַיֹּאמֶר יַעֲקֹב: אַל נָא**, בבקשה, **אִם נָא מָצָאתִי חֵן בְּעֵינֶיךָ**, אם יחסינו
אכן טובים, **וְלָקַחְתָּ מִנְחָתִי מִיָּדִי**, שכן קבלת המתנה מבטאת קרבה,
כִּי עַל כֵּן רָאִיתִי פָנֶיךָ כִּרְאֹת פְּנֵי אֱלֹהִים, כי אני רואה אותך כברייה
מרוממת, **וַתִּרְצֵנִי**. כיוון שאתה כה גדול בעיני, כבוד הוא לי שמתנתי
תהיה רצויה לך. יא **קַח נָא אֶת בִּרְכָתִי אֲשֶׁר הֻבָאת לָךְ**. ידוע לי
שאינך זקוק למתנה, אך מתנתי אינה אלא ברכה שאני חולק אתך, **כִּי
חַנַּנִי אֱלֹהִים וְכִי יֶשׁ לִי כֹל**. אינך מחסר ממני מאומה. נראה שעשו לא
יכול היה לעמוד על גודל רכושו של יעקב. הוא לא שאל על המחנה
והעדרים, אולי משום שיעקב הותיר אותם מאחור מתוך זהירות.

וַיִּפְצַר בּוֹ, יעקב עמד על כך שעשו יקבל את מתנתו, **וַיִּקָּח**.

כעסו ואיבתו של עשו כלפי יעקב התעוררו לפני שנים רבות,
ומאז נמנע יעקב ממפגש עם עשו. די היה במתנה המרצה
ובביטויי ההתרפסות של יעקב כדי לרכך את עשו ולהשיבו אל
האחווה. יב **וַיֹּאמֶר** עשו: **נִסְעָה וְנֵלֵכָה, וְאֵלְכָה לְנֶגְדֶּךָ**. הבה נתקדם
יחד באותה דרך, הלוא אתה אחי. מתגובתו של יעקב עולה כי הבין
את דברי עשו כהזמנה שיבקר אצלו או יבוא לגור אתו במקום שבו
הוא מושל.

יג **וַיֹּאמֶר אֵלָיו** יעקב: **אֲדֹנִי יֹדֵעַ כִּי הַיְלָדִים רַכִּים**. אתה רואה שהילדים

רַכִּ֑ים וְהַצֹּ֥אן וְהַבָּקָ֖ר עָל֣וֹת עָלָ֑י וּדְפָקוּם֙ י֣וֹם אֶחָ֔ד
יד וָמֵ֖תוּ כָּל־הַצֹּֽאן׃ יַעֲבָר־נָ֥א אֲדֹנִ֖י לִפְנֵ֣י עַבְדּ֑וֹ וַאֲנִ֞י
אֶֽתְנָהֲלָ֣ה לְאִטִּ֗י לְרֶ֨גֶל הַמְּלָאכָ֤ה אֲשֶׁר־לְפָנַי֙ וּלְרֶ֣גֶל
טו הַיְלָדִ֔ים עַ֛ד אֲשֶׁר־אָבֹ֥א אֶל־אֲדֹנִ֖י שֵׂעִֽירָה׃ וַיֹּ֣אמֶר
עֵשָׂ֔ו אַצִּֽיגָה־נָּ֣א עִמְּךָ֔ מִן־הָעָ֖ם אֲשֶׁ֣ר אִתִּ֑י וַיֹּ֨אמֶר֙
טז לָ֣מָּה זֶּ֔ה אֶמְצָא־חֵ֖ן בְּעֵינֵ֥י אֲדֹנִֽי׃ וַיָּשָׁב֩ בַּיּ֨וֹם הַה֥וּא
יז עֵשָׂ֛ו לְדַרְכּ֖וֹ שֵׂעִֽירָה׃ וְיַעֲקֹב֙ נָסַ֣ע סֻכֹּ֔תָה וַיִּ֥בֶן ל֖וֹ בָּ֑יִת
וּלְמִקְנֵ֙הוּ֙ עָשָׂ֣ה סֻכֹּ֔ת עַל־כֵּ֛ן קָרָ֥א שֵׁם־הַמָּק֖וֹם
יח סֻכּֽוֹת׃ וַיָּבֹא֩ יַעֲקֹ֨ב שָׁלֵ֜ם עִ֣יר שְׁכֶ֗ם אֲשֶׁר֙ לא

רש"י

יג) **עָלוֹת עָלָי.** הַצֹּאן וְהַבָּקָר שֶׁהֵן "עָלוֹת", מְטֻלּוֹת "עָלַי", לְנַהֲלָן לְאַט: **עָלוֹת.** מְגַדְּלוֹת עוֹלְלֵיהֶן, לְשׁוֹן "עוֹלֵל וְיוֹנֵק" (ירמיה מד, ז; איכה ב, יא), "עוּל יָמִים" (ישעיה סה, כ), "וּשְׁתֵּי פָרוֹת עָלוֹת" (שמואל א' ו, ז), וּבְלַעַז אנפנטייר"ש: **וּדְפָקוּם יוֹם אֶחָד.** לְיַגְּעָם בַּדֶּרֶךְ בִּמְרוּצָה, "וָמֵתוּ כָּל הַצֹּאן": **וּדְפָקוּם.** כְּמוֹ: "קוֹל דּוֹדִי דוֹפֵק" (שיר השירים ה, ב), נוֹקֵשׁ בַּדֶּלֶת:

יד) **יַעֲבָר נָא אֲדֹנִי.** אַל נָא תַּאֲרִיךְ יְמֵי הֲלִיכָתְךָ, עֲבֹר כְּפִי דַּרְכְּךָ וְאַף אִם תִּתְרַחֵק: **אֶתְנַהֲלָה.** אֶתְנַהֵל, הֵ"א יְתֵרָה, כְּמוֹ: 'אֵרְדָה' (לעיל יח, כא), 'אֶשְׁמְעָה' (ירמיה ד, כא; תהלים פה, ט): **לְאִטִּי.** לְאַט שֶׁלִּי, לְשׁוֹן נַחַת, "הַהוֹלְכִים לְאַט" (ישעיה ח, ו), "לְאַט לִי לַנַּעַר" (שמואל ב' יח, ה): **לְאִטִּי.** הַלָּמֶ"ד מִן הַיְסוֹד וְאֵינָהּ מְשַׁמֶּשֶׁת, אֶתְנַהֵל נַחַת שֶׁלִּי: **לְרֶגֶל הַמְּלָאכָה.** לְפִי צֹרֶךְ הֲלִיכַת רַגְלֵי הַמְּלָאכָה הַמֻּטֶּלֶת לְפָנַי לְהוֹלִיךְ: **וּלְרֶגֶל הַיְלָדִים.** לְפִי רַגְלֵיהֶם שֶׁהֵם יְכוֹלִים לֵילֵךְ: **עַד אֲשֶׁר אָבֹא אֶל אֲדֹנִי שֵׂעִירָה.** הִרְחִיב לוֹ הַדֶּרֶךְ, שֶׁלֹּא הָיָה דַּעְתּוֹ לָלֶכֶת אֶלָּא עַד סֻכּוֹת, אָמַר: אִם דַּעְתּוֹ לַעֲשׂוֹת לִי רָעָה יַמְתִּין עַד בּוֹאִי אֶצְלוֹ. וְהוּא לֹא הָלַךְ, וְאֵימָתַי יֵלֵךְ? בִּימֵי הַמָּשִׁיחַ, שֶׁנֶּאֱמַר: "וְעָלוּ מוֹשִׁעִים בְּהַר צִיּוֹן לִשְׁפֹּט אֶת הַר עֵשָׂו" (עובדיה א, כא). וּמִדְרְשֵׁי אַגָּדָה יֵשׁ לְפָרָשָׁה זוֹ רַבִּים:

טו) **וַיֹּאמֶר לָמָּה זֶּה.** תַּעֲשֶׂה לִי טוֹבָה זוֹ שֶׁאֵינִי צָרִיךְ לָהּ; "אֶמְצָא חֵן" בְּעֵינֶיךָ וְלֹא תְשַׁלֵּם לִי עַתָּה שׁוּם גְּמוּל:

טז) **וַיָּשָׁב בַּיּוֹם הַהוּא עֵשָׂו לְדַרְכּוֹ.** עֵשָׂו לְבַדּוֹ, וְאַרְבַּע מֵאוֹת אִישׁ שֶׁהָלְכוּ עִמּוֹ נִשְׁמְטוּ מֵאֶצְלוֹ אֶחָד אֶחָד. וְהֵיכָן פָּרַע לָהֶם הַקָּדוֹשׁ בָּרוּךְ הוּא? בִּימֵי דָוִד, שֶׁנֶּאֱמַר: "כִּי אִם אַרְבַּע מֵאוֹת אִישׁ נַעַר אֲשֶׁר רָכְבוּ עַל הַגְּמַלִּים" (שמואל א' ל, יז):

יז) **וַיִּבֶן לוֹ בָּיִת.** שָׁהָה שָׁם שְׁמוֹנָה עָשָׂר חֹדֶשׁ, קַיִץ וְחֹרֶף וְקַיִץ; קַיִץ – 'סֻכֹּת', חֹרֶף – 'בַּיִת', וְקַיִץ – 'סֻכֹּת':

יח) **שָׁלֵם.** שָׁלֵם בְּגוּפוֹ, שֶׁנִּתְרַפֵּא מִצַּלְעָתוֹ; שָׁלֵם בְּמָמוֹנוֹ, שֶׁלֹּא חָסַר כְּלוּם מִכָּל אוֹתוֹ דּוֹרוֹן; שָׁלֵם בְּתוֹרָתוֹ, שֶׁלֹּא שָׁכַח תַּלְמוּדוֹ בְּבֵית לָבָן: **עִיר שְׁכֶם.** כְּמוֹ 'לְעִיר', וְכָמוֹהוּ:

ביאור

צעירים. ראובן הבכור היה אז כבן שלוש-עשרה, **וְהַצֹּאן וְהַבָּקָר עָלוֹת** מניקות, וצרכיהן **עָלָי, וּדְפָקוּם**, אם יזרזו אותן **יוֹם אֶחָד** – **וָמֵתוּ כָּל הַצֹּאן**. עם משפחתי וצאני לא אוכל לעמוד בקצב של מחנה הצבא
שלך. יד **יַעֲבָר נָא אֲדֹנִי לִפְנֵי עַבְדּוֹ**, לך אתה קודם, **וַאֲנִי אֶתְנָהֲלָה לְאִטִּי, לְרֶגֶל הַמְּלָאכָה**, בגלל רכושי **אֲשֶׁר לְפָנַי וּלְרֶגֶל הַיְלָדִים, עַד אֲשֶׁר אָבֹא אֶל אֲדֹנִי שֵׂעִירָה**. עד שאגיע לארצך עלינו לעבור עוד דרך ארוכה.

טו **וַיֹּאמֶר עֵשָׂו**: אם כך, **אַצִּיגָה נָּא עִמְּךָ מִן הָעָם אֲשֶׁר אִתִּי**. אשאיר אתך חלק מאנשַׁי כדי לשמור עליך ועל משפחתך.

וַיֹּאמֶר יעקב: **לָמָּה זֶּה אֶמְצָא חֵן בְּעֵינֵי אֲדֹנִי**? אני עצמאי. אין בכך צורך, ואף אינני רוצה להכביד עליך בקבלת שירותים אלו.

טז **וַיָּשָׁב בַּיּוֹם הַהוּא עֵשָׂו** עם מחנהו ועם הבהמות שקיבל **לְדַרְכּוֹ שֵׂעִירָה**, לשעיר.

יז **וְיַעֲקֹב נָסַע סֻכֹּתָה**, למקום שנקרא סֻכּוֹת. שם - **וַיִּבֶן לוֹ**, לעצמו **בָּיִת, וּלְמִקְנֵהוּ עָשָׂה סֻכֹּת, עַל כֵּן קָרָא שֵׁם הַמָּקוֹם סֻכּוֹת**. מקום זה עדיין לא היה יישוב קבע, ובו חנה עד שהחליט לאן יפנה הלאה.

יח **וַיָּבֹא יַעֲקֹב שָׁלֵם**, ללא פגעים והפסדים, **עִיר שְׁכֶם אֲשֶׁר בְּאֶרֶץ** ›

הרחבות

'למה זה אמצא חן בעיני אדני' יעקב היה מעוניין שהפגישה עם עשו תסתיים באופן חלק ונעים ככל האפשר, בלא לקבל טובות הנאה מאחיו. הוא לא רצה להיענות למחוות ההתקרבות של עשו, אלא לקיים אתו יחסים שיש בהם פיוס וכבוד מרחוק.

העולם

סֻכּוֹת עיר בנחלת בני גד בעבר הירדן המזרחי, מזוהה עם דיר-עלה בעמק סוכות בשפך נחל יבֹּק.

שָׁלֵם לפי אחת הדעות זהו שם יישוב בדרך העולה מבקעת הירדן לשכם, ושמו השתמר ביישוב הערבי כפר סאלם, כ-6 ק"מ ממזרח לשכם.

שְׁכֶם מזוהה עם תל בלאטה, היושבת על צומת דרכים חשוב ביותר במרכז השׁמרון, בדרך מבוא השמש (דברים יא,ל) העוברת מבקעת הירדן למישור החוף דרך גב ההר. נמצאו בה שרידי חומות אדירות. לפי הממצא הארכיאולוגי העיר נוסדה בתחילת האלף השני לפנה"ס, ונזכרת גם בתעודות מצריות מתקופה זו.

בְּאֶרֶץ כְּנַעַן בְּבֹאוֹ מִפַּדַּן אֲרָם וַיִּחַן אֶת־פְּנֵי הָעִיר׃
וַיִּקֶן אֶת־חֶלְקַת הַשָּׂדֶה אֲשֶׁר נָטָה־שָׁם אָהֳלוֹ מִיַּד יט
בְּנֵי־חֲמוֹר אֲבִי שְׁכֶם בְּמֵאָה קְשִׂיטָה׃ וַיַּצֶּב־שָׁם כ
חמישי מִזְבֵּחַ וַיִּקְרָא־לוֹ אֵל אֱלֹהֵי יִשְׂרָאֵל׃ וַתֵּצֵא א לד
דִינָה בַּת־לֵאָה אֲשֶׁר יָלְדָה לְיַעֲקֹב לִרְאוֹת בִּבְנוֹת
הָאָרֶץ׃ וַיַּרְא אֹתָהּ שְׁכֶם בֶּן־חֲמוֹר הַחִוִּי נְשִׂיא הָאָרֶץ ב
וַיִּקַּח אֹתָהּ וַיִּשְׁכַּב אֹתָהּ וַיְעַנֶּהָ׃ וַתִּדְבַּק נַפְשׁוֹ בְּדִינָה ג
בַּת־יַעֲקֹב וַיֶּאֱהַב אֶת־הַנַּעֲרָ וַיְדַבֵּר עַל־לֵב הַנַּעֲרָ׃

רש"י

"עַד בּוֹאֲנָה בֵּית לָחֶם" (רות א, יט): **בְּבֹאוֹ מִפַּדַּן אֲרָם.** כְּאָדָם הָאוֹמֵר לַחֲבֵרוֹ, יָצָא פְּלוֹנִי מִבֵּין שִׁנֵּי אֲרָיוֹת וּבָא שָׁלֵם, אַף כָּאן: וַיָּבֹא שָׁלֵם מִפַּדַּן אֲרָם, מִלָּבָן וּמֵעֵשָׂו שֶׁנִּזְדַּוְּגוּ לוֹ בַּדֶּרֶךְ:

יט| **קְשִׂיטָה.** מָעָה. אָמַר רַבִּי עֲקִיבָא: כְּשֶׁהָלַכְתִּי לִכְרַכֵּי הַיָּם הָיוּ קוֹרִין לְמָעָה 'קְשִׂיטָה':

כ| **וַיִּקְרָא לוֹ אֵל אֱלֹהֵי יִשְׂרָאֵל.** לֹא שֶׁהַמִּזְבֵּחַ קָרוּי "אֱלֹהֵי יִשְׂרָאֵל", אֶלָּא עַל שֵׁם שֶׁהָיָה הַקָּדוֹשׁ בָּרוּךְ הוּא עִמּוֹ וְהִצִּילוֹ קָרָא שֵׁם הַמִּזְבֵּחַ עַל שֵׁם הַנֵּס, לִהְיוֹת שִׁבְחוֹ שֶׁל מָקוֹם נִזְכָּר בִּקְרִיאַת הַשֵּׁם, כְּלוֹמַר, מִי שֶׁהוּא אֵל, הוּא הַקָּדוֹשׁ בָּרוּךְ הוּא, הוּא לֵאלֹהִים לִי שֶׁשְּׁמִי יִשְׂרָאֵל. וְכֵן מָצִינוּ בְּמֹשֶׁה: "וַיִּקְרָא שְׁמוֹ ה' נִסִּי" (שמות יז, טו), לֹא שֶׁהַמִּזְבֵּחַ קָרוּי ה', אֶלָּא עַל שֵׁם הַנֵּס קָרָא שֵׁם הַמִּזְבֵּחַ לְהַזְכִּיר שִׁבְחוֹ שֶׁל הַקָּדוֹשׁ בָּרוּךְ הוּא, ה' הוּא נִסִּי. וְרַבּוֹתֵינוּ אָמְרוּ שֶׁהַקָּדוֹשׁ בָּרוּךְ הוּא קְרָאוֹ לְיַעֲקֹב 'אֵל'. וְדִבְרֵי תוֹרָה "כְּפַטִּישׁ יְפֹצֵץ סָלַע" (ירמיה כג, כט), מִתְחַלְּקִים לְכַמָּה טְעָמִים, וַאֲנִי לְיַשֵּׁב פְּשׁוּטוֹ שֶׁל מִקְרָא בָּאתִי:

פרק לד

א| **בַּת לֵאָה.** וְלֹא בַּת יַעֲקֹב? אֶלָּא עַל שֵׁם יְצִיאָתָהּ נִקְרֵאת 'בַּת לֵאָה', שֶׁאַף הִיא יַצְאָנִית – "וַתֵּצֵא לֵאָה לִקְרָאתוֹ" (לעיל ל, טז):

ב| **וַיִּשְׁכַּב אֹתָהּ.** כְּדַרְכָּהּ: **וַיְעַנֶּהָ.** שֶׁלֹּא כְּדַרְכָּהּ:

ג| **עַל לֵב הַנַּעֲרָה.** דְּבָרִים הַמִּתְיַשְּׁבִים

העולם

קְשִׂיטָה מתנה בעלת ערך, לפי הכתוב באיוב (מב,יא): וַיִּתְּנוּ לוֹ אִישׁ קְשִׂיטָה אֶחָת וְאִישׁ נֶזֶם זָהָב אֶחָד. מלה דומה באכדית, sikkiltu, משמעה צאן או חפץ יקר. התרגומים הקדומים, אונקלוס, קומראן והשבעים תרגמוה לכבשים, בתרגום יונתן נתפרשה מרגליות והיו שטענו שקשיטה היא יחידת משקל. רבי עקיבא העיד: "כשהלכתי לאפריקי היו קורין למעה קשיטה" (ראש השנה כו ע"א). ואולם באותו זמן לא השתמשו עדיין במטבעות מוכרים, לכן נראה יותר שזהו שָׁוֶה כסף אחר, כגון ראש צאן. מעניין כי אף המלה העברית 'חיל'

ביאור | **כְּנָעַן**, זוהי עיר ממשית, יישוב של קבע, **בְּבֹאוֹ מִפַּדַּן אֲרָם, וַיִּחַן אֶת פְּנֵי**, מול **הָעִיר** בקרבתה ולא בתוכה, כך שיכול היה לקשור יחסים עם בני העיר. יט בהגיעו לשם – **וַיִּקֶן אֶת חֶלְקַת הַשָּׂדֶה אֲשֶׁר נָטָה שָׁם אָהֳלוֹ**. כיוון שהמקום לא היה ריק מבני אדם, אלא עיר מיושבת, לא היה ראוי שיפרוש אוהל במקום שאינו שלו. לכן קנה את מקומו **מִיַּד בְּנֵי חֲמוֹר** – שמו של **אֲבִי שְׁכֶם**, ראש העיר שכם. **בְּמֵאָה קְשִׂיטָה**, סכום כסף מסוים,[9] או: צאן וכדומה.

כ **וַיַּצֶּב שָׁם מִזְבֵּחַ, וַיִּקְרָא לוֹ**, למזבח **אֵל אֱלֹהֵי יִשְׂרָאֵל**. מזבחות אחדים לא נחשבו רק כמבנים שימושיים, אלא כבעלי מעמד וזהות.[10]

מעשה דינה

פרק לד

תלאות בית יעקב לא תמו. לאחר שהייה ממושכת בגולה, תככים משפחתיים, נדודים, היאבקות ופחד – שב יעקב וביתו אל הנחלה, אך לא אל המנוחה. בתו היחידה נאנסת בשכם על ידי נסיך העיר. לראשונה יוזמים כאן שניים מבניו, שמעון ולוי הצעירים מאוד, מעשה נועז. תגובתם הקנאית לאונס אחותם מעוררת את ביקורתו של אביהם, ואת תחושת סכנת ההכחדה המאיימת על הבית שנבנה בקשיים מרובים.

פרק לד א כיוון שיעקב ומשפחתו חיו בקרבת העיר שכם – **וַתֵּצֵא דִינָה, הַבַּת** הקטנה של **לֵאָה, אֲשֶׁר יָלְדָה לְיַעֲקֹב, לִרְאוֹת בִּבְנוֹת הָאָרֶץ**. דינה, שחייתה עד כה בעיקר בנדודים ובמדבר, הגיעה לראשונה אל העיר והתחברה לבנותיה. ב **וַיַּרְא אֹתָהּ שְׁכֶם בֶּן חֲמוֹר הַחִוִּי נְשִׂיא הָאָרֶץ**. הנערה הזרה מצאה חן בעיני בנו של נשיא הארץ. **וַיִּקַּח אֹתָהּ, וַיִּשְׁכַּב אֹתָהּ, וַיְעַנֶּהָ**, אנס אותה. ג מן הסתם, לא הייתה זו הבחורה הראשונה שביחס אליה ניצל שכם את מעמדו באופן הזה, אלא שהפעם הוא לא נטש את הבחורה לאחר מכן, אלא – **וַתִּדְבַּק נַפְשׁוֹ בְּדִינָה בַּת יַעֲקֹב. וַיֶּאֱהַב אֶת הַנַּעֲרָ**, יתר על כן – **וַיְדַבֵּר עַל לֵב הַנַּעֲרָ**. אף על פי ששכם בוודאי היה חזק ממנה, הוא ניסה לפתותה

העולם | המורה על ממון ורכוש, משמעה 'סוס' בשפות שמיות. גם אצל הרומאים היה מעבר בין צאן לממון. המקבילה בלשונם ל'ממון' יונקת מהמקבילה בשפתם ל'צאן' (ראו אונקלוס פס' יט, והשוו לתרגומו לבראשית כא,כח, ראב"ע איוב מב,יא, רס"ג ומדרש שכל טוב פס' יט).

ד וַיֹּ֣אמֶר שְׁכֶ֔ם אֶל־חֲמ֥וֹר אָבִ֖יו לֵאמֹ֑ר קַח־לִ֛י אֶת־
ה הַיַּלְדָּ֥ה הַזֹּ֖את לְאִשָּֽׁה׃ וְיַעֲקֹ֣ב שָׁמַ֗ע כִּ֤י טִמֵּא֙ אֶת־
דִּינָ֣ה בִתּ֔וֹ וּבָנָ֛יו הָי֥וּ אֶת־מִקְנֵ֖הוּ בַּשָּׂדֶ֑ה וְהֶחֱרִ֥שׁ
ו יַעֲקֹ֖ב עַד־בֹּאָֽם׃ וַיֵּצֵ֛א חֲמ֥וֹר אֲבִֽי־שְׁכֶ֖ם אֶֽל־יַעֲקֹ֑ב
ז לְדַבֵּ֖ר אִתּֽוֹ׃ וּבְנֵ֨י יַעֲקֹ֜ב בָּ֤אוּ מִן־הַשָּׂדֶה֙ כְּשָׁמְעָ֔ם
וַיִּֽתְעַצְּבוּ֙ הָֽאֲנָשִׁ֔ים וַיִּ֥חַר לָהֶ֖ם מְאֹ֑ד כִּֽי־נְבָלָ֞ה עָשָׂ֣ה
בְיִשְׂרָאֵ֗ל לִשְׁכַּב֙ אֶת־בַּֽת־יַעֲקֹ֔ב וְכֵ֖ן לֹ֥א יֵעָשֶֽׂה׃
ח וַיְדַבֵּ֥ר חֲמ֖וֹר אִתָּ֣ם לֵאמֹ֑ר שְׁכֶ֣ם בְּנִ֗י חָֽשְׁקָ֤ה נַפְשׁוֹ֙
ט בְּבִתְּכֶ֔ם תְּנ֨וּ נָ֥א אֹתָ֛הּ ל֖וֹ לְאִשָּֽׁה׃ וְהִֽתְחַתְּנ֖וּ אֹתָ֑נוּ
י בְּנֹתֵיכֶם֙ תִּתְּנוּ־לָ֔נוּ וְאֶת־בְּנֹתֵ֖ינוּ תִּקְח֥וּ לָכֶֽם׃ וְאִתָּ֖נוּ
תֵּשֵׁ֑בוּ וְהָאָ֙רֶץ֙ תִּהְיֶ֣ה לִפְנֵיכֶ֔ם שְׁב֣וּ וּסְחָר֔וּהָ וְהֵאָחֲז֖וּ
יא בָּֽהּ׃ וַיֹּ֤אמֶר שְׁכֶם֙ אֶל־אָבִ֣יהָ וְאֶל־אַחֶ֔יהָ אֶמְצָא־חֵ֖ן
יב בְּעֵינֵיכֶ֑ם וַאֲשֶׁ֥ר תֹּאמְר֛וּ אֵלַ֖י אֶתֵּֽן׃ הַרְבּ֨וּ עָלַ֤י מְאֹד֙
מֹ֣הַר וּמַתָּ֔ן וְאֶ֨תְּנָ֔ה כַּאֲשֶׁ֥ר תֹּאמְר֖וּ אֵלָ֑י וּתְנוּ־לִ֥י אֶת־
יג הַֽנַּעֲרָ֖ לְאִשָּֽׁה׃ וַיַּעֲנ֨וּ בְנֵֽי־יַעֲקֹ֜ב אֶת־שְׁכֶ֨ם וְאֶת־חֲמ֥וֹר

רש"י | עַל הַלֵּב: חָבִיךְ בְּחֶלְקַת שָׂדֶה קְטַנָּה לְחִי כַּמָּה מָמוֹן בִּזְבֵּז, מֵחָה קְשִׂיטָה; חֲנִי חֶסָּחַךְ וְתִקְנִי כָּל הָעִיר וְכָל שְׂדוֹתֶיהָ:

ז] וְכֵן לֹא יֵעָשֶׂה. לְעַנּוֹת אֶת הַבְּתוּלוֹת, שֶׁהָאֻמּוֹת גָּדְרוּ עַצְמָן מִן הָעֲרָיוֹת עַל יְדֵי הַמַּבּוּל:

ח] חָשְׁקָה. חָפְצָה:

יב] מֹהַר. כְּתֻבָּה:

ביאור
להינשא לו. ד **וַיֹּאמֶר שְׁכֶם אֶל חֲמוֹר אָבִיו לֵאמֹר: קַח לִי אֶת הַיַּלְדָּה**
הַזֹּאת לְאִשָּׁה.

ה **וְיַעֲקֹב שָׁמַע כִּי טִמֵּא**, חילל **אֶת דִּינָה בִתּוֹ**. השמועה הגיעה אליו
לביתו, **וּבָנָיו הָיוּ אֶת**, עם **מִקְנֵהוּ בַּשָּׂדֶה. וְהֶחֱרִשׁ יַעֲקֹב** ולא עשה דבר
עַד בֹּאָם. ו ובינתיים – **וַיֵּצֵא חֲמוֹר אֲבִי שְׁכֶם אֶל יַעֲקֹב לְדַבֵּר אִתּוֹ**
על אפשרות הנישואין. אילולא מעשה האונס שקדם לכך, לא היה
דופי בפנייתו זו של חמור.

ז **וּבְנֵי יַעֲקֹב בָּאוּ מִן הַשָּׂדֶה** מיד **כְּשָׁמְעָם, וַיִּתְעַצְּבוּ הָאֲנָשִׁים** על
כאבה של אחותם ועל חרפתה, וכן – **וַיִּחַר לָהֶם מְאֹד כִּי נְבָלָה עָשָׂה**
בְיִשְׂרָאֵל, במשפחתו של ישראל **לִשְׁכַּב אֶת בַּת יַעֲקֹב. וְכֵן לֹא יֵעָשֶׂה**
בשום מקום, ועל אחת כמה וכמה כשמדובר בבתו של אדם חשוב.

ח **וַיְדַבֵּר חֲמוֹר**, נשיא הארץ, **אִתָּם לֵאמֹר: שְׁכֶם בְּנִי חָשְׁקָה נַפְשׁוֹ**
בְּבִתְּכֶם. תְּנוּ נָא אֹתָהּ לוֹ לְאִשָּׁה. ט מעבר להצעת שידוך זו, מציע
חמור גם הצעה פוליטית, שבאמצעותה אולי הוא מבקש לפייס את
אבי הנערה על מה שעולל לה בנו – **וְהִתְחַתְּנוּ אֹתָנוּ.** השידוך הפרטי
יהפוך לקולקטיבי. נהפוך ליחידה אחת, או לפחות תהיה קרבה רבה
בינינו – **בְּנֹתֵיכֶם תִּתְּנוּ לָנוּ, וְאֶת בְּנֹתֵינוּ תִּקְחוּ לָכֶם.** י **וְאִתָּנוּ תֵּשֵׁבוּ**
בקביעות, **וְהָאָרֶץ תִּהְיֶה לִפְנֵיכֶם, שְׁבוּ וּסְחָרוּהָ**, ושוטטו בה לצורכי
עסקכם או להנאתכם, כאילו היא מקומכם,[11] **וְהֵאָחֲזוּ בָּהּ.** עד כה
קניתם בכסף רב שדה אחד קטן, ועתה אני מציע לכם התיישבות
חופשית, איחוד מסחרי וחברתי. חמור, שהלך כנראה בשליחות בנו,
התעלם מן האירוע הבעייתי שקדם לפנייתו, ודיבר כאדם מיושב
הרוצה לשדך את בנו עם בן השכן.

שכם הצעיר לא המתין לשמוע את תשובת יעקב מאביו, אלא הגיע
אף הוא למקום. יא **וַיֹּאמֶר שְׁכֶם אֶל אָבִיהָ וְאֶל אַחֶיהָ: אֶמְצָא חֵן**
בְּעֵינֵיכֶם, וַאֲשֶׁר תֹּאמְרוּ אֵלַי אֶתֵּן. בניגוד לחמור, שביקש להתנהל
כראוי, שכם דיבר מתוך להיטות. יב **הַרְבּוּ עָלַי מְאֹד מֹהַר וּמַתָּן,**
וְאֶתְּנָה כַּאֲשֶׁר תֹּאמְרוּ אֵלָי, כל סכום שתקבעו אשלם, **וּתְנוּ לִי אֶת**
הַנַּעֲרָ לְאִשָּׁה.

יג **וַיַּעֲנוּ בְנֵי יַעֲקֹב**, יעקב לא הגיב, אולי משום שהיה שבור מן האירוע,

אָבִיו בְּמִרְמָה וַיְדַבֵּרוּ אֲשֶׁר טִמֵּא אֵת דִּינָה אֲחֹתָם׃
יד וַיֹּאמְרוּ אֲלֵיהֶם לֹא נוּכַל לַעֲשׂוֹת הַדָּבָר הַזֶּה לָתֵת
אֶת־אֲחֹתֵנוּ לְאִישׁ אֲשֶׁר־לוֹ עָרְלָה כִּי־חֶרְפָּה הִוא
טו לָנוּ׃ אַךְ־בְּזֹאת נֵאוֹת לָכֶם אִם תִּהְיוּ כָמֹנוּ לְהִמֹּל
טז לָכֶם כָּל־זָכָר׃ וְנָתַנּוּ אֶת־בְּנֹתֵינוּ לָכֶם וְאֶת־בְּנֹתֵיכֶם
יז נִקַּח־לָנוּ וְיָשַׁבְנוּ אִתְּכֶם וְהָיִינוּ לְעַם אֶחָד׃ וְאִם־לֹא
תִשְׁמְעוּ אֵלֵינוּ לְהִמּוֹל וְלָקַחְנוּ אֶת־בִּתֵּנוּ וְהָלָכְנוּ׃
יח וַיִּיטְבוּ דִבְרֵיהֶם בְּעֵינֵי חֲמוֹר וּבְעֵינֵי שְׁכֶם בֶּן־חֲמוֹר׃
יט וְלֹא־אֵחַר הַנַּעַר לַעֲשׂוֹת הַדָּבָר כִּי חָפֵץ בְּבַת־יַעֲקֹב
כ וְהוּא נִכְבָּד מִכֹּל בֵּית אָבִיו׃ וַיָּבֹא חֲמוֹר וּשְׁכֶם בְּנוֹ
אֶל־שַׁעַר עִירָם וַיְדַבְּרוּ אֶל־אַנְשֵׁי עִירָם לֵאמֹר׃
כא הָאֲנָשִׁים הָאֵלֶּה שְׁלֵמִים הֵם אִתָּנוּ וְיֵשְׁבוּ בָאָרֶץ
וְיִסְחֲרוּ אֹתָהּ וְהָאָרֶץ הִנֵּה רַחֲבַת־יָדַיִם לִפְנֵיהֶם אֶת־

רש"י

יג] **בְּמִרְמָה.** בְּחָכְמָה: **אֲשֶׁר טִמֵּא.** הַכָּתוּב אוֹמֵר שֶׁלֹּא הָיְתָה רְמִיָּה, שֶׁהֲרֵי "טִמֵּא אֶת דִּינָה אֲחֹתָם":

יד] **חֶרְפָּה הִוא.** שֶׁמֶץ הוּא אֶצְלֵנוּ; הַבָּא לְחָרֵף אֶת חֲבֵרוֹ אוֹמֵר לוֹ: עָרֵל אַתָּה, אוֹ בֶּן עָרֵל. 'חֶרְפָּה' בְּכָל מָקוֹם – גִּדּוּף:

טו] **נֵאוֹת.** נִתְרַצֶּה, לְשׁוֹן "וַיֵּאֹתוּ" (מלכים ב' יב, ט): **לְהִמֹּל.** לִהְיוֹת נִמּוֹל. אֵינוֹ לְשׁוֹן 'לִפְעֹל' אֶלָּא לְשׁוֹן 'לְהִפָּעֵל':

טז] **וְנָתַנּוּ.** נוּ"ן שְׁנִיָּה מְדֻגֶּשֶׁת לְפִי שֶׁהִיא מְשַׁמֶּשֶׁת בִּמְקוֹם שְׁתֵּי נוּנִי"ן, 'וְנָתַנְנוּ': **וְאֶת בְּנֹתֵיכֶם נִקַּח לָנוּ.** אַתָּה מוֹצֵא בַּתְּנַאי שֶׁאָמַר חֲמוֹר לְיַעֲקֹב וּבִתְשׁוּבַת בְּנֵי יַעֲקֹב לַחֲמוֹר, שֶׁתָּלוּ הַחֲשִׁיבוּת בִּבְנֵי יַעֲקֹב לִקַּח בְּנוֹת שְׁכֶם אֶת שֶׁיִּבְחֲרוּ לָהֶם וּבְנוֹתֵיהֶם יִתְּנוּ לָהֶם לְפִי דַּעְתָּם, דִּכְתִיב: "וְנָתַנּוּ אֶת בְּנֹתֵינוּ" – לְפִי דַּעְתֵּנוּ, "וְאֶת בְּנֹתֵיכֶם נִקַּח לָנוּ" – בְּכָל אֲשֶׁר נַחְפֹּץ. וּכְשֶׁדִּבְּרוּ חֲמוֹר וּשְׁכֶם בְּנוֹ אֶל יוֹשְׁבֵי עִירָם הָפְכוּ הַדְּבָרִים: "אֶת בְּנֹתָם נִקַּח לָנוּ לְנָשִׁים וְאֶת בְּנֹתֵינוּ נִתֵּן לָהֶם" (להלן פסוק כא), כְּדֵי לְרַצּוֹתָם שֶׁיֵּאוֹתוּ לְהִמּוֹל:

כא] **שְׁלֵמִים.** בְּשָׁלוֹם וּבְלֵב שָׁלֵם: **וְהָאָרֶץ הִנֵּה רַחֲבַת יָדַיִם.** כְּאָדָם שֶׁיָּדוֹ רְחָבָה וַוַתְּרָנִית; כְּלוֹמַר, לֹא תַּפְסִידוּ כְּלוּם, פְּרַקְמַטְיָא הַרְבֵּה בָּאָה לְכָאן וְאֵין לָהּ קוֹנִים:

ביאור | או משום שהפך עם השנים, או כתוצאה מהמפגש עם המלאך, לאדם סביל יותר.[12] **אֶת שְׁכֶם וְאֶת חֲמוֹר אָבִיו בְּמִרְמָה,** בהטעיה **וַיְדַבֵּרוּ אֲשֶׁר טִמֵּא אֵת דִּינָה אֲחֹתָם.** בניגוד לשכם וחמור, שהתעלמו מן האונס שברקע והציגו את הצעתם כהצעת נישואין רגילה, בני יעקב הזכירו זאת, משום שרצו להנכיח את עצם העלבון, וגם משום שרצו שבהסכם תובא בחשבון חומרת הפגיעה. יד המרמה שבתשובתם, הנובעת מכוונת זדון, נעוצה בנימוק הבא: **וַיֹּאמְרוּ אֲלֵיהֶם: לֹא נוּכַל לַעֲשׂוֹת הַדָּבָר הַזֶּה, לָתֵת אֶת אֲחֹתֵנוּ לְאִישׁ אֲשֶׁר לוֹ עָרְלָה, כִּי חֶרְפָּה הִיא לָנוּ.** ערל אינו תיאור של מצבו הפיסי של האדם גרידא, אלא זהו ביטוי גנאי עבורנו.[13] על כן במצב הנוכחי אין אפשרות לדון על נישואין. טו **אַךְ בְּזֹאת נֵאוֹת,** נסכים **לָכֶם – אִם תִּהְיוּ כָמֹנוּ לְהִמֹּל לָכֶם כָּל זָכָר.** כיוון שהערל בזוי בעינינו, לא נוכל להפוך דומים לכם, ועליכם להסכים לִדמות לנו. טז **וְנָתַנּוּ אֶת בְּנֹתֵינוּ לָכֶם, וְאֶת בְּנֹתֵיכֶם נִקַּח לָנוּ, וְיָשַׁבְנוּ אִתְּכֶם וְהָיִינוּ לְעַם אֶחָד.** יז **וְאִם לֹא תִשְׁמְעוּ אֵלֵינוּ לְהִמּוֹל, וְלָקַחְנוּ אֶת בִּתֵּנוּ** הביתה **וְהָלָכְנוּ.**

יח **וַיִּיטְבוּ דִבְרֵיהֶם בְּעֵינֵי חֲמוֹר וּבְעֵינֵי שְׁכֶם בֶּן חֲמוֹר.** מתשובת בני יעקב הם הסיקו כי הצעתם התקבלה, אם רק ימולו את עצמם. יט **וְלֹא אֵחַר הַנַּעַר לַעֲשׂוֹת הַדָּבָר, כִּי חָפֵץ בְּבַת יַעֲקֹב. וְהוּא נִכְבָּד מִכֹּל בֵּית אָבִיו.** נראה שהיה הבן הבכור ויורש העצר.

כ **וַיָּבֹא חֲמוֹר וּשְׁכֶם בְּנוֹ אֶל שַׁעַר עִירָם.** לרוב מאחורי שער העיר הייתה רחבה, ובה היו מתכנסים חשובי העיר.[14] **וַיְדַבְּרוּ אֶל אַנְשֵׁי עִירָם,** בהצגתם את ההצעה השמיטו את עובדת אהבת שכם לדינה, שאינה מעניינם של תושבי שכם, ובוודאי גם לא הייתה משכנעת אותם לבצע מעשה קיצוני כל כך. הם פנו אליהם בהצעה פוליטית וכלכלית בלבד, **לֵאמֹר:** כא **הָאֲנָשִׁים הָאֵלֶּה שְׁלֵמִים,** ביחסי שלום **הֵם אִתָּנוּ,** וטוב בעינינו כי **יֵשְׁבוּ בָאָרֶץ וְיִסְחֲרוּ אֹתָהּ. וְהָאָרֶץ הִנֵּה רַחֲבַת יָדַיִם לִפְנֵיהֶם.** באותה עת הייתה שכם עיר קטנה, ומסביבה היה

הרחבות | 'אם תהיו כמֹנו להִמֹּל לכם כל זכר' אנו מתייחסים אל המילה כמייחדת את זרע אברהם. אכן הפלשתים וגם יושבי כנען לא נהגו למול את בניהם, כפי שעולה מכאן, אך בין המצרים ובין שבטי ערב היו נימולים. אי לכך, תנאי המילה היה עשוי להתקבל על דעתם של אנשי שכם (ראו עוד בהערה ליהושע ה,ט).

בְּנֹתָם֙ נִקַּֽח־לָ֣נוּ לְנָשִׁ֔ים וְאֶת־בְּנֹתֵ֖ינוּ נִתֵּ֥ן לָהֶֽם׃ אַךְ־ כב
בְּ֠זֹאת יֵאֹ֨תוּ לָ֤נוּ הָֽאֲנָשִׁים֙ לָשֶׁ֣בֶת אִתָּ֔נוּ לִהְי֖וֹת לְעַ֣ם
אֶחָ֑ד בְּהִמּ֥וֹל לָ֨נוּ֙ כָּל־זָכָ֔ר כַּאֲשֶׁ֖ר הֵ֥ם נִמֹּלִֽים׃ מִקְנֵהֶ֤ם כג
וְקִנְיָנָם֙ וְכָל־בְּהֶמְתָּ֔ם הֲל֥וֹא לָ֖נוּ הֵ֑ם אַ֚ךְ נֵא֣וֹתָה לָהֶ֔ם
וְיֵשְׁב֖וּ אִתָּֽנוּ׃ וַיִּשְׁמְע֤וּ אֶל־חֲמוֹר֙ וְאֶל־שְׁכֶ֣ם בְּנ֔וֹ כָּל־ כד
יֹצְאֵ֖י שַׁ֣עַר עִיר֑וֹ וַיִּמֹּ֨לוּ֙ כָּל־זָכָ֔ר כָּל־יֹצְאֵ֖י שַׁ֥עַר עִירֽוֹ׃
וַיְהִי֩ בַיּ֨וֹם הַשְּׁלִישִׁ֜י בִּֽהְיוֹתָ֣ם כֹּאֲבִ֗ים וַיִּקְח֣וּ שְׁנֵֽי־בְנֵֽי־ כה
יַ֠עֲקֹב שִׁמְע֨וֹן וְלֵוִ֜י אֲחֵ֤י דִינָה֙ אִ֣ישׁ חַרְבּ֔וֹ וַיָּבֹ֥אוּ עַל־
הָעִ֖יר בֶּ֑טַח וַיַּֽהַרְג֖וּ כָּל־זָכָֽר׃ וְאֶת־חֲמוֹר֙ וְאֶת־שְׁכֶ֣ם כו
בְּנ֔וֹ הָרְג֖וּ לְפִי־חָ֑רֶב וַיִּקְח֧וּ אֶת־דִּינָ֛ה מִבֵּ֥ית שְׁכֶ֖ם
וַיֵּצֵֽאוּ׃ בְּנֵ֣י יַעֲקֹ֗ב בָּ֚אוּ עַל־הַ֣חֲלָלִ֔ים וַיָּבֹ֖זּוּ הָעִ֑יר כז
אֲשֶׁ֥ר טִמְּא֖וּ אֲחוֹתָֽם׃ אֶת־צֹאנָ֥ם וְאֶת־בְּקָרָ֖ם וְאֶת־ כח

רש"י

כב) בְּהִמּוֹל. בִּהְיוֹת נִמּוֹל:

כג) אַךְ נֵאוֹתָה לָהֶם. לְדָבָר זֶה, וְעַל יְדֵי כֵן יֵשְׁבוּ אִתָּנוּ:

כה) שְׁנֵי בְנֵי יַעֲקֹב. בָּנָיו הָיוּ, וְאַף עַל פִּי כֵן נָהֲגוּ עַצְמָן "שִׁמְעוֹן וְלֵוִי" – כִּשְׁאָר אֲנָשִׁים שֶׁאֵינָם בָּנָיו, שֶׁלֹּא נָטְלוּ עֵצָה הֵימֶנּוּ: אֲחֵי דִינָה. לְפִי שֶׁמָּסְרוּ עַצְמָן עָלֶיהָ נִקְרְאוּ אַחֶיהָ: בֶּטַח. שֶׁהָיוּ כּוֹאֲבִים. וּמִדְרַשׁ אַגָּדָה, בְּטוּחִים עַל כֹּחוֹ שֶׁל זָקֵן:

כו) עַל הַחֲלָלִים. לְהַפְשִׁיט אֶת הַחֲלָלִים:

ביאור
שטח רחב פנוי, כך שיש די מקום לכול. **אֶת בְּנֹתָם נִקַּח לָנוּ לְנָשִׁים,**
וְאֶת בְּנֹתֵינוּ נִתֵּן לָהֶם. כדי לשכנע את אנשי העיר, חמור ושכם שינו
מן הניסוח שבו פנה חמור ליעקב: בְּנֹתֵיכֶם תִּתְּנוּ לָנוּ, וְאֶת בְּנֹתֵינוּ
תִּקְחוּ לָכֶם.[15] כב **אַךְ בְּזֹאת יֵאֹתוּ,** יסכימו **לָנוּ הָאֲנָשִׁים לָשֶׁבֶת אִתָּנוּ**
לִהְיוֹת לְעַם אֶחָד, בְּהִמּוֹל לָנוּ כָּל זָכָר כַּאֲשֶׁר, כפי **שֶׁהֵם נִמֹּלִים.** שכן
הערלה והמילה הם סימנים מובהקים להפרדה. כג **מִקְנֵהֶם וְקִנְיָנָם**
וְכָל בְּהֶמְתָּם – הֲלוֹא לָנוּ הֵם. אנחנו נבלע אותם מבחינה כלכלית
ומבחינה תרבותית, וכך נזכה ברכוש רב. **אַךְ נֵאוֹתָה לָהֶם – וְיֵשְׁבוּ**
אִתָּנוּ. איחוד לאומי וכלכלי זה אינו תובע מחיר גדול – רק קיומה
של הדרישה הקטנה הזו.

כד **וַיִּשְׁמְעוּ אֶל חֲמוֹר וְאֶל שְׁכֶם בְּנוֹ כָּל יֹצְאֵי שַׁעַר עִירוֹ, וַיִּמֹּלוּ כָּל זָכָר,**
כָּל יֹצְאֵי שַׁעַר עִירוֹ. מבוגרים בני תרבויות שונות עוברים את ניתוח
המילה, אך זהו תהליך לא נוח וכואב, הרבה יותר מאשר מילתם
של תינוקות.

כה **וַיְהִי בַיּוֹם הַשְּׁלִישִׁי, בִּהְיוֹתָם כֹּאֲבִים,** במצב כאוב זה לא נוח
לאנשים לצאת מבתיהם. אמנם אין הכאב משתק אותם, אך הוא
מוריד את כושרם לנוע ולפעול. **וַיִּקְחוּ שְׁנֵי בְנֵי יַעֲקֹב, שִׁמְעוֹן וְלֵוִי,**
אֲחֵי דִינָה אִישׁ חַרְבּוֹ. דווקא הם יזמו מעשה זה, משום שדינה הייתה
גם בת אמם, ועל כן הם היו קשורים אליה במיוחד. לא מוסבר כאן
מדוע לא השתתף ראובן במעשה. **וַיָּבֹאוּ עַל הָעִיר בֶּטַח,** בביטחון,
שכן העיר, שפניה אל איחוד עם משפחת יעקב, לא התגוננה
מפניהם, והנימולים אף היו מוגבלים ביכולותיהם הפיסיות. שמעון
ולוי הלכו מבית לבית **וַיַּהַרְגוּ כָּל זָכָר.** כו **וְאֶת חֲמוֹר וְאֶת שְׁכֶם בְּנוֹ**
הָרְגוּ לְפִי חָרֶב. כנראה הריגתם הייתה ניכרת לעין יותר – אולי כרתו
את ראשיהם. כל אותה עת נשארה דינה כבולה בבית שכם, אולי
במעמד של כלה-לעתיד, ועתה **וַיִּקְחוּ אֶת דִּינָה מִבֵּית שְׁכֶם וַיֵּצֵאוּ.**

כז **בְּנֵי יַעֲקֹב** האחרים,[16] שלא השתתפו בהריגה, **בָּאוּ** לאחר מעשה
עַל הַחֲלָלִים, כדי לקחת מהם את חפצי הערך, **וַיָּבֹזּוּ הָעִיר,** הם חשו
שיש לכך צידוק מוסרי – **אֲשֶׁר טִמְּאוּ אֲחוֹתָם.** נראה שגם אם תושבי
העיר לא סייעו בפועל לאונס, הם שיתפו פעולה בכך שלא עיכבו
בעד שכם;[17] הרי הוא לא פיתה את דינה בעדינות, אלא לקחהּ

חֲמֹרֵיהֶם וְאֵת אֲשֶׁר־בָּעִיר וְאֶת־אֲשֶׁר בַּשָּׂדֶה לָקָחוּ׃
וְאֶת־כָּל־חֵילָם וְאֶת־כָּל־טַפָּם וְאֶת־נְשֵׁיהֶם שָׁבוּ כט
וַיָּבֹזּוּ וְאֵת כָּל־אֲשֶׁר בַּבָּיִת׃ וַיֹּאמֶר יַעֲקֹב אֶל־שִׁמְעוֹן ל
וְאֶל־לֵוִי עֲכַרְתֶּם אֹתִי לְהַבְאִישֵׁנִי בְּיֹשֵׁב הָאָרֶץ
בַּכְּנַעֲנִי וּבַפְּרִזִּי וַאֲנִי מְתֵי מִסְפָּר וְנֶאֶסְפוּ עָלַי וְהִכּוּנִי
וְנִשְׁמַדְתִּי אֲנִי וּבֵיתִי׃ וַיֹּאמְרוּ הַכְזוֹנָה יַעֲשֶׂה אֶת־ לא
אֲחוֹתֵנוּ׃

וַיֹּאמֶר אֱלֹהִים אֶל־יַעֲקֹב קוּם עֲלֵה בֵית־אֵל וְשֶׁב־ א לה
שָׁם וַעֲשֵׂה־שָׁם מִזְבֵּחַ לָאֵל הַנִּרְאֶה אֵלֶיךָ בְּבָרְחֲךָ
מִפְּנֵי עֵשָׂו אָחִיךָ׃ וַיֹּאמֶר יַעֲקֹב אֶל־בֵּיתוֹ וְאֶל כָּל־ ב
אֲשֶׁר עִמּוֹ הָסִרוּ אֶת־אֱלֹהֵי הַנֵּכָר אֲשֶׁר בְּתֹכְכֶם
וְהִטַּהֲרוּ וְהַחֲלִיפוּ שִׂמְלֹתֵיכֶם׃ וְנָקוּמָה וְנַעֲלֶה בֵּית־ ג

רש"י

כט) חֵילָם. מָמוֹנָם, וְכֵן: "עָשָׂה לִי אֶת הַחַיִל הַזֶּה" (דברים ח, יז), "וְיִשְׂרָאֵל עֹשֶׂה חָיִל" (במדבר כד, יח), "וְעָזְבוּ לַאֲחֵרִים חֵילָם" (תהלים מט, יא): שָׁבוּ. לְשׁוֹן שְׁבִיָּה, לְפִיכָךְ טַעְמוֹ מִלְּרַע:

ל) עֲכַרְתֶּם. לְשׁוֹן מַיִם עֲכוּרִים, אֵין דַּעְתִּי צְלוּלָה עַכְשָׁיו. וְאַגָּדָה, צְלוּלָה הָיְתָה הֶחָבִית וַעֲכַרְתֶּם אוֹתָהּ. מָסֹרֶת הָיְתָה בְּיַד כְּנַעֲנִים שֶׁיִּפְּלוּ בְּיַד בְּנֵי יַעֲקֹב, אֶלָּא שֶׁהָיוּ אוֹמְרִים: "עַד אֲשֶׁר תִּפְרֶה וְנָחַלְתָּ אֶת הָאָרֶץ" (שמות כג, ל), לְפִיכָךְ הָיוּ שׁוֹתְקִין: מְתֵי מִסְפָּר. אֲנָשִׁים מוּעָטִים:

לא) הַכְזוֹנָה. הֶפְקֵר: אֶת אֲחוֹתֵנוּ. "יָת אֲחָתַנָא":

פרק לה

א) קוּם עֲלֵה. לְפִי שֶׁאֵחַרְתָּ בַּדֶּרֶךְ נֶעֱנַשְׁתָּ וּבָאָה לְךָ זֹאת מִבִּתְּךָ:

ב) הַנֵּכָר. שֶׁיֵּשׁ בְּיֶדְכֶם מִשָּׁלָל שֶׁל שְׁכֶם: וְהִטַּהֲרוּ. מֵעֲבוֹדָה זָרָה: וְהַחֲלִיפוּ שִׂמְלֹתֵיכֶם. שֶׁמָּא יֵשׁ בְּיֶדְכֶם כְּסוּת שֶׁל עֲבוֹדָה זָרָה:

ביאור | בכוח מתוך חבורת הנערות שהייתה, מן הסתם, בעיר. כח **אֶת**
צֹאנָם וְאֶת בְּקָרָם וְאֶת חֲמֹרֵיהֶם, וְאֵת אֲשֶׁר בָּעִיר וְאֶת אֲשֶׁר בַּשָּׂדֶה
לָקָחוּ. כט **וְאֶת כָּל חֵילָם**, רכושם **וְאֶת כָּל טַפָּם**, ילדיהם הקטנים,
וְאֶת נְשֵׁיהֶם שָׁבוּ וַיָּבֹזּוּ, וְאֵת כָּל אֲשֶׁר בַּבָּיִת. כמו במלחמה הם שבו
שבויים ושללו את כל הרכוש.

ל **וַיֹּאמֶר יַעֲקֹב אֶל שִׁמְעוֹן וְאֶל לֵוִי**: עד כה הייתי נקי ומקובל, וכעת **עֲכַרְתֶּם**, לכלכתם **אֹתִי**, **לְהַבְאִישֵׁנִי**, להעלות את סרחוני **בְּיֹשֵׁב**, בעיני יושבי **הָאָרֶץ – בַּכְּנַעֲנִי וּבַפְּרִזִּי. וַאֲנִי מְתֵי מִסְפָּר**, אנשים ספורים, קבוצה קטנה. כיוון שאנחנו זרים, ופגענו באחד מעמי כנען, עמי הארץ השכנים עלולים לנקום בנו את נקמת שכם או לנסות להרתיענו מלנהוג כך בערים אחרות, **וְנֶאֶסְפוּ עָלַי וְהִכּוּנִי, וְנִשְׁמַדְתִּי אֲנִי וּבֵיתִי.**

לא **וַיֹּאמְרוּ** שני הבנים: **הַכְזוֹנָה יַעֲשֶׂה אֶת אֲחוֹתֵנוּ?!** האחים לא השלימו עם היחס כלפי אחותם, שאותה ביקשו להעביר מיד ליד כחלק מעסקה כלכלית, וטענו בתוקף שאסור שדינה תהיה מושא למקח וממכר.

קיום הנדר

פרק לה פס' א–טו

בית אל הייתה תחנה משמעותית במסלול בריחתו של יעקב לחרן. שם ראה את חלום הסולם, ושם נגלה לו ה' והבטיחו ללוותו במסעו. בעקבות זאת נדר שם יעקב שהאבן ששם מצבה תהיה בית אלוקים. עתה, עם שובו לכנען, הוא נקרא לשלם את נדרו. ה' נראה אליו שוב בבית אל ומשנה את שמו לישראל, מברך אותו בברכת הזרע ובירושת הארץ.

פרק לה א **וַיֹּאמֶר אֱלֹהִים אֶל יַעֲקֹב: קוּם עֲלֵה בֵית אֵל וְשֶׁב שָׁם, וַעֲשֵׂה שָׁם מִזְבֵּחַ לָאֵל הַנִּרְאֶה אֵלֶיךָ בְּבָרְחֲךָ מִפְּנֵי עֵשָׂו אָחִיךָ.**

ב **וַיֹּאמֶר יַעֲקֹב אֶל** בני **בֵּיתוֹ וְאֶל כָּל אֲשֶׁר עִמּוֹ**, עבדים, שפחות ושאר הנלווים אליו: **הָסִרוּ אֶת אֱלֹהֵי הַנֵּכָר אֲשֶׁר בְּתֹכְכֶם**, שנלקחו כשלל מאנשי שכם, או שהיו חלק מרכושם של הנלווים אל יעקב. ובנוסף על כך - **וְהִטַּהֲרוּ**, רחצו, טבלו במים, **וְהַחֲלִיפוּ שִׂמְלֹתֵיכֶם,**

הרחבות | **'עכרתם אֹתי'** ניכר שיעקב כעס מאוד, אך לא ביטא כאן את כל כעסו. רק בסוף ימיו יביע אותו ואף יקלל את אפם של שני בניו אלה (להלן מט,ה–ז). שם יבקר אותם על הבעייתיות המוסרית שבהריגת אנשי העיר. כאן הוא טוען כנגדם על הבעייתיות הפוליטית שבמעשה שעשו (ראו רמב"ן פס' יג).

אֵל וְאֶעֱשֶׂה־שָּׁם מִזְבֵּחַ לָאֵל הָעֹנֶה אֹתִי בְּיוֹם צָרָתִי
ד וַיְהִי עִמָּדִי בַּדֶּרֶךְ אֲשֶׁר הָלָכְתִּי: וַיִּתְּנוּ אֶל־יַעֲקֹב
אֵת כָּל־אֱלֹהֵי הַנֵּכָר אֲשֶׁר בְּיָדָם וְאֶת־הַנְּזָמִים אֲשֶׁר
בְּאָזְנֵיהֶם וַיִּטְמֹן אֹתָם יַעֲקֹב תַּחַת הָאֵלָה אֲשֶׁר עִם־
ה שְׁכֶם: וַיִּסָּעוּ וַיְהִי | חִתַּת אֱלֹהִים עַל־הֶעָרִים אֲשֶׁר
ו סְבִיבוֹתֵיהֶם וְלֹא רָדְפוּ אַחֲרֵי בְּנֵי יַעֲקֹב: וַיָּבֹא יַעֲקֹב
לוּזָה אֲשֶׁר בְּאֶרֶץ כְּנַעַן הִוא בֵּית־אֵל הוּא וְכָל־הָעָם
ז אֲשֶׁר־עִמּוֹ: וַיִּבֶן שָׁם מִזְבֵּחַ וַיִּקְרָא לַמָּקוֹם אֵל בֵּית־
אֵל כִּי שָׁם נִגְלוּ אֵלָיו הָאֱלֹהִים בְּבָרְחוֹ מִפְּנֵי אָחִיו:
ח וַתָּמָת דְּבֹרָה מֵינֶקֶת רִבְקָה וַתִּקָּבֵר מִתַּחַת לְבֵית־
אֵל תַּחַת הָאַלּוֹן וַיִּקְרָא שְׁמוֹ אַלּוֹן בָּכוּת:

רש"י

ד] **הָאֵלָה.** מִין אִילַן סְרָק: **עִם שְׁכֶם.** אֵצֶל שְׁכֶם:

ה] **חִתַּת.** פַּחַד:

ז] **אֵל בֵּית אֵל.** הַקָּדוֹשׁ בָּרוּךְ הוּא בְּבֵית אֵל, גִּלּוּי שְׁכִינָתוֹ בְּבֵית אֵל. יֵשׁ תֵּבָה חֲסֵרָה בֵּי"ת הַמְשַׁמֶּשֶׁת בְּרֹאשָׁהּ, כְּמוֹ: "הִנֵּה הוּא בֵּית מָכִיר בֶּן עַמִּיאֵל" (שמואל ב' ט, ד) כְּמוֹ: 'בְּבֵית מָכִיר', "בֵּית אָבִיךָ" (להלן לח, יא) כְּמוֹ 'בְּבֵית אָבִיךָ'. **נִגְלוּ אֵלָיו הָאֱלֹהִים.** בִּמְקוֹמוֹת הַרְבֵּה יֵשׁ שֵׁם אֱלָהוּת וְאַדְנוּת בִּלְשׁוֹן רַבִּים, כְּמוֹ: "אֲדֹנֵי יוֹסֵף" (להלן לט, כ), "אִם בְּעָלָיו עִמּוֹ" (שמות כב, יד) וְלֹא נֶאֱמַר 'בַּעְלוֹ', וְכֵן אֱלָהוּת שֶׁהוּא לְשׁוֹן שׁוֹפֵט וּמָרוּת נִזְכַּר בִּלְשׁוֹן רַבִּים, אֲבָל אֶחָד מִכָּל אַחַר הַשֵּׁמוֹת לֹא תִמְצָא בִּלְשׁוֹן רַבִּים:

ח] **וַתָּמָת דְּבֹרָה.** מָה עִנְיַן דְּבוֹרָה בְּבֵית יַעֲקֹב? אֶלָּא לְפִי שֶׁאָמְרָה רִבְקָה לְיַעֲקֹב: "וְשָׁלַחְתִּי וּלְקַחְתִּיךָ מִשָּׁם" (לעיל כז, מה) שָׁלְחָה דְּבוֹרָה אֶצְלוֹ לְפַדַּן אֲרָם לָצֵאת מִשָּׁם, וּמֵתָה בַּדֶּרֶךְ. מִדִּבְרֵי רַבִּי מֹשֶׁה הַדַּרְשָׁן לָמַדְתִּיהָ: **מִתַּחַת לְבֵית אֵל.** הָעִיר יוֹשֶׁבֶת בָּהָר וְנִקְבְּרָה בְּרַגְלֵי הָהָר: **תַּחַת הָאַלּוֹן.** "בְּשִׁפּוּלֵי מֵישְׁרָא", שֶׁהָיָה מִישׁוֹר מִלְמַעְלָה בְּשִׁפּוּעַ הָהָר וְהַקְּבוּרָה מִלְּמַטָּה. וּמִישׁוֹר שֶׁל בֵּית אֵל הָיוּ קוֹרִין לוֹ 'אַלּוֹן'. וְאַגָּדָה, נִתְבַּשֵּׂר שָׁם בְּאֵבֶל שֵׁנִי, שֶׁהֻגַּד לוֹ עַל אִמּוֹ שֶׁמֵּתָה, וְ'אַלּוֹן' בִּלְשׁוֹן יְוָנִי – 'אַחֵר', וּלְפִי שֶׁהֶעֱלִימוּ אֶת יוֹם מוֹתָהּ, שֶׁלֹּא יְקַלְּלוּ

הרחבות

'ותמת דבורה מינקת רבקה... אלון בָּכות' סביר שדבורה טיפלה ביעקב כשהיה תינוק. ייתכן שרבקה שלחה אותה אל יעקב לחרון, לאחר היוודע דבר נישואיו לבנות לבן, והיא נמנתה עם מחנהו (רש"י), או שנשארה בחרון גם לאחר עזיבת רבקה, וסייעה ליעקב בגידול ילדיו לאחר שנשא את בנות לבן ושפחותיהן, (ואין היא מינקת רבקה

ביאור | בגדיכם. ג וְנָקוּמָה וְנַעֲלֶה בֵּית אֵל, וְאֶעֱשֶׂה שָּׁם מִזְבֵּחַ לָאֵל הָעֹנֶה אֹתִי בְּיוֹם צָרָתִי, וַיְהִי עִמָּדִי בַּדֶּרֶךְ אֲשֶׁר הָלָכְתִּי.

ד ואכן – וַיִּתְּנוּ אֶל יַעֲקֹב אֵת כָּל אֱלֹהֵי הַנֵּכָר אֲשֶׁר בְּיָדָם, וְאֶת הַנְּזָמִים אֲשֶׁר בְּאָזְנֵיהֶם, שחלקם היו מקושטים בצלמי אלילים.[18] וַיִּטְמֹן אֹתָם יַעֲקֹב תַּחַת עץ הָאֵלָה אֲשֶׁר עִם, ליד שְׁכֶם. ה וַיִּסָּעוּ. בסוף העניין הקודם נאמר, שיעקב חשש שמא הריגת אנשי שכם תעורר רצון נקם ביושבי הערים הסמוכות, והנה – וַיְהִי חִתַּת, פחד, יראת אֱלֹהִים, פחד גדול מאוד שלא יכלו להסבירו עַל הֶעָרִים אֲשֶׁר סְבִיבֹתֵיהֶם, וְלֹא רָדְפוּ אַחֲרֵי בְּנֵי יַעֲקֹב. היו גם סיבות טובות לדבר: תושבי הערים האחרות לא ידעו מהו גודל המחנה של יעקב; ומשהגיעו לאוזניהם הדי השמועה שמשפחתו הרסה את שכם, נפלה עליהם אימה מיעקב. מן הסתם לא ידעו את פרטיה של ההתרחשות. יתר על כן, יש להניח שהיחסים בין הערים הללו היו רופפים למדי, שכן תושביהם לא הגיעו בהכרח ממוצא משותף. על כן בוודאי חלק מתושבי הערים שבסביבות שכם היו אדישים לאירוע, ובחרו להימנע ממעורבות בעניין שלא נגע בהם.

ו וַיָּבֹא יַעֲקֹב לוּזָה, אֲשֶׁר בְּאֶרֶץ כְּנַעַן – הִוא בֵּית אֵל, הוּא וְכָל הָעָם אֲשֶׁר עִמּוֹ. ז וַיִּבֶן שָׁם מִזְבֵּחַ, וַיִּקְרָא לַמָּקוֹם, למקום המזבח[19] אֵל בֵּית אֵל. בשם זה ה' עצמו הזדהה לפניו כשהיה בחרן.[20] כִּי שָׁם נִגְלוּ, נגלה אֵלָיו הָאֱלֹהִים בְּבָרְחוֹ מִפְּנֵי אָחִיו.

ח בדרך אגב מסופר כאן: וַתָּמָת דְּבֹרָה מֵינֶקֶת רִבְקָה. באותה עת הייתה דבורה זקנה מאוד, שהרי שנים רבות קודם לכן ליוותה את רבקה מחרן לארץ כנען. כמובן, עכשיו כבר לא שימשה כמינקת. בתור בת הלוויה הוותיקה של רבקה, מעמדה במשפחה היה בכיר ממעמדן של שאר משרתות, וכנראה רחשו כלפיה כבוד וחיבה יתרה. וַתִּקָּבֵר מִתַּחַת לְבֵית אֵל, לרגלי ההר שבו שכנה בית אל, תַּחַת הָאַלּוֹן שצמח שם, וַיִּקְרָא שְׁמוֹ של העץ אַלּוֹן בָּכוּת, כציון האבל עליה.

הרחבות | היו שטענו שפסוקים אלו, שלפי פשוטם מדברים בפטירת מינקת רבקה, רומזים למותה של רבקה עצמה (בראשית רבה פא,ה; יונתן על אתר). ייתכן שמות שנשלחה ללוות את רבקה לפי האמור לעיל כד,נט. ראו רמב"ן). ושמא הגיעה עם רבקה לכנען, ורק כעת, כשנודע שיעקב מתקרב אל בית הוריו, היא יצאה לקראתו.

לב וַיֵּרָא אֱלֹהִים אֶל־יַעֲקֹב עוֹד בְּבֹאוֹ מִפַּדַּן אֲרָם וַיְבָרֶךְ ט
אֹתוֹ׃ וַיֹּאמֶר־לוֹ אֱלֹהִים שִׁמְךָ יַעֲקֹב לֹא־יִקָּרֵא שִׁמְךָ י
עוֹד יַעֲקֹב כִּי אִם־יִשְׂרָאֵל יִהְיֶה שְׁמֶךָ וַיִּקְרָא אֶת־
שְׁמוֹ יִשְׂרָאֵל׃ וַיֹּאמֶר לוֹ אֱלֹהִים אֲנִי אֵל שַׁדַּי פְּרֵה יא
וּרְבֵה גּוֹי וּקְהַל גּוֹיִם יִהְיֶה מִמֶּךָּ וּמְלָכִים מֵחֲלָצֶיךָ
ששי יֵצֵאוּ׃ וְאֶת־הָאָרֶץ אֲשֶׁר נָתַתִּי לְאַבְרָהָם וּלְיִצְחָק יב
לְךָ אֶתְּנֶנָּה וּלְזַרְעֲךָ אַחֲרֶיךָ אֶתֵּן אֶת־הָאָרֶץ׃ וַיַּעַל יג
מֵעָלָיו אֱלֹהִים בַּמָּקוֹם אֲשֶׁר־דִּבֶּר אִתּוֹ׃ וַיַּצֵּב יַעֲקֹב יד
מַצֵּבָה בַּמָּקוֹם אֲשֶׁר־דִּבֶּר אִתּוֹ מַצֶּבֶת אָבֶן וַיַּסֵּךְ
עָלֶיהָ נֶסֶךְ וַיִּצֹק עָלֶיהָ שָׁמֶן׃ וַיִּקְרָא יַעֲקֹב אֶת־שֵׁם טו
הַמָּקוֹם אֲשֶׁר דִּבֶּר אִתּוֹ שָׁם אֱלֹהִים בֵּית־אֵל׃ וַיִּסְעוּ טז
מִבֵּית אֵל וַיְהִי־עוֹד כִּבְרַת־הָאָרֶץ לָבוֹא אֶפְרָתָה

רש"י

הַבְּרִיּוֹת כְּדֵי שֶׁלֹּא יְקַלְּלוּ הַכָּרֵס שֶׁיָּצָא עֵשָׂו מִמֶּנּוּ, אַף הַכָּתוּב לֹא פִּרְסְמָהּ:

ט| **עוֹד.** פַּעַם שֵׁנִי בַּמָּקוֹם הַזֶּה, אֶחָד בְּלֶכְתּוֹ וְאֶחָד בְּשׁוּבוֹ: **וַיְבָרֶךְ אֹתוֹ.** בִּרְכַּת אֲבֵלִים:

י| **לֹא יִקָּרֵא שִׁמְךָ עוֹד יַעֲקֹב.** לְשׁוֹן אָדָם הַבָּא בְּמַאֲרָב וְעָקְבָה, אֶלָּא לְשׁוֹן שַׂר וְנָגִיד:

יא| **אֲנִי אֵל שַׁדַּי.** שֶׁאֲנִי כְּדַאי לְבָרֵךְ, שֶׁהַבְּרָכוֹת שֶׁלִּי: **פְּרֵה וּרְבֵה.** עַל שֵׁם שֶׁעֲדַיִן לֹא נוֹלַד בִּנְיָמִין, וְאַף עַל פִּי שֶׁכְּבָר נִתְעַבְּרָה מִמֶּנּוּ: **גּוֹי.** בִּנְיָמִין: **גּוֹיִם.** מְנַשֶּׁה וְאֶפְרַיִם שֶׁעֲתִידִים לָצֵאת מִיּוֹסֵף וְהֵם בְּמִנְיַן הַשְּׁבָטִים: **וּמְלָכִים.** שָׁאוּל וְאִישׁ בֹּשֶׁת שֶׁהָיוּ מִשֵּׁבֶט בִּנְיָמִין שֶׁעֲדַיִן לֹא נוֹלַד:

יד| **בַּמָּקוֹם אֲשֶׁר דִּבֶּר אִתּוֹ.** אֵינִי יוֹדֵעַ מַה מְּלַמְּדֵנוּ:

טז| **כִּבְרַת הָאָרֶץ.** מְנַחֵם פֵּרֵשׁ לְשׁוֹן כְּבִיר,

הרחבות

רבקה לא נזכר בפירוש, מפני שפטירתה וגם קבורתה התקיימו בחשאי (פסיקתא דרב כהנא ג,א; תנחומא כי תצא ד). רבקה נקברה בלי ספק במערת המכפלה, ויש לשער שיצחק בעלה הוא שקבר אותה. אולם יצחק לא יכול היה לקיים טקס גדול, משום שהיה מוגבל ועיוור; יעקב חי הרחק משם, והיחיד שיכול היה להגיע לקבורתה היה עשו, וייתכן שבגלל היחסים ביניהם לא יצא לפני מיתתה, ולכן קברוה בני הבית בשקט. לפיכך ייתכן שמותה של דבורה, שאירע בערך באותו זמן, הותיר רושם רב יותר בסביבתו מאשר מותה של רבקה, משום שהיה ידוע ליעקב ולמשפחתו ונחווה בכאב.

ביאור | ט וַיֵּרָא אֱלֹהִים אֶל יַעֲקֹב עוֹד בְּבֹאוֹ מִפַּדַּן אֲרָם, וַיְבָרֶךְ אֹתוֹ. גם התגלות
זו, כמו בצאתו לחרן, הייתה בבית אל. י וַיֹּאמֶר לוֹ אֱלֹהִים: שִׁמְךָ עד
כה היה יַעֲקֹב. לֹא יִקָּרֵא שִׁמְךָ עוֹד יַעֲקֹב, כִּי אִם יִשְׂרָאֵל יִהְיֶה שְׁמֶךָ.
וַיִּקְרָא אֶת שְׁמוֹ יִשְׂרָאֵל. אף על פי שיעקב התבשר עוד קודם לכן
על שינוי שמו,[21] אז שמע על כך מפי המלאך, ובהקשר של מאבק,
ועתה אושר השם על ידי ה'.[22] יא וַיֹּאמֶר לוֹ אֱלֹהִים: אֲנִי אֵל שַׁדַּי.
שם זה מרמז על עצמתו של אלוקים ועל כוחו להפרות. פְּרֵה וּרְבֵה.
גּוֹי וּקְהַל גּוֹיִם, עמים יִהְיֶה מִמֶּךָּ, וּמְלָכִים מֵחֲלָצֶיךָ יֵצֵאוּ, צאצאיך יזכו
בגדולה. יב וְאֶת הָאָרֶץ אֲשֶׁר נָתַתִּי לְאַבְרָהָם וּלְיִצְחָק – לְךָ אֶתְּנֶנָּה,
וּלְזַרְעֲךָ אַחֲרֶיךָ אֶתֵּן אֶת הָאָרֶץ.

יג וַיַּעַל מֵעָלָיו אֱלֹהִים בַּמָּקוֹם אֲשֶׁר דִּבֶּר אִתּוֹ. יד נראה כי יעקב לא
הקריב שם קרבן תיכף להגעתו, אלא לאחר ששהה שם מעט – וַיַּצֵּב
יַעֲקֹב מַצֵּבָה בַּמָּקוֹם אֲשֶׁר דִּבֶּר אִתּוֹ – מַצֶּבֶת אָבֶן. וַיַּסֵּךְ עָלֶיהָ נֶסֶךְ יין,[23]
וַיִּצֹק עָלֶיהָ שָׁמֶן, לציון ההתגלות הנוספת. טו וַיִּקְרָא יַעֲקֹב אֶת שֵׁם
הַמָּקוֹם אֲשֶׁר דִּבֶּר אִתּוֹ שָׁם אֱלֹהִים – בֵּית אֵל. חזר וקרא למקום כך,
לאמת את אשר כבר ידע, כי שם בית אלוקים ושם השכינה תמיד.[24]

לידת בנימין ופטירת רחל

פרק לה פס' טז–כ

רחל הייתה האם היחידה שלא נקברה באחוזת הקבר המשפחתית – במערת המכפלה שבחברון. רחל, שאמרה ליעקב: הָבָה לִּי בָנִים וְאִם אַיִן מֵתָה אָנֹכִי,[25] נפטרה בעת שילדה את בנה השני.

מבטם הנוקב של חכמים כורך את הסתלקותה של רחל מן העולם במימוש הקללה שקילל יעקב בלי דעת, כאשר לבן חיפש את תרפיו בקרב מחנהו.[26] מתוך אמונו המלא של יעקב שאיש ממשפחתו לא גנב, הוא הכריז: עִם אֲשֶׁר תִּמְצָא אֶת אֱלֹהֶיךָ לֹא יִחְיֶה,[27] בעטיה של שגגה זו, שיצאה מפיו, נפטרה רחל בדמי ימיה.

טז וַיִּסְעוּ מִבֵּית אֵל דרומה, וַיְהִי עוֹד כִּבְרַת הָאָרֶץ, מידת מרחק
מסוימת[28] לָבוֹא אֶפְרָתָה, עד העיר אפרת, וַתֵּלֶד רָחֵל, הגיע זמן לידתה,

העולם | פַּדַּן אֲרָם פדן הוא שדה בארמית וערבית, ומשמע הצירוף הוא אזור ארם, כדברי הושע (יב,יג): וַיִּבְרַח יַעֲקֹב שְׂדֵה אֲרָם. נראה שזהו כינוי של אזור חרן, ויש המפרשים שהוא העיר חרן.

יז וַתֵּלֶד רָחֵל וַתְּקַשׁ בְּלִדְתָּהּ: וַיְהִי בְהַקְשֹׁתָהּ בְּלִדְתָּהּ
וַתֹּאמֶר לָהּ הַמְיַלֶּדֶת אַל־תִּירְאִי כִּי־גַם־זֶה לָךְ בֵּן:
יח וַיְהִי בְּצֵאת נַפְשָׁהּ כִּי מֵתָה וַתִּקְרָא שְׁמוֹ בֶּן־אוֹנִי
יט וְאָבִיו קָרָא־לוֹ בִנְיָמִין: וַתָּמָת רָחֵל וַתִּקָּבֵר בְּדֶרֶךְ
כ אֶפְרָתָה הִוא בֵּית לָחֶם: וַיַּצֵּב יַעֲקֹב מַצֵּבָה עַל־
כא קְבֻרָתָהּ הִוא מַצֶּבֶת קְבֻרַת־רָחֵל עַד־הַיּוֹם: וַיִּסַּע
כב יִשְׂרָאֵל וַיֵּט אָהֳלֹה מֵהָלְאָה לְמִגְדַּל־עֵדֶר: וַיְהִי
בִּשְׁכֹּן יִשְׂרָאֵל בָּאָרֶץ הַהִוא וַיֵּלֶךְ רְאוּבֵן וַיִּשְׁכַּב אֶת־
בִּלְהָה פִּילֶגֶשׁ אָבִיו וַיִּשְׁמַע יִשְׂרָאֵל

רש"י | רְבוּי, מַהֲלָךְ רַב. וּמִדְרַשׁ אַגָּדָה, בִּזְמַן שֶׁהָאָרֶץ חֲלוּלָה כִּכְבָרָה, שֶׁהַנִּיר מָצוּי, הַסְּתָו עָבַר וְהַשָּׁרָב עֲדַיִן לֹא בָא. וְאֵין זֶה פְּשׁוּטוֹ שֶׁל מִקְרָא, שֶׁהֲרֵי בְּנַעֲמָן מָצִינוּ: "וַיֵּלֶךְ מֵאִתּוֹ כִּבְרַת אָרֶץ" (מלכים ב' ה, יט). וְאוֹמֵר אֲנִי שֶׁהוּא שֵׁם מִדַּת קַרְקַע, כְּמוֹ מַהֲלַךְ פַּרְסָה אוֹ יוֹתֵר, כְּמוֹ שֶׁאַתָּה אוֹמֵר: 'צֶמֶד כֶּרֶם', 'חֶלְקַת שָׂדֶה', כָּךְ בְּמַהֲלַךְ אָדָם נוֹתֵן שֵׁם מִדָּה – כִּבְרַת אֶרֶץ:

יז | **כִּי גַם זֶה.** נוֹסָף לָךְ עַל יוֹסֵף. וְרַבּוֹתֵינוּ דָּרְשׁוּ, עִם כָּל שֵׁבֶט נוֹלְדָה תְאוֹמָה, וְעִם בִּנְיָמִין נוֹלְדָה תְאוֹמָה יְתֵרָה:

יח | **בֶּן אוֹנִי.** בֶּן צַעֲרִי: **בִנְיָמִין.** נִרְאֶה בְּעֵינַי לְפִי שֶׁהוּא לְבַדּוֹ נוֹלַד בְּאֶרֶץ כְּנַעַן שֶׁהִיא בַּנֶּגֶב כְּשֶׁאָדָם בָּא מֵאֲרַם נַהֲרַיִם, כְּמוֹ שֶׁנֶּאֱמַר: "בַּנֶּגֶב בְּאֶרֶץ כְּנָעַן" (במדבר לג, מ), "הָלוֹךְ וְנָסוֹעַ הַנֶּגְבָּה" (לעיל יב, ט); 'בִּנְיָמִין' – בֶּן יָמִין, לְשׁוֹן "צָפוֹן וְיָמִין אַתָּה בְרָאתָם" (תהלים פט, יג), לְפִיכָךְ הוּא מָלֵא:

כב | **בִּשְׁכֹּן יִשְׂרָאֵל בָּאָרֶץ הַהִוא.** עַד שֶׁלֹּא בָא לְחֶבְרוֹן אֵצֶל יִצְחָק אֵרְעוּהוּ כָּל אֵלֶּה: **וַיִּשְׁכַּב.** מִתּוֹךְ שֶׁבִּלְבֵּל מִשְׁכָּבוֹ מַעֲלֶה עָלָיו הַכָּתוּב כְּאִלּוּ שְׁכָבָהּ. וְלָמָּה בִּלְבֵּל וְחִלֵּל יְצוּעָיו? שֶׁכְּשֶׁמֵּתָה רָחֵל נָטַל יַעֲקֹב מִטָּתוֹ שֶׁהָיְתָה נְתוּנָה תָּדִיר בְּאֹהֶל רָחֵל וְלֹא בִשְׁאָר אֹהָלִים, וּנְתָנָהּ בְּאֹהֶל בִּלְהָה. בָּא רְאוּבֵן וְתָבַע עֶלְבּוֹן

העולם | **מַצֶּבֶת קְבֻרַת רָחֵל** המפרשים והחוקרים חלוקים בדעותיהם לגבי מקום קבורת רחל. המסורת המקובלת על סמך הכתוב בפרקנו היא שרחל נקברה ליד בית-לחם יהודה. מקום זה מוזכר גם בספרי נוסעים החל מן המאה ה-4 לסה"נ. אחרים טוענים שרחל נקברה בא-רם שבנחלת בנימין מצפון לירושלים, על פי הכתוב בשמואל (א' י,ב) ובירמיה (לא,יד).

מִגְדַּל עֵדֶר בתקופת המשנה נזכר כשם יישוב סמוך לירושלים (שקלים ז,ד; אבות דרבי נתן נוסחא ב' לט). בין ששיערו שהוא ח'רבת אל-בירה הסמוכה לברכות שלמה כ-5 ק"מ מדרום לבית-לחם; והיו שהציעו למקמו מדרום לבית-אל על פי תרגום השבעים והכתובת מכרנך (מצרים, המאה ה-10 לפנה"ס). בין ערי הארץ שכבש פרעה שישק מצפון לירושלים הנמנות בכתובת זו נזכר היישוב 'מגדל'.

ביאור

וַתְּקַשׁ בְּלִדְתָּהּ. הלידה הייתה קשה במיוחד. יז וַיְהִי בְהַקְשֹׁתָהּ
בְלִדְתָּהּ, וַתֹּאמֶר לָהּ הַמְיַלֶּדֶת: אַל תִּירְאִי, כִּי גַם זֶה לָךְ בֵּן. יח וַיְהִי
בְּצֵאת נַפְשָׁהּ כִּי מֵתָה, תוך כדי לידה, וַתִּקְרָא שְׁמוֹ בֶּן אוֹנִי, בן ייסורַי
וצערי, וְאולם אָבִיו לא רצה לכנותו בשם זה. יעקב בחר לפרש את
דברי אשתו פירוש חיובי. במקום לפרש את אוֹנִי כסבלי, הוא פירש
מלה זו ככוחי, עצמתי. על כן קָרָא לוֹ בִנְיָמִין, הבן החזק.[29]

יט וַתָּמָת רָחֵל, וַתִּקָּבֵר בְּדֶרֶךְ אֶפְרָתָה, בדרך המוליכה לאפרת,[30] הִוא
בֵּית לָחֶם. אילו רחל ילדה במקום יישוב, אולי אפשר היה לעזור לה.
כיוון שנפטרה בדרך, יעקב קבר אותה שם ולא בתוך העיר. כ וַיַּצֵּב
יַעֲקֹב מַצֵּבָה עַל קְבֻרָתָהּ, הִוא מַצֶּבֶת קְבֻרַת רָחֵל עַד הַיּוֹם. מצבה זו
התקיימה לאורך דורות. גם אם השתנו פניה, היא נותרה על עומדה
ונזכרה גם בהקשרים אחרים.[31]

כא וַיִּסַּע יִשְׂרָאֵל, וַיֵּט אָהֳלֹה, אוהלו מֵהָלְאָה לְמִגְדַּל עֵדֶר, מדרום
לבית לחם.[32]

סיכומים הקשורים למשפחת יעקב

פרק לה פס' כב–כט

כאן באה לסופה חטיבה גדולה בפרקי חייו של יעקב – סיפור בריחתו של יעקב לחרן ושובו משם. הפרק הבא, שבו יימנו אלופי עשו, יחצוץ בין שני סיפורי הגלות של יעקב – בין גלותו הראשונה, שבה הקים את משפחתו, ושממנה שב לכנען, לבין ההתרחשויות שיגלגלו את בניו ואותו לגלותו השנייה, למצרים.

המתח בין שתי נשיו העיקריות של יעקב, רחל ולאה, עובר אל הדור הבא ומגיע כאן וגם בהמשך את קורותיה של המשפחה כולה.

כב וַיְהִי בִּשְׁכֹּן יִשְׂרָאֵל בָּאָרֶץ הַהִוא, בכנען, בדרכו למקום מגורי
אביו, וַיֵּלֶךְ רְאוּבֵן, וַיִּשְׁכַּב אֶת בִּלְהָה פִּילֶגֶשׁ אָבִיו. ייתכן שראובן
ראה בבלהה, שהייתה כנראה צעירה מאמו, פילגש אביו, ולא אשתו
החוקית. וַיִּשְׁמַע יִשְׂרָאֵל. הדבר בוודאי הסב לו כאב ובושה, אך הוא
בחר שלא להגיב מיד. רק בסוף ימיו הגיב בקללת ראובן.[33]

הרחבות

'וישכב את בלהה' לפי אחת הדעות, ראובן לא שכב עם פילגש אביו כפשוטו. חכמים מספרים כי לאחר מות רחל עלתה קרנה של שפחתה, בלהה, ומִדרגת שפחה עלתה למעמד של גבירה. כתגובה לכך נכנס ראובן, בכור לאה, לאוהלה של בלהה, ובלבל את

וַיִּהְיוּ בְנֵי־יַעֲקֹב שְׁנֵים עָשָׂר: בְּנֵי לֵאָה בְּכוֹר יַעֲקֹב כג
רְאוּבֵן וְשִׁמְעוֹן וְלֵוִי וִיהוּדָה וְיִשָּׂשכָר וּזְבוּלֻן: בְּנֵי רָחֵל כד
יוֹסֵף וּבִנְיָמִן: וּבְנֵי בִלְהָה שִׁפְחַת רָחֵל דָּן וְנַפְתָּלִי: כה
וּבְנֵי זִלְפָּה שִׁפְחַת לֵאָה גָּד וְאָשֵׁר אֵלֶּה בְּנֵי יַעֲקֹב כו
אֲשֶׁר יֻלַּד־לוֹ בְּפַדַּן אֲרָם: וַיָּבֹא יַעֲקֹב אֶל־יִצְחָק אָבִיו כז
מַמְרֵא קִרְיַת הָאַרְבַּע הִוא חֶבְרוֹן אֲשֶׁר־גָּר־שָׁם
אַבְרָהָם וְיִצְחָק: וַיִּהְיוּ יְמֵי יִצְחָק מְאַת שָׁנָה וּשְׁמֹנִים כח
שָׁנָה: וַיִּגְוַע יִצְחָק וַיָּמָת וַיֵּאָסֶף אֶל־עַמָּיו זָקֵן וּשְׂבַע כט
יָמִים וַיִּקְבְּרוּ אֹתוֹ עֵשָׂו וְיַעֲקֹב בָּנָיו:

רש"י

אִמּוֹ, אָמַר: אִם אֲחוֹת אִמִּי הָיְתָה צָרָתָהּ, שִׁפְחַת אֲחוֹת אִמִּי תְּהֵא צָרָה לְאִמִּי?

וַיִּהְיוּ בְנֵי יַעֲקֹב שְׁנֵים עָשָׂר. מַתְחִיל לְעִנְיָן רִאשׁוֹן: מִשֶּׁנּוֹלַד בִּנְיָמִין נִשְׁלְמָה הַמִּטָּה וּמֵעַתָּה רְאוּיִים לְהִמָּנוֹת, וּמְנָאָן. וְרַבּוֹתֵינוּ דָּרְשׁוּ, לְלַמְּדֵנוּ בָּא שֶׁכֻּלָּם שָׁוִים וְכֻלָּם צַדִּיקִים, שֶׁלֹּא חָטָא רְאוּבֵן:

כג) **בְּכוֹר יַעֲקֹב.** אֲפִלּוּ בִּשְׁעַת הַקַּלְקָלָה קְרָאוֹ בְּכוֹר: **בְּכוֹר יַעֲקֹב.** בְּכוֹר לְנַחֲלָה, בְּכוֹר לַעֲבוֹדָה, בְּכוֹר לַמִּנְיָן. וְלֹא נִתְּנָה בְּכוֹרָה לְיוֹסֵף אֶלָּא לְעִנְיַן הַשְּׁבָטִים, שֶׁנַּעֲשָׂה לִשְׁנֵי שְׁבָטִים:

כז) **מַמְרֵא.** שֵׁם הַמִּישׁוֹר: **קִרְיַת הָאַרְבַּע.** שֵׁם הָעִיר: **מַמְרֵא קִרְיַת הָאַרְבַּע.** אֶל מִישׁוֹר שֶׁל קִרְיַת אַרְבַּע. וְאִם תֹּאמַר, הָיָה לוֹ לִכְתֹּב 'מַמְרֵא הַקִּרְיַת אַרְבַּע'? כֵּן דֶּרֶךְ הַמִּקְרָא בְּכָל דָּבָר שֶׁשְּׁמוֹ כָּפוּל, כְּגוֹן זֶה, וּכְגוֹן: בֵּית לֶחֶם, אֲבִי עֶזֶר, בֵּית אֵל, אִם הֻצְרַךְ לְהַטִּיל בּוֹ הֵ"א נוֹתְנָהּ בְּרֹאשׁ תֵּבָה הַשְּׁנִיָּה: "בֵּית הַלַּחְמִי" (שמואל א' טז, א), "בְּעָפְרַת אֲבִי הָעֶזְרִי" (שופטים ו, כד), "בָּנָה חִיאֵל בֵּית הָאֱלִי" (מלכים א' טז, לד):

כט) **וַיִּגְוַע יִצְחָק.** אֵין מֻקְדָּם וּמְאֻחָר בַּתּוֹרָה; מְכִירָתוֹ שֶׁל יוֹסֵף קָדְמָה לְמִיתָתוֹ שֶׁל יִצְחָק שְׁתֵּים עֶשְׂרֵה שָׁנָה, שֶׁהֲרֵי יִצְחָק מֵת בִּשְׁנַת מֵאָה וְעֶשְׂרִים לְיַעֲקֹב, שֶׁנֶּאֱמַר: "וְיִצְחָק בֶּן שִׁשִּׁים שָׁנָה בְּלֶדֶת אֹתָם" (לעיל כה, כו), צֵא שִׁשִּׁים מִמֵּאָה וּשְׁמוֹנִים נִשְׁאֲרוּ מֵאָה וְעֶשְׂרִים; וְיוֹסֵף נִמְכַּר בֶּן שֶׁבַע עֶשְׂרֵה שָׁנָה, וְאוֹתָהּ שָׁנָה שְׁנַת מֵאָה וּשְׁמוֹנֶה לְיַעֲקֹב, כֵּיצַד? בֶּן שִׁשִּׁים וְשָׁלֹשׁ נִתְבָּרֵךְ, אַרְבַּע עֶשְׂרֵה שָׁנָה נִטְמַן בְּבֵית עֵבֶר, הֲרֵי שִׁבְעִים וְשֶׁבַע, וְאַרְבַּע עֶשְׂרֵה עָבַד בְּאִשָּׁה, וּבְסוֹף אַרְבַּע עֶשְׂרֵה נוֹלַד יוֹסֵף, שֶׁנֶּאֱמַר: "וַיְהִי כַּאֲשֶׁר יָלְדָה רָחֵל אֶת יוֹסֵף" וְגוֹ' (לעיל ל, כה), הֲרֵי תִּשְׁעִים וְאַחַת, וּשְׁבַע עֶשְׂרֵה עַד שֶׁלֹּא נִמְכַּר, הֲרֵי מֵאָה וּשְׁמוֹנֶה:

הרחבות

מצעי מיטתה. מסתבר שהעמיד פנים כאילו שכב שם הוא, ובכך אסר את בלהה על יעקב. לפי דעה זו, ראובן תבע את עלבון אמו באמצעות מחאה סמלית, או על ידי תחבולה להפריש את יעקב מבלהה (שבת נה ע"ב; יונתן, רש"י ורמב"ן על אתר). לא נתפרש בכתוב מדוע יעקב נמנע מתגובה מידית, ואפשר לשער השערות

ביאור | והכתוב מסכם ואומר – וַיִּהְיוּ בְנֵי יַעֲקֹב שְׁנֵים עָשָׂר. יעקב לא הרחיק את הבן החוטא, והוא המשיך להיכלל במניין בניו.

וכאן מובאת רשימת הבנים: כג בְּנֵי לֵאָה: בְּכוֹר יַעֲקֹב – רְאוּבֵן, אף
על פי שבסוף ימיו יעקב יסיר אותו ממעלת בכורתו, וְשִׁמְעוֹן וְלֵוִי
וִיהוּדָה וְיִשָּׂשכָר וּזְבוּלֻן. כד בְּנֵי רָחֵל: יוֹסֵף וּבִנְיָמִן. כה וּבְנֵי בִלְהָה,
שִׁפְחַת רָחֵל: דָּן וְנַפְתָּלִי. כו וּבְנֵי זִלְפָּה, שִׁפְחַת לֵאָה: גָּד וְאָשֵׁר. אֵלֶּה בְּנֵי
יַעֲקֹב אֲשֶׁר יֻלַּד לוֹ בְּפַדַּן אֲרָם, להוציא בנימין, שנולד בארץ ישראל.

כז יעקב המשיך להדרים – וַיָּבֹא יַעֲקֹב אֶל יִצְחָק אָבִיו, אל מַמְרֵא,
קִרְיַת הָאַרְבַּע הִוא חֶבְרוֹן, אֲשֶׁר גָּר שָׁם אַבְרָהָם וְיִצְחָק. מעבר לסיפור
על שיבתו של יעקב אל בית אביו, לא מסופר כאן דבר על פגישתם
או על מאורעות אחרים שאירעו בשנים האחרונות לחיי יצחק.

כח וַיִּהְיוּ יְמֵי יִצְחָק מְאַת שָׁנָה וּשְׁמֹנִים שָׁנָה. כט וַיִּגְוַע יִצְחָק וַיָּמָת,
וַיֵּאָסֶף אֶל עַמָּיו. הנפטר כביכול שב ומתכנס אל משפחתו ואל נפשות
הוריו. זהו ביטוי למוות שלֵו. זָקֵן וּשְׂבַע יָמִים, שכן הגיע לגיל מופלג.
וַיִּקְבְּרוּ אֹתוֹ עֵשָׂו וְיַעֲקֹב בָּנָיו. עשו הגיע מארץ שעיר והשתתף עם
יעקב בקבורתו במערת המכפלה שבחברון.

הרחבות | שונות. תהא אשר תהא הסיבה, חכמי המסורה, אשר ניקדו ופיסקו את פסוקי התורה, הותירו מקום ריק ('פִּסקה') – באמצע הפסוק. תופעה חריגה זו רומזת על כך שיש מה לומר בעניין טעון זה, אך אין הדברים מפורשים בכתוב (ראו יהושע ד,א; שמואל א' ד,א).

לו א ב וְאֵ֛לֶּה תֹּלְד֥וֹת עֵשָׂ֖ו ה֥וּא אֱדֽוֹם׃ עֵשָׂ֛ו לָקַ֥ח אֶת־נָשָׁ֖יו
מִבְּנ֣וֹת כְּנָ֑עַן אֶת־עָדָ֗ה בַּת־אֵילוֹן֙ הַֽחִתִּ֔י וְאֶת־
ג אָהֳלִֽיבָמָה֙ בַּת־עֲנָ֔ה בַּת־צִבְע֖וֹן הַֽחִוִּֽי׃ וְאֶת־בָּשְׂמַ֖ת
ד בַּת־יִשְׁמָעֵ֑אל אֲח֖וֹת נְבָיֽוֹת׃ וַתֵּ֧לֶד עָדָ֛ה לְעֵשָׂ֖ו אֶת־
ה אֱלִיפָ֑ז וּבָ֣שְׂמַ֔ת יָלְדָ֖ה אֶת־רְעוּאֵֽל׃ וְאָהֳלִיבָמָה֙ יָלְדָ֔ה
אֶת־יעיש וְאֶת־יַעְלָ֖ם וְאֶת־קֹ֑רַח אֵ֚לֶּה בְּנֵ֣י עֵשָׂ֔ו אֲשֶׁ֥ר יְע֥וּשׁ
ו יֻלְּדוּ־ל֖וֹ בְּאֶ֥רֶץ כְּנָֽעַן׃ וַיִּקַּ֣ח עֵשָׂ֡ו אֶת־נָ֠שָׁיו וְאֶת־בָּנָ֣יו
וְאֶת־בְּנֹתָיו֮ וְאֶת־כָּל־נַפְשׁ֣וֹת בֵּיתוֹ֒ וְאֶת־מִקְנֵ֣הוּ וְאֶת־
כָּל־בְּהֶמְתּ֗וֹ וְאֵת֙ כָּל־קִנְיָנ֔וֹ אֲשֶׁ֥ר רָכַ֖שׁ בְּאֶ֣רֶץ כְּנָ֑עַן
ז וַיֵּ֣לֶךְ אֶל־אֶ֔רֶץ מִפְּנֵ֖י יַעֲקֹ֥ב אָחִֽיו׃ כִּֽי־הָיָ֨ה רְכוּשָׁ֥ם
רָ֖ב מִשֶּׁ֣בֶת יַחְדָּ֑ו וְלֹ֨א יָֽכְלָ֜ה אֶ֤רֶץ מְגֽוּרֵיהֶם֙ לָשֵׂ֣את

רש"י | פרק לו

ב] **עָדָה בַּת אֵילוֹן.** הִיא "בָּשְׂמַת בַּת אֵילֹן" (לעיל כו, לד), וְנִקְרֵאת בָּשְׂמַת עַל שֵׁם שֶׁהָיְתָה מְקַטֶּרֶת בְּשָׂמִים לַעֲבוֹדָה זָרָה: **אָהֳלִיבָמָה.** הִיא יְהוּדִית, וְאוֹתוֹ רָשָׁע כִּנָּהּ שְׁמָהּ יְהוּדִית לוֹמַר שֶׁהִיא כּוֹפֶרֶת בַּעֲבוֹדָה זָרָה כְּדֵי לְהַטְעוֹת אֶת אָבִיו: **בַּת עֲנָה בַּת צִבְעוֹן.** אִם בַּת עֲנָה לֹא בַּת צִבְעוֹן? עֲנָה בְּנוֹ שֶׁל צִבְעוֹן, שֶׁנֶּאֱמַר: "וְאֵלֶּה בְנֵי צִבְעוֹן וְאַיָּה וַעֲנָה" (להלן פסוק כד)! מְלַמֵּד שֶׁבָּא צִבְעוֹן עַל כַּלָּתוֹ אֵשֶׁת עֲנָה וְיָצְאָה אָהֳלִיבָמָה מִבֵּין שְׁנֵיהֶם, וְהוֹדִיעֲךָ הַכָּתוּב שֶׁכֻּלָּן בְּנֵי מַמְזֵרוּת הָיוּ:

ג] **בָּשְׂמַת בַּת יִשְׁמָעֵאל.** וּלְהַלָּן קוֹרֵא לָהּ 'מַחֲלַת' (לעיל כח, ט)? מָצָאתִי בְּאַגָּדַת מִדְרַשׁ סֵפֶר שְׁמוּאֵל (פרק יז), שְׁלֹשָׁה מוֹחֲלִים לָהֶן עֲווֹנוֹתֵיהֶן: גֵּר שֶׁנִּתְגַּיֵּר, וְהָעוֹלֶה לִגְדֻלָּה, וְהַנּוֹשֵׂא אִשָּׁה. וְלָמַד הַטַּעַם מִכָּאן, לְכָךְ נִקְרֵאת 'מַחֲלַת', שֶׁנִּמְחֲלוּ עֲווֹנוֹתָיו: **אֲחוֹת נְבָיוֹת.** עַל שֵׁם שֶׁהוּא הִשִּׂיאָהּ לוֹ מִשֶּׁמֵּת יִשְׁמָעֵאל:

ה] **וְאָהֳלִיבָמָה יָלְדָה וְגוֹ'.** קֹרַח זֶה מַמְזֵר הָיָה, וּבֶן אֱלִיפַז הָיָה שֶׁבָּא עַל אֵשֶׁת אָבִיו, שֶׁהֲרֵי הוּא מָנוּי עִם אַלּוּפֵי אֱלִיפַז בְּסוֹף הָעִנְיָן:

ו] **וַיֵּלֶךְ אֶל אֶרֶץ.** לָגוּר בַּאֲשֶׁר יִמְצָא:

ז] **וְלֹא יָכְלָה אֶרֶץ מְגוּרֵיהֶם.** לְהַסְפִּיק מִרְעֶה לַבְּהֵמוֹת שֶׁלָּהֶם. וּמִדְרַשׁ אַגָּדָה, "מִפְּנֵי יַעֲקֹב אָחִיו", מִפְּנֵי שְׁטַר חוֹב שֶׁל גְּזֵרַת "כִּי גֵר יִהְיֶה זַרְעֲךָ" (לעיל טו, יג) הַמֻּטָּל עַל זַרְעוֹ שֶׁל יִצְחָק, אָמַר: אֵלֵךְ לִי מִכָּאן, אֵין לִי חֵלֶק לֹא בַּמַּתָּנָה שֶׁנִּתְּנָה לוֹ הָאָרֶץ הַזֹּאת וְלֹא בְּפֵרָעוֹן הַשְּׁטָר, וּמִפְּנֵי הַבּוּשָׁה שֶׁמָּכַר בְּכוֹרָתוֹ:

תולדות עשו

פרק לו

בסוף תולדות חייו של אברהם הופיע קטע שעסק בבנו האחר – ישמעאל.[34] כאן, מיד לאחר תיאור הסתלקותו של יצחק, ולאחר שמסופר כי אף עשו הגיע לטפל בקבורתו, נמנים צאצאיו של עשו, ומסופרות הקורות אותם.

קודם שיימשך הסיפור המרכזי, המלווה את יעקב וביתו, משתהה הכתוב בצאצאיו של עשו. הרי אף עשו קיבל מאביו ברכה, והברכה התקיימה. בפרק זה מסופר על הארץ שקיבלו צאצאיו ועל שלטונם העצמאי. ראוי לציין כי לאורך דורות רבים נשארו בני עשו צמודים לבניו של יעקב, קרוביהם ויריביהם.

ביאור | פרק לו א וְאֵלֶּה תֹּלְדוֹת עֵשָׂו הוּא אֱדוֹם. כאמור, עשו כונה אדום בשל
נזיד העדשים האדום, וכנראה גם משום שנולד אדמוני.[35] ב עֵשָׂו
לָקַח אֶת נָשָׁיו מִבְּנוֹת כְּנָעַן, כפי שהוזכר כבר,[36] אֶת עָדָה בַּת אֵילוֹן
הַחִתִּי, וְאֶת אָהֳלִיבָמָה בַּת עֲנָה בַּת צִבְעוֹן הַחִוִּי. אמנם עשו נשא נשים
שבאו משבטים כנעניים, ובכל זאת, אולי משום שרצה להתחשב
גם ברצון הוריו שיישא אשה מתוך המשפחה, נשא אשה נוספת
– ג וְאֶת בָּשְׂמַת בַּת יִשְׁמָעֵאל, אֲחוֹת נְבָיוֹת, שהייתה בת דודו.

ד וַתֵּלֶד עָדָה לְעֵשָׂו אֶת אֱלִיפָז, בנו הבכור, וּבָשְׂמַת יָלְדָה אֶת
רְעוּאֵל, ה וְאָהֳלִיבָמָה יָלְדָה אֶת יְעוּשׁ וְאֶת יַעְלָם וְאֶת קֹרַח. אֵלֶּה
בְּנֵי עֵשָׂו אֲשֶׁר יֻלְּדוּ לוֹ בְּאֶרֶץ כְּנָעַן, כל זמן שחי שם. ו אולם בהמשך
– וַיִּקַּח עֵשָׂו אֶת נָשָׁיו וְאֶת בָּנָיו וְאֶת בְּנֹתָיו וְאֶת כָּל נַפְשׁוֹת בֵּיתוֹ,
וְאֶת מִקְנֵהוּ וְאֶת כָּל בְּהֶמְתּוֹ וְאֵת כָּל קִנְיָנוֹ אֲשֶׁר רָכַשׁ בְּאֶרֶץ כְּנָעַן,
וַיֵּלֶךְ אֶל אֶרֶץ אחרת, מִפְּנֵי יַעֲקֹב אָחִיו, ז כִּי הָיָה רְכוּשָׁם רָב מִשֶּׁבֶת
יַחְדָּו, וְלֹא יָכְלָה אֶרֶץ מְגוּרֵיהֶם לָשֵׂאת אֹתָם מִפְּנֵי מִקְנֵיהֶם. אף על פי
שיצחק עבד את האדמה, שני בניו היו בעיקר רועי צאן, ומכיוון
ששניהם הצליחו, ועדריהם היו גדולים, הם נאלצו לגור הרחק זה

הרחבות | **'ויקח עשו את נשיו... וילך אל ארץ'** עשו עזב את כנען עוד קודם שיעקב שב אליה, והתיישב בארץ שעיר (לעיל לב,ד טז). אחרי שיעקב ברח מפניו, פנה בשלב מסוים לעבר הירדן המזרחי עם משפחתו ורכושו, אולי משום שהבין שיצחק ייעד את ארץ כנען לאחיו. ייתכן שיצא להקים את ממלכתו בארץ שעיר, מאחר שהיא אינה חלק מארץ כנען, אך סמוכה אליה, והיא שוכנת בין כנען, מקום ישיבת אביו, ובין פארן, מקום מושב חותנו ישמעאל. ייתכן כי בימי זקנתו של אביו חזר עשו לגור לצדו, או שהיה לו בית גם בכנען וגם בשעיר, והיה מדלג מכאן לכאן. עתה כשהגיע יעקב לגור עם משפחתו ומקנהו הרב ליד אביו, עקר עשו את דירתו שבכנען והתיישב בהר שעיר (ראו רד"ק ורמב"ן על אתר; רד"ק לעיל לב,ד).

ח אֹתָם מִפְּנֵי מִקְנֵיהֶם: וַיֵּשֶׁב עֵשָׂו בְּהַר שֵׂעִיר עֵשָׂו
ט הוּא אֱדוֹם: וְאֵלֶּה תֹּלְדוֹת עֵשָׂו אֲבִי אֱדוֹם בְּהַר
י שֵׂעִיר: אֵלֶּה שְׁמוֹת בְּנֵי־עֵשָׂו אֱלִיפַז בֶּן־עָדָה אֵשֶׁת
יא עֵשָׂו רְעוּאֵל בֶּן־בָּשְׂמַת אֵשֶׁת עֵשָׂו: וַיִּהְיוּ בְּנֵי אֱלִיפָז
יב תֵּימָן אוֹמָר צְפוֹ וְגַעְתָּם וּקְנַז: וְתִמְנַע ׀ הָיְתָה פִילֶגֶשׁ
לֶאֱלִיפַז בֶּן־עֵשָׂו וַתֵּלֶד לֶאֱלִיפַז אֶת־עֲמָלֵק אֵלֶּה
יג בְּנֵי עָדָה אֵשֶׁת עֵשָׂו: וְאֵלֶּה בְּנֵי רְעוּאֵל נַחַת וָזֶרַח
יד שַׁמָּה וּמִזָּה אֵלֶּה הָיוּ בְּנֵי בָשְׂמַת אֵשֶׁת עֵשָׂו: וְאֵלֶּה
הָיוּ בְּנֵי אָהֳלִיבָמָה בַת־עֲנָה בַּת־צִבְעוֹן אֵשֶׁת עֵשָׂו
טו וַתֵּלֶד לְעֵשָׂו אֶת־יעיש וְאֶת־יַעְלָם וְאֶת־קֹרַח: אֵלֶּה (יְעוּשׁ)
אַלּוּפֵי בְנֵי־עֵשָׂו בְּנֵי אֱלִיפַז בְּכוֹר עֵשָׂו אַלּוּף תֵּימָן
טז אַלּוּף אוֹמָר אַלּוּף צְפוֹ אַלּוּף קְנַז: אַלּוּף־קֹרַח אַלּוּף
גַּעְתָּם אַלּוּף עֲמָלֵק אֵלֶּה אַלּוּפֵי אֱלִיפַז בְּאֶרֶץ אֱדוֹם
יז אֵלֶּה בְּנֵי עָדָה: וְאֵלֶּה בְּנֵי רְעוּאֵל בֶּן־עֵשָׂו אַלּוּף
נַחַת אַלּוּף זֶרַח אַלּוּף שַׁמָּה אַלּוּף מִזָּה אֵלֶּה אַלּוּפֵי
רְעוּאֵל בְּאֶרֶץ אֱדוֹם אֵלֶּה בְּנֵי בָשְׂמַת אֵשֶׁת עֵשָׂו:
יח וְאֵלֶּה בְּנֵי אָהֳלִיבָמָה אֵשֶׁת עֵשָׂו אַלּוּף יְעוּשׁ אַלּוּף

רש״י

ט) וְאֵלֶּה. הַתּוֹלָדוֹת שֶׁהוֹלִידוּ בָּנָיו מִשֶּׁהָלַךְ לְשֵׂעִיר:

יב) וְתִמְנַע הָיְתָה פִילֶגֶשׁ. לְהוֹדִיעַ גְּדֻלָּתוֹ שֶׁל אַבְרָהָם כַּמָּה הָיוּ תְּאֵבִים לְדָבֵק בְּזַרְעוֹ. תִּמְנַע זוֹ בַּת אַלּוּפִים הָיְתָה, שֶׁנֶּאֱמַר: "וַאֲחוֹת לוֹטָן תִּמְנָע" (להלן פסוק כב), וְלוֹטָן מֵאַלּוּפֵי יוֹשְׁבֵי שֵׂעִיר הָיָה, מִן הַחוֹרִים שֶׁיָּשְׁבוּ בָהּ לְפָנִים; אָמְרָה: אֵינִי זוֹכָה לְהִנָּשֵׂא לְךָ, הַלְוַאי וְאֶהְיֶה פִּילֶגֶשׁ. וּבְדִבְרֵי הַיָּמִים (א׳ א, לו) מוֹנֶה אוֹתָהּ בְּבָנָיו שֶׁל אֱלִיפַז! מְלַמֵּד שֶׁבָּא עַל אֵשֶׁת שֵׂעִיר וְיָצְאָה תִּמְנַע מִבֵּינֵיהֶם, וּכְשֶׁגָּדְלָה נַעֲשֵׂית פִּילַגְשׁוֹ; וְזֶהוּ "וַאֲחוֹת לוֹטָן תִּמְנָע" וְלֹא מְנָאָהּ עִם בְּנֵי שֵׂעִיר, שֶׁהָיְתָה אֲחוֹתוֹ מִן הָאֵם וְלֹא מִן הָאָב:

טו) אֵלֶּה אַלּוּפֵי בְנֵי עֵשָׂו. רָאשֵׁי מִשְׁפָּחוֹת:

ביאור

מזה. ח **וַיֵּשֶׁב עֵשָׂו בְּהַר שֵׂעִיר. עֵשָׂו הוּא אֱדוֹם**, ולכן צאצאיו נקראו
אדומים: ט **וְאֵלֶּה תֹּלְדוֹת עֵשָׂו אֲבִי אֱדוֹם בְּהַר שֵׂעִיר:** י **אֵלֶּה שְׁמוֹת**
כלל **בְּנֵי עֵשָׂו** שנולדו בכנען ושנולדו מחוצה לה: **אֱלִיפַז בֶּן עָדָה אֵשֶׁת**
עֵשָׂו, רְעוּאֵל בֶּן בָּשְׂמַת אֵשֶׁת עֵשָׂו. יא **וַיִּהְיוּ בְּנֵי אֱלִיפָז תֵּימָן אוֹמָר צְפוֹ**
וְגַעְתָּם וּקְנַז. יב **וְתִמְנַע**, שהייתה כנראה בת למשפחות המושלים
המקומיים של הארץ, **הָיְתָה פִילֶגֶשׁ לֶאֱלִיפַז בֶּן עֵשָׂו. וַתֵּלֶד לֶאֱלִיפַז**
אֶת עֲמָלֵק. אֵלֶּה בְּנֵי עָדָה אֵשֶׁת עֵשָׂו.

יג **וְאֵלֶּה בְּנֵי רְעוּאֵל: נַחַת וָזֶרַח שַׁמָּה וּמִזָּה. אֵלֶּה הָיוּ בְּנֵי בָשְׂמַת אֵשֶׁת**
עֵשָׂו. יד **וְאֵלֶּה הָיוּ בְּנֵי אָהֳלִיבָמָה בַת עֲנָה בַּת צִבְעוֹן אֵשֶׁת עֵשָׂו.**
מן ההמשך מתברר שאשה זו הייתה בתם של תושבי ארץ שעיר
הקודמים.[37] ייתכן שבגללה הגיע עשו לארץ זו, ושמא מכוח קשרי
הנישואין הללו תבע תביעת בעלות כלשהי על חבלי ארץ בהר
שעיר. **וַתֵּלֶד לְעֵשָׂו אֶת יְעוּשׁ וְאֶת יַעְלָם וְאֶת קֹרַח.**

טו **אֵלֶּה אַלּוּפֵי** – מושלים אזרחיים, מעין נסיכים קטנים שעמדו
בראש שבטים, שלא איבדו את מעמדם גם לאחר שקמה ממלכה
באדום, **בְנֵי עֵשָׂו: בְּנֵי אֱלִיפַז בְּכוֹר עֵשָׂו: אַלּוּף תֵּימָן, אַלּוּף אוֹמָר, אַלּוּף**
צְפוֹ, אַלּוּף קְנַז, לפי הבנים שהוזכרו לעיל. משפחותיהם גדלו, ובראש
כל משפחה עמד אלוף. בדור הראשון הוא היה אבי המשפחה, ואחר
כך כונה בשם זה ראש השבט. כך למשל, **אַלּוּף תֵּימָן** הפך לכינויו של
מנהיג צאצאיו של תימן. טז **אַלּוּף קֹרַח, אַלּוּף גַּעְתָּם, אַלּוּף עֲמָלֵק.**
אֵלֶּה אַלּוּפֵי אֱלִיפַז בְּאֶרֶץ אֱדוֹם, אֵלֶּה בְּנֵי עָדָה.

יז **וְאֵלֶּה בְּנֵי רְעוּאֵל בֶּן עֵשָׂו: אַלּוּף נַחַת, אַלּוּף זֶרַח, אַלּוּף שַׁמָּה, אַלּוּף**
מִזָּה. אֵלֶּה אַלּוּפֵי רְעוּאֵל בְּאֶרֶץ אֱדוֹם, אֵלֶּה בְּנֵי בָשְׂמַת אֵשֶׁת עֵשָׂו.

יח **וְאֵלֶּה בְּנֵי אָהֳלִיבָמָה אֵשֶׁת עֵשָׂו: אַלּוּף יְעוּשׁ, אַלּוּף יַעְלָם, אַלּוּף**
קֹרַח. אֵלֶּה אַלּוּפֵי אָהֳלִיבָמָה בַּת עֲנָה אֵשֶׁת עֵשָׂו.

הרחבות

עמלק לעמלק נכון תפקיד מיוחד. מצד אחד היה בן למשפחה הקרובה ביותר של ישראל, ומצד שני, כיוון שלא היה בן גמור של עשו, הוא נשאר נבדל משאר בני עשו, והפך לעם נודדים. במהלך ההיסטוריה התנגש עַם ישראל עם עמלק פעמים רבות. לא ברור מדוע היה כה עוין לישראל. בגמרא מסופר כי כל ימיו היה עמלק פגוע, בשל מעמדה הנחות של אמו, ותלה זאת בגאוותם של בני יעקב (סנהדרין צט ע"ב).

אלופים כאן אינם קציני צבא. ייתכן שמושלים אלו כינו כך את עצמם בעקבות משמעותו המקורית של שם העצם אלוף – פר (ראו תהלים קמד,יד וכן יונתן ורש"י דברים כח,ד).

יַעְלָם אַלּוּף קֹרַח אֵלֶּה אַלּוּפֵי אָהֳלִיבָמָה בַּת־עֲנָה
אֵשֶׁת עֵשָׂו׃ אֵלֶּה בְנֵי־עֵשָׂו וְאֵלֶּה אַלּוּפֵיהֶם הוּא יט
שביעי אֱדוֹם׃ אֵלֶּה בְנֵי־שֵׂעִיר הַחֹרִי יֹשְׁבֵי הָאָרֶץ כ
לוֹטָן וְשׁוֹבָל וְצִבְעוֹן וַעֲנָה׃ וְדִשׁוֹן וְאֵצֶר וְדִישָׁן אֵלֶּה כא
אַלּוּפֵי הַחֹרִי בְּנֵי שֵׂעִיר בְּאֶרֶץ אֱדוֹם׃ וַיִּהְיוּ בְנֵי־לוֹטָן כב
חֹרִי וְהֵימָם וַאֲחוֹת לוֹטָן תִּמְנָע׃ וְאֵלֶּה בְּנֵי שׁוֹבָל כג
עַלְוָן וּמָנַחַת וְעֵיבָל שְׁפוֹ וְאוֹנָם׃ וְאֵלֶּה בְנֵי־צִבְעוֹן כד
וְאַיָּה וַעֲנָה הוּא עֲנָה אֲשֶׁר מָצָא אֶת־הַיֵּמִם בַּמִּדְבָּר
בִּרְעֹתוֹ אֶת־הַחֲמֹרִים לְצִבְעוֹן אָבִיו׃ וְאֵלֶּה בְנֵי־עֲנָה כה
דִּשֹׁן וְאָהֳלִיבָמָה בַּת־עֲנָה׃ וְאֵלֶּה בְּנֵי דִישָׁן חֶמְדָּן כו
וְאֶשְׁבָּן וְיִתְרָן וּכְרָן׃ אֵלֶּה בְּנֵי־אֵצֶר בִּלְהָן וְזַעֲוָן וַעֲקָן׃ כז
אֵלֶּה בְנֵי־דִישָׁן עוּץ וַאֲרָן׃ אֵלֶּה אַלּוּפֵי הַחֹרִי אַלּוּף כח כט
לוֹטָן אַלּוּף שׁוֹבָל אַלּוּף צִבְעוֹן אַלּוּף עֲנָה׃ אַלּוּף דִּשֹׁן ל
אַלּוּף אֵצֶר אַלּוּף דִּישָׁן אֵלֶּה אַלּוּפֵי הַחֹרִי לְאַלֻּפֵיהֶם
בְּאֶרֶץ שֵׂעִיר׃

רש"י

כ) **יֹשְׁבֵי הָאָרֶץ.** שֶׁהָיוּ יוֹשְׁבֶיהָ קֹדֶם שֶׁבָּא עֵשָׂו לְשָׁם. וְרַבּוֹתֵינוּ דָּרְשׁוּ, שֶׁהָיוּ בְּקִיאִין בְּיִשּׁוּבָהּ שֶׁל אֶרֶץ – מְלֹא קָנֶה זֶה לְזֵיתִים מְלֹא קָנֶה זֶה לִגְפָנִים, שֶׁהָיוּ טוֹעֲמִין הֶעָפָר וְיוֹדְעִין אֵי זוֹ נְטִיעָה רְאוּיָה לוֹ:

כד) **וְאַיָּה וַעֲנָה.** וָי"ו יְתֵרָה, וְהוּא כְּמוֹ אַיָּה וַעֲנָה. וְהַרְבֵּה יֵשׁ בַּמִּקְרָא: "תֵּת וְקֹדֶשׁ וְצָבָא מִרְמָס" (דניאל ח, יג), "נִרְדָּם וְרֶכֶב וָסוּס" (תהלים עו, ז): **הוּא עֲנָה.** הָאָמוּר לְמַעְלָה שֶׁהוּא אָחִיו שֶׁל צִבְעוֹן, וְכָאן הוּא קוֹרֵא אוֹתוֹ בְּנוֹ! מְלַמֵּד שֶׁבָּא צִבְעוֹן עַל אִמּוֹ וְהוֹלִיד אֶת עֲנָה: **אֶת הַיֵּמִם.** פְּרָדִים, הִרְבִּיעַ חֲמוֹר עַל סוּס נְקֵבָה וְיָלְדָה פֶּרֶד, וְהוּא הָיָה מַמְזֵר וְהֵבִיא פְּסוּלִין לָעוֹלָם. וְלָמָּה נִקְרָא שְׁמָם 'יֵמִים'? שֶׁאֵימָתָן מֻטֶּלֶת עַל הַבְּרִיּוֹת, דְּאָמַר רַבִּי חֲנִינָא: מִיָּמַי לֹא שְׁאָלַנִי אָדָם עַל מַכַּת פִּרְדָּה לְבָנָה וְחָיָה. לֹא נִזְקַק לִכְתֹּב לָנוּ מִשְׁפְּחוֹת הַחוֹרִי אֶלָּא מִפְּנֵי תִּמְנָע, וּלְהוֹדִיעַ גְּדֻלַּת אַבְרָהָם כְּמוֹ שֶׁפֵּרַשְׁתִּי לְמַעְלָה (לעיל פסוק יב):

ביאור

יט אֵלֶּה בְנֵי עֵשָׂו וְאֵלֶּה אַלּוּפֵיהֶם, הוּא אֱדוֹם.

כ אֵלֶּה בְנֵי שֵׂעִיר הַחֹרִי יֹשְׁבֵי הָאָרֶץ מתחילה. בצד השליטים מבני
עשו, נותר השלטון גם בידי חלק מן השליטים המקומיים: לוֹטָן וְשׁוֹבָל
וְצִבְעוֹן וַעֲנָה כא וְדִשׁוֹן וְאֵצֶר וְדִישָׁן. אֵלֶּה אַלּוּפֵי הַחֹרִי בְּנֵי שֵׂעִיר בְּאֶרֶץ
אֱדוֹם. ייתכן שגם מן החורים נותרו אלופים בדרגה כלשהי, ושמא
אלופי אדום סיגלו לעצמם את התואר הזה מן החורים.

כב וַיִּהְיוּ בְנֵי לוֹטָן חֹרִי וְהֵימָם, וַאֲחוֹת לוֹטָן הייתה תִּמְנָע. בהיותה
פילגשו של אליפז בן עשו ואמו של עמלק, תמנע היא מן הנשים
המועטות הנזכרות כאן.[38]

כג וְאֵלֶּה בְּנֵי שׁוֹבָל: עַלְוָן וּמָנַחַת וְעֵיבָל שְׁפוֹ וְאוֹנָם.

כד וְאֵלֶּה בְנֵי צִבְעוֹן: וְאַיָּה, איה[39] וַעֲנָה, הוּא עֲנָה אֲשֶׁר מָצָא אֶת
הַיֵּמִם, עַם שהשתייך לענקים הקדמונים,[40] או: פרדים[41] בַּמִּדְבָּר,
בִּרְעֹתוֹ אֶת הַחֲמֹרִים לְצִבְעוֹן אָבִיו. משמעותו המדויקת של המקרה
תלויה בביאור המלה יֵמִים. אם הימים הם בני שבט ענקים – כנראה
רצו לגזול ממנו את חמוריו, והוא עמד כנגדם בגבורה, ובכך נודע
לתהילה. אם הם פרדים – מתפרשת מציאתם כהמצאתם. במקרה
או שלא במקרה ענה הכליא חמורים וסוסים, והומלטו מהם פרדים.
לכן מודגש שהדבר אירע בזמן רעיית החמורים.

כה וְאֵלֶּה בְנֵי עֲנָה: דִּשֹׁן ובתו הייתה אָהֳלִיבָמָה בַּת עֲנָה, שאף היא
נזכרת, משום שהייתה אשתו של עשו.[42]

כו וְאֵלֶּה בְּנֵי דִישָׁן: חֶמְדָּן וְאֶשְׁבָּן וְיִתְרָן וּכְרָן.

כז אֵלֶּה בְּנֵי אֵצֶר: בִּלְהָן וְזַעֲוָן וַעֲקָן.

כח אֵלֶּה בְנֵי דִישָׁן: עוּץ, שם זה הופיע גם בין בני ארם,[43] לכן כשנזכרת
ארץ עוץ, לא ברור אם מדובר בארמים או באדומים,[44] וַאֲרָן.

כט אֵלֶּה אַלּוּפֵי הַחֹרִי: אַלּוּף לוֹטָן, אַלּוּף שׁוֹבָל, אַלּוּף צִבְעוֹן, אַלּוּף
עֲנָה, ל אַלּוּף דִּשֹׁן, אַלּוּף אֵצֶר, אַלּוּף דִּישָׁן. אֵלֶּה אַלּוּפֵי הַחֹרִי לְאַלֻּפֵיהֶם
בְּאֶרֶץ שֵׂעִיר.

העולם

הַחֹרִי עם שמוצאו בצפון מסופוטמיה, על פי תעודות חתיות, אוגריתיות ומצריות מהאלף השלישי והשני לפנה"ס. החורים נדדו והתפשטו, והשפעתם ניכרה בכל המזרח התיכון. היו מהם שהתיישבו בהר שעיר, והם נטמעו בבני עשו שפלשו לשם.

לא וְאֵלֶּה הַמְּלָכִים אֲשֶׁר מָלְכוּ בְּאֶרֶץ אֱדוֹם לִפְנֵי מְלָךְ־
לב מֶלֶךְ לִבְנֵי יִשְׂרָאֵל: וַיִּמְלֹךְ בֶּאֱדוֹם בֶּלַע בֶּן־בְּעוֹר
לג וְשֵׁם עִירוֹ דִּנְהָבָה: וַיָּמָת בָּלַע וַיִּמְלֹךְ תַּחְתָּיו יוֹבָב
לד בֶּן־זֶרַח מִבָּצְרָה: וַיָּמָת יוֹבָב וַיִּמְלֹךְ תַּחְתָּיו חֻשָׁם
לה מֵאֶרֶץ הַתֵּימָנִי: וַיָּמָת חֻשָׁם וַיִּמְלֹךְ תַּחְתָּיו הֲדַד בֶּן־
בְּדַד הַמַּכֶּה אֶת־מִדְיָן בִּשְׂדֵה מוֹאָב וְשֵׁם עִירוֹ עֲוִית:
לו לז וַיָּמָת הֲדָד וַיִּמְלֹךְ תַּחְתָּיו שַׂמְלָה מִמַּשְׂרֵקָה: וַיָּמָת
לח שַׂמְלָה וַיִּמְלֹךְ תַּחְתָּיו שָׁאוּל מֵרְחֹבוֹת הַנָּהָר: וַיָּמָת
לט שָׁאוּל וַיִּמְלֹךְ תַּחְתָּיו בַּעַל חָנָן בֶּן־עַכְבּוֹר: וַיָּמָת
בַּעַל חָנָן בֶּן־עַכְבּוֹר וַיִּמְלֹךְ תַּחְתָּיו הֲדַר וְשֵׁם עִירוֹ
פָּעוּ וְשֵׁם אִשְׁתּוֹ מְהֵיטַבְאֵל בַּת־מַטְרֵד בַּת מֵי זָהָב:
מ מפטיר וְאֵלֶּה שְׁמוֹת אַלּוּפֵי עֵשָׂו לְמִשְׁפְּחֹתָם לִמְקֹמֹתָם

רש"י

לא) **וְאֵלֶּה הַמְּלָכִים וְגוֹ'.** שְׁמוֹנָה הָיוּ, וּכְנֶגְדָּן הֶעֱמִיד יַעֲקֹב וּבִטֵּל מַלְכוּת עֵשָׂו בִּימֵיהֶם, וְאֵלּוּ הֵן: שָׁאוּל וְאִישׁ בֹּשֶׁת, דָּוִד וּשְׁלֹמֹה, רְחַבְעָם, אֲבִיָּה, אָסָא, יְהוֹשָׁפָט; וּבִימֵי יוֹרָם בְּנוֹ כָּתוּב: "בְּיָמָיו פָּשַׁע אֱדוֹם מִתַּחַת יַד יְהוּדָה וַיַּמְלִכוּ עֲלֵיהֶם מֶלֶךְ" (מלכים ב' ח, כ). וּבִימֵי שָׁאוּל כְּתִיב: "וּמֶלֶךְ אֵין בֶּאֱדוֹם נִצָּב מֶלֶךְ" (מלכים א' כב, מח).

לג) **יוֹבָב בֶּן זֶרַח מִבָּצְרָה.** בָּצְרָה מֵעָרֵי מוֹאָב הִיא, שֶׁנֶּאֱמַר: "וְעַל קְרִיּוֹת וְעַל בָּצְרָה" וְגוֹ' (ירמיה מח, כד), וּלְפִי שֶׁהֶעֱמִידָה מֶלֶךְ לֶאֱדוֹם עֲתִידָה לִלְקוֹת עִמָּהֶם, שֶׁנֶּאֱמַר: "כִּי זֶבַח לַה' בְּבָצְרָה" (ישעיה לד, ו).

לה) **הַמַּכֶּה אֶת מִדְיָן בִּשְׂדֵה מוֹאָב.** שֶׁבָּא מִדְיָן עַל מוֹאָב לַמִּלְחָמָה וְהָלַךְ מֶלֶךְ אֱדוֹם לַעֲזֹר אֶת מוֹאָב. וּמִכָּאן אָנוּ לְמֵדִים שֶׁהָיוּ מִדְיָן וּמוֹאָב מְרִיבִים זֶה עִם זֶה, וּבִימֵי בִּלְעָם עָשׂוּ שָׁלוֹם לְהִתְקַשֵּׁר עַל יִשְׂרָאֵל.

לט) **בַּת מֵי זָהָב.** מַהוּ זָהָב; עָשִׁיר הָיָה וְאֵין זָהָב חָשׁוּב בְּעֵינָיו לִכְלוּם.

מ) **וְאֵלֶּה שְׁמוֹת אַלּוּפֵי עֵשָׂו.** שֶׁנִּקְרְאוּ עַל שֵׁם מְדִינוֹתֵיהֶם לְאַחַר שֶׁמֵּת הֲדַר וּפָסְקָה מֵהֶם מַלְכוּת, וְהָרִאשׁוֹנִים הַנִּזְכָּרִים לְמַעְלָה הֵם שְׁמוֹת תּוֹלְדוֹתָם, וְכֵן מְפֹרָשׁ בְּדִבְרֵי הַיָּמִים: "וַיָּמָת הֲדָד

העולם

בָּצְרָה בירת אדום העתיקה, סימלה את אדום כולה (ראו ישעיה לד,ו; ירמיה מט,יג; עמוס א,יב). מזוהה עם הכפר בֻּצֵירָה 11 ק"מ מדרום לאטפילה (תופל המקראית), החולש על הדרך הראשית באדום לאורך הרכס המערבי של הר שעיר.

ביאור

עד כאן נסקרו שבטי האדומים והחורים, שבראש כל אחד מהם
עמד אלוף. כאשר נוצרה באדום מלוכה, המבנה השלטוני הפך
מאוחד יותר, והשבטים המליכו לעצמם מלכים. לא **וְאֵלֶּה הַמְּלָכִים**
אֲשֶׁר מָלְכוּ בְּאֶרֶץ אֱדוֹם, לִפְנֵי מְלָךְ מֶלֶךְ לִבְנֵי יִשְׂרָאֵל. בשנים שבהן
התפתחו בני עשו כעם חופשי בעל שלטון ריכוזי, גלו בניו של יעקב
למצרים, ולא יכלו להמליך עליהם מלך. ייתכן שהמלך הראשון
לבני ישראל הנרמז כאן הוא משה רבנו, שכן עיקר תפקידו היה
הנהגת העם כולו.[45]

לב **וַיִּמְלֹךְ בֶּאֱדוֹם בֶּלַע בֶּן בְּעוֹר**, בגלל דמיון השם היו שקישרו בינו
לבין בלעם בן בעור,[46] אבל לפי העניין ולפי סדר הזמנים אין זה
אותו אדם.[47] **וְשֵׁם עִירוֹ דִּנְהָבָה.** אזכור שם העיר מציין שמלכים אלו
אינם שושלת.[48] לג **וַיָּמָת בָּלַע, וַיִּמְלֹךְ תַּחְתָּיו יוֹבָב בֶּן זֶרַח מִבָּצְרָה**, עיר
אחרת באדום.[49] לד **וַיָּמָת יוֹבָב, וַיִּמְלֹךְ תַּחְתָּיו חֻשָׁם מֵאֶרֶץ הַתֵּימָנִי**,
מארצו של תימן, שהיה אחד מאלופי עשו.[50] לה **וַיָּמָת חֻשָׁם, וַיִּמְלֹךְ**
תַּחְתָּיו הֲדַד בֶּן בְּדַד, ופרט אחד מחייו ראוי לאזכור – **הַמַּכֶּה אֶת מִדְיָן**,
שהיו במידה רבה שבט נוודים שהתיישב לפי שעה בקרבת אדום
ומואב, **בִּשְׂדֵה מוֹאָב, וְשֵׁם עִירוֹ עֲוִית.** לו **וַיָּמָת הֲדָד, וַיִּמְלֹךְ תַּחְתָּיו**
שַׂמְלָה מִמַּשְׂרֵקָה. לז **וַיָּמָת שַׂמְלָה, וַיִּמְלֹךְ תַּחְתָּיו שָׁאוּל מֵרְחֹבוֹת**
הַנָּהָר. לח **וַיָּמָת שָׁאוּל, וַיִּמְלֹךְ תַּחְתָּיו בַּעַל חָנָן בֶּן עַכְבּוֹר.** לט **וַיָּמָת**
בַּעַל חָנָן בֶּן עַכְבּוֹר, וַיִּמְלֹךְ תַּחְתָּיו הֲדַר, וְשֵׁם עִירוֹ פָּעוּ, וְשֵׁם אִשְׁתּוֹ
מְהֵיטַבְאֵל בַּת מַטְרֵד בַּת מֵי זָהָב. לא ברור מדוע היא נזכרת כלל,
ומדוע מפורט ייחוסה. מֵי זָהָב הוא שם פרטי חסר משמעות, או:
צורף זהב,[51] או: כינוי לאדם עשיר מאוד. ושמא סבה העשיר של
אשתו הוא שייצב את שלטונו של הדד.

מ **וְאֵלֶּה שְׁמוֹת אַלּוּפֵי עֵשָׂו לְמִשְׁפְּחֹתָם לִמְקֹמֹתָם בִּשְׁמֹתָם.** אלופי

הרחבות

מלכי אדום המלכות התקיימה באדום לאורך שנים, אך לא באופן רצוף. היו זמנים שבהם משלו באדום נציבים מטעם מלך יהודה (ראו שמואל ב' ח,יד; מלכים א' יא,טו–טז; כב,מח; דברי הימים א' יח,יב–יג), וזמנים שבהם האדומים מרדו ביהודה והשיבו לעצמם את השלטון (ראו מלכים ב' ח,כ–כב; תהלים קלז,ז). ייתכן שהדר היה המלך החשוב האחרון באדום באותה תקופה, שכן בהמשך הרשימה כבר לא נמנו מלכים (ראו רש"י; רד"ק דברי הימים א' א,לה פי' הגר"א ומלבי"ם שם פס' מג; דרשות הר"ן, ב ד"ה זה; פרי צדיק תחילת וישלח).

מלכים קדומים של 'תוהו' רשימת מלכי עשו אפופת מסתורין. לא ברור משום מה מובאת כרוניקה זו בתורה, שהרי אין היא נוגעת להיסטוריה של עם ישראל. בספרי קבלה ראו ברשימה זו יסוד חשוב

מא בִּשְׁמֹתָ֑ם אַלּ֥וּף תִּמְנָ֛ע אַלּ֥וּף עַֽלְוָ֖ה אַלּ֥וּף יְתֵֽת׃ אַלּ֧וּף
מב אָהֳלִֽיבָמָ֛ה אַלּ֥וּף אֵלָ֖ה אַלּ֥וּף פִּינֹֽן׃ אַלּ֥וּף קְנַ֛ז אַלּ֥וּף
מג תֵּימָ֖ן אַלּ֥וּף מִבְצָֽר׃ אַלּ֥וּף מַגְדִּיאֵ֖ל אַלּ֣וּף עִירָ֑ם אֵ֣לֶּה ׀
אַלּוּפֵ֣י אֱד֗וֹם לְמֹֽשְׁבֹתָם֙ בְּאֶ֣רֶץ אֲחֻזָּתָ֔ם ה֥וּא עֵשָׂ֖ו
אֲבִ֥י אֱדֽוֹם׃

וישב לג לז א וַיֵּ֣שֶׁב יַעֲקֹ֔ב בְּאֶ֖רֶץ מְגוּרֵ֣י אָבִ֑יו בְּאֶ֖רֶץ כְּנָֽעַן׃ אֵ֣לֶּה ׀
ב תֹּלְד֣וֹת יַעֲקֹ֗ב יוֹסֵ֞ף בֶּן־שְׁבַֽע־עֶשְׂרֵ֤ה שָׁנָה֙ הָיָ֨ה רֹעֶ֤ה
אֶת־אֶחָיו֙ בַּצֹּ֔אן וְה֥וּא נַ֙עַר֙ אֶת־בְּנֵ֥י בִלְהָ֛ה וְאֶת־בְּנֵ֥י
זִלְפָּ֖ה נְשֵׁ֣י אָבִ֑יו וַיָּבֵ֥א יוֹסֵ֛ף אֶת־דִּבָּתָ֥ם רָעָ֖ה אֶל־

רש"י | "וַיִּהְיוּ אַלּוּפֵי אֱדוֹם אַלּוּף תִּמְנָע" וְגוֹ' (דברי הימים א' א, נא):

מג] מַגְדִּיאֵל. הוּא רוֹמִי:

פרק לז

א] וַיֵּשֶׁב יַעֲקֹב. אַחַר שֶׁכָּתַב לְךָ יִשּׁוּבֵי עֵשָׂו וְתוֹלְדוֹתָיו בְּדֶרֶךְ קְצָרָה, שֶׁלֹּא הָיוּ סְפוּנִים וַחֲשׁוּבִים לְפָרֵשׁ הֵיאַךְ נִתְיַשְּׁבוּ וְסֵדֶר מִלְחֲמוֹתֵיהֶם אֵיךְ הוֹרִישׁוּ אֶת הַחוֹרִי, פֵּרַשׁ לְךָ יִשּׁוּבֵי יַעֲקֹב וְתוֹלְדוֹתָיו בְּדֶרֶךְ אֲרֻכָּה, כָּל גִּלְגּוּלֵי סִבָּתָם, לְפִי שֶׁהֵם חֲשׁוּבִים לִפְנֵי הַמָּקוֹם לְהַאֲרִיךְ בָּהֶם. וְכֵן אַתָּה מוֹצֵא בַּעֲשָׂרָה דוֹרוֹת שֶׁמֵּאָדָם וְעַד נֹחַ, פְּלוֹנִי הוֹלִיד פְּלוֹנִי, וּכְשֶׁבָּא לְנֹחַ הֶאֱרִיךְ בּוֹ. וְכֵן בַּעֲשָׂרָה דוֹרוֹת שֶׁמִּנֹּחַ וְעַד אַבְרָהָם קִצֵּר בָּהֶם, וּמִשֶּׁהִגִּיעַ אֵצֶל אַבְרָהָם הֶאֱרִיךְ בּוֹ. מָשָׁל לְמַרְגָּלִית שֶׁנָּפְלָה בֵּין הַחוֹל, אָדָם מְמַשְׁמֵשׁ בַּחוֹל וְכוֹבְרוֹ בִּכְבָרָה עַד שֶׁמּוֹצֵא אֶת הַמַּרְגָּלִית, וּמִשֶּׁמְּצָאָהּ הוּא מַשְׁלִיךְ אֶת הַצְּרוֹרוֹת מִיָּדוֹ וְנוֹטֵל הַמַּרְגָּלִית:

ב] אֵלֶּה תֹּלְדוֹת יַעֲקֹב. וְאֵלֶּה שֶׁל תּוֹלְדוֹת יַעֲקֹב, אֵלֶּה יִשּׁוּבֵיהֶם וְגִלְגּוּלֵיהֶם עַד שֶׁבָּאוּ לִכְלַל יִשּׁוּב; סִבָּה רִאשׁוֹנָה: "יוֹסֵף בֶּן שְׁבַע עֶשְׂרֵה" וְגוֹ', עַל יְדֵי זֶה נִתְגַּלְגְּלוּ וְיָרְדוּ לְמִצְרַיִם. זֶהוּ אַחַר יִשּׁוּב פְּשׁוּטוֹ שֶׁל מִקְרָא לִהְיוֹת דָּבוּר עַל אָפְנָיו. וּמִדְרַשׁ אַגָּדָה דּוֹרֵשׁ, תָּלָה הַכָּתוּב תּוֹלְדוֹת יַעֲקֹב בְּיוֹסֵף מִפְּנֵי כַּמָּה דְּבָרִים: אַחַת, שֶׁכָּל עַצְמוֹ שֶׁל יַעֲקֹב לֹא עָבַד אֵצֶל לָבָן אֶלָּא בְּרָחֵל, וְשֶׁהָיָה זִיו אִקּוּנִין שֶׁל יוֹסֵף דּוֹמֶה לוֹ, וְכָל מַה שֶּׁאֵרַע לְיַעֲקֹב אֵרַע לְיוֹסֵף: זֶה נִשְׂטַם וְזֶה נִשְׂטַם, זֶה אָחִיו מְבַקֵּשׁ לְהָרְגוֹ וְזֶה אֶחָיו מְבַקְשִׁים לְהָרְגוֹ, וְכֵן הַרְבֵּה בִּבְרֵאשִׁית רַבָּה (פד, ו): וְהוּא נַעַר. שֶׁהָיָה עוֹשֶׂה מַעֲשֵׂה נַעֲרוּת, מְתַקֵּן בִּשְׂעָרוֹ, מְמַשְׁמֵשׁ בְּעֵינָיו, כְּדֵי שֶׁיְּהֵא נִרְאֶה יָפֶה: אֶת בְּנֵי בִלְהָה. כְּלוֹמַר, וְרָגִיל אֵצֶל בְּנֵי בִלְהָה, לְפִי שֶׁהָיוּ אֶחָיו מְבַזִּין אוֹתָן וְהוּא מְקָרְבָן: אֶת דִּבָּתָם רָעָה. כָּל רָעָה שֶׁהָיָה רוֹאֶה בְּאֶחָיו בְּנֵי לֵאָה הָיָה מַגִּיד לְאָבִיו, שֶׁהָיוּ אוֹכְלִין אֵבֶר מִן הַחַי, וּמְזַלְזְלִין בִּבְנֵי הַשְּׁפָחוֹת לִקְרוֹתָן עֲבָדִים, וַחֲשׁוּדִים עַל הָעֲרָיוֹת. וּבִשְׁלָשְׁתָּן לָקָה: "וַיִּשְׁחֲטוּ שְׂעִיר עִזִּים" (להלן פסוק לא) בִּמְכִירָתוֹ, וְלֹא אֲכָלוּהוּ חַי; וְעַל דִּבָּה שֶׁסִּפֵּר עֲלֵיהֶם שֶׁקּוֹרִין

ביאור | עשו משלו באזורים שונים: **אַלּוּף תִּמְנָע, אַלּוּף עַלְוָה, אַלּוּף יְתֵת.** חלק
מהשמות הללו נזכרו קודם, אך יש בהם גם שינויים. תמנע, למשל,
לא הופיע לעיל כשם גבר.[52] מא **אַלּוּף אָהֳלִיבָמָה,** שהוא שמה של
אחת מנשות עשו, אך אולי השבט או האלוף נקראו על שמה, **אַלּוּף
אֵלָה, אַלּוּף פִּינֹן,** מב **אַלּוּף קְנַז, אַלּוּף תֵּימָן, אַלּוּף מִבְצָר,** מג **אַלּוּף
מַגְדִּיאֵל, אַלּוּף עִירָם. אֵלֶּה אַלּוּפֵי אֱדוֹם לְמֹשְׁבֹתָם בְּאֶרֶץ אֲחֻזָּתָם,
הוּא עֵשָׂו אֲבִי אֱדוֹם.**

פרשת וישב

מכירת יוסף

פרק לז

לאחר סיום סיפור חייו של יצחק ולאחר סיפור התולדות הקצר של בנו הבכור עשו ממשיכה התורה בקורותיו של יעקב. גרעיניה של גלותו השנייה של יעקב טמונים ביחסים בינו ובין בניו. העדפתו את יוסף, בנה של רחל, היא שגלגלה את המשפחה כולה לגלות מצרים.[1]

פרק לז א שלא כעשו, שעבר להר שעיר - **וַיֵּשֶׁב יַעֲקֹב** עוד בחיי
אביו **בְּאֶרֶץ מְגוּרֵי אָבִיו, בְּאֶרֶץ כְּנָעַן.**

ב **אֵלֶּה תֹּלְדוֹת יַעֲקֹב: יוֹסֵף.** משעה שיעקב חזר לכנען, הסיפור בעיקרו
יתמקד ביוסף. אף על פי שיעקב היה עדיין חי ופעיל, קורותיו כמנהיג
וכיוצר התמעטו והלכו, והמוקד עבר ליוסף. **בֶּן שְׁבַע עֶשְׂרֵה שָׁנָה
הָיָה רֹעֶה אֶת,** עם **אֶחָיו בַּצֹּאן** של הבית, כהמשך למסורת רעיית
הצאן של המשפחה,[2] **וְהוּא נַעַר,** צעיר, או: משרת **אֶת,** בחברת **בְּנֵי
בִלְהָה וְאֶת בְּנֵי זִלְפָּה, נְשֵׁי אָבִיו,** שהיו קרובים לגילו מבני לאה. יעקב
לא הפגין את מעמדם הנחות של בני השפחות, אדרבא, בברכותיו
לבניו הוא השווה את מעמדם של בני השפחות לבני רחל ולאה.[3]
ובכל זאת, בפועל היה פער בין מעמדם למעמד בני הגבירות. כיוון
שיוסף היה קרוב אליהם, ולמרות חברותו עמם - **וַיָּבֵא יוֹסֵף אֶת
דִּבָּתָם רָעָה אֶל אֲבִיהֶם,** הלשין על התנהגויותיהם הבלתי-ראויות.[4]

הרחבות | כסמלים המייצגים מהויות עליונות והוויות שהתקיימו לפני היות העולם הנוכחי והיציב. עליית המלוכה באדום קודם שקם מלך בישראל, משקפת את עומק יחסיהם של התאומים הצמודים עשו ויעקב. עשו במובנים רבים הוא צלו של יעקב (ראו למשל זוהר ח"א קעז,א-ב; ח"ג קלה,א; עץ חיים יח,א; פרי צדיק תחילת וישלח).

ג אֲבִיהֶם: וְיִשְׂרָאֵל אָהַב אֶת־יוֹסֵף מִכָּל־בָּנָיו כִּי־בֶן־
ד זְקֻנִים הוּא לוֹ וְעָשָׂה לוֹ כְּתֹנֶת פַּסִּים: • וַיִּרְאוּ אֶחָיו
כִּי־אֹתוֹ אָהַב אֲבִיהֶם מִכָּל־אֶחָיו וַיִּשְׂנְאוּ אֹתוֹ וְלֹא
ה יָכְלוּ דַּבְּרוֹ לְשָׁלֹם: וַיַּחֲלֹם יוֹסֵף חֲלוֹם וַיַּגֵּד לְאֶחָיו
ו וַיּוֹסִפוּ עוֹד שְׂנֹא אֹתוֹ: וַיֹּאמֶר אֲלֵיהֶם שִׁמְעוּ־נָא
ז הַחֲלוֹם הַזֶּה אֲשֶׁר חָלָמְתִּי: וְהִנֵּה אֲנַחְנוּ מְאַלְּמִים
אֲלֻמִּים בְּתוֹךְ הַשָּׂדֶה וְהִנֵּה קָמָה אֲלֻמָּתִי וְגַם־נִצָּבָה
וְהִנֵּה תְסֻבֶּינָה אֲלֻמֹּתֵיכֶם וַתִּשְׁתַּחֲוֶיןָ לַאֲלֻמָּתִי:
ח • וַיֹּאמְרוּ לוֹ אֶחָיו הֲמָלֹךְ תִּמְלֹךְ עָלֵינוּ אִם־מָשׁוֹל
תִּמְשֹׁל בָּנוּ וַיּוֹסִפוּ עוֹד שְׂנֹא אֹתוֹ עַל־חֲלֹמֹתָיו וְעַל־
ט דְּבָרָיו: וַיַּחֲלֹם עוֹד חֲלוֹם אַחֵר וַיְסַפֵּר אֹתוֹ לְאֶחָיו

רש"י | לַאֲחֵיהֶם עֲבָדִים – "לְעֶבֶד נִמְכַּר יוֹסֵף" (תהלים קה, יז); וְעַל הָעֲרָיוֹת שֶׁסִּפֵּר עֲלֵיהֶם – "וַתִּשָּׂא אֵשֶׁת אֲדֹנָיו" וגו' (להלן לט, ז): **דִּבָּתָם.** כָּל לְשׁוֹן דִּבָּה פרלדי"ץ בְּלַעַז. כָּל מַה שֶּׁהָיָה יָכוֹל לְדַבֵּר בָּהֶם רָעָה הָיָה מְסַפֵּר. 'דִּבָּה' - לְשׁוֹן "דּוֹבֵב שִׂפְתֵי יְשֵׁנִים" (שיר השירים ז, י):

ג] **בֶּן זְקֻנִים.** שֶׁנּוֹלַד לוֹ לְעֵת זִקְנָתוֹ. וְאוּנְקְלוֹס תִּרְגֵּם: "בַּר חַכִּים הוּא לֵיהּ", כָּל מַה שֶּׁלָּמַד מִשֵּׁם וָעֵבֶר מָסַר לוֹ. דָּבָר אַחֵר, שֶׁהָיָה זִיו אִיקוֹנִין שֶׁלּוֹ דּוֹמֶה לוֹ: **פַּסִּים.** לְשׁוֹן כְּלֵי מֵילַת, כְּמוֹ: "כַּרְפַּס וּתְכֵלֶת" (אסתר א, ו), וּכְמוֹ: "כְּתֹנֶת הַפַּסִּים" (שמואל ב' יג, יח) דְּתָמָר וְאַמְנוֹן. וּמִדְרַשׁ אַגָּדָה, עַל שֵׁם צָרוֹתָיו, שֶׁנִּמְכַּר לְפוֹטִיפַר וְלַסּוֹחֲרִים וְלַיִּשְׁמְעֵאלִים וְלַמִּדְיָנִים:

ד] **וְלֹא יָכְלוּ דַּבְּרוֹ לְשָׁלֹם.** מִתּוֹךְ גְּנוּתָם לָמַדְנוּ שִׁבְחָם, שֶׁלֹּא דִּבְּרוּ אַחַת בַּפֶּה וְאַחַת בַּלֵּב (שם ט): **דַּבְּרוֹ.** לְדַבֵּר עִמּוֹ:

ז] **מְאַלְּמִים אֲלֻמִּים.** כְּתַרְגּוּמוֹ: "מְאַסְּרִין אֱסָרַן", עֳמָרִין, וְכֵן: "נֹשֵׂא אֲלֻמֹּתָיו" (תהלים קכו, ו), וְכָמוֹהוּ בִּלְשׁוֹן מִשְׁנָה: "וְהָאֲלֻמּוֹת נוֹטֵל וּמַכְרִיז" (בבא מציעא כב ע"ב): **קָמָה אֲלֻמָּתִי.** נִזְקְפָה: **וְגַם נִצָּבָה.** לַעֲמֹד עַל עָמְדָהּ בִּזְקִיפָה:

ח] **וְעַל דְּבָרָיו.** עַל דִּבָּתָם רָעָה שֶׁהָיָה מֵבִיא לַאֲבִיהֶם:

ביאור

ג וְיִשְׂרָאֵל, יעקב אָהַב אֶת יוֹסֵף מִכָּל בָּנָיו, כִּי בֶן זְקֻנִים הוּא לוֹ, בנו הקטן. אמנם בנימין, שהיה אף הוא בן האשה האהובה, רחל, היה קטן ממנו, אך אישיותו בלטה פחות. יעקב העדיף את יוסף בן רחל, בהיותו האישיות המבריקה ביותר בבניו, כפי שיעלה מן ההמשך.[5] נראה שרחל אמנם מתה, אך זכרה לא מת. להלן יוזכר שאף יוסף היה יפה תואר ויפה מראה,[6] וייתכן שתווי פניו הזכירו את תווי פניה של אמו. קל לשער שיוסף הועדף על פני בניו הראשונים של יעקב גם מפאת המעשים שעשו הם: ראובן סרח בתוך המשפחה, ומעשיהם של שמעון ולוי באנשי שכם עוררו מורת רוח ביעקב. **וְעָשָׂה לוֹ כְּתֹנֶת פַּסִּים**, כתונת מיוחדת שלא דמתה לבגדיהם של שאר האחים. ד **וַיִּרְאוּ אֶחָיו כִּי אֹתוֹ אָהַב אֲבִיהֶם מִכָּל אֶחָיו**, העדפת יוסף בלטה לעין הן ביחסו הכללי של יעקב לבנו והן בכתונת שעשה לו - **וַיִּשְׂנְאוּ אֹתוֹ וְלֹא יָכְלוּ דַּבְּרוֹ לְשָׁלֹם**. לא היו מסוגלים לקיים אתו תקשורת נינוחה. הם נמנעו מלפתוח עמו בשיחה והרחיקוהו ככל האפשר.

ה **וַיַּחֲלֹם יוֹסֵף חֲלוֹם וַיַּגֵּד לְאֶחָיו, וַיּוֹסִפוּ עוֹד שְׂנֹא אֹתוֹ**. שנאתם גברה משום שסיפר להם. ו **וַיֹּאמֶר אֲלֵיהֶם: שִׁמְעוּ נָא הַחֲלוֹם הַזֶּה אֲשֶׁר חָלָמְתִּי: וְהִנֵּה אֲנַחְנוּ מְאַלְּמִים**, קושרים **אֲלֻמִּים**, אלומות, קבוצות שיבולים **בְּתוֹךְ הַשָּׂדֶה** כרגיל. אף שבעיקר היו רועים, היו להם גם שדות משלהם. **וְהִנֵּה** במקום שאלומתי תהיה מונחת לצד שאר האלומות - **קָמָה אֲלֻמָּתִי וְגַם נִצָּבָה** על עמדה. ז **וְהִנֵּה תְסֻבֶּינָה אֲלֻמֹּתֵיכֶם**, האלומות המואנשות בחלום נעו סביב אלומתי, **וַתִּשְׁתַּחֲוֶיןָ לַאֲלֻמָּתִי**.

ח **וַיֹּאמְרוּ לוֹ אֶחָיו**, שהבינו שהחלום רומז למשילתו של יוסף בהם: **הֲמָלֹךְ תִּמְלֹךְ עָלֵינוּ, אִם מָשׁוֹל תִּמְשֹׁל בָּנוּ?!** אין לך סיכוי לכך. **וַיּוֹסִפוּ עוֹד שְׂנֹא אֹתוֹ עַל חֲלֹמֹתָיו וְעַל דְּבָרָיו**. שנאת האחים ליוסף, שנבעה מהיותו הבן המועדף ומן הדיבורים השליליים שדיבר עליהם באוזני אביו, הוחרפה עוד בשל יומרתו שהתבטאה בחלום שחלם. היה עליהם להתמודד לא רק עם אח מועדף אלא עם אדם שבראשו מקננים רעיונות מגלומניים.

ט **וַיַּחֲלֹם עוֹד חֲלוֹם אַחֵר**, כנראה בלילה אחר,[7] **וַיְסַפֵּר אֹתוֹ לְאֶחָיו**.

וַיֹּאמֶר הִנֵּה חָלַמְתִּי חֲלוֹם עוֹד וְהִנֵּה הַשֶּׁמֶשׁ וְהַיָּרֵחַ
י וְאַחַד עָשָׂר כּוֹכָבִים מִשְׁתַּחֲוִים לִי׃ וַיְסַפֵּר אֶל־אָבִיו
וְאֶל־אֶחָיו וַיִּגְעַר־בּוֹ אָבִיו וַיֹּאמֶר לוֹ מָה הַחֲלוֹם
הַזֶּה אֲשֶׁר חָלָמְתָּ הֲבוֹא נָבוֹא אֲנִי וְאִמְּךָ וְאַחֶיךָ
יא לְהִשְׁתַּחֲוֺת לְךָ אָרְצָה׃ וַיְקַנְאוּ־בוֹ אֶחָיו וְאָבִיו שָׁמַר
שני יב אֶת־הַדָּבָר׃ וַיֵּלְכוּ אֶחָיו לִרְעוֹת אֶת־צֹאן אֲבִיהֶם
יג בִּשְׁכֶם׃ וַיֹּאמֶר יִשְׂרָאֵל אֶל־יוֹסֵף הֲלוֹא אַחֶיךָ רֹעִים
יד בִּשְׁכֶם לְכָה וְאֶשְׁלָחֲךָ אֲלֵיהֶם וַיֹּאמֶר לוֹ הִנֵּנִי׃ וַיֹּאמֶר
לוֹ לֶךְ־נָא רְאֵה אֶת־שְׁלוֹם אַחֶיךָ וְאֶת־שְׁלוֹם הַצֹּאן

רש"י

י] **וַיְסַפֵּר אֶל אָבִיו וְאֶל אֶחָיו.** לְאַחַר שֶׁסִּפֵּר אוֹתוֹ לְאֶחָיו חָזַר וְסִפְּרוֹ לְאָבִיו בִּפְנֵיהֶם: **וַיִּגְעַר בּוֹ.** לְפִי שֶׁהָיָה מַטִּיל שִׂנְאָה עָלָיו: **הֲבוֹא נָבוֹא.** וַהֲלֹא אִמְּךָ כְּבָר מֵתָה! וְהוּא לֹא הָיָה יוֹדֵעַ שֶׁהַדְּבָרִים מַגִּיעִין לְבִלְהָה שֶׁגִּדְּלַתּוּ כְּאִמּוֹ. וְרַבּוֹתֵינוּ לָמְדוּ מִכָּאן שֶׁאֵין חֲלוֹם בְּלֹא דְּבָרִים בְּטֵלִים, וְיַעֲקֹב נִתְכַּוֵּן לְהוֹצִיא הַדָּבָר מִלֵּב בָּנָיו שֶׁלֹּא יְקַנְאוּהוּ, לְכָךְ אָמַר לוֹ: "הֲבוֹא נָבוֹא" וְגוֹ', כְּשֵׁם שֶׁאִי אֶפְשָׁר בְּאִמְּךָ כָּךְ הַשְּׁאָר בָּטֵל:

יא] **שָׁמַר אֶת הַדָּבָר.** הָיָה מַמְתִּין וּמְצַפֶּה מָתַי יָבֹא, וְכֵן: "שֹׁמֵר אֱמֻנִים" (ישעיה כו, ב), וְכֵן: "לֹא תִשְׁמֹר עַל חַטָּאתִי" (איוב יד, טז) – לֹא תַמְתִּין:

יב] **לִרְעוֹת אֶת צֹאן.** נָקוּד עַל 'אֶת', שֶׁלֹּא הָלְכוּ אֶלָּא לִרְעוֹת אֶת עַצְמָן:

יג] **הִנֵּנִי.** לְשׁוֹן עֲנָוָה וּזְרִיזוּת; נִזְדָּרֵז לְמִצְוַת אָבִיו, וְאַף עַל פִּי שֶׁהָיָה יוֹדֵעַ בְּאֶחָיו שֶׁשּׂוֹנְאִין אוֹתוֹ:

הרחבות

שני החלומות מן החלום התמים יחסית, עבר יוסף אל חלום קיצוני הרבה יותר. בחלום השני אין הוא מושל באחיו בלבד אלא בעולם כולו. גם פתרונו של חלום זה שקוף.

'ויספר אל אביו ואל אחיו' בהמשך הסיפור, לאחר שנות סבל וייסורים, יתגלה יוסף כדיפלומט מיומן, שמצד אחד אינו כנוע ומחניף, ומצד שני הוא חכם ביחסי אנוש ויודע כיצד לפנות לבני אדם שונים. אם היו בו תכונות אלו מראשיתו, מדוע לא שמר לעצמו את חלומותיו, ובחר לשתף בהם את אחיו – הרי טינתם כלפיו הייתה גלויה וברורה, עד כדי כך שלא יכלו דברו שלום? מה הניע אותו לספר את חלומותיו שמשמעותם כה קיצונית ושקופה? את החלומות במקרא אופפת תמיד שאלת

ביאור | **וַיֹּאמֶר: הִנֵּה חָלַמְתִּי חֲלוֹם עוֹד, וְהִנֵּה הַשֶּׁמֶשׁ וְהַיָּרֵחַ וְאַחַד עָשָׂר כּוֹכָבִים מִשְׁתַּחֲוִים לִי. וַיְסַפֵּר אֶל אָבִיו וְאֶל אֶחָיו.** בחלום הזה, שלא כבראשון, גם יעקב נטל חלק. על כן יוסף סיפר את החלום גם לאביו.[8]

י **וַיִּגְעַר בּוֹ אָבִיו, וַיֹּאמֶר לוֹ: מָה הַחֲלוֹם הַזֶּה אֲשֶׁר חָלָמְתָּ?!** לבטח אין זה חלום אמתי, שהרי השמש והירח אמורים לייצג את ההורים, ואם כן - **הֲבוֹא נָבוֹא אֲנִי וְאִמְּךָ וְאַחֶיךָ**, האם ייתכן שאני ואמך ואחיך נבוא **לְהִשְׁתַּחֲוֹת לְךָ אָרְצָה?!** ומעבר לכך, הרי אמך כבר מתה, ולבטח החלום לא עתיד להתגשם.

יא **וַיְקַנְאוּ בוֹ אֶחָיו,** האחים קינאו בו הן בשל החלומות החריגים שחלם הן בגלל תגובת אביהם. יעקב לא גער בו, כאחיו, על יומרת השווא, אלא רק טען כנגדו שהחלום לא יתממש. **וְאָבִיו שָׁמַר**, זכר **אֶת הַדָּבָר**. אף על פי שבחוג המשפחה יעקב אמר שחלומות יוסף אינם אלא חלומות הבל, הוא זכר את החלום שכן האמין שאצורה בו משמעות.

יב **וַיֵּלְכוּ אֶחָיו לִרְעוֹת אֶת צֹאן אֲבִיהֶם בִּשְׁכֶם.** יג **וַיֹּאמֶר יִשְׂרָאֵל אֶל יוֹסֵף: הֲלוֹא אַחֶיךָ רֹעִים בִּשְׁכֶם, לְכָה,** לך **וְאֶשְׁלָחֲךָ אֲלֵיהֶם.** כיוון שהצאן עשויות להימצא שבועות וחודשים מחוץ לדיר, וכאן הרחיקו בניו מחברון עד שכם, יעקב היה מעוניין לשמור על הקשר אתם. **וַיֹּאמֶר לוֹ: הִנֵּנִי.**

יד **וַיֹּאמֶר לוֹ: לֶךְ נָא רְאֵה אֶת שְׁלוֹם אַחֶיךָ וְאֶת שְׁלוֹם הַצֹּאן, וַהֲשִׁבֵנִי דָּבָר.** סַפר לי על הקורות את אחיך ואת הצאן.

הרחבות | תוקפם: האם החלום הוא ביטוי למשאלת לב בלבד, (כפי שאולי עולה מישעיה כט,ח) או שהוא מבשר את העתיד להתרחש במציאות? כיעקב אביו בעת שחזה בחלומו את הסולם, אף יוסף היה בטוח שחלומו הוא התגלות, מעין נבואה. מאחר שיוסף לא ראה בחלומו חוויה סתמית או מענגת, הוא רצה לשתף בו את אחיו, כדי שיתכוננו למימושו, ואולי אף יסייעו בקידום הדבר.

בעיני רוחו יכול היה לראות תרחיש שונה, שלפיו יקבלו האחים את מנהיגותו ויעזרו לו בדרכו. אפשרות זו היא שהניעה אותו לשתפם בחלומותיו.

נראה שעם השנים התחזקה אמונתו של יוסף בחלומות נעוריו. עם חלוף השנים התחזקה בעיניו האפשרות שבאה בהם לביטוי אמת עתידית, והוא ניסה להגשימה (להלן מב,ט).

וַהֲשִׁבֵנִי דָּבָר וַיִּשְׁלָחֵהוּ מֵעֵמֶק חֶבְרוֹן וַיָּבֹא שְׁכֶמָה׃
וַיִּמְצָאֵהוּ אִישׁ וְהִנֵּה תֹעֶה בַּשָּׂדֶה וַיִּשְׁאָלֵהוּ הָאִישׁ טו
לֵאמֹר מַה־תְּבַקֵּשׁ׃ וַיֹּאמֶר אֶת־אַחַי אָנֹכִי מְבַקֵּשׁ טז
הַגִּידָה־נָּא לִי אֵיפֹה הֵם רֹעִים׃ וַיֹּאמֶר הָאִישׁ נָסְעוּ יז
מִזֶּה כִּי שָׁמַעְתִּי אֹמְרִים נֵלְכָה דֹּתָיְנָה וַיֵּלֶךְ יוֹסֵף אַחַר
אֶחָיו וַיִּמְצָאֵם בְּדֹתָן׃ וַיִּרְאוּ אֹתוֹ מֵרָחֹק וּבְטֶרֶם יח
יִקְרַב אֲלֵיהֶם וַיִּתְנַכְּלוּ אֹתוֹ לַהֲמִיתוֹ׃ וַיֹּאמְרוּ אִישׁ יט
אֶל־אָחִיו הִנֵּה בַּעַל הַחֲלֹמוֹת הַלָּזֶה בָּא׃ וְעַתָּה ׀ לְכוּ כ

רש״י

יד) **מֵעֵמֶק חֶבְרוֹן.** וַהֲלֹא חֶבְרוֹן בָּהָר, שֶׁנֶּאֱמַר: ״וַיַּעֲלוּ בַנֶּגֶב וַיָּבֹא עַד חֶבְרוֹן״ (במדבר יג, כב)? אֶלָּא מֵעֵצָה עֲמֻקָּה שֶׁל אוֹתוֹ צַדִּיק הַקָּבוּר בְּחֶבְרוֹן, לְקַיֵּם מַה שֶּׁנֶּאֱמַר לְאַבְרָהָם בֵּין הַבְּתָרִים: ״כִּי גֵר יִהְיֶה זַרְעֲךָ״: **וַיָּבֹא שְׁכֶמָה.** מָקוֹם מוּכָן לְפֻרְעָנוּת, שָׁם קִלְקְלוּ הַשְּׁבָטִים, שָׁם עִנּוּ אֶת דִּינָה, שָׁם נֶחְלְקָה מַלְכוּת בֵּית דָּוִד, שֶׁנֶּאֱמַר: ״וַיֵּלֶךְ רְחַבְעָם שְׁכֶמָה״ (דברי הימים ב׳ י, א):

טו) **וַיִּמְצָאֵהוּ אִישׁ.** זֶה גַּבְרִיאֵל:

יז) **נָסְעוּ מִזֶּה.** הִסִּיעוּ עַצְמָן מִן הָאַחֲוָה: **נֵלְכָה דֹּתָיְנָה.** לְבַקֵּשׁ לְךָ נִכְלֵי דָתוֹת שֶׁיְּמִיתוּךָ בָהֶם. וּלְפִי פְשׁוּטוֹ שֵׁם מָקוֹם הוּא, וְאֵין מִקְרָא יוֹצֵא מִידֵי פְשׁוּטוֹ:

יח) **וַיִּתְנַכְּלוּ.** נִתְמַלְּאוּ נְכָלִים וְעַרְמוּמִיּוּת: **אֹתוֹ.** כְּמוֹ ׳אִתּוֹ׳ ׳עִמּוֹ׳, כְּלוֹמַר אֵלָיו:

העולם

עֵמֶק חֶבְרוֹן חברון המקראית ישבה על הר המכונה היום תל א-רומידה. מהחפירות שנעשו בתל עולה שחברון נבנתה בתקופת הברונזה התיכונה (בין 1650–1750 לפנה״ס), וכמו שכם אף היא מאופיינת בחומות ענק הבנויות מאבנים עצומות. עמק חברון מזוהה עם ואדי אל-קינה ממזרח לתל, והמשכו הוא ואדי א-תפאח.

דֹּתָן כנראה עמק דֹּתן, העמק הגדול

ביאור | **וַיִּשְׁלָחֵהוּ מֵעֵמֶק חֶבְרוֹן.** אמנם חברון ממוקמת בהרים, אך ייתכן שמשפחת יעקב ישבה בעמק שבשולי חברון.[9] **וַיָּבֹא יוסף שְׁכֶמָה.**

טו **וַיִּמְצָאֵהוּ אִישׁ, וְהִנֵּה תֹעֶה בַּשָּׂדֶה.** אף שחיפש קבוצה שלמה של רועים ועמם עדרים לא קטנים, יוסף התקשה למצאם. **וַיִּשְׁאָלֵהוּ הָאִישׁ לֵאמֹר: מַה תְּבַקֵּשׁ?** מה אתה מחפש?

טז **וַיֹּאמֶר: אֶת אַחַי אָנֹכִי מְבַקֵּשׁ. הַגִּידָה נָּא לִי אֵיפֹה הֵם רֹעִים.** בוודאי הסביר כיצד הם נראים, וביקש מידע מן האיש.

יז **וַיֹּאמֶר הָאִישׁ: נָסְעוּ מִזֶּה,** מכאן, **כִּי שָׁמַעְתִּי** אותם **אֹמְרִים** זה לזה: "**נֵלְכָה דֹּתָיְנָה**", לדֹתן, ומן הסתם אכן הגיעו לשם.

וַיֵּלֶךְ יוסף אַחַר אֶחָיו, וַיִּמְצָאֵם בְּדֹתָן.

יח **וַיִּרְאוּ אֹתוֹ מֵרָחֹק,** לבדו ומן הסתם במקום מבודד, **וּבְטֶרֶם יִקְרַב אֲלֵיהֶם, וַיִּתְנַכְּלוּ אֹתוֹ לַהֲמִיתוֹ.** שנאתם כלפיו הייתה כה עמוקה וקיצונית, שכשפגשו אותו לבדו מחוץ לבית אביהם, התעוררה בהם המשאלה להיפטר ממנו. יט **וַיֹּאמְרוּ אִישׁ אֶל אָחִיו: הִנֵּה בַּעַל הַחֲלֹמוֹת,** חלומותיו העצימו את שנאתם כלפיו, ועל כן בכינוי גנאי זה ביטאו את איבתם וליבו אותה. **הַלָּזֶה,** ההוא. ביטוי המורה התנכרות. יוסף היה בעיניהם כזר עוין. הנה הוא **בָּא.** כ **וְעַתָּה לְכוּ**

דֹּתן

העולם | ביותר באזור הרי השֹּמרון. אורכו כ–10 ק"מ ורוחבו כ–3 ק"מ. בעמק זה עברה דרך רוחב חשובה שקישרה בין עבר הירדן למישור החוף הצפוני. את העיר דֹּתן שבמרכז העמק מקובל לזהות עם תל דֹּתן כ–8 ק"מ מדרום–מערב לג'נין. העיר נזכרת גם בספר מלכים (ב' ו,יג) ובתעודות מצריות מהמאה ה–15 לפנה"ס. על פי הממצא הארכיאולוגי מתקופת האבות הייתה דֹּתן יישוב גדול מוקף חומות.

וְנַהַרְגֵהוּ וְנַשְׁלִכֵהוּ בְּאַחַד הַבֹּרוֹת וְאָמַרְנוּ חַיָּה רָעָה
אֲכָלָתְהוּ וְנִרְאֶה מַה־יִּהְיוּ חֲלֹמֹתָיו׃ וַיִּשְׁמַע רְאוּבֵן כא
וַיַּצִּלֵהוּ מִיָּדָם וַיֹּאמֶר לֹא נַכֶּנּוּ נָפֶשׁ׃ וַיֹּאמֶר אֲלֵהֶם ׀ כב
רְאוּבֵן אַל־תִּשְׁפְּכוּ־דָם הַשְׁלִיכוּ אֹתוֹ אֶל־הַבּוֹר הַזֶּה
אֲשֶׁר בַּמִּדְבָּר וְיָד אַל־תִּשְׁלְחוּ־בוֹ לְמַעַן הַצִּיל אֹתוֹ
שלישי מִיָּדָם לַהֲשִׁיבוֹ אֶל־אָבִיו׃ וַיְהִי כַּאֲשֶׁר־בָּא יוֹסֵף אֶל־ כג
אֶחָיו וַיַּפְשִׁיטוּ אֶת־יוֹסֵף אֶת־כֻּתָּנְתּוֹ אֶת־כְּתֹנֶת
הַפַּסִּים אֲשֶׁר עָלָיו׃ וַיִּקָּחֻהוּ וַיַּשְׁלִכוּ אֹתוֹ הַבֹּרָה כד
וְהַבּוֹר רֵק אֵין בּוֹ מָיִם׃ וַיֵּשְׁבוּ לֶאֱכָל־לֶחֶם וַיִּשְׂאוּ כה
עֵינֵיהֶם וַיִּרְאוּ וְהִנֵּה אֹרְחַת יִשְׁמְעֵאלִים בָּאָה מִגִּלְעָד

רש״י

כ| **וְנִרְאֶה מַה יִּהְיוּ חֲלֹמֹתָיו.** אָמַר רַבִּי יִצְחָק: מִקְרָא זֶה אוֹמֵר דָּרְשֵׁנִי, רוּחַ הַקֹּדֶשׁ אוֹמֶרֶת כֵּן, הֵם אוֹמְרִים "נַהַרְגֵהוּ", וְהַכָּתוּב מְסַיֵּם "וְנִרְאֶה מַה יִּהְיוּ חֲלֹמֹתָיו" – נִרְאֶה דְּבַר מִי יָקוּם, אִם שֶׁלָּכֶם אוֹ שֶׁלִּי. וְאִי אֶפְשָׁר שֶׁיֹּאמְרוּ הֵם: "וְנִרְאֶה מַה יִּהְיוּ חֲלֹמֹתָיו", שֶׁמִּכֵּיוָן שֶׁיַּהַרְגוּהוּ בָּטְלוּ חֲלוֹמוֹתָיו:

כא| **לֹא נַכֶּנּוּ נָפֶשׁ.** מַכַּת נֶפֶשׁ, זוֹ הִיא מִיתָה:

כב| **לְמַעַן הַצִּיל אֹתוֹ.** רוּחַ הַקֹּדֶשׁ מְעִידָה עַל רְאוּבֵן שֶׁלֹּא אָמַר זֹאת אֶלָּא לְהַצִּיל אוֹתוֹ, שֶׁיָּבֹא הוּא וְיַעֲלֶנּוּ מִשָּׁם. אָמַר: אֲנִי בְּכוֹר וְגָדוֹל שֶׁבְּכֻלָּן, לֹא יִתָּלֶה הַסִּרְחוֹן אֶלָּא בִּי:

כג| **אֶת כֻּתָּנְתּוֹ.** זֶה חָלוּק: **אֶת כְּתֹנֶת הַפַּסִּים.** הוּא שֶׁהוֹסִיף לוֹ אָבִיו יוֹתֵר עַל אֶחָיו:

כד| **וְהַבּוֹר רֵק אֵין בּוֹ מָיִם.** מִמַּשְׁמַע שֶׁנֶּאֱמַר: "וְהַבּוֹר רֵק" אֵינִי יוֹדֵעַ שֶׁאֵין בּוֹ מַיִם? מַה תַּלְמוּד לוֹמַר: "אֵין בּוֹ מָיִם"? מַיִם אֵין בּוֹ, אֲבָל נְחָשִׁים וְעַקְרַבִּים יֵשׁ בּוֹ:

כה| **אֹרְחַת.** כְּתַרְגּוּמוֹ: "שְׁיָרַת", עַל שֵׁם

ביאור | **וְנַהַרְגֵהוּ וְנַשְׁלִכֵהוּ בְּאַחַד הַבֹּרוֹת** המצויים באזור **וְאָמַרְנוּ: "חַיָּה רָעָה אֲכָלָתְהוּ"**. כיוון שבמקומות הבלתי-מיושבים מצויות חיות בר, אם נישאל על גורלו, נוכל לתלות את מותו בחיה טורפת. **וְנִרְאֶה מַה יִּהְיוּ חֲלֹמֹתָיו.**

כא **וַיִּשְׁמַע רְאוּבֵן**, שבתור בכור חש אחריות, **וַיַּצִּלֵהוּ מִיָּדָם. וַיֹּאמֶר: לֹא נַכֶּנּוּ נָפֶשׁ.** אין לנו צורך בהריגתו. כב **וַיֹּאמֶר אֲלֵהֶם רְאוּבֵן: אַל תִּשְׁפְּכוּ דָם. הַשְׁלִיכוּ אֹתוֹ אֶל הַבּוֹר הַזֶּה אֲשֶׁר בַּמִּדְבָּר, וְיָד אַל תִּשְׁלְחוּ בוֹ.** הוא ימות ברעב. אל לנו להרגו בידינו. וכאן מסופר מה עלה במחשבתו של ראובן - **לְמַעַן הַצִּיל אֹתוֹ מִיָּדָם, לַהֲשִׁיבוֹ אֶל אָבִיו.** אולי ראובן לא היה שותף באיבתם הקשה של שאר אחיו, ומשום כך פעל תחילה למניעת הריגת יוסף, ולאחר מכן ניסה לשכנעם לזרוק אותו לבור מתוך מחשבה שיחלצו משם וישיב אותו הביתה.[10]

כג **וַיְהִי כַּאֲשֶׁר בָּא יוֹסֵף אֶל אֶחָיו, וַיַּפְשִׁיטוּ אֶת יוֹסֵף אֶת כֻּתָּנְתּוֹ, אֶת כְּתֹנֶת הַפַּסִּים אֲשֶׁר עָלָיו.** כד **וַיִּקָּחֻהוּ, וַיַּשְׁלִכוּ אֹתוֹ הַבֹּרָה.** והכתוב מעיר: **וְהַבּוֹר** היה **רֵק, אֵין בּוֹ מָיִם.** לא ברור באיזו עונה אירע הדבר, אבל כיוון שיצאו למרעה - נראה שהייתה זו תחילת הקיץ לכל המאוחר. בתקופה זו אפשר עדיין למצוא בורות שהתמלאו במי גשמים. בכל זאת, הם נמנעו מלהטביעו בבור מלא מים.[11]

כה **וַיֵּשְׁבוּ לֶאֱכָל לֶחֶם.** הם לא ראו במעשה זה מעידה שמעדו ברגע של חולשה. מצפונם לא מנע מהם לקבוע סעודה בעת שאחיהם משווע ממעמקים.[12] **וַיִּשְׂאוּ עֵינֵיהֶם וַיִּרְאוּ וְהִנֵּה אֹרְחַת,** שיירת **יִשְׁמְעֵאלִים בָּאָה מִגִּלְעָד** שבעבר הירדן. במשך דורות רבים עד קרוב לימינו היו נוהגים נוסעים מן הצפון למצרים לחצות את הירדן מערבה ולהמשיך לעבר השפלה דרך עמק דֹתן הנושק לעמק

הרחבות | 'ואמרנו חיה רעה אכלתהו' בספר שמואל (א' יז,לד) מסופר על האריה והדוב שבהם נתקל דוד, רועה הצאן; שמשון פגע בדרכו תמנתה בכפיר אריות (שופטים יד,ה); באיש האלוקים פגע אריה בדרך מבית אל (מלכים א' יג,כד). ידוע כי היו בארץ אריות עד תקופת מסעי הצלב.

וּגְמַלֵּיהֶם נֹשְׂאִים נְכֹאת וּצְרִי וָלֹט הוֹלְכִים לְהוֹרִיד
כו מִצְרָיְמָה: וַיֹּאמֶר יְהוּדָה אֶל־אֶחָיו מַה־בֶּצַע כִּי
כז נַהֲרֹג אֶת־אָחִינוּ וְכִסִּינוּ אֶת־דָּמוֹ: לְכוּ וְנִמְכְּרֶנּוּ
לַיִּשְׁמְעֵאלִים וְיָדֵנוּ אַל־תְּהִי־בוֹ כִּי־אָחִינוּ בְשָׂרֵנוּ
כח הוּא וַיִּשְׁמְעוּ אֶחָיו: וַיַּעַבְרוּ אֲנָשִׁים מִדְיָנִים סֹחֲרִים
וַיִּמְשְׁכוּ וַיַּעֲלוּ אֶת־יוֹסֵף מִן־הַבּוֹר וַיִּמְכְּרוּ אֶת־יוֹסֵף

רש"י

הוֹלְכֵי אָרַח: **וּגְמַלֵּיהֶם נֹשְׂאִים וְגוֹ'.** לָמָּה פִּרְסֵם הַכָּתוּב אֶת מַשָּׂאָם? לְהוֹדִיעַ מַתַּן שְׂכָרָן שֶׁל צַדִּיקִים, שֶׁאֵין דַּרְכָּן שֶׁל עַרְבִיִּים לָשֵׂאת אֶלָּא נֵפְט וְעִטְרָן שֶׁרֵיחָן רַע, וְלָזֶה נִזְדַּמְּנוּ בְּשָׂמִים שֶׁלֹּא יֻזַּק מֵרֵיחַ רַע: **נְכֹאת.** כָּל כְּנוּסֵי בְּשָׂמִים הַרְבֵּה קָרוּי 'נְכֹאת', וְכֵן: "וַיַּרְאֵם אֶת כָּל בֵּית נְכֹתֹה" (מלכים ב' כ, יג) – מִרְקַחַת בְּשָׂמָיו. וְאוּנְקְלוֹס תִּרְגֵּם לְשׁוֹן שַׁעֲוָה: **וּצְרִי.** שְׂרָף הַנּוֹטֵף מֵעֲצֵי הַקְּטָף, וְהוּא נָטָף (שמות ל, לד) הַנִּמְנֶה עִם סַמָּנֵי הַקְּטֹרֶת: **וָלֹט.** 'לוֹטֶס' שְׁמוֹ בִּלְשׁוֹן מִשְׁנָה (שביעית ז, ו), וְרַבּוֹתַי פֵּרְשׁוּהוּ לִי: שֹׁרֶשׁ עֵשֶׂב וּשְׁמוֹ אשטורוזי"א בְּמַסֶּכֶת נִדָּה (דף ח ע"א):

כו | **מַה בֶּצַע.** מַה מָּמוֹן, כְּתַרְגּוּמוֹ: **וְכִסִּינוּ אֶת דָּמוֹ.** וְנַעֲלִים אֶת מִיתָתוֹ:

כז | **וַיִּשְׁמְעוּ.** "וְקַבִּילוּ מִנֵּיהּ", וְכָל שְׁמִיעָה שֶׁהִיא קַבָּלַת דְּבָרִים, כְּגוֹן זֶה, וּכְגוֹן: "וַיִּשְׁמַע יַעֲקֹב אֶל אָבִיו" (לעיל כח, ז), "נַעֲשֶׂה וְנִשְׁמָע" (שמות כד, ז), מְתַרְגְּמִין: 'וְקַבֵּיל'. וְכָל שֶׁהִיא שְׁמִיעַת הָאֹזֶן, כְּגוֹן: "וַיִּשְׁמְעוּ אֶת קוֹל ה' אֱלֹהִים מִתְהַלֵּךְ בַּגָּן" (לעיל ג, ח), "וְרִבְקָה שֹׁמַעַת" (לעיל כז, ה), "וַיִּשְׁמַע יִשְׂרָאֵל" (לעיל לה, כב), "שָׁמַעְתִּי אֶת תְּלֻנּוֹת" (שמות טז, יב), כֻּלָּן מְתַרְגְּמִין: וּשְׁמַעוּ, וּשְׁמַעַת, וּשְׁמַע, שְׁמִיעַ קֳדָמַי:

כח | **וַיַּעַבְרוּ אֲנָשִׁים מִדְיָנִים.** זוֹ הִיא שַׁיָּרָה אַחֶרֶת, וְהוֹדִיעֲךָ הַכָּתוּב שֶׁנִּמְכַּר פְּעָמִים הַרְבֵּה: **וַיִּמְשְׁכוּ.** בְּנֵי יַעֲקֹב אֶת יוֹסֵף מִן הַבּוֹר וַיִּמְכְּרוּהוּ לַיִּשְׁמְעֵאלִים, וְהַיִּשְׁמְעֵאלִים לַמִּדְיָנִים, "וְהַמְּדָנִים מָכְרוּ אֹתוֹ אֶל מִצְרַיִם" (להלן פסוק לו):

הרחבות

'וישמעו אחיו' יתכן שביחס להצעתו של ראובן לא היתה הסכמה בין האחים. נוכח חילוקי הדעות ביניהם החליטו האחים שתחילה יכלאו את יוסף בבור, ואז ידונו בגורלו. על רקע זה השמיע יהודה את הצעתו לנצל את ההזדמנות המיוחדת - אורחת הישמעאלים שעברה לידם, ולהיפטר מיוסף בדרך זו.

ביאור | יזרעאל. **וּגְמַלֵּיהֶם נֹשְׂאִים נְכֹאת**, בשמים או מוצר יוקרתי אחר[13] **וּצְרִי** הנחשב לבושם יקר מאוד שצמח בארץ אף לאחר ימי הבית השני. על הרומאים אמרו שהיו משלמים את מחירו בזהב. צרי הגלעד היה מפורסם,[14] וקרוב לוודאי שצמח בעיקר בעמק הירדן. **וָלֹט**. נראה שאף הוא צמח ששימש להפקת בושם. **הוֹלְכִים לְהוֹרִיד** את הבשמים הללו **מִצְרָיְמָה** כדי לשווקם שם.

כו **וַיֹּאמֶר יְהוּדָה אֶל אֶחָיו**: **מַה בֶּצַע**, מה נרוויח מכך[15] **שֶׁנַּהֲרֹג אֶת**
אָחִינוּ, וְכִסִּינוּ אֶת דָּמוֹ, ונסתיר את העניין?! כז **לְכוּ וְנִמְכְּרֶנּוּ** לעבד
לַיִּשְׁמְעֵאלִים שהזדמנו לכאן. הישמעאלים ירחיקו אותו מכאן, וְעל כל
פנים **יָדֵנוּ אַל תְּהִי בוֹ**, אנחנו לא ניגע בו, **כִּי** אחרי הכול **אָחִינוּ בְשָׂרֵנוּ**
הוּא, ואל לנו לפגוע בו. **וַיִּשְׁמְעוּ אֶחָיו**, קיבלו את עצתו של יהודה.
כח **וַיַּעַבְרוּ אֲנָשִׁים מִדְיָנִים סֹחֲרִים, וַיִּמְשְׁכוּ וַיַּעֲלוּ אֶת יוֹסֵף מִן הַבּוֹר**.
היו שזיהו את המדיינים הסוחרים עם הישמעאלים שנזכרו בפסוק הקודם - כל אלה הם נוודים סוחרים.[16] אחרים ראו במדיינים קבוצה שונה, שהיא שמשכה והעלתה את יוסף.[17] **וַיִּמְכְּרוּ**, לפי הפירוש הראשון, אחי יוסף, ולפי הפירוש השני - המדיינים, **אֶת**

מימין: אפרסמון ('צרי'?)

משמאל: לוטם ('לט')

העולם | **צֳרִי** נזכר במקומות נוספים במקרא (להלן מג,יא; ירמיה ח,כב; יחזקאל כז,יז). היו שזיהו אותו עם שמן האפרסמון (שם מדעי: Commiphora gileadensis), צמח בושם יקר הגדל באזור בקעת הירדן. שמן זה היה מרכיב מרכזי בתעשיית הבשמים בעת העתיקה, וגם בזמן הבית השני התפרסמה הארץ בגידול ייחודי זה. עם זאת, יש הטוענים שצרי הגלעד הנזכר בתנ"ך, הגדל באזור הררי וקריר, אינו הצרי הנזכר בדברי חז"ל - שהוא האפרסמון, הגדל בבקעת הירדן החמה.

לֹט במחקר מזהים אותו עם הצמח הנקרא בערבית ופרסית לאד'ן, ובלשוננו - לוטם (שם מדעי: Cistus ladanifer). משיח רב-שנתי נמוך זה, שגובהו 40–60 ס"מ, היו מפיקים שרף אדום כהה ששימש לתמרוקים ויופי.

לַֽיִּשְׁמְעֵאלִ֖ים בְּעֶשְׂרִ֣ים כָּ֑סֶף וַיָּבִ֥יאוּ אֶת־יוֹסֵ֖ף
מִצְרָֽיְמָה׃ וַיָּ֤שָׁב רְאוּבֵן֙ אֶל־הַבּ֔וֹר וְהִנֵּ֥ה אֵין־יוֹסֵ֖ף כט
בַּבּ֑וֹר וַיִּקְרַ֖ע אֶת־בְּגָדָֽיו׃ וַיָּ֥שָׁב אֶל־אֶחָ֖יו וַיֹּאמַ֑ר ל
הַיֶּ֣לֶד אֵינֶ֔נּוּ וַאֲנִ֖י אָ֥נָה אֲנִי־בָֽא׃ וַיִּקְח֖וּ אֶת־כְּתֹ֣נֶת לא
יוֹסֵ֑ף וַֽיִּשְׁחֲטוּ֙ שְׂעִ֣יר עִזִּ֔ים וַיִּטְבְּל֥וּ אֶת־הַכֻּתֹּ֖נֶת בַּדָּֽם׃
וַֽיְשַׁלְּח֞וּ אֶת־כְּתֹ֣נֶת הַפַּסִּ֗ים וַיָּבִ֙יאוּ֙ אֶל־אֲבִיהֶ֔ם לב
וַיֹּאמְר֖וּ זֹ֣את מָצָ֑אנוּ הַכֶּר־נָ֗א הַכְּתֹ֨נֶת בִּנְךָ֥ הִ֖וא אִם־
לֹֽא׃ וַיַּכִּירָ֤הּ וַיֹּ֙אמֶר֙ כְּתֹ֣נֶת בְּנִ֔י חַיָּ֥ה רָעָ֖ה אֲכָלָ֑תְהוּ לג
טָרֹ֥ף טֹרַ֖ף יוֹסֵֽף׃ וַיִּקְרַ֤ע יַעֲקֹב֙ שִׂמְלֹתָ֔יו וַיָּ֥שֶׂם שַׂ֖ק לד
בְּמָתְנָ֑יו וַיִּתְאַבֵּ֥ל עַל־בְּנ֖וֹ יָמִ֥ים רַבִּֽים׃ וַיָּקֻ֨מוּ כָל־בָּנָ֜יו לה

רש"י

כט) **וַיָּשָׁב רְאוּבֵן.** וּבִמְכִירָתוֹ לֹא הָיָה שָׁם, שֶׁהִגִּיעַ יוֹמוֹ לֵילֵךְ וּלְשַׁמֵּשׁ אֶת אָבִיו. דָּבָר אַחֵר, עָסוּק הָיָה בְּשַׂקּוֹ וּבְתַעֲנִיתוֹ עַל בִּלְבּוּל יְצוּעֵי אָבִיו:

ל) **אָנָה אֲנִי בָא.** אָנָה אֶבְרַח מִצַּעֲרוֹ שֶׁל אַבָּא:

לא) **שְׂעִיר עִזִּים.** דָּמוֹ דּוֹמֶה לְשֶׁל אָדָם: **הַכֻּתֹּנֶת.** זֶה שְׁמָהּ, וּכְשֶׁהִיא דְּבוּקָה לְתֵבָה אַחֶרֶת, כְּגוֹן "כְּתֹנֶת יוֹסֵף", "כְּתֹנֶת פַּסִּים" (לעיל פסוק ג), "כְּתֹנֶת בַּד" (ויקרא טז, ד), נָקוּד 'כְּתֹנֶת':

לג) **וַיֹּאמֶר כְּתֹנֶת בְּנִי.** הִיא זוֹ: **חַיָּה רָעָה אֲכָלָתְהוּ.** נִצְנְצָה בּוֹ רוּחַ הַקֹּדֶשׁ, סוֹפוֹ שֶׁתִּתְגָּרֶה בּוֹ אֵשֶׁת פּוֹטִיפַר. וְלָמָּה לֹא גִּלָּה לוֹ הַקָּדוֹשׁ בָּרוּךְ הוּא? לְפִי שֶׁהֶחֱרִימוּ וְקִלְּלוּ אֶת כָּל מִי שֶׁיְּגַלֶּה, וְשִׁתְּפוּ לְהַקָּדוֹשׁ בָּרוּךְ הוּא עִמָּהֶם. אֲבָל יִצְחָק הָיָה יוֹדֵעַ שֶׁהוּא חַי, אָמַר: הֵיאַךְ אֲגַלֶּה וְהַקָּדוֹשׁ בָּרוּךְ הוּא אֵינוֹ רוֹצֶה לְגַלּוֹת לוֹ?

לד) **יָמִים רַבִּים.** עֶשְׂרִים וּשְׁתַּיִם שָׁנָה מִשֶּׁפֵּרַשׁ מִמֶּנּוּ עַד שֶׁיָּרַד יַעֲקֹב לְמִצְרַיִם, שֶׁנֶּאֱמַר: "יוֹסֵף בֶּן שְׁבַע עֶשְׂרֵה שָׁנָה" וְגוֹ' (לעיל פסוק ב), וּבֶן שְׁלֹשִׁים שָׁנָה הָיָה בְּעָמְדוֹ לִפְנֵי פַרְעֹה (להלן מא, מו), וְשֶׁבַע שְׁנֵי הַשָּׂבָע, וְ"כִי זֶה שְׁנָתַיִם הָרָעָב" (להלן מה, ו) כְּשֶׁבָּא יַעֲקֹב לְמִצְרַיִם, הֲרֵי עֶשְׂרִים וּשְׁתַּיִם, כְּנֶגֶד עֶשְׂרִים וּשְׁתַּיִם שֶׁלֹּא קִיֵּם יַעֲקֹב כִּבּוּד אָב וָאֵם: עֶשְׂרִים שָׁנָה שֶׁהָיָה בְּבֵית לָבָן, וּשְׁתֵּי שָׁנִים בַּדֶּרֶךְ בְּשׁוּבוֹ מִבֵּית לָבָן, שָׁנָה וָחֵצִי בְּסֻכּוֹת וְשִׁשָּׁה חֳדָשִׁים בְּבֵית אֵל. וְזֶהוּ שֶׁאָמַר לְלָבָן: "זֶה לִּי עֶשְׂרִים שָׁנָה בְּבֵיתֶךָ" (לעיל לא, מא) – לִי הֵן, עָלַי הֵן, סוֹפִי לִלְקוֹת כְּנֶגְדָּן:

ביאור | **יוֹסֵף לַיִּשְׁמְעֵאלִים**. לפי הפירוש השני, האחים לא התנגדו למכירה, ושמא לא ידעו עליה כלל, כי קדמום המדיינים ומכרוהו, ואולי האחים הם שיזמו את העלאת יוסף על ידי המדיינים ואת מכירתו לישמעאלים.[18] יוסף נמכר **בְּעֶשְׂרִים כָּסֶף**, סכום ניכר שהתחלק ביניהם.[19] **וַיָּבִיאוּ אֶת יוֹסֵף מִצְרָיְמָה.**

כט **וַיָּשָׁב רְאוּבֵן אֶל הַבּוֹר**, מכאן שלא היה אתם בעת המכירה, **וְהִנֵּה אֵין יוֹסֵף בַּבּוֹר. וַיִּקְרַע אֶת בְּגָדָיו** מחמת צער ודאגה לגורלו. ל **וַיָּשָׁב אֶל אֶחָיו וַיֹּאמַר: הַיֶּלֶד אֵינֶנּוּ, וַאֲנִי אָנָה אֲנִי בָא?!** מה יקרה לי?! הוא חש שבתור האח הגדול האחריות לילד רובצת על כתפיו.

מכירת אח היא מעשה חמור ביותר. לפי חוק התורה, המוכר אדם מאחיו לעבד - ולאו דווקא ממשפחתו - חייב מיתה. לא עליהם להכין את סיפור הכיסוי להיעדרו של יוסף - **וַיִּקְחוּ אֶת כְּתֹנֶת יוֹסֵף, וַיִּשְׁחֲטוּ שְׂעִיר עִזִּים**, תיש קטן, **וַיִּטְבְּלוּ אֶת הַכֻּתֹּנֶת בַּדָּם** של השעיר, הדומה לדמו של אדם. לב **וַיְשַׁלְּחוּ** ליעקב **אֶת כְּתֹנֶת הַפַּסִּים. וַיָּבִיאוּ אֶל אֲבִיהֶם וַיֹּאמְרוּ: זֹאת מָצָאנוּ - הַכֶּר נָא, הַכְּתֹנֶת בִּנְךָ הִוא, אִם לֹא?** אפשר להכיר שזוהי כתונת פסים, אבל האם זוהי כתונתו של יוסף או של אדם אחר. אנחנו לא שמנו לב לפרטיה, אך אתה, שעשית את הכתונת, בוודאי זוכר אותה.

לג **וַיַּכִּירָהּ, וַיֹּאמֶר: כְּתֹנֶת בְּנִי** היא זו. **חַיָּה רָעָה אֲכָלָתְהוּ. טָרֹף טֹרַף יוֹסֵף.** אפשר להיווכח שחיה טרפה את יוסף. האחים סיפרו שמצאו את הכתונת בלבד. שרידי הגופה לא נשארו, מפני שהחיה אולי גררה אותם למקום מושבה, אך כיוון שהיא לא אכלה את הבגד, נמצאה הכתונת לבדה.

לד **וַיִּקְרַע יַעֲקֹב שִׂמְלֹתָיו**, כאבל, **וַיָּשֶׂם שַׂק בְּמָתְנָיו, וַיִּתְאַבֵּל עַל בְּנוֹ יָמִים רַבִּים.** לה **וַיָּקֻמוּ כָל בָּנָיו וְכָל בְּנֹתָיו**, כל הנשים שבבית, כולל

הרחבות | **'וישלחו את כתנת הפסים'** לפי פירוש אחר הפועל וַיְשַׁלְּחוּ נגזר מ'שֶׁלַח' - חרב או חנית. אחי יוסף השתמשו בכלי חד כדי לחורר את הכתונת, כדי לעשות רושם שאכן לובש הכתונת נטרף בשִׁנֶּיהָ של חיה רעה (ראו רמב"ן).

וְכָל־בְּנֹתָיו לְנַחֲמוֹ וַיְמָאֵן לְהִתְנַחֵם וַיֹּאמֶר כִּי־אֵרֵד
אֶל־בְּנִי אָבֵל שְׁאֹלָה וַיֵּבְךְּ אֹתוֹ אָבִיו: וְהַמְּדָנִים לו
מָכְרוּ אֹתוֹ אֶל־מִצְרָיִם לְפוֹטִיפַר סְרִיס פַּרְעֹה שַׂר
הַטַּבָּחִים:
רביעי לד וַיְהִי בָּעֵת הַהִוא וַיֵּרֶד יְהוּדָה מֵאֵת אֶחָיו וַיֵּט עַד־ א לח
אִישׁ עֲדֻלָּמִי וּשְׁמוֹ חִירָה: וַיַּרְא־שָׁם יְהוּדָה בַּת־ ב
אִישׁ כְּנַעֲנִי וּשְׁמוֹ שׁוּעַ וַיִּקָּחֶהָ וַיָּבֹא אֵלֶיהָ: וַתַּהַר ג

רש"י

לה| **וכל בנתיו.** רבי יהודה אומר: אחיות תאומות נולדו עם כל שבט ושבט ונשאום. רבי נחמיה אומר: כנעניות היו, אלא מהו "וכל בנותיו"? כלותיו, שאין אדם נמנע מלקרוא לחתנו בנו ולכלתו בתו: **וימאן להתנחם.** אין אדם יכול לקבל תנחומין על החי וסבור שמת, שעל המת נגזרה גזרה שישתכח מן הלב ולא על החי: **ארד אל בני.** כמו 'על בני', והרבה 'אל' שמשמשין בלשון 'על', "אל שאול ואל בית הדמים" (שמואל ב' כא, א), "אל הלקח ארון האלהים ואל חמיה ואישה" (שמואל א' ד, כא): **אבל שאלה.** כפשוטו לשון קבר הוא, באבלי אקבר ולא אתנחם כל ימי. ומדרשו: גיהנם; סימן זה היה מסור בידי מפי הגבורה, אם לא ימות אחד מבני בחיי מובטח אני שאיני רואה גיהנם: **ויבך אתו אביו.** יצחק בוכה היה מפני צרתו של יעקב, אבל לא היה מתאבל, שהיה יודע שהוא חי:

לו| **הטבחים.** שוחטי בהמות המלך:

פרק לח

א| **ויהי בעת ההוא.** למה נסמכה פרשה זו לכאן והפסיק בפרשתו של יוסף? ללמד שהורידוהו אחיו מגדלתו כשראו בצרת אביהם, אמרו: אתה אמרת למכרו, אלו אמרת להשיבו היינו שומעים לך: **ויט.** מאת אחיו: **עד איש עדלמי.** נשתתף עמו:

ב| **כנעני.** תגרא:

העולם | **עֲדֻלָּם** עיר חשובה במזרח שפלת יהודה הנזכרת בספר יהושע (יב,טו). מזוהה עם ח'רבת מדכור שמעל ואדי א–צור היורד מהר חברון לשפלה. נחל זה משמש אחד הנתיבים החשובים של האזור, וסמוך לעדלם הוא מתחבר לעמק האלה.

הרחבות | **הכינוי כנעני** במשמעות סוחר רווח במקרא (ראו ישעיה כג,ח ובהפניות שם). לא ראוי לפרש כנעני זה במשמעות האתנית, משום שמלבד יעקב ובניו, כל מי שהקיפו אותם היו בני שבטים כנעניים שונים, ואיש זה אינו מיוחד בכך. אדרבא, אם היא הייתה בתו של סוחר, אולי מוצאה היה דווקא זר, שכן סוחרים נדדו ממרחקים. (ראו בעניין זה רמב"ן). עם זאת, נראה כי רוב נשותיהם של בני יעקב אכן באו מכנען. השימוש בכינוי 'כנעני' לסוחר במקרא מלמד כי באותה תקופה לא התעסקו בני ישראל במסחר. (ראו עוד הרחבה לישעיה כג,יז).

ביאור | נשי בניו[20] **לְנַחֲמוֹ. וַיְמָאֵן**, יעקב סירב **לְהִתְנַחֵם**, למרות ניסיונות הסביבה לנחמו. **וַיֹּאמֶר: כִּי** דבר לא ישנה את המציאות, אלא **אֵרֵד אֶל בְּנִי אָבֵל שְׁאֹלָה**, אל השאול. **וַיֵּבְךְּ אֹתוֹ**, את יוסף **אָבִיו**. אמנם יעקב לא ידע בוודאות מלאה על המוות, שהרי הגופה לא נמצאה, אבל ישנן ראיות נסיבתיות לכך שיוסף נטרף.

לו **וְהַמְּדָנִים**, המדיינים הסוחרים,[21] **מָכְרוּ אֹתוֹ** - את יוסף **אֶל מִצְרָיִם** כעבד **לְפוֹטִיפַר**, שהיה **סְרִיס**. ביטוי זה אינו אומר בהכרח שסורס, אלא שהיה שר בעל תפקיד בהיכל המלך[22] **פַּרְעֹה, שַׂר הַטַּבָּחִים**, הממונה על ההוצאות להורג, התליין הראשי של המדינה.[23] נראה שיוסף נחשב סחורה טובה, שכן היה בחור יפה תואר בן שבע-עשרה, שעד כה לא עבד עבודה קשה מדי. מן הסתם מכרו אותו לקונה האמיד, שיכול היה לשלם תמורתו במיטב כספו.

מעשה יהודה ותמר

פרק לח

עלילת קורותיו של יוסף נקטעת בסיפור דברים שאינו קשור ליוסף כלל. במרכז סיפור זה עומד אחיו יהודה, שדמותו תתגלה בהמשך כדומיננטית בין האחים. עניין זה מוביל אל לידתם המיוחדת של שני בניו, שהיו עיקר המשכו, ובו נחשפת אישיותו של יהודה. אין הוא נוהג כאן כצדיק גמור, אך במצב הדחוק שאליו נקלע הוא מגלה גדלות נפש. בהמשך יתברר כי דפוס זה עובר כחוט השני באישיותו ובמאורעותיו - יהודה מועד או טועה, אך יודע גם לחזור בו ולתקן את כישלונותיו - ותכונה זו תיעשה אף סימן ההיכר של השבט שיעמיד.

תיאור המעשים בפרק צדדי-לכאורה זה, מבליט עיקרון חשוב ביחס לגיבורי המקרא. אין המקרא חוסך את סיפור האמת על דמויותיו, גם על אלה שהוא רואה באור חיובי, ואף אם האמת אינה נעימה. הן על עליותיהן הן על ירידותיהן מסופר כאן בשלמות, בלא ניכור, אך גם ללא הטיה או כיסוי. בסיפורו שלפנינו מסופר הכול - הירידה, פרטי המעשים והתיקון המגיע לבסוף.

פרק לח א **וַיְהִי בָּעֵת הַהִוא**, לפי חשבון הזמנים, הדבר אירע לפני מכירת יוסף וסמוך אליה,[24] **וַיֵּרֶד יְהוּדָה מֵאֵת אֶחָיו**. גם לאחר שהאחים נשאו נשים והולידו ילדים, הם כנראה חיו קרוב זה לזה ועבדו יחדיו. לא ברור אם היה להם רכוש פרטי, או שהיו שותפים בעסקי המשפחה. נראה שעתה יצא יהודה ממקומם המשותף כדי לפתוח עסק עצמאי. **וַיֵּט עַד אִישׁ עֲדֻלָּמִי**, יהודה הגיע בדרכו עד עדֻלם, עיר בדרומה של ארץ יהודה, והתיידד עם אדם מקומי **וּשְׁמוֹ** - **חִירָה**. ב **וַיַּרְא שָׁם**, בעדֻלם **יְהוּדָה בַּת אִישׁ כְּנַעֲנִי**, סוחר[25] **וּשְׁמוֹ שׁוּעַ**,

ד וַתֵּ֣לֶד בֵּ֔ן וַיִּקְרָ֥א אֶת־שְׁמ֖וֹ עֵֽר׃ וַתַּ֥הַר ע֖וֹד וַתֵּ֣לֶד בֵּ֑ן
ה וַתִּקְרָ֥א אֶת־שְׁמ֖וֹ אוֹנָֽן׃ וַתֹּ֤סֶף עוֹד֙ וַתֵּ֣לֶד בֵּ֔ן וַתִּקְרָ֥א
ו אֶת־שְׁמ֖וֹ שֵׁלָ֑ה וְהָיָ֥ה בִכְזִ֖יב בְּלִדְתָּ֥הּ אֹתֽוֹ׃ וַיִּקַּ֧ח
ז יְהוּדָ֛ה אִשָּׁ֖ה לְעֵ֣ר בְּכוֹר֑וֹ וּשְׁמָ֖הּ תָּמָֽר׃ וַיְהִ֗י עֵ֚ר בְּכ֣וֹר
ח יְהוּדָ֔ה רַ֖ע בְּעֵינֵ֣י יְהוָ֑ה וַיְמִתֵ֖הוּ יְהוָֽה׃ וַיֹּ֤אמֶר יְהוּדָה֙
לְאוֹנָ֔ן בֹּ֛א אֶל־אֵ֥שֶׁת אָחִ֖יךָ וְיַבֵּ֣ם אֹתָ֑הּ וְהָקֵ֥ם זֶ֖רַע
ט לְאָחִֽיךָ׃ וַיֵּ֣דַע אוֹנָ֔ן כִּ֛י לֹּ֥א ל֖וֹ יִהְיֶ֣ה הַזָּ֑רַע וְהָיָ֞ה אִם־
בָּ֨א אֶל־אֵ֤שֶׁת אָחִיו֙ וְשִׁחֵ֣ת אַ֔רְצָה לְבִלְתִּ֥י נְתָן־זֶ֖רַע
י לְאָחִֽיו׃ וַיֵּ֛רַע בְּעֵינֵ֥י יְהוָ֖ה אֲשֶׁ֣ר עָשָׂ֑ה וַיָּ֖מֶת גַּם־
יא אֹתֽוֹ׃ וַיֹּ֣אמֶר יְהוּדָ֣ה לְתָמָ֣ר כַּלָּת֡וֹ שְׁבִ֣י אַלְמָנָ֣ה
בֵֽית־אָבִ֡יךְ עַד־יִגְדַּל֙ שֵׁלָ֣ה בְנִ֔י כִּ֣י אָמַ֔ר פֶּן־יָמ֥וּת גַּם־

רש"י

ה | **וְהָיָה בִכְזִיב.** שֵׁם הַמָּקוֹם. וְאוֹמֵר אֲנִי, עַל שֵׁם שֶׁפָּסְקָה מִלֶּדֶת נִקְרָא 'כְּזִיב', לְשׁוֹן: "הָיוֹ תִהְיֶה לִי כְּמוֹ אַכְזָב" (ירמיה טו, יח), "אֲשֶׁר לֹא יְכַזְּבוּ מֵימָיו" (ישעיה נח, יא). וְאִם לֹא כֵן מַה בָּא לְהוֹדִיעֵנוּ? וּבִבְרֵאשִׁית רַבָּה (פה, ד) רָאִיתִי: "וַתִּקְרָא שְׁמוֹ שֵׁלָה" וְגוֹ' – פָּסְקַת:

ז | **רַע בְּעֵינֵי ה'.** כְּרָעָתוֹ שֶׁל אוֹנָן, מַשְׁחִית זַרְעוֹ, שֶׁנֶּאֱמַר בְּאוֹנָן: "וַיָּמֶת גַּם אֹתוֹ" (להלן פסוק י), כְּמִיתָתוֹ שֶׁל עֵר מִיתָתוֹ שֶׁל אוֹנָן. וְלָמָּה הָיָה עֵר מַשְׁחִית זַרְעוֹ? כְּדֵי שֶׁלֹּא תִתְעַבֵּר וְיַכְחִישׁ יָפְיָהּ:

ח | **וְהָקֵם זֶרַע.** הַבֵּן יִקָּרֵא עַל שֵׁם הַמֵּת:

ט | **וְשִׁחֵת אַרְצָה.** דָּשׁ מִבִּפְנִים וְזוֹרֶה מִבַּחוּץ:

יא | **כִּי אָמַר וְגוֹ'.** כְּלוֹמַר, דּוֹחֶה הָיָה אוֹתָהּ בְּקַשׁ, שֶׁלֹּא הָיָה בְדַעְתּוֹ לְהַשִּׂיאָהּ לוֹ: כִּי

הרחבות

הייבום יהודה ראה בייבום מעשה מובן מאליו. מכאן עולה שמעשה הייבום, אשר יופיע כמצווה (דברים כה,ה-ו), נהג בצורה כלשהי אף קודם מתן תורה. דרכי ייבום אחדות התקיימו בקרב עמים שונים בעולם, ועיקרון אחד עומד בבסיסן: אם אדם מת בלא ילדים, אחד מקרובי המת נושא את האלמנה לאשה. בדורות קדומים נחשבו בני משפחה שונים כבעלי זכות או כבעלי חובה לייבם את האשה, כאן – וזו גם ההלכה הכתובה בתורה – דווקא אחי המת עושה זאת. (ראו עוד רמב"ן).

ביאור

וַיִּקָּחֶהָ, נשא אותה לאשה, **וַיָּבֹא אֵלֶיהָ.** ג **וַתַּהַר וַתֵּלֶד בֵּן, וַיִּקְרָא אֶת**
שְׁמוֹ עֵר. ד **וַתַּהַר עוֹד וַתֵּלֶד בֵּן, וַתִּקְרָא אֶת שְׁמוֹ אוֹנָן**, שם הקשור
כנראה לאונים, גיבור. ה **וַתֹּסֶף עוֹד וַתֵּלֶד בֵּן, וַתִּקְרָא אֶת שְׁמוֹ שֵׁלָה,**
ויהודה הָיָה בִמְקוֹם כְּזִיב בְּלִדְתָּהּ אֹתוֹ. ייתכן שהערה זו נועדה
להסביר את העובדה שהיא זו שנתנה את השם הן לבן השני הן
לבן השלישי. אולי הסדר התקין הוא לסירוגין, ואם כך יהודה הוא
שאמור לתת שם לבן השלישי; ורק מכיון שהיה אז במקום אחר,
בכזיב, קראה היא את שם הבן.

ו **וַיִּקַּח יְהוּדָה אִשָּׁה לְעֵר בְּכוֹרוֹ**, שהיה אמור להיות אז צעיר למדי,
וּשְׁמָהּ תָּמָר, שעל מוצאה ועל משפחתה לא ידוע דבר. ייתכן שהיעדר
ציון רקעה המשפחתי רומז לכך שאף היא לא הייתה מתושבי
המקום, ואכן חכמים ייחסוה לצאצאי שם.[26] ז **וַיְהִי עֵר בְּכוֹר יְהוּדָה**
רַע בְּעֵינֵי ה׳, וַיְמִתֵהוּ ה׳. ער מת צעיר בשל חטאיו.

ח **וַיֹּאמֶר יְהוּדָה לְאוֹנָן: בֹּא אֶל אֵשֶׁת אָחִיךָ וְיַבֵּם אֹתָהּ**, שא את אשת
אחיך שמת. **וְהָקֵם זֶרַע לְאָחִיךָ**, הילד או הילדים שייוולדו מנישואין
אלה, ייחשבו כצאצאיו של המת, משום שהמייבם, אביהם הביולוגי,
אינו אלא ממלא מקומו של המת.[27]

ט **וַיֵּדַע אוֹנָן כִּי לֹּא לוֹ יִהְיֶה הַזָּרַע.** הילדים שייוולדו לו לא ייקראו על
שמו אלא על שם אחיו המת, ולכן – **וְהָיָה אִם בָּא אֶל אֵשֶׁת אָחִיו**
– **וְשִׁחֵת אַרְצָה.** הוא מנע את ההיריון באמצעות משגל נסוג, כיוון
שרצה – **לְבִלְתִּי נְתָן זֶרַע לְאָחִיו** מתוך צרות עין במת. הוא העדיף
שלא להוליד כלל על פני הולדת ילדים שייחשבו כבני אחיו. י **וַיֵּרַע**
בְּעֵינֵי ה׳ אֲשֶׁר עָשָׂה. שלא כאחיו, חטאו של אונן מפורש בכתוב.
וַיָּמֶת גַּם אֹתוֹ בצעירותו.

יא **וַיֹּאמֶר יְהוּדָה לְתָמָר כַּלָּתוֹ: שְׁבִי** בתור **אַלְמָנָה** בודדה **בְבֵית אָבִיךְ,**
ואל תישארי בביתי, **עַד** אשר **יִגְדַּל שֵׁלָה בְנִי** השלישי, הצעיר מער
ואונן, וכנראה עדיין לא הגיע לגיל נישואין. לפי חוק הייבום, כשיגדל
שלה הוא יצטרך ליבמה. ואולם יהודה לא היה מעוניין בנישואי

העולם

כְּזִיב יישוב בשפלת יהודה הנזכר ביהושע (טו,מד) ובמיכה (א,יד). הוא מזוהה עם עין אל-כזבה (כזבי) הסמוך לצומת עציונה, או עם ח'רבת לבנין שמצפון לנחושה, שכן היא סמוכה לכזיב, עדֻלם ומרשה, כפי שעולה מהפסוקים ביהושע ובמיכה.

הוּא כְּאֶחָיו וַתֵּלֶךְ תָּמָר וַתֵּשֶׁב בֵּית אָבִיהָ: וַיִּרְבּוּ יב
הַיָּמִים וַתָּמָת בַּת־שׁוּעַ אֵשֶׁת־יְהוּדָה וַיִּנָּחֶם יְהוּדָה
וַיַּעַל עַל־גֹּזְזֵי צֹאנוֹ הוּא וְחִירָה רֵעֵהוּ הָעֲדֻלָּמִי
תִּמְנָתָה: וַיֻּגַּד לְתָמָר לֵאמֹר הִנֵּה חָמִיךְ עֹלֶה יג
תִמְנָתָה לָגֹז צֹאנוֹ: וַתָּסַר בִּגְדֵי אַלְמְנוּתָהּ מֵעָלֶיהָ יד
וַתְּכַס בַּצָּעִיף וַתִּתְעַלָּף וַתֵּשֶׁב בְּפֶתַח עֵינַיִם אֲשֶׁר
עַל־דֶּרֶךְ תִּמְנָתָה כִּי רָאֲתָה כִּי־גָדַל שֵׁלָה וְהִוא לֹא־
נִתְּנָה לוֹ לְאִשָּׁה: וַיִּרְאֶהָ יְהוּדָה וַיַּחְשְׁבֶהָ לְזוֹנָה כִּי טו
כִסְּתָה פָּנֶיהָ: וַיֵּט אֵלֶיהָ אֶל־הַדֶּרֶךְ וַיֹּאמֶר הָבָה נָּא טז
אָבוֹא אֵלַיִךְ כִּי לֹא יָדַע כִּי כַלָּתוֹ הִוא וַתֹּאמֶר מַה־

רש"י

אָמַר פֶּן יָמוּת. מֻחְזֶקֶת הִיא זוֹ שֶׁיָּמוּתוּ אֲנָשֶׁיהָ:

יב| וַיַּעַל עַל גֹּזְזֵי צֹאנוֹ. וַיַּעַל תִּמְנָתָה לַעֲמֹד עַל גּוֹזְזֵי צֹאנוֹ:

יג| עֹלֶה תִמְנָתָה. וּבְשִׁמְשׁוֹן הוּא אוֹמֵר: "וַיֵּרֶד שִׁמְשׁוֹן תִּמְנָתָה" (שופטים יד, א)! בְּשִׁפּוּעַ הָהָר הָיְתָה יוֹשֶׁבֶת, עוֹלִין לָהּ מִכָּאן וְיוֹרְדִין לָהּ מִכָּאן:

יד| וַתִּתְעַלָּף. כִּסְּתָה פָנֶיהָ, שֶׁלֹּא יַכִּיר בָּהּ: וַתֵּשֶׁב בְּפֶתַח עֵינַיִם. בִּפְתִיחַת עֵינַיִם, בְּפָרָשַׁת דְּרָכִים שֶׁעַל דֶּרֶךְ תִּמְנָתָה. וְרַבּוֹתֵינוּ דָּרְשׁוּ, בְּפִתְחוֹ שֶׁל אַבְרָהָם אָבִינוּ שֶׁכָּל עֵינַיִם מְצַפּוֹת לִרְאוֹתוֹ: כִּי רָאֲתָה כִּי גָדַל שֵׁלָה וְגוֹ'. לְפִיכָךְ הִפְקִירָה עַצְמָהּ אֵצֶל יְהוּדָה, שֶׁהָיְתָה מִתְאַוָּה לְהַעֲמִיד מִמֶּנּוּ בָּנִים:

טו| וַיַּחְשְׁבֶהָ לְזוֹנָה. לְפִי שֶׁיּוֹשֶׁבֶת בְּפָרָשַׁת דְּרָכִים: כִּי כִסְּתָה פָּנֶיהָ. וְלֹא יָכֹל לִרְאוֹתָהּ וּלְהַכִּירָהּ. וּמִדְרַשׁ רַבּוֹתֵינוּ, "כִּי כִסְּתָה פָּנֶיהָ", כְּשֶׁהָיְתָה בְּבֵית חָמִיהָ הָיְתָה צְנוּעָה, לְפִיכָךְ לֹא חֲשָׁדָהּ:

טז| וַיֵּט אֵלֶיהָ אֶל הַדֶּרֶךְ. מִדֶּרֶךְ שֶׁהָיָה בָּהּ נָטָה אֶל הַדֶּרֶךְ אֲשֶׁר הִיא בָּהּ. וּבִלְשׁוֹן לַעַז דישטורני"ר: הָבָה נָּא. הָכִינִי עַצְמֵךְ וְדַעְתֵּךְ לְכָךְ. כָּל לְשׁוֹן 'הָבָה' לְשׁוֹן הַזְמָנָה הוּא, חוּץ מִמָּקוֹם שֶׁיֵּשׁ לְתַרְגְּמוֹ בִּלְשׁוֹן נְתִינָה, וְאַף אוֹתָן שֶׁל הַזְמָנָה קְרוֹבִים לִלְשׁוֹן נְתִינָה הֵם:

העולם

תִּמְנָה עיר בין בית-שמש לעקרון בגבול הצפוני של נחלת יהודה (יהושע טו,י-יא). בתקופת שמשון חיו בה פלשתים (שופטים יד,א). מזוהה עם תל בטש הסמוך לערוץ נחל שורק מדרום, כ-7 ק"מ ממערב לבית-שמש. במקום ממצאים ארכיאולוגים כנעניים מהמאה ה-18 לפנה"ס, ופלשתיים מהמאה ה-12 לפנה"ס.

ביאור | שֵׁלָה בנו לתמר, ולכן השתדל לגרום לכך שלא יתממשו, **כִּי אָמַר** בלבו: **פֶּן יָמוּת גַּם הוּא כְּאֶחָיו.** אולי אשה זו מסוכנת, והיא המביאה מוות על בעליה. יהודה חס על בנו הנותר, ולכן שילח את תמר מביתו.[28] **וַתֵּלֶךְ תָּמָר, וַתֵּשֶׁב בֵּית אָבִיהָ.**

יב **וַיִּרְבּוּ הַיָּמִים**, עברו שנים, **וַתָּמָת בַּת שׁוּעַ אֵשֶׁת יְהוּדָה**, ששמה אינו ידוע, ולאחר שהתאבל עליה כראוי – **וַיִּנָּחֶם יְהוּדָה**, הפסיק את אבלו, **וַיַּעַל עַל**, יצא לבקר אצל **גֹּזְזֵי צֹאנוֹ**, שכנראה היו מרוחקים ממקום מושבו. אולי יהודה יצא לגז הצאן – אירוע חגיגי ומשמח – כדי להפיג את צערו על מות אשתו. **הוּא, וְחִירָה רֵעֵהוּ הָעֲדֻלָּמִי**, באו **תִּמְנָתָה**, אל תִּמנָה. ייתכן שחברו הקרוב בא לנחמו באבלו, ועתה נלווה אליו לגז הצאן.

יג **וַיֻּגַּד לְתָמָר לֵאמֹר: הִנֵּה חָמִיךְ עֹלֶה תִמְנָתָה לָגֹז צֹאנוֹ.** מכיוון שתמר הייתה שייכת למשפחה, נודע לה שיהודה יצא ממקומו. יד היא בחרה לפעול באופן חריג – **וַתָּסַר בִּגְדֵי אַלְמְנוּתָהּ מֵעָלֶיהָ.** אלמנות נהגו ללבוש בגדים מיוחדים, שהעידו על מצבן המשפחתי.[29] מנהג זה היה משמעותי במיוחד אצל אלמנה הממתינה לייבום, כתמר, שלא הייתה פנויה להינשא למי שתרצה. **וַתְּכַס בַּצָּעִיף**, רדיד גדול, יריעת אריג שהייתה עוטפת את הגוף כולו, **וַתִּתְעַלָּף**, התכסתה לגמרי, כדרכן של זונות, שבמקום בגדים רגילים היו לובשות בגדים רפויים יותר. **וַתֵּשֶׁב בְּפֶתַח** מקום שנקרא **עֵינַיִם**,[30] וייתכן שהיה זה מקום מעיינות,[31] **אֲשֶׁר עַל דֶּרֶךְ תִּמְנָתָה**, מקום שצריך לעבור בו בדרך לתמנה, שכן ארבה ליהודה. היא נהגה כך, לא משום שהיה דופי באישיותה, אלא מתוך ייאוש – **כִּי רָאֲתָה כִּי גָדַל שֵׁלָה**, והבשיל לנישואין בהתאם למנהגי המקום, ובכל זאת – **הִוא לֹא נִתְּנָה לוֹ לְאִשָּׁה.** לפיכך הבינה שיהודה אינו רוצה שתינשא לבנו, ושהיא עלולה להישאר אלמנה כל ימיה.

טו **וַיִּרְאֶהָ יְהוּדָה** בדרך, **וַיַּחְשְׁבֶהָ לְזוֹנָה, כִּי כִסְּתָה פָּנֶיהָ.** כנראה הזונות שם היו מכוסות למחצה. טז כיוון שיהודה היה אלמן בודד, בראותו אותה – **וַיֵּט אֵלֶיהָ אֶל הַדֶּרֶךְ**, סטה ממסלולו לכיוונה, **וַיֹּאמֶר: הָבָה נָּא אָבוֹא אֵלַיִךְ**, בחשבו שהיא אשה אנונימית, והכתוב מוסיף – **כִּי לֹא יָדַע כִּי כַלָּתוֹ הִוא.** לפי חוק התורה שלאחר מכן, יחסים בין חם לכלה נחשבים לגילוי עריות גמור לא רק בחיי הבן אלא גם אחרי

תִּתֶּן־לִי כִּי תָבוֹא אֵלָי: וַיֹּאמֶר אָנֹכִי אֲשַׁלַּח גְּדִי־ יז
עִזִּים מִן־הַצֹּאן וַתֹּאמֶר אִם־תִּתֵּן עֵרָבוֹן עַד שָׁלְחֶךָ:
וַיֹּאמֶר מָה הָעֵרָבוֹן אֲשֶׁר אֶתֶּן־לָּךְ וַתֹּאמֶר חֹתָמְךָ יח
וּפְתִילֶךָ וּמַטְּךָ אֲשֶׁר בְּיָדֶךָ וַיִּתֶּן־לָהּ וַיָּבֹא אֵלֶיהָ
וַתַּהַר לוֹ: וַתָּקָם וַתֵּלֶךְ וַתָּסַר צְעִיפָהּ מֵעָלֶיהָ וַתִּלְבַּשׁ יט
בִּגְדֵי אַלְמְנוּתָהּ: וַיִּשְׁלַח יְהוּדָה אֶת־גְּדִי הָעִזִּים כ
בְּיַד רֵעֵהוּ הָעֲדֻלָּמִי לָקַחַת הָעֵרָבוֹן מִיַּד הָאִשָּׁה
וְלֹא מְצָאָהּ: וַיִּשְׁאַל אֶת־אַנְשֵׁי מְקֹמָהּ לֵאמֹר אַיֵּה כא
הַקְּדֵשָׁה הִוא בָעֵינַיִם עַל־הַדָּרֶךְ וַיֹּאמְרוּ לֹא־הָיְתָה
בָזֶה קְדֵשָׁה: וַיָּשָׁב אֶל־יְהוּדָה וַיֹּאמֶר לֹא מְצָאתִיהָ כב
וְגַם אַנְשֵׁי הַמָּקוֹם אָמְרוּ לֹא־הָיְתָה בָזֶה קְדֵשָׁה:

רש"י | יז| עֵרָבוֹן. מַשְׁכּוֹן:

יח| חֹתָמְךָ וּפְתִילֶךָ. "עִזְקָתָךְ וְשׁוֹשִׁפָּךְ", טַבַּעַת שֶׁאַתָּה חוֹתֵם בָּהּ וְשִׂמְלָתְךָ שֶׁאַתָּה מִתְכַּסֶּה בָּהּ: וַתַּהַר לוֹ. גִּבּוֹרִים כַּיּוֹצֵא בוֹ, צַדִּיקִים כַּיּוֹצֵא בוֹ:

כא| הַקְּדֵשָׁה. מְקֻדֶּשֶׁת וּמְזֻמֶּנֶת לִזְנוּת:

הרחבות | קְדֵשׁוֹת שימשו תחילה במקדשים האליליים. הן היו זונות מקדש שהועסקו על ידי כהני המקום, ומעשיהן היו חלק מפולחן העבודה הזרה. עם הזמן הורחבה משמעות השם קְדֵשָׁה ומשמעותו הפכה נרדפת לזונה.

ביאור | מותו. ברור שכאן מתקיימת מערכת חוקים אחרת, שאף היא מונעת ממנה להיות אשתו.[32] לכן אין ספק שיהודה לא היה נוהג כך, אילו ידע את זהותה.

וַתֹּאמֶר: מַה תִּתֶּן לִי כִּי תָבוֹא אֵלָי? כזונה מקצועית עליה לקבל שכר.

יז **וַיֹּאמֶר: אָנֹכִי אֲשַׁלַּח גְּדִי עִזִּים מִן הַצֹּאן** כאתנן.

וַתֹּאמֶר: אִם תִּתֵּן עֵרָבוֹן עַד שָׁלְחֶךָ. כדי להבטיח שתשלם, תן לי עירבון כלשהו, עד שתשלח את הגדי.

יח **וַיֹּאמֶר: מָה הָעֵרָבוֹן אֲשֶׁר אֶתֶּן לָּךְ?** איזה עירבון תרצי?

וַתֹּאמֶר: חֹתָמְךָ, המצוי בטבעתך או הצמוד לגופך באופן אחר, **וּפְתִילֶךָ,** חגורתך **וּמַטְּךָ אֲשֶׁר בְּיָדֶךָ,** כנראה מטה מושלים, שכן יהודה נהג כמנהיג זוטר, כמשתמע מן ההמשך.

וַיִּתֶּן לָהּ, וַיָּבֹא אֵלֶיהָ, וַתַּהַר לוֹ. העובדה שיהודה נתן לה את חותמו האישי, חפץ שלא נהגו לתת או להשאיל, כיוון שבאמצעותו היו מאשרים את אמינותו של מסמך או מכתב, והוסיף אף חפצים אישיים אחרים, מעידה שלא נהג בשיקול דעת באותה עת.

יט אחרי שיהודה הלך, גם היא - **וַתָּקָם וַתֵּלֶךְ, וַתָּסַר צְעִיפָהּ מֵעָלֶיהָ, וַתִּלְבַּשׁ בִּגְדֵי אַלְמְנוּתָהּ.** היא השיגה את מבוקשתה, שכן כך הבטיחה שיהודה ייבם אותה, וכך ישתנה מעמדה, והיא תהפוך מאלמנה חשוכת ילדים לאשה נשואה לאיש ממשפחה זו ולאם.

כ לאחר זמן **וַיִּשְׁלַח יְהוּדָה אֶת גְּדִי הָעִזִּים** מתוך הגינותו, ומשום שהיה מעוניין בהשבת הערבונות שהפקיד בידיה, **בְּיַד רֵעֵהוּ הָעֲדֻלָּמִי,** כיוון שחירה היה חברו הקרוב, יהודה לא חשש ולא התבייש למנותו לשליחות זו. אולם, כשבא **לָקַחַת הָעֵרָבוֹן מִיַּד הָאִשָּׁה,** הגיע לאותו מקום **וְלֹא מְצָאָהּ.** כא **וַיִּשְׁאַל אֶת אַנְשֵׁי מְקֹמָהּ לֵאמֹר: אַיֵּה הַקְּדֵשָׁה,** הזונה אשר **הִיא** הייתה **בָעֵינַיִם,** באותו מקום, או: ליד המעין **עַל הַדָּרֶךְ?**

וַיֹּאמְרוּ: לֹא הָיְתָה בָזֶה קְדֵשָׁה.

כב **וַיָּשָׁב אֶל יְהוּדָה וַיֹּאמֶר:** אני **לֹא מְצָאתִיהָ, וְגַם אַנְשֵׁי הַמָּקוֹם אָמְרוּ: "לֹא הָיְתָה בָזֶה קְדֵשָׁה".**

כג וַיֹּאמֶר יְהוּדָה תִּקַּח־לָהּ פֶּן נִהְיֶה לָבוּז הִנֵּה שָׁלַחְתִּי
כד הַגְּדִי הַזֶּה וְאַתָּה לֹא מְצָאתָהּ׃ וַיְהִי ׀ כְּמִשְׁלֹשׁ חֳדָשִׁים
וַיֻּגַּד לִיהוּדָה לֵאמֹר זָנְתָה תָּמָר כַּלָּתֶךָ וְגַם הִנֵּה
כה הָרָה לִזְנוּנִים וַיֹּאמֶר יְהוּדָה הוֹצִיאוּהָ וְתִשָּׂרֵף׃ הִוא
מוּצֵאת וְהִיא שָׁלְחָה אֶל־חָמִיהָ לֵאמֹר לְאִישׁ אֲשֶׁר־
אֵלֶּה לּוֹ אָנֹכִי הָרָה וַתֹּאמֶר הַכֶּר־נָא לְמִי הַחֹתֶמֶת
כו וְהַפְּתִילִים וְהַמַּטֶּה הָאֵלֶּה׃ וַיַּכֵּר יְהוּדָה וַיֹּאמֶר
צָדְקָה מִמֶּנִּי כִּי־עַל־כֵּן לֹא־נְתַתִּיהָ לְשֵׁלָה בְנִי וְלֹא־
כז יָסַף עוֹד לְדַעְתָּהּ׃ וַיְהִי בְּעֵת לִדְתָּהּ וְהִנֵּה תְאוֹמִים

רש"י

כג) **תִּקַּח לָהּ.** יְהְיֶה שֶׁלָּהּ מַה שֶּׁבְּיָדָהּ: **פֶּן נִהְיֶה לָבוּז.** אִם תְּבַקְּשֶׁנָּה עוֹד יִתְפַּרְסֵם הַדָּבָר וְיִהְיֶה גְּנַאי, כִּי מָה עָלַי עוֹד לַעֲשׂוֹת לְאַמֵּת דְּבָרַי? "הִנֵּה שָׁלַחְתִּי הַגְּדִי הַזֶּה" וְגוֹ'! וּלְפִי שֶׁרִמָּה יְהוּדָה אֶת אָבִיו בִּגְדִי עִזִּים שֶׁהִטְבִּיל כְּתֹנֶת יוֹסֵף בְּדָמוֹ, רִמּוּהוּ גַּם הוּא בִּגְדִי עִזִּים:

כד) **כְּמִשְׁלֹשׁ חֳדָשִׁים.** רֻבּוֹ שֶׁל רִאשׁוֹן וְרֻבּוֹ שֶׁל אַחֲרוֹן וְאֶמְצָעִי שָׁלֵם. וּלְשׁוֹן "כְּמִשְׁלֹשׁ חֳדָשִׁים" כְּהִשְׁתַּלֵּשׁ הֶחֳדָשִׁים, כְּמוֹ: "וּמִשְׁלַח מָנוֹת" (אסתר ט, יט), "מִשְׁלוֹחַ יָדָם" (ישעיה יא, יד), וְכֵן תִּרְגֵּם אוּנְקְלוֹס: "כְּתַלְתּוּת יַרְחַיָּא": **הָרָה לִזְנוּנִים.** שֵׁם דָּבָר, מְעֻבֶּרֶת, כְּמוֹ: "אִשָּׁה הָרָה" (שמות כא, כב), וּכְמוֹ: "בָּרָה כַּחַמָּה" (שיר השירים ו, י): **וְתִשָּׂרֵף.** אָמַר אֶפְרַיִם מִקְשָׁאָה מִשּׁוּם רַבִּי מֵאִיר: בִּתּוֹ שֶׁל שֵׁם הָיְתָה שֶׁהוּא כֹּהֵן, לְפִיכָךְ דָּנוּהָ בִּשְׂרֵפָה (ב"ר פה, י):

כה) **הִוא מוּצֵאת.** לִשָּׂרֵף: **וְהִיא שָׁלְחָה אֶל חָמִיהָ.** לֹא רָצְתָה לְהַלְבִּין פָּנָיו וְלוֹמַר: מִמְּךָ אֲנִי מְעֻבֶּרֶת! אֶלָּא "לָאִישׁ אֲשֶׁר אֵלֶּה לוֹ". אָמְרָה: אִם יוֹדֶה – יוֹדֶה מֵעַצְמוֹ, וְאִם לָאו – יִשְׂרְפוּנִי וְאַל אַלְבִּין פָּנָיו. מִכָּאן אָמְרוּ: נוֹחַ לוֹ לְאָדָם שֶׁיַּפִּילוּהוּ לְכִבְשַׁן הָאֵשׁ וְאַל יַלְבִּין פְּנֵי חֲבֵרוֹ בָּרַבִּים: **הַכֶּר נָא.** אֵין 'נָא' אֶלָּא לְשׁוֹן בַּקָּשָׁה: הַכֶּר נָא בּוֹרַאֲךָ וְאַל תְּאַבֵּד שָׁלֹשׁ נְפָשׁוֹת:

כו) **צָדְקָה.** בִּדְבָרֶיהָ: **מִמֶּנִּי.** הִיא מְעֻבֶּרֶת. וְרַבּוֹתֵינוּ זִכְרוֹנָם לִבְרָכָה דָּרְשׁוּ שֶׁיָּצְתָה בַּת קוֹל וְאָמְרָה: מִמֶּנִּי וּמֵאִתִּי יָצְאוּ הַדְּבָרִים, לְפִי שֶׁהָיְתָה צְנוּעָה בְּבֵית חָמִיהָ גָּזַרְתִּי שֶׁיֵּצְאוּ מִמֶּנָּה מְלָכִים, וּמִשֵּׁבֶט יְהוּדָה גָּזַרְתִּי לְהַעֲמִיד מְלָכִים בְּיִשְׂרָאֵל: **כִּי עַל כֵּן לֹא נְתַתִּיהָ.** כִּי בַּדִּין עָשְׂתָה עַל אֲשֶׁר לֹא נְתַתִּיהָ לְשֵׁלָה בְּנִי: **וְלֹא יָסַף עוֹד.** יֵשׁ אוֹמְרִים לֹא הוֹסִיף, וְיֵשׁ אוֹמְרִים לֹא פָּסַק:

כז) **בְּעֵת לִדְתָּהּ.** וּבְרִבְקָה הוּא אוֹמֵר: "וַיִּמְלְאוּ יָמֶיהָ לָלֶדֶת" (לעיל כה, כד), לְהַלָּן לִמְלֵאִים וְכָאן לַחֲסֵרִים: **וְהִנֵּה תְאוֹמִים.** מָלֵא, וּלְהַלָּן (לעיל כה, כד) "תוֹמִם" חָסֵר, לְפִי שֶׁהָאֶחָד רָשָׁע, אֲבָל אֵלּוּ שְׁנֵיהֶם צַדִּיקִים:

ביאור

כג **וַיֹּאמֶר יְהוּדָה**: אם כך - **שתִּקַּח לָהּ** את העירבון, **פֶּן נִהְיֶה לָבוּז**, שמא יבוזו לי. **הִנֵּה שָׁלַחְתִּי הַגְּדִי הַזֶּה, וְאַתָּה לֹא מְצָאתָהּ**. אם אין היא רוצה או יכולה לתבוע את האתנן - יישאר העירבון בידיה. אף על פי שהחפצים שהפקיד בידיה היו חשובים ליהודה, הוא לא היה מעוניין להמשיך לחפש אחריה.

כד **וַיְהִי כְּמִשְׁלֹשׁ חֳדָשִׁים**, כשלושה חודשים לאחר פגישתו עם תמר **וַיֻּגַּד לִיהוּדָה לֵאמֹר: זָנְתָה תָּמָר כַּלָּתֶךָ**, והסימן לכך - **גַּם הִנֵּה הָרָה לִזְנוּנִים**. נראה שתמר הייתה שלמה עם המעשה שעשתה, שכן קיימה את רוח חוק הייבום, ועל כן לא ניסתה להסתיר את הריונה. ואולם כיוון שהיא פיתתה את יהודה בערמה, ואיש מלבדה לא ידע מיהו אבי העובר שבבטנה, הייתה נתונה בסכנה, משום שהייתה כבולה למשפחת בעליה ולאחיהם במעין קשר אירוסין.[33]

כיוון שלא שמרה על עצמה, דינה כדין אשה נשואה שזנתה, ועל כן, **וַיֹּאמֶר יְהוּדָה**, חמיה וראש המשפחה, שהיה אף בעל מעמד נכבד במיוחד: **הוֹצִיאוּהָ וְתִשָּׂרֵף**.

כה **הִוא מוּצֵאת** לקבל את עונשה, **וְהִיא שָׁלְחָה אֶל חָמִיהָ**. כיוון שהייתה כבולה, עטפה, מן הסתם, את חפצי העירבון שקיבלה מיהודה, ושלחה אותם אליו על ידי שליח, **לֵאמֹר**, שיאמר לו: **לְאִישׁ אֲשֶׁר אֵלֶּה לּוֹ אָנֹכִי הָרָה. וַתֹּאמֶר: הַכֶּר נָא לְמִי הַחֹתֶמֶת וְהַפְּתִילִים וְהַמַּטֶּה הָאֵלֶּה**.

כו **וַיַּכֵּר יְהוּדָה** את חפציו, **וַיֹּאמֶר: צָדְקָה מִמֶּנִּי**, בעצם היא צודקת, **כִּי עַל כֵּן**, מפני **שֶׁלֹּא נְתַתִּיהָ לְשֵׁלָה בְנִי**. לכן הייתה לה זכות מסוימת גם בי. על כן אי-אפשר להאשימה בזנות.

וְלֹא יָסַף עוֹד לְדַעְתָּהּ, לא קרב אליה עוד, שכן כבר מילא את חובתו. יהודה הכיר בחוקיות של יזמתה ושל פרי בטנה, אך לא היה מעוניין להמשיך את הקשר אִתה.

כז **וַיְהִי בְּעֵת לִדְתָּהּ** התברר - **וְהִנֵּה תְאוֹמִים בְּבִטְנָהּ**. כח **וַיְהִי בְלִדְתָּהּ**,

הרחבות

'ותשרף' היו שטענו טענה אנכרוניסטית למדי, שיהודה לא גזר עליה שרפה ממשית אלא צריבת אות קלון בגופה בברזל מלובן, כפי שהיה נהוג באירופה במשך שנים רבות (ראו פירוש ר"י החסיד; בעל הטורים).

בְּבִטְנָהּ: וַיְהִי בְלִדְתָּהּ וַיִּתֶּן־יָד וַתִּקַּח הַמְיַלֶּדֶת כח
וַתִּקְשֹׁר עַל־יָדוֹ שָׁנִי לֵאמֹר זֶה יָצָא רִאשֹׁנָה: וַיְהִי | כט
כְּמֵשִׁיב יָדוֹ וְהִנֵּה יָצָא אָחִיו וַתֹּאמֶר מַה־פָּרַצְתָּ עָלֶיךָ
פָּרֶץ וַיִּקְרָא שְׁמוֹ פָּרֶץ: וְאַחַר יָצָא אָחִיו אֲשֶׁר עַל־ ל
חמישי לה יָדוֹ הַשָּׁנִי וַיִּקְרָא שְׁמוֹ זָרַח: וְיוֹסֵף הוּרַד א לט
מִצְרָיְמָה וַיִּקְנֵהוּ פּוֹטִיפַר סְרִיס פַּרְעֹה שַׂר הַטַּבָּחִים
אִישׁ מִצְרִי מִיַּד הַיִּשְׁמְעֵאלִים אֲשֶׁר הוֹרִדֻהוּ שָׁמָּה:
וַיְהִי יהוה אֶת־יוֹסֵף וַיְהִי אִישׁ מַצְלִיחַ וַיְהִי בְּבֵית ב
אֲדֹנָיו הַמִּצְרִי: וַיַּרְא אֲדֹנָיו כִּי יהוה אִתּוֹ וְכֹל אֲשֶׁר־ ג
הוּא עֹשֶׂה יהוה מַצְלִיחַ בְּיָדוֹ: וַיִּמְצָא יוֹסֵף חֵן בְּעֵינָיו ד
וַיְשָׁרֶת אֹתוֹ וַיַּפְקִדֵהוּ עַל־בֵּיתוֹ וְכָל־יֶשׁ־לוֹ נָתַן בְּיָדוֹ:
וַיְהִי מֵאָז הִפְקִיד אֹתוֹ בְּבֵיתוֹ וְעַל כָּל־אֲשֶׁר יֶשׁ־לוֹ ה

רש"י

כח| **וַיִּתֶּן יָד.** הוֹצִיא הָאֶחָד יָדוֹ לַחוּץ, וּלְאַחַר שֶׁקָּשְׁרָה עַל יָדוֹ הַשָּׁנִי הֶחֱזִירָהּ:

כט| **פָּרַצְתָּ.** חָזַקְתָּ, עָלֶיךָ חֹזֶק:

ל| **אֲשֶׁר עַל יָדוֹ הַשָּׁנִי.** אַרְבַּע יָדוֹת כְּתוּבוֹת כָּאן, כְּנֶגֶד אַרְבָּעָה חֲרָמִים שֶׁמָּעַל עָכָן שֶׁיָּצָא מִמֶּנּוּ. וְיֵשׁ אוֹמְרִים: כְּנֶגֶד אַרְבָּעָה דְּבָרִים שֶׁלָּקַח: אַדֶּרֶת שִׁנְעָר, וּשְׁתֵּי חֲתִיכוֹת כֶּסֶף שֶׁל מָאתַיִם שְׁקָלִים, וּלְשׁוֹן זָהָב (יהושע ז, כא). בְּרֵאשִׁית רַבָּה (פה, יד): **וַיִּקְרָא שְׁמוֹ זָרַח.** עַל שֵׁם זְרִיחַת מַרְאִית הַשָּׁנִי:

פרק לט

א| **וְיוֹסֵף הוּרַד.** חוֹזֵר לְעִנְיָן רִאשׁוֹן, אֶלָּא שֶׁהִפְסִיק בּוֹ כְּדֵי לִסְמֹךְ יְרִידָתוֹ שֶׁל יְהוּדָה לִמְכִירָתוֹ שֶׁל יוֹסֵף, לוֹמַר שֶׁבִּשְׁבִילוֹ הוֹרִידוּהוּ מִגְּדֻלָּתוֹ. וְעוֹד, כְּדֵי לִסְמֹךְ מַעֲשֵׂה אִשְׁתּוֹ שֶׁל פּוֹטִיפַר לְמַעֲשֵׂה תָמָר, לוֹמַר לְךָ, מַה זּוֹ לְשֵׁם שָׁמַיִם אַף זוֹ לְשֵׁם שָׁמַיִם, שֶׁרָאֲתָה בְּאִצְטַגְנִינוּת שֶׁלָּהּ שֶׁעֲתִידָה לְהַעֲמִיד בָּנִים מִמֶּנּוּ, וְאֵינָהּ יוֹדַעַת אִם מִמֶּנָּה אִם מִבִּתָּהּ:

ג| **כִּי ה' אִתּוֹ.** שֵׁם שָׁמַיִם שָׁגוּר בְּפִיו:

ד| **וְכָל יֶשׁ לוֹ.** הֲרֵי לָשׁוֹן קָצָר, חָסֵר 'אֲשֶׁר':

הרחבות

מעשה תמר בדומה לאם התאומים האחרת - רבקה - גם תמר היא אישיות דעתנית, שהחליטה ופעלה בעקיפין, שלא במסגרת הנורמה. היא נהגה בעוז לפי ראות עיניה, חרף הסיכון הכרוך בדבר ובלי להתחשב בתדמיתה החברתית. בפרספקטיבה היסטורית זכתה תמר באישורו של ה', שכן מבנה פרץ וממעשיה אלו יצאה השושלת המפוארת של מלכות בית דוד בישראל.

ביאור | בזמן הלידה, שכנראה לא הייתה קלה, אחד התינוקות הללו - **וַיִּתֶּן**
יָד, הושיט את ידו החוצה. נוכח מאורע חריג זה - **וַתִּקַּח הַמְיַלֶּדֶת,**
וַתִּקְשֹׁר עַל יָדוֹ שָׁנִי, חוט צמר שנצבע באמצעות תולעת שני
באדום. **לֵאמֹר**, כסימן שמשמעו: **זֶה יָצָא רִאשֹׁנָה**, כדי לזהות את
הבן הבכור. כט אולם **וַיְהִי כְּמֵשִׁיב יָדוֹ**. תוך כדי הלידה חזרה היד
פנימה, **וְהִנֵּה יָצָא אָחִיו** ראשון, וכך התינוק שלא סומן כבכור היה
הבכור. **וַתֹּאמֶר** לתינוק שיצא ראשון: **מַה פָּרַצְתָּ עָלֶיךָ פָּרֶץ**, התפרצת,
הרי אחיך כבר עמד לצאת לפניך?! לכן - **וַיִּקְרָא** יהודה את **שְׁמוֹ פָּרֶץ**.

ל **וְאַחַר יָצָא אָחִיו אֲשֶׁר עַל יָדוֹ הַשָּׁנִי, וַיִּקְרָא שְׁמוֹ זָרַח**, בגלל הצבע
האדום שהבהיק בחוט שעל ידו.

יוסף – מבית פוטיפר לבית האסורים

פרק לט

העניין הקודם, שפתח בירידתו של יהודה, בנה הבכיר של לאה, קטע את העלילה המרכזית - סיפורו של יוסף, בכור רחל. כאן נמשכות קורותיו של יוסף מאז הורד מצרימה.

פרק לט א **וְיוֹסֵף הוּרַד מִצְרָיְמָה** כעבד חסר זכויות. **וַיִּקְנֵהוּ פּוֹטִיפַר**
סְרִיס פַּרְעֹה, שַׂר הַטַּבָּחִים שהיה **אִישׁ מִצְרִי מִיַּד הַיִּשְׁמְעֵאלִים אֲשֶׁר**
הוֹרִדֻהוּ שָׁמָּה. ב **וַיְהִי ה׳ אֶת**, עם **יוֹסֵף, וַיְהִי אִישׁ מַצְלִיחַ** בבית
פוטיפר. אף על פי שהגיע כצעיר חסר ניסיון שאינו דובר את לשון
המקום, ואף על פי שהיה עליו לגשר על פער תרבותי גדול, שכן בא
מתרבות כפרית אל העיר המפותחת, הצלחתו בלטה לעיני כול.
וַיְהִי בְּבֵית אֲדֹנָיו הַמִּצְרִי. ג אחרי שיוסף שהה שם - **וַיַּרְא אֲדֹנָיו כִּי**
ה׳ אִתּוֹ, וְכֹל אֲשֶׁר הוּא עֹשֶׂה ה׳ מַצְלִיחַ בְּיָדוֹ. תחילה פוטיפר הבחין
בהצלחתו. ד **וַיִּמְצָא יוֹסֵף חֵן בְּעֵינָיו**, בעיני פוטיפר, **וַיְשָׁרֶת אֹתוֹ**. עבד
כמשרתו האישי. לאחר מכן, העלה אותו פוטיפר בדרגה - **וַיַּפְקִדֵהוּ**,
מינה אותו **עַל בֵּיתוֹ, וְכָל** מה **שֶׁיֶּשׁ לוֹ נָתַן בְּיָדוֹ**, מפני שראה הן את
הצלחתו הן את אמינותו. ה **וַיְהִי מֵאָז הִפְקִיד אֹתוֹ בְּבֵיתוֹ וְעַל כָּל**

וַיְבָרֶךְ יְהוָה אֶת־בֵּית הַמִּצְרִי בִּגְלַל יוֹסֵף וַיְהִי בִּרְכַּת
יְהוָה בְּכָל־אֲשֶׁר יֶשׁ־לוֹ בַּבַּיִת וּבַשָּׂדֶה: וַיַּעֲזֹב כָּל־ ו
אֲשֶׁר־לוֹ בְּיַד־יוֹסֵף וְלֹא־יָדַע אִתּוֹ מְאוּמָה כִּי אִם־
הַלֶּחֶם אֲשֶׁר־הוּא אוֹכֵל וַיְהִי יוֹסֵף יְפֵה־תֹאַר וִיפֵה
ששי מַרְאֶה: וַיְהִי אַחַר הַדְּבָרִים הָאֵלֶּה וַתִּשָּׂא אֵשֶׁת־ ז
אֲדֹנָיו אֶת־עֵינֶיהָ אֶל־יוֹסֵף וַתֹּאמֶר שִׁכְבָה עִמִּי:
וַיְמָאֵן ׀ וַיֹּאמֶר אֶל־אֵשֶׁת אֲדֹנָיו הֵן אֲדֹנִי לֹא־יָדַע ח
אִתִּי מַה־בַּבָּיִת וְכֹל אֲשֶׁר־יֶשׁ־לוֹ נָתַן בְּיָדִי: אֵינֶנּוּ ט
גָדוֹל בַּבַּיִת הַזֶּה מִמֶּנִּי וְלֹא־חָשַׂךְ מִמֶּנִּי מְאוּמָה
כִּי אִם־אוֹתָךְ בַּאֲשֶׁר אַתְּ־אִשְׁתּוֹ וְאֵיךְ אֶעֱשֶׂה
הָרָעָה הַגְּדֹלָה הַזֹּאת וְחָטָאתִי לֵאלֹהִים: וַיְהִי י
כְּדַבְּרָהּ אֶל־יוֹסֵף יוֹם ׀ יוֹם וְלֹא־שָׁמַע אֵלֶיהָ לִשְׁכַּב
אֶצְלָהּ לִהְיוֹת עִמָּהּ: וַיְהִי כְּהַיּוֹם הַזֶּה וַיָּבֹא הַבַּיְתָה יא
לַעֲשׂוֹת מְלַאכְתּוֹ וְאֵין אִישׁ מֵאַנְשֵׁי הַבַּיִת שָׁם

רש"י

ו-ז] וְלֹא יָדַע אִתּוֹ מְאוּמָה. לֹא הָיָה נוֹתֵן לִבּוֹ לִכְלוּם: כִּי אִם הַלֶּחֶם. הִיא אִשְׁתּוֹ, אֶלָּא שֶׁדִּבֵּר בְּלָשׁוֹן נְקִיָּה: וַיְהִי יוֹסֵף יְפֵה תֹאַר. כֵּיוָן שֶׁרָאָה עַצְמוֹ מוֹשֵׁל, הִתְחִיל אוֹכֵל וְשׁוֹתֶה וּמְסַלְסֵל בִּשְׂעָרוֹ. אָמַר הַקָּדוֹשׁ בָּרוּךְ הוּא: אָבִיךָ מִתְאַבֵּל, וְאַתָּה מְסַלְסֵל בִּשְׂעָרְךָ?! אֲנִי מְגָרֶה בְּךָ אֶת הַדֹּב! מִיָּד – "וַתִּשָּׂא אֵשֶׁת אֲדֹנָיו" וְגוֹ'; כָּל מָקוֹם שֶׁנֶּאֱמַר 'אַחַר' – סָמוּךְ:

ט] וְחָטָאתִי לֵאלֹהִים. בְּנֵי נֹחַ נִצְטַוּוּ עַל הָעֲרָיוֹת:

י] לִשְׁכַּב אֶצְלָהּ. אֲפִלּוּ בְּלֹא תַּשְׁמִישׁ: לִהְיוֹת עִמָּהּ. לָעוֹלָם הַבָּא:

יא] וַיְהִי כְּהַיּוֹם הַזֶּה. כְּלוֹמַר, וַיְהִי כַּאֲשֶׁר הִגִּיעַ יוֹם מְיֻחָד, יוֹם צְחוֹק, יוֹם אֵיד שֶׁלָּהֶם, שֶׁהָלְכוּ כֻּלָּם לְבֵית עֲבוֹדָה זָרָה; אָמְרָה: אֵין לִי יוֹם הָגוּן לְזַקֵּק לְיוֹסֵף כְּהַיּוֹם הַזֶּה. אָמְרָה לָהֶם: חוֹלָה אֲנִי וְאֵינִי יְכוֹלָה לֵילֵךְ: לַעֲשׂוֹת מְלַאכְתּוֹ. רַב וּשְׁמוּאֵל, חַד אָמַר: מְלַאכְתּוֹ מַמָּשׁ, וְחַד אָמַר: לַעֲשׂוֹת צְרָכָיו עִמָּהּ, אֶלָּא שֶׁנִּרְאֵית לוֹ דְּמוּת דְּיוֹקְנוֹ שֶׁל אָבִיו וְכוּ', כִּדְאִיתָא בְּמַסֶּכֶת סוֹטָה (דף לו ע"ב):

ביאור
אֲשֶׁר יֶשׁ לוֹ, וַיְבָרֶךְ ה׳ אֶת בֵּית הַמִּצְרִי בִּגְלַל יוֹסֵף. וַיְהִי בִּרְכַּת ה׳ בְּכָל
אֲשֶׁר יֶשׁ לוֹ – בַּבַּיִת וּבַשָּׂדֶה. נוסף על שגשוגו של יוסף, גילה פוטיפר
שההצלחה האירה פניה גם לו עצמו. הוא חש שנוכחותו של יוסף
הביאה אל ביתו ונכסיו ברכה.[34] ו על כן - **וַיַּעֲזֹב כָּל אֲשֶׁר לוֹ בְּיַד יוֹסֵף,**
הוא העביר את ניהול משק ביתו ביד יוסף. **וְלֹא יָדַע אִתּוֹ מְאוּמָה.**
מכיוון שסמך על יוסף לחלוטין לא ערך ביקורת אחריו ולא בדק
אחריו, **כִּי אִם הַלֶּחֶם אֲשֶׁר הוּא אוֹכֵל.** פוטיפר היה מגיע לביתו רק
לשם אכילת לחמו, ולא נדרש לעסוק עוד בענייני הבית.[35] ההערה
הבאה משמעותית להמשך הסיפור - **וַיְהִי יוֹסֵף יְפֵה תֹאַר וִיפֵה מַרְאֶה.**
נראה שיוסף, שהיה אז כבן שמונה–עשרה או עשרים, היה דומה
לאמו, שאף היא תוארה כך.[36]

ז **וַיְהִי אַחַר הַדְּבָרִים הָאֵלֶּה.** אחרי שיוסף קודם למעמד גבוה משל
שאר משרתי פוטיפר, ומן הסתם התלבש באופן מרשים יותר - **וַתִּשָּׂא**
אֵשֶׁת אֲדֹנָיו אֶת עֵינֶיהָ אֶל יוֹסֵף, חשקה בו, **וַתֹּאמֶר: שִׁכְבָה עִמִּי.** בהיותו
עבד היא דיברה אליו באופן ישיר ובוטה.

ח **וַיְמָאֵן.** כדי שאשת פוטיפר לא תיפגע מסירובו של המשרת, הוא
הסביר לה שלא סירב להצעתה בגלל המראה שלה וכדומה - **וַיֹּאמֶר**
אֶל אֵשֶׁת אֲדֹנָיו: הֵן אֲדֹנִי, פוטיפר **לֹא יָדַע אִתִּי מַה,** הוא סומך עלי,
עד כדי כך שאין הוא יודע דבר על ענייני **בַּבָּיִת, וְכֹל אֲשֶׁר יֶשׁ לוֹ נָתַן**
בְּיָדִי. ט **אֵינֶנּוּ גָּדוֹל בַּבַּיִת הַזֶּה מִמֶּנִּי, וְלֹא חָשַׂךְ מִמֶּנִּי מְאוּמָה,** הוא
העניק לי תנאי חיים טובים, ולא מנע ממני בבית - **כִּי אִם אוֹתָךְ,**
בַּאֲשֶׁר אַתְּ אִשְׁתּוֹ. ומעבר לנימוק האנושי, שתהיה זו בגידה וכפיות
טובה כלפי האדון שהעניק לי תנאי עבודה אלו ונתן בי אמון, קיים גם
הנימוק הדתי - **וְאֵיךְ אֶעֱשֶׂה הָרָעָה הַגְּדֹלָה הַזֹּאת, וְחָטָאתִי לֵאלֹהִים?**[37]

י **וַיְהִי כְּדַבְּרָהּ אֶל יוֹסֵף יוֹם יוֹם.** למרות סירובו המשיכה בהפצרותיה,
וְלֹא שָׁמַע אֵלֶיהָ לִשְׁכַּב אֶצְלָהּ, לִהְיוֹת עִמָּהּ. היא ניסתה לפתותו בכל
יכולתה. וכשסירב ביקשה ממנו שישכב במיטתה בלבד, שיהיה רק
בצדה.[38] אך ככל שהפצירה, יוסף, שנקרע בין המגבלה המצפונית
והדתית לבין הפיתוי, התאמץ לחמוק ממנה.[39]

יא **וַיְהִי כְּהַיּוֹם הַזֶּה,** באחד הימים, שהיה כנראה יום חגיגי, **וַיָּבֹא יוֹסֵף**
הַבַּיְתָה לַעֲשׂוֹת מְלַאכְתּוֹ, וְאֵין אִישׁ מֵאַנְשֵׁי הַבַּיִת שָׁם בַּבָּיִת, ייתכן

בַּבָּיִת׃ וַתִּתְפְּשֵׂהוּ בְּבִגְדוֹ לֵאמֹר שִׁכְבָה עִמִּי וַיַּעֲזֹב יב
בִּגְדוֹ בְּיָדָהּ וַיָּנָס וַיֵּצֵא הַחוּצָה׃ וַיְהִי כִּרְאוֹתָהּ כִּי־ יג
עָזַב בִּגְדוֹ בְּיָדָהּ וַיָּנָס הַחוּצָה׃ וַתִּקְרָא לְאַנְשֵׁי בֵיתָהּ יד
וַתֹּאמֶר לָהֶם לֵאמֹר רְאוּ הֵבִיא לָנוּ אִישׁ עִבְרִי
לְצַחֶק בָּנוּ בָּא אֵלַי לִשְׁכַּב עִמִּי וָאֶקְרָא בְּקוֹל גָּדוֹל׃
וַיְהִי כְשָׁמְעוֹ כִּי־הֲרִימֹתִי קוֹלִי וָאֶקְרָא וַיַּעֲזֹב בִּגְדוֹ טו
אֶצְלִי וַיָּנָס וַיֵּצֵא הַחוּצָה׃ וַתַּנַּח בִּגְדוֹ אֶצְלָהּ עַד־בּוֹא טז
אֲדֹנָיו אֶל־בֵּיתוֹ׃ וַתְּדַבֵּר אֵלָיו כַּדְּבָרִים הָאֵלֶּה לֵאמֹר יז
בָּא אֵלַי הָעֶבֶד הָעִבְרִי אֲשֶׁר־הֵבֵאתָ לָּנוּ לְצַחֶק בִּי׃
וַיְהִי כַּהֲרִימִי קוֹלִי וָאֶקְרָא וַיַּעֲזֹב בִּגְדוֹ אֶצְלִי וַיָּנָס יח
הַחוּצָה׃ וַיְהִי כִשְׁמֹעַ אֲדֹנָיו אֶת־דִּבְרֵי אִשְׁתּוֹ אֲשֶׁר יט
דִּבְּרָה אֵלָיו לֵאמֹר כַּדְּבָרִים הָאֵלֶּה עָשָׂה לִי עַבְדֶּךָ
וַיִּחַר אַפּוֹ׃ וַיִּקַּח אֲדֹנֵי יוֹסֵף אֹתוֹ וַיִּתְּנֵהוּ אֶל־בֵּית כ
הַסֹּהַר מְקוֹם אֲשֶׁר־אסורי הַמֶּלֶךְ אֲסוּרִים וַיְהִי־שָׁם אֲסִירֵי
בְּבֵית הַסֹּהַר׃ וַיְהִי יהוה אֶת־יוֹסֵף וַיֵּט אֵלָיו חָסֶד כא

רש"י

יד] רְאוּ הֵבִיא לָנוּ. הֲרֵי זֶה לְשׁוֹן קְצָרָה, ״הֵבִיא לָנוּ״ וְלֹא פֵּרֵשׁ מִי הֱבִיאוֹ, וְעַל בַּעְלָהּ אוֹמֶרֶת כֵּן: עִבְרִי. מֵעֵבֶר הַנָּהָר, מִבְּנֵי עֵבֶר:

טז] אֲדֹנָיו. שֶׁל יוֹסֵף:

יז] בָּא אֵלַי. לְצַחֶק בִּי, הָעֶבֶד הָעִבְרִי אֲשֶׁר הֵבֵאתָ לָּנוּ:

יט] וַיְהִי כִשְׁמֹעַ אֲדֹנָיו. בִּשְׁעַת תַּשְׁמִישׁ אָמְרָה לוֹ, וְזֶהוּ שֶׁאָמְרָה: ״כַּדְּבָרִים הָאֵלֶּה עָשָׂה לִי עַבְדֶּךָ״ – עִנְיְנֵי תַשְׁמִישׁ כָּאֵלֶּה:

כא] וַיֵּט אֵלָיו חָסֶד. שֶׁהָיָה מְקֻבָּל לְכָל רוֹאָיו, לְשׁוֹן ׳כַּלָּה נָאָה וַחֲסוּדָה׳ שֶׁבַּמִּשְׁנָה (כתובות יז ע״א):

הרחבות

׳אִישׁ עִבְרִי׳ מעבר למשמעות העובדתית של הביטוי אִישׁ עִבְרִי, ביטוי זה לא היה ניטרלי במצרים. מכתבים מצריים קדומים עולה שהמצרים זלזלו בעברים. העברים היו בני גזע ותרבות שונים ונתפסו בעיניהם כדוחים ופרימיטיביים.

ביאור

שכולם יצאו לחגוג באירוע או בחג כלשהו.[40] יוסף העבד הנאמן
נשאר בבית, ואילו האשה לא הלכה בגלל תכניותיה - יב **וַתִּתְפְּשֵׂהוּ**
בְּבִגְדוֹ לֵאמֹר: שִׁכְבָה עִמִּי. תביעתה החריפה - היא החזיקה בבגדו.
וַיַּעֲזֹב בִּגְדוֹ בְּיָדָהּ. בגדיהם היו גלימות עיטוף. לכן כשאחזה בבגדו,
יכול היה לפשטו ולהשאירו בידה. **וַיָּנָס,** יוסף ברח ממנה **וַיֵּצֵא הַחוּצָה.**

יג **וַיְהִי כִּרְאוֹתָהּ כִּי עָזַב בִּגְדוֹ בְּיָדָהּ וַיָּנָס הַחוּצָה,** כאשר כבר לא יכלה
לפרש עוד את סירובו כניסיון להתגרות בה או כדחיית העניין לזמן
מתאים יותר, חשה את עצמת העלבון, הן משום שלא הגשימה
את תשוקתה, הן משום שהעבד - הנחות ממנה - העז לסרב
לה. יד אשת פוטיפר ביקשה אפוא לחפות על עצמה ואף לנקום
בו - **וַתִּקְרָא לְאַנְשֵׁי בֵיתָהּ, וַתֹּאמֶר לָהֶם לֵאמֹר: רְאוּ, הֵבִיא לָנוּ** - לא
הזכירה מי הביא, אך ברור שהיא מתכוונת לבעלה - **אִישׁ עִבְרִי**
לְצַחֶק בָּנוּ. לשטות[41] או להתעלל בנו.[42] **בָּא אֵלַי לִשְׁכַּב עִמִּי - וָאֶקְרָא**
בְּקוֹל גָּדוֹל. כאשה הגונה צעקתי מיד. טו **וַיְהִי כְשָׁמְעוֹ כִּי הֲרִימֹתִי**
קוֹלִי וָאֶקְרָא, וַיַּעֲזֹב בִּגְדוֹ אֶצְלִי. וַיָּנָס וַיֵּצֵא הַחוּצָה.

טז אשת פוטיפר לא הסתפקה בסיפור הדבר באוזני אנשי ביתה - **וַתַּנַּח**
בִּגְדוֹ אֶצְלָהּ, עַד בּוֹא אֲדֹנָיו אֶל בֵּיתוֹ. יז **וַתְּדַבֵּר אֵלָיו כַּדְּבָרִים הָאֵלֶּה**
לֵאמֹר שוב: **בָּא אֵלַי הָעֶבֶד הָעִבְרִי אֲשֶׁר הֵבֵאתָ לָּנוּ,** שאתה גידלת
ורוממת, **לְצַחֶק בִּי.** יח **וַיְהִי כַּהֲרִימִי קוֹלִי וָאֶקְרָא - וַיַּעֲזֹב בִּגְדוֹ אֶצְלִי**
וַיָּנָס הַחוּצָה.

יט **וַיְהִי כִשְׁמֹעַ אֲדֹנָיו אֶת דִּבְרֵי אִשְׁתּוֹ, אֲשֶׁר דִּבְּרָה אֵלָיו לֵאמֹר: כַּדְּבָרִים**
הָאֵלֶּה עָשָׂה לִי עַבְדֶּךָ, ניסה לאנוס אותי, **וַיִּחַר אַפּוֹ.** פוטיפר כעס, אך
הכתוב אינו אומר על מי. כ **וַיִּקַּח אֲדֹנֵי יוֹסֵף אֹתוֹ, וַיִּתְּנֵהוּ אֶל בֵּית**
הַסֹּהַר. ללא כל דיון או משפט פוטיפר כלא את יוסף כדי להענישו
בִּמְקוֹם אֲשֶׁר אֲסִירֵי הַמֶּלֶךְ אֲסוּרִים. מן ההמשך מסתבר שאלה היו
אסירים פוליטיים מכובדים ולא עבריינים פליליים. **וַיְהִי שָׁם בְּבֵית**
הַסֹּהַר כאחד האסירים.

כא **וַיְהִי ה' אֶת יוֹסֵף, וַיֵּט אֵלָיו חָסֶד. וַיִּתֵּן חִנּוֹ בְּעֵינֵי שַׂר בֵּית הַסֹּהַר.**

הרחבות

'ויתנהו אל בית הסהר' תגובתו המתונה של פוטיפר כלפי מה שסיפרה לו אשתו עשויה ללמד משהו על עמדתו לגבי האירוע. באותם דורות לא נחשבו אפילו חייהם של אנשים חופשיים; על אחת כמה וכמה - חייהם של עבדים. כאן גבירה האשימה

כב וַיִּתֵּן חִנּוֹ בְּעֵינֵי שַׂר בֵּית־הַסֹּהַר׃ וַיִּתֵּן שַׂר בֵּית־הַסֹּהַר
בְּיַד־יוֹסֵף אֵת כָּל־הָאֲסִירִם אֲשֶׁר בְּבֵית הַסֹּהַר וְאֵת
כג כָּל־אֲשֶׁר עֹשִׂים שָׁם הוּא הָיָה עֹשֶׂה׃ אֵין ׀ שַׂר בֵּית־
הַסֹּהַר רֹאֶה אֶת־כָּל־מְאוּמָה בְּיָדוֹ בַּאֲשֶׁר יְהוָה אִתּוֹ
וַאֲשֶׁר־הוּא עֹשֶׂה יְהוָה מַצְלִיחַ׃

מ א שביעי וַיְהִי אַחַר הַדְּבָרִים הָאֵלֶּה חָטְאוּ מַשְׁקֵה מֶלֶךְ־
ב מִצְרַיִם וְהָאֹפֶה לַאֲדֹנֵיהֶם לְמֶלֶךְ מִצְרָיִם׃ וַיִּקְצֹף
פַּרְעֹה עַל שְׁנֵי סָרִיסָיו עַל שַׂר הַמַּשְׁקִים וְעַל שַׂר
ג הָאוֹפִים׃ וַיִּתֵּן אֹתָם בְּמִשְׁמַר בֵּית שַׂר הַטַּבָּחִים
ד אֶל־בֵּית הַסֹּהַר מְקוֹם אֲשֶׁר יוֹסֵף אָסוּר שָׁם׃ וַיִּפְקֹד

רש"י

כב **הוּא הָיָה עֹשֶׂה.** כְּתַרְגּוּמוֹ: "בְּמֵימְרֵיהּ הֲוָה מִתְעֲבִיד":

כג **בַּאֲשֶׁר ה' אִתּוֹ.** בִּשְׁבִיל שֶׁה' אִתּוֹ:

פרק מ

א **אַחַר הַדְּבָרִים הָאֵלֶּה.** לְפִי שֶׁהִרְגִּילָה אוֹתָהּ אֲרוּרָה אֶת הַצַּדִּיק בְּפִי כֻּלָּם לְדַבֵּר בּוֹ, הֵבִיא לָהֶם הַקָּדוֹשׁ בָּרוּךְ הוּא סֻרְחָנָם שֶׁל אֵלּוּ, שֶׁיִּפְנוּ אֲלֵיהֶם וְלֹא אֵלָיו; וְעוֹד שֶׁתָּבוֹא הָרְוָחָה לַצַּדִּיק עַל יְדֵיהֶם: **חָטְאוּ.** זֶה נִמְצָא זְבוּב בְּפִיָּלֵי פּוֹטֵירִין שֶׁלּוֹ, וְזֶה נִמְצָא צְרוֹר בִּגְלוּסְקִין שֶׁלּוֹ: **וְהָאֹפֶה.** אֶת פַּת הַמֶּלֶךְ, וְאֵין לְשׁוֹן אֲפִיָּה אֶלָּא בְּפַת, וּבְלַעַז פישטו"ר:

הרחבות

עבד בניסיון לאונס, ובניגוד לעונשים החמורים שהיו מקובלים על מעשים כאלה, פוטיפר שלח אותו למאסר בלבד. אפילו לא ברור על מי כעס פוטיפר - האם כעס על יוסף, על עצמו - כיוון שהוא שזימן את המצב המביך הזה, או על אשתו. ייתכן שחשד מראש בטיב יחסה של אשתו כלפי יוסף, ובלבו נתן אמון בגרסת יוסף יותר מאשר בסיפור שלה (ראו ראב"ע).

המשקה והאופה אלו הם שני תפקידים מכובדים, לא רק בשל זיקתם לצרכיו של המלך אלא משום שמדובר בתפקידי אמון. משקה המלך ומאכלו עשויים להיות הדרך הפשוטה ביותר להרעלתו. על כן לתפקידים אלו ימונו רק מי שנאמנותם למלך אינה מוטלת בספק.

כבודו של שר המשקים בא לביטוי בדוגמה מאוחרת: נחמיה, שהיה שר המשקים של מלך פרס, ניצל את מעמדו זה וביקש מהמלך דברים שאיש מלבדו לא היה מעז לבקש (נחמיה א,יא-ב,ט).

ליוסף היה הכשרון לשאת חן בעיני אנשים מחוץ למשפחתו. קסמו | ביאור
האישי פעל את פעולתו גם בשר בית הסוהר, שהבחין בו, כב ולאחר
זמן מה - **וַיִּתֵּן שַׂר בֵּית הַסֹּהַר בְּיַד יוֹסֵף אֵת כָּל הָאֲסִירִם אֲשֶׁר בְּבֵית**
הַסֹּהַר. אף על פי שיוסף עדיין היה אסיר, שוב זכה בתפקיד ניהולי.
כנראה נחשב לאסיר נאמן ומוצלח ולמנהל מצוין, ולכן התמנה
לטפל בענייניהם של כל האסירים. **וְאֵת כָּל אֲשֶׁר עֹשִׂים שָׁם הוּא**,
יוסף, **הָיָה עֹשֶׂה**. יוסף קבע את סדרי בית הסוהר - מהם זמני האוכל,
זמני היציאה ושאר סדרי החיים של האסירים. כג לאחר זמן אף
כאן - **אֵין שַׂר בֵּית הַסֹּהַר רֹאֶה אֶת כָּל מְאוּמָה בְּיָדוֹ**. שר בית הסוהר
סמך עליו באופן מוחלט, ולא בדק אחריו דבר, **בַּאֲשֶׁר** הכול ראו כי **ה'**
אִתּוֹ, וַאֲשֶׁר הוּא עֹשֶׂה - ה' מַצְלִיחַ. יוסף לא היה רק יפה תואר ויפה
מראה; קסמו האישי פעל על כל סביבתו - על פוטיפר, על אשתו
ועל שר בית הסוהר, ובהמשך הוא יפעל גם על אנשים נוספים. בצד
הצלחתו הגשמית החריגה דבר-מה באישיותו משדר לסובביו שה'
עמו, ושהוא קשור אל הקדושה העליונה.

יוסף פותר חלומות

פרק מ

יוסף כונה על ידי אחיו בַּעַל הַחֲלֹמוֹת, ואכן מסלול חייו הדרמטי עובר דרך חלומות. ראשיתו - בחלומות שחלם הוא. לבחירתו לספר את חלומותיו לאחיו היה חלק בדחייתו אל מחוץ לבית אביו ולארץ מושבו - מה שנראה במבט ראשון כנפילה וכהתרחקות מבשורות הגדלות שהשתקפה בחלומות. עלייתו עד כדי הגשמת חלומות נעוריו תתרחש באמצעות חלומותיהם של אחרים. בעניין זה יוסף, השרוי במצב שפל, בבור בית האסורים, משכיל לפתור את חלומותיהם של שני שכניו. הצלחתו בפתירת חלומותיהם היא שתסלול בעניין הבא את דרכו אל פרעה, כשיזדקק הוא לפותר חלומות.

פרק מ א **וַיְהִי אַחַר הַדְּבָרִים הָאֵלֶּה**, לאחר שיוסף קיבל תפקיד
משמעותי בבית הסוהר, **חָטְאוּ מַשְׁקֵה מֶלֶךְ מִצְרַיִם**, שר המשקים,
האחראי על נתינת המשקה למלך, **וְהָאֹפֶה**, שר האופים של המלך,
לַאֲדֹנֵיהֶם, לְמֶלֶךְ מִצְרָיִם. ב **וַיִּקְצֹף**, כעס **פַּרְעֹה עַל שְׁנֵי סָרִיסָיו, עַל שַׂר**
הַמַּשְׁקִים וְעַל שַׂר הָאוֹפִים. התורה אינה מפרשת מדוע. המדרשים
מספרים שכעס בשל עצמים זרים שמצא ביין ובלחם.[43] ג **וַיִּתֵּן**
אֹתָם בְּמִשְׁמַר בֵּית שַׂר הַטַּבָּחִים, הממונה על ההוצאות להורג[44] **אֶל**
בֵּית הַסֹּהַר, מְקוֹם אֲשֶׁר יוֹסֵף אָסוּר שָׁם. בית סוהר זה שימש כבית

שַׂר הַטַּבָּחִים אֶת־יוֹסֵף אִתָּם וַיְשָׁרֶת אֹתָם וַיִּהְיוּ
יָמִים בְּמִשְׁמָר׃ וַיַּחַלְמוּ חֲלוֹם שְׁנֵיהֶם אִישׁ חֲלֹמוֹ ה
בְּלַיְלָה אֶחָד אִישׁ כְּפִתְרוֹן חֲלֹמוֹ הַמַּשְׁקֶה וְהָאֹפֶה
אֲשֶׁר לְמֶלֶךְ מִצְרַיִם אֲשֶׁר אֲסוּרִים בְּבֵית הַסֹּהַר׃
וַיָּבֹא אֲלֵיהֶם יוֹסֵף בַּבֹּקֶר וַיַּרְא אֹתָם וְהִנָּם זֹעֲפִים׃ ו
וַיִּשְׁאַל אֶת־סְרִיסֵי פַרְעֹה אֲשֶׁר אִתּוֹ בְמִשְׁמַר בֵּית ז
אֲדֹנָיו לֵאמֹר מַדּוּעַ פְּנֵיכֶם רָעִים הַיּוֹם׃ וַיֹּאמְרוּ אֵלָיו ח
חֲלוֹם חָלַמְנוּ וּפֹתֵר אֵין אֹתוֹ וַיֹּאמֶר אֲלֵהֶם יוֹסֵף
הֲלוֹא לֵאלֹהִים פִּתְרֹנִים סַפְּרוּ־נָא לִי׃ וַיְסַפֵּר שַׂר־ ט
הַמַּשְׁקִים אֶת־חֲלֹמוֹ לְיוֹסֵף וַיֹּאמֶר לוֹ בַּחֲלוֹמִי וְהִנֵּה־
גֶפֶן לְפָנָי׃ וּבַגֶּפֶן שְׁלֹשָׁה שָׂרִיגִם וְהִוא כְפֹרַחַת עָלְתָה י
נִצָּהּ הִבְשִׁילוּ אַשְׁכְּלֹתֶיהָ עֲנָבִים׃ וְכוֹס פַּרְעֹה בְּיָדִי יא
וָאֶקַּח אֶת־הָעֲנָבִים וָאֶשְׂחַט אֹתָם אֶל־כּוֹס פַּרְעֹה
וָאֶתֵּן אֶת־הַכּוֹס עַל־כַּף פַּרְעֹה׃ וַיֹּאמֶר לוֹ יוֹסֵף זֶה יב

רש"י

ד| וַיִּפְקֹד שַׂר הַטַּבָּחִים אֶת יוֹסֵף. לִהְיוֹת "אִתָּם": וַיִּהְיוּ יָמִים בְּמִשְׁמָר. שְׁנֵים עָשָׂר חֹדֶשׁ:

ה| וַיַּחַלְמוּ חֲלוֹם שְׁנֵיהֶם. וַיַּחַלְמוּ שְׁנֵיהֶם חֲלוֹם, זֶהוּ פְּשׁוּטוֹ. וּמִדְרָשׁוֹ, כָּל אֶחָד חָלַם "חֲלוֹם שְׁנֵיהֶם" – שֶׁחָלַם אֶת חֲלוֹמוֹ וּפִתְרוֹן חֲבֵרוֹ, וְזֶהוּ שֶׁנֶּאֱמַר: "וַיַּרְא שַׂר הָאֹפִים כִּי טוֹב פָּתָר": אִישׁ כְּפִתְרוֹן חֲלֹמוֹ. כָּל אֶחָד חָלַם חֲלוֹם הַדּוֹמֶה לַפִּתְרוֹן הֶעָתִיד לָבֹא עֲלֵיהֶם:

ו| זֹעֲפִים. עֲצֵבִים, כְּמוֹ: "סַר וְזָעֵף" (מלכים א' כ, מג), "זַעַף ה' אֶשָּׂא" (מיכה ז, ט):

י| שָׂרִיגִם. זְמוֹרוֹת אֲרֻכּוֹת שֶׁקּוֹרִין וידי"ץ: וְהִוא כְפֹרַחַת. דּוֹמָה לְפוֹרַחַת. "וְהִיא כְּפֹרַחַת" – נִדְמֵית לִי בַּחֲלוֹמִי כְּאִלּוּ הִיא פוֹרַחַת, וְאַחַר הַפֶּרַח "עָלְתָה נִצָּהּ" וְנַעֲשׂוּ סְמָדַר, אשפני"ר בְּלַעַז, וְאַחַר כָּךְ "הִבְשִׁילוּ". "וְהִיא כַּד אַפְרַחַת אַפֵּיקַת לַבְלְבִין", עַד כָּאן תַּרְגּוּם שֶׁל "פֹּרַחַת". נֵץ גָּדוֹל מִפֶּרַח, כְּדִכְתִיב: "וּבֹסֶר גֹּמֵל יִהְיֶה נִצָּה" (ישעיה יח, ה), וּכְתִיב: "וַיֹּצֵא פֶרַח" וְהַדַּר "וַיָּצֵץ צִיץ" (במדבר יז, כג):

יא| וָאֶשְׂחַט. כְּתַרְגּוּמוֹ "וַעֲצָרִית", וְהַרְבֵּה יֵשׁ בִּלְשׁוֹן מִשְׁנָה:

ביאור

מעצר למכובדים. ד כיוון שמדובר באנשים רמי-מעלה, העשויים
לשוב אל השלטון, הם זכו לתנאים מיוחדים - וַיִּפְקֹד שַׂר הַטַּבָּחִים
אֶת יוֹסֵף אִתָּם, וַיְשָׁרֶת אֹתָם. פוטיפר הורה ליוסף לשרתם. וַיִּהְיוּ יָמִים,
כשנה[45] בְּמִשְׁמָר, במעצר.

ה וַיַּחַלְמוּ חֲלוֹם שְׁנֵיהֶם, שר המשקים ושר האופים חלמו את
חלומותיהם, אִישׁ חֲלֹמוֹ בְּלַיְלָה אֶחָד, אִישׁ כְּפִתְרוֹן חֲלֹמוֹ, חלומו
של כל אחד דומה לפתרונו שיוברר בהמשך,[46] הַמַּשְׁקֶה וְהָאֹפֶה אֲשֶׁר
לְמֶלֶךְ מִצְרַיִם, אֲשֶׁר אֲסוּרִים בְּבֵית הַסֹּהַר. ו וַיָּבֹא אֲלֵיהֶם יוֹסֵף בַּבֹּקֶר
כדי לדאוג לצורכי הבוקר שלהם, וַיַּרְא אֹתָם וְהִנָּם זֹעֲפִים, מוטרדים
ומודאגים. ז כמשרתם, הבחין יוסף בשינוי שחל בפניהם - וַיִּשְׁאַל
אֶת סְרִיסֵי פַרְעֹה אֲשֶׁר אִתּוֹ בְמִשְׁמַר בֵּית אֲדֹנָיו, לֵאמֹר: מַדּוּעַ פְּנֵיכֶם
רָעִים הַיּוֹם?

ח וַיֹּאמְרוּ אֵלָיו: חֲלוֹם חָלַמְנוּ, וּפֹתֵר אֵין אֹתוֹ. איננו מסוגלים לפענח
את חלומותינו הסתומים, אך אנו חשים שיש בהם מסר חשוב.

וַיֹּאמֶר אֲלֵהֶם יוֹסֵף: הֲלוֹא לֵאלֹהִים פִּתְרֹנִים, הרי פתרון החלום
ומימושו מצויים בידי ה' ולא יבואו מכוחם של הנוגעים בדבר. רק
אלוקים הוא גם מי שיוכל להודיע הפתרון.[47] על כן - סַפְּרוּ נָא לִי.
אולי אצליח לפתרו.

ט יוסף הצליח לשאת חן גם בעיני שני השרים הללו, והם נתנו
בו אמון - וַיְסַפֵּר שַׂר הַמַּשְׁקִים אֶת חֲלֹמוֹ לְיוֹסֵף, וַיֹּאמֶר לוֹ: בַּחֲלוֹמִי
חלמתי וְהִנֵּה גֶפֶן לְפָנָי. י וּבַגֶּפֶן שְׁלֹשָׁה שָׂרִיגִם, ענפים. וְהִוא כְפֹרַחַת
עָלְתָה נִצָּהּ, ראיתי את הגפן צומחת - מלבלבת ומעלה ניצנים,
ולבסוף הִבְשִׁילוּ אַשְׁכְּלֹתֶיהָ עֲנָבִים. יא וְכוֹס פַּרְעֹה בְּיָדִי; וָאֶקַּח אֶת
הָעֲנָבִים, וָאֶשְׂחַט, סחטתי אֹתָם אֶל כּוֹס פַּרְעֹה, הכנתי מן הענבים
יין, וָאֶתֵּן אֶת הַכּוֹס עַל כַּף ידו של פַּרְעֹה.

פִּתְרֹנוֹ שְׁלֹשֶׁת הַשָּׂרִגִים שְׁלֹשֶׁת יָמִים הֵם: בְּעוֹד ׀ יג
שְׁלֹשֶׁת יָמִים יִשָּׂא פַרְעֹה אֶת־רֹאשֶׁךָ וַהֲשִׁיבְךָ עַל־
כַּנֶּךָ וְנָתַתָּ כוֹס־פַּרְעֹה בְּיָדוֹ כַּמִּשְׁפָּט הָרִאשׁוֹן אֲשֶׁר
הָיִיתָ מַשְׁקֵהוּ: כִּי אִם־זְכַרְתַּנִי אִתְּךָ כַּאֲשֶׁר יִיטַב יד
לָךְ וְעָשִׂיתָ־נָּא עִמָּדִי חָסֶד וְהִזְכַּרְתַּנִי אֶל־פַּרְעֹה
וְהוֹצֵאתַנִי מִן־הַבַּיִת הַזֶּה: כִּי־גֻנֹּב גֻּנַּבְתִּי מֵאֶרֶץ טו
הָעִבְרִים וְגַם־פֹּה לֹא־עָשִׂיתִי מְאוּמָה כִּי־שָׂמוּ אֹתִי
בַּבּוֹר: וַיַּרְא שַׂר־הָאֹפִים כִּי טוֹב פָּתָר וַיֹּאמֶר אֶל־ טז
יוֹסֵף אַף־אֲנִי בַּחֲלוֹמִי וְהִנֵּה שְׁלֹשָׁה סַלֵּי חֹרִי עַל־
רֹאשִׁי: וּבַסַּל הָעֶלְיוֹן מִכֹּל מַאֲכַל פַּרְעֹה מַעֲשֵׂה אֹפֶה יז
וְהָעוֹף אֹכֵל אֹתָם מִן־הַסַּל מֵעַל רֹאשִׁי: וַיַּעַן יוֹסֵף יח
וַיֹּאמֶר זֶה פִּתְרֹנוֹ שְׁלֹשֶׁת הַסַּלִּים שְׁלֹשֶׁת יָמִים הֵם:
בְּעוֹד ׀ שְׁלֹשֶׁת יָמִים יִשָּׂא פַרְעֹה אֶת־רֹאשְׁךָ מֵעָלֶיךָ יט
וְתָלָה אוֹתְךָ עַל־עֵץ וְאָכַל הָעוֹף אֶת־בְּשָׂרְךָ מֵעָלֶיךָ:
מפטיר וַיְהִי ׀ בַּיּוֹם הַשְּׁלִישִׁי יוֹם הֻלֶּדֶת אֶת־פַּרְעֹה וַיַּעַשׂ כ

רש"י

יב] שְׁלֹשֶׁת יָמִים הֵם. סִימָן הֵם לְךָ לִשְׁלֹשֶׁת יָמִים, וְיֵשׁ מִדְרְשֵׁי אַגָּדָה הַרְבֵּה:

יג] יִשָּׂא פַרְעֹה אֶת רֹאשֶׁךָ. לְשׁוֹן חֶשְׁבּוֹן, כְּשֶׁיִּפְקֹד שְׁאָר עֲבָדָיו לְשָׁרֵת לְפָנָיו בִּסְעוּדָה, יִמְנֶה אוֹתְךָ עִמָּהֶם: כַּנֶּךָ. בָּסִיס שֶׁלְּךָ וּמוֹשָׁבְךָ:

יד] כִּי אִם זְכַרְתַּנִי אִתְּךָ. אַחַר אֲשֶׁר זְכַרְתַּנִי אִתְּךָ, מֵאַחַר שֶׁיִּיטַב לְךָ כְּפִתְרוֹנִי: וְעָשִׂיתָ נָּא עִמָּדִי חָסֶד. אֵין 'נָא' אֶלָּא לְשׁוֹן בַּקָּשָׁה [הֲרֵי אַתָּה עוֹשֶׂה עִמִּי חֶסֶד]:

טז] סַלֵּי חֹרִי. סַלִּים שֶׁל נְצָרִים קְלוּפִים חוֹרִין חוֹרִין, וּבִמְקוֹמֵנוּ יֵשׁ הַרְבֵּה, וְדֶרֶךְ מוֹכְרֵי פַּת כִּסָּנִין שֶׁקּוֹרִין אוֹבְלֵי"שׁ לִתְּתָם בְּאוֹתָם סַלִּים:

כ] יוֹם הֻלֶּדֶת אֶת פַּרְעֹה. יוֹם לֵדָתוֹ, וְקוֹרִין לוֹ יוֹם גְּנוּסְיָא. וּלְשׁוֹן 'הֻלֶּדֶת', לְפִי שֶׁאֵין הַוָּלָד נוֹלָד אֶלָּא עַל יְדֵי אֲחֵרִים, שֶׁהַחַיָּה מְיַלֶּדֶת אֶת הָאִשָּׁה, וְעַל כֵּן הִיא נִקְרֵאת 'מְיַלֶּדֶת', וְכֵן: "וּמוֹלְדוֹתַיִךְ בְּיוֹם הוּלֶּדֶת אוֹתָךְ" (יחזקאל טז, ד), וְכֵן: "אַחֲרֵי הֻכַּבֵּס אֶת הַנֶּגַע" (ויקרא יג, נה), שֶׁכִּבּוּסוֹ עַל יְדֵי אֲחֵרִים:

ביאור

יב וַיֹּאמֶר לוֹ יוֹסֵף: זֶה פִּתְרֹנוֹ – שְׁלֹשֶׁת הַשָּׂרִגִים, שְׁלֹשֶׁת יָמִים
הֵם. יג בְּעוֹד שְׁלֹשֶׁת יָמִים יִשָּׂא, ירים פַּרְעֹה אֶת רֹאשֶׁךָ, ירומם את
מעמדך, וַהֲשִׁיבְךָ עַל כַּנֶּךָ, לתפקידך הקודם, ואז יתקיים החלום
כפשוטו – וְנָתַתָּ כוֹס פַּרְעֹה בְּיָדוֹ, כַּמִּשְׁפָּט הָרִאשׁוֹן אֲשֶׁר הָיִיתָ
מַשְׁקֵהוּ. יד כעת מראה יוסף עד כמה הוא בטוח בפתרונו – כִּי
אִם זְכַרְתַּנִי אִתְּךָ כַּאֲשֶׁר יִיטַב לָךְ, וְעָשִׂיתָ נָּא עִמָּדִי חָסֶד. זכור גם
אותי כשחלומך יתגשם ותשוב לתפקידך הקודם, וְהִזְכַּרְתַּנִי אֶל
פַּרְעֹה, וְהוֹצֵאתַנִי, וכך תגרום להוציא אותי מִן הַבַּיִת הַזֶּה, מבית
האסורים. טו כִּי גֻנֹּב גֻּנַּבְתִּי מֵאֶרֶץ הָעִבְרִים. לא נולדתי כעבד; אני
אדם חופשי שנחטף. וְגַם פֹּה לֹא עָשִׂיתִי מְאוּמָה, לא חטאתי ואני
חף מפשע, כִּי שָׂמוּ אֹתִי בַּבּוֹר.

טז וַיַּרְא שַׂר הָאֹפִים כִּי טוֹב פָּתָר, הפתרון נראה לו יפה ונכון. היו
שדרשו שכל אחד מהשרים חלם את חלומו שלו ואת פתרון החלום
של חברו.[48] וַיֹּאמֶר שר האופים אֶל יוֹסֵף: אַף אֲנִי בַּחֲלוֹמִי, וְהִנֵּה שְׁלֹשָׁה
סַלֵּי חֹרִי, סלים קלועים כרשת, המיועדים לרוב למיני מאפה, שכן
הם מאפשרים אוורור העוגות והלחמים, עַל רֹאשִׁי. יז הסלים היו
מונחים על ראשי זה על גבי זה, וּבַסַּל הָעֶלְיוֹן – מִכֹּל מַאֲכַל פַּרְעֹה
מַעֲשֵׂה אֹפֶה. וְהָעוֹף אֹכֵל אֹתָם מִן הַסַּל מֵעַל רֹאשִׁי.

יח וַיַּעַן יוֹסֵף וַיֹּאמֶר: זֶה פִּתְרֹנוֹ – שְׁלֹשֶׁת הַסַּלִּים, שְׁלֹשֶׁת יָמִים
הֵם. יט בְּעוֹד שְׁלֹשֶׁת יָמִים יִשָּׂא, יסיר פַּרְעֹה אֶת רֹאשְׁךָ מֵעָלֶיךָ,
וְתָלָה אוֹתְךָ עַל עֵץ, וְאָכַל הָעוֹף אֶת בְּשָׂרְךָ מֵעָלֶיךָ. משהו מן החלום
יתממש – העוף אמנם יאכל, אך לא את המאפים אלא אותך. בחלום
הזה, שלא כבחלום הראשון, החזרה המיוחלת אינה מתממשת.
העוף אוכל את המאפה במקום פרעה.

כ וַיְהִי בַּיּוֹם הַשְּׁלִישִׁי, יוֹם הֻלֶּדֶת אֶת פַּרְעֹה, היום שבו חגגו בפומבי

הרחבות

'שלשת השרגים שלשת ימים הם' יוסף ראה בחלומו של שר המשקים מעין נבואה, ובישר לו שעם הזמן ישובו חייו למסלולם הקודם. הפרט היחיד התריג בפתרונו של יוסף הוא פירושו לשלושת השריגים. המפרשים תהו מניין ידע יוסף לפרשם כשלושה ימים ולא כשלושה חודשים, למשל. נראה שפירש כך משום שכשאר אנשי המדינה ידע יוסף שהיום השלישי מאותו בוקר הוא יום הולדתו של פרעה, כפי שיתברר בפס' כ להלן. וכנראה היה ידוע כי ביום זה עורך המלך משפטים חוזרים ומעניק חנינות. בפתרונו קושר יוסף את החלום אל הידע הריאלי שלו (ראו ראב"ע פס' יב ורמב"ן פס' י).

מִשְׁתֶּה לְכָל־עֲבָדָיו וַיִּשָּׂא אֶת־רֹאשׁ ׀ שַׂר הַמַּשְׁקִים
כא וְאֶת־רֹאשׁ שַׂר הָאֹפִים בְּתוֹךְ עֲבָדָיו: וַיָּשֶׁב אֶת־שַׂר
הַמַּשְׁקִים עַל־מַשְׁקֵהוּ וַיִּתֵּן הַכּוֹס עַל־כַּף פַּרְעֹה:
כב כג וְאֵת שַׂר הָאֹפִים תָּלָה כַּאֲשֶׁר פָּתַר לָהֶם יוֹסֵף: וְלֹא־
זָכַר שַׂר־הַמַּשְׁקִים אֶת־יוֹסֵף וַיִּשְׁכָּחֵהוּ:

מקץ לו מא א וַיְהִי מִקֵּץ שְׁנָתַיִם יָמִים וּפַרְעֹה חֹלֵם וְהִנֵּה עֹמֵד עַל־
ב הַיְאֹר: וְהִנֵּה מִן־הַיְאֹר עֹלֹת שֶׁבַע פָּרוֹת יְפוֹת מַרְאֶה
ג וּבְרִיאֹת בָּשָׂר וַתִּרְעֶינָה בָּאָחוּ: וְהִנֵּה שֶׁבַע פָּרוֹת
אֲחֵרוֹת עֹלוֹת אַחֲרֵיהֶן מִן־הַיְאֹר רָעוֹת מַרְאֶה וְדַקּוֹת
בָּשָׂר וַתַּעֲמֹדְנָה אֵצֶל הַפָּרוֹת עַל־שְׂפַת הַיְאֹר:
ד וַתֹּאכַלְנָה הַפָּרוֹת רָעוֹת הַמַּרְאֶה וְדַקֹּת הַבָּשָׂר
אֵת שֶׁבַע הַפָּרוֹת יְפֹת הַמַּרְאֶה וְהַבְּרִיאֹת וַיִּיקַץ
ה פַּרְעֹה: וַיִּישָׁן וַיַּחֲלֹם שֵׁנִית וְהִנֵּה ׀ שֶׁבַע שִׁבֳּלִים

רש"י

וַיִּשָּׂא אֶת רֹאשׁ וְגוֹ'. מְנָאָם עִם שְׁאָר עֲבָדָיו, שֶׁהָיָה מוֹנֶה הַמְשָׁרְתִים שֶׁיְּשָׁרְתוּ לוֹ בִּסְעֻדָּתוֹ וְזָכַר אֶת אֵלּוּ בְּתוֹכָם, כְּמוֹ: "שְׂאוּ אֶת רֹאשׁ" (במדבר א, ב), לְשׁוֹן מִנְיָן:

כג) וְלֹא זָכַר שַׂר הַמַּשְׁקִים. בּוֹ בַּיּוֹם: וַיִּשְׁכָּחֵהוּ. לְאַחַר מִכָּאן. מִפְּנֵי שֶׁתָּלָה בּוֹ יוֹסֵף לְזָכְרוֹ הֻזְקַק לִהְיוֹת אָסוּר שְׁתֵּי שָׁנִים, שֶׁנֶּאֱמַר: "אַשְׁרֵי הַגֶּבֶר אֲשֶׁר שָׂם ה' מִבְטַחוֹ וְלֹא פָנָה אֶל רְהָבִים" (תהלים מ, ה), וְלֹא בָּטַח עַל מִצְרַיִם הַקְּרוּיִים רַהַב:

פרק מ

א) וַיְהִי מִקֵּץ. כְּתַרְגּוּמוֹ "מִסּוֹף", וְכָל לְשׁוֹן 'קֵץ' סוֹף הוּא: עַל הַיְאֹר. כָּל שְׁאָר נְהָרוֹת אֵינָם קְרוּיִין יְאוֹרִים חוּץ מִנִּילוּס, מִפְּנֵי שֶׁכָּל הָאָרֶץ עֲשׂוּיָה יְאוֹרִים יְאוֹרִים בִּידֵי אָדָם וְנִילוּס עוֹלֶה בְּתוֹכָם וּמַשְׁקֶה אוֹתָם, לְפִי שֶׁאֵין גְּשָׁמִים יוֹרְדִין בְּמִצְרַיִם תָּדִיר כִּשְׁאָר אֲרָצוֹת:

ב) יְפוֹת מַרְאֶה. סִימָן הוּא לִימֵי שָׂבָע, שֶׁהַבְּרִיּוֹת נִרְאוֹת יָפוֹת זוֹ לָזוֹ, שֶׁאֵין עַיִן בְּרִיָּה צָרָה בַּחֲבֶרְתָּהּ: בָּאָחוּ. בָּאֲגַם, מריש"ק בְּלַעַז, כְּמוֹ: "יִשְׂגֶּה אָחוּ" (איוב ח, יא):

ג) וְדַקּוֹת בָּשָׂר. טינבי"ש בְּלַעַז, לְשׁוֹן דַּק:

ד) וַתֹּאכַלְנָה. סִימָן שֶׁתְּהֵא כָּל שִׂמְחַת הַשָּׂבָע נִשְׁכַּחַת בִּימֵי הָרָעָב:

ביאור | את תאריך הולדת פרעה, וַיַּעַשׂ מִשְׁתֶּה לְכָל עֲבָדָיו, ובמשתה
הזה - וַיִּשָּׂא אֶת רֹאשׁ שַׂר הַמַּשְׁקִים וְאֶת רֹאשׁ שַׂר הָאֹפִים בְּתוֹךְ
עֲבָדָיו. בשבתו בקרב פמלייתו נזכר פרעה בהיעדרם של שני השרים
הללו. נראה שכשחטאו השליכם בכעסו לבית הסוהר, ולא דן אותם.
עתה גזר את דינם. כא הוא הגיע למסקנה ששר המשקים ביצע
את עבודתו כראוי, והוא חף מפשע, ואילו שר האופים לא נהג
כשורה, ועל כן - וַיָּשֶׁב אֶת שַׂר הַמַּשְׁקִים עַל מַשְׁקֵהוּ, וַיִּתֵּן הַכּוֹס עַל
כַּף פַּרְעֹה, כב וְאֵת שַׂר הָאֹפִים תָּלָה פרעה, כַּאֲשֶׁר, כמו שפָּתַר לָהֶם
יוֹסֵף.

כג אף ששר המשקים נוכח שפתרונו של יוסף התממש באופן
מדויק - וְלֹא זָכַר שַׂר הַמַּשְׁקִים אֶת בקשת יוֹסֵף מיד, וגם לאחר
זמן - וַיִּשְׁכָּחֵהוּ, שהרי לא נתקל עוד ביוסף.

פרשת מקץ

יוסף עולה לגדולה במצרים

פרק מא

מן הבור שאליו הושלך יוסף על ידי אחיו, הוא התגלגל אל בור בית האסורים. יוסף השליך יהבו על שר המשקים וביקש ממנו להזכירו לטובה לפני פרעה, לאחר שיתגשם חלומו כפי שפתר. הוא קיווה שכך ייחלץ ממצבו השפל. ואולם כדרך השרים הגדולים, מעת שהושב על כנו, שכח שר המשקים את יוסף. חילוצו מבור הנשייה התרחש באופן שונה.

פרק מא א וַיְהִי מִקֵּץ שְׁנָתַיִם יָמִים, מאז שב שר המשקים לתפקידו,
וּפַרְעֹה חֹלֵם, וְהִנֵּה בחלומו הוא עֹמֵד עַל יד הַיְאֹר, הנילוס. ביאור
המצרי היו תלויים כל חייה של מצרים. ב וְהִנֵּה מִן הַיְאֹר עֹלֹת שֶׁבַע
פָּרוֹת יְפוֹת מַרְאֶה וּבְרִיאֹת בָּשָׂר, שמנות, וַתִּרְעֶינָה בָּאָחוּ, בשטח
המרעה.[1] ג וְהִנֵּה שֶׁבַע פָּרוֹת אֲחֵרוֹת עֹלוֹת אַחֲרֵיהֶן מִן הַיְאֹר, והן
רָעוֹת מַרְאֶה וְדַקּוֹת בָּשָׂר, רזות, וַתַּעֲמֹדְנָה אֵצֶל הַפָּרוֹת עַל שְׂפַת
הַיְאֹר. ד וַתֹּאכַלְנָה הַפָּרוֹת רָעוֹת הַמַּרְאֶה וְדַקֹּת הַבָּשָׂר אֵת שֶׁבַע
הַפָּרוֹת יְפֹת הַמַּרְאֶה וְהַבְּרִיאֹת. וַיִּיקַץ פַּרְעֹה. פרעה התעורר משנתו,
כנראה בגלל הזעזוע ממראה הפרות האוכלות פרות.

ה וַיִּישָׁן וַיַּחֲלֹם שֵׁנִית באותו לילה, וְהִנֵּה שֶׁבַע שִׁבֳּלִים עֹלוֹת בְּקָנֶה

עֹלוֹת בְּקָנֶה אֶחָד בְּרִיאוֹת וְטֹבוֹת׃ וְהִנֵּה שֶׁבַע ו
שִׁבֳּלִים דַּקּוֹת וּשְׁדוּפֹת קָדִים צֹמְחוֹת אַחֲרֵיהֶן׃
וַתִּבְלַעְנָה הַשִּׁבֳּלִים הַדַּקּוֹת אֵת שֶׁבַע הַשִּׁבֳּלִים ז
הַבְּרִיאוֹת וְהַמְּלֵאוֹת וַיִּיקַץ פַּרְעֹה וְהִנֵּה חֲלוֹם׃ · וַיְהִי ח
בַבֹּקֶר וַתִּפָּעֶם רוּחוֹ וַיִּשְׁלַח וַיִּקְרָא אֶת־כָּל־חַרְטֻמֵּי
מִצְרַיִם וְאֶת־כָּל־חֲכָמֶיהָ וַיְסַפֵּר פַּרְעֹה לָהֶם אֶת־
חֲלֹמוֹ וְאֵין־פּוֹתֵר אוֹתָם לְפַרְעֹה׃ וַיְדַבֵּר שַׂר הַמַּשְׁקִים ט
אֶת־פַּרְעֹה לֵאמֹר אֶת־חֲטָאַי אֲנִי מַזְכִּיר הַיּוֹם׃
פַּרְעֹה קָצַף עַל־עֲבָדָיו וַיִּתֵּן אֹתִי בְּמִשְׁמַר בֵּית שַׂר י
הַטַּבָּחִים אֹתִי וְאֵת שַׂר הָאֹפִים׃ וַנַּחַלְמָה חֲלוֹם יא
בְּלַיְלָה אֶחָד אֲנִי וָהוּא אִישׁ כְּפִתְרוֹן חֲלֹמוֹ חָלָמְנוּ׃
וְשָׁם אִתָּנוּ נַעַר עִבְרִי עֶבֶד לְשַׂר הַטַּבָּחִים וַנְּסַפֶּר־לוֹ יב
וַיִּפְתָּר־לָנוּ אֶת־חֲלֹמֹתֵינוּ אִישׁ כַּחֲלֹמוֹ פָּתָר׃ וַיְהִי יג

רש״י

ה] **בְּקָנֶה אֶחָד.** טודי״ל בְּלַעַז: **בְּרִיאוֹת.** סיינ״ש בְּלַעַז:

ו] **וּשְׁדוּפֹת.** השליד״ש בְּלַעַז, "שְׁקִיפָן קִדּוּם", חֲבוּטוֹת, לְשׁוֹן מַשְׁקוֹף הֶחָבוּט תָּמִיד עַל יְדֵי הַדֶּלֶת הַמַּכָּה עָלָיו: **קָדִים.** רוּחַ מִזְרָחִית שֶׁקּוֹרִין בי״ש:

ז] **הַבְּרִיאוֹת.** סיינ״ש בְּלַעַז: **וְהִנֵּה חֲלוֹם.** וְהִנֵּה נִשְׁלַם חֲלוֹם שָׁלֵם לְפָנָיו וְהֻצְרַךְ לְפוֹתְרִים:

ח] **וַתִּפָּעֶם רוּחוֹ.** "וּמִטַּרְפָא רוּחֵיהּ", מְקַשְׁקֶשֶׁת בְּתוֹכוֹ כְּפַעֲמוֹן. וּבִנְבוּכַדְנֶצַּר אוֹמֵר: "וַתִּתְפָּעֶם רוּחוֹ" (דניאל ב, א), לְפִי שֶׁהָיוּ שָׁם שְׁתֵּי פְּעִימוֹת: שִׁכְחַת הַחֲלוֹם וְהַעֲלָמַת פִּתְרוֹנוֹ: **חַרְטֻמֵּי.** הַנְּחֵרִים בְּטִימֵי מֵתִים, שֶׁשּׁוֹאֲלִים בַּעֲצָמוֹת. 'טִימֵי' הֵן עֲצָמוֹת בִּלְשׁוֹן אֲרַמִּי, וּבַמִּשְׁנָה: בַּיִת שֶׁהוּא מָלֵא טִימִיא – מָלֵא עֲצָמוֹת: **וְאֵין פּוֹתֵר אוֹתָם לְפַרְעֹה.** פּוֹתְרִים הָיוּ אוֹתָם, אֲבָל לֹא לְפַרְעֹה, שֶׁלֹּא הָיָה קוֹלָן נִכְנָס בְּאָזְנָיו וְלֹא הָיָה לוֹ קוֹרַת רוּחַ בְּפִתְרוֹנָם, שֶׁהָיוּ אוֹמְרִים: שֶׁבַע בָּנוֹת אַתָּה מוֹלִיד, שֶׁבַע בָּנוֹת אַתָּה קוֹבֵר:

יא] **אִישׁ כְּפִתְרוֹן חֲלֹמוֹ.** חֲלוֹם הָרָאוּי לְפִתְרוֹן שֶׁנִּפְתַּר לָנוּ וְדוֹמֶה לוֹ:

יב] **נַעַר עִבְרִי עֶבֶד.** אֲרוּרִים הָרְשָׁעִים שֶׁאֵין טוֹבָתָם שְׁלֵמָה, מַזְכִּירוֹ בִּלְשׁוֹן בִּזָּיוֹן: "נַעַר" – שׁוֹטֶה וְאֵין רָאוּי לִגְדֻלָּה. "עִבְרִי" – אֲפִלּוּ לְשׁוֹנֵנוּ אֵינוֹ מַכִּיר. "עֶבֶד" – וְכָתוּב בְּנִמּוּסֵי מִצְרַיִם שֶׁאֵין עֶבֶד מוֹלֵךְ וְלֹא לוֹבֵשׁ בִּגְדֵי שָׂרִים: **אִישׁ כַּחֲלֹמוֹ.** לְפִי הַחֲלוֹם וְקָרוֹב לְעִנְיָנוֹ:

ביאור

אֶחָד, מתוך גבעול אחד. בשנים דשנות במיוחד עולות לפעמים
שתיים או שלוש שיבולים מקנה אחד. המראה שחוזה פרעה בחלומו
חריג ביותר. שיבולים אלה הן **בְּרִיאוֹת וְטֹבוֹת.** ו **וְהִנֵּה שֶׁבַע שִׁבֳּלִים**
דַּקּוֹת וּשְׁדוּפֹת קָדִים, מוכות מהרוח המזרחית המייבשת. שיבולים
עלובות אלה **צֹמְחוֹת אַחֲרֵיהֶן.** ז **וַתִּבְלַעְנָה הַשִּׁבֳּלִים הַדַּקּוֹת אֵת**
שֶׁבַע הַשִּׁבֳּלִים הַבְּרִיאוֹת וְהַמְּלֵאוֹת. וַיִּיקַץ פַּרְעֹה, חלום זה מוזר
יותר, שכן אם בחלום הקודם פרות אכלו - כאן שיבולים אוכלות.
וְהִנֵּה אף זה רק **חֲלוֹם.**[2]

ח **וַיְהִי בַבֹּקֶר, וַתִּפָּעֶם רוּחוֹ.** פרעה נסער מן הרושם העז שהותירו בו
חלומותיו, **וַיִּשְׁלַח, וַיִּקְרָא אֶת כָּל חַרְטֻמֵּי מִצְרַיִם**, כהני מצרים ומכשפיה
שעסקו גם במדע ורפואה. **וְאֶת כָּל חֲכָמֶיהָ. וַיְסַפֵּר פַּרְעֹה לָהֶם אֶת**
חֲלֹמוֹ, וְאֵין פּוֹתֵר אוֹתָם לְפַרְעֹה. לא נמצא שום פתרון. היו שדרשו
שהם הציעו פתרונות, אך פתרונותיהם לא נראו לפרעה הולמים.[3]

ט **וַיְדַבֵּר שַׂר הַמַּשְׁקִים אֶת פַּרְעֹה לֵאמֹר: אֶת חֲטָאַי אֲנִי מַזְכִּיר הַיּוֹם.**
אמנם בדברים שאני עומד לומר אצטרך להזכיר את חטאי, ובכל
זאת חשוב שאומר אותם: י **פַּרְעֹה קָצַף**, כעס **עַל עֲבָדָיו, וַיִּתֵּן אֹתִי**
בְּמִשְׁמַר בֵּית שַׂר הַטַּבָּחִים - אֹתִי וְאֵת שַׂר הָאֹפִים. יא **וַנַּחַלְמָה חֲלוֹם**
בְּלַיְלָה אֶחָד, אֲנִי וָהוּא, אִישׁ כְּפִתְרוֹן חֲלֹמוֹ חָלָמְנוּ. חלמנו חלומות
שהתאמתו. יב **וְשָׁם אִתָּנוּ נַעַר עִבְרִי, עֶבֶד לְשַׂר הַטַּבָּחִים. וַנְּסַפֶּר לוֹ**
את החלומות, **וַיִּפְתָּר לָנוּ אֶת חֲלֹמֹתֵינוּ, אִישׁ כַּחֲלֹמוֹ** באופן שהחלום
והפתרון התאימו זה לזה **פָּתָר**, יג ומעבר לכך - **וַיְהִי כַּאֲשֶׁר פָּתַר לָנוּ**

העולם

חַרְטֻמֵּי מִצְרַיִם מקור המלה חרטומים הוא המלה המצרית חרטף (hry-tp), כינוי לחבר במעמד הכהנים, שנחשבו משכילים במיוחד במאגיה. המאגיה שלטה בכל שטחי החיים של המצרים הקדמונים. ההשערה שמלה זו קשורה עם חדק הפיל (ומכאן גם 'חוטם') - השערה שלפיה פירשו בדרכים שונות את הקשר בין חרטומי מצרים ובין האף הבולט - אינה מבוססת.

הרחבות

'נער עברי עבד' חכמינו עמדו על הדרך הבלתי-מחמיאה שבה בוחר שר המשקים לתאר את יוסף. הוא מכנה אותו נַעַר, כלומר איש צעיר; עִבְרִי, תואר המעורר אצל המצרים ריחוק, אם לא מיאוס; יתר על כן, יוסף הוא עֶבֶד לְשַׂר הַטַּבָּחִים (תנחומא מקץ ג). בפשטות נראה ששר המשקים מנמיך את דמותו של יוסף, אך אולי הוא מבקש להדגיש שכוחו של יוסף בפתרון חלומות אינו נובע מהשכלתו אלא מיכולתו העל-טבעית. אף על פי שהוא נער, עברי ועבד, מיומנותו לפתור חלומות חריגה. שר המשקים ממליץ לפרעה, שהתייאש מן החכמים המומחים והמלומדים, לנסות לפנות אל דמות בלתי צפויה זו, משום שהיא מסוגלת לעזור.

כַּאֲשֶׁר פָּתַר־לָנוּ כֵּן הָיָה אֹתִי הֵשִׁיב עַל־כַּנִּי וְאֹתוֹ
יד תָלָה: וַיִּשְׁלַח פַּרְעֹה וַיִּקְרָא אֶת־יוֹסֵף וַיְרִיצֻהוּ מִן־
הַבּוֹר וַיְגַלַּח וַיְחַלֵּף שִׂמְלֹתָיו וַיָּבֹא אֶל־פַּרְעֹה:
שני טו וַיֹּאמֶר פַּרְעֹה אֶל־יוֹסֵף חֲלוֹם חָלַמְתִּי וּפֹתֵר אֵין אֹתוֹ
וַאֲנִי שָׁמַעְתִּי עָלֶיךָ לֵאמֹר תִּשְׁמַע חֲלוֹם לִפְתֹּר אֹתוֹ:
טז וַיַּעַן יוֹסֵף אֶת־פַּרְעֹה לֵאמֹר בִּלְעָדָי אֱלֹהִים יַעֲנֶה
יז אֶת־שְׁלוֹם פַּרְעֹה: וַיְדַבֵּר פַּרְעֹה אֶל־יוֹסֵף בַּחֲלֹמִי
יח הִנְנִי עֹמֵד עַל־שְׂפַת הַיְאֹר: וְהִנֵּה מִן־הַיְאֹר עֹלֹת
שֶׁבַע פָּרוֹת בְּרִיאוֹת בָּשָׂר וִיפֹת תֹּאַר וַתִּרְעֶינָה
יט בָּאָחוּ: וְהִנֵּה שֶׁבַע פָּרוֹת אֲחֵרוֹת עֹלוֹת אַחֲרֵיהֶן
דַּלּוֹת וְרָעוֹת תֹּאַר מְאֹד וְרַקּוֹת בָּשָׂר לֹא־רָאִיתִי
כ כָהֵנָּה בְּכָל־אֶרֶץ מִצְרַיִם לָרֹעַ: וַתֹּאכַלְנָה הַפָּרוֹת
הָרַקּוֹת וְהָרָעוֹת אֵת שֶׁבַע הַפָּרוֹת הָרִאשֹׁנוֹת
כא הַבְּרִיאֹת: וַתָּבֹאנָה אֶל־קִרְבֶּנָה וְלֹא נוֹדַע כִּי־בָאוּ
אֶל־קִרְבֶּנָה וּמַרְאֵיהֶן רַע כַּאֲשֶׁר בַּתְּחִלָּה וָאִיקָץ:

רש"י

יג] **אֹתִי הֵשִׁיב עַל כַּנִּי.** פַּרְעֹה הַנִּזְכָּר לְמַעְלָה, כְּמוֹ שֶׁנֶּאֱמַר: "פַּרְעֹה קָצַף עַל עֲבָדָיו" (לעיל פסוק י):

יד] **מִן הַבּוֹר.** מִן בֵּית הַסֹּהַר שֶׁהוּא עָשׂוּי כְּמִין גּוּמָּא, וְכֵן כָּל בּוֹר שֶׁבַּמִּקְרָא לְשׁוֹן גּוּמָּא הוּא, וְאַף אִם אֵין בּוֹ מַיִם קָרוּי בּוֹר, פוס"א בְּלַעַז: **וַיְגַלַּח.** מִפְּנֵי כְּבוֹד הַמַּלְכוּת:

טו] **תִּשְׁמַע חֲלוֹם לִפְתֹּר אֹתוֹ.** תַּאֲזִין וְתָבִין חֲלוֹם לִפְתֹּר אוֹתוֹ. "תִּשְׁמַע" – לְשׁוֹן הֲבָנָה וְהַאֲזָנָה, כְּמוֹ: "שֹׁמֵעַ יוֹסֵף" (להלן מב, כג), "אֲשֶׁר לֹא תִשְׁמַע לְשֹׁנוֹ" (דברים כח, מט), אנטנדר"א בְּלַעַז:

טז] **בִּלְעָדָי.** אֵין הַחָכְמָה מִשֶּׁלִּי, אֶלָּא "אֱלֹהִים יַעֲנֶה" – יִתֵּן עֲנִיָּה בְּפִי לִשְׁלוֹם פַּרְעֹה:

יט] **דַּלּוֹת.** כְּחוּשׁוֹת, כְּמוֹ: "מַדּוּעַ אַתָּה כָּכָה דַּל" (שמואל ב' יג, ד) דְּאַמְנוֹן: **וְרַקּוֹת בָּשָׂר.** כָּל לְשׁוֹן 'רַקּוֹת' שֶׁבַּתּוֹרָה "חֲסֵירַן בְּסַר", וּבְלַעַז בלוס"ש:

ביאור | **כֵּן הָיָה.** כך אכן קרה. הפתרון לא היה רק יפה, אלא גם אמתי - **אֹתִי הֵשִׁיב** פרעה **עַל כַּנִּי, וְאֹתוֹ תָלָה.**

יד מכיוון שפרעה היה להוט למצוא פתרון לחלומו - **וַיִּשְׁלַח פַּרְעֹה וַיִּקְרָא אֶת יוֹסֵף, וַיְרִיצֻהוּ מִן הַבּוֹר, וַיְגַלַּח,** כדי שלא ייראה פרוע בעמדו לפני המלך, שהרי היה אסור זמן רב בבית הסוהר. **וַיְחַלֵּף שִׂמְלֹתָיו,** החליף את בגדיו לבגדים מהוגנים, **וַיָּבֹא אֶל פַּרְעֹה.**

טו **וַיֹּאמֶר פַּרְעֹה אֶל יוֹסֵף: חֲלוֹם חָלַמְתִּי וּפֹתֵר אֵין אֹתוֹ, וַאֲנִי שָׁמַעְתִּי עָלֶיךָ לֵאמֹר, תִּשְׁמַע,** אתה מבין **חֲלוֹם לִפְתֹּר אֹתוֹ.**

טז **וַיַּעַן יוֹסֵף אֶת פַּרְעֹה לֵאמֹר: בִּלְעָדָי,** לא אני הפותר, לא לי אתה נזקק. **אֱלֹהִים יַעֲנֶה אֶת שְׁלוֹם פַּרְעֹה,** הוא שיעזור לפרעה. לכל היותר אוכל לשמש מתווך.

יז **וַיְדַבֵּר פַּרְעֹה אֶל יוֹסֵף: בַּחֲלֹמִי, הִנְנִי עֹמֵד עַל שְׂפַת הַיְאֹר.** יח **וְהִנֵּה
מִן הַיְאֹר עֹלֹת שֶׁבַע פָּרוֹת בְּרִיאוֹת בָּשָׂר וִיפֹת תֹּאַר, וַתִּרְעֶינָה
בָּאָחוּ.** יט **וְהִנֵּה שֶׁבַע פָּרוֹת אֲחֵרוֹת עֹלוֹת אַחֲרֵיהֶן, דַּלּוֹת,** רזות,
עלובות **וְרָעוֹת תֹּאַר מְאֹד וְרַקּוֹת בָּשָׂר,** שבשרן ריק. על מה שסופר
תחילה, הוסיף פרעה כאן את התרשמותו - **לֹא רָאִיתִי כָהֵנָּה בְּכָל
אֶרֶץ מִצְרַיִם לָרֹעַ.** כ **וַתֹּאכַלְנָה הַפָּרוֹת הָרַקּוֹת,** המרוקנות **וְהָרָעוֹת, אֵת
שֶׁבַע הַפָּרוֹת הָרִאשֹׁנוֹת הַבְּרִיאֹת.** כא פרעה מוסיף גם את ההערה
הבאה: **וַתָּבֹאנָה אֶל קִרְבֶּנָה, וְלֹא נוֹדַע כִּי בָאוּ אֶל קִרְבֶּנָה.** לא נראה
בהן כל שינוי. **וּמַרְאֵיהֶן רַע כַּאֲשֶׁר בַּתְּחִלָּה, וָאִיקָץ.**

וָאֵרֶא בַּחֲלֹמִי וְהִנֵּה ׀ שֶׁבַע שִׁבֳּלִים עֹלֹת בְּקָנֶה אֶחָד כב
מְלֵאֹת וְטֹבוֹת: וְהִנֵּה שֶׁבַע שִׁבֳּלִים צְנֻמוֹת דַּקּוֹת כג
שְׁדֻפוֹת קָדִים צֹמְחוֹת אַחֲרֵיהֶם: וַתִּבְלַעְןָ הַשִּׁבֳּלִים כד
הַדַּקֹּת אֵת שֶׁבַע הַשִּׁבֳּלִים הַטֹּבוֹת וָאֹמַר אֶל־
הַחַרְטֻמִּים וְאֵין מַגִּיד לִי: וַיֹּאמֶר יוֹסֵף אֶל־פַּרְעֹה כה
חֲלוֹם פַּרְעֹה אֶחָד הוּא אֵת אֲשֶׁר הָאֱלֹהִים עֹשֶׂה
הִגִּיד לְפַרְעֹה: שֶׁבַע פָּרֹת הַטֹּבֹת שֶׁבַע שָׁנִים הֵנָּה כו
וְשֶׁבַע הַשִּׁבֳּלִים הַטֹּבֹת שֶׁבַע שָׁנִים הֵנָּה חֲלוֹם אֶחָד
הוּא: וְשֶׁבַע הַפָּרוֹת הָרַקּוֹת וְהָרָעֹת הָעֹלֹת אַחֲרֵיהֶן כז
שֶׁבַע שָׁנִים הֵנָּה וְשֶׁבַע הַשִּׁבֳּלִים הָרֵקוֹת שְׁדֻפוֹת
הַקָּדִים יִהְיוּ שֶׁבַע שְׁנֵי רָעָב: הוּא הַדָּבָר אֲשֶׁר דִּבַּרְתִּי כח
אֶל־פַּרְעֹה אֲשֶׁר הָאֱלֹהִים עֹשֶׂה הֶרְאָה אֶת־פַּרְעֹה:
הִנֵּה שֶׁבַע שָׁנִים בָּאוֹת שָׂבָע גָּדוֹל בְּכָל־אֶרֶץ מִצְרָיִם: כט
וְקָמוּ שֶׁבַע שְׁנֵי רָעָב אַחֲרֵיהֶן וְנִשְׁכַּח כָּל־הַשָּׂבָע ל
בְּאֶרֶץ מִצְרָיִם וְכִלָּה הָרָעָב אֶת־הָאָרֶץ: וְלֹא־יִוָּדַע לא
הַשָּׂבָע בָּאָרֶץ מִפְּנֵי הָרָעָב הַהוּא אַחֲרֵי־כֵן כִּי־כָבֵד
הוּא מְאֹד: וְעַל הִשָּׁנוֹת הַחֲלוֹם אֶל־פַּרְעֹה פַּעֲמָיִם לב
כִּי־נָכוֹן הַדָּבָר מֵעִם הָאֱלֹהִים וּמְמַהֵר הָאֱלֹהִים

רש"י

כג) **צְנֻמוֹת.** ״צוּנְמָא״ בִּלְשׁוֹן אֲרַמִּי סֶלַע, הֲרֵי הֵן כְּעֵץ בְּלִי לַחְלוּחַ, קָשׁוֹת כַּסֶּלַע; וְתַרְגּוּמוֹ ״נָצַן לָקְיָן״, ׳נָצַן׳ – אֵין בָּהֶן אֶלָּא הַנֵּץ לְפִי שֶׁנִּתְרוֹקְנוּ מִן הַזֶּרַע:

כה-לב) **שֶׁבַע שָׁנִים וְשֶׁבַע שָׁנִים.** כֻּלָּן אֵינָן אֶלָּא שֶׁבַע, וַאֲשֶׁר נִשְׁנָה הַחֲלוֹם פַּעֲמַיִם לְפִי שֶׁהַדָּבָר מְזֻמָּן, כְּמוֹ שֶׁפֵּרֵשׁ לוֹ בַּסּוֹף: ״וְעַל הִשָּׁנוֹת הַחֲלוֹם״ וְגוֹ׳: **וְנִשְׁכַּח כָּל הַשָּׂבָע.** הוּא פִּתְרוֹן הַבְּלִיעָה: **וְלֹא יִוָּדַע הַשָּׂבָע.** הוּא פִּתְרוֹן ״וְלֹא נוֹדַע כִּי בָאוּ אֶל קִרְבֶּנָה״ (לעיל פסוק כא): **נָכוֹן.** מְזֻמָּן. כְּשֶׁבַע שָׁנִים הַטּוֹבוֹת נֶאֱמַר: ״הִגִּיד לְפַרְעֹה״ (פסוק כה), לְפִי שֶׁהָיָה סָמוּךְ, וּבְשֶׁבַע שְׁנֵי רָעָב

ביאור

כב וָאֵרֶא בַּחֲלֹמִי, וְהִנֵּה שֶׁבַע שִׁבֳּלִים עֹלֹת בְּקָנֶה אֶחָד, מְלֵאֹת
וְטֹבוֹת. כג וְהִנֵּה שֶׁבַע שִׁבֳּלִים צְנֻמוֹת, יבשות דַּקּוֹת, שְׁדֻפוֹת קָדִים,
צֹמְחוֹת אַחֲרֵיהֶם. כד וַתִּבְלַעְןָ הַשִּׁבֳּלִים הַדַּקֹּת אֵת שֶׁבַע הַשִּׁבֳּלִים
הַטֹּבוֹת. וָאֹמַר אֶל הַחַרְטֻמִּים, וְאֵין מַגִּיד לִי. ומאחר שהחרטומים לא
השיבו לי תשובה מספקת, אני מצפה לתשובתך.

כה וַיֹּאמֶר יוֹסֵף אֶל פַּרְעֹה: אמנם ראית שני חלומות שונים, אך חֲלוֹם
פַּרְעֹה אֶחָד הוּא. אֵת אֲשֶׁר הָאֱלֹהִים עֹשֶׂה הִגִּיד לְפַרְעֹה. זהו חלום
נבואי המבשר לך את העתיד להתרחש. כו שֶׁבַע פָּרֹת הַטֹּבֹת – שֶׁבַע
שָׁנִים הֵנָּה, וְשֶׁבַע הַשִּׁבֳּלִים הַטֹּבֹת – שֶׁבַע שָׁנִים הֵנָּה. חֲלוֹם אֶחָד הוּא.
העובדה שהחלום אחד – משמעותית, שכן הוא כורך את השיבולים
והפרות יחד. הפרות מדגישות את הגידול, החיים והשפע, ואילו
השיבולים – את מחזורי הצמיחה; משום שהפרות אינן קשורות
לזמן מסוים, ואילו יבול השיבולים מתחדש מדי שנה. שבע השיבולים
מגדירות את משמעות הזמן של שבע הפרות. כז וְשֶׁבַע הַפָּרוֹת
הָרַקּוֹת וְהָרָעֹת הָעֹלֹת אַחֲרֵיהֶן – שֶׁבַע שָׁנִים הֵנָּה, וְשֶׁבַע הַשִּׁבֳּלִים
הָרֵקוֹת שְׁדֻפוֹת הַקָּדִים יִהְיוּ שֶׁבַע שְׁנֵי, שנות רָעָב. אחרי ההסתייגות
הנימוסית שבה פתח יוסף את דיבורו אל פרעה, כאן הוא מתנסח
בפסקנות ובדרמטיות כמעט פיוטית. כח הוּא הַדָּבָר אֲשֶׁר דִּבַּרְתִּי אֶל
פַּרְעֹה – אֲשֶׁר הָאֱלֹהִים עֹשֶׂה, יעשה הֶרְאָה אֶת פַּרְעֹה. כט הִנֵּה שֶׁבַע
שָׁנִים בָּאוֹת, שָׂבָע גָּדוֹל בְּכָל אֶרֶץ מִצְרָיִם. אלה הן הפרות הבריאות
והשיבולים הטובות. ל וְקָמוּ שֶׁבַע שְׁנֵי רָעָב אַחֲרֵיהֶן, אלה הן הפרות
רקות הבשר והשיבולים השדופות, וְנִשְׁכַּח כָּל הַשָּׂבָע בְּאֶרֶץ מִצְרָיִם,
וְכִלָּה הָרָעָב אֶת הָאָרֶץ. לא וְלֹא יִוָּדַע הַשָּׂבָע בָּאָרֶץ מִפְּנֵי הָרָעָב הַהוּא
אַחֲרֵי כֵן, כִּי כָבֵד הוּא מְאֹד. את תיאורו של פרעה, שלא ניכר בגופן
של הפרות הרזות שהפרות הבריאות באו אל קרביהן, פתר יוסף
כך שהשנים הרעות יבלעו את כל תנובתן של השנים הטובות, ולא
יישאר ממנה דבר. לב וְעַל הִשָּׁנוֹת הַחֲלוֹם אֶל פַּרְעֹה פַּעֲמָיִם, אף על
פי שזהו חלום אחד, משום שכאמור החלומות משלימים ומסבירים
זה את זה, אך פרעה חלם אותם בנפרד, כִּי נָכוֹן הַדָּבָר מֵעִם הָאֱלֹהִים,

הרחבות

'את אשר האלהים עשה הגיד לפרעה' יוסף בן הזקונים היה קשור מאוד לאביו. נראה שאחד הדברים שלמד ממנו הוא היכולת להבחין מתי חלום מבטא את משאלת הלב בלבד, מתי אין הוא אלא דברים בטלים, ומתי הוא מוריד מסר עליון אל החולם. כאן חש יוסף שמדובר בחלום שהוא גילוי נבואי.

לַעֲשֹׂתוֹ: וְעַתָּה יֵרֶא פַרְעֹה אִישׁ נָבוֹן וְחָכָם וִישִׁיתֵהוּ לג
עַל־אֶרֶץ מִצְרָיִם: יַעֲשֶׂה פַרְעֹה וְיַפְקֵד פְּקִדִים עַל־ לד
הָאָרֶץ וְחִמֵּשׁ אֶת־אֶרֶץ מִצְרַיִם בְּשֶׁבַע שְׁנֵי הַשָּׂבָע:
וְיִקְבְּצוּ אֶת־כָּל־אֹכֶל הַשָּׁנִים הַטֹּבֹת הַבָּאֹת הָאֵלֶּה לה
וְיִצְבְּרוּ־בָר תַּחַת יַד־פַּרְעֹה אֹכֶל בֶּעָרִים וְשָׁמָרוּ:
וְהָיָה הָאֹכֶל לְפִקָּדוֹן לָאָרֶץ לְשֶׁבַע שְׁנֵי הָרָעָב אֲשֶׁר לו
תִּהְיֶיןָ בְּאֶרֶץ מִצְרָיִם וְלֹא־תִכָּרֵת הָאָרֶץ בָּרָעָב:
לז וַיִּיטַב הַדָּבָר בְּעֵינֵי פַרְעֹה וּבְעֵינֵי כָּל־עֲבָדָיו: וַיֹּאמֶר לז לח
פַּרְעֹה אֶל־עֲבָדָיו הֲנִמְצָא כָזֶה אִישׁ אֲשֶׁר רוּחַ
שלישי אֱלֹהִים בּוֹ: וַיֹּאמֶר פַּרְעֹה אֶל־יוֹסֵף אַחֲרֵי הוֹדִיעַ לט
אֱלֹהִים אוֹתְךָ אֶת־כָּל־זֹאת אֵין־נָבוֹן וְחָכָם כָּמוֹךָ:
אַתָּה תִּהְיֶה עַל־בֵּיתִי וְעַל־פִּיךָ יִשַּׁק כָּל־עַמִּי רַק מ

רש"י

נֶאֱמַר: "הֶרְאָה אֶת פַּרְעֹה" (פסוק כח), לְפִי שֶׁהָיָה הַדָּבָר מֻפְלָג וְרָחוֹק נָפַל בּוֹ לְשׁוֹן מַרְאֶה:

לד) **וְחִמֵּשׁ.** כְּתַרְגּוּמוֹ: "וִיזָרְזוּן", וְכֵן: "וַחֲמֻשִׁים" (שמות יג, יח):

לה) **אֶת כָּל אֹכֶל.** שֵׁם דָּבָר הוּא, לְפִיכָךְ טַעְמוֹ בְּאָלֶ"ף וְנָקוּד בְּפַתָּח קָטָן (סגול). וְ'אוֹכֵל' שֶׁהוּא פּוֹעֵל, כְּגוֹן: "כִּי כָּל אֹכֵל חֵלֶב" (ויקרא ז, כה), טַעְמוֹ לְמַטָּה בַּכָּ"ף וְנָקוּד קָמָץ קָטָן (צירי): **תַּחַת יַד פַּרְעֹה.** בִּרְשׁוּתוֹ וּבְאוֹצְרוֹתָיו:

לו) **וְהָיָה הָאֹכֶל.** הַצָּבוּר כִּשְׁאָר פִּקָּדוֹן גָּנוּז לְקִיּוּם הָאָרֶץ:

לח) **הֲנִמְצָא כָזֶה.** "הֲנַשְׁכַּח כְּדֵין", אִם נֵלֵךְ וּנְבַקְּשֶׁנּוּ הֲנִמְצָא כָמוֹהוּ? 'הֲנִמְצָא' לְשׁוֹן תְּמִיהָה, וְכֵן כָּל הֵ"א הַמְשַׁמֶּשֶׁת בְּרֹאשׁ תֵּבָה וּנְקוּדָה בַּחֲטַף פַּתָּח:

לט) **אֵין נָבוֹן וְחָכָם כָּמוֹךָ.** לְבַקֵּשׁ "אִישׁ נָבוֹן וְחָכָם" שֶׁאָמַרְתָּ (לעיל פסוק לג), לֹא נִמְצָא כָמוֹךָ:

מ) **יִשַּׁק.** "יִתְּזַן", יִתְפַּרְנֵס; כָּל צָרְכֵי עַמִּי

הרחבות

'ועתה ירא פרעה' יוסף, העבד העברי, שאינו חכם מחכמי פרעה ואינו יועץ מיועציו, התבקש לפתור חלום, והוא העז לחרוג מתפקידו ולייעץ לפרעה כיצד לנהוג במה שמשתמע מן החלום ששמע. ייתכן שתפיסת החלום של יוסף היא שהניעה אותו לנהוג בתעוזה זאת. יוסף הרגיש שעצם הפנייה אליו לפתור חלומות הייתה משמעותית והבין שהוא נקרא להתערב בהתרחשויות. כך אפשר לפרש גם את בקשתו משר המשקים לזָכרו - כיוון ששר המשקים שיתף אותו בחלומו וביקש ממנו

ביאור

וּמְמַהֵר הָאֱלֹהִים לַעֲשֹׂתוֹ. פשר החזרה הוא שהדבר נחרץ, וכן שאין
מדובר בעתיד הרחוק אלא בזמן קרוב. המסר נכפל בדומה לקריאה
כפולה שמשמיעים בעת סכנה.

לג אלוקים מגלה לך את העתיד להתרחש. מאחר שמופנה אליך מסר
מעשי – **וְעַתָּה יֵרֶא פַרְעֹה אִישׁ נָבוֹן**, מי שבכוחו לראות את העתיד
מתוך מה שעיניו רואות, **וְחָכָם**, מי שראה ושמע הרבה וצבר ידע,[4]
וִישִׁיתֵהוּ עַל אֶרֶץ מִצְרָיִם. יוסף הדגיש שמדובר בתפקיד שלשם ביצועו
נדרשת אישיות יוצאת דופן. לכן לא כדאי שפרעה ימנה לו את אחד
מנושאי התפקידים המוכָּרים. לד **יַעֲשֶׂה פַרְעֹה, וְיַפְקֵד פְּקִדִים עַל**
הָאָרֶץ, וְחִמֵּשׁ, ויצייד **אֶת אֶרֶץ מִצְרַיִם בְּשֶׁבַע שְׁנֵי הַשָּׂבָע**. לה **וְיִקְבְּצוּ**
אֶת כָּל אֹכֶל הַשָּׁנִים הַטֹּבֹת הַבָּאֹת הָאֵלֶּה, וְיִצְבְּרוּ בָר, תבואה **תַּחַת**
יַד פַּרְעֹה, אֹכֶל בֶּעָרִים יצברו, **וְשָׁמָרוּ**. לו **וְהָיָה הָאֹכֶל לְפִקָּדוֹן לָאָרֶץ,**
לְשֶׁבַע שְׁנֵי הָרָעָב אֲשֶׁר תִּהְיֶיןָ בְּאֶרֶץ מִצְרָיִם, וְלֹא תִכָּרֵת הָאָרֶץ בָּרָעָב.

לז **וַיִּיטַב הַדָּבָר בְּעֵינֵי פַרְעֹה**. הפתרון מצא חן בעיניו, מפני שכל פרט
מפרטיו הלם פרט מפרטי החלום; ועצתו של יוסף מצאה חן בעיניו,
משום שהיה בה פוטנציאל כלכלי עצום, ומשום שהשאירה בידי
המלך כוח רב בשנות הרעב. **וּבְעֵינֵי כָּל עֲבָדָיו**, אולי משום שכל אחד
מהם חשב שהוא האיש החכם והנבון, שעליו יוטל לנהל את כלכלת
מצרים בשנים הקרובות. לח **וַיֹּאמֶר פַּרְעֹה אֶל עֲבָדָיו: הֲנִמְצָא כָזֶה**
אִישׁ אֲשֶׁר רוּחַ אֱלֹהִים בּוֹ?

לט **וַיֹּאמֶר פַּרְעֹה אֶל יוֹסֵף: אַחֲרֵי הוֹדִיעַ אֱלֹהִים אוֹתְךָ אֶת כָּל זֹאת – אֵין**
נָבוֹן וְחָכָם כָּמוֹךָ. פרעה התרשם מיוסף עמוקות. אולי תרמה לכך גם
הופעתו של יוסף, שהתייצב לפניו בבגדים אזרחיים, ומן הסתם כבר
דיבר מצרית רהוטה. כרוב הסובבים את יוסף, אף פרעה עמד על
חכמתו והצלחתו וראה שהוא זוכה אף לחזונות אלוקיים. מ על כן
מינה אותו לפעול לאור פתרונו והצעותיו – **אַתָּה תִּהְיֶה** ממונה **עַל**
בֵּיתִי, וְעַל פִּיךָ יִשַּׁק, יצטייד במזון או בכלי נשק **כָּל עַמִּי**, או: הכול

הרחבות

לפתור אותו, יוסף הבין שהוא עצמו חלק מסיפור החלום ופתרונו. נוכח חלום פרעה הדבר בולט הרבה יותר, שהרי כאן מתרחש הבלתי אפשרי – פנו אל העבד הנתון במאסר לייעץ למלך פרעה בעניין שבו נכשלו שאר חכמיו. מתוך כך הסיק יוסף שקיבל משמים – ולא מיד פרעה – כוח מיוחד, ולכן לא הסתפק בביאור החלום אלא אף ייעץ לפרעה כיצד להשתמש ביבול השנים השמנות כדי לרכך את גזרת שנות הרעב.

הַכִּסֵּא אֶגְדַּל מִמֶּךָּ: וַיֹּאמֶר פַּרְעֹה אֶל־יוֹסֵף רְאֵה מא
נָתַתִּי אֹתְךָ עַל כָּל־אֶרֶץ מִצְרָיִם: וַיָּסַר פַּרְעֹה אֶת־ מב
טַבַּעְתּוֹ מֵעַל יָדוֹ וַיִּתֵּן אֹתָהּ עַל־יַד יוֹסֵף וַיַּלְבֵּשׁ אֹתוֹ
בִּגְדֵי־שֵׁשׁ וַיָּשֶׂם רְבִד הַזָּהָב עַל־צַוָּארוֹ: וַיַּרְכֵּב אֹתוֹ מג
בְּמִרְכֶּבֶת הַמִּשְׁנֶה אֲשֶׁר־לוֹ וַיִּקְרְאוּ לְפָנָיו אַבְרֵךְ
וְנָתוֹן אֹתוֹ עַל כָּל־אֶרֶץ מִצְרָיִם: וַיֹּאמֶר פַּרְעֹה אֶל־ מד
יוֹסֵף אֲנִי פַרְעֹה וּבִלְעָדֶיךָ לֹא־יָרִים אִישׁ אֶת־יָדוֹ
וְאֶת־רַגְלוֹ בְּכָל־אֶרֶץ מִצְרָיִם: וַיִּקְרָא פַרְעֹה שֵׁם־ מה
יוֹסֵף צָפְנַת פַּעְנֵחַ וַיִּתֶּן־לוֹ אֶת־אָסְנַת בַּת־פּוֹטִי פֶרַע

רש"י | יִהְיוּ נַעֲשִׂים עַל יָדְךָ, כְּמוֹ: "וּבֶן מֶשֶׁק בֵּיתִי" (לעיל טו, ב), וּכְמוֹ: "נַשְּׁקוּ בַר" (תהלים ב, יב), גרניסו"ן בְּלַעַז: רַק הַכִּסֵּא. שֶׁיִּהְיוּ קוֹרִין לִי מֶלֶךְ: כִּסֵּא. לְשׁוֹן שֵׁם הַמְּלוּכָה, כְּמוֹ: "וִיגַדֵּל אֶת כִּסְאוֹ מִכִּסֵּא אֲדֹנִי הַמֶּלֶךְ" (מלכים א' א, לז):

מא| נָתַתִּי אֹתְךָ. "מַנֵּיתִי יָתָךְ"; וְאַף עַל פִּי כֵן לְשׁוֹן נְתִינָה הוּא, כְּמוֹ: "וּלְתִתְּךָ עֶלְיוֹן" (דברים כו, יט). בֵּין לִגְדֻלָּה בֵּין לִשְׁפְלוּת נוֹפֵל לְשׁוֹן נְתִינָה עָלָיו, כְּמוֹ: "נָתַתִּי אֶתְכֶם נִבְזִים וּשְׁפָלִים" (מלאכי ב, ט):

מב| וַיָּסַר פַּרְעֹה אֶת טַבַּעְתּוֹ. נְתִינַת טַבַּעַת הַמֶּלֶךְ הִיא אוֹת לְמִי שֶׁנּוֹתְנָהּ לוֹ לִהְיוֹת שֵׁנִי לוֹ לִגְדֻלָּה: בִּגְדֵי שֵׁשׁ. דְּבַר חֲשִׁיבוּת הוּא בְּמִצְרַיִם: רְבִד. עֲנָק, וְעַל שֶׁהוּא רָצוּף בְּטַבָּעוֹת קָרוּי 'רָבִיד', וְכֵן: "רָבַדְתִּי עַרְשִׂי" (משלי ז, טז), רִצַּפְתִּי עַרְשִׂי מַרְצָפוֹת. וּבִלְשׁוֹן מִשְׁנָה: "מֻקָּף רוֹבְדִין שֶׁל אֶבֶן" (מדות א, ח), "עַל הָרֹבֶד שֶׁבָּעֲזָרָה" (יומא מג ע"ב), וְהִיא רִצְפָּה:

מג| בְּמִרְכֶּבֶת הַמִּשְׁנֶה. הַשְּׁנִיָּה לְמֶרְכַּבְתּוֹ, הַמְּהַלֶּכֶת אֵצֶל שֶׁלּוֹ: אַבְרֵךְ. כְּתַרְגּוּמוֹ: "דֵּין אַבָּא לְמַלְכָּא", 'רַךְ' בִּלְשׁוֹן אֲרַמִּי מֶלֶךְ, בְּ'הַשֻּׁתָּפִין': "לָא רֵיכָא וְלָא בַּר רֵיכָא" (בבא בתרא ד ע"א). וּבְדִבְרֵי אַגָּדָה, דָּרַשׁ רַבִּי יְהוּדָה: "אַבְרֵךְ" זֶה יוֹסֵף, שֶׁהוּא אָב בְּחָכְמָה וְרַךְ בַּשָּׁנִים. אָמַר לוֹ רַבִּי יוֹסֵי בֶּן דּוּרְמַסְקִית: בְּרַבִּי, עַד מָתַי אַתָּה מְעַוֵּת עָלֵינוּ אֶת הַכְּתוּבִים? אֵין 'אַבְרֵךְ' אֶלָּא לְשׁוֹן בִּרְכַּיִם, שֶׁהַכֹּל יְהוּ נִכְנָסִין וְיוֹצְאִין תַּחַת יָדוֹ, כְּעִנְיָן שֶׁנֶּאֱמַר: "וְנָתוֹן אֹתוֹ" וְגוֹ':

מד| אֲנִי פַרְעֹה. שֶׁיֵּשׁ יְכֹלֶת בְּיָדִי לִגְזֹר גְּזֵרוֹת עַל מַלְכוּתִי, וַאֲנִי גוֹזֵר שֶׁלֹּא יָרִים אִישׁ אֶת יָדוֹ בִּלְעָדֶיךָ, שֶׁלֹּא בִּרְשׁוּתְךָ. דָּבָר אַחֵר, "אֲנִי פַרְעֹה", אֲנִי אֶהְיֶה מֶלֶךְ, "וּבִלְעָדֶיךָ" וְגוֹ', זוֹ דֻּגְמַת "רַק הַכִּסֵּא אֶגְדַּל מִמֶּךָּ" (לעיל פסוק מ) אֶלָּא שֶׁהֻצְרַךְ לְפָרֵשׁ לוֹ בִּשְׁעַת נְתִינַת הַטַּבַּעַת: אֶת יָדוֹ וְאֶת רַגְלוֹ. כְּתַרְגּוּמוֹ:

מה| צָפְנַת פַּעְנֵחַ. מְפָרֵשׁ הַצְּפוּנוֹת, וְאֵין לְ'פַעְנֵחַ' דִּמְיוֹן בַּמִּקְרָא: פּוֹטִי פֶרַע. הוּא

ביאור

יבואו לנשק אותך,[5] כלומר יכבדו ויעריצו אותך. אמנם מינויך מוגבל לנושא מסוים, אבל זהו עניין מכריע, ולפיכך **רַק הַכִּסֵּא אֶגְדַּל מִמֶּךָּ**. לא אוותר על המלוכה, אבל אייפה את כוחך בכל היתר.

מא **וַיֹּאמֶר פַּרְעֹה אֶל יוֹסֵף: רְאֵה נָתַתִּי אֹתְךָ עַל כָּל אֶרֶץ מִצְרָיִם.** אתה מופקד על כל ארץ מצרים לעניינים אלה. מב **וַיָּסַר פַּרְעֹה אֶת טַבַּעְתּוֹ מֵעַל יָדוֹ**, בטבעת היה מוטבע חותם, ועל כן משמעות נתינתה היא ייפוי כוח ממשי, **וַיִּתֵּן אֹתָהּ עַל יַד יוֹסֵף**. משקיבל יוסף את תפקידו - **וַיַּלְבֵּשׁ אֹתוֹ בִּגְדֵי שֵׁשׁ**, בגדי פשתן רשמיים, כמקובל במצרים. **וַיָּשֶׂם רְבִד הַזָּהָב עַל צַוָּארוֹ**, תכשיט הדומה לענק.[6] מג **וַיַּרְכֵּב אֹתוֹ בְּמִרְכֶּבֶת הַמִּשְׁנֶה אֲשֶׁר לוֹ**, במרכבה ששימשה בשעת הדחק, כאשר היה צריך למלא את מקומה של מרכבתו הקבועה של המלך. את מרכבתו האישית השאיר לעצמו. **וַיִּקְרְאוּ לְפָנָיו: אַבְרֵךְ**, כריעת ברך.[7] כאשר יוסף יצא במרכבתו, הכול יצטרכו לכרוע לפניו. **וְנָתוֹן אֹתוֹ עַל כָּל אֶרֶץ מִצְרָיִם**. הודיעו רשמית ופומבית, שהוא המושל בכל מצרים. מד ופרעה מסכם: **וַיֹּאמֶר פַּרְעֹה אֶל יוֹסֵף: אֲנִי פַרְעֹה**, אני הוא צאצא האלים, השליט והמושל, אך מעבר לכך - **וּבִלְעָדֶיךָ לֹא יָרִים אִישׁ אֶת יָדוֹ וְאֶת רַגְלוֹ בְּכָל אֶרֶץ מִצְרָיִם**. בידך הסמכות המלאה לגבי מה שייעשה במדינה.

מה **וַיִּקְרָא פַרְעֹה שֵׁם יוֹסֵף צָפְנַת פַּעְנֵחַ**. הכינוי התפרש בעברית כמפענח הצפונות, מגלה הנסתרות,[8] אולם כיוון שהשורש פ,ע,נ,ח,

רביד זהב

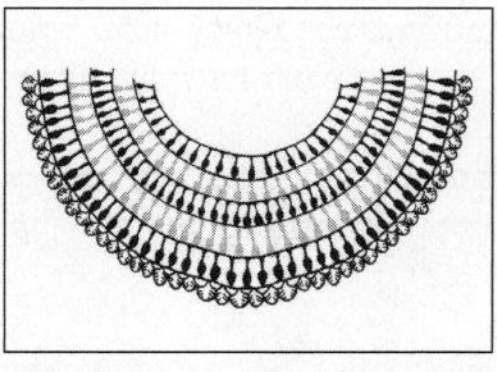

העולם

רְבִד הַזָּהָב בציורים המצריים אפשר לראות כעין צעיף של זהב שמונח על צווארם של המלכים והשרים כביטוי לדרגתם הגבוהה (וראו עוד דניאל ה,ז).

צָפְנַת פַּעְנֵחַ ענח במצרית הוא חיים נצחיים. כינוי זה התווסף לשמותיהם של בעלי משרות חשובות, כמו פרעה - תות ענח אמון. בציורים מצריים אפשר לראות את סמל הענח, חפץ המסמל כוח חיים, נישא בידי אלים וחשובי עם. יש הסבורים שצורתו דומה לנילוס, מקור החיים של מצרים.

מו כֹּהֵן אֹן לְאִשָּׁה וַיֵּצֵא יוֹסֵף עַל־אֶרֶץ מִצְרָיִם׃ וְיוֹסֵף
בֶּן־שְׁלֹשִׁים שָׁנָה בְּעָמְדוֹ לִפְנֵי פַּרְעֹה מֶלֶךְ־מִצְרָיִם
וַיֵּצֵא יוֹסֵף מִלִּפְנֵי פַרְעֹה וַיַּעֲבֹר בְּכָל־אֶרֶץ מִצְרָיִם׃
מז מח וַתַּעַשׂ הָאָרֶץ בְּשֶׁבַע שְׁנֵי הַשָּׂבָע לִקְמָצִים׃ וַיִּקְבֹּץ
אֶת־כָּל־אֹכֶל ׀ שֶׁבַע שָׁנִים אֲשֶׁר הָיוּ בְּאֶרֶץ מִצְרַיִם
וַיִּתֶּן־אֹכֶל בֶּעָרִים אֹכֶל שְׂדֵה־הָעִיר אֲשֶׁר סְבִיבֹתֶיהָ
מט נָתַן בְּתוֹכָהּ׃ וַיִּצְבֹּר יוֹסֵף בָּר כְּחוֹל הַיָּם הַרְבֵּה מְאֹד
נ עַד כִּי־חָדַל לִסְפֹּר כִּי־אֵין מִסְפָּר׃ וּלְיוֹסֵף יֻלַּד שְׁנֵי
בָנִים בְּטֶרֶם תָּבוֹא שְׁנַת הָרָעָב אֲשֶׁר יָלְדָה־לּוֹ
נא אָסְנַת בַּת־פּוֹטִי פֶרַע כֹּהֵן אוֹן׃ וַיִּקְרָא יוֹסֵף אֶת־שֵׁם
הַבְּכוֹר מְנַשֶּׁה כִּי־נַשַּׁנִי אֱלֹהִים אֶת־כָּל־עֲמָלִי וְאֵת
נב כָּל־בֵּית אָבִי׃ וְאֵת שֵׁם הַשֵּׁנִי קָרָא אֶפְרָיִם כִּי־הִפְרַנִי

רש"י | פּוֹטִיפַרַע. וְנִקְרָא פּוֹטִיפֶרַע עַל שֶׁנִּסְתָּרֵס מֵאֵלָיו, לְפִי שֶׁלָּקַח אֶת יוֹסֵף לְמִשְׁכַּב זָכוּר:

מז | וַתַּעַשׂ הָאָרֶץ. כְּתַרְגּוּמוֹ, וְאֵין הַלָּשׁוֹן נֶעֱקָר מִלְּשׁוֹן עֲשִׂיָּה: לִקְמָצִים. קֹמֶץ עַל קֹמֶץ, יָד עַל יָד הָיוּ אוֹצְרִין:

מח | אֹכֶל שְׂדֵה הָעִיר... נָתַן בְּתוֹכָהּ. שֶׁכָּל אֶרֶץ וְאֶרֶץ מַעֲמֶדֶת פֵּרוֹתֶיהָ, וְנוֹתְנִין בַּתְּבוּאָה מֵעֲפַר הַמָּקוֹם וּמַעֲמִיד אֶת הַתְּבוּאָה מִלֵּרָקֵב:

מט | עַד כִּי חָדַל לִסְפֹּר. עַד אֲשֶׁר חָדַל לוֹ הַסּוֹפֵר לִסְפֹּר, וַהֲרֵי זֶה מִקְרָא קָצָר: כִּי אֵין מִסְפָּר. לְפִי שֶׁאֵין מִסְפָּר, וַהֲרֵי 'כִּי' מְשַׁמֵּשׁ בִּלְשׁוֹן 'דְּהָא':

נ | בְּטֶרֶם תָּבוֹא שְׁנַת הָרָעָב. מִכָּאן שֶׁאָדָם אָסוּר לְשַׁמֵּשׁ מִטָּתוֹ בִּשְׁנֵי רְעָבוֹן:

העולם | **און** בירתה הקדומה של מצרים הממוקמת בקצה הדרומי של הדלתא. און שימשה כמרכז דתי חשוב לאליל השמש אתון. עם הכיבוש ההלניסטי שונה שמה ליוונית - הליופוליס (Ἡλίου πόλις), שפירושו עיר השמש. (ראו עוד במובא בישעיה יט, יח).

'בָר כְּחוֹל הַיָּם' במשך זמן רב מאוד - כמעט עד לפני אלפיים שנה - הייתה מצרים ארץ התבואה המובהקת. היא סיפקה את כל צרכיה ואף ייצאה תבואה רבה לארצות קרובות ורחוקות. בתקופת השלטון הרומאי הייתה מצרים אסם התבואות של רומא. (ראו עוד ישעיה כג,ג).

ביאור

יחידאי במקרא, סביר שזהו שמו המצרי של יוסף.[9] במקרא מופיעים
שמות מצריים נוספים שניתנו לאנשים.[10] הסיומת 'ענח' במצרית
מבטאת את סמל החיים. שמו החדש של יוסף היווה גם תואר וכינוי
כבוד לרגל תפקידו. ומשעה שיוסף הפך לדמות חשובה, פרעה דאג
לו גם לאשה - **וַיִּתֶּן לוֹ אֶת אָסְנַת בַּת פּוֹטִי פֶרַע כֹּהֵן אֹן לְאִשָּׁה.** נראה
כי למרות הדמיון בשם לא הייתה זו בתו של פוטיפר,[11] שכן אביה
לא היה שר טבחים בבית האסורים, אלא הכהן הראשי בעיר הבירה
און, שבה עמד מקדש. במעשה זה פרעה לא רק גמל חסד עם יוסף
אלא העצים אותו. כיוון שלכהני מצרים הייתה תמיד השפעה על
המתחולל במצרים, פרעה קשר אותו באופן ישיר אל מקורות הכוח
והשלטון האחרים במדינה. **וַיֵּצֵא יוֹסֵף עַל אֶרֶץ מִצְרָיִם,** הוא התהלך
בה כשליט והתחיל לארגן אותה. מו **וְיוֹסֵף בֶּן שְׁלֹשִׁים שָׁנָה בְּעָמְדוֹ
לִפְנֵי פַּרְעֹה מֶלֶךְ מִצְרָיִם.** עברו שלוש-עשרה שנים מאז חלם את
חלומותיו הראשונים, שבעקבותיהם נמכר וגלה מארצו.[12] במשך
שנים אלו השתנה מעמדו לבלי הכר. **וַיֵּצֵא יוֹסֵף מִלִּפְנֵי פַרְעֹה, וַיַּעֲבֹר
בְּכָל אֶרֶץ מִצְרָיִם,** כדי ליישם את עצתו לפרעה.

מז **וַתַּעַשׂ הָאָרֶץ בְּשֶׁבַע שְׁנֵי הַשָּׂבָע לִקְמָצִים,** כדי לצבור באוצרות,[13]
או: גרעיני שיבולת אחת הכילה קומץ יד או כמה קמצים.[14] הארץ
הניבה יבול גדול. מח **וַיִּקְבֹּץ** יוסף **אֶת כָּל אֹכֶל שֶׁבַע שָׁנִים אֲשֶׁר הָיוּ
בְּאֶרֶץ מִצְרַיִם, וַיִּתֶּן אֹכֶל בֶּעָרִים. אֹכֶל שְׂדֵה הָעִיר אֲשֶׁר סְבִיבֹתֶיהָ נָתַן
בְּתוֹכָהּ.** בכל עיר אחסן יוסף את התבואה שצמחה סביבה, הן משום
שהתבואה רגילה לאקלים המקומי, הן משום שבכל עיר אפשר לאמוד
את כמות התבואה שתספיק למספר אזרחיה. מט **וַיִּצְבֹּר יוֹסֵף בָּר
כְּחוֹל הַיָּם הַרְבֵּה מְאֹד, עַד כִּי חָדַל לִסְפֹּר כִּי אֵין מִסְפָּר.** בכל שנה גדלה
כמות עצומה של תבואה. ייתכן שיש להבין באופן מילולי: בתחילה
ניסו לנהל את החשבונות, אך נוכח הכמות העצומה התייאשו מכך.

נ **וּלְיוֹסֵף יֻלַּד שְׁנֵי בָנִים בְּטֶרֶם תָּבוֹא שְׁנַת הָרָעָב,** במשך שנות השבע,
אֲשֶׁר יָלְדָה לּוֹ אָסְנַת בַּת פּוֹטִי פֶרַע כֹּהֵן אוֹן. נא **וַיִּקְרָא יוֹסֵף אֶת שֵׁם
הַבְּכוֹר מְנַשֶּׁה, כִּי** חש: **נַשַּׁנִי,** השכיחני, **אֱלֹהִים אֶת כָּל עֲמָלִי,** סבלי
ועבודתי הקשה **וְאֵת כָּל** צרות **בֵּית אָבִי,** שמהן סבלתי שנים רבות,
ועתה אני אדם חדש. נב **וְאֵת שֵׁם הַשֵּׁנִי קָרָא אֶפְרָיִם, כִּי** חש: אכן,

רביעי אֱלֹהִים בְּאֶרֶץ עׇנְיִי: וַתִּכְלֶינָה שֶׁבַע שְׁנֵי הַשָּׂבָע אֲשֶׁר נג
הָיָה בְּאֶרֶץ מִצְרָיִם: וַתְּחִלֶּינָה שֶׁבַע שְׁנֵי הָרָעָב לָבוֹא נד
כַּאֲשֶׁר אָמַר יוֹסֵף וַיְהִי רָעָב בְּכָל־הָאֲרָצוֹת וּבְכָל־
אֶרֶץ מִצְרַיִם הָיָה לָחֶם: וַתִּרְעַב כָּל־אֶרֶץ מִצְרַיִם נה
וַיִּצְעַק הָעָם אֶל־פַּרְעֹה לַלָּחֶם וַיֹּאמֶר פַּרְעֹה לְכָל־
מִצְרַיִם לְכוּ אֶל־יוֹסֵף אֲשֶׁר־יֹאמַר לָכֶם תַּעֲשׂוּ:
וְהָרָעָב הָיָה עַל כָּל־פְּנֵי הָאָרֶץ וַיִּפְתַּח יוֹסֵף אֶת־כָּל־ נו
אֲשֶׁר בָּהֶם וַיִּשְׁבֹּר לְמִצְרַיִם וַיֶּחֱזַק הָרָעָב בְּאֶרֶץ
מִצְרָיִם: וְכָל־הָאָרֶץ בָּאוּ מִצְרַיְמָה לִשְׁבֹּר אֶל־יוֹסֵף נז
כִּי־חָזַק הָרָעָב בְּכָל־הָאָרֶץ: וַיַּרְא יַעֲקֹב כִּי יֶשׁ־שֶׁבֶר א מב

רש״י

נה) וַתִּרְעַב כָּל אֶרֶץ מִצְרַיִם. שֶׁהִרְקִיבָה תְּבוּאָתָם שֶׁאָצְרוּ, חוּץ מִשֶּׁל יוֹסֵף: אֲשֶׁר יֹאמַר לָכֶם תַּעֲשׂוּ. לְפִי שֶׁהָיָה יוֹסֵף אוֹמֵר לָהֶם שֶׁיִּמּוֹלוּ, וּכְשֶׁבָּאוּ אֵצֶל פַּרְעֹה וְאוֹמְרִים: כָּךְ הוּא אוֹמֵר לָנוּ, אָמַר לָהֶם: וְלָמָּה לֹא צְבַרְתֶּם בָּר, וַהֲלֹא הִכְרִיז לָכֶם שֶׁשְּׁנֵי הָרָעָב בָּאִים? אָמְרוּ לוֹ: אָסַפְנוּ הַרְבֵּה וְהִרְקִיבָה. אָמַר לָהֶם: אִם כֵּן, "אֲשֶׁר יֹאמַר לָכֶם תַּעֲשׂוּ"! הֲרֵי גָּזַר עַל הַתְּבוּאָה וְהִרְקִיבָה, מָה אִם יִגְזֹר עָלֵינוּ וְנָמוּת?

נו) עַל כָּל פְּנֵי הָאָרֶץ. מִי הֵם "פְּנֵי הָאָרֶץ"? אֵלּוּ הָעֲשִׁירִים: אֶת כָּל אֲשֶׁר בָּהֶם. כְּתַרְגּוּמוֹ: "דִּי בְהוֹן עֲבוּרָא": וַיִּשְׁבֹּר לְמִצְרָיִם. 'שֶׁבֶר' לְשׁוֹן מֶכֶר וּלְשׁוֹן קִנְיָן הוּא, כָּאן מְשַׁמֵּשׁ לְשׁוֹן מֶכֶר; "שִׁבְרוּ לָנוּ מְעַט אֹכֶל" (להלן מג, ב) – לְשׁוֹן קִנְיָן. וְאַל תֹּאמַר, אֵינוֹ אֶלָּא בִּתְבוּאָה, שֶׁאַף בְּיַיִן וְחָלָב מָצִינוּ: "וּלְכוּ שִׁבְרוּ בְּלוֹא כֶסֶף וּבְלוֹא מְחִיר יַיִן וְחָלָב" (ישעיה נה, א).

נז) וְכָל הָאָרֶץ בָּאוּ מִצְרַיְמָה. אֶל יוֹסֵף לִשְׁבֹּר. וְאִם תִּדְרְשֶׁהוּ כְּסִדְרוֹ, הָיָה צָרִיךְ לִכְתֹּב: 'לִשְׁבֹּר מִן יוֹסֵף'.

ביאור | שכחתי את צרותי, ולא זו בלבד, כעת **הִפְרַנִי**, הצליח את דרכי וגידל אותי **אֱלֹהִים בְּאֶרֶץ עָנְיִי.**

נג **וַתִּכְלֶינָה**, הסתיימו **שֶׁבַע שְׁנֵי הַשָּׂבָע אֲשֶׁר הָיָה בְּאֶרֶץ מִצְרָיִם.**
נד **וַתְּחִלֶּינָה**, התחילו **שֶׁבַע שְׁנֵי הָרָעָב לָבוֹא, כַּאֲשֶׁר אָמַר יוֹסֵף.** במצרים, שאינה תלויה בגשמים אלא בעיקר במערכת ההשקיה שמקורה במי הנילוס, בולט מעבר זה מאוד. אם מסיבה כלשהי מפלס המים בנילוס נמוך מהדרוש, הארץ אינה מוציאה את פֵּרותיה, ומגיע רעב. יתר על כן, **וַיְהִי רָעָב בְּכָל הָאֲרָצוֹת.** לא הייתה זאת רק בעיה מקומית בהרי אפריקה, שלא סיפקו את כמות המים; גם הארצות האחרות סבלו מבצורת בעקבות תמורות אקלימיות. **וּבְכָל אֶרֶץ מִצְרַיִם הָיָה לָחֶם.**

נה לאחר שחוסלו מאגרי המזון הביתיים, והתברר שנקצרה כמות זעומה של תבואה בקיץ - **וַתִּרְעַב כָּל אֶרֶץ מִצְרַיִם. וַיִּצְעַק הָעָם אֶל פַּרְעֹה לַלָּחֶם.** צעקתם הישירה והעקיפה של האזרחים הופנתה אל פרעה לא רק בתור מלכם, אלא גם משום שייחסו לו תכונות אלוהיות. **וַיֹּאמֶר פַּרְעֹה לְכָל מִצְרַיִם: לְכוּ אֶל יוֹסֵף**, הוא הממונה על הטיפול בבעיית הרעב שלכם. **אֲשֶׁר יֹאמַר לָכֶם תַּעֲשׂוּ.** פרעה ביקש לחסוך מעצמו, מפקידיו או ממקורביו את הצרות. משעה שהמערכת נדרשה לארגן את חלוקת האוכל, הוא הפנה הכול ליוסף.

נו **וְהָרָעָב הָיָה עַל כָּל פְּנֵי הָאָרֶץ**, גם מחוץ למצרים, ועל כן אי-אפשר היה לייבא אוכל. **וַיִּפְתַּח יוֹסֵף אֶת כָּל אֲשֶׁר בָּהֶם**, מה שבמחסנים, **וַיִּשְׁבֹּר**, מכר תבואה **לְמִצְרַיִם.** לא ברור אם בשלב הראשון יוסף קנה את התבואה או שמא גבה אותה כמסים. מכל מקום עתה מכר אותה. **וַיֶּחֱזַק הָרָעָב בְּאֶרֶץ מִצְרָיִם**, שכן מֵעבר לתבואה במאגרים של יוסף לא נותר להם במה להזין את עצמם. נז **וְכָל הָאָרֶץ**, הארצות השכנות **בָּאוּ מִצְרַיְמָה לִשְׁבֹּר**, לקנות תבואה[15] **אֶל יוֹסֵף, כִּי חָזַק הָרָעָב בְּכָל הָאָרֶץ.** עד לנקודה זו התגשם פתרון החלום שפתר יוסף במלואו.

הרחבות | **כלכלתו של יוסף** יוסף היה מעוניין לא רק למכור את התבואה אלא גם לווסת את חלוקת המזון. בתור נציגו של פרעה הוא ניסה לבנות מנגנון שיאפשר לו לפקח על כלכלת התושבים. מצד אחד, לא הייתה זו חלוקה קצובה של לחם, ומצד שני, המכירה לא הייתה חופשית לחלוטין. יוסף ביקש לנהלה, כך שאיש מתושבי מצרים לא ימות ברעב.

בְּמִצְרָיִם וַיֹּאמֶר יַעֲקֹב לְבָנָיו לָמָּה תִּתְרָאוּ: וַיֹּאמֶר ב
הִנֵּה שָׁמַעְתִּי כִּי יֶשׁ־שֶׁבֶר בְּמִצְרָיִם רְדוּ־שָׁמָּה
וְשִׁבְרוּ־לָנוּ מִשָּׁם וְנִחְיֶה וְלֹא נָמוּת: וַיֵּרְדוּ אֲחֵי־יוֹסֵף ג
עֲשָׂרָה לִשְׁבֹּר בָּר מִמִּצְרָיִם: וְאֶת־בִּנְיָמִין אֲחִי יוֹסֵף ד
לֹא־שָׁלַח יַעֲקֹב אֶת־אֶחָיו כִּי אָמַר פֶּן־יִקְרָאֶנּוּ
אָסוֹן: וַיָּבֹאוּ בְּנֵי יִשְׂרָאֵל לִשְׁבֹּר בְּתוֹךְ הַבָּאִים כִּי־ ה
הָיָה הָרָעָב בְּאֶרֶץ כְּנָעַן: וְיוֹסֵף הוּא הַשַּׁלִּיט עַל־ ו
הָאָרֶץ הוּא הַמַּשְׁבִּיר לְכָל־עַם הָאָרֶץ וַיָּבֹאוּ אֲחֵי
יוֹסֵף וַיִּשְׁתַּחֲווּ־לוֹ אַפַּיִם אָרְצָה: וַיַּרְא יוֹסֵף אֶת־אֶחָיו ז

רש"י | פרק מב

א| **וַיַּרְא יַעֲקֹב כִּי יֶשׁ שֶׁבֶר בְּמִצְרָיִם.** וּמֵהֵיכָן רָאָה? וַהֲלֹא לֹא רָאָה אֶלָּא שָׁמַע, שֶׁנֶּאֱמַר (להלן פסוק ב): "הִנֵּה שָׁמַעְתִּי" וְגוֹ'! וּמַהוּ "וַיַּרְא"? רָאָה בְּאַסְפַּקְלַרְיָא שֶׁל קֹדֶשׁ שֶׁיֵּשׁ לוֹ שֶׁבֶר עוֹד בְּמִצְרַיִם, וְלֹא הָיְתָה נְבוּאָה מַמָּשׁ לְהוֹדִיעוֹ בְּפֵרוּשׁ שֶׁזֶּה יוֹסֵף: **לָמָּה תִּתְרָאוּ.** אַל תַּרְאוּ עַצְמְכֶם בִּפְנֵי בְּנֵי יִשְׁמָעֵאל וּבְנֵי עֵשָׂו כְּאִלּוּ אַתֶּם שְׂבֵעִים; כְּאוֹתָהּ שָׁעָה עֲדַיִן הָיָה לָהֶם תְּבוּאָה. וּמִפִּי אֲחֵרִים שָׁמַעְתִּי, שֶׁהוּא לְשׁוֹן כְּחִישָׁה: לָמָּה תִּהְיוּ כְּחוּשִׁים בָּרָעָב? וְדוֹמֶה לוֹ: "וּמַרְוֶה גַּם הוּא יוֹרֶא" (משלי יא, כה); וְאֵין הַדָּבָר נָכוֹן בְּעֵינַי:

ב| **רְדוּ שָׁמָּה.** וְלֹא אָמַר 'לְכוּ'! רֶמֶז לְמָאתַיִם וָעֶשֶׂר שָׁנִים שֶׁנִּשְׁתַּעְבְּדוּ לְמִצְרַיִם, כְּמִנְיַן רד"ו:

ג| **וַיֵּרְדוּ אֲחֵי יוֹסֵף.** וְלֹא כָּתַב 'בְּנֵי יַעֲקֹב'! מְלַמֵּד שֶׁהָיוּ מִתְחָרְטִים בִּמְכִירָתוֹ, וְנָתְנוּ לִבָּם לְהִתְנַהֵג עִמּוֹ בְּאַחֲוָה וְלִפְדּוֹתוֹ בְּכָל מָמוֹן שֶׁיִּפְסְקוּ עֲלֵיהֶם: **עֲשָׂרָה.** מַה תַּלְמוּד לוֹמַר? וַהֲלֹא כְּתִיב: "וְאֶת בִּנְיָמִין אֲחִי יוֹסֵף לֹא שָׁלַח" (להלן פסוק ד)! אֶלָּא לְעִנְיַן הָאַחֲוָה הָיוּ חֲלוּקִין לַעֲשָׂרָה, שֶׁלֹּא הָיְתָה אַהֲבַת כֻּלָּם וְשִׂנְאַת כֻּלָּם שָׁוָה לוֹ, אֲבָל לְעִנְיַן "לִשְׁבֹּר בָּר" כֻּלָּם לֵב אֶחָד לָהֶם. בְּרֵאשִׁית רַבָּה (צא, ב):

ד| **פֶּן יִקְרָאֶנּוּ אָסוֹן.** וּבַבַּיִת לֹא יִקְרָאֶנּוּ?! אָמַר רַבִּי אֱלִיעֶזֶר בֶּן יַעֲקֹב: מִכָּאן שֶׁהַשָּׂטָן מְקַטְרֵג בִּשְׁעַת הַסַּכָּנָה:

ה| **בְּתוֹךְ הַבָּאִים.** מַטְמִינִין עַצְמָן שֶׁלֹּא יַכִּירוּם, לְפִי שֶׁצִּוָּה אֲבִיהֶם שֶׁלֹּא יִתְרָאוּ שֶׁלֹּא תִּשְׁלֹט בָּהֶם עַיִן רָעָה, שֶׁכֻּלָּם נָאִים וְכֻלָּם גִּבּוֹרִים:

ו| **וַיִּשְׁתַּחֲווּ לוֹ אַפַּיִם.** נִשְׁתַּטְּחוּ לוֹ עַל

הרחבות | **'ואת בנימין אחי יוסף לא שלח יעקב'** יעקב היה קשור אל בנימין באופן מיוחד בשל סיבות אחדות: הוא היה הבן היחיד שנשאר מאשתו האהובה, הוא עורר בו את זכרה ואת זכר פטירתה, וכן הזכיר לו את הבן האהוב עליו, יוסף. מן הסתם היה גם דמיון חיצוני ביניהם, באשר היו אחים גמורים. מהסיבות הללו, וגם בהיותו הצעיר

ירידתם הראשונה של אחי יוסף למצרים

פרק מב פס׳ א–כח

יוסף פתר את חלומות פרעה, תכנן איך לפתור את הבעיה החמורה שהציב פשרם, ואף ביצע תכניות אלה בפועל. בכך הוא הכין - בלא דעת, בהכוונה עליונה נסתרת - את המפגש המחודש עם אחיו. הרעב שהכה באזור כולו, הגיע גם לארץ כנען, ומשפחת יעקב תבקש להשביע את רעבונה באמצעות התבואה שאגר יוסף במצרים.

ביאור | פרק מב א **וַיַּרְא יַעֲקֹב כִּי יֶשׁ שֶׁבֶר**, בר, תבואה **בְּמִצְרָיִם**, שהרי יוסף
לא מכר את התבואה לבני המקום בלבד, אלא גם לזרים. נראה כי
כיוון שיעקב ומשפחתו היו בעיקר אנשי מקנה, מצוקתם הייתה
מידית פחות ממצוקתם של החקלאים שסביבם. על כן - **וַיֹּאמֶר
יַעֲקֹב לְבָנָיו: לָמָּה תִּתְרָאוּ?** אל תציגו את עצמכם כחריגים, שמא
תגרמו לכך שהרעבים שסביבנו יביטו עלינו בעין רעה או יתנפלו
עלינו. ב **וַיֹּאמֶר: הִנֵּה שָׁמַעְתִּי כִּי יֶשׁ שֶׁבֶר בְּמִצְרָיִם. רְדוּ שָׁמָּה וְשִׁבְרוּ
לָנוּ מִשָּׁם, וְנִחְיֶה וְלֹא נָמוּת.**

ג **וַיֵּרְדוּ אֲחֵי יוֹסֵף עֲשָׂרָה**, עשרה מאחיו של יוסף **לִשְׁבֹּר בָּר מִמִּצְרָיִם**,
שכן ככל שיגיעו אנשים רבים יותר, הם יוכלו לשאת כמות גדולה
יותר של תבואה. ד **וְאֶת בִּנְיָמִין אֲחִי יוֹסֵף** גם מצד אמו, **לֹא שָׁלַח
יַעֲקֹב אֶת**, עם **אֶחָיו. כִּי אָמַר: פֶּן יִקְרָאֶנּוּ אָסוֹן.** ה **וַיָּבֹאוּ בְּנֵי יִשְׂרָאֵל**,
יעקב **לִשְׁבֹּר בְּתוֹךְ הַבָּאִים** האחרים מארץ כנען שביקשו לקנות
תבואה במצרים, **כִּי הָיָה הָרָעָב בְּאֶרֶץ כְּנָעַן.** ו **וְיוֹסֵף הוּא הַשַּׁלִּיט עַל
הָאָרֶץ. הוּא הַמַּשְׁבִּיר**, האחראי על מכירת התבואה **לְכָל עַם הָאָרֶץ.**
יוסף לא עסק רק במכירת המזון; הוא גם פיקח על התנהלות
המכירה, ובמהלכה נדרש לשקול גם שיקולים פוליטיים סביב סיפוק
התבואה ולדאוג שהזרים לא יסכנו את שלום המדינה. **וַיָּבֹאוּ אֲחֵי
יוֹסֵף**, וכשראו את השר הגדול, **וַיִּשְׁתַּחֲווּ לוֹ אַפַּיִם אָרְצָה** כמו הקונים
האחרים.

ז **וַיַּרְא יוֹסֵף אֶת אֶחָיו, וַיַּכִּרֵם.** אף על פי שעברו למעלה מעשרים שנה

הרחבות | בילדי יעקב, חשש יעקב לגורלו במיוחד. לכל זה מצטרף גורם נוסף: יעקב הוא ששלח את יוסף מביתו, ובעקבות אותה שליחות אבדו עקבותיו. אולי משום כך אין הוא מעוניין לשלוח עכשיו את בנימין (ראו להלן מד,כז-כט).

וַיַּכִּרֵ֑ם וַיִּתְנַכֵּ֨ר אֲלֵיהֶ֜ם וַיְדַבֵּ֧ר אִתָּ֣ם קָשׁ֗וֹת וַיֹּ֤אמֶר
אֲלֵהֶם֙ מֵאַ֣יִן בָּאתֶ֔ם וַיֹּ֣אמְר֔וּ מֵאֶ֥רֶץ כְּנַ֖עַן לִשְׁבָּר־
אֹֽכֶל׃ וַיַּכֵּ֥ר יוֹסֵ֖ף אֶת־אֶחָ֑יו וְהֵ֖ם לֹ֥א הִכִּרֻֽהוּ׃ וַיִּזְכֹּ֣ר ח ט
יוֹסֵ֔ף אֵ֚ת הַחֲלֹמ֔וֹת אֲשֶׁ֥ר חָלַ֖ם לָהֶ֑ם וַיֹּ֤אמֶר אֲלֵהֶם֙
מְרַגְּלִ֣ים אַתֶּ֔ם לִרְא֛וֹת אֶת־עֶרְוַ֥ת הָאָ֖רֶץ בָּאתֶֽם׃
וַיֹּאמְר֥וּ אֵלָ֖יו לֹ֣א אֲדֹנִ֑י וַעֲבָדֶ֥יךָ בָּ֖אוּ לִשְׁבָּר־אֹֽכֶל׃ י
כֻּלָּ֕נוּ בְּנֵ֥י אִישׁ־אֶחָ֖ד נָ֑חְנוּ כֵּנִ֣ים אֲנַ֔חְנוּ לֹא־הָי֥וּ עֲבָדֶ֖יךָ יא
מְרַגְּלִֽים׃ וַיֹּ֖אמֶר אֲלֵהֶ֑ם לֹ֕א כִּֽי־עֶרְוַ֥ת הָאָ֖רֶץ בָּאתֶ֥ם יב
לִרְאֽוֹת׃ וַיֹּאמְר֗וּ שְׁנֵ֣ים עָשָׂר֩ עֲבָדֶ֨יךָ אַחִ֧ים ׀ אֲנַ֛חְנוּ יג

רש"י

פְּנֵיהֶם, וְכֵן כָּל הִשְׁתַּחֲוָאָה פִּשּׁוּט יָדַיִם וְרַגְלַיִם הוּא:

ז | **וַיִּתְנַכֵּר אֲלֵיהֶם.** נַעֲשָׂה לָהֶם כְּנָכְרִי בִּדְבָרִים לְדַבֵּר קָשׁוֹת:

ח | **וַיַּכֵּר יוֹסֵף וְגוֹ'.** לְפִי שֶׁהִנִּיחָם חֲתוּמֵי זָקָן: **וְהֵם לֹא הִכִּרֻהוּ.** שֶׁיָּצָא מֵאֶצְלָם בְּלֹא חֲתִימַת זָקָן וְעַכְשָׁיו בָּא בַּחֲתִימַת זָקָן. וּמִדְרַשׁ אַגָּדָה, "וַיַּכֵּר יוֹסֵף אֶת אֶחָיו", כְּשֶׁנִּמְסְרוּ בְּיָדוֹ הִכִּיר שֶׁהֵם אֶחָיו וְרִחֵם עֲלֵיהֶם, "וְהֵם לֹא הִכִּרֻהוּ" כְּשֶׁנָּפַל בְּיָדָם לִנְהֹג בּוֹ אַחְוָה:

ט | **אֲשֶׁר חָלַם לָהֶם.** עֲלֵיהֶם, וְיָדַע שֶׁנִּתְקַיְּמוּ, שֶׁהֲרֵי הִשְׁתַּחֲווּ לוֹ: **עֶרְוַת הָאָרֶץ.** גִּלּוּי הָאָרֶץ, מֵהֵיכָן הִיא נוֹחָה לִכָּבֵשׁ, כְּמוֹ: "אֶת מְקֹרָהּ הֶעֱרָה" (ויקרא כ, יח), וּכְמוֹ: "עֵרֹם וְעֶרְיָה" (יחזקאל טז, ז), וְכֵן כָּל עֶרְוָה שֶׁבַּמִּקְרָא לְשׁוֹן גִּלּוּי. וְאוּנְקְלוֹס תִּרְגֵּם: "בִּדְקָא דְאַרְעָא", כְּמוֹ: "בֶּדֶק הַבַּיִת" (מלכים ב' יב, ו) – רְעוּעַ הַבַּיִת, אֲבָל לֹא דִּקְדֵּק לְפָרְשׁוֹ אַחַר לְשׁוֹן הַמִּקְרָא:

י | **לֹא אֲדֹנִי.** לֹא תֹאמַר כֵּן, וַהֲרֵי "עֲבָדֶיךָ בָּאוּ לִשְׁבָּר אֹכֶל":

יא | **כֻּלָּנוּ בְּנֵי אִישׁ אֶחָד נָחְנוּ.** נִצְנְצָה בָּהֶם רוּחַ הַקֹּדֶשׁ וְכָלְלוּהוּ עִמָּהֶם, שֶׁאַף הוּא בֶּן אֲבִיהֶם: **כֵּנִים.** אֲמִתִּיִּים, כְּמוֹ: "כֵּן דִּבַּרְתָּ" (שמות י, כט), "כֵּן בְּנוֹת צְלָפְחָד דֹּבְרֹת" (במדבר כז, ז), "וְעֶבְרָתוֹ לֹא כֵן בַּדָּיו" (ישעיה טז, ו):

יב | **כִּי עֶרְוַת הָאָרֶץ בָּאתֶם לִרְאוֹת.** שֶׁהֲרֵי נִכְנַסְתֶּם בַּעֲשָׂרָה שַׁעֲרֵי הָעִיר, לָמָּה לֹא נִכְנַסְתֶּם בְּשַׁעַר אֶחָד?:

יג | **וַיֹּאמְרוּ שְׁנֵים עָשָׂר עֲבָדֶיךָ וְגוֹ'.** וּבִשְׁבִיל אוֹתוֹ אֶחָד שֶׁאֵינֶנּוּ, נִתְפַּזַּרְנוּ בָּעִיר לְבַקְּשׁוֹ:

ביאור

מאז, ומראם בוודאי השתנה, יוסף הכירם בלי קושי, כיוון שהגיעו
יחד והיו לבושים במלבושים האופייניים להם. ובכל זאת - **וַיִּתְנַכֵּר
אֲלֵיהֶם**, התנהג כלפיהם כאיש נכרי, כאילו לא הכירם. **וַיְדַבֵּר אִתָּם
קָשׁוֹת**. יוסף השתמש בסמכויותיו כדי להערים עליהם קשיים. **וַיֹּאמֶר
אֲלֵהֶם: מֵאַיִן בָּאתֶם?**

וַיֹּאמְרוּ בתמימות גמורה: **מֵאֶרֶץ כְּנַעַן, לִשְׁבָּר אֹכֶל.**

ח **וַיַּכֵּר יוֹסֵף אֶת אֶחָיו**, זיהה אותם אחד אחד,[16] **וְהֵם לֹא הִכִּרֻהוּ**, משום
שהיה מבוגר יותר, לבושו השתנה, זקנו צמח, כנראה תספורתו
הייתה מצרית, והוא כונה בפי כול צפנת פענח, ומעבר לכל אלה - מן
הסתם האחים הניחו שהוא בינתיים מת, ובוודאי לא העלו על דעתם
לראותו במעמד כזה.
ט **וַיִּזְכֹּר יוֹסֵף אֵת הַחֲלֹמוֹת אֲשֶׁר חָלַם לָהֶם**,
ובכל הקורות אותו בעקבותיהם. **וַיֹּאמֶר אֲלֵהֶם**: אינכם קוני תבואה
תמימים. **מְרַגְּלִים אַתֶּם! לִרְאוֹת אֶת עֶרְוַת הָאָרֶץ בָּאתֶם**. אתם סוכני
עם זר. נשלחתם לראות את נקודת התורפה של מצרים.

י **וַיֹּאמְרוּ אֵלָיו** ביושר: **לֹא אֲדֹנִי, וַעֲבָדֶיךָ בָּאוּ לִשְׁבָּר אֹכֶל.**
יא **כֻּלָּנוּ בְּנֵי
אִישׁ אֶחָד נָחְנוּ**, אנחנו. אכן אנו קבוצה, אך איננו מרגלי אויב אלא
אחים. **כֵּנִים**, אמתיים **אֲנַחְנוּ, לֹא הָיוּ עֲבָדֶיךָ מְרַגְּלִים**. אנחנו אנשים
ישרים ופשוטים, ומעולם לא עסקנו בריגול.

יב **וַיֹּאמֶר אֲלֵהֶם: לֹא**, אינני מאמין לכם, **כִּי עֶרְוַת הָאָרֶץ בָּאתֶם לִרְאוֹת.**
באוזני סיפורכם מופרך.

יג האחים, שהיו רועי צאן פשוטים, לא ידעו כיצד להתגונן בפני
האשמתו של מושל מצרים, המופקד על שמירת ביטחונה. מתוך
מצוקתם לא יכלו אלא לספר את האמת על עצמם, גם אם אין סיפור
דבריהם מתקשר לנושא. **וַיֹּאמְרוּ: שְׁנֵים עָשָׂר עֲבָדֶיךָ אַחִים אֲנַחְנוּ,**

הרחבות

׳מרגלים אתם׳ נראה כי באותם ימים הייתה ארץ כנען כפופה לשלטון העליון המצרי. בארץ כנען עצמה לא שכנו אויבים רציניים של מצרים, אבל כמה מממלכות הצפון היו ביחסי מלחמה עם המצרים. מתוך הראייה הכוללת של המתרחש באזור חששה מצרים מריגול של מדינה עוינת באמצעות שליחים מארץ כנען. לפיכך היה בסיס מסוים לחשוד באחים בריגול.

נראה שיוסף האשים אותם בריגול, בתואנה שאין הם נראים כקוני אוכל פרטיים, שכן היו מאורגנים בקבוצה, ומן הסתם היה לבושם אחיד. צעירים אלו, בני גילים סמוכים, יכלו להיראות יותר כאנשי צבא מאשר כאנשים פרטיים רעבים ללחם.

בְּנֵי אִישׁ־אֶחָד בְּאֶרֶץ כְּנָעַן וְהִנֵּה הַקָּטֹן אֶת־אָבִינוּ
יד הַיּוֹם וְהָאֶחָד אֵינֶנּוּ׃ וַיֹּאמֶר אֲלֵהֶם יוֹסֵף הוּא אֲשֶׁר
טו דִּבַּרְתִּי אֲלֵכֶם לֵאמֹר מְרַגְּלִים אַתֶּם׃ בְּזֹאת תִּבָּחֵנוּ
חֵי פַרְעֹה אִם־תֵּצְאוּ מִזֶּה כִּי אִם־בְּבוֹא אֲחִיכֶם הַקָּטֹן
טז הֵנָּה׃ שִׁלְחוּ מִכֶּם אֶחָד וְיִקַּח אֶת־אֲחִיכֶם וְאַתֶּם
הֵאָסְרוּ וְיִבָּחֲנוּ דִּבְרֵיכֶם הַאֱמֶת אִתְּכֶם וְאִם־לֹא חֵי
יז פַרְעֹה כִּי מְרַגְּלִים אַתֶּם׃ וַיֶּאֱסֹף אֹתָם אֶל־מִשְׁמָר
יח שְׁלֹשֶׁת יָמִים׃ וַיֹּאמֶר אֲלֵהֶם יוֹסֵף בַּיּוֹם הַשְּׁלִישִׁי לח
יט זֹאת עֲשׂוּ וִחְיוּ אֶת־הָאֱלֹהִים אֲנִי יָרֵא׃ אִם־כֵּנִים חמישי
אַתֶּם אֲחִיכֶם אֶחָד יֵאָסֵר בְּבֵית מִשְׁמַרְכֶם וְאַתֶּם לְכוּ
כ הָבִיאוּ שֶׁבֶר רַעֲבוֹן בָּתֵּיכֶם׃ וְאֶת־אֲחִיכֶם הַקָּטֹן
תָּבִיאוּ אֵלַי וְיֵאָמְנוּ דִבְרֵיכֶם וְלֹא תָמוּתוּ וַיַּעֲשׂוּ־כֵן׃

רש"י

יד] **הוּא אֲשֶׁר דִּבַּרְתִּי.** הַדָּבָר אֲשֶׁר דִּבַּרְתִּי שֶׁאַתֶּם מְרַגְּלִים הוּא הָאֱמֶת וְהַנָּכוֹן, זֶהוּ לְפִי פְּשׁוּטוֹ. וּמִדְרָשׁוֹ, אָמַר לָהֶם: וְאִלּוּ מְצָאתֶם אוֹתוֹ וְיִפְסְקוּ עֲלֵיכֶם מָמוֹן הַרְבֵּה, תִּפְדּוּהוּ? אָמְרוּ לוֹ: הֵן. אָמַר לָהֶם: וְאִם יֹאמְרוּ לָכֶם שֶׁלֹּא יַחֲזִירוּהוּ בְּשׁוּם מָמוֹן, מַה תַּעֲשׂוּ? אָמְרוּ: לְכָךְ בָּאנוּ, לַהֲרֹג אוֹ לֵהָרֵג! אָמַר לָהֶם: "הוּא אֲשֶׁר דִּבַּרְתִּי אֲלֵכֶם", לַהֲרֹג בְּנֵי הָעִיר בָּאתֶם, מְנַחֵשׁ אֲנִי בַּגָּבִיעַ שֶׁלִּי שֶׁשְּׁנַיִם מִכֶּם הֶחֱרִיבוּ כְּרַךְ גָּדוֹל שֶׁל שְׁכֶם:

טו] **חֵי פַרְעֹה.** אִם יִחְיֶה פַּרְעֹה. כְּשֶׁהָיָה נִשְׁבָּע לַשֶּׁקֶר הָיָה נִשְׁבָּע בְּחַיֵּי פַרְעֹה: **אִם תֵּצְאוּ מִזֶּה.** מִן הַמָּקוֹם הַזֶּה:

טז] **הַאֱמֶת אִתְּכֶם.** אִם אֱמֶת אִתְּכֶם, לְפִיכָךְ הֵ"א נָקוּד פַּתָּח, שֶׁהוּא כְּמוֹ בִּלְשׁוֹן תְּמִיהָ. "וְאִם לֹא" תְּבִיאוּהוּ – "חֵי פַרְעֹה כִּי מְרַגְּלִים אַתֶּם":

יז] **מִשְׁמָר.** בֵּית הָאֲסוּרִים:

יט] **בְּבֵית מִשְׁמַרְכֶם.** שֶׁאַתֶּם אֲסוּרִים בּוֹ עַכְשָׁיו: **וְאַתֶּם לְכוּ הָבִיאוּ.** לְבֵית אֲבִיכֶם: **שֶׁבֶר רַעֲבוֹן בָּתֵּיכֶם.** מַה שֶּׁקְּנִיתֶם לְרַעֲבוֹן אַנְשֵׁי בָּתֵּיכֶם:

כ] **וְיֵאָמְנוּ דִבְרֵיכֶם.** יִתְאַמְּתוּ וְיִתְקַיְּמוּ, כְּמוֹ: "אָמֵן אָמֵן" (במדבר ה, כב), וּכְמוֹ: "יֵאָמֶן נָא דְּבָרְךָ" (מלכים א' ח, כו):

ביאור | בְּנֵי אִישׁ אֶחָד בְּאֶרֶץ כְּנָעַן. וְהִנֵּה הַקָּטֹן אֶת אָבִינוּ הַיּוֹם, וְהָאֶחָד אֵינֶנּוּ.

יד וַיֹּאמֶר אֲלֵהֶם יוֹסֵף: הוּא אֲשֶׁר דִּבַּרְתִּי אֲלֵכֶם לֵאמֹר "מְרַגְּלִים אַתֶּם". אכן הצגתכם, על כל פרטיה, משכנעת מאוד, אך בכך יש כדי להפלילכם כשקרנים מיומנים וכמרגלים ערמומיים. טו בְּזֹאת תִּבָּחֵנוּ: חֵי פַרְעֹה אִם תֵּצְאוּ מִזֶּה, שבועתו בחיי פרעה היא השבועה החמורה ביותר, כִּי אִם בְּבוֹא אֲחִיכֶם הַקָּטֹן הֵנָּה. לא תוכלו לצאת מכאן, עד שיבוא לכאן אחיכם. רק כך תוכיחו שהסיפור המופרך שהשמעתם באוזני - נכון. טז שִׁלְחוּ מִכֶּם אֶחָד וְיִקַּח אֶת אֲחִיכֶם מארצו, וְאַתֶּם הֵאָסְרוּ וְיִבָּחֲנוּ דִּבְרֵיכֶם הַאֱמֶת אִתְּכֶם, האם אתם מספרים סיפור אמתי, וְאִם לֹא - חֵי פַרְעֹה כִּי מְרַגְּלִים אַתֶּם. מאחורי דבריו של יוסף מצויה ההנחה המתקבלת על הדעת, שכשמרגלים נתפסים מנסים לעתים להצילם, אך אין שולחים לעזרתם מרגל נוסף. על כן, אם ישלחו את האח הקטן, יעיד הדבר על קרבת המשפחה ביניהם, וישלול את המזימה הצבאית שיוחסה להם.

יז וַיֶּאֱסֹף אֹתָם בפקודתו אֶל מִשְׁמָר למעצר, שם ישבו במשך שְׁלֹשֶׁת יָמִים.

יח וַיֹּאמֶר אֲלֵהֶם יוֹסֵף בַּיּוֹם הַשְּׁלִישִׁי: זֹאת עֲשׂוּ וִחְיוּ, שהרי אֶת הָאֱלֹהִים אֲנִי יָרֵא. כאדם הגון, שאינו יכול להוכיח את חשדו - יט אִם כֵּנִים אַתֶּם, אם סיפורכם אמתי, אֲחִיכֶם אֶחָד יֵאָסֵר כעירבון בְּבֵית מִשְׁמַרְכֶם, בבית המשמר שבו אתם יושבים, וְאַתֶּם לְכוּ הָבִיאוּ שֶׁבֶר רַעֲבוֹן בָּתֵּיכֶם. מפני שאם אכן באתם לקנות אוכל, היעדרכם הוא אסון למשפחותיכם, והוא גם כרוך במניעת אוכל מהן. כ יוסף יבטא ביחסו כלפיהם שילוב של רחמים עם זהירות: ברחמיו הוא יאפשר להם לשוב לביתם, ומתוך הפגנת זהירות שמא הם מרגלים ידרוש: אֶת אֲחִיכֶם הַקָּטֹן תָּבִיאוּ אֵלַי בביקורכם הבא, וְכך, כשתביאו אותו, יֵאָמְנוּ דִבְרֵיכֶם, וְלֹא תָמוּתוּ ברעב או על ידי שלוחַי.[17] וַיַּעֲשׂוּ כֵן, פקודתו התמלאה - ניתן להם אוכל כקונים מן השורה, והם נשלחו לביתם.

הרחבות | **שיחתו של יוסף** בתיאור השיחה הזאת, כפי שיימסר מן האחים ליעקב (להלן מג,ז), יתברר שיוסף חקר אותם חקירה צולבת, והם סיפרו כל מה שיכלו לספר על עצמם, על אביהם ועל משפחתם כדי להיראות מהימנים.

כא וַיֹּאמְרוּ אִישׁ אֶל־אָחִיו אֲבָל אֲשֵׁמִים ׀ אֲנַחְנוּ עַל־
אָחִינוּ אֲשֶׁר רָאִינוּ צָרַת נַפְשׁוֹ בְּהִתְחַנְנוֹ אֵלֵינוּ וְלֹא
כב שָׁמָעְנוּ עַל־כֵּן בָּאָה אֵלֵינוּ הַצָּרָה הַזֹּאת: וַיַּעַן רְאוּבֵן
אֹתָם לֵאמֹר הֲלוֹא אָמַרְתִּי אֲלֵיכֶם ׀ לֵאמֹר אַל־
תֶּחֶטְאוּ בַיֶּלֶד וְלֹא שְׁמַעְתֶּם וְגַם־דָּמוֹ הִנֵּה נִדְרָשׁ:
כג כד וְהֵם לֹא יָדְעוּ כִּי שֹׁמֵעַ יוֹסֵף כִּי הַמֵּלִיץ בֵּינֹתָם: וַיִּסֹּב
מֵעֲלֵיהֶם וַיֵּבְךְּ וַיָּשָׁב אֲלֵהֶם וַיְדַבֵּר אֲלֵהֶם וַיִּקַּח
כה מֵאִתָּם אֶת־שִׁמְעוֹן וַיֶּאֱסֹר אֹתוֹ לְעֵינֵיהֶם: וַיְצַו יוֹסֵף
וַיְמַלְאוּ אֶת־כְּלֵיהֶם בָּר וּלְהָשִׁיב כַּסְפֵּיהֶם אִישׁ אֶל־
כו שַׂקּוֹ וְלָתֵת לָהֶם צֵדָה לַדָּרֶךְ וַיַּעַשׂ לָהֶם כֵּן: וַיִּשְׂאוּ
כז אֶת־שִׁבְרָם עַל־חֲמֹרֵיהֶם וַיֵּלְכוּ מִשָּׁם: וַיִּפְתַּח הָאֶחָד

רש"י

כא| **אֲבָל**. כְּתַרְגּוּמוֹ: "בְּקוּשְׁטָא". וְרָאִיתִי בִּבְרֵאשִׁית רַבָּה (צא, ח): לְשׁוֹן דָּרוֹמָא הוּא, "אֲבָל" – בְּרַם: **בָּאָה אֵלֵינוּ**. טַעְמוֹ בַּבֵּי"ת לְפִי שֶׁהוּא בִּלְשׁוֹן עָבָר, שֶׁכְּבָר בָּאָה, וְתַרְגּוּמוֹ: "אֲתָת לַנָא":

כב| **וְגַם דָּמוֹ**. אֵיתִין וְגַמִּין רִבּוּיִין – דָּמוֹ וְגַם דַּם הַזָּקֵן:

כג| **וְהֵם לֹא יָדְעוּ כִּי שֹׁמֵעַ יוֹסֵף**. מֵבִין לְשׁוֹנָם, וּבְפָנָיו הָיוּ מְדַבְּרִים כֵּן: **כִּי הַמֵּלִיץ בֵּינֹתָם**. כִּי כְּשֶׁהָיוּ מְדַבְּרִים עִמּוֹ הָיָה הַמֵּלִיץ בֵּינֵיהֶם הַיּוֹדֵעַ לָשׁוֹן עִבְרִית וְלָשׁוֹן מִצְרִית, וְהָיָה מֵלִיץ דִּבְרֵיהֶם לְיוֹסֵף וְדִבְרֵי יוֹסֵף לָהֶם, לְכָךְ הָיוּ סְבוּרִים שֶׁאֵין יוֹסֵף מַכִּיר בְּלָשׁוֹן עִבְרִית: **הַמֵּלִיץ**. זֶה מְנַשֶּׁה:

כד| **וַיִּסֹּב מֵעֲלֵיהֶם**. נִתְרַחֵק מֵעֲלֵיהֶם שֶׁלֹּא יִרְאוּהוּ בוֹכֶה: **וַיֵּבְךְּ**. לְפִי שֶׁשָּׁמַע שֶׁהָיוּ מִתְחָרְטִין: **אֶת שִׁמְעוֹן**. הוּא הִשְׁלִיכוֹ לַבּוֹר, הוּא שֶׁאָמַר לְלֵוִי: "הִנֵּה בַּעַל הַחֲלֹמוֹת הַלָּזֶה בָּא" (לעיל לז, יט). דָּבָר אַחֵר, נִתְכַּוֵּן יוֹסֵף לְהַפְרִידוֹ מִלֵּוִי, שֶׁמָּא יִתְיָעֲצוּ בֵּין שְׁנֵיהֶם לַהֲרֹג אוֹתוֹ: **וַיֶּאֱסֹר אֹתוֹ לְעֵינֵיהֶם**. לֹא אֲסָרוֹ אֶלָּא לְעֵינֵיהֶם, וְכֵיוָן שֶׁיָּצְאוּ הוֹצִיאוֹ וְהֶאֱכִילוֹ וְהִשְׁקָהוּ:

כז| **וַיִּפְתַּח הָאֶחָד**. הוּא לֵוִי שֶׁנִּשְׁאַר יָחִיד

הרחבות

'ויבך' נטייתו של יוסף לבכי תתבטא גם להלן (מג,ל; מה,ב,יד-טו; מו,כט; נ,יז). הוא התרגש ובכה כאן, הן משום שנזכר בחוויה הכאובה של הימכרותו, הן משום שלראשונה נוכח לדעת כיצד הרגישו אחיו לאחר המכירה. בשעה שהושלך לבור, הם היו אדישים לסבלו וישבו לסעוד. והנה עתה הוא מגלה שהאחים עדיין מיוסרים מן העוול שעוללו לו, ושהם חשים שעליהם להיענש על כך.

ביאור

כא עד כאן דיבר יוסף אל אחיו. ייתכן שכלא אותם בנפרד - כל אחד
בתא לעצמו, ורק עתה שוחחו ביניהם. עמידתם מול האשמה חסרת
שחר זו מעוררת בהם נקיפות מצפון עתיקות מן הטראומה הזכורה
להם היטב של מכירת אחיהם. **וַיֹּאמְרוּ אִישׁ אֶל אָחִיו: אֲבָל**, באמת
**אֲשֵׁמִים אֲנַחְנוּ עַל אָחִינוּ, אֲשֶׁר רָאִינוּ צָרַת נַפְשׁוֹ בְּהִתְחַנְנוֹ אֵלֵינוּ וְלֹא
שָׁמָעְנוּ**. כולנו היינו שותפים במכירתו של יוסף. בנימין היה אז צעיר
מדי ולא היה שותף למכירה, וגם עתה איננו עמנו. נוכח הכוח הגדול
מהם שהשליכם אל בור בית הסוהר והאשים אותם ללא הצדקה,
חוו האחים מצב דומה למצב שאליו הכניסו את יוסף. היזכרות זו
מעוררת אותם לחוש שהם מקבלים עתה את עונשם. **עַל כֵּן בָּאָה
אֵלֵינוּ הַצָּרָה הַזֹּאת**, כעונש משמים.

כב **וַיַּעַן רְאוּבֵן אֹתָם לֵאמֹר: הֲלוֹא אָמַרְתִּי אֲלֵיכֶם** אז **לֵאמֹר: "אַל
תֶּחֶטְאוּ בַיֶּלֶד", וְלֹא שְׁמַעְתֶּם** בקולי, **וְגַם דָּמוֹ הִנֵּה נִדְרָשׁ** משמים.
אנחנו גרמנו למותו, ועכשיו אנו מקבלים כגמולנו.

כג **וְהֵם לֹא יָדְעוּ כִּי שֹׁמֵעַ**, מבין **יוֹסֵף**, העומד שם בזמן שהם משוחחים
ביניהם, שהרי עבורם הוא מצרי שאינו יודע את שפתם, **כִּי הַמֵּלִיץ**,
המתורגמן, **בֵּינֹתָם**, והוא שתרגם עד עתה את דברי יוסף אליהם
ואת דבריהם אליו. כד **וַיִּסֹּב מֵעֲלֵיהֶם וַיֵּבְךְּ**, יוסף פנה מהם ובכה
חרש. לאחר מכן - **וַיָּשָׁב אֲלֵהֶם** כשליט מצרי, **וַיְדַבֵּר אֲלֵהֶם. וַיִּקַּח
מֵאִתָּם אֶת שִׁמְעוֹן, וַיֶּאֱסֹר אֹתוֹ לְעֵינֵיהֶם**. הם ראו שפקודותיו התמלאו.
מאסרו של שמעון לא יהיה קצר, שכן גם אם האחים יחזרו מיד,
הרי הדרך הכפולה אורכת לא מעט זמן.

כה **וַיְצַו יוֹסֵף** את אנשיו, **וַיְמַלְאוּ אֶת כְּלֵיהֶם**, את שקי האחים **בָּר**,
תבואה, **וּלְהָשִׁיב כַּסְפֵּיהֶם אִישׁ אֶל שַׂקּוֹ**. בתור הממונה שהשלטון
מסור בידו, הורה יוסף שיוכנס לשקיהם התשלום ששילמו בעבור
התבואה, **וְלָתֵת לָהֶם צֵדָה לַדָּרֶךְ**. אולי בבית הסוהר לא ניתן להם
מזון, והם אכלו מצידתם. על כן דאג להם יוסף לצידה חדשה. **וַיַּעַשׂ**
אחד מפקידיו **לָהֶם כֵּן**. כו **וַיִּשְׂאוּ אֶת שִׁבְרָם**, את התבואה שקנו, **עַל
חֲמֹרֵיהֶם, וַיֵּלְכוּ מִשָּׁם**.

כז בדרכם חזרה - **וַיִּפְתַּח הָאֶחָד אֶת שַׂקּוֹ, לָתֵת מִסְפּוֹא** מן התבואה

אֶת־שַׂקּוֹ לָתֵת מִסְפּוֹא לַחֲמֹרוֹ בַּמָּלוֹן וַיַּרְא אֶת־
כַּסְפּוֹ וְהִנֵּה־הוּא בְּפִי אַמְתַּחְתּוֹ׃ וַיֹּאמֶר אֶל־אֶחָיו כח
הוּשַׁב כַּסְפִּי וְגַם הִנֵּה בְאַמְתַּחְתִּי וַיֵּצֵא לִבָּם וַיֶּחֶרְדוּ
אִישׁ אֶל־אָחִיו לֵאמֹר מַה־זֹּאת עָשָׂה אֱלֹהִים לָנוּ׃
וַיָּבֹאוּ אֶל־יַעֲקֹב אֲבִיהֶם אַרְצָה כְּנָעַן וַיַּגִּידוּ לוֹ אֵת כט
כָּל־הַקֹּרֹת אֹתָם לֵאמֹר׃ דִּבֶּר הָאִישׁ אֲדֹנֵי הָאָרֶץ ל
אִתָּנוּ קָשׁוֹת וַיִּתֵּן אֹתָנוּ כִּמְרַגְּלִים אֶת־הָאָרֶץ׃
וַנֹּאמֶר אֵלָיו כֵּנִים אֲנָחְנוּ לֹא הָיִינוּ מְרַגְּלִים׃ שְׁנֵים־ לא לב
עָשָׂר אֲנַחְנוּ אַחִים בְּנֵי אָבִינוּ הָאֶחָד אֵינֶנּוּ וְהַקָּטֹן
הַיּוֹם אֶת־אָבִינוּ בְּאֶרֶץ כְּנָעַן׃ וַיֹּאמֶר אֵלֵינוּ הָאִישׁ לג
אֲדֹנֵי הָאָרֶץ בְּזֹאת אֵדַע כִּי כֵנִים אַתֶּם אֲחִיכֶם הָאֶחָד
הַנִּיחוּ אִתִּי וְאֶת־רַעֲבוֹן בָּתֵּיכֶם קְחוּ וָלֵכוּ׃ וְהָבִיאוּ לד
אֶת־אֲחִיכֶם הַקָּטֹן אֵלַי וְאֵדְעָה כִּי לֹא מְרַגְּלִים אַתֶּם
כִּי כֵנִים אַתֶּם אֶת־אֲחִיכֶם אֶתֵּן לָכֶם וְאֶת־הָאָרֶץ

רש"י

משמעון בן זוגו: במלון. במקום שלנו בלילה: אמתחתו. הוא שק:

כח) וגם הנה באמתחתי. גם הכסף בו עם התבואה: מה זאת עשה אלהים לנו. להביאנו לידי עלילה זו, שלא הושב אלא להתעולל עלינו:

לד) ואת הארץ תסחרו. תסובבו, וכל לשון 'סוחרים' ו'סחורה' על שם שמחזרים וסובבים אחר הפרקמטיא:

ביאור | שבשק לַחֲמֹרוֹ בַּמָּלוֹן, וַיַּרְא אֶת כַּסְפּוֹ, וְהִנֵּה הוּא בְּפִי אַמְתַּחְתּוֹ, בתוך
שקו. כח וַיֹּאמֶר אֶל אֶחָיו: הוּשַׁב כַּסְפִּי, הכסף ששילמתי, וְגַם הִנֵּה
בְאַמְתַּחְתִּי.

וַיֵּצֵא לִבָּם, הם הזדעזעו, וַיֶּחֶרְדוּ אִישׁ אֶל אָחִיו לֵאמֹר: מַה זֹּאת עָשָׂה אֱלֹהִים לָנוּ? הם לא הבינו כיצד קרה הדבר, וחשו שהאירועים המוזרים והחריגים הללו באים להענישם על עוונותיהם.

בין הירידה הראשונה למצרים לירידה השנייה

פרק מב פס׳ כט – פרק מג פס׳ יג

על שיבת בני יעקב לביתם האפילו עניינים קשים: תביעתו של אדוני ארץ מצרים להביא את האח הצעיר שאביהם מסרב להיפרד ממנו, כדי לאמת את דבריהם; הישארותו של אחיהם שמעון כבן ערובה במצרים; ולבסוף - תעלומת הכסף שהושב באמתחת אחד מהם.

המתח בין יעקב ובניו גבר. כבר עמד ביניהם הסוד שהסתירו באשר למוצאות את יוסף, ועתה הפרידו ביניהם החוויות המוזרות, הקשות והמאיימות שחוו הם במצרים, בשעה שהוא המתין להם בכנען. ליעקב ולבניו משותפת אי הבנת פשרם של המאורעות הללו, אך שונה חווייתו הישירה של מי שהואשם על לא עוול בכפו ושנהגו בו בשרירות לב, מחווייתו של מי ששמע את הדיווח על כך, ואפילו מבניו.

כשם שבמפגש הגורלי של יוסף עם אחיו הרועים בדתן ניסו ראובן ויהודה לפעול כדי למתן את מזימתם של אחיהם, כך כאן שניהם פועלים באחריות כדי לרכך את התנגדותו של אביהם לשליחת בנימין עמם למצרים.

הרעב הפיזי הוא שיאלץ בסופו של דבר גם את יעקב להיענות לדרישותיו של משביר הבר, שכן עתיד קיום משפחתו תלוי בו.

כט וַיָּבֹאוּ אֶל יַעֲקֹב אֲבִיהֶם אַרְצָה כְּנָעַן, וַיַּגִּידוּ לוֹ אֵת כָּל הַקֹּרֹת אֹתָם,
לֵאמֹר: ל דִּבֶּר הָאִישׁ אֲדֹנֵי הָאָרֶץ אִתָּנוּ קָשׁוֹת. וַיִּתֵּן, האשים אֹתָנוּ
כִּמְרַגְּלִים אֶת הָאָרֶץ. לא אנחנו מצדנו נהגנו כראוי - וַנֹּאמֶר אֵלָיו:
״כֵּנִים אֲנָחְנוּ, כלבנו כך פינו, לֹא הָיִינוּ מְרַגְּלִים מעולם. לב שְׁנֵים
עָשָׂר אֲנַחְנוּ אַחִים בְּנֵי אָבִינוּ. הָאֶחָד אֵינֶנּוּ, וְהַקָּטֹן הַיּוֹם אֶת אָבִינוּ
בְּאֶרֶץ כְּנָעַן״. לג וַיֹּאמֶר אֵלֵינוּ הָאִישׁ אֲדֹנֵי הָאָרֶץ: ״בְּזֹאת אֵדַע כִּי
כֵנִים אַתֶּם - אֲחִיכֶם הָאֶחָד הַנִּיחוּ אִתִּי, וְאֶת שבר רַעֲבוֹן בָּתֵּיכֶם קְחוּ
וָלֵכוּ. לד וְאולם הָבִיאוּ אֶת אֲחִיכֶם הַקָּטֹן אֵלַי, וְאֵדְעָה כִּי לֹא מְרַגְּלִים
אַתֶּם, כִּי כֵנִים אַתֶּם, ואחר כך - אֶת אֲחִיכֶם אשר בבית הסוהר אֶתֵּן
לָכֶם, וְאֶת הָאָרֶץ תִּסְחָרוּ״. תוכלו לקנות תבואה ואף לסחור במצרים,

לה תסחרו: ויהי הם מריקים שקיהם והנה־איש צרור־
כספו בשקו ויראו את־צררות כספיהם המה
לו ואביהם וייראו: ויאמר אלהם יעקב אביהם אתי
שכלתם יוסף איננו ושמעון איננו ואת־בנימן תקחו
לז עלי היו כלנה: ויאמר ראובן אל־אביו לאמר את־
שני בני תמית אם־לא אביאנו אליך תנה אתו על־
לח ידי ואני אשיבנו אליך: ויאמר לא־ירד בני עמכם
כי־אחיו מת והוא לבדו נשאר וקראהו אסון בדרך
אשר תלכו־בה והורדתם את־שיבתי ביגון שאולה:
א ב והרעב כבד בארץ: ויהי כאשר כלו לאכל את־ מג
השבר אשר הביאו ממצרים ויאמר אליהם אביהם
ג שבו שברו־לנו מעט־אכל: ויאמר אליו יהודה

רש"י

לה) צרור כספו. קשר כספו:

לו) אתי שכלתם. מלמד שחשדן שמא הרגוהו או מכרוהו כיוסף: שכלתם. כל מי שבניו אבודים קרוי 'שכול':

לח) לא ירד בני עמכם. לא קבל דבריו של ראובן, אמר: בכור שוטה הוא זה! הוא אומר להמית בניו, וכי בניו הם ולא בני?!:

פרק מג

ב) כאשר כלו לאכל. יהודה אמר להם: המתינו לזקן עד שתכלה פת מן הבית: כאשר כלו. "כד שיציאו", והמתרגם 'כד ספיקו' טועה. "כאשר כלו הגמלים לשתות" (לעיל כד, כב) מתרגם "כד ספיקו", כששתו די ספוקם הוא גמר שתייתם; אבל זה, "כאשר כלו לאכל", כאשר תם האכל הוא, ומתרגמינן: "כד שיציאו":

ביאור | כשאר הזרים המביאים מארצם חפצי ערך כדי למכרם או להמירם
בתבואה. האחים ביקשו להדגיש באוזני אביהם שיוסף הסכים לתת
להם את כל הזכויות, אם רק ינוקו מחשד.

לה **וַיְהִי הֵם מְרִיקִים שַׂקֵּיהֶם**, בעת שרוקנו את התבואה משקיהם,
וְהִנֵּה גילו שמציאת הכסף בשק לא הייתה מקרה יחיד, אלא **אִישׁ
צְרוֹר כַּסְפּוֹ**, כספו של כל אחד מהם נמצא **בְּשַׂקּוֹ. וַיִּרְאוּ אֶת צְרֹרוֹת
כַּסְפֵּיהֶם הֵמָּה וַאֲבִיהֶם, וַיִּירָאוּ**. משראו עם אביהם את הכסף המוחזר,
פחדו. לו **וַיֹּאמֶר אֲלֵהֶם יַעֲקֹב אֲבִיהֶם: אֹתִי שִׁכַּלְתֶּם**. יעקב לא ידע
את האמת על מכירת יוסף, אך האשים אותם האשמה כללית: **יוֹסֵף
אֵינֶנּוּ**, וְעכשיו גם **שִׁמְעוֹן אֵינֶנּוּ**, שכן הוא יושב בבית הסוהר, **וְאֶת
בִּנְיָמִן תִּקָּחוּ**?! אתם רוצים שאשלח אתכם את בנימין?! עדיין אני
כואב את היעלמותו של יוסף. ייתכן שכל זה נוגע בכם, אך אינכם
יכולים להשתתף בצערי במלואו - **עָלַי הָיוּ כֻלָּנָה**. צרות אלו במלוא
עצמתן נופלות רק עלי, כאב.

לז **וַיֹּאמֶר רְאוּבֵן** הבכור, כדוברם של אחיו, **אֶל אָבִיו לֵאמֹר: אֶת שְׁנֵי
בָנַי תָּמִית**. אתן לך את שני בנַי כעירבון כך שתוכל להמיתם, **אִם
לֹא אֲבִיאֶנּוּ אֵלֶיךָ. תְּנָה אֹתוֹ**, את בנימין **עַל יָדִי, וַאֲנִי אֲשִׁיבֶנּוּ אֵלֶיךָ**.
אני אשא באחריות להשיבו הביתה בשלום.

לח מן הסתם כל אחד מן האחים הציע הצעה כלשהי, שכן כולם
רצו לחזור ולפדות את שמעון, וליישר את ההדורים עם המצרים,
אך יעקב התעקש - **וַיֹּאמֶר: לֹא יֵרֵד בְּנִי** הקטן **עִמָּכֶם** למצרים, **כִּי**
כידוע לכם, **אָחִיו מֵת, וְהוּא לְבַדּוֹ נִשְׁאָר** מאמו. ואם **קְרָאָהוּ**, יקרה
לו **אָסוֹן בַּדֶּרֶךְ אֲשֶׁר תֵּלְכוּ בָהּ - וְהוֹרַדְתֶּם אֶת שֵׂיבָתִי בְּיָגוֹן שְׁאוֹלָה**,
אמות מתוך הידיעה הנוראה בדבר אבדנם של שני בניה של רחל.
על כן לא ארשה שבנימין ייפרד ממני.

פרק מג א יעקב לא הציע פתרון לשמעון הנתון בשבי ואף לא
לבעיית המזון. הוא הסתפק בביטוי חששותיו, והעדיף להשאיר
את המצב כמות שהוא על פני ההסתכנות באפשרות שהציעו בניו.
אולם - **וְהָרָעָב כָּבֵד בָּאָרֶץ**. ב **וַיְהִי כַּאֲשֶׁר כִּלּוּ לֶאֱכֹל אֶת הַשֶּׁבֶר
אֲשֶׁר הֵבִיאוּ מִמִּצְרָיִם, וַיֹּאמֶר אֲלֵיהֶם אֲבִיהֶם: שֻׁבוּ** אל מצרים **וּשִׁבְרוּ**,
וקְנו **לָנוּ מְעַט אֹכֶל**.

לֵאמֹר הָעֵד הֵעִד בָּנוּ הָאִישׁ לֵאמֹר לֹא־תִרְאוּ פָנַי
ד בִּלְתִּי אֲחִיכֶם אִתְּכֶם: אִם־יֶשְׁךָ מְשַׁלֵּחַ אֶת־אָחִינוּ
ה אִתָּנוּ נֵרְדָה וְנִשְׁבְּרָה לְךָ אֹכֶל: וְאִם־אֵינְךָ מְשַׁלֵּחַ
לֹא נֵרֵד כִּי־הָאִישׁ אָמַר אֵלֵינוּ לֹא־תִרְאוּ פָנַי בִּלְתִּי
ו אֲחִיכֶם אִתְּכֶם: וַיֹּאמֶר יִשְׂרָאֵל לָמָה הֲרֵעֹתֶם לִי
ז לְהַגִּיד לָאִישׁ הַעוֹד לָכֶם אָח: וַיֹּאמְרוּ שָׁאוֹל שָׁאַל־
הָאִישׁ לָנוּ וּלְמוֹלַדְתֵּנוּ לֵאמֹר הַעוֹד אֲבִיכֶם חַי הֲיֵשׁ
לָכֶם אָח וַנַּגֶּד־לוֹ עַל־פִּי הַדְּבָרִים הָאֵלֶּה הֲיָדוֹעַ נֵדַע
ח כִּי יֹאמַר הוֹרִידוּ אֶת־אֲחִיכֶם: וַיֹּאמֶר יְהוּדָה אֶל־
יִשְׂרָאֵל אָבִיו שִׁלְחָה הַנַּעַר אִתִּי וְנָקוּמָה וְנֵלֵכָה וְנִחְיֶה
ט וְלֹא נָמוּת גַּם־אֲנַחְנוּ גַם־אַתָּה גַּם־טַפֵּנוּ: אָנֹכִי
אֶעֶרְבֶנּוּ מִיָּדִי תְּבַקְשֶׁנּוּ אִם־לֹא הֲבִיאֹתִיו אֵלֶיךָ
י וְהִצַּגְתִּיו לְפָנֶיךָ וְחָטָאתִי לְךָ כָּל־הַיָּמִים: כִּי לוּלֵא

רש"י

ג] **הָעֵד הֵעִד.** לְשׁוֹן הַתְרָאָה, שֶׁסְּתָם הַתְרָאָה מַתְרֶה בּוֹ בִּפְנֵי עֵדִים, וְכֵן: "הַעִדֹתִי בַּאֲבוֹתֵיכֶם" (ירמיה יא, ז), "רֵד הָעֵד בָּעָם" (שמות יט, כא): **לֹא תִרְאוּ פָנַי בִּלְתִּי אֲחִיכֶם אִתְּכֶם.** לֹא תִרְאוּנִי בְּלֹא אֲחִיכֶם אִתְּכֶם. וְאוּנְקְלוֹס תִּרְגֵּם: "אֱלָהֵן כַּד אֲחוּכוֹן עִמְּכוֹן", יִשֵּׁב הַדָּבָר עַל אָפְנוֹ וְלֹא דִקְדֵּק לְתַרְגֵּם אַחַר לְשׁוֹן הַמִּקְרָא:

ז] **לָנוּ וּלְמוֹלַדְתֵּנוּ.** לְמִשְׁפְּחוֹתֵינוּ. וּמִדְרָשׁוֹ, אֲפִלּוּ עֲצֵי עֲרִיסוֹתֵינוּ גִּלָּה לָנוּ: **וַנַּגֶּד לוֹ.** שֶׁיֵּשׁ לָנוּ אָב וְאָח: **עַל פִּי הַדְּבָרִים הָאֵלֶּה.** עַל פִּי שְׁאֵלוֹתָיו אֲשֶׁר שָׁאַל הִזְקַקְנוּ לְהַגִּיד: **כִּי יֹאמַר.** אֲשֶׁר יֹאמַר; 'כִּי' מְשַׁמֵּשׁ בִּלְשׁוֹן 'אִם' וְ'אִם' מְשַׁמֵּשׁ בִּלְשׁוֹן 'אֲשֶׁר', הֲרֵי זֶה שִׁמּוּשׁ אַחַת מֵאַרְבַּע לְשׁוֹנוֹתָיו, 'אִי', שֶׁהֲרֵי 'כִּי' זֶה כְּמוֹ 'אִם', כְּמוֹ: "עַד אִם דִּבַּרְתִּי דְּבָרָי" (לעיל כד, לג):

ח] **וְנִחְיֶה.** נִתְנַבֵּא בּוֹ רוּחַ הַקֹּדֶשׁ, עַל יְדֵי הֲלִיכָה זוֹ תְּחִי רוּחֲךָ, שֶׁנֶּאֱמַר: "וַתְּחִי רוּחַ יַעֲקֹב אֲבִיהֶם" (להלן מה, כז): **וְלֹא נָמוּת.** בָּרָעָב; בִּנְיָמִין סָפֵק יִתָּפֵשׂ סָפֵק לֹא יִתָּפֵשׂ, וַאֲנוּ כֻּלָּנוּ מֵתִים בָּרָעָב אִם לֹא נֵלֵךְ, מוּטָב שֶׁתַּנִּיחַ אֶת הַסָּפֵק וְתִתְפֹּשׂ אֶת הַוַּדַּאי:

ט] **וְהִצַּגְתִּיו לְפָנֶיךָ.** שֶׁלֹּא אֲבִיאֶנּוּ אֵלֶיךָ מֵת כִּי אִם חַי: **וְחָטָאתִי לְךָ כָּל הַיָּמִים.** לָעוֹלָם הַבָּא:

י] **לוּלֵא הִתְמַהְמָהְנוּ.** עַל יָדְךָ, כְּבָר הָיִינוּ שָׁבִים עִם שִׁמְעוֹן, וְלֹא נִצְטַעַרְתָּ כָּל הַיָּמִים הַלָּלוּ:

ביאור

ג **וַיֹּאמֶר אֵלָיו יְהוּדָה**, שאף על פי שהיה בנו הרביעי של יעקב, כבר
בזמן מכירת יוסף באו לביטוי מנהיגותו[18] ומעמדו - כמעמדו של
בכור, **לֵאמֹר: הָעֵד הֵעִד בָּנוּ**, התרה בנו מפורשות **הָאִישׁ**, אדוני הארץ
לֵאמֹר: "לֹא תִרְאוּ פָנַי, ולא תוכלו לקנות כאן דבר, **בִּלְתִּי**, אלא אם כן
אֲחִיכֶם יהיה **אִתְּכֶם"**. ד ולכן **אִם יֶשְׁךָ מְשַׁלֵּחַ אֶת אָחִינוּ אִתָּנוּ - נֵרְדָה**,
נרד למצרים **וְנִשְׁבְּרָה לְךָ אֹכֶל**. ה **וְאִם אֵינְךָ מְשַׁלֵּחַ - לֹא נֵרֵד, כִּי
הָאִישׁ אָמַר אֵלֵינוּ "לֹא תִרְאוּ פָנַי בִּלְתִּי אֲחִיכֶם אִתְּכֶם"**.

ו **וַיֹּאמֶר** שוב **יִשְׂרָאֵל**, יעקב: **לָמָה הֲרֵעֹתֶם לִי לְהַגִּיד לָאִישׁ הַעוֹד לָכֶם
אָח?** לשם מה סיפרתם לו שיש לכם אח נוסף, ולהביא בכך את
הצרה הזאת?

ז **וַיֹּאמְרוּ: שָׁאוֹל שָׁאַל הָאִישׁ לָנוּ וּלְמוֹלַדְתֵּנוּ**. האיש לא פתח בפשטות
בשאלה על אחינו. תחילה שוחח אתנו שיחה כללית ובה שאל עלינו
ועל מולדתנו, וענינו לו לפי תומנו. אולם במהלך החקירה שאל
לֵאמֹר: "הַעוֹד אֲבִיכֶם חַי?" יוסף היה מעוניין לדעת זאת מסיבותיו
הוא, אך מבחינתם זו הייתה שאלה טבעית, לאחר שסיפרו לו
שהם בני אב אחד. וכן השאלה - **"הֲיֵשׁ לָכֶם אָח?" וַנַּגֶּד לוֹ עַל
פִּי הַדְּבָרִים הָאֵלֶּה**. ענינו לו בהתאם לשאלותיו. **הֲיָדוֹעַ נֵדַע**, האם
יכולנו להעלות על דעתנו **כִּי יֹאמַר: "הוֹרִידוּ אֶת אֲחִיכֶם"**?! אילו
שיערנו שידרוש דרישה זו, בוודאי היינו נזהרים.

ח **וַיֹּאמֶר יְהוּדָה** שוב **אֶל יִשְׂרָאֵל אָבִיו** ובאופן נמרץ יותר: **שִׁלְחָה הַנַּעַר
אִתִּי וְנָקוּמָה וְנֵלֵכָה**, **וְנִחְיֶה וְלֹא נָמוּת - גַּם אֲנַחְנוּ, גַּם אַתָּה, גַּם טַפֵּנוּ**,
שהרי מצוקתנו ממשית. ט ולבסוף הוא מבטיח: **אָנֹכִי אֶעֶרְבֶנּוּ**,
אהיה הערב להשבתו, **מִיָּדִי תְּבַקְשֶׁנּוּ. אִם לֹא הֲבִיאֹתִיו אֵלֶיךָ וְהִצַּגְתִּיו
לְפָנֶיךָ - וְחָטָאתִי לְךָ כָּל הַיָּמִים**. חטאי לא יימחה לעולם, הן בימי חיי
הן לאחר שאמות. י **כִּי לוּלֵא הִתְמַהְמָהְנוּ** עד עכשיו, משום שאתה

הרחבות

'ויאמר יהודה אל ישראל אביו...' לכאורה הצעתו של יהודה הייתה קיצונית פחות מהצעתו של ראובן, שהרי ראובן התחייב לפני אביו: אֶת שְׁנֵי בָנַי תָּמִית אִם לֹא אֲבִיאֶנּוּ אֵלֶיךָ. אולם נראה שיעקב לא סמך על ראובן. גם אם הבטחתו נבעה מרצון טוב עמוק, ראובן לא היה אישיות חזקה כיהודה, ויעקב חשש שמא לא יעמוד בדבריו.

יא הִתְמַהְמָהְנוּ כִּי־עַתָּה שַׁבְנוּ זֶה פַעֲמָיִם׃ וַיֹּאמֶר
אֲלֵהֶם יִשְׂרָאֵל אֲבִיהֶם אִם־כֵּן ׀ אֵפוֹא זֹאת עֲשׂוּ
קְחוּ מִזִּמְרַת הָאָרֶץ בִּכְלֵיכֶם וְהוֹרִידוּ לָאִישׁ מִנְחָה
מְעַט צֳרִי וּמְעַט דְּבַשׁ נְכֹאת וָלֹט בָּטְנִים וּשְׁקֵדִים׃
יב וְכֶסֶף מִשְׁנֶה קְחוּ בְיֶדְכֶם וְאֶת־הַכֶּסֶף הַמּוּשָׁב בְּפִי
יג אַמְתְּחֹתֵיכֶם תָּשִׁיבוּ בְיֶדְכֶם אוּלַי מִשְׁגֶּה הוּא׃ וְאֶת־
יד אֲחִיכֶם קָחוּ וְקוּמוּ שׁוּבוּ אֶל־הָאִישׁ׃ וְאֵל שַׁדַּי יִתֵּן לט
לָכֶם רַחֲמִים לִפְנֵי הָאִישׁ וְשִׁלַּח לָכֶם אֶת־אֲחִיכֶם
אַחֵר וְאֶת־בִּנְיָמִין וַאֲנִי כַּאֲשֶׁר שָׁכֹלְתִּי שָׁכָלְתִּי׃

רש"י

יא) **אפוא.** לשון יתר הוא לתקן מלה בלשון עברי: אם כן אזדקק לעשות שאשלחנו עמכם, צריך אני לחזור ולבקש איה פה תקנה ועצה להשיאכם, ואומר אני: "זאת עשו": **מזמרת הארץ.** כתרגומו "מדמשבח בארעא", שהכל מזמרים עליו כשהוא בא לעולם: **נכאת.** שעוה. בראשית רבה (צא, יא): **בטנים.** לא ידעתי מה הם. ובפרושי אל"ף בי"ת של רבי מכיר ראיתי פסטיקיא"ש, ודומה לי שהן אפרסקים:

יב) **וכסף משנה.** פי שנים כראשון: **קחו בידכם.** לשבר אכל, שמא הוקר השער: **אולי משגה הוא.** שמא הממנה על הבית שכחו שוגג:

יד) **ואל שדי.** מעתה אינכם חסרים כלום אלא תפלה, הריני מתפלל עליכם: אל שיש די בנתינת רחמיו וכדי היכלת בידו לתת, "יתן לכם רחמים", זהו פשוטו. ומדרשו, מי שאמר לעולם די יאמר די לצרותי, שלא שקטתי מנעורי: צרת לבן, צרת עשו, צרת רחל, צרת דינה, צרת יוסף, צרת שמעון, צרת בנימין: **ושלח לכם.** "ויפטר לכון", כתרגומו, יפטרנו מאסוריו, לשון "לחפשי ישלחנו" (שמות כא, כו). ואין נופל בתרגומו לשון 'וישלח', שהרי לשם הם הולכים אצלו: **את אחיכם.** זה שמעון: **אחר.** רוח הקדש נזרקה בו, לרבות יוסף: **ואני.** עד שובכם אהיה שכול מספק: **כאשר שכלתי.** מיוסף ומשמעון: **שכלתי.** מבנימין:

טו) **ואת בנימן.** מתרגמינן "ודברו ית בנימין", לפי שאין לקיחת הכסף ולקיחת האדם שוה בלשון ארמי; בדבר הנקח ביד מתרגמינן: "ונסיב", ודבר הנקח בהנהגת דברים מתרגמינן: "ודבר":

העולם

נכאת על פי תרגומים עתיקים זהו שרף. הנכאת מזוהה עם הקדד (שם מדעי: Astragalus), שיח נמוך הגדל בעיקר באזורים המדבריים של ארץ ישראל, שעל ידי פציעת ענפיו מופק ממנו שרף המשמש לרפואה. חכמים תרגמו את הנכאת כשעווה (בראשית רבה צא,יג) אולי מפני סמיכותו לדבש.

ביאור

סירבת לשלחו, ואנחנו לא לחצנו, **כִּי עַתָּה שַׁבְנוּ זֶה פַעֲמָיִם**. היינו
כבר יכולים לרדת למצרים ולחזור פעמיים.

יא **וַיֹּאמֶר אֲלֵהֶם יִשְׂרָאֵל אֲבִיהֶם: אִם כֵּן אֵפוֹא**, מכיוון שאין
ברירה – **זֹאת עֲשׂוּ: קְחוּ מִזִּמְרַת**, מתנובתה המשובחת של **הָאָרֶץ
בִּכְלֵיכֶם, וְהוֹרִידוּ לָאִישׁ מִנְחָה**. מתנה תוכל לרכך גם את לבם של
אנשים רמי מעלה. יעקב הציע לשלוח לאדוני מצרים מן הגדל
בכנען, ואינו מצוי במצרים. **מְעַט צֳרִי**, בושם, או: תרופה שהופקה אז
כמעט רק בעמק הירדן, **וּמְעַט דְּבַשׁ, נְכֹאת**, בשמים או מוצר יוקרתי
אחר,[19] **וָלֹט**, מין תמרוק, **בָּטְנִים**, פֵּרות עץ האֵלָה, המכונים היום
פיסטוקים. פרות אלה נחשבים למשובחים ואינם גדלים במצרים.
וּשְׁקֵדִים, שאף הם אינם צומחים במצרים.

יב **וְכֶסֶף מִשְׁנֶה**, סכום כסף כפול **קְחוּ בְיֶדְכֶם, וְאֶת הַכֶּסֶף הַמּוּשָׁב בְּפִי
אַמְתְּחֹתֵיכֶם תָּשִׁיבוּ בְיֶדְכֶם**. אל תשכחו אותו, כי ייתכן ששם יזכרו
אותו וידרשוהו. **אוּלַי מִשְׁגֶּה הוּא**. אולי פקידים שגו ובמקום להניח
את הכסף במקומו הכניסוהו לשקיכם עם התבואה שקניתם. יג **וְאֶת
אֲחִיכֶם** בנימין **קָחוּ**, **וְקוּמוּ שׁוּבוּ אֶל הָאִישׁ**. יד **וְאֵל שַׁדַּי יִתֵּן לָכֶם
רַחֲמִים לִפְנֵי הָאִישׁ, וְשִׁלַּח לָכֶם אֶת אֲחִיכֶם אַחֵר**, שמעון, **וְאֶת בִּנְיָמִין,
וַאֲנִי – כַּאֲשֶׁר שָׁכֹלְתִּי שָׁכָלְתִּי**. אם יארע בחיי אסון נוסף – הרי אני
כבר מלומד באסונות.

קֶדֶד
('נכאת'?)

טו וַיִּקְחוּ הָאֲנָשִׁים אֶת־הַמִּנְחָה הַזֹּאת וּמִשְׁנֶה־כֶּסֶף
לָקְחוּ בְיָדָם וְאֶת־בִּנְיָמִן וַיָּקֻמוּ וַיֵּרְדוּ מִצְרַיִם וַיַּעַמְדוּ
טז לִפְנֵי יוֹסֵף׃ וַיַּרְא יוֹסֵף אִתָּם אֶת־בִּנְיָמִין וַיֹּאמֶר לַאֲשֶׁר ששי
עַל־בֵּיתוֹ הָבֵא אֶת־הָאֲנָשִׁים הַבָּיְתָה וּטְבֹחַ טֶבַח
יז וְהָכֵן כִּי אִתִּי יֹאכְלוּ הָאֲנָשִׁים בַּצָּהֳרָיִם׃ וַיַּעַשׂ הָאִישׁ
כַּאֲשֶׁר אָמַר יוֹסֵף וַיָּבֵא הָאִישׁ אֶת־הָאֲנָשִׁים בֵּיתָה
יח יוֹסֵף׃ וַיִּירְאוּ הָאֲנָשִׁים כִּי הוּבְאוּ בֵּית יוֹסֵף וַיֹּאמְרוּ
עַל־דְּבַר הַכֶּסֶף הַשָּׁב בְּאַמְתְּחֹתֵינוּ בַּתְּחִלָּה אֲנַחְנוּ
מוּבָאִים לְהִתְגֹּלֵל עָלֵינוּ וּלְהִתְנַפֵּל עָלֵינוּ וְלָקַחַת
יט אֹתָנוּ לַעֲבָדִים וְאֶת־חֲמֹרֵינוּ׃ וַיִּגְּשׁוּ אֶל־הָאִישׁ אֲשֶׁר
כ עַל־בֵּית יוֹסֵף וַיְדַבְּרוּ אֵלָיו פֶּתַח הַבָּיִת׃ וַיֹּאמְרוּ בִּי
כא אֲדֹנִי יָרֹד יָרַדְנוּ בַּתְּחִלָּה לִשְׁבָּר־אֹכֶל׃ וַיְהִי כִּי־בָאנוּ
אֶל־הַמָּלוֹן וַנִּפְתְּחָה אֶת־אַמְתְּחֹתֵינוּ וְהִנֵּה כֶסֶף־
אִישׁ בְּפִי אַמְתַּחְתּוֹ כַּסְפֵּנוּ בְּמִשְׁקָלוֹ וַנָּשֶׁב אֹתוֹ

רש"י

טז| **וּטְבֹחַ טֶבַח וְהָכֵן.** כמו: 'ולטבח טבח ולהכן'. ואין 'וטבח' לשון צווי, שהיה לו לומר 'וטבח'. **בצהרים.** זה מתרגם "בשירותא" שהוא לשון סעודה ראשונה בלשון ארמי, ובלעז דשני"ר, ויש הרבה בתלמוד: "שדא לכלבא שירותיה" (תענית יח ע"ב), "בצע אכלא שירותיה" (ברכות לט ע"ב). אבל כל תרגום של 'צהרים' – טיהרא:

יח| **ויראו האנשים.** כתוב הוא בשני יודי"ן, ותרגומו: "ודחילו": **כי הובאו בית יוסף.** ואין דרך שאר הבאים לשבר בר ללון בבית יוסף כי אם בפונדקאות שבעיר. "וייראו" שאין זה אלא לאספם אל משמר: **אנחנו מובאים.** אל תוך הבית הזה: **להתגלל.** להיות מתגלגלת עלינו עלילת הכסף ולהיותה נופלת עלינו. ואונקלוס שתרגם: "ולאסתקפא עלנא" הוא לשון 'להתעולל', כדמתרגמינן "עלילת דברים" (דברים כב, יד) – "תסקופי מלין", ולא תרגמו אחר לשון המקרא. ו"להתגלל" שתרגם "לאתרברבא" הוא לשון: "גלת הזהב" (קהלת יב, ו), "והצב גלתה העלתה" (נחום ב, ח), שהוא לשון מלכות:

כ| **בי אדני.** לשון בעיה ותחנונים הוא, ובלשון ארמי: "ביא ביא" (יומא סט ע"ב): **ירד ירדנו.** ירידה היא לנו, רגילים היינו לפרנס אחרים, עכשיו אנו צריכים לך:

אחי יוסף יורדים שנית לשבור בר

פרק מג פס׳ טו–לד

מועקה גדולה ירדה על האחים, כאשר יוסף האשים אותם בריגול בביקורם הראשון במצרים. אף בירידתם השנייה נקלעים האחים למצבים תמוהים, בלא שהם מצליחים להבין את המתרחש סביבם. האירוח המכובד שיזכו לו יגדיל את תהייתם. על מצוקתם נוספת כנראה טרדה אחרת, מודעת פחות: ייתכן שכשהם עומדים מול אדוני ארץ מצרים, הם חשים באופן עמום שהוא מוכר להם ממקום כלשהו, אך המחשבה שנפגשו בעבר עם המשנה לפרעה מנוגדת לכל היגיון.

טו **וַיִּקְחוּ הָאֲנָשִׁים אֶת הַמִּנְחָה הַזֹּאת וּמִשְׁנֶה כֶּסֶף לָקְחוּ בְיָדָם וְאֶת** | ביאור
בִּנְיָמִן, וַיָּקֻמוּ וַיֵּרְדוּ מִצְרַיִם, וַיַּעַמְדוּ לִפְנֵי יוֹסֵף. טז **וַיַּרְא יוֹסֵף אִתָּם**
אֶת בִּנְיָמִין, שאולי זכר את תווי פניו, ואם השתנה מאוד עם
השנים - יוסף שיער שזהו אחיו הצעיר. **וַיֹּאמֶר** יוסף, שהיה שר
נכבד בעל ארמון, ותחתיו פקידים ומשרתים, **לַאֲשֶׁר**, לממונה **עַל**
בֵּיתוֹ: הָבֵא אֶת הָאֲנָשִׁים האלה אלי **הַבָּיְתָה, וּטְבֹחַ טֶבַח**, שחט בעלי
חיים, **וְהָכֵן** ארוחה, **כִּי אִתִּי יֹאכְלוּ הָאֲנָשִׁים בַּצָּהֳרָיִם**. הם יהיו אורחַי.
כיוון שמשפחתו המצרית של יוסף הייתה קטנה, כשהגיעה קבוצת
אורחים גדולה, היה צורך להתחשב בנוכחותם בתכנון הארוחה.

יז **וַיַּעַשׂ הָאִישׁ כַּאֲשֶׁר אָמַר יוֹסֵף. וַיָּבֵא הָאִישׁ אֶת הָאֲנָשִׁים בֵּיתָה**,
לביתו של **יוֹסֵף.** יח **וַיִּירְאוּ**, פחדו **הָאֲנָשִׁים כִּי הוּבְאוּ בֵּית יוֹסֵף**. בוודאי
תהו: הרי הגענו למצרים לשם קניית תבואה - מדוע הובאנו לארמונו
של השליט? **וַיֹּאמְרוּ: עַל דְּבַר הַכֶּסֶף הַשָּׁב בְּאַמְתְּחֹתֵינוּ בַּתְּחִלָּה אֲנַחְנוּ**
מוּבָאִים. בוודאי השליט מתכוון **לְהִתְגֹּלֵל עָלֵינוּ**, למצוא טענות כנגדנו
וּלְהִתְנַפֵּל עָלֵינוּ, ובסופו של דבר - **לָקַחַת אֹתָנוּ לַעֲבָדִים וְאֶת חֲמֹרֵינוּ.**

יט לפיכך - **וַיִּגְּשׁוּ אֶל הָאִישׁ אֲשֶׁר עַל בֵּית יוֹסֵף, וַיְדַבְּרוּ אֵלָיו פֶּתַח**
הַבָּיִת. כ **וַיֹּאמְרוּ** עוד קודם כניסתם לבית: **בִּי אֲדֹנִי**, בבקשה,[20] **יָרֹד**
יָרַדְנוּ בַּתְּחִלָּה לִשְׁבָּר, לקנות **אֹכֶל.** כא **וַיְהִי כִּי בָאנוּ אֶל הַמָּלוֹן, וַנִּפְתְּחָה**
אֶת אַמְתְּחֹתֵינוּ, וְהִנֵּה כֶסֶף אִישׁ בְּפִי אַמְתַּחְתּוֹ. כַּסְפֵּנוּ בְּמִשְׁקָלוֹ, כפי
שהיה, **וַנָּשֶׁב אֹתוֹ בְּיָדֵנוּ**. ראשית כול, אנו מבקשים להשיב את

בְּיָדֵנוּ: וְכֶסֶף אַחֵר הוֹרַדְנוּ בְיָדֵנוּ לִשְׁבָּר־אֹכֶל לֹא כב
יָדַעְנוּ מִי־שָׂם כַּסְפֵּנוּ בְּאַמְתְּחֹתֵינוּ: וַיֹּאמֶר שָׁלוֹם כג
לָכֶם אַל־תִּירָאוּ אֱלֹהֵיכֶם וֵאלֹהֵי אֲבִיכֶם נָתַן לָכֶם
מַטְמוֹן בְּאַמְתְּחֹתֵיכֶם כַּסְפְּכֶם בָּא אֵלָי וַיּוֹצֵא אֲלֵהֶם
אֶת־שִׁמְעוֹן: וַיָּבֵא הָאִישׁ אֶת־הָאֲנָשִׁים בֵּיתָה יוֹסֵף כד
וַיִּתֶּן־מַיִם וַיִּרְחֲצוּ רַגְלֵיהֶם וַיִּתֵּן מִסְפּוֹא לַחֲמֹרֵיהֶם:
וַיָּכִינוּ אֶת־הַמִּנְחָה עַד־בּוֹא יוֹסֵף בַּצָּהֳרָיִם כִּי שָׁמְעוּ כה
כִּי־שָׁם יֹאכְלוּ לָחֶם: וַיָּבֹא יוֹסֵף הַבַּיְתָה וַיָּבִיאוּ כו
לוֹ אֶת־הַמִּנְחָה אֲשֶׁר־בְּיָדָם הַבָּיְתָה וַיִּשְׁתַּחֲווּ־לוֹ
אָרְצָה: וַיִּשְׁאַל לָהֶם לְשָׁלוֹם וַיֹּאמֶר הֲשָׁלוֹם אֲבִיכֶם כז
הַזָּקֵן אֲשֶׁר אֲמַרְתֶּם הַעוֹדֶנּוּ חָי: וַיֹּאמְרוּ שָׁלוֹם כח
לְעַבְדְּךָ לְאָבִינוּ עוֹדֶנּוּ חָי וַיִּקְּדוּ וַיִּשְׁתַּחֲוֻ: וַיִּשָּׂא כט
עֵינָיו וַיַּרְא אֶת־בִּנְיָמִין אָחִיו בֶּן־אִמּוֹ וַיֹּאמֶר הֲזֶה
אֲחִיכֶם הַקָּטֹן אֲשֶׁר אֲמַרְתֶּם אֵלָי וַיֹּאמַר אֱלֹהִים
שביעי יָחְנְךָ בְּנִי: וַיְמַהֵר יוֹסֵף כִּי־נִכְמְרוּ רַחֲמָיו אֶל־אָחִיו ל

רש"י

כג) **אֱלֹהֵיכֶם.** בִּזְכוּתְכֶם; וְאִם אֵין זְכוּתְכֶם כְּדַאי, "וֵאלֹהֵי אֲבִיכֶם" – בִּזְכוּת אֲבִיכֶם "נָתַן לָכֶם מַטְמוֹן":

כד) **וַיָּבֵא הָאִישׁ.** הֲבָאָה אַחַר הֲבָאָה, לְפִי שֶׁהָיוּ דּוֹחֲפִים אוֹתוֹ חוּץ עַד שֶׁדִּבְּרוּ אֵלָיו פֶּתַח הַבַּיִת, וּמִשֶּׁאָמַר לָהֶם "שָׁלוֹם לָכֶם" (לעיל פסוק כג) נִמְשְׁכוּ וּבָאוּ אַחֲרָיו:

כה) **וַיָּכִינוּ.** הִזְמִינוּ, עִטְּרוּהָ בְּכֵלִים נָאִים:

כו) **הַבַּיְתָה.** מִפְּרוֹזְדוֹר לִטְרַקְלִין:

כח) **וַיִּקְּדוּ וַיִּשְׁתַּחֲוֻ.** עַל שְׁאֵלַת שָׁלוֹם. קִדָּה – כְּפִיפַת קָדְקֹד, הִשְׁתַּחֲוָאָה – מִשְׁתַּטֵּחַ לָאָרֶץ:

כט) **אֱלֹהִים יָחְנְךָ בְּנִי.** בִּשְׁאָר שְׁבָטִים שָׁמַעְנוּ חֲנִינָה: "אֲשֶׁר חָנַן אֱלֹהִים אֶת עַבְדֶּךָ" (לעיל לג, ה), וּבִנְיָמִין עֲדַיִן לֹא נוֹלַד, לְכָךְ בֵּרְכוֹ יוֹסֵף בַּחֲנִינָה:

ל) **כִּי נִכְמְרוּ רַחֲמָיו.** שְׁאָלוֹ: יֵשׁ לְךָ אָח מֵאֵם? אָמַר לוֹ: אָח הָיָה לִי וְאֵינִי יוֹדֵעַ הֵיכָן הוּא. יֵשׁ לְךָ בָּנִים? אָמַר לוֹ: יֵשׁ לִי עֲשָׂרָה. אָמַר לוֹ: וּמַה שְּׁמָם? אָמַר לוֹ: בֶּלַע וָבֶכֶר וְגוֹ' (להלן מו, כא). אָמַר לוֹ:

ביאור | הכסף, שנמצא באמתחותינו כנראה בעטיה של טעות. כב **וְכֶסֶף אַחֵר הוֹרַדְנוּ בְיָדֵנוּ לִשְׁבָּר אֹכֶל. לֹא יָדַעְנוּ מִי שָׂם כַּסְפֵּנוּ בְּאַמְתְּחֹתֵינוּ.** אין זו אשמתנו. איננו יודעים כיצד אירע הדבר, אך מובן מאליו שנשלם הכול.

כג **וַיֹּאמֶר** האיש: **שָׁלוֹם לָכֶם. אַל תִּירָאוּ. אֱלֹהֵיכֶם וֵאלֹהֵי אֲבִיכֶם נָתַן לָכֶם מַטְמוֹן**, אוצר חבוי **בְּאַמְתְּחֹתֵיכֶם. כַּסְפְּכֶם בָּא אֵלָי.** הכסף שהייתם חייבים לשלם כבר הגיע אלי. ייתכן שיוסף שהיה מסודר, מאורגן ונאמן הורה להכניס את התשלום עבור תבואתם לאוצר המלוכה. ובאמתחת האחים הניח מתנה על חשבונו.

וַיּוֹצֵא אֲלֵהֶם אֶת שִׁמְעוֹן. מן הסתם, לפי ההוראות שקיבל. כד **וַיָּבֵא הָאִישׁ אֶת הָאֲנָשִׁים בֵּיתָה יוֹסֵף** כאורחים, **וַיִּתֶּן מַיִם** לפניהם, **וַיִּרְחֲצוּ רַגְלֵיהֶם** לאחר ההליכה הארוכה והמעייפת, **וַיִּתֵּן מִסְפּוֹא לַחֲמֹרֵיהֶם.** הוא דאג לכל צורכיהם. כה **וַיָּכִינוּ אֶת הַמִּנְחָה עַד בּוֹא יוֹסֵף בַּצָּהֳרָיִם.** האחים ערכו את המנחה, שהייתה עד כה ארוזה על גבי החמורים, באופן נאה, **כִּי שָׁמְעוּ כִּי שָׁם יֹאכְלוּ לָחֶם.** כיוון ששמעו מהאיש שיישארו לאכול בביתו, תהיה להם הזדמנות להעניק לו את המתנה.

כו **וַיָּבֹא יוֹסֵף הַבַּיְתָה, וַיָּבִיאוּ לוֹ אֶת הַמִּנְחָה אֲשֶׁר בְּיָדָם הַבָּיְתָה, וַיִּשְׁתַּחֲווּ לוֹ אָרְצָה.** כאן נתקיים החלום הראשון; אחד-עשר האחים המבקשים בר, שהתכוונו להסב על שולחנו של יוסף - השתקפו בחלום כאלומות המסבות סביבו, ועתה השתחוו ליוסף המשביר.

כז גם יוסף התנהג באופן ידידותי - **וַיִּשְׁאַל לָהֶם לְשָׁלוֹם**, ומעבר לכך - **וַיֹּאמֶר: הֲשָׁלוֹם אֲבִיכֶם הַזָּקֵן אֲשֶׁר אֲמַרְתֶּם? הַעוֹדֶנּוּ חָי?**

כח **וַיֹּאמְרוּ: שָׁלוֹם לְעַבְדְּךָ לְאָבִינוּ, עוֹדֶנּוּ חָי. וַיִּקְּדוּ וַיִּשְׁתַּחֲוּוּ** לאות הערכה ותודה כלפי השליט החולק להם כבוד בשאלתו לשלומם ולשלום אביהם.

כט **וַיִּשָּׂא עֵינָיו, וַיַּרְא אֶת בִּנְיָמִין אָחִיו בֶּן אִמּוֹ. וַיֹּאמֶר: הֲזֶה אֲחִיכֶם הַקָּטֹן אֲשֶׁר אֲמַרְתֶּם אֵלָי** שתביאו הנה?

וַיֹּאמַר: אֱלֹהִים יָחְנְךָ, יטה אליך חסד, ירחמך, **בְּנִי.** בהיותו צעיר, פונה אליו יוסף כאל בן.

ל **וַיְמַהֵר יוֹסֵף, כִּי נִכְמְרוּ**, התחממו, כלומר התעוררו[21] **רַחֲמָיו**, אהבתו

וַיְבַקֵּשׁ לִבְכּוֹת וַיָּבֹא הַחַדְרָה וַיֵּבְךְּ שָׁמָּה: וַיִּרְחַץ לא
פָּנָיו וַיֵּצֵא וַיִּתְאַפַּק וַיֹּאמֶר שִׂימוּ לָחֶם: וַיָּשִׂימוּ לוֹ לב
לְבַדּוֹ וְלָהֶם לְבַדָּם וְלַמִּצְרִים הָאֹכְלִים אִתּוֹ לְבַדָּם
כִּי לֹא יוּכְלוּן הַמִּצְרִים לֶאֱכֹל אֶת־הָעִבְרִים לֶחֶם כִּי־
תוֹעֵבָה הִוא לְמִצְרָיִם: וַיֵּשְׁבוּ לְפָנָיו הַבְּכֹר כִּבְכֹרָתוֹ לג
וְהַצָּעִיר כִּצְעִרָתוֹ וַיִּתְמְהוּ הָאֲנָשִׁים אִישׁ אֶל־רֵעֵהוּ:
וַיִּשָּׂא מַשְׂאֹת מֵאֵת פָּנָיו אֲלֵהֶם וַתֵּרֶב מַשְׂאַת לד
בִּנְיָמִן מִמַּשְׂאֹת כֻּלָּם חָמֵשׁ יָדוֹת וַיִּשְׁתּוּ וַיִּשְׁכְּרוּ עִמּוֹ:

רש"י

מַה טִּיבָן שֶׁל שֵׁמוֹת הַלָּלוּ? אָמַר לוֹ: כֻּלָּם עַל שֵׁם אָחִי וְהַצָּרוֹת שֶׁמְּצָאוּהוּ, כִּדְאִיתָא בְּמַסֶּכֶת סוֹטָה (דף לו ע"ב); מִיָּד נִכְמְרוּ רַחֲמָיו: נִכְמְרוּ. נִתְחַמְּמוּ, וּבִלְשׁוֹן מִשְׁנָה: "עַל הַכֹּמֶר שֶׁל זֵיתִים" (בבא מציעא עד ע"א), וּבְלָשׁוֹן אֲרַמִּי: "מִכְמַר בִּשְׂרָא" (פסחים נח ע"א), וּבַמִּקְרָא: "עוֹרֵנוּ כְּתַנּוּר נִכְמָרוּ" (איכה ה, י) – נִתְחַמְּמוּ וְנִקְמְטוּ קְמָטִים קְמָטִים, "מִפְּנֵי זַלְעֲפוֹת רָעָב". כֵּן דֶּרֶךְ כָּל עוֹר, כְּשֶׁמְּחַמְּמִין אוֹתוֹ מִתְכַּוֵּץ – נִקְמָט וְנִכְוָץ:

לא] וַיִּתְאַפַּק. נִתְחַזֵּק, וְהוּא לְשׁוֹן "אֲפִיקֵי מָגִנִּים" (איוב מא, ז), חֹזֶק. וְכֵן: "וּמְזִיחַ אֲפִיקִים רִפָּה" (שם יב, כא):

לב] כִּי תוֹעֵבָה הִוא. דָּבָר שָׂנוּי הוּא לַמִּצְרִים "לֶאֱכֹל אֶת הָעִבְרִים", וְאוּנְקְלוֹס נָתַן טַעַם לַדָּבָר:

לג] הַבְּכֹר כִּבְכֹרָתוֹ. מַכֶּה בַּגָּבִיעַ וְקוֹרֵא: רְאוּבֵן שִׁמְעוֹן לֵוִי וִיהוּדָה יִשָּׂשכָר וּזְבוּלֻן בְּנֵי אֵם אַחַת, הָסֵבּוּ כַּסֵּדֶר הַזֶּה שֶׁהוּא תוֹלְדוֹתֵיכֶם, וְכֵן כֻּלָּם. כֵּיוָן שֶׁהִגִּיעַ לְבִנְיָמִין, אָמַר: זֶה אֵין לוֹ אֵם וַאֲנִי אֵין לִי אֵם, יֵשֵׁב אֶצְלִי:

לד] מַשְׂאֹת. מָנוֹת: חָמֵשׁ יָדוֹת. חֶלְקוֹ עִם אֶחָיו, וּמַשְׂאַת יוֹסֵף וְאָסְנַת וּמְנַשֶּׁה וְאֶפְרַיִם: וַיִּשְׁכְּרוּ עִמּוֹ. וּמִיּוֹם שֶׁמְּכָרוּהוּ לֹא שָׁתוּ יַיִן וְלֹא הוּא שָׁתָה יַיִן, וְאוֹתוֹ הַיּוֹם שָׁתוּ:

הרחבות

'לא יוכלון המצרים לאכל את העברים לחם' ממקורות שונים עולה, שהמצרים היו עם גאה וגזעני, שהתייחס אל בני שֵׁם שמִצפון בבוז. סעודתם של בני שם נחשבה לתועבה בעיני המצרים. המצרים נמנעו מאכילת הבהמות, שלא כעברים, ונטו לצמחונות. בשל ההבדל הגדול בתפריט ובאופני האכילה של המצרים והעברים הם לא יכלו לאכול יחדיו (ראו אונקלוס וחזקוני. עדויות לשנאת זרים והחשבתם לטמאים בעיני המצרים יש גם בכתבי ההיסטוריון היווני הרודטוס, ב, מא, בן המאה ה–5 לפנה"ס, המספר שהמצרים אינם אוכלים בכלי זרים ונמנעים מאכילת בשר בקר).

התנהגותו של יוסף שירתה את מטרותיו, אך הוא השתדל שהיא תיתפס כסבירה גם בעיני אחיו. הכבוד שנהג בהם עתה נראה כמחוות פיוס על כך שחשד בריגול בנציגים

ביאור

אֶל אָחִיו, שאותו לא ראה שנים רבות, **וַיְבַקֵּשׁ לִבְכּוֹת**, ולכן מיהר
וַיָּבֹא הַחַדְרָה, לחדרו הפרטי **וַיֵּבְךְּ שָׁמָּה.** לא **וַיִּרְחַץ פָּנָיו**, כדי להסתיר
את בכיו, **וַיֵּצֵא**, **וַיִּתְאַפַּק**, התחזק, החזיק מעמד. **וַיֹּאמֶר** לעבדיו:
שִׂימוּ לָחֶם.

לב **וַיָּשִׂימוּ**, הגישו לחם **לוֹ לְבַדּוֹ, וְלָהֶם לְבַדָּם, וְלַמִּצְרִים הָאֹכְלִים אִתּוֹ**
לְבַדָּם. גם למכריו ולאנשי ביתו המצרים הוקצה שולחן משלהם.
בשרשרת התמיהות שתמהו האחים על התנהגותו ודבריו של יוסף,
הם תהו עתה על בחירתו של יוסף, הנראה מצרי, שלא לאכול
עם המצרים, **כִּי לֹא יוּכְלוּן הַמִּצְרִים לֶאֱכֹל אֶת**, עם **הָעִבְרִים לֶחֶם,**
כִּי תוֹעֵבָה הִוא לְמִצְרָיִם. הדת המצרית אסרה עליהם לסעוד עם
העברים. לג בתור המארח, יוסף הושיבם ליד השולחן, **וַיֵּשְׁבוּ לְפָנָיו**
כל אחד במקום שהועיד לו יוסף, **הַבְּכֹר כִּבְכֹרָתוֹ וְהַצָּעִיר כִּצְעִרָתוֹ**,
לפי סדר גיליהם. **וַיִּתְמְהוּ הָאֲנָשִׁים אִישׁ אֶל רֵעֵהוּ.** כיוון שהפרשי
הגילים בין בני יעקב לא היו גדולים, קשה היה לשער את סדר
היוולדם עתה, כשהם אנשים מבוגרים.

לד **וַיִּשָּׂא מַשְׂאֹת**, העניק מתנות **מֵאֵת פָּנָיו אֲלֵהֶם. וַתֵּרֶב מַשְׂאַת**
בִּנְיָמִן מִמַּשְׂאֹת כֻּלָּם חָמֵשׁ יָדוֹת. לבנימין נתן מתנה גדולה פי חמש
ממתנות אחיו. **וַיִּשְׁתּוּ וַיִּשְׁכְּרוּ עִמּוֹ.** הסעודה הפכה למסיבת רֵעִים.

הרחבות

מכובדים של שבט קטן מכנען. משום כך הוא אירחם בביתו, ערך עמם סעודה גדולה ונתן להם מתנות. גם במתנה העודפת של בנימין אפשר היה למצוא היגיון, שכן בניגוד לאחים האחרים, שהגיעו למצרים מרצונם, על בנימין הוא כפה להגיע. על כן ראוי היה שיפייס ויפצה אותו.

נראה כי במעשיו התמוהים והמכבידים ביקש יוסף לגמול לאחיו על מעשיהם בעונש חינוכי גדל והולך. הוא לחץ עליהם עוד ועוד כדי להביאם לנקודת מבחן קרובה ככל האפשר למצב שבו כשלו כאשר מכרוהו. כשם שיוסף היה בן זקונים, כעת בנימין הוא הבן האהוב, שאותו שמר האב לידו ולא אפשר לו לצאת לדרך רחוקה. גם המתנות המרובות שבנימין בן רחל קיבל מ'שליט מצרים' נועדו להגביר את המתח ואת רגשות הקנאה – אם אלה רוחשים עדיין. ההצגה נמשכת, הבלבול והמועקה גוברים עד לשיאה של הדרמה המתוכננת לפרטיה על ידי יוסף.

מד וַיְצַו אֶת־אֲשֶׁר עַל־בֵּיתוֹ לֵאמֹר מַלֵּא אֶת־אַמְתְּחֹת א
הָאֲנָשִׁים אֹכֶל כַּאֲשֶׁר יוּכְלוּן שְׂאֵת וְשִׂים כֶּסֶף־אִישׁ
בְּפִי אַמְתַּחְתּוֹ׃ וְאֶת־גְּבִיעִי גְּבִיעַ הַכֶּסֶף תָּשִׂים בְּפִי ב
אַמְתַּחַת הַקָּטֹן וְאֵת כֶּסֶף שִׁבְרוֹ וַיַּעַשׂ כִּדְבַר יוֹסֵף
אֲשֶׁר דִּבֵּר׃ הַבֹּקֶר אוֹר וְהָאֲנָשִׁים שֻׁלְּחוּ הֵמָּה ג
וַחֲמֹרֵיהֶם׃ הֵם יָצְאוּ אֶת־הָעִיר לֹא הִרְחִיקוּ וְיוֹסֵף ד
אָמַר לַאֲשֶׁר עַל־בֵּיתוֹ קוּם רְדֹף אַחֲרֵי הָאֲנָשִׁים
וְהִשַּׂגְתָּם וְאָמַרְתָּ אֲלֵהֶם לָמָּה שִׁלַּמְתֶּם רָעָה תַּחַת
טוֹבָה׃ הֲלוֹא זֶה אֲשֶׁר יִשְׁתֶּה אֲדֹנִי בּוֹ וְהוּא נַחֵשׁ ה
יְנַחֵשׁ בּוֹ הֲרֵעֹתֶם אֲשֶׁר עֲשִׂיתֶם׃ וַיַּשִּׂגֵם וַיְדַבֵּר אֲלֵהֶם ו
אֶת־הַדְּבָרִים הָאֵלֶּה׃ וַיֹּאמְרוּ אֵלָיו לָמָּה יְדַבֵּר אֲדֹנִי ז
כַּדְּבָרִים הָאֵלֶּה חָלִילָה לַעֲבָדֶיךָ מֵעֲשׂוֹת כַּדָּבָר

רש"י | פרק מד

ב גְּבִיעִי. כּוֹס אָרֹךְ וְקוֹרִין לוֹ מדירנ"ו:

ז חָלִילָה לַעֲבָדֶיךָ. חֻלִּין הוּא לָנוּ, לְשׁוֹן גְּנַאי. וְתַרְגּוּם: "חַס לְעַבְדָּךְ", חַס מֵאֵת הַקָּדוֹשׁ בָּרוּךְ הוּא יְהֵא עָלֵינוּ מֵעֲשׂוֹת זֹאת. וְהַרְבֵּה יֵשׁ בַּתַּלְמוּד "חַס וְשָׁלוֹם":

יוסף מחריף את התנכרותו ולבסוף מתוודע לאחיו

פרק מד – פרק מה פס׳ כד

כאן תגיע מצוקת האחים לשיאה, כיוון שהיא תמוקד בבנימין, והרי יעקב הביע את החשש לגורל צעיר בניו באופן חריף ונחרץ.

מסדרי פרשות השבוע הנהוגות כיום קטעו עניין זה באמצעו. בכך הם העצימו עוד את המתח לקראת נאומו הגדול של יהודה, שעתיד להמס את לבו של יוסף. גם לפי חלוקת הפרשיות הקדומה שבספר התורה - המסומנות ברווח בין פרשה לפרשה - באופן חריג אין בסדר מקץ כולו הפסק פרשיות כלל, ורק בסופו מסתיימת פרשה, כאילו כל השתלשלות המאורעות המחריפים והולכים נקראת בנשימה אחת, ודווקא בשיאו של הקושי מושהה הסיפור.

ביאור | פרק מד א **וַיְצַו אֶת** האיש **אֲשֶׁר עַל בֵּיתוֹ, לֵאמֹר: מַלֵּא אֶת אַמְתְּחֹת הָאֲנָשִׁים אֹכֶל, כַּאֲשֶׁר יוּכְלוּן שְׂאֵת**, ככל שהאמתחות יכולות להכיל. **וְשִׂים כֶּסֶף** של כל **אִישׁ בְּפִי אַמְתַּחְתּוֹ**, כשם שהוחזר להם כספם בפעם הקודמת, ב אך הפעם - **וְאֶת גְּבִיעִי** המיוחד, **גְּבִיעַ הַכֶּסֶף** - במצרים העתיקה היה לעתים הכסף יקר אף מזהב, שכן מרבצי זהב היו מצויים במזרח אפריקה ובמקומות נוספים בקרבת מצרים, אבל כסף יובא אליה בדרך כלל מאסיה - **תָּשִׂים בְּפִי אַמְתַּחַת** האח **הַקָּטֹן** ושים שם גם **אֵת כֶּסֶף שִׁבְרוֹ**.

וַיַּעַשׂ כִּדְבַר יוֹסֵף אֲשֶׁר דִּבֵּר.

נראה שאחי יוסף הגיעו לשבור בר בצהריים, ולנו בבית יוסף בלילה. ג **הַבֹּקֶר אוֹר**, האיר, **וְהָאֲנָשִׁים שֻׁלְּחוּ, הֵמָּה וַחֲמֹרֵיהֶם.** ד **הֵם יָצְאוּ אֶת הָעִיר, לֹא הִרְחִיקוּ, וְיוֹסֵף אָמַר לַאֲשֶׁר עַל בֵּיתוֹ:** קום עכשיו, **רְדֹף אַחֲרֵי הָאֲנָשִׁים, וְהִשַּׂגְתָּם וְאָמַרְתָּ אֲלֵהֶם: לָמָּה שִׁלַּמְתֶּם רָעָה תַּחַת טוֹבָה?** האשם אותם בגנבה. ה **הֲלוֹא** גביע **זֶה**, שגנבתם מבית יוסף, **אֲשֶׁר יִשְׁתֶּה אֲדֹנִי בּוֹ.** ומעבר לכך - **וְהוּא נַחֵשׁ יְנַחֵשׁ בּוֹ.** אין זה גביע פשוט, אלא גביע מזל וניחוש בעבורו. **הֲרֵעֹתֶם אֲשֶׁר עֲשִׂיתֶם.** בגנבת הגביע ממארחיכם נהגתם בכפיות טובה ובטיפשות, שהרי גנבתכם נחשפה מיד.

ו **וַיַּשִּׂגֵם, וַיְדַבֵּר אֲלֵהֶם אֶת הַדְּבָרִים הָאֵלֶּה.**

ז **וַיֹּאמְרוּ אֵלָיו: לָמָּה יְדַבֵּר אֲדֹנִי כַּדְּבָרִים הָאֵלֶּה? חָלִילָה לַעֲבָדֶיךָ מֵעֲשׂוֹת כַּדָּבָר הַזֶּה.** לא ייתכן כלל לחשוד בנו במעשה כזה, כפי

ח הַזֶּה׃ הֵן כֶּסֶף אֲשֶׁר מָצָאנוּ בְּפִי אַמְתְּחֹתֵינוּ הֱשִׁיבֹנוּ
אֵלֶיךָ מֵאֶרֶץ כְּנָעַן וְאֵיךְ נִגְנֹב מִבֵּית אֲדֹנֶיךָ כֶּסֶף אוֹ
ט זָהָב׃ אֲשֶׁר יִמָּצֵא אִתּוֹ מֵעֲבָדֶיךָ וָמֵת וְגַם־אֲנַחְנוּ
י נִהְיֶה לַאדֹנִי לַעֲבָדִים׃ וַיֹּאמֶר גַּם־עַתָּה כְדִבְרֵיכֶם
כֶּן־הוּא אֲשֶׁר יִמָּצֵא אִתּוֹ יִהְיֶה־לִּי עָבֶד וְאַתֶּם תִּהְיוּ
יא נְקִיִּם׃ וַיְמַהֲרוּ וַיּוֹרִדוּ אִישׁ אֶת־אַמְתַּחְתּוֹ אָרְצָה
יב וַיִּפְתְּחוּ אִישׁ אַמְתַּחְתּוֹ׃ וַיְחַפֵּשׂ בַּגָּדוֹל הֵחֵל וּבַקָּטֹן
יג כִּלָּה וַיִּמָּצֵא הַגָּבִיעַ בְּאַמְתַּחַת בִּנְיָמִן׃ וַיִּקְרְעוּ
יד מפטיר שִׂמְלֹתָם וַיַּעֲמֹס אִישׁ עַל־חֲמֹרוֹ וַיָּשֻׁבוּ הָעִירָה׃ וַיָּבֹא
יְהוּדָה וְאֶחָיו בֵּיתָה יוֹסֵף וְהוּא עוֹדֶנּוּ שָׁם וַיִּפְּלוּ לְפָנָיו
טו אָרְצָה׃ וַיֹּאמֶר לָהֶם יוֹסֵף מָה־הַמַּעֲשֶׂה הַזֶּה אֲשֶׁר
עֲשִׂיתֶם הֲלוֹא יְדַעְתֶּם כִּי־נַחֵשׁ יְנַחֵשׁ אִישׁ אֲשֶׁר
טז כָּמֹנִי׃ וַיֹּאמֶר יְהוּדָה מַה־נֹּאמַר לַאדֹנִי מַה־נְּדַבֵּר
וּמַה־נִּצְטַדָּק הָאֱלֹהִים מָצָא אֶת־עֲוֹן עֲבָדֶיךָ הִנֶּנּוּ

רש"י

ח] הֵן כֶּסֶף אֲשֶׁר מָצָאנוּ. זֶה אֶחָד מֵעֲשָׂרָה קַל וָחֹמֶר הָאֲמוּרִים בַּתּוֹרָה, וְכֻלָּן מְנוּיִין בִּבְרֵאשִׁית רַבָּה (צב, ז):

י] גַּם עַתָּה. אַף זוֹ מִן הַדִּין אֱמֶת "כְּדִבְרֵיכֶם כֶּן הוּא" שֶׁכֻּלְּכֶם חַיָּבִים בַּדָּבָר, עֲשָׂרָה שֶׁנִּמְצֵאת גְּנֵבָה בְּיַד אֶחָד מֵהֶם כֻּלָּם נִתְפָּשִׂים, אֲבָל אֲנִי אֶעֱשֶׂה לָכֶם לִפְנִים מִשּׁוּרַת הַדִּין: "אֲשֶׁר יִמָּצֵא אִתּוֹ יִהְיֶה לִּי עָבֶד" וְגוֹ':

יב] בַּגָּדוֹל הֵחֵל. שֶׁלֹּא יַרְגִּישׁוּ שֶׁהָיָה יוֹדֵעַ הֵיכָן הוּא:

יג] וַיַּעֲמֹס אִישׁ עַל חֲמֹרוֹ. בַּעֲלֵי זְרוֹעַ הָיוּ, וְלֹא הֻצְרְכוּ לְסַיֵּעַ זֶה אֶת זֶה לִטְעֹן: וַיָּשֻׁבוּ הָעִירָה. מֶטְרוֹפּוֹלִין הָיְתָה וְהוּא אוֹמֵר "הָעִירָה", הָעִיר כָּל שֶׁהוּא?! אֶלָּא שֶׁלֹּא הָיְתָה חֲשׁוּבָה בְּעֵינֵיהֶם אֶלָּא כְּעִיר בֵּינוֹנִית שֶׁל עֲשָׂרָה בְּנֵי אָדָם לְעִנְיַן הַמִּלְחָמָה:

יד] עוֹדֶנּוּ שָׁם. שֶׁהָיָה מַמְתִּין לָהֶם:

טו] הָאֱלֹהִים מָצָא. יוֹדְעִים אָנוּ שֶׁלֹּא סָרַחְנוּ, אֲבָל מֵאֵת הַמָּקוֹם נִהְיְתָה לְהָבִיא לָנוּ זֹאת, מָצָא בַּעַל חוֹב מָקוֹם לִגְבּוֹת שְׁטַר חוֹבוֹ: וּמַה נִּצְטַדָּק. לְשׁוֹן צֶדֶק, וְכֵן כָּל תֵּבָה שֶׁתְּחִלַּת יְסוֹדָהּ צד"י וְהִיא בָּאָה לְדַבֵּר בִּלְשׁוֹן מִתְפַּעֵל אוֹ נִתְפַּעֵל, נוֹתֵן טי"ת בִּמְקוֹם תי"ו, וְאֵינוֹ נוֹתְנָהּ לִפְנֵי אוֹת

ביאור

שכבר הוכחנו: ח **הֵן כֶּסֶף אֲשֶׁר מָצָאנוּ בְּפִי אַמְתְּחֹתֵינוּ הֱשִׁיבֹנוּ**
אֵלֶיךָ מֵאֶרֶץ כְּנָעַן. הרי האיש אשר על הבית אמר שאיננו חייבים
דבר, ושהכסף שמצאנו אינו אלא מטמון, ובכל זאת מחמת הספק
השבנו כסף זה כשחזרנו מארץ כנען, **וְאֵיךְ נִגְנֹב מִבֵּית אֲדֹנֶיךָ כֶּסֶף**
אוֹ זָהָב?! ט ומתוך ביטחונם המלא שאיש מהם לא גנב, הצהירו
האחים: **אֲשֶׁר יִמָּצֵא אִתּוֹ מֵעֲבָדֶיךָ**, אם תמצא את הגביע אצל מי
מאתנו – **וָמֵת, וְגַם אֲנַחְנוּ** כולנו **נִהְיֶה לַאדֹנִי לַעֲבָדִים.**

י **וַיֹּאמֶר: גַּם עַתָּה כְדִבְרֵיכֶם כֶּן הוּא.** אכן ראוי היה שהפושע יידון
למוות, ואתם – בתור שותפיו – תהיו עבדים, ובכל זאת, אני מציע
הצעה נוחה יותר: **אֲשֶׁר יִמָּצֵא אִתּוֹ יִהְיֶה לִּי עָבֶד.** אין בכוונתי להרוג
את הפושע, אלא רק לקחת אותו כעבד, **וְ**אילו **אַתֶּם – תִּהְיוּ נְקִיִּם,**
כיוון שלא חטאתם תשתחררו מכל עונש.[22]

יא **וַיְמַהֲרוּ וַיּוֹרִדוּ אִישׁ אֶת אַמְתַּחְתּוֹ אָרְצָה, וַיִּפְתְּחוּ אִישׁ אַמְתַּחְתּוֹ**
לביקורת. יב **וַיְחַפֵּשׂ** הממונה, **בַּגָּדוֹל הֵחֵל וּבַקָּטֹן כִּלָּה,** הן בשל
הנימוס הן משום שידע היכן מצוי הגביע, ואילו ניגש מיד לאח
הקטן, היה הדבר מחשיד. על כן ערך את בדיקתו לפי גיליהם של
הבנים. **וַיִּמָּצֵא הַגָּבִיעַ בְּאַמְתַּחַת בִּנְיָמִן.** יג **וַיִּקְרְעוּ שִׂמְלֹתָם,** מתוך
זעזוע, בושה, חוסר אונים ואימה מתוצאות הדבר ולאות אבל.
וַיַּעֲמֹס כל **אִישׁ** את שקו **עַל חֲמֹרוֹ. וַיָּשֻׁבוּ הָעִירָה.**

יד **וַיָּבֹא יְהוּדָה וְאֶחָיו בֵּיתָה יוֹסֵף, וְהוּא,** יוסף **עוֹדֶנּוּ שָׁם.** מתברר
שליוסף הייתה סיבה להישאר בביתו. **וַיִּפְּלוּ לְפָנָיו אָרְצָה.** שוב
השתחוו לו. טו **וַיֹּאמֶר לָהֶם יוֹסֵף** כְּשר גדול: **מָה הַמַּעֲשֶׂה הַזֶּה אֲשֶׁר**
עֲשִׂיתֶם?! הֲלוֹא יְדַעְתֶּם כִּי נַחֵשׁ יְנַחֵשׁ אִישׁ אֲשֶׁר כָּמֹנִי. הרי חכמתי
וגדולתי ידועות לכם. האם לא חששתם שאדע לאן נעלם הגביע?
אינני יכול להבין מה היה השיקול שעמד מאחורי איוולת זו.[23]

טז **וַיֹּאמֶר יְהוּדָה: מַה נֹּאמַר לַאדֹנִי, מַה נְּדַבֵּר וּמַה נִּצְטַדָּק,** הרי הגביע
נמצא אצלנו?! **הָאֱלֹהִים מָצָא אֶת עֲוֹן עֲבָדֶיךָ.** איננו מסוגלים להסביר

הרחבות

'האלהים מצא את עון עבדיך' יהודה ואחיו פקפקו בגנבה. ראשית, הם הכירו היטב זה את זה וידעו שמעשה כזה לא היה עולה על דעתו של איש מן המשפחה. שנית, מה יכול היה להניע את בנימין לגנוב את הגביע? מה היה עושה בו? ומעבר לכל זה, הם חווים השתלשלות מאורעות בלתי רגילה, המערבת גערות והאשמות

עֲבָדִים לַאדֹנִי גַּם־אֲנַחְנוּ גַּם אֲשֶׁר־נִמְצָא הַגָּבִיעַ
בְּיָדוֹ: וַיֹּאמֶר חָלִילָה לִּי מֵעֲשׂוֹת זֹאת הָאִישׁ אֲשֶׁר יז
נִמְצָא הַגָּבִיעַ בְּיָדוֹ הוּא יִהְיֶה־לִּי עָבֶד וְאַתֶּם עֲלוּ
לְשָׁלוֹם אֶל־אֲבִיכֶם:
ויגש מ וַיִּגַּשׁ אֵלָיו יְהוּדָה וַיֹּאמֶר בִּי אֲדֹנִי יְדַבֶּר־נָא עַבְדְּךָ יח
דָבָר בְּאָזְנֵי אֲדֹנִי וְאַל־יִחַר אַפְּךָ בְּעַבְדֶּךָ כִּי כָמוֹךָ
כְּפַרְעֹה: אֲדֹנִי שָׁאַל אֶת־עֲבָדָיו לֵאמֹר הֲיֵשׁ־לָכֶם יט
אָב אוֹ־אָח: וַנֹּאמֶר אֶל־אֲדֹנִי יֶשׁ־לָנוּ אָב זָקֵן וְיֶלֶד כ
זְקֻנִים קָטָן וְאָחִיו מֵת וַיִּוָּתֵר הוּא לְבַדּוֹ לְאִמּוֹ וְאָבִיו
אֲהֵבוֹ: וַתֹּאמֶר אֶל־עֲבָדֶיךָ הוֹרִדֻהוּ אֵלָי וְאָשִׂימָה כא
עֵינִי עָלָיו: וַנֹּאמֶר אֶל־אֲדֹנִי לֹא־יוּכַל הַנַּעַר לַעֲזֹב כב

רש"י

ראשונה של יסוד התבה אלא באמצע אותיות העקר, כגון "נצטדק", "יצטבע" (דניאל ד, יב) מגזרת 'צבע', "ויצטירו" (יהושע ט, ד) מגזרת "ציר אמונים מרפא" (משלי יג, יז), "הצטידנו אתו מבתינו" (יהושע ט, יב) מגזרת "צדה לדרך" (לעיל מב, כה). ותבה שתחלתה סמ"ך, כשהיא מתפעלת מפריד תי"ו את אותיות העקר, כגון: "ויסתבל החגב" (קהלת יב, ה), "משתכל הוית בקרניא" (דניאל ז, ח), "וישתמר חקות עמרי" (מיכה ו, טז), "וסר מרע משתולל" (ישעיה נט, טו) מגזרת "מוליך יועצים שולל" (איוב יב, יז), "עודך מסתולל בעמי" (שמות ט, יז) מגזרת "דרך לא סלולה" (ירמיה יח, טו):

יח | ויגש אליו. דבר באזני אדני. יכנסו דברי באזניך: ואל יחר אפך. מכאן אתה למד שדבר אליו קשות: כי כמוך כפרעה. חשוב אתה בעיני כמלך, זהו פשוטו. ומדרשו, סופך ללקות עליו בצרעת כמו שלקה פרעה על ידי זקנתי שרה על לילה אחת שעכבה. דבר אחר, מה פרעה גוזר ואינו מקים מבטיח ואינו עושה, אף אתה כן. וכי זו היא שימת עין שאמרת לשום עינך עליו?! דבר אחר, "כי כמוך כפרעה", אם תקניטני אהרג אותך ואת אדונך:

יט-כ | אדני שאל את עבדיו. מתחלה בעלילה באת עלינו, למה היה לך לשאול כל אלה? בתך היינו מבקשים או אחותנו אתה מבקש? ואף על פי כן: "ונאמר אל אדני", לא כחדנו ממך דבר: ואחיו מת. מפני היראה היה מוציא דבר שקר מפיו, אמר: אם אמר לו שהוא קים, יאמר הביאוהו אצלי: לבדו לאמו. מאותה האם אין לו עוד אח:

ביאור

את הדבר. הוא בא משמים. הִנֶּנּוּ עֲבָדִים לַאדֹנִי, גַּם אֲנַחְנוּ גַּם אֲשֶׁר
נִמְצָא הַגָּבִיעַ בְּיָדוֹ. עווננו התגלה, וכיוון שבאנו כחבורה אחת – קח
את כולנו לעבדים.

יז וַיֹּאמֶר יוסף: חָלִילָה לִּי מֵעֲשׂוֹת זֹאת. לא אנהג בניגוד לצדק
וליושר. הָאִישׁ אֲשֶׁר נִמְצָא הַגָּבִיעַ בְּיָדוֹ – הוּא יִהְיֶה לִּי עָבֶד כעונש,
וְאַתֶּם מן הסתם לא ידעתם דבר על הגנבה, ולכן אין לי כל טענות
כלפיכם – עֲלוּ לְשָׁלוֹם אֶל אֲבִיכֶם.

פרשת ויגש

יח וַיִּגַּשׁ אֵלָיו יְהוּדָה. כאן בולט יהודה כאח הדומיננטי והאחראי.
וַיֹּאמֶר: בִּי אֲדֹנִי, בבקשה, יְדַבֶּר נָא עַבְדְּךָ דָבָר בְּאָזְנֵי אֲדֹנִי. הרשה לי
לדבר דבר. אינני מתכוון רק להביע הסכמה או סירוב להצעתך,
אלא לשטוח לפניך את כל השתלשלות האירועים שברקע, כפי
שאני מבין אותם. וְאַל יִחַר אַפְּךָ בְּעַבְדֶּךָ, אל תכעס אם אחזור על
דברים ידועים, ואנסחם בסגנון שלי, כִּי מבחינתנו כָמוֹךָ כְּפַרְעֹה.
אתה הנכבד ביותר בסביבה, ועל כן אנחנו מדברים אתך מתוך
אימה וכבוד, ובכל זאת אבקש ממך רשות לדבר לפניך. יט אֲדֹנִי
שָׁאַל אֶת עֲבָדָיו בפעם הקודמת, בין שאר השאלות, לֵאמֹר: "הֲיֵשׁ
לָכֶם אָב אוֹ אָח?"

כ וַנֹּאמֶר אֶל אֲדֹנִי: "יֶשׁ לָנוּ אָב זָקֵן, וְיֶלֶד זְקֻנִים קָטָן יחסית, וְאָחִיו
של בן הזקונים הזה מֵת, וַיִּוָּתֵר הוּא לְבַדּוֹ לְאִמּוֹ. הוא בנה היחיד
של אשה זו שנותר בחיים, ומלבד עובדה אובייקטיבית זו – וְאָבִיו
אֲהֵבוֹ במיוחד".

כא וַתֹּאמֶר אֶל עֲבָדֶיךָ: "הוֹרִדֻהוּ אֵלָי – וְאָשִׂימָה עֵינִי עָלָיו, אנהג בו
יפה ואשים לב אליו במיוחד".[1]

כב וַנֹּאמֶר אֶל אֲדֹנִי: "לֹא יוּכַל הַנַּעַר לַעֲזֹב אֶת אָבִיו, כי וְעָזַב אֶת אָבִיו,
אם הוא יעזוב את אביו – וָמֵת האב".

הרחבות

עם אהבה וכבוד שמפגין כלפיהם שליט מצרים, מתנות שהוא מעניק להם וכסף המוחזר להם. (בוודאי ראו את הכסף גם בפעם הזאת, בעת פתיחת שקיהם, אם כי לא היה להם פנאי להתבונן בדבר). נראה כי לתחושת המסתורין העולה מרצף האירועים הללו רומז יהודה באמרו: הָאֱלֹהִים מָצָא אֶת עֲוֺן עֲבָדֶיךָ (ראו רש"י).

אֶת־אָבִיו וְעָזַב אֶת־אָבִיו וָמֵת׃ וַתֹּאמֶר אֶל־עֲבָדֶיךָ כג
אִם־לֹא יֵרֵד אֲחִיכֶם הַקָּטֹן אִתְּכֶם לֹא תֹסִפוּן לִרְאוֹת
פָּנָי׃ וַיְהִי כִּי עָלִינוּ אֶל־עַבְדְּךָ אָבִי וַנַּגֶּד־לוֹ אֵת דִּבְרֵי כד
אֲדֹנִי׃ ׳ וַיֹּאמֶר אָבִינוּ שֻׁבוּ שִׁבְרוּ־לָנוּ מְעַט־אֹכֶל׃ כה
וַנֹּאמֶר לֹא נוּכַל לָרֶדֶת אִם־יֵשׁ אָחִינוּ הַקָּטֹן אִתָּנוּ כו
וְיָרַדְנוּ כִּי־לֹא נוּכַל לִרְאוֹת פְּנֵי הָאִישׁ וְאָחִינוּ הַקָּטֹן
אֵינֶנּוּ אִתָּנוּ׃ וַיֹּאמֶר עַבְדְּךָ אָבִי אֵלֵינוּ אַתֶּם יְדַעְתֶּם כז
כִּי שְׁנַיִם יָלְדָה־לִּי אִשְׁתִּי׃ וַיֵּצֵא הָאֶחָד מֵאִתִּי וָאֹמַר כח
אַךְ טָרֹף טֹרָף וְלֹא רְאִיתִיו עַד־הֵנָּה׃ וּלְקַחְתֶּם גַּם־ כט
אֶת־זֶה מֵעִם פָּנַי וְקָרָהוּ אָסוֹן וְהוֹרַדְתֶּם אֶת־שֵׂיבָתִי
בְּרָעָה שְׁאֹלָה׃ וְעַתָּה כְּבֹאִי אֶל־עַבְדְּךָ אָבִי וְהַנַּעַר ל
שני אֵינֶנּוּ אִתָּנוּ וְנַפְשׁוֹ קְשׁוּרָה בְנַפְשׁוֹ׃ ׳ וְהָיָה כִּרְאוֹתוֹ לא
כִּי־אֵין הַנַּעַר וָמֵת וְהוֹרִידוּ עֲבָדֶיךָ אֶת־שֵׂיבַת עַבְדְּךָ
אָבִינוּ בְּיָגוֹן שְׁאֹלָה׃ כִּי עַבְדְּךָ עָרַב אֶת־הַנַּעַר מֵעִם לב
אָבִי לֵאמֹר אִם־לֹא אֲבִיאֶנּוּ אֵלֶיךָ וְחָטָאתִי לְאָבִי
כָּל־הַיָּמִים׃ וְעַתָּה יֵשֶׁב־נָא עַבְדְּךָ תַּחַת הַנַּעַר עֶבֶד לג
לַאדֹנִי וְהַנַּעַר יַעַל עִם־אֶחָיו׃ כִּי־אֵיךְ אֶעֱלֶה אֶל־ לד

רש"י

כב) **וְעָזַב אֶת אָבִיו וָמֵת.** אִם יַעֲזֹב אֶת אָבִיו דּוֹאֲגִים אָנוּ שֶׁמָּא יָמוּת בַּדֶּרֶךְ, שֶׁהֲרֵי אִמּוֹ בַּדֶּרֶךְ מֵתָה:

כט) **וְקָרָהוּ אָסוֹן.** שֶׁהַשָּׂטָן מְקַטְרֵג בִּשְׁעַת הַסַּכָּנָה: **וְהוֹרַדְתֶּם אֶת שֵׂיבָתִי וְגוֹ׳.** עַכְשָׁיו כְּשֶׁהוּא אֶצְלִי אֲנִי מִתְנַחֵם בּוֹ עַל אִמּוֹ וְעַל אָחִיו, וְאִם יָמוּת זֶה, דּוֹמֶה עָלַי שֶׁשְּׁלָשְׁתָּן מֵתוּ בְּיוֹם אֶחָד:

לא) **וְהָיָה כִּרְאוֹתוֹ כִּי אֵין הַנַּעַר וָמֵת.** אָבִיו מִצָּרָתוֹ:

לב) **כִּי עַבְדְּךָ עָרַב אֶת הַנַּעַר.** וְאִם תֹּאמַר, לָמָּה אֲנִי נִכְנָס לְתִגָּר יוֹתֵר מִשְּׁאָר אַחַי? הֵם כֻּלָּם מִבַּחוּץ, וַאֲנִי נִתְקַשַּׁרְתִּי בְּקֶשֶׁר חָזָק לִהְיוֹת מְנֻדֶּה בִּשְׁנֵי עוֹלָמוֹת:

לג) **יֵשֶׁב נָא עַבְדְּךָ וְגוֹ׳.** לַכֹּל דָּבָר אֲנִי מְעֻלֶּה מִמֶּנּוּ, לִגְבוּרָה וּלְמִלְחָמָה וּלְשַׁמֵּשׁ:

ביאור

כג וַתֹּאמֶר אֶל עֲבָדֶיךָ: "בכל זאת, אִם לֹא יֵרֵד אֲחִיכֶם הַקָּטֹן אִתְּכֶם
לֹא תֹסִפוּן לִרְאוֹת פָּנָי".

כד וַיְהִי כִּי עָלִינוּ אֶל עַבְדְּךָ אָבִי - וַנַּגֶּד לוֹ אֵת דִּבְרֵי אֲדֹנִי.

כה וַיֹּאמֶר אָבִינוּ לבסוף: "שֻׁבוּ שִׁבְרוּ לָנוּ מְעַט אֹכֶל".

כו וַנֹּאמֶר: "לֹא נוּכַל לָרֶדֶת, לשוב למצרים. אִם יֵשׁ אָחִינוּ הַקָּטֹן
אִתָּנוּ - וְיָרַדְנוּ, כִּי לֹא נוּכַל לִרְאוֹת פְּנֵי הָאִישׁ וְאָחִינוּ הַקָּטֹן אֵינֶנּוּ אִתָּנוּ".

כז וַיֹּאמֶר עַבְדְּךָ אָבִי אֵלֵינוּ: "אַתֶּם יְדַעְתֶּם כִּי שְׁנַיִם יָלְדָה לִּי
אִשְׁתִּי. כח וַיֵּצֵא הָאֶחָד מֵאִתִּי, וָאֹמַר שיערתי בהתאם לנתונים:
אַךְ טָרֹף טֹרָף. יעקב לא היה בטוח בדבר, שכן איש לא מצא את
גופת יוסף, אלא רק סימנים שמהם עולה שנטרף. וְלֹא רְאִיתִיו עַד
הֵנָּה. כט וּלְקַחְתֶּם גַּם אֶת זֶה מֵעִם פָּנַי וְקָרָהוּ אָסוֹן, ואז, וְהוֹרַדְתֶּם אֶת
שֵׂיבָתִי בְּרָעָה שְׁאֹלָה. זקנתי תהיה הרבה יותר גרועה מכפי שהיא,
ואהיה אפוף ברעה כשאסתלק מן העולם".

ל עד כאן שחזר יהודה את מה שאירע. כעת הוא חוזר אל עצמו:
וְעַתָּה, כְּבֹאִי אֶל עַבְדְּךָ אָבִי, כשאחזור הביתה, וְהַנַּעַר אֵינֶנּוּ אִתָּנוּ,
וְנַפְשׁוֹ של האב קְשׁוּרָה בְנַפְשׁוֹ של הבן, לא וְהָיָה כִּרְאוֹתוֹ כִּי אֵין
הַנַּעַר - וָמֵת מרוב צער. וְהוֹרִידוּ עֲבָדֶיךָ אֶת שֵׂיבַת עַבְדְּךָ אָבִינוּ בְּיָגוֹן
שְׁאֹלָה. בכך נהרוג את אבינו.

לב יהודה מסביר מדוע הוא המדבר בשם האחים: כִּי עַבְדְּךָ עָרַב
אֶת הַנַּעַר אישית מֵעִם אָבִי, לֵאמֹר: "אִם לֹא אֲבִיאֶנּוּ אֵלֶיךָ - וְחָטָאתִי
לְאָבִי כָּל הַיָּמִים, החטא ירבוץ עלי לעולם".

לג וְעַתָּה, מאחר שהאחריות מוטלת עלי, ועלי להשיב את בנימין
בכל מחיר הביתה, אני מציע: יֵשֶׁב נָא עַבְדְּךָ תַּחַת הַנַּעַר עֶבֶד לַאדֹנִי,
קח אותי לעבד במקומו. וְהַנַּעַר יַעַל עִם אֶחָיו, ישוב הביתה. לד כִּי

הרחבות

'ילדה לי אשתי' אפילו באוזני בני שאר נשותיו הצהיר יעקב שרחל היא היא אשתו (ראו רמב"ן). דורות רבים מאוחר יותר, בטקס שערך בועז שבא משבט יהודה, אמרו כל אנשי בית לחם: יִתֵּן ה' אֶת הָאִשָּׁה הַבָּאָה אֶל בֵּיתֶךָ כְּרָחֵל וּכְלֵאָה (רות ד,יא; תנחומא ויצא טו; רמב"ן על אתר). כלומר, גם בני שבט יהודה הקדימו את שם רחל לשם אמם, לאה.

'יֵשֶׁב נא עבדך תחת הנער עבד לאדֹני' כיוון שיהודה היה מבוגר יותר, יכול היה להציע את עצמו כעבד שערכו גבוה משל בנימין. מאחורי דברי יהודה מצויה ההנחה שאין

אָבִי וְהַנַּעַר אֵינֶנּוּ אִתִּי פֶּן אֶרְאֶה בָרָע אֲשֶׁר יִמְצָא
מה א אֶת־אָבִי׃ וְלֹא־יָכֹל יוֹסֵף לְהִתְאַפֵּק לְכֹל הַנִּצָּבִים
עָלָיו וַיִּקְרָא הוֹצִיאוּ כָל־אִישׁ מֵעָלָי וְלֹא־עָמַד אִישׁ
ב אִתּוֹ בְּהִתְוַדַּע יוֹסֵף אֶל־אֶחָיו׃ וַיִּתֵּן אֶת־קֹלוֹ בִּבְכִי
ג וַיִּשְׁמְעוּ מִצְרַיִם וַיִּשְׁמַע בֵּית פַּרְעֹה׃ וַיֹּאמֶר יוֹסֵף
אֶל־אֶחָיו אֲנִי יוֹסֵף הַעוֹד אָבִי חָי וְלֹא־יָכְלוּ אֶחָיו
ד לַעֲנוֹת אֹתוֹ כִּי נִבְהֲלוּ מִפָּנָיו׃ וַיֹּאמֶר יוֹסֵף אֶל־אֶחָיו
גְּשׁוּ־נָא אֵלַי וַיִּגָּשׁוּ וַיֹּאמֶר אֲנִי יוֹסֵף אֲחִיכֶם אֲשֶׁר־

רש"י | פרק מה

א) לְהִתְאַפֵּק לְכֹל הַנִּצָּבִים. לֹא יָכוֹל לִסְבֹּל שֶׁיִּהְיוּ מִצְרִים נִצָּבִים עָלָיו וְשׁוֹמְעִין שֶׁאֶחָיו מִתְבַּיְּשִׁין כְּהִוָּדְעוֹ לָהֶם:

ב) וַיִּשְׁמַע בֵּית פַּרְעֹה. בֵּיתוֹ שֶׁל פַּרְעֹה, כְּלוֹמַר עֲבָדָיו וּבְנֵי בֵיתוֹ, וְאֵין זֶה לְשׁוֹן בַּיִת מַמָּשׁ, אֶלָּא כְּמוֹ "בֵּית יִשְׂרָאֵל", "בֵּית יְהוּדָה", מֵישְׁנִיד"א בְּלַעַז:

ג) כִּי נִבְהֲלוּ. מִפְּנֵי הַבּוּשָׁה:

ד) גְּשׁוּ נָא אֵלַי. רָאָה אוֹתָם נְסוֹגִים לְאָחוֹר, אָמַר, עַכְשָׁיו אַחַי נִכְלָמִים, קָרָא

הרחבות | זה משפט שבו נענש הגנב על מעשיו אלא החלטה שרירותית שהטיל המושל מיוזמתו. כיוון שהמושל דרש אחד מן האחים לעבד, יהודה הציע את עצמו לעבד עולם במקום בנימין.

בדברי יהודה אפשר לשמוע האשמה סמויה כלפי יוסף המתנכל אליהם, אך מאחר שאימתו של יוסף השליט מוטלת עליו, אין הוא משמיע אותה מפורשות.

ההתוודעות יוסף התוודע לאחיו ברגע שבו נוכח לדעת שאחיו עמדו במבחן. הדרמה שערך נועדה, בין היתר, לבדוק עד כמה השתנו מאז מכירתו, ואם הניסיונות והסבל שיביא עליהם יחוללו בהם שינוי. יותר ויותר מהדהדות הנסיבות שאליהן נקלעו האחים, למצבו של יוסף. אט אט הם חשים את מצוקתו של מי שנתון בידיו השרירותיות של אחר. והנה, כשנדמה להם שאחיהם הקטן, בנה של רחל, חטא, הם לא דחו ונטשו אותו, ולא זו בלבד אלא נאבקו למענו, ולא הסכימו בשום אופן להשאירו במצרים. התמורה שהם עוברים הולכת ומתעצמת ומגיעה לשיאה במחווה של יהודה הנכון למסור את חייו למען בנימין. נוכח מחווה זו, שהייתה מעין כפרה על מכירת יוסף, חדל יוסף להתאפק, שכן כבר לא היה צורך בכך, והוא הסיר את המסכה מעל פניו.

ביאור | **אֵיךְ אֶעֱלֶה אֶל אָבִי וְהַנַּעַר אֵינֶנּוּ אִתִּי? פֶּן אֶרְאֶה בָרָע אֲשֶׁר יִמְצָא אֶת אָבִי.** אינני יכול לשאת את המחשבה על תגובתו של אבא, וגם לא אוכל לראות זאת בעיני. יהודה ידע כמובן שיעקב לא יהיה מרוצה גם אם בן אחר מבניו יישאר כעבד במצרים, אבל כלפי בנימין הייתה לו אהבה מיוחדת.

פרק מה א **וְלֹא יָכֹל יוֹסֵף לְהִתְאַפֵּק** מלגלות את עצמו **לְכֹל הַנִּצָּבִים עָלָיו** משום שלא רצה לבייש את אחיו בגילוי סיפור מכירתו בנוכחות משרתיו ושומרי ראשו שעמדו סביבו[2] - **וַיִּקְרָא: הוֹצִיאוּ כָל אִישׁ מֵעָלָי!** **וְלֹא עָמַד אִישׁ זר אִתּוֹ, בְּהִתְוַדַּע יוֹסֵף אֶל אֶחָיו.** ב **וַיִּתֵּן אֶת קֹלוֹ בִּבְכִי.** יוסף כבר נתן את קולו בבכי בעבר, אך כאן יכול היה לבכות בקול לפניהם, ולא היה צריך לצאת מן החדר כדי לבכות.[3] **וַיִּשְׁמְעוּ מִצְרַיִם, וַיִּשְׁמַע בֵּית פַּרְעֹה.** אף על פי שהמצרים יצאו לחדר אחר או יצאו מן הבית, עלה באוזניהם שֵׁמַע בכיו.

ג **וַיֹּאמֶר יוֹסֵף אֶל אֶחָיו: אֲנִי יוֹסֵף.** ומיד שאל - **הַעוֹד אָבִי חָי?** שאלה זו תמוהה, שהרי כבר סיפרו לו שאביו חי. ייתכן שקריאה זו לא נבעה משיקול דעת אלא עלתה מתוך ההתרגשות שאחזה בו ברגע הדחוס הזה, בייחוד לאור מלותיו האחרונות של יהודה אליו.[4] מאחר שעם אחיו לא היו לו יחסי קרבה ואהבה, ואילו את אביו אהב, עלתה בו עתה מתוך פרץ רגשותיו שוב השאלה לשלומו - והפעם סוף סוף בכינוי השייכות המייחסו אליו - אָבִי. לחלופין אפשר לנעוץ את שאלתו בחשד שהתעורר אצלו שמא אביו כבר נפטר, ואחיו בדו את הסיפור עליו כדי לאשש את טענותיהם וכדי לעורר את חמלתו. עתה חזר יוסף על השאלה, משום שרצה להתיר את הספק שהטריד אותו.[5] **וְלֹא יָכְלוּ אֶחָיו לַעֲנוֹת אֹתוֹ, כִּי נִבְהֲלוּ מִפָּנָיו.** יוסף ידע את האמת לכל אורך הדרך, אבל את האחים אחזו זעזוע, תדהמה ופחד. עד כה נחשב יוסף הבן שנעלם. ייתכן שחלמו שביום מן הימים ימצאוהו כעבד במקום כלשהו, ואולי אפילו ישחררוהו, והנה הוא התגלה לפניהם בתור האדם הגדול שגורלם נתון בידיו.

ד **וַיֹּאמֶר יוֹסֵף אֶל אֶחָיו: גְּשׁוּ נָא אֵלַי, וַיִּגָּשׁוּ** בשקט. עדיין לא פצו פיותיהם בדיבור. **וַיֹּאמֶר** שוב: **אֲנִי יוֹסֵף אֲחִיכֶם.** בפעם הזאת תפקידן של המלים הללו כבר לא היה גילוי זהותו. כאן יוסף מדגיש שהוא

מְכַרְתֶּם אֹתִי מִצְרָיְמָה׃ וְעַתָּה ׀ אַל־תֵּעָצְבוּ וְאַל־ ה
יִחַר בְּעֵינֵיכֶם כִּי־מְכַרְתֶּם אֹתִי הֵנָּה כִּי לְמִחְיָה שְׁלָחַנִי
ו אֱלֹהִים לִפְנֵיכֶם׃ כִּי־זֶה שְׁנָתַיִם הָרָעָב בְּקֶרֶב הָאָרֶץ
ז וְעוֹד חָמֵשׁ שָׁנִים אֲשֶׁר אֵין־חָרִישׁ וְקָצִיר׃ וַיִּשְׁלָחֵנִי
אֱלֹהִים לִפְנֵיכֶם לָשׂוּם לָכֶם שְׁאֵרִית בָּאָרֶץ וּלְהַחֲיוֹת
ח לָכֶם לִפְלֵיטָה גְּדֹלָה׃ וְעַתָּה לֹא־אַתֶּם שְׁלַחְתֶּם אֹתִי שלישי
הֵנָּה כִּי הָאֱלֹהִים וַיְשִׂימֵנִי לְאָב לְפַרְעֹה וּלְאָדוֹן לְכָל־
ט בֵּיתוֹ וּמֹשֵׁל בְּכָל־אֶרֶץ מִצְרָיִם׃ מַהֲרוּ וַעֲלוּ אֶל־אָבִי
וַאֲמַרְתֶּם אֵלָיו כֹּה אָמַר בִּנְךָ יוֹסֵף שָׂמַנִי אֱלֹהִים
י לְאָדוֹן לְכָל־מִצְרָיִם רְדָה אֵלַי אַל־תַּעֲמֹד׃ וְיָשַׁבְתָּ
בְאֶרֶץ־גֹּשֶׁן וְהָיִיתָ קָרוֹב אֵלַי אַתָּה וּבָנֶיךָ וּבְנֵי בָנֶיךָ
יא וְצֹאנְךָ וּבְקָרְךָ וְכָל־אֲשֶׁר־לָךְ׃ וְכִלְכַּלְתִּי אֹתְךָ שָׁם

רש"י | לָהֶם בְּלָשׁוֹן רַכָּה וְתַחֲנוּנִים וְהֶרְאָה לָהֶם שֶׁהוּא מָהוּל:
ה | לְמִחְיָה. לִהְיוֹת לָכֶם לְמִחְיָה:
ו | כִּי זֶה שְׁנָתַיִם הָרָעָב. עָבְרוּ מִשְּׁנֵי הָרָעָב:
ח | לְאָב. חָבֵר וּפַטְרוֹן:
ט | וַעֲלוּ אֶל אָבִי. אֶרֶץ יִשְׂרָאֵל גְּבוֹהָה מִכָּל הָאֲרָצוֹת:

הרחבות | 'רדה אלי' הצעתו של יוסף הגיונית ומעשית. אפשר לשער שאין זו הברקת פתע אלא רעיון שהבשיל בדעתו עוד קודם לכן, והתקבל גם על דעתו של פרעה. בשל מעמדו הרם של יוסף במצרים ובעקבות השמועות על הרעב שפשט גם בכנען, סביר היה שיחשוב כיצד לתמוך באביו ובמשפחתו. אולם מימוש הדבר היה תלוי במעבר המשפחה למצרים.

ביאור

אחיהם. אמנם אני זוכר אֲשֶׁר מְכַרְתֶּם אֹתִי מִצְרָיְמָה, ה וְאולם עַתָּה,
לאחר מעשה אַל תֵּעָצְבוּ וְאַל יִחַר בְּעֵינֵיכֶם, ואל תכעסו על עצמכם
כִּי מְכַרְתֶּם אֹתִי הֵנָּה, כִּי לְמִחְיָה שְׁלָחַנִי אֱלֹהִים לִפְנֵיכֶם. נסו לראות
את העניין מכיוון אחר. במקום להתייחס אל המכירה כהפקרָתי,
ראו את מה שהשתלשל ממנה. הודות למעשה זה אני יכול עכשיו
לתמוך בקיום המשפחה. ו כִּי זֶה כבר שְׁנָתַיִם שורר הָרָעָב בְּקֶרֶב
הָאָרֶץ, וְעוֹד חָמֵשׁ שָׁנִים אֲשֶׁר אֵין חָרִישׁ וְקָצִיר, בהתאם לחלום
פרעה. ז וַיִּשְׁלָחֵנִי אֱלֹהִים לִפְנֵיכֶם לָשׂוּם לָכֶם שְׁאֵרִית בָּאָרֶץ, כדי
שתשרדו באמצעות התמיכה שאעניק לכם, וּלְהַחֲיוֹת לָכֶם לִפְלֵיטָה,
להצלה גְּדֹלָה. ח והוא מוסיף לפייסם: וְעַתָּה לֹא אַתֶּם שְׁלַחְתֶּם
אֹתִי הֵנָּה, כִּי הָאֱלֹהִים, ואתם לא הייתם אלא האמצעים לשליחות
הגדולה. וַיְשִׂימֵנִי לְאָב, לפטרון, לממונה על הממלכה כולה לְפַרְעֹה
וּלְאָדוֹן לְכָל בֵּיתוֹ, וּמֹשֵׁל בְּכָל אֶרֶץ מִצְרָיִם. ט מַהֲרוּ וַעֲלוּ אֶל אָבִי,
וַאֲמַרְתֶּם אֵלָיו: כֹּה אָמַר בִּנְךָ יוֹסֵף: ״שָׂמַנִי אֱלֹהִים לְאָדוֹן לְכָל מִצְרָיִם,
ועכשיו – רְדָה אֵלַי למצרים, אַל תַּעֲמֹד, אל תשתהה. י וְיָשַׁבְתָּ בְאֶרֶץ
גֹּשֶׁן שבגבולה המזרחי של מצרים, בקרבת ארץ כנען, וְהָיִיתָ קָרוֹב
אֵלַי, אַתָּה וּבָנֶיךָ וּבְנֵי בָנֶיךָ וְצֹאנְךָ וּבְקָרְךָ וְכָל אֲשֶׁר לָךְ. יא וְכִלְכַּלְתִּי

גשן

העולם

גֹּשֶׁן מרבית החוקרים מזהים את ארץ גושן עם האזור בצפון־מזרח הדלתא של הנילוס, מימת מנזלה שבצפון ועד ואדי תומילאת שבדרום, ומהאגמים המרים שבמזרח ועד לנילוס שבמערב. זהו אחד האזורים הגשומים ביותר במצרים, וקרקעו משובחת. גם הממצא הארכיאולוגי – פפירוס אנסתאזי מהמאה ה־14 לפנה״ס המתאר חבל ארץ חקלאי ופורה – תומך בהשערה זו. כמו כן בחבל ארץ זה מצויים מקומות הקרויים בשמות שמיים ולא מצריים (מגדֹּל, בעל־צפון וסֻכֹּת).

כִּי־עוֹד חָמֵשׁ שָׁנִים רָעָב פֶּן־תִּוָּרֵשׁ אַתָּה וּבֵיתְךָ וְכָל־
אֲשֶׁר־לָךְ׃ וְהִנֵּה עֵינֵיכֶם רֹאוֹת וְעֵינֵי אָחִי בִנְיָמִין כִּי־ יב
פִי הַמְדַבֵּר אֲלֵיכֶם׃ וְהִגַּדְתֶּם לְאָבִי אֶת־כָּל־כְּבוֹדִי יג
בְּמִצְרַיִם וְאֵת כָּל־אֲשֶׁר רְאִיתֶם וּמִהַרְתֶּם וְהוֹרַדְתֶּם
אֶת־אָבִי הֵנָּה׃ וַיִּפֹּל עַל־צַוְּארֵי בִנְיָמִן־אָחִיו וַיֵּבְךְּ יד
וּבִנְיָמִן בָּכָה עַל־צַוָּארָיו׃ וַיְנַשֵּׁק לְכָל־אֶחָיו וַיֵּבְךְּ טו
עֲלֵהֶם וְאַחֲרֵי כֵן דִּבְּרוּ אֶחָיו אִתּוֹ׃ וְהַקֹּל נִשְׁמַע בֵּית טז

רש"י

יא) **פֶּן תִּוָּרֵשׁ.** "דִּלְמָא תִתְמַסְכַּן", לְשׁוֹן: "מוֹרִישׁ וּמַעֲשִׁיר" (שמואל א' ב, ז):

יב) **וְהִנֵּה עֵינֵיכֶם רֹאוֹת.** בִּכְבוֹדִי, וְשֶׁאֲנִי אֲחִיכֶם שֶׁאֲנִי מָהוּל, וְעוֹד, "כִּי פִי הַמְדַבֵּר אֲלֵיכֶם" בִּלְשׁוֹן הַקֹּדֶשׁ: **וְעֵינֵי אָחִי בִנְיָמִין.** הִשְׁוָה אֶת כֻּלָּם יַחַד, לוֹמַר כְּשֵׁם שֶׁאֵין בְּלִבִּי שִׂנְאָה לְהַטִּיל בְּבִנְיָמִין אָחִי, שֶׁלֹּא הָיָה בִּמְכִירָתִי, כָּךְ אֵין בְּלִבִּי עֲלֵיכֶם:

יד) **וַיִּפֹּל עַל צַוְּארֵי בִנְיָמִן אָחִיו וַיֵּבְךְּ.** עַל שְׁנֵי מִקְדָּשׁוֹת שֶׁעֲתִידִין לִהְיוֹת בְּחֶלְקוֹ שֶׁל בִּנְיָמִין וְסוֹפָן לֵחָרֵב: **וּבִנְיָמִן בָּכָה עַל צַוָּארָיו.** עַל מִשְׁכַּן שִׁילֹה שֶׁעָתִיד לִהְיוֹת בְּחֶלְקוֹ שֶׁל יוֹסֵף וְסוֹפוֹ לֵחָרֵב:

טו) **וְאַחֲרֵי כֵן.** מֵאַחַר שֶׁרָאוּהוּ בּוֹכֶה וְלִבּוֹ שָׁלֵם עִמָּהֶם, "דִּבְּרוּ אֶחָיו אִתּוֹ", שֶׁמִּתְּחִלָּה הָיוּ בּוֹשִׁים מִמֶּנּוּ:

טז) **וְהַקֹּל נִשְׁמַע בֵּית פַּרְעֹה.** כְּמוֹ בְּבֵית פַּרְעֹה, וְזֶהוּ לְשׁוֹן בַּיִת מַמָּשׁ:

הרחבות

השתלשלות המאורעות בעיניו ובלשונו של יוסף נאומו של יוסף שיקף את אמונתו החזקה ואת הדרך שבה הבין את גורלו. כאן, וכן בקריאת שמותיהם של בניו, פירש את עלייתו לגדולה כאצבע אלוקים. יתר על כן, במעמדו החדש ראה מימוש חלומותיו, לא רק בכך שאחיו השתחוו לו, אלא גם בהגיעו למדרגת השלטון הגבוהה ביותר במצרים שיכול מי שאינו פרעה להגיע אליה. מה שאפשר היה לפרש כחלומות ילדות או כשיגעון גדלות התברר כשליחותו האמתית וייעודו משמים. יוסף לא ייחס את השתלשלות המאורעות לכשרונותיו האישיים אלא להשגחה האלוקית. לולא כן היה נשאר משרתו של פוטיפר, וגם אילו עלה בידו להשתחרר מעבדותו, סיכוייו להפוך לאישיות חשובה במצרים היו קלושים, ואם בכלל - היה מדובר בתהליך ממושך. רק כוח עליון מסוגל לקחת את בנו הקטן של יעקב מארץ כנען ולהפכו פתאום לשליט על מצרים כולה.

הסתכלות זו גרמה ליוסף לראות באור חדש גם את מה שעוללו לו אחיו. ייתכן שבתחילה, כאשר היו מתעוררים בו געגועים לבית אביו, כעס עליהם וקיללם בלבו. אולם עם הזמן התבהר לו עוד ועוד כי ה' מלווה את חייו, משגיח עליו ומטפל

ביאור | **אִתְּךָ שָׁם.** יבוליה של ארץ מצרים בטוחים יותר משל ארץ כנען, אך גם אם היבול לא יספיק לך, אני אדאג לספק לך את צרכיך שם, **כִּי עוֹד חָמֵשׁ שָׁנִים רָעָב, פֶּן תִּוָּרֵשׁ.** שמא תאבד את כל הונך ממכירת רכושך, אם תצטרך להמשיך לקנות אוכל ממצרים, **אַתָּה וּבֵיתְךָ וְכָל אֲשֶׁר לָךְ".** יב **וְהִנֵּה עֵינֵיכֶם רֹאוֹת וְעֵינֵי אָחִי בִנְיָמִין, כִּי פִי הַמְדַבֵּר אֲלֵיכֶם,** שאני מדבר בלשונכם.[6] הרי קודם לכן יוסף דיבר מצרית, והתקשורת עמם התנהלה דרך מתורגמן. כאן השווה יוסף בין בנימין, אחיו גם מאם, שבוודאי לא השתתף בהתנכלות אליו, לבין שאר האחים, ובכך ניסה להרגיע את אחיו: יג **וְהִגַּדְתֶּם,** ספרו **לְאָבִי אֶת כָּל כְּבוֹדִי בְּמִצְרַיִם. וְאֵת כָּל אֲשֶׁר רְאִיתֶם** לגבי יכולתי כשליט, **וּמִהַרְתֶּם וְהוֹרַדְתֶּם אֶת אָבִי הֵנָּה.**

יד **וַיִּפֹּל עַל צַוְּארֵי בִנְיָמִן אָחִיו** - סוף סוף התאפשר לו הדבר - **וַיֵּבְךְּ,** מהתרגשות מן המפגש עם בן אמו, **וּבִנְיָמִן בָּכָה עַל צַוָּארָיו.** אפשר שבתור האח הקטן, היה בנימין כרוך אחרי יוסף.[7] טו לאחר מכן - **וַיְנַשֵּׁק לְכָל אֶחָיו וַיֵּבְךְּ עֲלֵיהֶם.** יוסף התקיף והשליט נטה גם להתרגש מהר.[8] את זעזועם של האחים מהידיעה שאדוני הארץ הוא יוסף, החליף החשש מפני נקמתו בהם, חשש שכאמור לא פג אף שנים רבות מאוחר יותר. מתוך האשמה שקיננה בהם, ידעו כי אם יעניש אותם יוסף - הצדק יהיה אתו. **וְרק אַחֲרֵי כֵן,** לאחר ששמעו את דבריו ואת בכיו ועמדו נוכח התרגשותו וקרבתו אליהם, נרגעו מתדהמתם ומפחדיהם, ואז **דִּבְּרוּ אֶחָיו אִתּוֹ.**

טז **וְהַקֹּל נִשְׁמַע בֵּית פַּרְעֹה.** אנשי החצר, שנשלחו אל מחוץ לחדר, יכלו

הרחבות | בו. את המאורעות שעברו עליו פירש יוסף לא רק כמכוונים להגשמת חלומותיו ולעלייתו האישית אלא כמהלך שהכשיר אותו למילוי שליחות. בנאומו לא ייפה את העבר, ואף לא ביטא כאן את סליחתו לאחיו. (רק לאחר שנים, לאחר הסתלקות אביהם מן העולם, יישמע מדבריו שסלח להם, לאחר שהאחים ביקשו את סליחתו. ראו פרק נ). הוא שטח לפניהם את תפיסתו הרואה את עצמו ואת אחיו - בין אם נהגו כהוגן ובין אם לאו - כשליחיו של אלוקים, והציע גם להם לראות את הסיפור בדרך דומה. כיוון שכולם הובלו על ידי עליון, ראוי שיימנעו מלריב על מה שאירע בעבר ויתמקדו במילוי תפקידיהם מכאן ולהבא, תוך דאגה לשלומה של משפחת יעקב.

'וינשק לכל אחיו' נשיקתו של יוסף לאחיו מזכירה את נשיקתו של עשו ליעקב במפגש עמו לאחר עשרים שנה (לעיל לג,ד). בשני המקרים אומרת נשיקתו של האח הפגוע כי אין הוא שומר טינה למי שפגע בו, משום שבהווה אין סיבה לעורר מרבצם את הכעסים הישנים. בשני המקרים לא יושרו ההדורים במפגש חד-פעמי. שם נשמר עדיין הריחוק בין שני האחים, וגם כאן עדיין האחים יחששו אחרי מות יעקב, שמא ישיב להם יוסף כגמולם (להלן נ,טו).

פַּרְעֹה לֵאמֹר בָּאוּ אֲחֵי יוֹסֵף וַיִּיטַב בְּעֵינֵי פַרְעֹה
יז וּבְעֵינֵי עֲבָדָיו׃ וַיֹּאמֶר פַּרְעֹה אֶל־יוֹסֵף אֱמֹר אֶל־
אַחֶיךָ זֹאת עֲשׂוּ טַעֲנוּ אֶת־בְּעִירְכֶם וּלְכוּ־בֹאוּ אַרְצָה
יח כְּנָעַן׃ וּקְחוּ אֶת־אֲבִיכֶם וְאֶת־בָּתֵּיכֶם וּבֹאוּ אֵלָי
וְאֶתְּנָה לָכֶם אֶת־טוּב אֶרֶץ מִצְרַיִם וְאִכְלוּ אֶת־חֵלֶב
יט הָאָרֶץ׃ וְאַתָּה צֻוֵּיתָה זֹאת עֲשׂוּ קְחוּ־לָכֶם מֵאֶרֶץ רביעי
מִצְרַיִם עֲגָלוֹת לְטַפְּכֶם וְלִנְשֵׁיכֶם וּנְשָׂאתֶם אֶת־
כ אֲבִיכֶם וּבָאתֶם׃ וְעֵינְכֶם אַל־תָּחֹס עַל־כְּלֵיכֶם כִּי־
כא טוּב כָּל־אֶרֶץ מִצְרַיִם לָכֶם הוּא׃ וַיַּעֲשׂוּ־כֵן בְּנֵי
יִשְׂרָאֵל וַיִּתֵּן לָהֶם יוֹסֵף עֲגָלוֹת עַל־פִּי פַרְעֹה וַיִּתֵּן
כב לָהֶם צֵדָה לַדָּרֶךְ׃ לְכֻלָּם נָתַן לָאִישׁ חֲלִפוֹת שְׂמָלֹת
וּלְבִנְיָמִן נָתַן שְׁלֹשׁ מֵאוֹת כֶּסֶף וְחָמֵשׁ חֲלִפֹת שְׂמָלֹת׃
כג וּלְאָבִיו שָׁלַח כְּזֹאת עֲשָׂרָה חֲמֹרִים נֹשְׂאִים מִטּוּב

רש"י

יז] **טַעֲנוּ אֶת בְּעִירְכֶם.** תְּבוּאָה:

יח] **אֶת טוּב אֶרֶץ מִצְרַיִם.** אֶרֶץ גֹּשֶׁן (להלן מז, ו). נִבָּא וְאֵינוֹ יוֹדֵעַ מַה נִּבָּא, סוֹפָם לַעֲשׂוֹתָהּ כִּמְצוּלָה שֶׁאֵין בָּהּ דָּגִים: **חֵלֶב הָאָרֶץ.** כָּל 'חֵלֶב' לְשׁוֹן מֵיטָב הוּא:

יט] **וְאַתָּה צֻוֵּיתָה.** מִפִּי לוֹמַר לָהֶם: "זֹאת עֲשׂוּ", כָּךְ אֱמֹר לָהֶם שֶׁבִּרְשׁוּתִי הוּא:

כג] **שָׁלַח כְּזֹאת.** כַּחֶשְׁבּוֹן הַזֶּה, וּמַהוּ הַחֶשְׁבּוֹן? "עֲשָׂרָה חֲמֹרִים" וְגוֹ': **מִטּוּב מִצְרָיִם.** מָצִינוּ בַּתַּלְמוּד שֶׁשָּׁלַח לוֹ יַיִן יָשָׁן,

ביאור | לשמוע ממנו את בכייתו של יוסף. מן הסתם היו שהציצו והקשיבו
דרך החלון או כיוצא בזה. כך נודע להם **לֵאמֹר: בָּאוּ אֲחֵי יוֹסֵף**. אף
על פי שלא הבינו את לשונם, קלטו את עיקר ההתרחשות. **וַיִּיטַב
בְּעֵינֵי פַרְעֹה וּבְעֵינֵי עֲבָדָיו**, שהרי עד כה ראו פרעה ושאר המצרים
ביוסף עבד, והניחו כי מן הסתם בא ממשפחת עבדים. למרות כשרונו
והצלחתו היה משום ביזיון למצרים שעבד מושל בהם. והנה עתה
מתאשרים דבריו של יוסף כי מוצאו במשפחה מכובדת, וכי היה בן
חורין בתחילתו.

יז **וַיֹּאמֶר פַּרְעֹה אֶל יוֹסֵף: אֱמֹר אֶל אַחֶיךָ: "זֹאת עֲשׂוּ"**. פרעה הציע
הצעה דומה להצעתו של יוסף, בין שחשב על כך מדעתו, ובין
ששמע כבר את רעיונו של יוסף והסכים עמו. **"טַעֲנוּ אֶת בְּעִירְכֶם**,
בהמותיכם, **וּלְכוּ בֹאוּ אַרְצָה כְּנָעַן**, יח **וּקְחוּ אֶת אֲבִיכֶם** מכנען **וְאֶת**
בני **בָּתֵּיכֶם, וּבֹאוּ אֵלָי**. שבו תחת חסותי במצרים, **וְאֶתְּנָה לָכֶם אֶת
טוּב אֶרֶץ מִצְרַיִם, וְאִכְלוּ אֶת חֵלֶב הָאָרֶץ**. בתור אחי יוסף ומשפחתו,
תיהנו מכל ההטבות שאני יכול להעניק למשתייכים לחצר המלוכה".

יט ואל יוסף אמר: **וְאַתָּה צֻוֵּיתָה, זֹאת עֲשׂוּ: קְחוּ לָכֶם מֵאֶרֶץ מִצְרַיִם
עֲגָלוֹת**, שלא היו מצויות בכנען והיו מוכרות רק בתרבות מפותחת
יותר מתרבות הרועים שבה חייתה משפחת יעקב, **לְטַפְּכֶם**, לילדיכם
וְלִנְשֵׁיכֶם, כדי שלא יצטרכו להתייסר בדרכם למצרים. הגברים ירכבו
כמובן על בהמות רכיבה. **וּנְשָׂאתֶם אֶת אֲבִיכֶם וּבָאתֶם**. כ **וְעֵינְכֶם אַל
תָּחֹס עַל כְּלֵיכֶם**. אל תחששו לחפציכם בדרככם, או לאלו שאתם
נאלצים להשאיר בבית. אל תאטו את מסעכם מפני שיקולי איבוד
רכוש, **כִּי טוּב כָּל אֶרֶץ מִצְרַיִם לָכֶם הוּא**. אל תחששו מהוצאות הדרך
ומנזקיה, שכן כל צורכיכם יסופקו על חשבוני.

כא **וַיַּעֲשׂוּ כֵן בְּנֵי יִשְׂרָאֵל**. בני יעקב התכוננו לשוב לביתם. **וַיִּתֵּן לָהֶם
יוֹסֵף עֲגָלוֹת עַל פִּי** פקודתו של **פַּרְעֹה, וַיִּתֵּן לָהֶם צֵדָה לַדָּרֶךְ**. על
העגלות ועל בהמות המשא יוכלו לקחת אוכל רב יותר וגם דברים
נוספים: כב **לְכֻלָּם נָתַן לָאִישׁ**, כל אחד מהם קיבל **חֲלִפוֹת שְׂמָלֹת**,
בגדים המחליפים את בגדיהם הקבועים, **וּלְבִנְיָמִן נָתַן שְׁלֹשׁ מֵאוֹת
כֶּסֶף** - מתנה מיוחדת לאחיו האהוב, **וְחָמֵשׁ חֲלִפֹת שְׂמָלֹת**. כג **וּלְאָבִיו
שָׁלַח** מתנה **כְּזֹאת**, כדלהלן: **עֲשָׂרָה חֲמֹרִים נֹשְׂאִים מִטּוּב מִצְרָיִם**, בגדים,

מִצְרָ֑יִם וְעֶ֣שֶׂר אֲתֹנֹ֡ת נֹֽ֠שְׂאֹת בָּ֣ר וָלֶ֧חֶם וּמָז֛וֹן לְאָבִ֖יו
לַדָּֽרֶךְ׃ וַיְשַׁלַּ֥ח אֶת־אֶחָ֖יו וַיֵּלֵ֑כוּ וַיֹּ֣אמֶר אֲלֵהֶ֔ם אַֽל־ כד
תִּרְגְּז֖וּ בַּדָּֽרֶךְ׃ וַֽיַּעֲל֖וּ מִמִּצְרָ֑יִם וַיָּבֹ֙אוּ֙ אֶ֣רֶץ כְּנַ֔עַן כה
אֶֽל־יַעֲקֹ֖ב אֲבִיהֶֽם׃ וַיַּגִּ֨דוּ ל֜וֹ לֵאמֹ֗ר ע֚וֹד יוֹסֵ֣ף חַ֔י כו
וְכִֽי־ה֥וּא מֹשֵׁ֖ל בְּכָל־אֶ֣רֶץ מִצְרָ֑יִם וַיָּ֣פָג לִבּ֔וֹ כִּ֥י לֹא־
הֶאֱמִ֖ין לָהֶֽם׃ וַיְדַבְּר֣וּ אֵלָ֗יו אֵ֣ת כָּל־דִּבְרֵ֤י יוֹסֵף֙ אֲשֶׁ֣ר כז
דִּבֶּ֣ר אֲלֵהֶ֔ם וַיַּרְא֙ אֶת־הָ֣עֲגָל֔וֹת אֲשֶׁר־שָׁלַ֥ח יוֹסֵ֖ף

רש"י

שֶׁדַּעַת זְקֵנִים נוֹחָה הֵימֶנּוּ. וּמִדְרַשׁ אַגָּדָה, גְּרִיסִין שֶׁל פּוֹל: בָּר וָלֶחֶם. כְּתַרְגּוּמוֹ: וּמָזוֹן. לִפְתָּן:

כד) אַל תִּרְגְּזוּ בַּדָּרֶךְ. אַל תִּתְעַסְקוּ בִּדְבַר הֲלָכָה שֶׁלֹּא תִּרְגַּז עֲלֵיכֶם הַדֶּרֶךְ. דָּבָר אַחֵר, אַל תַּפְסִיעוּ פְּסִיעָה גַּסָּה, וְהַכְנִיסוּ חַמָּה לָעִיר. וּלְפִי פְּשׁוּטוֹ שֶׁל מִקְרָא יֵשׁ לוֹמַר, לְפִי שֶׁהָיוּ נִכְלָמִים הָיָה דוֹאֵג שֶׁמָּא יָרִיבוּ בַּדֶּרֶךְ עַל דְּבַר מְכִירָתוֹ לְהִתְוַכֵּחַ זֶה עִם זֶה וְלוֹמַר: עַל יָדְךָ נִמְכַּר, אַתָּה סִפַּרְתָּ לָשׁוֹן הָרָע עָלָיו וְגָרַמְתָּ לָנוּ לִשְׂנֹאתוֹ:

כו) וְכִי הוּא מֹשֵׁל. וַאֲשֶׁר הוּא מוֹשֵׁל: וַיָּפָג לִבּוֹ. נֶחְלַף לִבּוֹ וְהָלַךְ מִלְּהַאֲמִין, לֹא הָיָה לִבּוֹ פּוֹנֶה אֶל הַדְּבָרִים, לְשׁוֹן 'מְפִיגִין טַעֲמָן' בִּלְשׁוֹן מִשְׁנָה, וּכְמוֹ: "מֵאֵין הֲפֻגוֹת" (איכה ג, מט), "וְרֵיחוֹ לֹא נָמָר" (ירמיה מח, יא) מְתַרְגְּמִינַן: "וְרֵיחֵיהּ לָא פָג":

כז) אֵת כָּל דִּבְרֵי יוֹסֵף. סִימָן מָסַר לָהֶם בַּמֶּה הָיָה עוֹסֵק כְּשֶׁפֵּרַשׁ מִמֶּנּוּ, בְּפָרָשַׁת עֶגְלָה עֲרוּפָה, וְזֶהוּ שֶׁאָמַר: "וַיַּרְא אֶת הָעֲגָלוֹת אֲשֶׁר שָׁלַח יוֹסֵף" וְלֹא נֶאֱמַר: 'אֲשֶׁר שָׁלַח פַּרְעֹה': וַתְּחִי רוּחַ יַעֲקֹב. שָׁרְתָה עָלָיו שְׁכִינָה שֶׁפֵּרְשָׁה מִמֶּנּוּ:

ביאור

כלים או מיני מאכלים מעובדים **וְעֶשֶׂר אֲתֹנֹת נֹשְׂאֹת בָּר וָלֶחֶם וּמָזוֹן**
לְאָבִיו לַדָּרֶךְ. בנסיעתם הרכובה השתדלו האחים למעט באכילה
ולהגיע ליעדם מהר ככל האפשר. לעומת זאת, מסעה של המשפחה
על אביה הזקן, נשיה, ילדיה וכל רכושה יימשך זמן רב. שיירה אטית זו
תהיה זקוקה למזון רב עבור ימי המסע. כד **וַיְשַׁלַּח אֶת אֶחָיו** לביתם,
וַיֵּלֵכוּ. בנסיעתם יחדיו לאחר החוויה המרעישה שחוו הם עלולים
להאשים זה את זה במכירת יוסף. שמותיהם של ראובן ושל יהודה
הוזכרו כמי שחסו עליו במידה מסוימת וניסו למתן או לעכב את
המתתו, אך לא ברור מי מהאחים דחף אל מכירתו. כנראה עד כה
חשו שהמכירה נעשתה על דעת כולם. עכשיו, כשהתברר שיוסף
חי ומעמדו חזק משלהם, הדרך עלולה להיות ההזדמנות לליבון
מה שאירע בעבר.[9] משום כך הזהירם יוסף **וַיֹּאמֶר אֲלֵהֶם: אַל תִּרְגְּזוּ**,
תתקוטטו **בַּדָּרֶךְ**.

האחים שבים אל יעקב

פרק מה פס׳ כה–כח

במשך שנים רבות התאבל יעקב על בנו שלא כמת רגיל, המשתכח מן הלב לאחר זמן. יעקב מיאן להתנחם כל השנים, אולי מפני זיק סמוי של תקווה שמא לא מת. איננו יודעים עד כמה השפיע האבל על כוחות נפשו וגופו ואם השפיע על תפקודו. מדבריו בהמשך עולה כי הזדקנותו הייתה קשה מהזדקנותם של אבותיו.[10]

כה **וַיַּעֲלוּ מִמִּצְרָיִם, וַיָּבֹאוּ אֶרֶץ כְּנַעַן אֶל יַעֲקֹב אֲבִיהֶם.** כו **וַיַּגִּדוּ לוֹ**
לֵאמֹר: עוֹד יוֹסֵף חַי, וְכִי הוּא מֹשֵׁל בְּכָל אֶרֶץ מִצְרָיִם. קשה לדעת
אם שטחו בפני אביהם את כל פרטי ההתרחשות, או שהעדיפו
להעלים את חלקם בעניין. לא ידוע אם עד סוף חייו נודע ליעקב
מה באמת אירע ליוסף.[11] **וַיָּפָג לִבּוֹ**. לבו חדל לפעום, אולי התעלף
מחמת הזעזוע, **כִּי לֹא הֶאֱמִין לָהֶם**, משום שנפשו לא הייתה מוכנה
לחדשות מרעישות אלו. לחלופין, ייתכן שלא האמין לדברי בניו,
משום שחשד שהם בודים את הסיפור מלבם לשם מילוי אינטרס
עצמי כלשהו. כז מכיוון שכך - **וַיְדַבְּרוּ אֵלָיו אֵת כָּל דִּבְרֵי יוֹסֵף אֲשֶׁר**
דִּבֶּר אֲלֵהֶם בפרוטרוט. **וַיַּרְא אֶת הָעֲגָלוֹת אֲשֶׁר שָׁלַח יוֹסֵף לָשֵׂאת אֹתוֹ.**
במראה העגלות המצריות, שהיה להן בדרך כלל תפקיד צבאי, ולא

חמישי לשאת אתו ותחי רוח יעקב אביהם: ויאמר ישראל כח
רב עוד־יוסף בני חי אלכה ואראנו בטרם אמות:
מו ויסע ישראל וכל־אשר־לו ויבא בארה שבע ויזבח א
זבחים לאלהי אביו יצחק: ויאמר אלהים | לישראל ב
במראת הלילה ויאמר יעקב | יעקב ויאמר הנני:
ויאמר אנכי האל אלהי אביך אל־תירא מרדה ג
מצרימה כי־לגוי גדול אשימך שם: אנכי ארד ד
עמך מצרימה ואנכי אעלך גם־עלה ויוסף ישית ידו

רש"י

כח| **רַב.** רַב לִי עוֹד שִׂמְחָה וְחֶדְוָה הוֹאִיל וְ"עוֹד יוֹסֵף בְּנִי חָי":

פרק מו

א| **בְּאֵרָה שָּׁבַע.** כְּמוֹ לִבְאֵר שָׁבַע, הֵ"א בְּסוֹף תֵּבָה בִּמְקוֹם לָמֶ"ד בִּתְחִלָּתָהּ: **לֵאלֹהֵי אָבִיו יִצְחָק.** חַיָּב אָדָם בִּכְבוֹד אָבִיו יוֹתֵר מִבִּכְבוֹד זְקֵנוֹ, לְפִיכָךְ תָּלָה בְּיִצְחָק וְלֹא בְּאַבְרָהָם:

ב| **יַעֲקֹב יַעֲקֹב.** לְשׁוֹן חִבָּה:

ג| **אַל תִּירָא מֵרְדָה מִצְרַיְמָה.** לְפִי שֶׁהָיָה מֵצֵר עַל שֶׁנִּזְקַק לָצֵאת לְחוּצָה לָאָרֶץ:

ד| **וְאָנֹכִי אַעַלְךָ.** הִבְטִיחוֹ לִהְיוֹת נִקְבָּר בָּאָרֶץ:

הרחבות

'עוד יוסף בני חי - אלכה ואראנו' מאחורי ההזמנה ששלח יוסף לאביו לרדת למצרים, עמדה גם מגבלה טכנית: נראה שיוסף לא היה חופשי לנסוע לכנען אפילו לביקור. יעקב הבין שיוסף מוכרח להישאר במקומו. על כן, משקיבל את ההזמנה, יעקב לא התמהמה, ולא בירר מה יהיו השלכות הירידה למצרים על המשפחה ועליו. אם קודם לכן הוא שעיכב את תהליכי הירידה למצרים - עתה, מיד כשנפתחה בפניו ההזדמנות לראות את בנו האהוב, קפץ עליה בהתלהבות.

'ויסע ישראל' בפסוק זה ובפסוקים רבים אחריו נקרא יעקב בשם 'ישראל' - השם המורה על גדולה ושלטון. חילופי השמות ישראל-יעקב משמעותיים בכל הפרשיות האלה (ראו רמב"ן).

'ויזבח זבחים לאלֹהי אביו יצחק' מעניין כי ביציאתו מן הארץ הקריב יעקב קרבנות לאלוקים הנקרא דווקא על שמו של יצחק, האב שהקפיד שלא יצא מן הארץ, ושאף ה' אסר עליו לצאת ממנה (ראו לעיל כד,ח; כו, ב-ג). ייתכן שיש במעשה הקרבת הקרבנות לֵאלֹהֵי אָבִיו יִצְחָק ביטוי לרצון לשמוע את תגובתו ליציאתו למסע זה (ראו רד"ק וספורנו). ואכן ה' נענה למשאלתו זו, ומתגלה אליו.

בקלות יוצאו ממצרים, היה כדי לאושש את סיפורם. **וַתְּחִי רוּחַ יַעֲקֹב** | ביאור
אֲבִיהֶם מעלפונו, כשהשתכנע שאכן מדובר בסיפור אמתי. הידיעה
שיוסף חי לא רק הפתיעה אותו, אלא החייתה אותו.

כח **וַיֹּאמֶר יִשְׂרָאֵל** התמורה בחייו של יעקב מתבטאת גם בהחלפת
שמו. שוב כוּנָּה ישראל, השם שניתן לו כשׂשׂרה עם אלוקים: **רַב**, די לי
שֶׁעוֹד יוֹסֵף בְּנִי חָי. איני זקוק עוד לדבר.[12] **אֵלְכָה וְאֶרְאֶנּוּ בְּטֶרֶם אָמוּת.**

ירידת יעקב ומשפחתו למצרים

פרק מו פס׳ א–כז

בצעד ספונטני יוצא יעקב מן הארץ כדי לפגוש את בנו האהוב. יציאתו המידית למצרים מעידה על נחישותו לראות את פני הבן שעליו התאבל שנים רבות.

שנים קודם לכן גלה יעקב מן הארץ מחמת אילוץ – הוא יצא לארם מפחד אחיו, עשו. עתה הוא יוצא מן הארץ מבחירתו שלו, בעקבות בנו. יציאה זו מלווה בוודאי בתהיות עמוקות – אין הוא יודע אם ישוב אל הארץ ומתי, ואין הוא יודע עד כמה תצליח משפחתו לשמור על צביונה הייחודי. התורה אינה מתארת את החששות שהתלוו אל מסעו. אולם אלו נחשפים באמצעות מילות ההרגעה ששומע יעקב מאלוקים הנגלה אליו.

פרק מו א **וַיִּסַּע יִשְׂרָאֵל וְכָל אֲשֶׁר לוֹ** כנראה מחברון, מקום מגוריו,
וַיָּבֹא בְּאֵרָה שָּׁבַע, שהייתה בדרכו דרומה, למצרים. כנראה ביקש
לחזור אל ציון הדרך הזה – מזבחם של אבותיו, אברהם ויצחק,
כמו ביציאתו הראשונה, לחרן.[13] **וַיִּזְבַּח זְבָחִים לֵאלֹהֵי אָבִיו יִצְחָק.**

ב **וַיֹּאמֶר אֱלֹהִים לְיִשְׂרָאֵל בְּמַרְאֹת הַלַּיְלָה**, בחלום או בחיזיון דמוי
חלום, **וַיֹּאמֶר: יַעֲקֹב יַעֲקֹב.**

וַיֹּאמֶר: הִנֵּנִי.

ג כיוון שיעקב לא ראה דמות אלא שמע קול שמקורו נסתר ממנו,
ה׳ גילה לו מפורשות שהוא הדובר אליו. **וַיֹּאמֶר** לו אלוקים: **אָנֹכִי**
הָאֵל אֱלֹהֵי אָבִיךָ. אַל תִּירָא מֵרְדָה מִצְרַיְמָה, כִּי לְגוֹי גָּדוֹל אֲשִׂימְךָ
שָׁם. הבטחה זו, שבמצרים תהפוך משפחת יעקב לעם בפני עצמו,
מכוונת כנגד החשש שמא תיטמע משפחתו בקרב תושבי הארץ
הזרה. ד **אָנֹכִי אֵרֵד עִמְּךָ מִצְרַיְמָה**, ואסייע לך, **וְאָנֹכִי אַעַלְךָ גַם עָלֹה**
ממצרים, אם כי לאו דווקא בחייך. אתה תזכה לראות את בנך החביב
עליך, ולא זו בלבד – **וְיוֹסֵף יָשִׁית יָדוֹ עַל עֵינֶיךָ**, הוא שידאג לטפל בך

ה עַל־עֵינֶיךָ׃ וַיָּקָם יַעֲקֹב מִבְּאֵר שָׁבַע וַיִּשְׂאוּ בְנֵי־
יִשְׂרָאֵל אֶת־יַעֲקֹב אֲבִיהֶם וְאֶת־טַפָּם וְאֶת־נְשֵׁיהֶם
ו בָּעֲגָלוֹת אֲשֶׁר־שָׁלַח פַּרְעֹה לָשֵׂאת אֹתוֹ׃ וַיִּקְחוּ
אֶת־מִקְנֵיהֶם וְאֶת־רְכוּשָׁם אֲשֶׁר רָכְשׁוּ בְּאֶרֶץ
ז כְּנַעַן וַיָּבֹאוּ מִצְרָיְמָה יַעֲקֹב וְכָל־זַרְעוֹ אִתּוֹ׃ בָּנָיו וּבְנֵי
בָנָיו אִתּוֹ בְּנֹתָיו וּבְנוֹת בָּנָיו וְכָל־זַרְעוֹ הֵבִיא
ח אִתּוֹ מִצְרָיְמָה׃ וְאֵלֶּה שְׁמוֹת בְּנֵי־יִשְׂרָאֵל
ט הַבָּאִים מִצְרַיְמָה יַעֲקֹב וּבָנָיו בְּכֹר יַעֲקֹב רְאוּבֵן׃ וּבְנֵי
י רְאוּבֵן חֲנוֹךְ וּפַלּוּא וְחֶצְרֹן וְכַרְמִי׃ וּבְנֵי שִׁמְעוֹן יְמוּאֵל
יא וְיָמִין וְאֹהַד וְיָכִין וְצֹחַר וְשָׁאוּל בֶּן־הַכְּנַעֲנִית׃ וּבְנֵי לֵוִי
יב גֵּרְשׁוֹן קְהָת וּמְרָרִי׃ וּבְנֵי יְהוּדָה עֵר וְאוֹנָן וְשֵׁלָה
וָפֶרֶץ וָזָרַח וַיָּמָת עֵר וְאוֹנָן בְּאֶרֶץ כְּנַעַן וַיִּהְיוּ בְנֵי־
יג פֶרֶץ חֶצְרֹן וְחָמוּל׃ וּבְנֵי יִשָּׂשכָר תּוֹלָע וּפֻוָּה וְיוֹב
יד טו וְשִׁמְרֹן׃ וּבְנֵי זְבֻלוּן סֶרֶד וְאֵלוֹן וְיַחְלְאֵל׃ אֵלֶּה ׀ בְּנֵי

רש"י

ו) **אֲשֶׁר רָכְשׁוּ בְּאֶרֶץ כְּנַעַן.** אֲבָל מַה שֶּׁרָכַשׁ בְּפַדַּן אֲרָם נָתַן הַכֹּל לְעֵשָׂו בִּשְׁבִיל חֶלְקוֹ בִּמְעָרַת הַמַּכְפֵּלָה, אָמַר: נִכְסֵי חוּצָה לָאָרֶץ אֵינָן כְּדַאי לִי, וְזֶהוּ "אֲשֶׁר כָּרִיתִי לִי" (להלן נ, ה), הֶעֱמִיד לוֹ צִבּוּרִין שֶׁל זָהָב וָכֶסֶף כְּמִין כְּרִי, וְאָמַר לוֹ: טֹל אֶת אֵלּוּ:

ז) **וּבְנוֹת בָּנָיו.** שֶׂרַח בַּת אָשֵׁר וְיוֹכֶבֶד בַּת לֵוִי:

ח) **הַבָּאִים מִצְרַיְמָה.** עַל שֵׁם הַשָּׁעָה קוֹרֵא לָהֶם הַכָּתוּב 'בָּאִים', וְאֵין לִתְמֹהַּ עַל אָשֵׁר לֹא כָתַב 'אָשֵׁר בָּאוּ':

י) **בֶּן הַכְּנַעֲנִית.** בֶּן דִּינָה שֶׁנִּבְעֲלָה לִכְנַעֲנִי; כְּשֶׁהָרְגוּ אֶת שְׁכֶם לֹא הָיְתָה דִּינָה רוֹצָה לָצֵאת עַד שֶׁנִּשְׁבַּע לָהּ שִׁמְעוֹן שֶׁיִּשָּׂאֶנָּה. בְּרֵאשִׁית רַבָּה (פ, יא):

טו) **אֵלֶּה בְּנֵי לֵאָה... וְאֵת דִּינָה בִתּוֹ.**

הרחבות

'בן הכנענית' בני יעקב לא נדדו הרחק כדי לחפש לעצמם נשים, כפי שעשה אביהם. עם זאת, ייתכן שהיו מודעים להוראה הכללית שעברה במסורת המשפחתית - שלא להתחתן עם בנות הכנעני. מסורת זו לא הייתה בגדר איסור גמור אלא דמתה יותר להמלצה להשתדל לשאת נשים מעמים אחרים הנמצאות בסביבתם.

'ובני יהודה ער ואונן' ער ואונן נזכרים גם

ביאור | במותך. הנחת יד הבן על עיני האב היא כנראה חלק מטקס הכנה
לקבורה. מגעו האחרון של הבן באביו הוא בעצימת עיניו, ויש בכך
ביטוי לקִרבה ולכבוד.[14]

ה **וַיָּקָם יַעֲקֹב מִבְּאֵר שָׁבַע.** מן הסתם הוקל לו לאחר שאלוקים
אישר את יציאתו מן הארץ והבטיח שימשיך ללוותו בנכר. **וַיִּשְׂאוּ
בְנֵי יִשְׂרָאֵל אֶת יַעֲקֹב אֲבִיהֶם וְאֶת טַפָּם וְאֶת נְשֵׁיהֶם בָּעֲגָלוֹת אֲשֶׁר
שָׁלַח פַּרְעֹה לָשֵׂאת אֹתוֹ.** בניו היו רכובים, אך ליעקב הזקן, שכבר
נתקשה לרכב, ניתן מקום בעגלות עם הילדים והנשים יחד. ו **וַיִּקְחוּ
אֶת מִקְנֵיהֶם,** עיקר רכושם כרועי צאן, **וְאֶת רְכוּשָׁם** המיטלטל **אֲשֶׁר
רָכְשׁוּ בְּאֶרֶץ כְּנַעַן. וַיָּבֹאוּ מִצְרָיְמָה, יַעֲקֹב וְכָל זַרְעוֹ אִתּוֹ:** ז **בָּנָיו וּבְנֵי
בָנָיו** באו **אִתּוֹ, בְּנֹתָיו,** בתו ונשות בניו, שהרי עד כה סופר שליעקב
הייתה רק בת אחת, דינה, **וּבְנוֹת בָּנָיו,** נכדתו ונשות נכדיו, שכן
ברשימת נכדותיו שבפסוקים הבאים תיזכר רק בת אחת, שרח,[15]
וְכָל זַרְעוֹ הֵבִיא אִתּוֹ מִצְרָיְמָה.

ח **וְאֵלֶּה שְׁמוֹת בְּנֵי יִשְׂרָאֵל,** בניו של יעקב, שהפכו אחר כך
ראשי משפחות בעם ישראל, **הַבָּאִים מִצְרַיְמָה. יַעֲקֹב וּבָנָיו. בְּכֹר
יַעֲקֹב – רְאוּבֵן.** ט **וּבְנֵי רְאוּבֵן: חֲנוֹךְ וּפַלּוּא וְחֶצְרֹן וְכַרְמִי.** י **וּבְנֵי שִׁמְעוֹן:
יְמוּאֵל וְיָמִין וְאֹהַד וְיָכִין וְצֹחַר וְשָׁאוּל בֶּן הַכְּנַעֲנִית.** ייתכן שכינוי מיוחד
זה בא לרמז ששאר הילדים לא היו בניהן של כנעניות.[16]

יא **וּבְנֵי לֵוִי: גֵּרְשׁוֹן קְהָת וּמְרָרִי.**

יב **וּבְנֵי יְהוּדָה: עֵר וְאוֹנָן וְשֵׁלָה,** שנולדו לו מבת שוע, **וָפֶרֶץ וָזָרַח,** מתמר.
וַיָּמָת עֵר וְאוֹנָן בְּאֶרֶץ כְּנַעַן, וַיִּהְיוּ בְנֵי פֶרֶץ, שלמרות גילו הצעיר, נשא
כבר אשה, ועוד קודם הירידה למצרים נולדו לו – **חֶצְרֹן וְחָמוּל.**

יג **וּבְנֵי יִשָּׂשכָר: תּוֹלָע וּפֻוָּה וְיוֹב וְשִׁמְרֹן.**

יד **וּבְנֵי זְבוּלֻן: סֶרֶד וְאֵלוֹן וְיַחְלְאֵל.**

רשימת בני יעקב ממויינת כאן לפי אמותיהם: טו **אֵלֶּה בְּנֵי לֵאָה אֲשֶׁר**

הרחבות | ברשימות תולדות אחרות, אף על פי שמתו בלא להותיר ילדים אחריהם (ראו במדבר כו,יט; דברי הימים א׳ ב,ג) בכך מבוטא הרעיון כי גם ילדים שמתו אינם נמחקים אלא מטביעים את רישומם בהיסטוריה של המשפחה. במעשה יהודה ותמר וברעיון הייבום נרמז הרעיון שנפשותיהם של המתים עשויות להופיע שוב. פרץ וזרח הם מעין תמורה לער ואונן (ראו רמב״ן פס׳ ב; הגר״א על דברי הימים א׳ ב,ד).

לֵאָה אֲשֶׁר יָלְדָה לְיַעֲקֹב בְּפַדַּן אֲרָם וְאֵת דִּינָה בִתּוֹ
כָּל־נֶפֶשׁ בָּנָיו וּבְנוֹתָיו שְׁלֹשִׁים וְשָׁלֹשׁ: וּבְנֵי גָד צִפְיוֹן טז
וְחַגִּי שׁוּנִי וְאֶצְבֹּן עֵרִי וַאֲרוֹדִי וְאַרְאֵלִי: וּבְנֵי אָשֵׁר יז
יִמְנָה וְיִשְׁוָה וְיִשְׁוִי וּבְרִיעָה וְשֶׂרַח אֲחֹתָם וּבְנֵי בְרִיעָה
חֶבֶר וּמַלְכִּיאֵל: אֵלֶּה בְּנֵי זִלְפָּה אֲשֶׁר־נָתַן לָבָן לְלֵאָה יח
בִתּוֹ וַתֵּלֶד אֶת־אֵלֶּה לְיַעֲקֹב שֵׁשׁ עֶשְׂרֵה נָפֶשׁ: בְּנֵי יט
רָחֵל אֵשֶׁת יַעֲקֹב יוֹסֵף וּבִנְיָמִן: וַיִּוָּלֵד לְיוֹסֵף בְּאֶרֶץ כ
מִצְרַיִם אֲשֶׁר יָלְדָה־לּוֹ אָסְנַת בַּת־פּוֹטִי פֶרַע כֹּהֵן אֹן
אֶת־מְנַשֶּׁה וְאֶת־אֶפְרָיִם: וּבְנֵי בִנְיָמִן בֶּלַע וָבֶכֶר כא
וְאַשְׁבֵּל גֵּרָא וְנַעֲמָן אֵחִי וָרֹאשׁ מֻפִּים וְחֻפִּים וָאָרְדְּ:
אֵלֶּה בְּנֵי רָחֵל אֲשֶׁר יֻלַּד לְיַעֲקֹב כָּל־נֶפֶשׁ אַרְבָּעָה כב
עָשָׂר: וּבְנֵי־דָן חֻשִׁים: וּבְנֵי נַפְתָּלִי יַחְצְאֵל וְגוּנִי וְיֵצֶר כג כד
וְשִׁלֵּם: אֵלֶּה בְּנֵי בִלְהָה אֲשֶׁר־נָתַן לָבָן לְרָחֵל בִּתּוֹ כה
וַתֵּלֶד אֶת־אֵלֶּה לְיַעֲקֹב כָּל־נֶפֶשׁ שִׁבְעָה: כָּל־הַנֶּפֶשׁ כו

רש"י

הַזְּכָרִים תָּלָה בְּלֵאָה וְהַנְּקֵבוֹת תָּלָה בְּיַעֲקֹב, לְלַמֶּדְךָ, אִשָּׁה מַזְרַעַת תְּחִלָּה יוֹלֶדֶת זָכָר, אִישׁ מַזְרִיעַ תְּחִלָּה יוֹלֶדֶת נְקֵבָה: שְׁלֹשִׁים וְשָׁלֹשׁ. וּבִפְרָטָן אִי אַתָּה מוֹצֵא אֶלָּא שְׁלֹשִׁים וּשְׁנַיִם, אֶלָּא זוֹ יוֹכֶבֶד שֶׁנּוֹלְדָה בֵּין הַחוֹמוֹת בִּכְנִיסָתָן לָעִיר, שֶׁנֶּאֱמַר: "אֲשֶׁר יָלְדָה אֹתָהּ לְלֵוִי בְּמִצְרָיִם" (במדבר כו, נט) – לֵדָתָהּ בְּמִצְרַיִם וְאֵין הוֹרָתָהּ בְּמִצְרַיִם:

יט) בְּנֵי רָחֵל אֵשֶׁת יַעֲקֹב. וּבְכֻלָּן לֹא נֶאֱמַר כֵּן! אֶלָּא שֶׁהָיְתָה עִקָּרוֹ שֶׁל בַּיִת:

כו-כז) כָּל הַנֶּפֶשׁ הַבָּאָה לְיַעֲקֹב. שֶׁיָּצְאוּ

הרחבות

'שלשים ושלש' כבר העירו על כך שברשימה זו אין שלושים ושלושה ילדים אלא שלושים ושניים בלבד. זהו היסוד למדרש חז"ל שבכניסה למצרים נולדה בת נוספת ללוי - יוכבד, שהייתה לימים אמו של משה רבנו (בבא בתרא קכג; רש"י על אתר). יוכבד לא נמנתה עמם בשעה שיצאו מארץ כנען אלא נוספה על צאצאיה של לאה בפאתי מצרים. פירוש אחר מסביר את הביטוי כָּל נֶפֶשׁ ככולל גם את יעקב עצמו (ראב"ע פס' כג). לפי פירוש יש לקרוא את הפסוק כך: כָּל נֶפֶשׁ וגם בָּנָיו וּבְנֹתָיו - הם שלושים ושלוש נפשות.

שמות בני בנימין חכמים דרשו ששמותיהם של כל עשרת בני בנימין רומזים לאחיו הנעלם, יוסף (סוטה לו ע"ב; רש"י בראשית מג,ל).

ביאור | יָלְדָה לְיַעֲקֹב בְּפַדַּן אֲרָם, וְאֵת דִּינָה בִתּוֹ. כָּל נֶפֶשׁ בָּנָיו וּבְנוֹתָיו – שְׁלֹשִׁים
וְשָׁלֹשׁ.

טז וּבְנֵי גָד: צִפְיוֹן וְחַגִּי, שׁוּנִי וְאֶצְבֹּן, עֵרִי וַאֲרוֹדִי וְאַרְאֵלִי.

יז וּבְנֵי אָשֵׁר: יִמְנָה וְיִשְׁוָה וְיִשְׁוִי וּבְרִיעָה וְשֶׂרַח אֲחֹתָם. ייתכן שנכדה
זו של יעקב נזכרה, משום שהייתה הנכדה היחידה במשפחת יעקב
שנולדה בכנען. לחלופין, ייתכן שהיו נכדות נוספות שלא נזכרו.
הזכרת דמותה של שרח רומזת לדמותה המיוחדת. חכמים מספרים
שהיא הייתה קרובה במיוחד ליעקב, ושזכתה לברכות מרובות
ולאריכות ימים מופלגת.[17] וּבְנֵי בְרִיעָה: חֶבֶר וּמַלְכִּיאֵל.

יח אֵלֶּה בְּנֵי זִלְפָּה אֲשֶׁר נָתַן לָבָן לְלֵאָה בִתּוֹ, וַתֵּלֶד אֶת אֵלֶּה לְיַעֲקֹב – שֵׁשׁ
עֶשְׂרֵה נָפֶשׁ. בני זלפה הם הקבוצה השנייה בגודלה – כמחצית בני
לאה.

יט בְּנֵי רָחֵל אֵשֶׁת יַעֲקֹב: יוֹסֵף וּבִנְיָמִן. אמנם יוסף לא הגיע עם אחיו
למצרים, אבל הוא נכלל בבני ישראל הנמצאים שם.

כ וַיִּוָּלֵד לְיוֹסֵף בְּאֶרֶץ מִצְרַיִם, אֲשֶׁר יָלְדָה לּוֹ אָסְנַת בַּת פּוֹטִי פֶרַע כֹּהֵן
אֹן, אֶת מְנַשֶּׁה וְאֶת אֶפְרָיִם. הרי כאן שלושה נוספים לבית יעקב,
שישובו ויימנו לבדם בסוף מניין בני יעקב.

כא וּבְנֵי בִנְיָמִן: בֶּלַע וָבֶכֶר וְאַשְׁבֵּל, גֵּרָא וְנַעֲמָן, אֵחִי וָרֹאשׁ, מֻפִּים וְחֻפִּים
וָאָרְדְּ.

כב אֵלֶּה בְּנֵי רָחֵל אֲשֶׁר יֻלַּד לְיַעֲקֹב, כָּל נֶפֶשׁ ילדיה של רחל, כולל יוסף
ושני בניו – אַרְבָּעָה עָשָׂר.

כג וּבְנֵי דָן: חֻשִׁים. אף על פי שחושים, שנקרא גם שוחם,[18] היה בנו
היחידי של דן, הוא מופיע כאן כבְנֵי דָן, כנראה בשל הצאצאים
הרבים שהעמיד, משפחת השוחמי.[19]

כד וּבְנֵי נַפְתָּלִי: יַחְצְאֵל וְגוּנִי וְיֵצֶר וְשִׁלֵּם.

כה אֵלֶּה בְּנֵי בִלְהָה אֲשֶׁר נָתַן לָבָן לְרָחֵל בִּתּוֹ, וַתֵּלֶד אֶת אֵלֶּה לְיַעֲקֹב,
כָּל נֶפֶשׁ – שִׁבְעָה. שוב, מספר צאצאי בלהה מחצית מצאצאי
רחל.

הַבָּאָה לְיַעֲקֹב מִצְרַיְמָה יֹצְאֵי יְרֵכוֹ מִלְּבַד נְשֵׁי בְנֵי־
יַעֲקֹב כָּל־נֶפֶשׁ שִׁשִּׁים וָשֵׁשׁ׃ וּבְנֵי יוֹסֵף אֲשֶׁר־יֻלַּד־לוֹ כז
בְמִצְרַיִם נֶפֶשׁ שְׁנָיִם כָּל־הַנֶּפֶשׁ לְבֵית־יַעֲקֹב הַבָּאָה
מִצְרַיְמָה שִׁבְעִים׃ וְאֶת־יְהוּדָה שָׁלַח כח ששי מא
לְפָנָיו אֶל־יוֹסֵף לְהוֹרֹת לְפָנָיו גֹּשְׁנָה וַיָּבֹאוּ אַרְצָה
גֹּשֶׁן׃ וַיֶּאְסֹר יוֹסֵף מֶרְכַּבְתּוֹ וַיַּעַל לִקְרַאת־יִשְׂרָאֵל כט
אָבִיו גֹּשְׁנָה וַיֵּרָא אֵלָיו וַיִּפֹּל עַל־צַוָּארָיו וַיֵּבְךְּ עַל־
צַוָּארָיו עוֹד׃ וַיֹּאמֶר יִשְׂרָאֵל אֶל־יוֹסֵף אָמוּתָה הַפָּעַם ל
אַחֲרֵי רְאוֹתִי אֶת־פָּנֶיךָ כִּי עוֹדְךָ חָי׃ וַיֹּאמֶר יוֹסֵף אֶל־ לא

רש"י | מחוץ כנען לבא למצרים, ואין 'הבאה' זו לשון עבר אלא לשון הוה, כמו: "בערב היא באה" (אסתר ב, יד), וכמו: "והנה רחל בתו באה עם הצאן" (לעיל כט, ו), לפיכך טעמו למטה בה"א, לפי שכשנתנו לבוא מחוץ כנען לא היו אלא ששים ושש. והשני, "כל הנפש לבית יעקב הבאה מצרימה שבעים" הוא לשון עבר, לפיכך טעמו למעלה בבי"ת, לפי שמשבאו שם היו שבעים, שמצאו שם יוסף ושני בניו, ונתוספה להם יוכבד בין החומות. ולדברי האומר תאומות נולדו עם השבטים צריכים אנו לומר שמתו לפני ירידתן למצרים, שהרי לא נמנו כאן. מצאתי בויקרא רבה (ד, ו): עשו שש נפשות היו לו והכתוב קורא אותן 'נפשות ביתו' (לעיל לו, ו) לשון רבים, לפי שהיו עובדין לאלהות הרבה; יעקב שבעים היו לו והכתוב קורא אותן 'נפש', לפי שהיו עובדין לאל אחד:

כח) **להורת לפניו.** כתרגומו, לפנות לו מקום ולהורות היאך יתישב בה: **לפניו.** קודם שיגיע לשם. ומדרש אגדה, "להורת לפניו", לתקן לו בית תלמוד שמשם תצא הוראה:

כט) **ויאסר יוסף מרכבתו.** הוא עצמו אסר את הסוסים למרכבה להזדרז לכבוד אביו: **וירא אליו.** יוסף נראה אל אביו: **ויבך על צואריו עוד.** לשון הרבות בכיה, וכן: "כי לא על איש ישים עוד" (איוב לד, כג) לשון רבוי הוא, אינו שם עליו עלילות נוספות על חטאיו, אף כאן, הרבה והוסיף בבכי יותר על הרגיל. אבל יעקב לא נפל על צוארי יוסף ולא נשקו, ואמרו רבותינו שהיה קורא את שמע:

ל) **אמותה הפעם.** פשוטו כתרגומו. ומדרשו, סבור הייתי למות שתי מיתות, בעולם הזה ולעולם הבא, שנסתלקה ממני שכינה, והייתי אומר שיתבעני הקדוש ברוך הוא מיתתך. עכשיו שעודך חי, לא אמות אלא פעם אחת:

כו כָּל הַנֶּפֶשׁ הַבָּאָה לְיַעֲקֹב מִצְרַיְמָה יֹצְאֵי יְרֵכוֹ, מִלְּבַד נְשֵׁי בְנֵי יַעֲקֹב, | ביאור
כָּל נֶפֶשׁ – שִׁשִּׁים וָשֵׁשׁ. כז וּבְנֵי יוֹסֵף אֲשֶׁר יֻלַּד לוֹ בְמִצְרַיִם – נֶפֶשׁ שְׁנָיִם.
ואם מצרפים אותם – כָּל הַנֶּפֶשׁ לְבֵית יַעֲקֹב הַבָּאָה מִצְרַיְמָה – שִׁבְעִים.
אם מונים עמם את יעקב, את יוסף ואת שני בניו – הרי שבעים
נפש כל בית יעקב.[20]

מפגש יעקב ויוסף והתיישבות המשפחה בארץ גושן

פרק מו פס׳ כח – פרק מז פס׳ יב

יוסף תכנן ליישב את בני משפחתו בארץ גשן. לשם מימוש תכניתו זו הוא מכין אותם לפגישתם הראשונה והמשמעותית עם פרעה ומדגיש באוזניהם שלא יזדהו כעובדי אדמה אלא כרועי צאן. גשן היא אזור מבודד יחסית במצרים, והוא מתאים יותר למרעה, מפני שהעם המצרי – הנשען ברובו על חקלאות – עוין את פעולת רעיית הצאן. ישיבתם באזור פריפריאלי זה תאפשר למשפחה לגדול ולהתפתח בנוחות באישור השלטונות, והיא אף עולה בקנה אחד עם תכניותיו המקיפות של יוסף, המתייחסות למצרים כולה.

כח וְאֶת יְהוּדָה, שנעשה נציג האחים כלפי יוסף, שָׁלַח יעקב לְפָנָיו אֶל
יוֹסֵף, לְהוֹרֹת לְפָנָיו גֹּשְׁנָה, לארץ גשן. יהודה הוא שיורה להם כיצד
בדיוק יגיעו לגשן, הארץ שבה הם אמורים לגור, לפי דברי יוסף.[21]
וַיָּבֹאוּ אַרְצָה גֹּשֶׁן.

כט וַיֶּאְסֹר יוֹסֵף מֶרְכַּבְתּוֹ, וַיַּעַל לִקְרַאת יִשְׂרָאֵל אָבִיו גֹּשְׁנָה. וַיֵּרָא יוסף
אֵלָיו, ליעקב, וַיִּפֹּל עַל צַוָּארָיו, יוסף חיבק את אביו, וַיֵּבְךְּ בהתרגשות
עַל צַוָּארָיו עוֹד.

ל וַיֹּאמֶר יִשְׂרָאֵל אֶל יוֹסֵף: אָמוּתָה הַפָּעַם, עכשיו אני יכול למות
בשלום, אַחֲרֵי רְאוֹתִי אֶת פָּנֶיךָ, כִּי עוֹדְךָ חָי. נסעתי לכאן כדי לראות
את פניך, ועתה, משנפגשנו, זכיתי לקבל את כל משאלות לבי, ולא
חסר לי עוד דבר בחיי.

לא וַיֹּאמֶר יוֹסֵף אֶל אֶחָיו וְאֶל בֵּית אָבִיו: אֶעֱלֶה וְאַגִּידָה לְפַרְעֹה, עלי

אֶחָיו וְאֶל־בֵּית אָבִיו אֶעֱלֶה וְאַגִּידָה לְפַרְעֹה וְאֹמְרָה
אֵלָיו אַחַי וּבֵית־אָבִי אֲשֶׁר בְּאֶרֶץ־כְּנַעַן בָּאוּ אֵלָי׃
לב וְהָאֲנָשִׁים רֹעֵי צֹאן כִּי־אַנְשֵׁי מִקְנֶה הָיוּ וְצֹאנָם
לג וּבְקָרָם וְכָל־אֲשֶׁר לָהֶם הֵבִיאוּ׃ וְהָיָה כִּי־יִקְרָא לָכֶם
לד פַּרְעֹה וְאָמַר מַה־מַּעֲשֵׂיכֶם׃ וַאֲמַרְתֶּם אַנְשֵׁי מִקְנֶה
הָיוּ עֲבָדֶיךָ מִנְּעוּרֵינוּ וְעַד־עַתָּה גַּם־אֲנַחְנוּ גַּם־
אֲבֹתֵינוּ בַּעֲבוּר תֵּשְׁבוּ בְּאֶרֶץ גֹּשֶׁן כִּי־תוֹעֲבַת מִצְרַיִם
מז א כָּל־רֹעֵה צֹאן׃ וַיָּבֹא יוֹסֵף וַיַּגֵּד לְפַרְעֹה וַיֹּאמֶר אָבִי
וְאַחַי וְצֹאנָם וּבְקָרָם וְכָל־אֲשֶׁר לָהֶם בָּאוּ מֵאֶרֶץ
ב כְּנָעַן וְהִנָּם בְּאֶרֶץ גֹּשֶׁן׃ וּמִקְצֵה אֶחָיו לָקַח חֲמִשָּׁה
ג אֲנָשִׁים וַיַּצִּגֵם לִפְנֵי פַרְעֹה׃ וַיֹּאמֶר פַּרְעֹה אֶל־אֶחָיו
מַה־מַּעֲשֵׂיכֶם וַיֹּאמְרוּ אֶל־פַּרְעֹה רֹעֵה צֹאן עֲבָדֶיךָ
ד גַּם־אֲנַחְנוּ גַּם־אֲבוֹתֵינוּ׃ וַיֹּאמְרוּ אֶל־פַּרְעֹה לָגוּר
בָּאָרֶץ בָּאנוּ כִּי־אֵין מִרְעֶה לַצֹּאן אֲשֶׁר לַעֲבָדֶיךָ כִּי־

רש"י

לא-לב] **וְאֹמְרָה אֵלָיו אַחַי וְגוֹ'.** וְעוֹד אֹמַר לוֹ: "וְהָאֲנָשִׁים רֹעֵי צֹאן" וְגוֹ':

לד] **בַּעֲבוּר תֵּשְׁבוּ בְּאֶרֶץ גֹּשֶׁן.** וְהִיא צְרִיכָה לָכֶם, שֶׁהִיא אֶרֶץ מִרְעֶה, וּכְשֶׁתֹּאמְרוּ לוֹ שֶׁאֵין אַתֶּם בְּקִיאִין בִּמְלָאכָה אַחֶרֶת יַרְחִיקְכֶם מֵעָלָיו וְיוֹשִׁיבְכֶם שָׁם: **כִּי תוֹעֲבַת מִצְרַיִם כָּל רֹעֵה צֹאן.** לְפִי שֶׁהֵם לָהֶם אֱלֹהוֹת:

פרק מז

ב] **וּמִקְצֵה אֶחָיו.** מִן הַפְּחוּתִים שֶׁבָּהֶם לִגְבוּרָה, שֶׁאֵין נִרְאִים גִּבּוֹרִים, שֶׁאִם יִרְאֶה אוֹתָם גִּבּוֹרִים יַעֲשֶׂה אוֹתָם אַנְשֵׁי מִלְחַמְתּוֹ. וְאֵלֶּה הֵם: רְאוּבֵן, שִׁמְעוֹן, לֵוִי, יִשָּׂשכָר וּבִנְיָמִין, אוֹתָן שֶׁלֹּא כָּפַל מֹשֶׁה שְׁמוֹתָם כְּשֶׁבֵּרְכָן. אֲבָל שְׁמוֹת הַגִּבּוֹרִים כָּפַל: "וְזֹאת לִיהוּדָה... שְׁמַע ה' קוֹל יְהוּדָה" (דברים לג, ז); "וּלְגָד אָמַר בָּרוּךְ מַרְחִיב גָּד" (שם כ); "וּלְנַפְתָּלִי אָמַר נַפְתָּלִי" (שם כג); "וּלְדָן אָמַר דָּן" (שם כב); וְכֵן לִזְבוּלֻן (שם יח) וְכֵן לְאָשֵׁר (שם כד), זֶהוּ לְשׁוֹן בְּרֵאשִׁית רַבָּה (צה, ד) שֶׁהִיא אַגָּדַת אֶרֶץ יִשְׂרָאֵל. אֲבָל בְּתַלְמוּד בַּבְלִי שֶׁלָּנוּ מָצִינוּ שֶׁאוֹתָן שֶׁכָּפַל מֹשֶׁה שְׁמוֹתָן הֵם הַחַלָּשִׁים וְאוֹתָן הֵבִיא לִפְנֵי פַרְעֹה, וִיהוּדָה שֶׁהִכְפִּיל שְׁמוֹ לֹא הִכְפִּיל מִשּׁוּם חַלָּשׁוּת, אֶלָּא טַעַם יֵשׁ בַּדָּבָר, כִּדְאִיתָא בְּבָבָא קַמָּא (דף צב ע"א). וּבַבָּרַיְתָא דְּסִפְרֵי שָׁנִינוּ כָּאן כִּ'וְזֹאת הַבְּרָכָה' (שמ) כְּמוֹ תַלְמוּד שֶׁלָּנוּ:

ביאור | לעלות לעיר הבירה ולדווח לפרעה על החדשות. **וְאֹמְרָה אֵלָיו: "אַחַי וּבֵית אָבִי אֲשֶׁר בְּאֶרֶץ כְּנַעַן בָּאוּ אֵלָי.** לב **וְהָאֲנָשִׁים** הללו **הם רֹעֵי צֹאן, כִּי אַנְשֵׁי מִקְנֶה הָיוּ.** זהו עיסוקם מעולם. **וְצֹאנָם וּבְקָרָם וְכָל אֲשֶׁר לָהֶם הֵבִיאוּ".** לג עלי לספר זאת לפרעה, כי ייתכן שפרעה ירצה לפגוש אתכם אישית - **וְהָיָה כִּי יִקְרָא לָכֶם פַּרְעֹה, וְאָמַר "מַה מַּעֲשֵׂיכֶם?"** לד **וַאֲמַרְתֶּם: "אַנְשֵׁי מִקְנֶה הָיוּ עֲבָדֶיךָ מִנְּעוּרֵינוּ וְעַד עַתָּה, גַּם אֲנַחְנוּ וְגַם אֲבֹתֵינוּ", בַּעֲבוּר תֵּשְׁבוּ בְּאֶרֶץ גֹּשֶׁן, כִּי תוֹעֲבַת מִצְרַיִם כָּל רֹעֵה צֹאן.** המצרים תיעבו את רעיית הצאן, משום שהייתה כרוכה בהריגת הבהמות, מעשה שנגד את דתם ופגע במאמיניה.

פרק מז א **וַיָּבֹא יוֹסֵף וַיַּגֵּד לְפַרְעֹה וַיֹּאמֶר: אָבִי וְאַחַי וְצֹאנָם וּבְקָרָם וְכָל אֲשֶׁר לָהֶם בָּאוּ מֵאֶרֶץ כְּנָעַן, וְהִנָּם בְּאֶרֶץ גֹּשֶׁן.** אמנם כנראה הייתה הוראה כללית במצרים, הקובעת שאנשי מקנה צריכים לשבת בארץ גשן, אבל דברי יוסף נועדו לדווח לפרעה שההוראה התבצעה.

ב **וּמִקְצֵה אֶחָיו לָקַח חֲמִשָּׁה אֲנָשִׁים, וַיַּצִּגֵם לִפְנֵי פַרְעֹה.** ייתכן שלא היה נאה בעיניו להציג את כל אחד-עשר האחים, ועל כן בחר בנציגיהם. חכמים הסבירו שיוסף בחר דווקא באחים שלא נראו גיבורים, כדי שלא יעלה על דעתו של פרעה לגייסם לצבאו.[22] הוא ואחיו היו מעוניינים ביחסי שלום ענייניים בינם לפרעה, כך שיוכלו להישאר במקומם ולעסוק בעיסוקיהם ללא הפרעה.

ג וכפי שיוסף צפה - **וַיֹּאמֶר פַּרְעֹה אֶל אֶחָיו** של יוסף: **מַה מַּעֲשֵׂיכֶם?** מה עיסוקכם?

וַיֹּאמְרוּ אֶל פַּרְעֹה בהתאם להדרכתו של יוסף אותם: **רֹעֵה,** רועי **צֹאן עֲבָדֶיךָ, גַּם אֲנַחְנוּ גַּם אֲבוֹתֵינוּ.** ד **וַיֹּאמְרוּ אֶל פַּרְעֹה: לָגוּר,** להתגורר מגורי עראי, כגרים, ולא להשתקע **בָּאָרֶץ בָּאנוּ, כִּי אֵין מִרְעֶה לַצֹּאן**

הרחבות | **'תועבת מצרים כל רֹעה צאן'** מכמה מקורות עולה שהמצרים נמנעו מאכילת צאן ובקר. יש משערים כי יחסם כלפי המקנה דומה ליחסם של ההינדים כלפי הפרות. משום כך, הרועים - שאינם מסתפקים בשימוש בצמרו של הצאן אלא גם אוכלים ממנו - היו מגונים בעיני המצרים, ולכן נמנעו המצרים מלהסב לאכילה משותפת עם אוכלי בשר הצאן (לעיל מג,לב). יוסף הדריך את אחיו לומר לפרעה שאף אבותיהם היו רועים. כך יצטדקו בטענה שלא הם חטאו ובחרו בעיסוק זה; זהו חלק מתרבותם וממורשתם מדורי דורות, והרי פרעה מכיר בקיומם של רועי צאן בעולם, והוא מודע לכך שעמים אחרים אינם מקבלים בהכרח את עיקרי דתו.

כָּבֵד הָרָעָב בְּאֶרֶץ כְּנָעַן וְעַתָּה יֵשְׁבוּ־נָא עֲבָדֶיךָ
ה בְּאֶרֶץ גֹּשֶׁן: וַיֹּאמֶר פַּרְעֹה אֶל־יוֹסֵף לֵאמֹר אָבִיךָ
ו וְאַחֶיךָ בָּאוּ אֵלֶיךָ: אֶרֶץ מִצְרַיִם לְפָנֶיךָ הִוא בְּמֵיטַב
הָאָרֶץ הוֹשֵׁב אֶת־אָבִיךָ וְאֶת־אַחֶיךָ יֵשְׁבוּ בְּאֶרֶץ
גֹּשֶׁן וְאִם־יָדַעְתָּ וְיֶשׁ־בָּם אַנְשֵׁי־חַיִל וְשַׂמְתָּם שָׂרֵי
ז מִקְנֶה עַל־אֲשֶׁר־לִי: וַיָּבֵא יוֹסֵף אֶת־יַעֲקֹב אָבִיו
וַיַּעֲמִדֵהוּ לִפְנֵי פַרְעֹה וַיְבָרֶךְ יַעֲקֹב אֶת־פַּרְעֹה:
ח ט וַיֹּאמֶר פַּרְעֹה אֶל־יַעֲקֹב כַּמָּה יְמֵי שְׁנֵי חַיֶּיךָ: וַיֹּאמֶר
יַעֲקֹב אֶל־פַּרְעֹה יְמֵי שְׁנֵי מְגוּרַי שְׁלֹשִׁים וּמְאַת שָׁנָה
מְעַט וְרָעִים הָיוּ יְמֵי שְׁנֵי חַיַּי וְלֹא הִשִּׂיגוּ אֶת־יְמֵי שְׁנֵי
י חַיֵּי אֲבֹתַי בִּימֵי מְגוּרֵיהֶם: וַיְבָרֶךְ יַעֲקֹב אֶת־פַּרְעֹה
שביעי יא וַיֵּצֵא מִלִּפְנֵי פַרְעֹה: וַיּוֹשֵׁב יוֹסֵף אֶת־אָבִיו וְאֶת־אֶחָיו
וַיִּתֵּן לָהֶם אֲחֻזָּה בְּאֶרֶץ מִצְרַיִם בְּמֵיטַב הָאָרֶץ בְּאֶרֶץ
יב רַעְמְסֵס כַּאֲשֶׁר צִוָּה פַרְעֹה: וַיְכַלְכֵּל יוֹסֵף אֶת־אָבִיו

רש"י

ו) אַנְשֵׁי חָיִל. בְּקִיאִין בְּאֻמָּנוּתָן לִרְעוֹת צֹאן: עַל אֲשֶׁר לִי. עַל צֹאן שֶׁלִּי:

ז) וַיְבָרֶךְ יַעֲקֹב. הִיא שְׁאֵלַת שָׁלוֹם כְּדֶרֶךְ כָּל הַנִּרְאִים לִפְנֵי הַמְּלָכִים לִפְרָקִים, שלודי"ר בְּלַעַז:

ט) שְׁנֵי מְגוּרַי. יְמֵי גֵּרוּתִי, כָּל יָמַי הָיִיתִי גֵּר בָּאָרֶץ: וְלֹא הִשִּׂיגוּ. בַּטּוֹבָה:

י) וַיְבָרֶךְ יַעֲקֹב. כְּדֶרֶךְ כָּל הַנִּפְטָרִים מִלִּפְנֵי שָׂרִים, מְבָרְכִים אוֹתָם וְנוֹטְלִים רְשׁוּת. וּמַה בְּרָכָה בֵּרְכוֹ? שֶׁיַּעֲלֶה נִילוּס לְרַגְלָיו, לְפִי שֶׁאֵין מִצְרַיִם שׁוֹתָה מֵי גְּשָׁמִים, אֶלָּא נִילוּס עוֹלֶה וּמַשְׁקָה, וּמִבִּרְכָתוֹ שֶׁל יַעֲקֹב וְאֵילָךְ הָיָה פַּרְעֹה בָּא עַל נִילוּס וְהוּא עוֹלֶה לִקְרָאתוֹ וּמַשְׁקֶה אֶת הָאָרֶץ. תַּנְחוּמָא (נשא כו):

יא) רַעְמְסֵס. מֵאֶרֶץ גֹּשֶׁן הִיא:

הרחבות

'מעט ורעים' הזקנה שקפצה על יעקב מוסברת בתלאות חייו. נתיב ייסוריו של יעקב - הבריחה מאיומי אחיו, שנות העבודה המפרכת אצל לבן, פרדתו מאשתו האהובה בדמי ימיה, פרשת דינה ואבלו הממושך על בנו - כל אלה הטביעו את חותמם על מראהו.

ביאור

אֲשֶׁר לַעֲבָדֶיךָ, כִּי כָבֵד הָרָעָב בְּאֶרֶץ כְּנָעַן. וְעַתָּה, כיוון שכך יֵשְׁבוּ נָא
עֲבָדֶיךָ בְּאֶרֶץ גֹּשֶׁן.

ה לאחר שפרעה שמע את הצעת האחים, הוא בחר שלא להמשיך
את השיחה אתם, אלא לפנות ליוסף. **וַיֹּאמֶר פַּרְעֹה אֶל יוֹסֵף לֵאמֹר:**
אָבִיךָ וְאַחֶיךָ בָּאוּ אֵלֶיךָ. ו **אֶרֶץ מִצְרַיִם לְפָנֶיךָ**, ברשותך **הִוא, בְּמֵיטַב**
הָאָרֶץ הוֹשֵׁב אֶת אָבִיךָ וְאֶת אַחֶיךָ. אני מסכים לבקשתם - **יֵשְׁבוּ**
בְּאֶרֶץ גֹּשֶׁן, שכן זהו אכן המקום המתאים. **וְאִם יָדַעְתָּ וְיֶשׁ בָּם אַנְשֵׁי**
חַיִל, אנשים מוצלחים וכשרוניים – **וְשַׂמְתָּם שָׂרֵי מִקְנֶה**, מנהלי הצאן
עַל אֲשֶׁר לִי. אף שהמצרים לא היו רועי צאן, היה ברשותם מקנה
שאינו מיועד לאכילה אלא לגיזת צמר, חליבה וכיוצא באלה.

ז **וַיָּבֵא יוֹסֵף אֶת יַעֲקֹב אָבִיו, וַיַּעֲמִדֵהוּ לִפְנֵי פַרְעֹה.** מעמדו השונה
של יעקב נוכח פרעה הכתיב שיחה ממין אחר - **וַיְבָרֶךְ יַעֲקֹב אֶת**
פַּרְעֹה, כנראה בנוסח הברכה המקובל שבו מברכים את המלך,
כאשר נכנסים אליו.

ח **וַיֹּאמֶר פַּרְעֹה אֶל יַעֲקֹב: כַּמָּה יְמֵי שְׁנֵי**, שנות **חַיֶּיךָ?** יעקב נראה בעיני
פרעה כזקן מופלג. שאלתו נבעה מהתעניינות סקרנית ואולי מנימוס.

ט **וַיֹּאמֶר יַעֲקֹב אֶל פַּרְעֹה: יְמֵי שְׁנֵי מְגוּרַי** השנים שבהן התגוררתי,
שבהן הייתי גר בעולם - שנות החיים נתפסות בעיניו כשנות נדודים
ועראי - הן **שְׁלֹשִׁים וּמְאַת שָׁנָה. מְעַט וְרָעִים הָיוּ יְמֵי שְׁנֵי חַיַּי**, אמנם
אני זקן מרבים אחרים, אך אינני ישיש מופלג כל כך. אני נראה
מבוגר משנותי בגלל ייסורי.[23] **וְלֹא הִשִּׂיגוּ** ימי שני חיי **אֶת יְמֵי שְׁנֵי**
חַיֵּי אֲבֹתַי בִּימֵי מְגוּרֵיהֶם. הן אברהם הן יצחק האריכו ימים הרבה
יותר ממנו. י **וַיְבָרֶךְ יַעֲקֹב אֶת פַּרְעֹה, וַיֵּצֵא מִלִּפְנֵי פַרְעֹה.**

יא **וַיּוֹשֵׁב יוֹסֵף אֶת אָבִיו וְאֶת אֶחָיו, וַיִּתֵּן לָהֶם אֲחֻזָּה בְּאֶרֶץ מִצְרַיִם,**
בְּמֵיטַב הָאָרֶץ בְּאֶרֶץ רַעְמְסֵס, כַּאֲשֶׁר צִוָּה פַרְעֹה. יב **וַיְכַלְכֵּל יוֹסֵף אֶת**

הרחבות

'ויברך יעקב את פרעה' מן הסתם תיאר יוסף באוזני פרעה את גדולת אביו, ועתה, משהגיע אליו אדם גדול זה, שנראה זקן מאוד, צפוי שהוא יברך את המלך. תוכן הברכה אינו מפורש כאן, וחכמים אמרו שבירכו שהרעה תיפסק מארצו, שפרעה ינחל הצלחה, או שמי הנילוס יעלו לקראתו וישקו את הארץ (ספרי דברים לח; במדבר רבה יב,ב; רש"י על אתר).

וְאֶת־אֶחָיו וְאֵת כׇּל־בֵּית אָבִיו לֶחֶם לְפִי הַטָּף: וְלֶחֶם יג
אֵין בְּכׇל־הָאָרֶץ כִּי־כָבֵד הָרָעָב מְאֹד וַתֵּלַהּ אֶרֶץ
מִצְרַיִם וְאֶרֶץ כְּנַעַן מִפְּנֵי הָרָעָב: וַיְלַקֵּט יוֹסֵף אֶת־ יד
כׇּל־הַכֶּסֶף הַנִּמְצָא בְאֶרֶץ־מִצְרַיִם וּבְאֶרֶץ כְּנַעַן
בַּשֶּׁבֶר אֲשֶׁר־הֵם שֹׁבְרִים וַיָּבֵא יוֹסֵף אֶת־הַכֶּסֶף
בֵּיתָה פַרְעֹה: וַיִּתֹּם הַכֶּסֶף מֵאֶרֶץ מִצְרַיִם וּמֵאֶרֶץ טו
כְּנַעַן וַיָּבֹאוּ כׇל־מִצְרַיִם אֶל־יוֹסֵף לֵאמֹר הָבָה־לָּנוּ
לֶחֶם וְלָמָּה נָמוּת נֶגְדֶּךָ כִּי אָפֵס כָּסֶף: וַיֹּאמֶר יוֹסֵף טז
הָבוּ מִקְנֵיכֶם וְאֶתְּנָה לָכֶם בְּמִקְנֵיכֶם אִם־אָפֵס כָּסֶף:
וַיָּבִיאוּ אֶת־מִקְנֵיהֶם אֶל־יוֹסֵף וַיִּתֵּן לָהֶם יוֹסֵף לֶחֶם יז
בַּסּוּסִים וּבְמִקְנֵה הַצֹּאן וּבְמִקְנֵה הַבָּקָר וּבַחֲמֹרִים
וַיְנַהֲלֵם בַּלֶּחֶם בְּכׇל־מִקְנֵהֶם בַּשָּׁנָה הַהִוא: וַתִּתֹּם יח

רש"י

יב | **לְפִי הַטָּף.** לְפִי הַצָּרִיךְ לְכָל בְּנֵי בֵיתָם:

יג | **וְלֶחֶם אֵין בְּכָל הָאָרֶץ.** חוֹזֵר לָעִנְיָן הָרִאשׁוֹן לִתְחִלַּת שְׁנֵי הָרָעָב: **וַתֵּלַהּ.** כְּמוֹ וַתִּלְאֶה, לְשׁוֹן עֲיֵפוּת כְּתַרְגּוּמוֹ, וְדוֹמֶה לוֹ: "כְּמִתְלַהְלֵהַּ הַיֹּרֶה זִקִּים" (משלי כו, יח):

יד | **בַּשֶּׁבֶר אֲשֶׁר הֵם שֹׁבְרִים.** נוֹתְנִין לוֹ אֶת הַכֶּסֶף:

טו | **אָפֵס.** כְּתַרְגּוּמוֹ, "שְׁלִים":

יז | **וַיְנַהֲלֵם.** כְּמוֹ וַיְנַהֲגֵם, וְדוֹמֶה לוֹ: "אֵין מְנַהֵל לָהּ" (ישעיה נא, יח); "עַל מֵי מְנֻחוֹת יְנַהֲלֵנִי" (תהלים כג, ב):

הרחבות

'הבו מקניכם' כיוון שהחקלאות חוסלה, כבר לא הייתה תועלת רבה בבהמות. עד כה ניסו המצרים לשמור את בהמותיהם, המשמשות כוח עבודה ומסחר פוטנציאלי ולמעשה הבטיחו את אחיזתם בחיים. אולם בסופו של דבר במצב הכלכלי הקשה לא היה בכוחם להאכיל גם אותן. יוסף ריכז אצלו, תחת יד פרעה, את כל

ביאור | אָבִיו וְאֶת אֶחָיו וְאֵת כָּל בֵּית אָבִיו, לֶחֶם לְפִי הַטָּף. אף שלא היה אוכל רב בארץ, יוסף סיפק את צרכיהם של כל בני משפחתו.[24]

יוסף מנהל את כלכלת מצרים

פרק מז פס׳ יג–כז

לאחר שסופר על איחודה המחודש של משפחת יעקב וישיבתה בגושן, נקטעת העלילה הפרטית תוך הפניית המבט אל הסיפור הכללי האופף אותם. פתרון חלומו הנבואי של פרעה על ידי יוסף מתאמת. כאן מתואר כיצד יוסף מתמודד עם המשימה שהוטלה עליו. מצד אחד, הוא בונה את שלטונו המוחלט של פרעה על בסיס מסיהם של תושבי מצרים, ומצד שני, הוא מספק לתושבים תנאי מחיה נוחים, כך שלא תתעורר בהם כל סיבה למרוד במלכם.

יג **וְלֶחֶם אֵין בְּכָל הָאָרֶץ, כִּי כָבֵד הָרָעָב מְאֹד, וַתֵּלַהּ**, התעייפה **אֶרֶץ**
מִצְרַיִם וְאֶרֶץ כְּנַעַן מִפְּנֵי הָרָעָב. בבצורת החמורה לא צמח דבר, ועל
כן נראתה הארץ עייפה. יד כיוון שיוסף אגר את התבואה במחסני
החרום של פרעה לצורך מכירתה - **וַיְלַקֵּט יוֹסֵף אֶת כָּל הַכֶּסֶף הַנִּמְצָא**
בְאֶרֶץ מִצְרַיִם וּבְאֶרֶץ כְּנַעַן, בַּשֶּׁבֶר אֲשֶׁר הֵם שֹׁבְרִים, עבור התבואה
שהם קונים. **וַיָּבֵא יוֹסֵף אֶת הַכֶּסֶף בֵּיתָה פַרְעֹה.** את הכסף הרב שהגיע
העביר יוסף, כשליח נאמן, לבית פרעה.

טו לאחר שרוב האנשים השתמשו בכל עודפי היבול שלהם והוציאו
את כל חסכונותיהם, **וַיִּתֹּם**, נגמר **הַכֶּסֶף מֵאֶרֶץ מִצְרַיִם וּמֵאֶרֶץ כְּנַעַן.**
וַיָּבֹאוּ כָל מִצְרַיִם אֶל יוֹסֵף לֵאמֹר: הָבָה לָּנוּ לֶחֶם, תן לנו לאכול, **וְלָמָּה**
נָמוּת נֶגְדֶּךָ, לפניך?! **כִּי אָפֵס כָּסֶף** מזומן לשלם תמורת האוכל.

טז **וַיֹּאמֶר יוֹסֵף: הָבוּ מִקְנֵיכֶם, וְאֶתְּנָה לָכֶם** אוכל **בְּמִקְנֵיכֶם**, תמורת
מקניכם, **אִם אָפֵס כָּסֶף.** יז **וַיָּבִיאוּ אֶת מִקְנֵיהֶם אֶל יוֹסֵף. וַיִּתֵּן לָהֶם**
יוֹסֵף לֶחֶם בעד **הַסּוּסִים וּבְעַד מִקְנֵה הַצֹּאן וּבְעַד מִקְנֵה הַבָּקָר וּבְעַד**
הַחֲמֹרִים. וַיְנַהֲלֵם, יוסף פרנס אותם **בַּלֶּחֶם בְּכָל**, תמורת כל **מִקְנֵהֶם**
בַּשָּׁנָה הַהִוא, השנה השנייה לרעב.

הרחבות | להזין ולקיים את הבהמות שהובאו אליו בחוות המדינה. מסתבר שבשנות השובע צבר יוסף לא רק מאכל אדם אלא גם שחת למאכל הבהמות.

המקנה כשם שעשה בתבואה, ובחר שלא לשחוט אותן ולמכרן. הרי אילו נהג כך, בשנים שלאחר הבצורת לא היו נותרות די בהמות לצורך עבודת השדה. יוסף דאג

הַשָּׁנָה הַהִוא וַיָּבֹאוּ אֵלָיו בַּשָּׁנָה הַשֵּׁנִית וַיֹּאמְרוּ לוֹ
לֹא־נְכַחֵד מֵאֲדֹנִי כִּי אִם־תַּם הַכֶּסֶף וּמִקְנֵה הַבְּהֵמָה
אֶל־אֲדֹנִי לֹא נִשְׁאַר לִפְנֵי אֲדֹנִי בִּלְתִּי אִם־גְּוִיָּתֵנוּ
וְאַדְמָתֵנוּ: לָמָּה נָמוּת לְעֵינֶיךָ גַּם־אֲנַחְנוּ גַּם־ יט
אַדְמָתֵנוּ קְנֵה־אֹתָנוּ וְאֶת־אַדְמָתֵנוּ בַּלָּחֶם וְנִהְיֶה
אֲנַחְנוּ וְאַדְמָתֵנוּ עֲבָדִים לְפַרְעֹה וְתֶן־זֶרַע וְנִחְיֶה
וְלֹא נָמוּת וְהָאֲדָמָה לֹא תֵשָׁם: וַיִּקֶן יוֹסֵף אֶת־כָּל־ כ
אַדְמַת מִצְרַיִם לְפַרְעֹה כִּי־מָכְרוּ מִצְרַיִם אִישׁ שָׂדֵהוּ
כִּי־חָזַק עֲלֵהֶם הָרָעָב וַתְּהִי הָאָרֶץ לְפַרְעֹה: וְאֶת־ כא
הָעָם הֶעֱבִיר אֹתוֹ לֶעָרִים מִקְצֵה גְבוּל־מִצְרַיִם וְעַד־
קָצֵהוּ: רַק אַדְמַת הַכֹּהֲנִים לֹא קָנָה כִּי חֹק לַכֹּהֲנִים כב

רש"י

יח| **בַּשָּׁנָה הַשֵּׁנִית.** לִשְׁנֵי הָרָעָב: **כִּי אִם תַּם הַכֶּסֶף.** כִּי אֲשֶׁר תַּם הַכֶּסֶף וְהַמִּקְנֶה וּבָא הַכֹּל אֶל יְדֵי אֲדֹנִי: **בִּלְתִּי אִם גְּוִיָּתֵנוּ.** כְּמוֹ אִם לֹא גְּוִיָּתֵנוּ:

יט| **וְתֶן זֶרַע.** לִזְרֹעַ הָאֲדָמָה. וְאַף עַל פִּי שֶׁאָמַר יוֹסֵף: "וְעוֹד חָמֵשׁ שָׁנִים אֲשֶׁר אֵין חָרִישׁ וְקָצִיר" (לעיל מה, ו), מִכֵּיוָן שֶׁבָּא יַעֲקֹב לְמִצְרַיִם בָּאָה בְּרָכָה לְרַגְלָיו וְהִתְחִילוּ לִזְרֹעַ, וְכָלָה הָרָעָב. וְכֵן שָׁנִינוּ בַּתּוֹסֶפְתָּא דְּסוֹטָה (י, ג): **לֹא תֵשָׁם.** לֹא תְהֵא שְׁמָמָה, "לָא תְבוּר", לְשׁוֹן שְׂדֵה בּוּר, שֶׁאֵינוֹ חָרוּשׁ:

כ| **וַתְּהִי הָאָרֶץ לְפַרְעֹה.** קְנוּיָה לוֹ:

כא| **וְאֶת הָעָם הֶעֱבִיר.** יוֹסֵף מֵעִיר לְעִיר לְזִכָּרוֹן שֶׁאֵין לָהֶם עוֹד חֵלֶק בָּאָרֶץ, וְהוֹשִׁיב שֶׁל עִיר זוֹ בַּחֲבֶרְתָּהּ. וְלֹא הֻצְרַךְ הַכָּתוּב לִכְתֹּב זֹאת, אֶלָּא לְהוֹדִיעֲךָ שִׁבְחוֹ שֶׁל יוֹסֵף, שֶׁנִּתְכַּוֵּן לְהָסִיר חֶרְפָּה מֵעַל אֶחָיו, שֶׁלֹּא יִהְיוּ קוֹרִין אוֹתָם גּוֹלִים: **מִקְצֵה גְבוּל מִצְרַיִם וְגוֹ'.** כֵּן עָשָׂה לְכָל הֶעָרִים אֲשֶׁר בְּמַלְכוּת מִצְרַיִם, מִקְּצֵה גְּבוּלָהּ וְעַד קְצֵה גְּבוּלָהּ:

כב| **הַכֹּהֲנִים.** כּוֹמָרִים. כָּל לְשׁוֹן 'כֹּהֵן' מְשָׁרֵת לֶאֱלָהוּת הוּא, חוּץ מֵאוֹתָן שֶׁהֵם לְשׁוֹן גְּדֻלָּה, כְּמוֹ: "כֹּהֵן מִדְיָן" (שמות ב, טז), "כֹּהֵן אֹן" (לעיל מא, מה): **חֹק לַכֹּהֲנִים.** חֹק כָּךְ וְכָךְ לֶחֶם לַיּוֹם:

ביאור

יח וַתִּתֹּם הַשָּׁנָה הַהִוא. וַיָּבֹאוּ אֵלָיו בַּשָּׁנָה הַשֵּׁנִית, שנה לאחר מכן,[25]
וַיֹּאמְרוּ לוֹ: לֹא נְכַחֵד מֵאֲדֹנִי, לא נסתיר ממך, כִּי אִם תַּם הַכֶּסֶף וּמִקְנֵה
הַבְּהֵמָה אֶל אֲדֹנִי. נגמרו הן הכסף הן המקנה. לֹא נִשְׁאַר לִפְנֵי אֲדֹנִי
כל רכוש מיטלטל בִּלְתִּי אִם גְּוִיָּתֵנוּ, גופנו וְאַדְמָתֵנוּ. יט לָמָּה נָמוּת
לְעֵינֶיךָ? גַּם אֲנַחְנוּ, וְגַם אַדְמָתֵנוּ תהיה שממה?! קְנֵה אֹתָנוּ וְאֶת
אַדְמָתֵנוּ בַּלָּחֶם, וְנִהְיֶה אֲנַחְנוּ וְאַדְמָתֵנוּ עֲבָדִים לְפַרְעֹה. אנו מציעים
שפרעה ירכוש מאתנו את גופנו ואת אדמתנו. הם מציעים להפוך
מאיכרים חופשיים אזרחי מצרים לצמיתים של פרעה. וְתֶן זֶרַע,
וְנִחְיֶה וְלֹא נָמוּת, וְהָאֲדָמָה לֹא תֵשָׁם, תהפוך שממה.

כ וַיִּקֶן יוֹסֵף אֶת כָּל אַדְמַת מִצְרַיִם לְפַרְעֹה, כִּי מָכְרוּ מִצְרַיִם אִישׁ שָׂדֵהוּ,
כִּי חָזַק עֲלֵהֶם הָרָעָב. וַתְּהִי הָאָרֶץ לְפַרְעֹה. כיוון שפרעה קנה את הארץ
שבה משל, היא הפכה לקניינו הפרטי, וכיוון שקנה את אזרחי מצרים,
הפכו כל האיכרים לעבדיו. כא וְאֶת הָעָם הֶעֱבִיר אֹתוֹ לֶעָרִים, מִקְצֵה
גְבוּל מִצְרַיִם וְעַד קָצֵהוּ. העברת האוכלוסין ממקום למקום נועדה
להדגיש את העובדה שהם מחוסרי קרקע ושהם עבדים. הרי אדם
החי על אדמה, גם אם אין לו בעלות משפטית גמורה עליה, עדיין חש
שזוהי אדמתו במובן כלשהו. יוסף העביר את האנשים ופיזרם כדי
לעקור מהם את תחושת המולדת ואת חוויות הבעלות והשייכות.
מעתה הם עבדים הנשלחים לעבוד במקום זר, שלא לפי בחירתם.

כב כאן באה הערה: רַק אַדְמַת הַכֹּהֲנִים לֹא קָנָה יוֹסֵף, כִּי חֹק לַכֹּהֲנִים

הרחבות

'ותן זרע' נראה שקודם לא היו די מים להשקות את השדות, ולכן לא היה טעם לזרוע, גם אם היו ברשותם זרעים. מן ההקשר עולה, שבשלב זה הבצורת פחתה במצרים, ועתה היו כבר מעט מים; אלא שלאנשים לא הייתה תבואה לזרוע, שכן כל התבואה שבנמצא נצרכה לאכילה, ולכן ביקשו לרכוש זרע מיוסף (בראשית רבה פט,ט; רש"י על אתר).

מצרים נהפכת למדינת עבדים פעולותיו של יוסף חרגו כאן הרבה מחוץ למה שהסביר לפרעה בפתרון החלום. הצעתו המקורית של יוסף - צבירת כל התבואה באוצרות נועדה להזנת האוכלוסייה המצרית בשנות הרעב, שהרי לולא כן היה האוכל מתבזבז, ואנשים היו מתים ברעב. כפועל יוצא מהצעתו גם מעמדו של פרעה התחזק. ואולם עתה יוסף מנצל את התנאים שנוצרו כדי לשנות בפועל את כל המערך המדיני של מצרים. קניית הבהמות, הקרקעות והגוף של רובם הגדול של אזרחי מצרים הופכת את פרעה ממלך מצרים, שמעמדו מרומם מאוד כשלעצמו, לדיקטטור גמור, לשליט יחיד בעל כוח מוחלט. יוסף מעניק לפרעה עצמה וסמכויות רבות מכפי שהיו לו אי-פעם. מכאן ואילך הארץ והמדינה שייכות לפרעה לא כמלך בלבד אלא כאדון. כך שועבדה כל מצרים לפרעה, חוץ מאשר המקדשים והכוהנים. מהפך פוליטי-כלכלי קיצוני זה הפך את מצרים למדינת עבדים.

מֵאֵת פַּרְעֹה וְאָכְלוּ אֶת־חֻקָּם אֲשֶׁר נָתַן לָהֶם פַּרְעֹה
עַל־כֵּן לֹא מָכְרוּ אֶת־אַדְמָתָם: וַיֹּאמֶר יוֹסֵף אֶל־ כג
הָעָם הֵן קָנִיתִי אֶתְכֶם הַיּוֹם וְאֶת־אַדְמַתְכֶם לְפַרְעֹה
הֵא־לָכֶם זֶרַע וּזְרַעְתֶּם אֶת־הָאֲדָמָה: וְהָיָה בַּתְּבוּאֹת כד
וּנְתַתֶּם חֲמִישִׁית לְפַרְעֹה וְאַרְבַּע הַיָּדֹת יִהְיֶה לָכֶם
לְזֶרַע הַשָּׂדֶה וּלְאָכְלְכֶם וְלַאֲשֶׁר בְּבָתֵּיכֶם וְלֶאֱכֹל
לְטַפְּכֶם: וַיֹּאמְרוּ הֶחֱיִתָנוּ נִמְצָא־חֵן בְּעֵינֵי אֲדֹנִי כה מפטיר
וְהָיִינוּ עֲבָדִים לְפַרְעֹה: וַיָּשֶׂם אֹתָהּ יוֹסֵף לְחֹק עַד־ כו
הַיּוֹם הַזֶּה עַל־אַדְמַת מִצְרַיִם לְפַרְעֹה לַחֹמֶשׁ רַק
אַדְמַת הַכֹּהֲנִים לְבַדָּם לֹא הָיְתָה לְפַרְעֹה: וַיֵּשֶׁב כז
יִשְׂרָאֵל בְּאֶרֶץ מִצְרַיִם בְּאֶרֶץ גֹּשֶׁן וַיֵּאָחֲזוּ בָהּ וַיִּפְרוּ
וַיִּרְבּוּ מְאֹד:

רש"י

כג) הֵא. כְּמוֹ הִנֵּה:

כד) לְזֶרַע הַשָּׂדֶה. שֶׁבְּכָל שָׁנָה: וְלַאֲשֶׁר בְּבָתֵּיכֶם. וְלֶאֱכֹל הָעֲבָדִים וְהַשְּׁפָחוֹת אֲשֶׁר בְּבָתֵּיכֶם: טַפְּכֶם. בָּנִים קְטַנִּים:

כה) נִמְצָא חֵן. לַעֲשׂוֹת לָנוּ זֹאת כְּמוֹ שֶׁאָמַרְתָּ: וְהָיִינוּ עֲבָדִים לְפַרְעֹה. לְהַעֲלוֹת לוֹ הַמַּס הַזֶּה בְּכָל שָׁנָה:

כו) לְחֹק. שֶׁלֹּא יַעֲבֹר:

כז) וַיֵּשֶׁב יִשְׂרָאֵל בְּאֶרֶץ מִצְרַיִם. וְהֵיכָן? "בְּאֶרֶץ גֹּשֶׁן", שֶׁהִיא מֵאֶרֶץ מִצְרַיִם:

ביאור | **מֵאֵת פַּרְעֹה**, לכהנים במצרים נקצבה מנה מטעם פרעה, **וְאָכְלוּ אֶת חֻקָּם**, מנתם **אֲשֶׁר נָתַן לָהֶם פַּרְעֹה. עַל כֵּן לֹא מָכְרוּ אֶת אַדְמָתָם.** מכיוון שהכהנים המצרים לא רעבו, הם לא נזקקו למכור את עצמם ואת קרקעותיהם.

כג **וַיֹּאמֶר יוֹסֵף אֶל הָעָם: הֵן קָנִיתִי אֶתְכֶם הַיּוֹם וְאֶת אַדְמַתְכֶם לְפַרְעֹה. הֵא לָכֶם זֶרַע, וּזְרַעְתֶּם אֶת הָאֲדָמָה.** מכיוון שפרעה היה בעל האדמות, הוא דאג להן והיה מעוניין להשקיע בפיתוחן. מכאן ברור שהרעב התמתן בינתיים במצרים, אך בארצות רחוקות, כמו כנען, נזקיו עדיין ניכרו ולא אפשרו להן להשתקם. תושבי הארצות הללו לא יכלו לזרוע דבר, שכן כל הזרעים נאכלו. כך נמשך הרעב שנה אחר שנה, עד שהאוכלוסייה התאוששה. כד לעומת זאת, במצרים יוסף הציע לתושבים זרע לזריעת האדמה, אך הוא דרש גם תמורה – **וְהָיָה בַּתְּבוּאֹת**, כשיצמחו – **וּנְתַתֶּם חֲמִישִׁית** מהיבול **לְפַרְעֹה, וְאַרְבַּע הַיָּדֹת**, ארבע החמישיות, שיישארו בידכם, **יִהְיֶה לָכֶם לְזֶרַע הַשָּׂדֶה וּלְאָכְלְכֶם וְלַאֲשֶׁר בְּבָתֵּיכֶם וְלֶאֱכֹל לְטַפְּכֶם.**

כה **וַיֹּאמְרוּ: הֶחֱיִתָנוּ! נִמְצָא חֵן בְּעֵינֵי אֲדֹנִי**, ותעשה כדבריך. זוהי הצעה נדיבה. מתוך שביעות רצונם הגיבו – **וְהָיִינוּ עֲבָדִים לְפַרְעֹה.**

כו **וַיָּשֶׂם אֹתָהּ**, את תקנתו של **יוֹסֵף לְחֹק עַד הַיּוֹם הַזֶּה עַל אַדְמַת מִצְרַיִם לְפַרְעֹה לַחֹמֶשׁ**, שמאדמת מצרים יקבל פרעה חמישית. **רַק אַדְמַת הַכֹּהֲנִים לְבַדָּם לֹא הָיְתָה לְפַרְעֹה**, משום שכאמור, קיבלו סיוע ישיר מאת המלך.

כז **וַיֵּשֶׁב יִשְׂרָאֵל**, כאן לראשונה אין זה שמו הפרטי של יעקב, אלא שמו של השבט, **בְּאֶרֶץ מִצְרַיִם, בְּאֶרֶץ גֹּשֶׁן, וַיֵּאָחֲזוּ בָהּ.** יעקב ומשפחתו חיו בתנאים נוחים ונטולי דאגות. הם עסקו בעבודתם, ויוסף דאג לפרנסתם, וכך – **וַיִּפְרוּ וַיִּרְבּוּ מְאֹד.**

הרחבות | 'ונתתם חמישית לפרעה' עשרים אחוזי מס אינם שיעור כבד גם במיסוי בן זמננו, וכנראה היה זה שיעור מס נמוך מן המס שהוטל על איכרים צמיתים במדינות האחרות באותה עת. יש להניח שהמצרים שילמו מס מעין זה גם קודם לכן. כיוון שהמצרים הפכו לעבדים, ייתכן שציפו ליחסי חלוקה הפוכים – שפרעה יקבל את רובה הגדול של התבואה, ואילו הם יקבלו רק כדי מחייתם.

ויחי וַיְחִי יַעֲקֹב בְּאֶרֶץ מִצְרַיִם שְׁבַע עֶשְׂרֵה שָׁנָה וַיְהִי כח
יְמֵי־יַעֲקֹב שְׁנֵי חַיָּיו שֶׁבַע שָׁנִים וְאַרְבָּעִים וּמְאַת
שָׁנָה׃ וַיִּקְרְבוּ יְמֵי־יִשְׂרָאֵל לָמוּת וַיִּקְרָא ׀ לִבְנוֹ לְיוֹסֵף כט
וַיֹּאמֶר לוֹ אִם־נָא מָצָאתִי חֵן בְּעֵינֶיךָ שִׂים־נָא יָדְךָ
תַּחַת יְרֵכִי וְעָשִׂיתָ עִמָּדִי חֶסֶד וֶאֱמֶת אַל־נָא תִקְבְּרֵנִי
בְּמִצְרָיִם׃ וְשָׁכַבְתִּי עִם־אֲבֹתַי וּנְשָׂאתַנִי מִמִּצְרַיִם ל
וּקְבַרְתַּנִי בִּקְבֻרָתָם וַיֹּאמַר אָנֹכִי אֶעֱשֶׂה כִדְבָרֶךָ׃
וַיֹּאמֶר הִשָּׁבְעָה לִי וַיִּשָּׁבַע לוֹ וַיִּשְׁתַּחוּ יִשְׂרָאֵל עַל־ לא
רֹאשׁ הַמִּטָּה׃

מב · וַיְהִי אַחֲרֵי הַדְּבָרִים הָאֵלֶּה וַיֹּאמֶר לְיוֹסֵף הִנֵּה אָבִיךָ א מח

רש"י

כח| **וַיְחִי יַעֲקֹב.** לָמָּה פָּרָשָׁה זוֹ סְתוּמָה? לְפִי שֶׁכֵּיוָן שֶׁנִּפְטַר יַעֲקֹב אָבִינוּ, נִסְתְּמוּ עֵינֵיהֶם וְלִבָּם שֶׁל יִשְׂרָאֵל מִצָּרַת הַשִּׁעְבּוּד, שֶׁהִתְחִילוּ לְשַׁעְבְּדָם. דָּבָר אַחֵר, שֶׁבִּקֵּשׁ לְגַלּוֹת אֶת הַקֵּץ לְבָנָיו וְנִסְתַּם מִמֶּנּוּ. בְּרֵאשִׁית רַבָּה (צו, א):

כט| **וַיִּקְרְבוּ יְמֵי יִשְׂרָאֵל לָמוּת.** כָּל מִי שֶׁנֶּאֶמְרָה בּוֹ קְרִיבָה לָמוּת לֹא הִגִּיעַ לִימֵי אֲבוֹתָיו: **וַיִּקְרָא לִבְנוֹ לְיוֹסֵף.** לְמִי שֶׁהָיָה יְכֹלֶת בְּיָדוֹ לַעֲשׂוֹת: **שִׂים נָא יָדְךָ.** וְהִשָּׁבַע: **חֶסֶד וֶאֱמֶת.** חֶסֶד שֶׁעוֹשִׂין עִם הַמֵּתִים הוּא חֶסֶד שֶׁל אֱמֶת, שֶׁאֵינוֹ מְצַפֶּה לְתַשְׁלוּם גְּמוּל: **אַל נָא תִקְבְּרֵנִי בְּמִצְרָיִם.** סוֹפָהּ לִהְיוֹת עֲפָרָהּ כִּנִּים, וְשֶׁאֵין מֵתֵי חוּצָה לָאָרֶץ חַיִּים אֶלָּא בְּצַעַר גִּלְגּוּל מְחִלּוֹת, וְשֶׁלֹּא יַעֲשׂוּנִי מִצְרִים עֲבוֹדָה זָרָה:

ל| **וְשָׁכַבְתִּי עִם אֲבֹתַי.** וָי"ו זֶה מְחֻבָּר לְמַעְלָה לִתְחִלַּת הַמִּקְרָא: "שִׂים נָא יָדְךָ תַּחַת יְרֵכִי" וְהִשָּׁבַע לִי, וַאֲנִי סוֹפִי לִשְׁכַּב עִם אֲבוֹתַי וְאַתָּה תִּשָּׂאֵנִי מִמִּצְרַיִם. וְאֵין לוֹמַר "וְשָׁכַבְתִּי עִם אֲבֹתַי" – הַשְׁכִּיבֵנִי עִם אֲבוֹתַי בַּמְּעָרָה, שֶׁהֲרֵי כְּתִיב אַחֲרָיו: "וּנְשָׂאתַנִי מִמִּצְרַיִם וּקְבַרְתַּנִי בִּקְבֻרָתָם", וְעוֹד, מָצִינוּ בְּכָל מָקוֹם לְשׁוֹן שְׁכִיבָה עִם אֲבוֹתָיו הִיא הַגְּוִיעָה וְלֹא הַקְּבוּרָה, "וַיִּשְׁכַּב דָּוִד עִם אֲבֹתָיו וַיִּקָּבֵר בְּעִיר דָּוִד" (מלכים א' ב, י):

לא| **וַיִּשְׁתַּחוּ יִשְׂרָאֵל.** תַּעֲלָא בְּעִדָּנֵיהּ סְגִיד לֵיהּ: **עַל רֹאשׁ הַמִּטָּה.** הָפַךְ עַצְמוֹ לְצַד הַשְּׁכִינָה; מִכָּאן אָמְרוּ שֶׁהַשְּׁכִינָה לְמַעְלָה מְרַאֲשׁוֹתָיו שֶׁל חוֹלֶה. דָּבָר אַחֵר, "עַל רֹאשׁ הַמִּטָּה", עַל שֶׁהָיְתָה מִטָּתוֹ שְׁלֵמָה וְלֹא הָיָה בָּהּ רָשָׁע, שֶׁהֲרֵי יוֹסֵף מֶלֶךְ הוּא, וְעוֹד שֶׁנִּשְׁבָּה לְבֵין הַגּוֹיִם, וַהֲרֵי הוּא עוֹמֵד בְּצִדְקוֹ:

פרק מח

א| **וַיֹּאמֶר לְיוֹסֵף.** אֶחָד מִן הַמַּגִּידִים, וַהֲרֵי זֶה מִקְרָא קָצָר. וְיֵשׁ אוֹמְרִים, אֶפְרַיִם הָיָה רָגִיל לִפְנֵי יַעֲקֹב בְּתַלְמוּד, וּכְשֶׁחָלָה יַעֲקֹב בְּאֶרֶץ גֹּשֶׁן הָלַךְ אֶפְרַיִם אֵצֶל אָבִיו

פרדת יעקב ממשפחתו ופטירתו

פרק מז פס' כח – פרק מט

פרדתו של יעקב מן הקרובים אליו כוללת שלבים אחדים הקשורים לקבורתו ולצוואתו הרוחנית: עניין זה נפתח בצוואתו של יעקב ליוסף שלא לקבור אותו במצרים, ומסתיים בדרישתו מכל בניו שידאגו לקבורתו במערת המכפלה שבכנען. בתווך נשמעות מפיו ברכות נבואיות ופיוטיות. אף אלו מופנות תחילה ליוסף, שערך אצלו ביקור נפרד, ולבניו מנשה ואפרים שבאו עמו, ואחר כך לבנים כולם, ובתוכם, שוב, יוסף.

ביאור | כח **וַיְחִי יַעֲקֹב בְּאֶרֶץ מִצְרַיִם שְׁבַע עֶשְׂרֵה שָׁנָה**. בשנים שחלפו מאז
הגיע למצרים, התרחשו הרפורמות הכלכליות שתוארו לעיל,
ופסקה הבצורת. **וַיְהִי יְמֵי יַעֲקֹב שְׁנֵי חַיָּיו שֶׁבַע שָׁנִים וְאַרְבָּעִים וּמְאַת**
שָׁנָה. כט **וַיִּקְרְבוּ יְמֵי יִשְׂרָאֵל לָמוּת**. הוא חש שהוא עומד למות.
וַיִּקְרָא לִבְנוֹ לְיוֹסֵף, מפני שהוא בנו המיוחד וגם משום היותו השליט
בכל הארץ, **וַיֹּאמֶר לוֹ: אִם נָא מָצָאתִי חֵן בְּעֵינֶיךָ, שִׂים נָא יָדְךָ תַּחַת**
יְרֵכִי, הישבע לי,[1] **וְעָשִׂיתָ עִמָּדִי חֶסֶד וֶאֱמֶת – אַל נָא תִקְבְּרֵנִי בְּמִצְרָיִם**.
היה צורך להשביע את יוסף משום שצפוי שהמשימה שהוא מטיל
עליו לא תהיה פשוטה ליישום, כפי שיתברר בהמשך. ל **וְשָׁכַבְתִּי עִם**
אֲבֹתַי, כאשר אמות, **וּנְשָׂאתַנִי מִמִּצְרַיִם, וּקְבַרְתַּנִי בִּקְבֻרָתָם** של אבותי.

וַיֹּאמַר לו יוסף: **אָנֹכִי אֶעֱשֶׂה כִדְבָרֶךָ**.

לא **וַיֹּאמֶר** יעקב: **הִשָּׁבְעָה לִי**. לא די לי בהצהרתך. **וַיִּשָּׁבַע לוֹ. וַיִּשְׁתַּחוּ**
יִשְׂרָאֵל לאות תודה **עַל רֹאשׁ הַמִּטָּה** ולא על הארץ, כמקובל, משום
שהיה חולה המרותק למיטתו.

פרק מח א **וַיְהִי אַחֲרֵי הַדְּבָרִים הָאֵלֶּה וַיֹּאמֶר** אדם כלשהו **לְיוֹסֵף: הִנֵּה**
אָבִיךָ חֹלֶה. קודם חש יעקב שקרבו ימיו למות, אך עכשיו היה חולה

הרחבות

'אם נא מצאתי חן בעיניך' ביטוי זה נאמר בדרך כלל על ידי האדם שמעמדו נחות ופונה אל מי שאליו הוא כפוף, כגון עבד לאדונו או בן לאביו. כאן האב פונה כך לבנו, משום שהבן הוא גם שר גדול ובידו הכוח. בהתבטאויותיו בשיחה זו מערב יעקב סמכות אבהית עם הזדקקותו לרצון הטוב של בנו.

'וישתחו ישראל' אולי כאן מתקיים חלומו השני של יוסף, שאף אביו – המסומל בחלום בשמש – משתחווה לו. ייתכן שיעקב השתחווה ליוסף כאות כבוד (רשב"ם), אך נראה יותר שבמחווה זו ביטא יעקב תודה לה', (כהשתחוויות של תודה המופיעות למשל לעיל כד,כו; נב. ראו ראב"ע על אתר). מלבד רצונו לשוב לארץ, לא הציב יעקב לעצמו שאיפות ויעדים נוספים. הוא ידע שבחייו כבר לא יוכל לחזור לשם, אך ביקש מיוסף שלכל הפחות ייקבר בכנען. על כן כששמע את שבועתו של יוסף לדאוג לכך, הודה לה', שאִפשר לו להשלים את חייו בשלווה.

חֹלֶה וַיִּקַּח אֶת־שְׁנֵי בָנָיו עִמּוֹ אֶת־מְנַשֶּׁה וְאֶת־
אֶפְרָיִם: וַיַּגֵּד לְיַעֲקֹב וַיֹּאמֶר הִנֵּה בִּנְךָ יוֹסֵף בָּא אֵלֶיךָ ב
וַיִּתְחַזֵּק יִשְׂרָאֵל וַיֵּשֶׁב עַל־הַמִּטָּה: וַיֹּאמֶר יַעֲקֹב ג
אֶל־יוֹסֵף אֵל שַׁדַּי נִרְאָה־אֵלַי בְּלוּז בְּאֶרֶץ כְּנָעַן
וַיְבָרֶךְ אֹתִי: וַיֹּאמֶר אֵלַי הִנְנִי מַפְרְךָ וְהִרְבִּיתִךָ ד
וּנְתַתִּיךָ לִקְהַל עַמִּים וְנָתַתִּי אֶת־הָאָרֶץ הַזֹּאת
לְזַרְעֲךָ אַחֲרֶיךָ אֲחֻזַּת עוֹלָם: וְעַתָּה שְׁנֵי־בָנֶיךָ ה
הַנּוֹלָדִים לְךָ בְּאֶרֶץ מִצְרַיִם עַד־בֹּאִי אֵלֶיךָ מִצְרַיְמָה
לִי־הֵם אֶפְרַיִם וּמְנַשֶּׁה כִּרְאוּבֵן וְשִׁמְעוֹן יִהְיוּ־לִי:
וּמוֹלַדְתְּךָ אֲשֶׁר־הוֹלַדְתָּ אַחֲרֵיהֶם לְךָ יִהְיוּ עַל שֵׁם ו
אֲחֵיהֶם יִקָּרְאוּ בְּנַחֲלָתָם: וַאֲנִי ׀ בְּבֹאִי מִפַּדָּן מֵתָה ז

רש"י

לְמִצְרַיִם לְהַגִּיד לוֹ: **וַיִּקַּח אֶת שְׁנֵי בָנָיו עִמּוֹ.** כְּדֵי שֶׁיְּבָרְכֵם יַעֲקֹב לִפְנֵי מוֹתוֹ:

ב] **וַיַּגֵּד.** הַמַּגִּיד "לְיַעֲקֹב" וְלֹא פֵּרַשׁ מִי, וְהַרְבֵּה מִקְרָאוֹת קְצָרֵי לָשׁוֹן: **וַיִּתְחַזֵּק יִשְׂרָאֵל.** אָמַר, אַף עַל פִּי שֶׁהוּא בְּנִי, מֶלֶךְ הוּא, אֶחְלֹק לוֹ כָּבוֹד; מִכָּאן שֶׁחוֹלְקִים כָּבוֹד לַמַּלְכוּת. וְכֵן מֹשֶׁה חָלַק כָּבוֹד לַמַּלְכוּת: "וְיָרְדוּ כָל עֲבָדֶיךָ אֵלֶּה אֵלַי" (שמות יא, ח). וְכֵן אֵלִיָּהוּ: "וַיְשַׁנֵּס מָתְנָיו וְגוֹ'" (מלכים א' יח, מו):

ד] **וּנְתַתִּיךָ לִקְהַל עַמִּים.** בִּשְּׂרַנִי שֶׁעֲתִידִים לָצֵאת מִמֶּנִּי עוֹד קָהָל וְעַמִּים. וְאַף עַל פִּי שֶׁאָמַר לִי: "גּוֹי וּקְהַל גּוֹיִם" (לעיל לה, יא)! 'גּוֹי' אָמַר לִי עַל בִּנְיָמִין, 'קְהַל גּוֹיִם' הֲרֵי שְׁנַיִם לְבַד מִבִּנְיָמִין, וְשׁוּב לֹא נוֹלַד לִי בֵּן; לִמְּדַנִי שֶׁעָתִיד אֶחָד מִשְּׁבָטַי לֵחָלֵק, וְעַתָּה אוֹתָהּ מַתָּנָה אֲנִי נוֹתֵן לְךָ:

ה] **הַנּוֹלָדִים לְךָ... עַד בֹּאִי אֵלֶיךָ.** לִפְנֵי בוֹאִי אֵלֶיךָ, כְּלוֹמַר, שֶׁנּוֹלְדוּ מִשֶּׁפֵּרַשְׁתָּ מִמֶּנִּי עַד שֶׁבָּאתִי אֶצְלְךָ: **לִי הֵם.** בְּחֶשְׁבּוֹן שְׁאָר בָּנַי הֵם, לִטֹּל חֵלֶק בָּאָרֶץ אִישׁ כְּנֶגְדּוֹ:

ו] **וּמוֹלַדְתְּךָ.** אִם תּוֹלִיד עוֹד לֹא יִהְיוּ בְּמִנְיַן בָּנַי, אֶלָּא בְּתוֹךְ שִׁבְטֵי אֶפְרַיִם וּמְנַשֶּׁה יִהְיוּ נִכְלָלִים, וְלֹא יְהֵא לָהֶם שֵׁם בַּשְּׁבָטִים לְעִנְיַן הַנַּחֲלָה. וְאַף עַל פִּי שֶׁנֶּחְלְקָה הָאָרֶץ לְמִנְיַן גֻּלְגְּלוֹתָם, כִּדְכְתִיב: "לָרַב תַּרְבֶּה נַחֲלָתוֹ" (במדבר כו, נד), וְכָל אִישׁ וְאִישׁ נָטַל בְּשָׁוֶה חוּץ מִן הַבְּכוֹרוֹת, מִכָּל מָקוֹם לֹא נִקְרְאוּ שְׁבָטִים אֶלָּא אֵלּוּ:

ז] **וַאֲנִי בְּבֹאִי מִפַּדָּן וְגוֹ'.** וְאַף עַל פִּי שֶׁאֲנִי מַטְרִיחַ עָלֶיךָ לְהוֹלִיכֵנִי לִקָּבֵר בְּאֶרֶץ כְּנַעַן, לֹא כָּךְ עָשִׂיתִי לְאִמְּךָ, שֶׁהֲרֵי מֵתָה

ביאור | ממש. וַיִּקַּח יוסף אֶת שְׁנֵי בָנָיו עִמּוֹ, אֶת מְנַשֶּׁה וְאֶת אֶפְרָיִם. ב וַיַּגֵּד
אדם כלשהו לְיַעֲקֹב וַיֹּאמֶר: הִנֵּה בִּנְךָ יוֹסֵף בָּא אֵלֶיךָ. נראה שיוסף
התגורר בעיר הבירה, שהייתה מרוחקת מארץ גֹשן, וביקוריו אצל
אביו לא היו שכיחים.

כשנודע ליעקב שבנו בא לבקרו - וַיִּתְחַזֵּק יִשְׂרָאֵל, וַיֵּשֶׁב עַל הַמִּטָּה,
במקום לשכב בה, משום שרצה לקבל את פני יוסף, ואולי גם מפני
שישיבה הלמה יותר את אופי השיחה שרצה לנהל אתו. ג וַיֹּאמֶר
יַעֲקֹב אֶל יוֹסֵף: אֵל שַׁדַּי, כינוי לה' המבטא את עצמתו ואת גדולתו,
נִרְאָה אֵלַי בְּלוּז, בבית אל בְּאֶרֶץ כְּנָעַן, וַיְבָרֶךְ אֹתִי. ד וַיֹּאמֶר אֵלַי:
"הִנְנִי מַפְרְךָ וְהִרְבִּיתִךָ, וּנְתַתִּיךָ לִקְהַל עַמִּים, וְנָתַתִּי אֶת הָאָרֶץ הַזֹּאת
לְזַרְעֲךָ אַחֲרֶיךָ אֲחֻזַּת עוֹלָם". את שתי ההבטחות הללו קיבל יעקב
בחלומו בבית אל בדרכו לחרן,[2] ובחזון שנגלה לו באותו מקום לאחר
שנים רבות, כאשר שב לכנען.[3] ה אף על פי שהגדולות שהובטחו
ליעקב טרם התגשמו, הן מעניקות לו את הכוח ואת הרשות
לברך ולעצב את העניינים הנוגעים למשפחתו וארצו, ולהעבירן
לצאצאיו, כאילו הן שלו כבר בהווה - וְעַתָּה, אחרי ההקדמה הזו
ומכוח ההבטחה האמורה שְׁנֵי בָנֶיךָ הַנּוֹלָדִים לְךָ בְּאֶרֶץ מִצְרַיִם, עַד
בֹּאִי אֵלֶיךָ מִצְרַיְמָה - לִי הֵם. אני מאמץ אותם אלי. אֶפְרַיִם וּמְנַשֶּׁה
כִּרְאוּבֵן וְשִׁמְעוֹן יִהְיוּ לִי. בנך הראשון ובנך השני יהיו מעתה כבני
הראשון ובני השני. נכדים מאומצים אלו יעלו בדרגה, ויינתן להם
מעמד של בנים. ו וּמוֹלַדְתְּךָ, והילדים אֲשֶׁר הוֹלַדְתָּ אַחֲרֵיהֶם. מנשה
ואפרים היו בניו הגדולים של יוסף, שנולדו לפני תחילת שנות הרעב.
גם אם בזמן הרעב לא נולדו לו ילדים, נולדו לו ילדים לאחר השנים
הקשות. כיוון שהם צעירים עדיין, אין הם חשובים לעניין זה, ולכן
לְךָ יִהְיוּ, הם יימנו עם משפחתך; אותם לא אאמץ כבנַי. עַל שֵׁם
אֲחֵיהֶם יִקָּרְאוּ בְּנַחֲלָתָם. כאשר יחולקו הנחלות בין בני יעקב, הם
ייספחו לאחיהם הגדולים יותר. מבחינת השבט והמורשת יכולים
הם להימנות עם בני אפרים או מנשה. את שמותיהם של הבנים
הללו אין אנו מזכירים עוד.[4] ז וַאֲנִי בְּבֹאִי מִפַּדָּן, כששבתי משדה
ארם, מֵתָה עָלַי רָחֵל אמך בְּאֶרֶץ כְּנַעַן בַּדֶּרֶךְ, בְּעוֹד הייתה כִּבְרַת אֶרֶץ,

עָלַי רָחֵל בְּאֶרֶץ כְּנַעַן בַּדֶּרֶךְ בְּעוֹד כִּבְרַת־אֶרֶץ לָבֹא
אֶפְרָתָה וָאֶקְבְּרֶהָ שָּׁם בְּדֶרֶךְ אֶפְרָת הִוא בֵּית לָחֶם׃
וַיַּרְא יִשְׂרָאֵל אֶת־בְּנֵי יוֹסֵף וַיֹּאמֶר מִי־אֵלֶּה׃ וַיֹּאמֶר ח ט
יוֹסֵף אֶל־אָבִיו בָּנַי הֵם אֲשֶׁר־נָתַן־לִי אֱלֹהִים בָּזֶה
וַיֹּאמַר קָחֶם־נָא אֵלַי וַאֲבָרְכֵם׃ וְעֵינֵי יִשְׂרָאֵל כָּבְדוּ י שני
מִזֹּקֶן לֹא יוּכַל לִרְאוֹת וַיַּגֵּשׁ אֹתָם אֵלָיו וַיִּשַּׁק לָהֶם
וַיְחַבֵּק לָהֶם׃ וַיֹּאמֶר יִשְׂרָאֵל אֶל־יוֹסֵף רְאֹה פָנֶיךָ יא
לֹא פִלָּלְתִּי וְהִנֵּה הֶרְאָה אֹתִי אֱלֹהִים גַּם אֶת־זַרְעֶךָ׃

רש"י | סָמוּךְ לְבֵית לֶחֶם: כִּבְרַת אֶרֶץ. מִדַּת אֶרֶץ, וְהֵם אַלְפַּיִם אַמָּה כְּמִדַּת תְּחוּם שַׁבָּת, כְּדִבְרֵי רַבִּי מֹשֶׁה הַדַּרְשָׁן. וְלֹא תֹּאמַר שֶׁעִכְּבוּ עָלַי גְּשָׁמִים מִלְּהוֹלִיכָהּ וּלְקָבְרָהּ בְּחֶבְרוֹן, עֵת הַגָּרִיד הָיָה שֶׁהָאָרֶץ חֲלוּלָה וּמְנֻקֶּבֶת כִּכְבָרָה: וָאֶקְבְּרֶהָ שָּׁם. וְלֹא הוֹלַכְתִּיהָ אֲפִלּוּ לְבֵית לֶחֶם לְהַכְנִיסָהּ לָאָרֶץ, וְיָדַעְתִּי שֶׁיֵּשׁ בְּלִבְּךָ עָלַי; אֲבָל דַּע לְךָ שֶׁעַל פִּי הַדִּבּוּר קְבַרְתִּיהָ שָׁם, שֶׁתְּהֵא לְעֶזְרָה לְבָנֶיהָ, כְּשֶׁיַּגְלֶה אוֹתָם נְבוּזַרְאֲדָן וְהָיוּ עוֹבְרִים דֶּרֶךְ שָׁם, יָצְאָה רָחֵל עַל קִבְרָהּ וּבוֹכָה וּמְבַקֶּשֶׁת עֲלֵיהֶם רַחֲמִים, שֶׁנֶּאֱמַר: "קוֹל בְּרָמָה נִשְׁמָע" וְגוֹ' (ירמיה לא, יד). וְאוּנְקְלוֹס תִּרְגֵּם: "כְּרוֹב אַרְעָא", כְּדֵי שִׁעוּר חֲרִישַׁת יוֹם; וְאוֹמֵר אֲנִי שֶׁהָיָה לָהֶם קֶצֶב שֶׁהָיוּ קוֹרִין אוֹתוֹ כְּדֵי מַחֲרֵשָׁה אַחַת, קרואיד"א בְּלַעַז, כִּדְאָמְרִינַן: "כְּרוֹב וְתָנֵי" (בבא מציעא קז ע"א), "כַּמָּה דְּמַסִּיק תַּלְמָא מִבֵּי כַּרְבָא" (יומא מג ע"ב):

ח | וַיַּרְא יִשְׂרָאֵל אֶת בְּנֵי יוֹסֵף. בִּקֵּשׁ לְבָרְכָם וְנִסְתַּלְּקָה שְׁכִינָה מִמֶּנּוּ, לְפִי שֶׁעָתִיד יָרָבְעָם וְאַחְאָב לָצֵאת מֵאֶפְרַיִם, וְיֵהוּא וּבָנָיו מִמְּנַשֶּׁה: וַיֹּאמֶר מִי אֵלֶּה. מֵהֵיכָן יָצְאוּ אֵלּוּ שֶׁאֵינָן רְאוּיִין לִבְרָכָה?

ט | בָּזֶה. הֶרְאָה לוֹ שְׁטַר אֵרוּסִין וּשְׁטַר כְּתֻבָּה, וּבִקֵּשׁ יוֹסֵף רַחֲמִים עַל הַדָּבָר, וְנָחָה עָלָיו רוּחַ הַקֹּדֶשׁ: וַיֹּאמַר קָחֶם נָא אֵלַי וַאֲבָרְכֵם. זֶהוּ שֶׁאָמַר הַכָּתוּב: "וְאָנֹכִי תִרְגַּלְתִּי לְאֶפְרַיִם קָחָם עַל זְרוֹעֹתָיו" (הושע יא, ג), תִּרְגַּלְתִּי רוּחִי בְּיַעֲקֹב בִּשְׁבִיל אֶפְרַיִם עַד שֶׁלְּקָחָם עַל זְרוֹעוֹתָיו:

יא | לֹא פִלָּלְתִּי. לֹא מִלְּאַנִי לִבִּי לַחְשֹׁב מַחֲשָׁבָה שֶׁאֶרְאֶה פָּנֶיךָ עוֹד. 'פִּלָּלְתִּי' לְשׁוֹן מַחֲשָׁבָה, כְּמוֹ: "הָבִיאִי עֵצָה עֲשׂוּ פְלִילָה" (ישעיה טז, ג):

הרחבות | **בקשת חסד, התנצלות ועצמה** בדברי יעקב משתקפת מזיגה של חולשתו עם כוחותיו: בהיותו זקן וחולה, הוא נזקק לחסדו של יוסף לקברו בארץ כנען, ואף רואה לנכון להסביר ליוסף, כמתנצל, מדוע הוא מבקש ממנו דבר שהוא בעצמו לא עשה עבור אמו, ולא הביאה לקבורה עם האבות והאמהות (ראו יונתן וראב"ע). אולם בד בבד עם חולשתו, הוא נושא את מורשת המשפחה ואת

ביאור

מרחק מסוים **לָבֹא אֶפְרָתָה** ולא במקום יישוב. משום כך - **וָאֶקְבְּרֶהָ שָּׁם**, לא באפרת עצמה אלא **בְּדֶרֶךְ אֶפְרָת, הִוא** - אפרת - **בֵּית לָחֶם**. כיוון שלא היה מעשי להביאה לקבורה באחוזת הקבר המשפחתית בחברון, קברתיה במקום פטירתה.[5] ואכן, עד היום מצבת קבורת רחל המשוערת איננה בתוך העיר בית לחם, אלא מחוצה לה, ומן הסתם בעבר הייתה רחוקה מהעיר עוד יותר.[6]

ח **וַיַּרְא יִשְׂרָאֵל אֶת בְּנֵי יוֹסֵף וַיֹּאמֶר: מִי אֵלֶּה?** ייתכן שבגלל ריחוק מקום מושבו של יוסף ממקומו, הוא לא הרבה לפגוש את נכדיו. גם אם פגש את נכדיו כמה שנים קודם לכן, הם השתנו בינתיים; ומעבר לכך, ראייתו של יעקב הידרדרה,[7] ועל כן לא זיהה אותם מיד.

ט **וַיֹּאמֶר יוֹסֵף אֶל אָבִיו: בָּנַי הֵם**, אפרים ומנשה שהזכרת, **אֲשֶׁר נָתַן לִי אֱלֹהִים בָּזֶה**, כאן.

חרף התמעטות כוחותיו הגופניים של יעקב, כוחות הנפש והשכל שלו עמדו בעינם. על כן, **וַיֹּאמַר** בהחלטיות: **קָחֶם**, הבא אותם **נָא אֵלַי וַאֲבָרֲכֵם**.

י **וְעֵינֵי יִשְׂרָאֵל כָּבְדוּ מִזֹּקֶן**, מחמת זקנתו. בעבר כמעט לא הייתה דרך לרפא את ירידת הראייה בזקנה. משנעכרה עדשת העין, יכול היה לקוי הראייה רק להבחין בין אור לחושך. לפיכך, יעקב **לֹא יוּכַל לִרְאוֹת** אלא צללים. **וַיַּגֵּשׁ** יוסף **אֹתָם אֵלָיו, וַיִּשַּׁק לָהֶם** יעקב, **וַיְחַבֵּק לָהֶם**. יא **וַיֹּאמֶר יִשְׂרָאֵל אֶל יוֹסֵף:** אחרי שנים כה רבות **רְאֹה פָנֶיךָ לֹא פִלָּלְתִּי**, לא ציפיתי, לא האמנתי[8] לראות את פניך, **וְהִנֵּה**, לא זו בלבד אלא **הֶרְאָה אֹתִי אֱלֹהִים גַּם אֶת זַרְעֶךָ**. בביטוי ההשתאות הזה, מחזק יעקב את עצמו לקראת הברכה.

יב מנשה ואפרים, שהיו צעירים באותה עת, עמדו בינתיים בין ברכי

הרחבות

מעין זו שבה בירך יצחק את בניו (לעיל פרק כז). גם אם המברך זקן וחולה וגם אם הוא סובל מבעיות שונות, עצמת ברכתו קשורה לכוחו כנביא. כלי הגוף השבורים שלו אינם פוגמים בפעולת נפשו הנוכחת בכל עצמתה.

ברכת ה' לשלטון רב ולנחלה המעצימות אותו.

'ואברכם' יעקב מתכוון להאציל עליהם ברכה מכוח כל מה שיש בידו. אין מדובר כאן באיחולים גרידא אלא בברכה נבואית,

יב וַיּוֹצֵ֥א יוֹסֵ֛ף אֹתָ֖ם מֵעִ֣ם בִּרְכָּ֑יו וַיִּשְׁתַּ֥חוּ לְאַפָּ֖יו אָֽרְצָה׃
יג וַיִּקַּ֣ח יוֹסֵף֮ אֶת־שְׁנֵיהֶם֒ אֶת־אֶפְרַ֤יִם בִּֽימִינוֹ֙ מִשְּׂמֹ֣אל
יִשְׂרָאֵ֔ל וְאֶת־מְנַשֶּׁ֥ה בִשְׂמֹאל֖וֹ מִימִ֣ין יִשְׂרָאֵ֑ל וַיַּגֵּ֖שׁ
יד אֵלָֽיו׃ וַיִּשְׁלַח֩ יִשְׂרָאֵ֨ל אֶת־יְמִינ֜וֹ וַיָּ֨שֶׁת עַל־רֹ֤אשׁ
אֶפְרַ֙יִם֙ וְה֣וּא הַצָּעִ֔יר וְאֶת־שְׂמֹאל֖וֹ עַל־רֹ֣אשׁ מְנַשֶּׁ֑ה
טו שִׂכֵּל֙ אֶת־יָדָ֔יו כִּ֥י מְנַשֶּׁ֖ה הַבְּכֽוֹר׃ וַיְבָ֥רֶךְ אֶת־יוֹסֵ֖ף
וַיֹּאמַ֑ר הָֽאֱלֹהִ֡ים אֲשֶׁר֩ הִתְהַלְּכ֨וּ אֲבֹתַ֤י לְפָנָיו֙ אַבְרָהָ֣ם
וְיִצְחָ֔ק הָֽאֱלֹהִים֙ הָרֹעֶ֣ה אֹתִ֔י מֵעוֹדִ֖י עַד־הַיּ֥וֹם הַזֶּֽה׃
טז הַמַּלְאָךְ֩ הַגֹּאֵ֨ל אֹתִ֜י מִכָּל־רָ֗ע יְבָרֵךְ֮ אֶת־הַנְּעָרִים֒
וְיִקָּרֵ֤א בָהֶם֙ שְׁמִ֔י וְשֵׁ֥ם אֲבֹתַ֖י אַבְרָהָ֣ם וְיִצְחָ֑ק וְיִדְגּ֥וּ
שלישי יז לָרֹ֖ב בְּקֶ֥רֶב הָאָֽרֶץ׃ וַיַּ֣רְא יוֹסֵ֗ף כִּֽי־יָשִׁ֨ית אָבִ֧יו יַד־
יְמִינ֛וֹ עַל־רֹ֥אשׁ אֶפְרַ֖יִם וַיֵּ֣רַע בְּעֵינָ֑יו וַיִּתְמֹ֣ךְ יַד־אָבִ֗יו
לְהָסִ֥יר אֹתָ֛הּ מֵעַ֥ל רֹאשׁ־אֶפְרַ֖יִם עַל־רֹ֥אשׁ מְנַשֶּֽׁה׃
יח וַיֹּ֧אמֶר יוֹסֵ֛ף אֶל־אָבִ֖יו לֹא־כֵ֣ן אָבִ֑י כִּי־זֶ֣ה הַבְּכֹ֔ר שִׂ֥ים

רש"י

יב) **וַיּוֹצֵא יוֹסֵף אֹתָם.** לְאַחַר שֶׁנְּשָׁקָם הוֹצִיאָם יוֹסֵף מֵעִם בִּרְכָּיו, כְּדֵי לְיַשְּׁבָם זֶה לְיָמִין וְזֶה לִשְׂמֹאל לִסְמֹךְ יָדָיו עֲלֵיהֶם וּלְבָרְכָם: **וַיִּשְׁתַּחוּ לְאַפָּיו.** כְּשֶׁחָזַר לַאֲחוֹרָיו מִלִּפְנֵי אָבִיו:

יג) **אֶת אֶפְרַיִם בִּימִינוֹ מִשְּׂמֹאל יִשְׂרָאֵל.** הַבָּא לִקְרַאת חֲבֵרוֹ יְמִינוֹ כְּנֶגֶד שְׂמֹאל חֲבֵרוֹ, וְכֵוֵּן שֶׁיְּהֵא הַבְּכוֹר מְיֻמָּן לִבְרָכָה:

יד) **שִׂכֵּל אֶת יָדָיו.** כְּתַרְגּוּמוֹ "אַחְכְּמִנּוּן", בְּהַשְׂכֵּל וְחָכְמָה הִשְׂכִּיל אֶת יָדָיו לְכָךְ וּמִדַּעַת, כִּי יוֹדֵעַ הָיָה כִּי מְנַשֶּׁה הַבְּכוֹר וְאַף עַל פִּי כֵן לֹא שָׁת יְמִינוֹ עָלָיו:

טז) **הַמַּלְאָךְ הַגֹּאֵל אֹתִי.** מַלְאָךְ הָרָגִיל לְהִשְׁתַּלֵּחַ אֵלַי בְּצָרָתִי, כְּעִנְיָן שֶׁנֶּאֱמַר: "וַיֹּאמֶר אֵלַי מַלְאַךְ הָאֱלֹהִים בַּחֲלוֹם יַעֲקֹב וְגוֹ', אָנֹכִי הָאֵל בֵּית אֵל" (לעיל לא, יא-יג): **יְבָרֵךְ אֶת הַנְּעָרִים.** מְנַשֶּׁה וְאֶפְרַיִם: **וְיִדְגּוּ.** כַּדָּגִים הַלָּלוּ שֶׁפָּרִים וְרָבִים וְאֵין עַיִן הָרָע שׁוֹלֶטֶת בָּהֶם:

יז) **וַיִּתְמֹךְ יַד אָבִיו.** הֱרִימָהּ מֵעַל רֹאשׁ בְּנוֹ וּתְמָכָהּ בְּיָדוֹ:

ביאור

יעקב. וַיּוֹצֵא יוֹסֵף אֹתָם מֵעִם בִּרְכָּיו. וַיִּשְׁתַּחוּ יוסף לְאַפָּיו אָרְצָה. יוסף
לא השתחווה ליעקב אלא לה',[9] כהכנה להתגלות. יג וַיִּקַּח יוֹסֵף אֶת
שְׁנֵיהֶם, אֶת אֶפְרַיִם, בנו הקטן, בִּימִינוֹ, כדי שיהיה מִשְּׂמֹאל יִשְׂרָאֵל,
היושב מולו. יוסף הניח שהקטן צריך לעמוד משמאלו של אביו. וְאֶת
מְנַשֶּׁה, בנו הגדול, בִשְׂמֹאלוֹ – מִימִין יִשְׂרָאֵל, וַיַּגֵּשׁ אותם קרוב אֵלָיו.

יד ושלא כציפייתו של יוסף, שיעקב יושיט את ידיו הישר על ראשי
הבנים – וַיִּשְׁלַח יִשְׂרָאֵל אֶת יד יְמִינוֹ, הסמוכה למנשה, וַיָּשֶׁת, ושם
אותה עַל רֹאשׁ אֶפְרַיִם, וְהוּא היה האח הַצָּעִיר. וְאֶת שְׂמֹאלוֹ של
יעקב הניח עַל רֹאשׁ מְנַשֶּׁה. שִׂכֵּל, השתמש בידיו באופן מושכל,[10]
אֶת יָדָיו. המעשה כוון בעליל, כִּי הביא בחשבון[11] שמְנַשֶּׁה הַבְּכוֹר.

טו וַיְבָרֶךְ יעקב אֶת יוֹסֵף, אמנם הברכה התייחסה לבניו, אבל ברכת
הבנים היא ממילא גם ברכה לאבות.[12] וַיֹּאמַר: הָאֱלֹהִים אֲשֶׁר הִתְהַלְּכוּ
אֲבֹתַי לְפָנָיו – אַבְרָהָם וְיִצְחָק, הָאֱלֹהִים הָרֹעֶה, שהוליך והנהיג אֹתִי
מֵעוֹדִי עַד הַיּוֹם הַזֶּה. טז הַמַּלְאָךְ, שליחו של האלוקים, הַגֹּאֵל אֹתִי
מִכָּל רָע, ששמר עלי עד כה, הוא יְבָרֵךְ אֶת הַנְּעָרִים מכוחו של ה',
שולחו. הברכה הראשונה: וְיִקָּרֵא בָהֶם, בבנים האלה, גם שְׁמִי וְשֵׁם
אֲבֹתַי – אַבְרָהָם וְיִצְחָק. קודם לכן אימץ אותם כבניו, ועתה הוא
מוסיף שהם יהיו המשך שמו ושם אבותיו. וכשם שאלוקיו הוליך את
אבותיו ואותו כל ימיהם – כך יוליך את נכדיו אלו. וברכה נוספת:
וְיִדְגּוּ לָרֹב, יתרבו כמו דגים[13] בְּקֶרֶב הָאָרֶץ.

יז בתוך כך, וַיַּרְא יוֹסֵף כִּי יָשִׁית אָבִיו יַד יְמִינוֹ עַל רֹאשׁ אֶפְרַיִם, יוסף
הבחין בכך שאביו החליף את ידיו, ובמיוחד שם לב שימינו של יעקב
מונחת על ראשו של אפרים, וַיֵּרַע בְּעֵינָיו. יוסף ציפה שיעקב יעדיף
את בכורו, מנשה. כיוון שיעקב היה כבד ראייה, ולא זיהה בעיניו
את הדמויות שעמדו לפניו, חשב יוסף שהוא טעה. ושמא הורע
ליוסף על כך שיעקב הבין אותו שלא כראוי, שהניח שיוסף עצמו
החזיק את מנשה בימינו ואת אפרים בשמאלו. כדי לתקן את מה
שנראה לו כטעות – וַיִּתְמֹךְ יַד אָבִיו, אחז ביד אביו מלמטה, לְהָסִיר
אֹתָהּ מֵעַל רֹאשׁ אֶפְרַיִם עַל רֹאשׁ מְנַשֶּׁה. יח וַיֹּאמֶר יוֹסֵף אֶל אָבִיו: לֹא
כֵן אָבִי, כִּי זֶה שאני מנסה לשים את ימינך על ראשו – הוא הַבְּכֹר.
שִׂים יְמִינְךָ עַל רֹאשׁוֹ.

יְמִינְךָ עַל־רֹאשׁוֹ׃ וַיְמָאֵן אָבִיו וַיֹּאמֶר יָדַעְתִּי בְנִי יט
יָדַעְתִּי גַּם־הוּא יִהְיֶה־לְּעָם וְגַם־הוּא יִגְדָּל וְאוּלָם
אָחִיו הַקָּטֹן יִגְדַּל מִמֶּנּוּ וְזַרְעוֹ יִהְיֶה מְלֹא־הַגּוֹיִם׃
וַיְבָרְכֵם בַּיּוֹם הַהוּא לֵאמוֹר בְּךָ יְבָרֵךְ יִשְׂרָאֵל לֵאמֹר כ
יְשִׂמְךָ אֱלֹהִים כְּאֶפְרַיִם וְכִמְנַשֶּׁה וַיָּשֶׂם אֶת־אֶפְרַיִם
לִפְנֵי מְנַשֶּׁה׃ וַיֹּאמֶר יִשְׂרָאֵל אֶל־יוֹסֵף הִנֵּה אָנֹכִי כא
מֵת וְהָיָה אֱלֹהִים עִמָּכֶם וְהֵשִׁיב אֶתְכֶם אֶל־אֶרֶץ
אֲבֹתֵיכֶם׃ וַאֲנִי נָתַתִּי לְךָ שְׁכֶם אַחַד עַל־אַחֶיךָ אֲשֶׁר כב
לָקַחְתִּי מִיַּד הָאֱמֹרִי בְּחַרְבִּי וּבְקַשְׁתִּי׃

רש"י

יט] **יָדַעְתִּי בְנִי יָדַעְתִּי.** שֶׁהוּא הַבְּכוֹר, וְגַם הוּא יִהְיֶה לְעָם וְיִגְדַּל – עָתִיד גִּדְעוֹן לָצֵאת מִמֶּנּוּ, שֶׁהַקָּדוֹשׁ בָּרוּךְ הוּא עוֹשֶׂה נֵס עַל יָדוֹ: **וְאוּלָם אָחִיו הַקָּטֹן יִגְדַּל מִמֶּנּוּ.** שֶׁעָתִיד יְהוֹשֻׁעַ לָצֵאת מִמֶּנּוּ, שֶׁיַּנְחִיל אֶת הָאָרֶץ וִילַמֵּד תּוֹרָה לְיִשְׂרָאֵל: **וְזַרְעוֹ יִהְיֶה מְלֹא הַגּוֹיִם.** כָּל הָעוֹלָם יִתְמַלֵּא בְּצֵאת שָׁמְעוֹ וּשְׁמוֹ, כְּשֶׁיַּעֲמִיד חַמָּה בְּגִבְעוֹן וְיָרֵחַ בְּעֵמֶק אַיָּלוֹן:

כ] **בְּךָ יְבָרֵךְ יִשְׂרָאֵל.** הַבָּא לְבָרֵךְ אֶת בָּנָיו יְבָרְכֵם בְּבִרְכָתָם, וְיֹאמַר אִישׁ לִבְנוֹ: "יְשִׂמְךָ אֱלֹהִים כְּאֶפְרַיִם וְכִמְנַשֶּׁה": **וַיָּשֶׂם אֶת אֶפְרַיִם.** בְּבִרְכָתוֹ "לִפְנֵי מְנַשֶּׁה", לְהַקְדִּימוֹ בַּדְּגָלִים וּבַחֲנֻכַּת הַנְּשִׂיאִים:

כב] **וַאֲנִי נָתַתִּי לְךָ.** אַתָּה טוֹרֵחַ לְהִתְעַסֵּק בִּקְבוּרָתִי, וְגַם "אֲנִי נָתַתִּי לְךָ" נַחֲלָה שֶׁתִּקָּבֵר בָּהּ, וְאֵי זוֹ? זוֹ שְׁכֶם, שֶׁנֶּאֱמַר: "וְאֶת עַצְמוֹת יוֹסֵף אֲשֶׁר הֶעֱלוּ בְנֵי יִשְׂרָאֵל מִמִּצְרַיִם קָבְרוּ בִשְׁכֶם" (יהושע כד, לב): **שְׁכֶם אַחַד עַל אַחֶיךָ.** שְׁכֶם מַמָּשׁ, הִיא תִּהְיֶה לְךָ חֵלֶק אֶחָד יְתֵרָה עַל אַחֶיךָ: **בְּחַרְבִּי וּבְקַשְׁתִּי.** כְּשֶׁהָרְגוּ שִׁמְעוֹן וְלֵוִי אֶת אַנְשֵׁי שְׁכֶם נִתְכַּנְּסוּ כָּל סְבִיבוֹתֵיהֶם לְהִזְדַּוֵּג לָהֶם, וְחָגַר יַעֲקֹב כְּלֵי מִלְחָמָה כְּנֶגְדָּן. דָּבָר אַחֵר, "שְׁכֶם אַחַד", הִיא הַבְּכוֹרָה, שֶׁיִּטְּלוּ בָנָיו שְׁנֵי חֲלָקִים, וּ'שְׁכֶם' לְשׁוֹן חֵלֶק הוּא, וְהַרְבֵּה יֵשׁ לוֹ דּוֹמִים בַּמִּקְרָא: "אֲחַלְּקָה שְׁכֶם" (תהלים ס, ח); "כִּי תְּשִׁיתֵמוֹ שֶׁכֶם" (שם כא, יג), תָּשִׁית אוֹנְאַי לְפָנַי לַחֲלָקִים; "דֶּרֶךְ יְרַצְּחוּ שֶׁכְמָה"

הרחבות

ברכת אפרים | בברכת יעקב טמונה נבואה המתייחסת ליהושע, בן שבט אפרים, אשר נעשה מנהיגם של כל ישראל, ושמו וכוחו מילאו עולם. גם שנים רבות לאחר מכן היה שבט אפרים השבט הבכיר, אף אם היו זמנים שבהם מנה פחות אנשים. כארבע מאות וחמישים שנה אחרי זמנו של יהושע, כשהתפצלה המלכות, השבט המרכזי שבו התחיל שלטונה העצמאי של ממלכת ישראל מול ממלכת יהודה, היה שבט אפרים (מלכים א' יא). גם בדורות שבהם מלכו בממלכת ישראל מלכים בני שבטים אחרים, שכנה עיר הבירה של הממלכה, שמרון, בתחום נחלת אפרים. אפילו עגל הזהב שהקים ירבעם בעיר בית אל שהייתה בנחלת אפרים (ראו מלכים א' פרק יב; שופטים ד,ה), רומז אולי לסמל המשפחתי של יוסף, שנמשל בברכת משה לשור (דברים לג,יז). יש לציין כי מעיקרם לא נועדו עגלי הזהב לשמש

ביאור

יט **וַיְמָאֵן אָבִיו**, יעקב סירב **וַיֹּאמֶר: יָדַעְתִּי** מיהו הבכור, **בְנִי, יָדַעְתִּי**
גם במצבי זה, כשראייתי כהה. אכן, אינני מונע ברכה מן הבכור, כי
גַּם הוּא, מנשה, **יִהְיֶה לְּעָם, וְגַם הוּא יִגְדָּל. וְאוּלָם אָחִיו הַקָּטֹן**, אפרים,
יִגְדַּל מִמֶּנּוּ במספר צאצאיו ובעצמתו, **וְזַרְעוֹ יִהְיֶה מְלֹא הַגּוֹיִם**, ימלא
את העולם.

כ **וַיְבָרְכֵם בַּיּוֹם הַהוּא לֵאמוֹר: בְּךָ יְבָרֵךְ יִשְׂרָאֵל לֵאמֹר**. את צאצאי
יברכו במלים האלה: **"יְשִׂמְךָ אֱלֹהִים כְּאֶפְרַיִם וְכִמְנַשֶּׁה"**.

וַיָּשֶׂם אֶת אֶפְרַיִם לִפְנֵי מְנַשֶּׁה. בניסוח הברכה מקדים אפרים את
מנשה,[14] וכך גם בפועל, אף שמנשה היה האח הבכור, הוא נעשה
האח המשני.

כא **וַיֹּאמֶר יִשְׂרָאֵל אֶל יוֹסֵף: הִנֵּה אָנֹכִי מֵת**, ולא אשוב אל הארץ
בכוחות עצמי. אמנם כעת בניו אינם מנועים לשוב לארץ כנען, ובכל
זאת יעקב יודע בנבואתו שהם לא ישובו לשם בשנים הקרובות.
אך הוא מבשר לבנו: **וְהָיָה אֱלֹהִים עִמָּכֶם**, ולבסוף - **וְהֵשִׁיב אֶתְכֶם**
אֶל אֶרֶץ אֲבֹתֵיכֶם. כב כיוון שכך, מכוחי כאב וכמוריש, אני מוסיף
לך מתנה יתרה מעבר לירושות אחיך - **וַאֲנִי נָתַתִּי לְךָ שְׁכֶם אַחַד עַל**
אַחֶיךָ. במקום נחלה אחת, ינחלו בניך שתי נחלות. זוהי משמעותה
המעשית העיקרית של מתנת אימוצם של אפרים ומנשה כשבטי
ישראל. **אֲשֶׁר לָקַחְתִּי מִיַּד הָאֱמֹרִי בְּחַרְבִּי וּבְקַשְׁתִּי**. ייתכן שמלים

הרחבות

לעבודה זרה אלא הועמדו כתחליף לבית המקדש שבממלכת יהודה, שבו היה מצוי לרוב סמלו של יהודה, האריה, על פי ברכת יעקב אליו (להלן מט,ט).

'בך יברך ישראל' כאן עובר ישראל האיש להיות מודע גם לישראל העם. את ההעתקה הזו הוא מחולל מכוח נבואתו. נבואתו של יעקב אינה אקסטטית. יעקב נתון בשני זמנים באותה עת: הוא עומד בתוך העולם הזה ובמציאות ההווית, ועם זאת הוא מצוי גם בעתיד, ולכן הוא יכול לנבא שזו תהיה ברכתו של עם ישראל לדורותיו. נבואתו אכן התממשה ומתממשת עד היום.

'ישִׂמך אלֹהים כאפרים וכמנשה' ברכת יעקב לנכדיו אפרים ומנשה ולאביהם יוסף בכך שלדורות ישתמשו בהם כמופת למצב הרצוי, דומה לברכה שבירך ה' את אברהם: וֶהְיֵה בְּרָכָה... וְנִבְרְכוּ בְךָ כֹּל מִשְׁפְּחֹת הָאֲדָמָה (לעיל יב,ב), כלומר שהוא עצמו יסמל ברכה, ושבשמו יתברכו בעתיד.

כיבוש שכם איננו יודעים כיצד יעקב לקח את שכם מיד האמורי, אך ייתכן מאוד, וכך מופיע במסורות מסוימות (צוואת השבטים, צוואת יהודה פרקים ד-ה ובראשית רבה פ,י), שבעקבות הטבח הגדול שערכו בניו בשכם, פרצה מלחמה בין בני יעקב לבין עמי כנען. יעקב לא יכול היה לעמוד מנגד. הוא התגונן ונלחם עמם, וכתוצאה מכך - או לפחות כדי למנוע מלחמה כזו - כבש את שכם והחזיק בה. אף שהעיר הייתה הרוסה ועזובה כבר שנים רבות, וליעקב לא היה קשר אליה,

רביעי מג וַיִּקְרָא יַעֲקֹב אֶל־בָּנָיו וַיֹּאמֶר הֵאָסְפוּ וְאַגִּידָה לָכֶם א מט
אֵת אֲשֶׁר־יִקְרָא אֶתְכֶם בְּאַחֲרִית הַיָּמִים: הִקָּבְצוּ ב
וְשִׁמְעוּ בְּנֵי יַעֲקֹב וְשִׁמְעוּ אֶל־יִשְׂרָאֵל אֲבִיכֶם: רְאוּבֵן ג
בְּכֹרִי אַתָּה כֹּחִי וְרֵאשִׁית אוֹנִי יֶתֶר שְׂאֵת וְיֶתֶר עָז: פַּחַז ד
כַּמַּיִם אַל־תּוֹתַר כִּי עָלִיתָ מִשְׁכְּבֵי אָבִיךָ אָז חִלַּלְתָּ
יְצוּעִי עָלָה:
שִׁמְעוֹן וְלֵוִי אַחִים כְּלֵי חָמָס מְכֵרֹתֵיהֶם: בְּסֹדָם ה ו

רש"י

(הושע ו, ט), איש חלקו; "לעבדו שכם אחד" (צפניה ג, ט). "אשר לקחתי מיד האמרי" – מיד עשו שעושה מעשה אמורי. דבר אחר, שהיה צד אביו באמרי פיו. "בחרבי ובקשתי" – היא חכמתו ותפלתו:

פרק מט

א| **ואגידה לכם.** בקש לגלות את הקץ ונסתלקה ממנו שכינה, והתחיל אומר דברים אחרים:

ג-ד| **וראשית אוני.** היא טפה ראשונה לו, שלא ראה קרי מימיו: **אוני.** כחי, כמו: "מצאתי און לי" (הושע יב, ט), "מרב אונים" (ישעיה מ, כו), "ולאין אונים" (שם כט): **יתר שאת.** ראוי היית להיות יתר על אחיך בכהנה, לשון נשיאות כפים: **ויתר עז.** במלכות, כמו: "ויתן עז למלכו" (שמואל א' ב, י), ומי גרם לך להפסיד? "פחז כמים" – הפחז והבהלה אשר מהרת להראות כעסך כמים הללו הממהרים למרוצתם, לכך "אל תותר" – אל תרבה לטל כל היתרות הללו שהיו ראויות לך. ומהו הפחז אשר פחזת? "כי עלית משכבי אביך", אז חללת אותו שעלה על יצועי, שם שכינה שדרכו להיות עולה על יצועי: **פחז.** שם דבר הוא, לפיכך טעמו למעלה וכלו נקוד פתח. ואלו היה לשון עבר, היה נקוד חציו קמץ וחציו פתח וטעמו למטה: **יצועי.** לשון משכב, על שם שמציעים אותו על ידי לבדין וסדינין. והרבה דומים לו: "אם אעלה על ערש יצועי" (תהלים קלב, ג), "אם זכרתיך על יצועי" (שם סג, ז):

ה| **שמעון ולוי אחים.** בעצה אחת על שכם ועל יוסף: "ויאמרו איש אל אחיו וגו' ועתה לכו ונהרגהו" (לעיל לז, יט-כ). מי הם? אם תאמר ראובן או יהודה, הרי לא הסכימו בהריגתו. אם תאמר בני השפחות, הרי לא היתה שנאתן שלמה, שנאמר: "והוא נער את בני בלהה ואת בני זלפה" (לעיל לז, ב). יששכר וזבולון לא היו מדברים בפני אחיהם הגדולים מהם. על כרחך שמעון ולוי הם שקראם אביהם 'אחים': **כלי חמס.** אמנות זו של רציחה חמס הוא בידיהם, מברכת עשו היא זו, אמנות שלו היא, ואתם חמסתם אותה הימנו: **מכרתיהם.** לשון כלי זין, הסיף בלשון יוני מכי"ר. תנחומא (שם ט). דבר אחר, "מכרתיהם", בארץ מגורתם נהגו עצמן בכלי חמס, כמו: "מכרתיך ומלדתיך" (יחזקאל טז, ג), וזה תרגום של אונקלוס:

ו| **בסדם אל תבא נפשי.** זה מעשה זמרי, כשנתקבצו שבטו של שמעון להביא את המדינית לפני משה, ואמרו לו: זו אסורה או מתרת? אם תאמר אסורה, בת יתרו

ביאור | אלה ואזכורה של שכם, מרמזים לכך שיעקב מעניק את העיר שכם ליוסף. ואכן עיר זו הייתה בנחלת בניו לדורות, ושם נקבר יוסף.[15]

פרק מט א **וַיִּקְרָא יַעֲקֹב אֶל בָּנָיו, וַיֹּאמֶר: הֵאָסְפוּ, וְאַגִּידָה לָכֶם אֵת אֲשֶׁר יִקְרָא**, המזומן לבוא, יקרה **אֶתְכֶם בְּאַחֲרִית הַיָּמִים.**

ב **הִקָּבְצוּ וְשִׁמְעוּ בְּנֵי יַעֲקֹב, וְשִׁמְעוּ אֶל יִשְׂרָאֵל אֲבִיכֶם.**

ברכותיו הראשונות של יעקב סדורות לפי גיליהם של בניו. ג **רְאוּבֵן בְּכֹרִי אַתָּה, כֹּחִי וְרֵאשִׁית אוֹנִי.** בהיותך בני הראשון נולדת בזמן שכוחי ואוני היו במיטבם; ולכן לכאורה היה מגיע לך **יֶתֶר שְׂאֵת וְיֶתֶר עָז.** כבכור ראוי היה שתנושא על אחיך ותזכה בשלטון ובממשלה עליהם.[16] ד אולם בגלל היותך **פַּחַז כַּמַּיִם**, בעטיין של פזיזותך והתנהגותך הבלתי–עקבית **אַל תּוֹתַר**. איבדת את יתרונך. **כִּי עָלִיתָ מִשְׁכְּבֵי אָבִיךָ**. באת אל מיטת אשת אביך - הדוגמה המשמעותית לפזיזותך. **אָז חִלַּלְתָּ** את **יְצוּעִי עָלָה**. חיללת את אשר עלה על יצועי - כלומר את עצמך,[17] או את השכינה השוכנת על יצועי.[18] ויש מפרשים: עָלָה - נסתלק, המצע[19] או כבודי, שהוצרך יעקב לפרוש מבלהה עקב מעשה זה, או: חיללת את יצועי שהיה צריך להיות למעלה ומעבר למחשבותיך. על כן נשללים ממך יתרונות הבכורה.

ה **שִׁמְעוֹן וְלֵוִי אַחִים**. נראה שהייתה ביניהם קרבה יתרה. הם פעלו יחד, ואף יעקב התייחס אליהם יחדיו. **כְּלֵי חָמָס**, כלי נשק

הרחבות | היא וסביבותיה נותרו נחלתו, ועתה הוריש נחלה זו ליוסף ולבניו אחריו.

'ואגידה לכם את אשר יקרא אתכם באחרית הימים' הביטוי 'אחרית הימים' אינו משקף בהכרח את סוף ההיסטוריה אלא עתיד רחוק, שיכול לכלול עידנים קרובים ורחוקים. בפועל דבריו הנבואיים של יעקב אמנם לא עסקו בהווה אלא במה שיארע בעוד שנים רבות, אך בעיקרם אין הם מדברים במה שצפוי להתרחש בעתיד הרחוק עד כדי כך. חכמים אמרו, שלמרות כוונתו יעקב לא הגיע בברכותיו הנבואיות עד תיאור מפורט של העתיד לבוא בקץ הימים מסיבות שונות - מחמת מניעה מלמעלה או משום נוכחותם של בניו, שלא היו מושלמים (פסחים נו ע"א; יונתן, רש"י ורמב"ן). מכל מקום, יעקב ניבא את המוצאות את צאצאיו בעתיד רחוק מאוד. חלק מברכותיו נוגעות לטיב נחלותיהם של השבטים בארץ, ולרגעים מלותיו נוגעות אפילו באחרית ההיסטוריה. דברי יעקב, שמקצתם הם ברכה, מקצתם הם נבואה ומקצתם דברי מוסר ותוכחה, נאמרו בסגנון שירי. כפי שנהוג בשירה המקראית, אף כאן כמעט בכל משפט מופיעים חלקים מקבילים שעניינם דומה.

תוכחת יעקב לראובן כמוזכר לעיל (לה,כב), ראובן עלה על משכביה של בלהה, שאולי נתפסה בעיניו כפילגש. בין אם שכב אתה ובין אם לא, אולי הייתה מעורבת במעשה גם תאווה, שכן ראובן היה אז גבר צעיר,

אַל־תָּבֹ֣א נַפְשִׁ֔י בִּקְהָלָ֖ם אַל־תֵּחַ֣ד כְּבֹדִ֑י כִּ֤י בְאַפָּם֙
הָ֣רְגוּ אִ֔ישׁ וּבִרְצֹנָ֖ם עִקְּרוּ־שֽׁוֹר׃ אָר֤וּר אַפָּם֙ כִּ֣י ז
עָ֔ז וְעֶבְרָתָ֖ם כִּ֣י קָשָׁ֑תָה אֲחַלְּקֵ֣ם בְּיַעֲקֹ֔ב וַאֲפִיצֵ֖ם
בְּיִשְׂרָאֵֽל׃
יְהוּדָ֗ה אַתָּה֙ יוֹד֣וּךָ אַחֶ֔יךָ יָדְךָ֖ בְּעֹ֣רֶף אֹיְבֶ֑יךָ יִשְׁתַּחֲוּ֥וּ ח
לְךָ֖ בְּנֵ֥י אָבִֽיךָ׃ גּ֤וּר אַרְיֵה֙ יְהוּדָ֔ה מִטֶּ֖רֶף בְּנִ֣י עָלִ֑יתָ ט

רש"י

מִי הִתְיַלְּדָה לְךָ? – אַל יִזָּכֵר שְׁמִי בַּדָּבָר, "זִמְרִי בֶּן סָלוּא נְשִׂיא בֵית אָב לַשִּׁמְעֹנִי" (במדבר כה, יד), וְלֹא כָתַב 'בֶּן יַעֲקֹב': **בִּקְהָלָם.** כְּשֶׁיַּקְהִיל קֹרַח שֶׁהוּא מִשִּׁבְטוֹ שֶׁל לֵוִי אֶת כָּל הָעֵדָה עַל מֹשֶׁה וְעַל אַהֲרֹן, "אַל תֵּחַד כְּבֹדִי" שָׁם, אַל יִתְיַחֵד עִמָּהֶם שְׁמִי, שֶׁנֶּאֱמַר: "קֹרַח בֶּן יִצְהָר בֶּן קְהָת בֶּן לֵוִי" (במדבר טז, א), וְלֹא נֶאֱמַר 'בֶּן יַעֲקֹב'. אֲבָל בְּדִבְרֵי הַיָּמִים (א' ו, כב-כג) כְּשֶׁנִּתְיַחֲסוּ בְּנֵי קֹרַח עַל הַדּוּכָן, נֶאֱמַר: "בֶּן קֹרַח בֶּן יִצְהָר בֶּן קְהָת בֶּן לֵוִי בֶּן יִשְׂרָאֵל": **אַל תֵּחַד כְּבֹדִי.** כָּבוֹד לְשׁוֹן זָכָר הוּא, וְעַל כָּרְחֲךָ אַתָּה צָרִיךְ לְפָרֵשׁ כִּמְדַבֵּר אֶל הַכָּבוֹד וְאוֹמֵר: אַתָּה כְּבוֹדִי, אַל תִּתְיַחֵד עִמָּהֶם. כְּמוֹ: "לֹא תֵחַד אִתָּם בִּקְבוּרָה" (ישעיה יד, כ): **כִּי בְאַפָּם הָרְגוּ אִישׁ.** אֵלּוּ חֲמוֹר וְאַנְשֵׁי שְׁכֶם, וְאֵינָן חֲשׁוּבִין כֻּלָּם אֶלָּא כְּאִישׁ אֶחָד. וְכֵן הוּא אוֹמֵר בְּגִדְעוֹן: "וְהִכִּיתָ אֶת מִדְיָן כְּאִישׁ אֶחָד" (שופטים ו, טז). וְכֵן בְּמִצְרַיִם: "סוּס וְרֹכְבוֹ רָמָה בַיָּם" (שמות טו, א). זֶהוּ מִדְרָשׁוֹ. וּפְשׁוּטוֹ: אֲנָשִׁים הַרְבֵּה קוֹרֵא 'אִישׁ', כָּל אֶחָד לְעַצְמוֹ, בְּאַפָּם הָרְגוּ כָּל אִישׁ שֶׁכָּעֲסוּ עָלָיו, וְכֵן: "וַיִּלְמַד לִטְרָף טֶרֶף אָדָם אָכָל" (יחזקאל יט, ג): **וּבִרְצֹנָם עִקְּרוּ שׁוֹר.** רָצוּ לַעֲקֹר אֶת יוֹסֵף שֶׁנִּקְרָא שׁוֹר, שֶׁנֶּאֱמַר: "בְּכוֹר שׁוֹרוֹ הָדָר לוֹ" (דברים לג, יז). "עִקְּרוּ" אשיירטי"ר בְּלַעַז, לְשׁוֹן: "אֶת סוּסֵיהֶם תְּעַקֵּר" (יהושע יא, ו):

ז) **אָרוּר אַפָּם.** אֲפִלּוּ בִּשְׁעַת תּוֹכָחָה לֹא קִלֵּל אֶלָּא אַפָּם, וְזֶהוּ שֶׁאָמַר בִּלְעָם: "מָה אֶקֹּב לֹא קַבֹּה אֵל" (במדבר כג, ח): **אֲחַלְּקֵם בְּיַעֲקֹב.** אַפְרִידֵם זֶה מִזֶּה, שֶׁלֹּא יְהֵא לֵוִי בְּמִנְיַן הַשְּׁבָטִים, וַהֲרֵי הֵם חֲלוּקִים. דָּבָר אַחֵר, אֵין לְךָ עֲנִיִּים סוֹפְרִים וּמְלַמְּדֵי תִינוֹקוֹת אֶלָּא מִשִּׁמְעוֹן, כְּדֵי שֶׁיִּהְיוּ נְפוֹצִים, וְשִׁבְטוֹ שֶׁל לֵוִי עֲשָׂאוֹ מְחַזֵּר עַל הַגְּרָנוֹת לִתְרוּמוֹת וְלַמַּעַשְׂרוֹת, נָתַן לוֹ תְּפוּצָתוֹ דֶּרֶךְ כָּבוֹד:

ח) **יְהוּדָה אַתָּה יוֹדוּךָ אַחֶיךָ.** לְפִי שֶׁהוֹכִיחַ אֶת הָרִאשׁוֹנִים בְּקַנְטוּרִים, הִתְחִיל יְהוּדָה נָסוֹג לַאֲחוֹרָיו, וּקְרָאוֹ יַעֲקֹב בְּדִבְרֵי רִצּוּי: לֹא אַתָּה כְּמוֹתָם: **יָדְךָ בְּעֹרֶף אֹיְבֶיךָ.** בִּימֵי דָוִד, "וְאֹיְבַי תַּתָּה לִּי עֹרֶף" (שמואל ב' כב, מא): **בְּנֵי אָבִיךָ.** עַל שֵׁם שֶׁהָיוּ מִנָּשִׁים הַרְבֵּה לֹא אָמַר 'בְּנֵי אִמֶּךָ' כְּדֶרֶךְ שֶׁאָמַר יִצְחָק (לעיל כז, כט):

ט) **גּוּר אַרְיֵה.** עַל דָּוִד נִתְנַבֵּא. בַּתְּחִלָּה "גּוּר", "בִּהְיוֹת שָׁאוּל מֶלֶךְ עָלֵינוּ אַתָּה... הַמּוֹצִיא וְהַמֵּבִיא אֶת יִשְׂרָאֵל" (שמואל ב' ה, ב), וּלְבַסּוֹף "אַרְיֵה" כְּשֶׁהִמְלִיכוּהוּ עֲלֵיהֶם. וְזֶהוּ שֶׁתִּרְגֵּם אוּנְקְלוֹס: "שִׁלְטוֹן יְהֵא בְּשֵׁרוּיָא", בִּתְחִלָּתוֹ: **מִטֶּרֶף.** מִמַּה שֶּׁחֲשַׁדְתִּיךָ בְּ"טָרֹף טֹרַף יוֹסֵף", "חַיָּה רָעָה אֲכָלָתְהוּ" (לעיל לז, לג), וְזֶהוּ יְהוּדָה שֶׁנִּמְשַׁל לְאַרְיֵה – "בְּנִי עָלִיתָ", סִלַּקְתָּ אֶת עַצְמְךָ וְאָמַרְתָּ: "מַה בֶּצַע" וְגוֹ' (לעיל לז, כו), וְכֵן מֵהֲרִיגַת תָּמָר שֶׁהוֹדָה "צָדְקָה מִמֶּנִּי" (לעיל

ביאור

מְכֵרֹתֵיהֶם, מולדתם.[20] זהו ביטוי ציורי לכך שממקומם הראשון גדלו על חרבם. ו **בְּסֹדָם**, במעשיהם הסודיים, או: במועצותיהם[21] **אַל תָּבֹא נַפְשִׁי**. אינני רוצה חלק. **בִּקְהָלָם אַל תֵּחַד כְּבֹדִי**, אינני רוצה שכבודי יתייחד ויקושר עם קהלם, **כִּי בְאַפָּם**, בכעסם **הָרְגוּ אִישׁ**, את אנשי שכם, **וּבִרְצֹנָם עִקְּרוּ שׁוֹר**, עיקרו או חתכו את רגלי הבהמות של תושבי שכם, כך שלא יוכלו להועיל עוד. ז **אָרוּר אַפָּם כִּי עָז**. יעקב קילל את כעסם שעבר את הגבולות הראויים,[22] **וְעֶבְרָתָם**, כעסם **כִּי קָשָׁתָה**, הקשה מדי. משום כך, **אֲחַלְּקֵם בְּיַעֲקֹב וַאֲפִיצֵם בְּיִשְׂרָאֵל**. הם אמנם ימשיכו להיות שני שבטים, אך יפוזרו ולא יזכו במקום קבוע או מוגדר בין אחיהם.

ח חכמים אמרו כי כששמע יהודה את דברי אביו לשלושת אחיו הגדולים, התעורר בו חשש.[23] גם ליהודה היו חשבונות שונים עם עצמו ועם המעשים שעשה. כיוון שנרתע לאחור, נצרך אביו לקרוא לו: **יְהוּדָה**, לא רק שאינך נחות, אלא **אַתָּה יוֹדוּךָ אַחֶיךָ**, אחיך יחלקו לך כבוד, כי **יָדְךָ** תהיה **בְּעֹרֶף אֹיְבֶיךָ**, תכניע את אויביך. ולא זו בלבד - **יִשְׁתַּחֲווּ לְךָ בְּנֵי אָבִיךָ**, אף תמשול על אחיך. ט יהודה הוא הבן הראשון המסומל באמצעות בעל חיים. בהמשך ייצג יעקב את בניו באמצעות חיות נוספות - **גּוּר אַרְיֵה יְהוּדָה, מִטֶּרֶף בְּנִי עָלִיתָ**. כאריה טורף, אתה יוצא בכל פעם מן המאבק, וידך על העליונה.[24]

הרחבות

ונראה שאף בלהה הייתה צעירה. אולם בהחלט ייתכן, כפי שאמרו חכמים, שהמניע למעשה היה מחאה על כך שגם אחרי מות רחל יעקב לא ראה בלאה את אשתו היחידה. כאשר אירע הדבר, לא תוארה תגובתו של יעקב, ורק קרוב למותו הוא נוזף בבכורו.

התוכחה לשמעון וללוי גם נוכח המעשה הקשה שעשו שמעון ולוי בשכם, שתק יעקב בשעתו ולא הוכיחם אישית אלא הגיב באופן ענייני על ההשלכות המעשיות העלולות לבוא מהמעשה. כמו בדבריו לראובן, שבהם ביטא את מה שלגביו שתק תחילה, הוא גוער עתה גם בשמעון ולוי. הוא נוזף בהם, משום שלא הסתפקו בנקמה במי שאנס את אחותם אלא הרגו גם בבני משפחתו ובכל הגברים שבעיר ופגעו גם בבהמות (לעיל פרק לד. ראו עוד צרור המור ואברבנאל על אתר).

עונש ותיקון שמעון נותר שבט קטן, שאמנם הייתה לו נחלה בישראל, אך היא הייתה מובלעת בשטחו של שבט יהודה. מן המעט שידוע על דברי ימיו, נראה שחלק מבניו היו נודדים בין השבטים, וקיומו בתור שבט משמעותי ונבדל כמעט נמחה (ראו יהושע יט,א-ט ובמועד שם; בראשית רבה צח,ה; שם צט,ז. וראו עוד הביאור על נחמיה יא,כז).
לוי הפך לשבט בעל מעלה, שכן בניו היו משרתי המקדש, אבל הוא לא נחל את הארץ. צאצאיו חולקו ופוזרו בין שאר השבטים (ראו דברים יח,א ב; בראשית רבה צט,ז; יונתן, רש"י וראב"ע על אתר). שמעון ולוי הראו במעשיהם שהם עלולים להיות הרסניים, וביותר כאשר

י כְּרַע רָבַץ כְּאַרְיֵה וּכְלָבִיא מִי יְקִימֶנּוּ: לֹא־יָסוּר שֵׁבֶט
מִיהוּדָה וּמְחֹקֵק מִבֵּין רַגְלָיו עַד כִּי־יָבֹא שִׁילֹה וְלוֹ
יא יִקְּהַת עַמִּים: אֹסְרִי לַגֶּפֶן עִירֹה וְלַשֹּׂרֵקָה בְּנִי אֲתֹנוֹ
יב כִּבֵּס בַּיַּיִן לְבֻשׁוֹ וּבְדַם־עֲנָבִים סוּתֹה: חַכְלִילִי עֵינַיִם
מִיָּיִן וּלְבֶן־שִׁנַּיִם מֵחָלָב:

רש"י

לח, כו), לפיכך "כרע רבץ" וגו', בימי שלמה "איש תחת גפנו" וגו' (מלכים א' ה, ה):

י) **לא יסור שבט מיהודה.** מדוד ואילך, אלו ראשי גליות שבבבל שרודים את העם בשבט, שממנים על פי המלכות: **ומחקק מבין רגליו.** תלמידים, אלו נשיאי ארץ ישראל: **עד כי יבא שילה.** מלך המשיח שהמלוכה שלו. וכן תרגמו אונקלוס. ומדרש אגדה, "שילה", שי לו, שנאמר: "יובילו שי למורא" (תהלים עו, יב): **ולו יקהת עמים.** אסיפת העמים; שהיו"ד עקר היא ביסוד, כמו "יפעתך" (יחזקאל כח, ז; יז), ופעמים שנופלת ממנו. וכמה אותיות משמשות בלשון זה והם נקראים עקר נופל, כגון נו"ן של 'נוגף' ושל 'נושך', ואל"ף שב"אחותי באזניכם" (איוב יג, יז) ושב"אבחת חרב" (יחזקאל כא, כ) "אסוך שמן" (מלכים ב' ד, ב); אף זה, "יקהת עמים", אסיפת עמים, שנאמר: "אליו גוים ידרשו" (ישעיה יא, י), ודומה לו: "עין תלעג לאב ותבז ליקהת אם" (משלי ל, יז), לקבוץ קמטים שבפניה מפני זקנתה. ובתלמוד: "דיתבי ומקהו אקהתא בשוקי דנהרדעא" במסכת יבמות (דף קי ע"ב). ויכול היה לומר: 'קהית עמים':

יא) **אסרי לגפן עירה.** נתנבא על ארץ יהודה שתהא מושכת יין כמעין, איש יהודה יאסר לגפן עיר אחד ויטעננו מגפן אחת, ומשרק אחד בן אתון אחד: **שרקה.** זמורה ארוכה, קורייד"א בלעז: **כבס ביין.** כל זה לשון רבוי יין: **סותה.** לשון מין בגד הוא, ואין לו דמיון במקרא: **אסרי.** כמו אוסר, דגמת: "מקימי מעפר דל" (תהלים קיג, ז), "היושבי בשמים" (שם קכג, א), וכן "בני אתנו" כענין זה. ואונקלוס תרגם במלך המשיח: "גפן" הם ישראל, "עירה" זו ירושלים, "שרקה" – ישראל, "ואנכי נטעתיך שורק" (ירמיה ב, כא), "בני אתנו" – "יבנון היכליה", לשון "שער האיתון" בספר יחזקאל (מ, טו). ועוד תרגמו בפנים אחרים: "גפן" אלו צדיקים, "בני אתנו" – "עבדי אורייתא באולפן", על שם "רכבי אתנות צחורות" (שופטים ה, י), "כבס ביין" – "יהא ארגון טב לבושוהי", שצבעו דומה ליין. "וצבעונין" הוא לשון "סותה", שהאשה לובשתן ומסיתה בהן את הזכר לתן עיניו בה. ואף רבותינו פרשו בתלמוד לשון הסתת שכרות, במסכת כתבות (דף קיא ע"ב): ועל היין שמא תאמר אינו מרוה, תלמוד לומר: "סותה":

יב) **חכלילי.** לשון אדם, כתרגומו. וכן: "למי חכללות עינים" (משלי כג, כט), שכן דרך שותי יין עיניהם מאדימין: **מחלב.** מרב חלב, שיהא בארצו מרעה טוב לעדרי צאן, וכן פרוש המקרא: אדם עינים יהא מרב יין, ולבן שנים יהא מרב חלב. ולפי תרגומו: "עינים" לשון הרים, שמשם צופים למרחוק. ועוד תרגמו בפנים אחרים, לשון מעינות וקלוח היקבים: "נעוהי", יקבים שלו, ולשון ארמי הוא במסכת עבודה זרה (דף עד ע"ב): "נעוא אדתחו". "יאזורן בקעתיה" –

ביאור | באופן אחר התפרשו מלים אלו כרמז למכירת יוסף. יעקב, היודע עתה את פרטי הסיפור, אומר ליהודה: אתה הצלת את יוסף, ומנעת את הריגתו.[25] **כָּרַע רָבַץ כְּאַרְיֵה, וּכְלָבִיא מִי יְקִימֶנּוּ.** כאריה הרובץ במקומו, ואיש אינו מעוניין להתגרות בו, כך יֵצא שמעו של יהודה כשבט של גיבורים, ופחדו ייפול על סביבותיו. י מעבר לכך שיהודה יהיה שבט גיבור כל ימיו - **לֹא יָסוּר שֵׁבֶט**, שרביט השלטון **מִיהוּדָה. וּמְחֹקֵק**, מכשיר כתיבה שבו נכתבים גם חוקים, **מִבֵּין רַגְלָיו**, מזרעו. המושלים שיצאו ממנו יקבעו את החוק וימשיכו להנהיג את העם על פיו, **עַד כִּי יָבֹא שִׁילֹה**, הגואל, המלך שהכול שלו, ומסביב **לוֹ יִקְּהַת**, יתקבצו **עַמִּים**. שבט יהודה ינהיג את העם עד ביאת המשיח.[26]

יא ומכאן לברכה כלכלית: **אֹסְרִי לַגֶּפֶן עִירוֹ**, בשבט יהודה יקשרו את העַיִר לגפן, ולא יחששו שהוא ישחית אותה, משום שבנחלתו ירבו מאוד הכרמים. **וְלַשֹּׂרֵקָה**, לענף הגפן יקשרו את **בְּנִי**, בני **אֲתֹנוֹ. כִּבֵּס בַּיַּיִן לְבֻשׁוֹ.** מרוב יין שיצא מענביו, אפשר יהיה להשתמש בו לא רק לשתייה, אלא גם לכיבוס הבגדים במקום במים. **וּבְדַם עֲנָבִים**, ביין, יכבס את **סוּתוֹ**, כְּסותו, בגדיו. יב **חַכְלִילִי**, אדום **עֵינַיִם** מרוב שתיית **יָיִן, וּלְבֶן שִׁנַּיִם מֵחָלָב.**

הרחבות | הם משתפים פעולה ביניהם. כעונש וגם כתיקון לנטייה זו הם יחולקו ויפוזרו וכך לא יסבו שוב נזקים (ראו רש"ר הירש).

ברכת יהודה הברכה שבירך יעקב את יהודה התממשה בהיסטוריה. יהודה היה שבט גדול וגיבור, וממנו יצאה גם מלכות בית דוד. הבטחה זו מתייחסת לעתיד הרחוק - לימי מלכות דוד ושלמה ואף לאחריהם. (עוד על בחירתו של יהודה למלכות ולכמה עניינים, ראו דברי הימים א' ה,ב; כח,ד; והמועד על יהושע יד,ו). גם ברכת היין והחלב הולמת במיוחד את נחלת יהודה. בהרי יהודה אין שדות תבואה, ומגדלים בהם בעיקר כרמים וצאן.

זְבוּלֻן לְחוֹף יַמִּים יִשְׁכֹּן וְהוּא לְחוֹף אֳנִיֹּת וְיַרְכָתוֹ יג
עַל־צִידֹן׃
יִשָּׂשכָר חֲמֹר גָּרֶם רֹבֵץ בֵּין הַמִּשְׁפְּתָיִם׃ וַיַּרְא מְנֻחָה יד טו
כִּי טוֹב וְאֶת־הָאָרֶץ כִּי נָעֵמָה וַיֵּט שִׁכְמוֹ לִסְבֹּל
וַיְהִי לְמַס־עֹבֵד׃ דָּן יָדִין עַמּוֹ כְּאַחַד שִׁבְטֵי טז
יִשְׂרָאֵל׃ יְהִי־דָן נָחָשׁ עֲלֵי־דֶרֶךְ שְׁפִיפֹן עֲלֵי־אֹרַח יז

רש"י | תַּרְגּוּם "שִׁנַּיִם", לְשׁוֹן "שִׁנֵּי הַסְּלָעִים" (שמואל א' יד, ד):

יג| **לְחוֹף יַמִּים.** עַל חוֹף יַמִּים תִּהְיֶה אַרְצוֹ. "חוֹף" כְּתַרְגּוּמוֹ "סְפַר", מרק"א בְּלַעַז. וְהוּא יִהְיֶה מָצוּי תָּדִיר אֵצֶל חוֹף אֳנִיּוֹת, בַּמָּקוֹם הַנָּמֵל שֶׁאֳנִיּוֹת מְבִיאוֹת שָׁם פְּרַקְמַטְיָא, שֶׁהָיָה זְבוּלוּן עוֹסֵק בִּפְרַקְמַטְיָא וּמַמְצִיא מָזוֹן לְשֵׁבֶט יִשָּׂשכָר, וְהֵם עוֹסְקִים בַּתּוֹרָה. הוּא שֶׁאָמַר מֹשֶׁה: "שְׂמַח זְבוּלֻן בְּצֵאתֶךָ וְיִשָּׂשכָר בְּאֹהָלֶיךָ" (דברים לג, יח), זְבוּלוּן יוֹצֵא בִּפְרַקְמַטְיָא וְיִשָּׂשכָר עוֹסֵק בַּתּוֹרָה בָּאֹהָלִים: **וְיַרְכָתוֹ עַל צִידֹן.** סוֹף גְּבוּלוֹ יִהְיֶה סָמוּךְ לְצִידוֹן. "וְיַרְכָתוֹ" – סוֹפוֹ, כְּמוֹ: "וּלְיַרְכְּתֵי הַמִּשְׁכָּן" (שמות כו, כב):

יד| **יִשָּׂשכָר חֲמֹר גָּרֶם.** חֲמוֹר בַּעַל עֲצָמוֹת, סוֹבֵל עֹל תּוֹרָה כַּחֲמוֹר חָזָק שֶׁמַּטְעִינִין אוֹתוֹ מַשָּׂא כָּבֵד: **רֹבֵץ בֵּין הַמִּשְׁפְּתָיִם.** כַּחֲמוֹר הַמְהַלֵּךְ בַּיּוֹם וּבַלַּיְלָה וְאֵין לוֹ לִינָה בַּבַּיִת, וּכְשֶׁהוּא רוֹצֶה לָנוּחַ רוֹבֵץ בֵּין הַתְּחוּמִין, בִּתְחוּמֵי הָעֲיָרוֹת שֶׁמּוֹלִיךְ שָׁם חֲבִילוֹת שֶׁל פְּרַקְמַטְיָא:

טו| **וַיַּרְא מְנֻחָה כִּי טוֹב.** רָאָה לְחֶלְקוֹ אֶרֶץ מְבֹרֶכֶת וְטוֹבָה לְהוֹצִיא פֵּרוֹת: **וַיֵּט שִׁכְמוֹ לִסְבֹּל.** עֹל תּוֹרָה: **וַיְהִי.** לְכָל אֶחָיו יִשְׂרָאֵל "לְמַס עֹבֵד" – לְסַפֵּק לָהֶם הוֹרָאוֹת שֶׁל תּוֹרָה וְסִדְרֵי עִבּוּרִין, שֶׁנֶּאֱמַר: "וּמִבְּנֵי יִשָּׂשכָר יוֹדְעֵי בִינָה לָעִתִּים לָדַעַת מַה יַּעֲשֶׂה יִשְׂרָאֵל, רָאשֵׁיהֶם מָאתַיִם", מָאתַיִם רָאשֵׁי סַנְהֶדְרָאוֹת הֶעֱמִיד, "וְכָל אֲחֵיהֶם עַל פִּיהֶם" (דברי הימים א' יב, לג): **וַיֵּט שִׁכְמוֹ.** הִשְׁפִּיל שִׁכְמוֹ, כְּמוֹ: "וַיֵּט שָׁמַיִם" (שמואל ב' כב, י), "הַטּוּ אָזְנְכֶם" (תהלים עח, א). וְאוּנְקְלוֹס תִּרְגְּמוֹ בְּפָנִים אֲחֵרִים: וַיֵּט שִׁכְמוֹ לִסְבֹּל מִלְחָמוֹת וְלִכְבֹּשׁ מְחוֹזוֹת, שֶׁהֵם יוֹשְׁבִים עַל הַסְּפָר, וַיְהִי הָאוֹיֵב כָּבוּשׁ תַּחְתָּיו לְמַס עֹבֵד:

טז| **דָּן יָדִין עַמּוֹ.** יִנְקֹם נִקְמַת עַמּוֹ מִפְּלִשְׁתִּים, כְּמוֹ: "כִּי יָדִין ה' עַמּוֹ" (דברים לב, לו): **כְּאַחַד שִׁבְטֵי יִשְׂרָאֵל.** כָּל יִשְׂרָאֵל יִהְיוּ כְּאֶחָד עִמּוֹ וְאֶת כֻּלָּם יָדִין, וְעַל שִׁמְשׁוֹן נִבָּא נְבוּאָה זוֹ. וְעוֹד יֵשׁ לְפָרֵשׁ, "כְּאַחַד שִׁבְטֵי יִשְׂרָאֵל", כַּמְיֻחָד שֶׁבַּשְּׁבָטִים, הוּא דָּוִד שֶׁבָּא מִיהוּדָה:

יז| **שְׁפִיפֹן.** הוּא נָחָשׁ, וְאוֹמֵר אֲנִי שֶׁקְּרוּי כֵּן עַל שֵׁם שֶׁהוּא נוֹשֵׁף, "וְאַתָּה תְּשׁוּפֶנּוּ

העולם | **שְׁפִיפֹן** שם זה יכול להתאים לשלושה מיני נחשים המשמיעים קולות נשיפה. מקובל לזהותו עם הנחש הארסי הקרוי היום שפיפון הנגב (שם מדעי: Pseudocerestes fieldi), שצבעו צהבהב ועל עורו שורה של

ביאור

יג כאן חרג יעקב מסדר לידתם של הבנים. את בניה של לאה הוא
הקדים לבני השפחות, ובקרב בני לאה הקדים את זבולון לישׂשכר,
אף על פי שלידת יששכר קדמה.[27] **זְבוּלֻן לְחוֹף יַמִּים יִשְׁכֹּן, וְהוּא לְחוֹף**
אֳנִיּוֹת, זבולון יתנחל בחוף הים התיכון.[28] **וְיַרְכָתוֹ**, הירך, צדו של
השבט, תגיע **עַל צִידֹן**, שכן הוא ישב בצפון הארץ. צידון הייתה מאז
ומקדם עיר של סחר ימי. ייתכן שבני זבולון, שישבו סמוך לצידון,
יהיו קשורים בה בקשרי מסחר.

יד **יִשָּׂשכָר חֲמֹר גָּרֶם**, בעל עצמות גדולות **רֹבֵץ בֵּין הַמִּשְׁפְּתָיִם**, גדרות
צאן, מקומות מרעה. יששכר מגולם באמצעות חמור היושב בשלווה.
שם או סמל זה לא נשא באותם ימים כל אופי מגנה.[29] טו **וַיַּרְא**
מְנֻחָה כִּי טוֹב, וְאֶת הָאָרֶץ כִּי נָעֵמָה. הוא ימצא ברכה ועונג במנוחתו
ובארצו. לרוב לא יצא למלחמות גדולות, אלא יהיה שמח בחלקו. **וַיֵּט**
שִׁכְמוֹ לִסְבֹּל, לשאת משא. כחמור יעסוק גם שבט יששכר בעבודות
חקלאיות. **וַיְהִי לְמַס עֹבֵד**. הכנענים שיישארו בנחלתו יעלו לו מס.[30]

מבני לאה עבר יעקב לדבר אל בנה הבכור של בלהה, שפחת
רחל. טז **דָּן יָדִין עַמּוֹ**, יילחם ויינקם מאויביו[31] **כְּאַחַד שִׁבְטֵי**
יִשְׂרָאֵל, מעמדו לא ייפול ממעמדם של שאר השבטים.[32] בכך הדגיש
יעקב שהוא מתייחס לבני נשותיו ולבני שפחותיהן באופן שווה. יש
אומרים שברכה נבואית זו אינה מתייחסת אל השבט כולו אלא
ממוקדת בגיבור היחידי הידוע משבט דן – שמשון.[33] יז **יְהִי דָן**
נָחָשׁ עֲלֵי דֶרֶךְ, שְׁפִיפֹן, מין נחש **עֲלֵי אֹרַח, הַנֹּשֵׁךְ עִקְּבֵי סוּס**, שכאשר

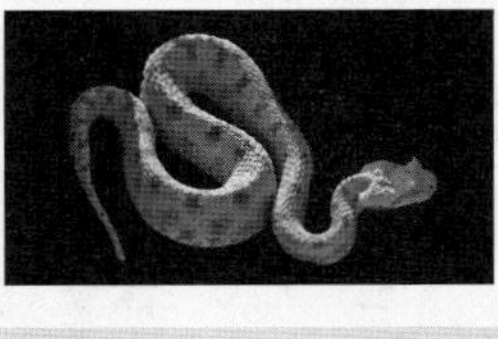

שפיפון הנגב

העולם

שְׁנִיּוֹת שורקות (צ', ש'), או פ', המעידה על נשיפה (כגון: צפע, צפעוני, אפעה, שפיפון, שרף).

כתמים כהים ושוליים בהירים. מעל לעיניו בליטות מעין קרניים.
שמות נחשים רבים בתנ"ך מכילים אותיות

הַנֹּשֵׁךְ עִקְּבֵי־סוּס וַיִּפֹּל רֹכְבוֹ אָחוֹר׃ לִישׁוּעָתְךָ יח
חמישי קִוִּיתִי יְהוָה׃ גָּד גְּדוּד יְגוּדֶנּוּ וְהוּא יָגֻד יט
עָקֵב׃ מֵאָשֵׁר שְׁמֵנָה לַחְמוֹ וְהוּא יִתֵּן כ
מַעֲדַנֵּי־מֶלֶךְ׃ נַפְתָּלִי אַיָּלָה שְׁלֻחָה הַנֹּתֵן כא
אִמְרֵי־שָׁפֶר׃ בֵּן פֹּרָת יוֹסֵף בֵּן פֹּרָת עֲלֵי־עָיִן כב

רש"י | עָקֵב" (לעיל ג, טו): **הַנֹּשֵׁךְ עִקְּבֵי סוּס.** כָּךְ דַּרְכּוֹ שֶׁל נָחָשׁ. וְדִמָּהוּ לְנָחָשׁ "הַנֹּשֵׁךְ עִקְּבֵי סוּס וַיִּפֹּל רֹכְבוֹ אָחוֹר", שֶׁלֹּא נָגַע בּוֹ, וְדֻגְמָתוֹ מָצִינוּ בְּשִׁמְשׁוֹן: "וַיִּלְפֹּת וְגוֹ' אֶת שְׁנֵי עַמּוּדֵי הַתָּוֶךְ" וְגוֹ' (שופטים טז, כט), וְשֶׁעַל הַגַּג מֵתוּ. וְאוּנְקְלוֹס תִּרְגֵּם: "כְּחִוֵּי חוּרְמָן", שֵׁם מִין נָחָשׁ שֶׁאֵין רְפוּאָה לִנְשִׁיכָתוֹ וְהוּא צִפְעוֹנִי, וְקָרוּי חוּרְמָן עַל שֵׁם שֶׁעוֹשֶׂה הַכֹּל חֵרֶם, "וּכְפִתְנָא" כְּמוֹ פֶּתֶן, "יִכְמוֹן" – יֶאֱרֹב:

יח | **לִישׁוּעָתְךָ קִוִּיתִי ה'.** נִתְנַבֵּא שֶׁיְּנַקְּרוּ פְלִשְׁתִּים אֶת עֵינָיו, וְסוֹפוֹ לוֹמַר: "זָכְרֵנִי נָא וְחַזְּקֵנִי נָא אַךְ הַפַּעַם" וְגוֹ' (שם טז, כח):

יט | **גָּד גְּדוּד יְגוּדֶנּוּ.** גְּדוּדִים יָגוּדוּ הֵימֶנּוּ, שֶׁיַּעַבְרוּ אֶת הַיַּרְדֵּן עִם אֲחֵיהֶם לַמִּלְחָמָה כָּל חָלוּץ עַד וְנִכְבְּשָׁה הָאָרֶץ (עיין במדבר פרק לב): **וְהוּא יָגֻד עָקֵב.** כָּל גְּדוּדָיו יָשׁוּבוּ עַל עֲקֵבָם לְנַחֲלָתָם שֶׁלָּקְחוּ בְּעֵבֶר הַיַּרְדֵּן, וְלֹא יִפָּקֵד מֵהֶם אִישׁ: **עָקֵב.** בְּדַרְכָּם וּבִמְסִלּוֹתָם שֶׁהָלְכוּ יָשׁוּבוּ, כְּמוֹ: "וְעִקְּבוֹתֶיךָ לֹא נֹדָעוּ" (תהלים עז, כ), וְכֵן: "בְּעִקְבֵי הַצֹּאן" (שיר השירים א, ח), בִּלְשׁוֹן לַעַז טרא"ש:

כ | **מֵאָשֵׁר שְׁמֵנָה לַחְמוֹ.** מַאֲכַל הַבָּא מֵחֶלְקוֹ שֶׁל אָשֵׁר יְהֵא שָׁמֵן, שֶׁיִּהְיוּ זֵיתִים מְרֻבִּים בְּחֶלְקוֹ וְהוּא מוֹשֵׁךְ שֶׁמֶן כְּמַעְיָן. וְכֵן בֵּרְכוֹ מֹשֶׁה: "וְטֹבֵל בַּשֶּׁמֶן רַגְלוֹ" (דברים לג, כד), כְּמוֹ שֶׁשָּׁנִינוּ בִּמְנָחוֹת: פַּעַם אַחַת נִצְטָרְכוּ אַנְשֵׁי לוּדְקִיָּא לְשֶׁמֶן וְכוּ':

כא | **אַיָּלָה שְׁלֻחָה.** זוֹ בִּקְעַת גִּנּוֹסַר, שֶׁהִיא קַלָּה לְבַשֵּׁל פֵּרוֹתֶיהָ כְּאַיָּלָה זוֹ שֶׁהִיא קַלָּה לָרוּץ. "אַיָּלָה שְׁלֻחָה" – אַיָּלָה מְשֻׁלַּחַת לָרוּץ: **הַנֹּתֵן אִמְרֵי שָׁפֶר.** כְּתַרְגּוּמוֹ. דָּבָר אַחֵר, עַל מִלְחֶמֶת סִיסְרָא נִתְנַבָּא: "וְלָקַחְתָּ עִמְּךָ עֲשֶׂרֶת אֲלָפִים אִישׁ מִבְּנֵי נַפְתָּלִי" וְגוֹ' (שופטים ד, ו) וְהָלְכוּ שָׁם בִּזְרִיזוּת. וְכֵן נֶאֱמַר שָׁם לְשׁוֹן שִׁלּוּחַ: "בָּעֵמֶק שֻׁלַּח בְּרַגְלָיו" (שם ה, טו). "הַנֹּתֵן אִמְרֵי שָׁפֶר" – עַל יָדָם שָׁרוּ דְּבוֹרָה וּבָרָק שִׁירָה. וְרַבּוֹתֵינוּ דְּרָשׁוּהוּ עַל יוֹם קְבוּרַת יַעֲקֹב, כְּשֶׁעִרְעֵר עֵשָׂו עַל הַמְּעָרָה, בְּמַסֶּכֶת סוֹטָה (דף יג ע"א). וְתַרְגּוּמוֹ: "יִתְרְמֵי עַדְבֵיהּ", יִפֹּל חֶבְלוֹ, וְהוּא יוֹדֶה עַל חֶלְקוֹ אֲמָרִים נָאִים וָשֶׁבַח:

כב | **בֵּן פֹּרָת.** בֶּן חֵן. וְהוּא לָשׁוֹן אֲרַמִּי: "אַפְרִין נִמְטְיֵהּ לְרַבִּי שִׁמְעוֹן" בְּסוֹף בָּבָא מְצִיעָא (דף קיט ע"א): **בֵּן פֹּרָת עֲלֵי עָיִן.** חִנּוֹ

הרחבות | **'גד גדוד יגודנו והוא יגד'** ברכה זו מנוסחת כאליטרציה מובהקת - יעקב עושה שימוש במלים בעלות צליל דומה שמשמעויותיהן שונות.

משמני אשר אכן נחלת אשר שכנה באזור הפורה של מערב הגליל העליון (ראו יהושע יט,כד-לא).

ביאור

הוא נושך בעקבי הסוס, **וַיִּפֹּל רֹכְבוֹ אָחוֹר**. הסוס אינו מחזיק
מעמד, ובנפלו, נופל עמו רוכבו. דימוי הנחש המכיש רומז לשמשון,
שלא יצא למערכה צבאית, ולא עמד בראש צבא, אלא פעל לבדו
והזיק לאויביו בדרכים יוצאות דופן.[34] יח **לִישׁוּעָתְךָ קִוִּיתִי, ה'.**
כשיעקב ראה בחזונו את הנחש האימתני הנלחם, המגלם את דן,
הוא פנה אל ה', וביקש ממנו הצלה. לפי פירוש הנחש כמייצגו של
שמשון, ראה יעקב בחזונו בצד גבורתו של שמשון, גם את מאסרו
ועינוייו, ועל כן התפלל לישועתו.[35]

מבכורה של בלהה פונה יעקב לבכורה של זלפה, שפחת לאה. יט **גָּד
גְּדוּד יְגוּדֶנּוּ**, יקצוץ את אויביו באמצעות גדודיו, **וְהוּא יָגֻד**, יקצוץ
עָקֵב, את עקבי אויביו. שבט זה מתואר כאן וגם במקומות נוספים
כגיבור מלחמה.[36]

את בנה השני של זלפה הוא מברך: כ **מֵאָשֵׁר, שְׁמֵנָה לַחְמוֹ, וְהוּא
יִתֵּן מַעֲדַנֵּי מֶלֶךְ**. ארצו תהיה פורייה, ותצמיח מטעמים.

והוא פונה אל בנה השני של בלהה: כא **נַפְתָּלִי אַיָּלָה שְׁלֻחָה**,
משוחררת לרוץ, **הַנֹּתֵן אִמְרֵי שָׁפֶר**. מפיו יישמעו דברים נאים
ומשובחים, או: מנחלתו באות בשורות טובות.[37]

כב רוב דימוייו של יעקב באו מעולם החי. אולם כאשר הוא עובר
לברך את בנה של רחל, יוסף, הוא בוחר לסמלו בדימוי מן הצומח:
בֵּן פֹּרָת, עץ צומח ופורה[38] **יוֹסֵף, בֵּן פֹּרָת עֲלֵי עָיִן**. יוסף הוא שתיל

הרחבות

מנצח ושר ייתכן שברכה זו רומזת לשירת דבורה (שופטים פרק ה. רש"י וראב"ע על אתר), שאמנם לא הייתה בת השבט, אבל היא שרה עם ברק מבני נפתלי את שירת הניצחון של השבט לאחר הקרב שבו שינה שבט נפתלי, שהיה ידוע כשבט לוחמים, את המפה הפוליטית בארץ.

בָּנוֹת צָעֲדָה עֲלֵי־שׁוּר׃ וַיְמָרֲרֻהוּ וָרֹבּוּ וַיִּשְׂטְמֻהוּ כג
בַּעֲלֵי חִצִּים׃ וַתֵּשֶׁב בְּאֵיתָן קַשְׁתּוֹ וַיָּפֹזּוּ זְרֹעֵי יָדָיו כד
מִידֵי אֲבִיר יַעֲקֹב מִשָּׁם רֹעֶה אֶבֶן יִשְׂרָאֵל׃ מֵאֵל כה

רש"י

נטוי על העין הרואה אותו: **בנות צעדה עלי שור.** בנות מצרים היו צועדות על החומה להסתכל ביפיו. "בנות" הרבה "צעדה" כל אחת ואחת במקום שתוכל לראותו משם. דבר אחר, "עלי שור", על ראייתו, כמו: "אשורנו ולא קרוב" (במדבר כד, יז). ומדרשי אגדה יש רבים, וזה נוטה ליישוב המקרא: **פרת.** תי"ו שבו הוא תיקון הלשון, כמו: "על דברת בני האדם" (קהלת ג, יח): **שור.** כמו לשור, "עלי שור" - בשביל לשור. ותרגום של אונקלוס "בנות צעדה עלי שור" - "תרין שבטין יפקון מבנוהי" וכו', וכתב 'בנות' על שם בנות מנשה בנות צלפחד שנטלו חלק בשני עברי הירדן. "ברי דיסגי יוסף" - 'פרת' לשון פריה ורביה. ויש מדרשי אגדה המתיישבים על הלשון: בשעה שבא עשו לקראת יעקב, בכלן קדמו האמהות ללכת לפני בניהן להשתחוות, וברחל כתיב: "נגש יוסף ורחל וישתחוו" (לעיל לג, ז). אמר יוסף: הרשע הזה עינו רמה, שמא יתן עיניו באמי. יצא לפניה ושרבב קומתו לכסותה. והוא שברכו אביו: "בן פרת", הגדלת עצמך "יוסף, עלי עין" של עשו, לפיכך זכית לגדלה. "בנות צעדה עלי שור", להסתכל בך בצאתך על מצרים. ועוד דרשוהו לענין שלא ישלט בזרעו עין הרע. ואף כשברך מנשה ואפרים ברכם כדגים שאין עין הרע שולטת בהם:

כג **וימררהו ורבו.** וימררוהו אחיו, וימררוהו פוטיפר ואשתו לאסרו, לשון: "וימררו את חייהם" (שמות א, יד): **ורבו.** נעשו לו אחיו אנשי ריב. ואין הלשון הזה לשון פעלו, שאם כן היה לו לנקד 'ורבו', כמו: "המה מי מריבה אשר רבו" וגו' (במדבר כ, יג), ואף אם לשון רבית חצים הוא, כן היה לו לנקד; ואינו אלא לשון פעלו, כמו: "שמו שמים" (ירמיה ב, יב) שהוא לשון הושמו, וכן: "רומו מעט" (איוב כד, כד) שהוא לשון הורמו, אלא שלשון הורמו והושמו על ידי אחרים, ולשון שמו, רמו, רבו - מאליהם הוא, משוממים את עצמם, נתרוממו מעצמם, נעשו אנשי ריב. וכן: "דמו ישבי אי" (ישעיה כג, ב) כמו נדמו. וכן תרגם אונקלוס: "ונקמוהי": **בעלי חצים.** שלשונם כחץ, ותרגומו לשון "ותהי המחצה" (במדבר לא, לו), אותן שהיו ראויים לחלק עמו נחלה:

כד **ותשב באיתן קשתו.** נתישבה בחוזק: **קשתו.** חזקו: **ויפזו זרעי ידיו.** זו היא נתינת טבעת על ידו, לשון: "זהב מופז" (מלכים א' י, יח), זאת היתה לו מידי הקדוש ברוך הוא שהוא "אביר יעקב", ומשם עלה להיות "רעה אבן ישראל", עיקרן של ישראל, לשון: "האבן הראשה" (זכריה ד, ז), לשון מלכות. ואונקלוס אף הוא כך תרגמו: "ותשב" - "ותבת בהון נביאותיה", החלומות אשר חלם להם. "על דקיים אורייתא בסתרא" - תוספת הוא ולא מלשון עברי שבמקרא. "ושוי תקפא רוחצניה" - תרגום של "באיתן קשתו". וכך לשון התרגום על העברי: ותשב נבואתו בשביל שאיתנו של הקדוש ברוך הוא היתה לו לקשת ולמבטח, "בכן אתרמא דהב" - לכך "ויפזו זרעי ידיו", לשון 'פז': **אבן ישראל.** לשון נוטריקון, אב ובן, "אבהן ובנין", יעקב ובניו:

ביאור

רענן הנטוע על מעיין, שכל צרכיו מסופקים לו. **בָּנוֹת צָעֲדָה**, יצעדו **עֲלֵי שׁוּר**, חומה. השבט יחיה בשלווה; במקום שחיילים יעמדו על חומת העיר, על חומות ערי יוסף יטיילו בנות. כג כאן מתאר יעקב את עברו הקשה של יוסף: **וַיְמָרְרֻהוּ**, מיררו את חייו בשנאה כלפיו ובמכירתו, **וָרֹבּוּ**, ירו בו,[39] **וַיִּשְׂטְמֻהוּ**, שנאו אותו **בַּעֲלֵי חִצִּים**. כד אולם הוא לא הגיב לכך - **וַתֵּשֶׁב בְּאֵיתָן קַשְׁתּוֹ**. קשתו ישבה במקומה במלוא עצמתה, בלא לזוז.[40] **וַיָּפֹזּוּ**, הפכו לפז, הזהיבו **זְרֹעֵי יָדָיו**. ידיו אוחזות יפה בקשת ומיטיבות לירות בה, כאשר הדבר נדרש.[41] כל זה בא לו **מִידֵי אֲבִיר** אדון, המושל העליון של **יַעֲקֹב**, ה',[42] **מִשָּׁם**, ממקום, מכוח **רֹעֶה** המשגיח והמנהיג על **אֶבֶן יִשְׂרָאֵל**, ישראל התקיף וחזק כאבן,[43] או: כינוי לה', המדגיש את עצמתו.[44] כה **מֵאֵל אָבִיךָ וְיַעְזְרֶךָּ**,

אָבִיךָ וְיַעְזְרֶךָּ וְאֵת שַׁדַּי וִיבָרְכֶךָּ בִּרְכֹת שָׁמַיִם מֵעָל
בִּרְכֹת תְּהוֹם רֹבֶצֶת תָּחַת בִּרְכֹת שָׁדַיִם וָרָחַם: בִּרְכֹת כו
אָבִיךָ גָּבְרוּ עַל־בִּרְכֹת הוֹרַי עַד־תַּאֲוַת גִּבְעֹת עוֹלָם
תִּהְיֶיןָ לְרֹאשׁ יוֹסֵף וּלְקָדְקֹד נְזִיר אֶחָיו:
ששי בִּנְיָמִין זְאֵב יִטְרָף בַּבֹּקֶר יֹאכַל עַד וְלָעֶרֶב יְחַלֵּק כז

רש"י

כה) **מֵאֵל אָבִיךָ.** הָיְתָה לְּךָ זֹאת, וְהוּא יַעְזְרֶךָּ: **וְאֵת שַׁדַּי.** וְעִם הַקָּדוֹשׁ בָּרוּךְ הוּא הָיָה לִבְּךָ כְּשֶׁלֹּא שָׁמַעְתָּ לְדִבְרֵי אֲדוֹנָתְךָ, וְהוּא יְבָרְכֶךָּ: **בִּרְכֹת שָׁדַיִם וָרָחַם.** "בִּרְכָתָא דַּאֲבוּךְ וּדְאִמָּךְ", כְּלוֹמַר יִתְבָּרְכוּ הַמּוֹלִידִים וְהַיּוֹלְדוֹת, שֶׁיִּהְיוּ הַזְּכָרִים מַזְרִיעִים טִפָּה הָרְאוּיָה לְהֵרָיוֹן, וְהַנְּקֵבוֹת לֹא יְשַׁכְּלוּ אֶת רֶחֶם שֶׁלָּהֶן לְהַפִּיל עֻבְּרֵיהֶן: **שָׁדַיִם.** "יָרֹה יִיָּרֶה" (שמות יט, יג) מְתַרְגְּמִינַן: "אֶשְׁתְּדָאָה יִשְׁתְּדֵי", אַף שָׁדַיִם כָּאן עַל שֵׁם שֶׁהַזֶּרַע יוֹרֶה כַּחֵץ:

כו) **בִּרְכֹת אָבִיךָ גָּבְרוּ וְגוֹ'.** הַבְּרָכוֹת שֶׁבֵּרְכַנִי הַקָּדוֹשׁ בָּרוּךְ הוּא גָּבְרוּ עַל הַבְּרָכוֹת שֶׁבֵּרַךְ אֶת הוֹרַי: **עַד תַּאֲוַת גִּבְעֹת עוֹלָם.** לְפִי שֶׁהַבְּרָכוֹת שֶׁלִּי גָּבְרוּ וְהָלְכוּ עַד סוֹף גְּבוּלֵי גִּבְעוֹת עוֹלָם, שֶׁנָּתַן לִי בְּרָכָה פְּרוּצָה בְּלִי מְצָרִים מַגַּעַת עַד אַרְבַּע קְצוֹת הָעוֹלָם, שֶׁנֶּאֱמַר: "וּפָרַצְתָּ יָמָּה וָקֵדְמָה" וְגוֹ' (לעיל כח, יד), מַה שֶּׁלֹּא אָמַר לְאַבְרָהָם אָבִינוּ וּלְיִצְחָק. לְאַבְרָהָם אָמַר לוֹ: "שָׂא נָא עֵינֶיךָ וּרְאֵה... צָפֹנָה וְגוֹ' כִּי אֶת כָּל הָאָרֶץ אֲשֶׁר אַתָּה רֹאֶה לְךָ אֶתְּנֶנָּה" (לעיל יג, יד-טו), וְלֹא הֶרְאָהוּ אֶלָּא אֶרֶץ יִשְׂרָאֵל בִּלְבַד. לְיִצְחָק אָמַר לוֹ: "כִּי לְךָ וּלְזַרְעֲךָ אֶתֵּן אֶת כָּל הָאֲרָצֹת הָאֵל וַהֲקִמֹתִי אֶת הַשְּׁבֻעָה" וְגוֹ' (לעיל כו, ג). וְזֶהוּ שֶׁאָמַר יְשַׁעְיָה: "וְהַאֲכַלְתִּיךָ נַחֲלַת יַעֲקֹב אָבִיךָ" (ישעיה נח, יד) וְלֹא אָמַר 'נַחֲלַת אַבְרָהָם': **הוֹרַי.** לְשׁוֹן הֵרָיוֹן, שֶׁהוֹרוּנִי בִּמְעֵי אִמִּי, כְּמוֹ "הֹרָה גָבֶר" (איוב ג, ג): **תַּאֲוַת.** אשמול"ץ, כָּךְ חִבְּרוֹ מְנַחֵם בֶּן סָרוּק: **עַד תַּאֲוַת.** עַד קְצוֹת, כְּמוֹ: "וְהִתְאַוִּיתֶם לָכֶם לִגְבוּל קֵדְמָה" (במדבר לד, י), "תְּתָאוּ לְבוֹא חֲמָת" (שם ח): **תִּהְיֶיןָ.** כֻּלָּם "לְרֹאשׁ יוֹסֵף": **נְזִיר אֶחָיו.** "פְּרִישָׁא דַּאֲחוֹהִי", שֶׁנִּבְדַּל מֵאֶחָיו, כְּמוֹ: "וְיִנָּזְרוּ מִקָּדְשֵׁי בְנֵי יִשְׂרָאֵל" (ויקרא כב, ב), "נָזֹרוּ אָחוֹר" (ישעיה א, ד). וְרַבּוֹתֵינוּ דָּרְשׁוּ "וַתֵּשֶׁב בְּאֵיתָן קַשְׁתּוֹ" עַל כְּבִישַׁת יִצְרוֹ בְּאֵשֶׁת אֲדֹנָיו, וְקוֹרֵהוּ 'קֶשֶׁת' עַל שֵׁם שֶׁהַזֶּרַע יוֹרֶה כַּחֵץ. "וַיָּפֹזּוּ זְרֹעֵי יָדָיו", כְּמוֹ וַיָּפֹצוּ, שֶׁיָּצָא הַזֶּרַע מִבֵּין אֶצְבְּעוֹת יָדָיו. "מִידֵי אֲבִיר יַעֲקֹב", שֶׁנִּרְאֲתָה לוֹ דְּמוּת דְּיוֹקְנוֹ שֶׁל אָבִיו בַּחַלּוֹן וְכוּ', כִּדְאִיתָא בְּמַסֶּכֶת סוֹטָה (דף לו ע"ב). וְאוּנְקְלוֹס תִּרְגֵּם "תַּאֲוַת גִּבְעֹת עוֹלָם" לְשׁוֹן תַּאֲוָה וְחֶמְדָּה, וְ'גִבְעוֹת' לְשׁוֹן "מְצֻקֵי אֶרֶץ" (שמואל א' ב, ח) שֶׁחֲמָדָתַן אִמּוֹ וְהִזְקִיקַתּוּ לְקַבְּלָם:

כז) **בִּנְיָמִין זְאֵב יִטְרָף.** זְאֵב הוּא אֲשֶׁר יִטְרֹף, נִבָּא עַל שֶׁהָיוּ עֲתִידִין לִהְיוֹת חַטְפָנִין, "וַחֲטַפְתֶּם לָכֶם אִישׁ אִשְׁתּוֹ" בְּפִילֶגֶשׁ בַּגִּבְעָה (שופטים כא, כא). וְנִבָּא עַל שָׁאוּל שֶׁהָיָה נוֹצֵחַ בְּאוֹיְבָיו סָבִיב, שֶׁנֶּאֱמַר: "וְשָׁאוּל לָכַד הַמְּלוּכָה... וַיִּלָּחֶם... בְּמוֹאָב... וּבֶאֱדוֹם וְגוֹ' וּבְכֹל אֲשֶׁר יִפְנֶה יַרְשִׁיעַ" (שמואל א' יד, מז): **בַּבֹּקֶר יֹאכַל עַד.** לְשׁוֹן בִּזָּה וְשָׁלָל הַמְּתֻרְגָּם: 'עֲדָאָה'. וְעוֹד יֵשׁ לוֹ דּוֹמֶה בִּלְשׁוֹן עִבְרִית: "אָז חֻלַּק עַד שָׁלָל" (ישעיה לג, כג), וְעַל שָׁאוּל הוּא אוֹמֵר, שֶׁעָמַד בִּתְחִלַּת בָּקְרָן וּזְרִיחָתָן שֶׁל יִשְׂרָאֵל: **וְלָעֶרֶב יְחַלֵּק שָׁלָל.** אַף מִשֶּׁתִּשְׁקַע שִׁמְשָׁן שֶׁל יִשְׂרָאֵל עַל יְדֵי נְבוּכַדְנֶצַּר שֶׁיַּגְלֵם לְבָבֶל, "יְחַלֵּק שָׁלָל" – מָרְדְּכַי וְאֶסְתֵּר שֶׁהֵם מִבִּנְיָמִין יְחַלְּקוּ אֶת שְׁלַל הָמָן, שֶׁנֶּאֱמַר: "הִנֵּה בֵית

ביאור | **וְאֵת שַׁדַּי וִיבָרְכֶךָּ**. ברכות ה׳ לא רק הצילו אותך בשעותיך הקשות, הן ימשיכו להרעיף עליך ועל צאצאיך שפע והצלחה - **בִּרְכֹת שָׁמַיִם מֵעָל**, דוגמת גשם, **בִּרְכֹת תְּהוֹם רֹבֶצֶת תָּחַת**, פוריות ולחלוחיות האדמה שבנחלתך, **בִּרְכֹת שָׁדַיִם וָרָחַם**, פרייה ורבייה. כו **בִּרְכֹת אָבִיךָ**, הברכות שאני מעניק לך **גָּבְרוּ עַל בִּרְכֹת הוֹרַי**, גדולות מן הברכות שנתנו לי הורי, שכן אני מוסיף לך גם עצמה, גבורה והתמדת העזרה משמים, **עַד תַּאֲוַת**, קצה **גִּבְעֹת עוֹלָם**, עד סופו של העולם.[45] כל הברכות הללו **תִּהְיֶיןָ** עוטרות **לְרֹאשׁ יוֹסֵף, וּלְקָדְקֹד**, ומונחות על קדקודו של **נְזִיר אֶחָיו**, מלכם של אחיו.[46]

כז **בִּנְיָמִין זְאֵב יִטְרָף, בַּבֹּקֶר יֹאכַל עַד**, טֶרֶף, **וְלָעֶרֶב יְחַלֵּק שָׁלָל**, בערב הוא מחלק את השלל שטרף ביום. יעקב מברך את בנימין, שהוא שבט של גיבורים, בהצלחה בראשיתו ובאחריתו.

הרחבות | **המבוכר בברכות** יוסף זכה במעמד בכיר בין האחים, והוא גם זכה בברכות הגדולות ביותר. גם לעתיד לבוא יהיו שבטי יוסף שבטי הנהגה בישראל.

שָׁלָל: כׇּל־אֵלֶּה שִׁבְטֵי יִשְׂרָאֵל שְׁנֵים עָשָׂר וְזֹאת כח
אֲשֶׁר־דִּבֶּר לָהֶם אֲבִיהֶם וַיְבָרֶךְ אוֹתָם אִישׁ אֲשֶׁר
כְּבִרְכָתוֹ בֵּרַךְ אֹתָם: וַיְצַו אוֹתָם וַיֹּאמֶר אֲלֵהֶם כט
אֲנִי נֶאֱסָף אֶל־עַמִּי קִבְרוּ אֹתִי אֶל־אֲבֹתָי אֶל־
הַמְּעָרָה אֲשֶׁר בִּשְׂדֵה עֶפְרוֹן הַחִתִּי: בַּמְּעָרָה אֲשֶׁר ל
בִּשְׂדֵה הַמַּכְפֵּלָה אֲשֶׁר־עַל־פְּנֵי מַמְרֵא בְּאֶרֶץ כְּנָעַן
אֲשֶׁר קָנָה אַבְרָהָם אֶת־הַשָּׂדֶה מֵאֵת עֶפְרֹן הַחִתִּי
לַאֲחֻזַּת־קָבֶר: שָׁמָּה קָבְרוּ אֶת־אַבְרָהָם וְאֵת שָׂרָה לא
אִשְׁתּוֹ שָׁמָּה קָבְרוּ אֶת־יִצְחָק וְאֵת רִבְקָה אִשְׁתּוֹ
וְשָׁמָּה קָבַרְתִּי אֶת־לֵאָה: מִקְנֵה הַשָּׂדֶה וְהַמְּעָרָה לב
אֲשֶׁר־בּוֹ מֵאֵת בְּנֵי־חֵת: וַיְכַל יַעֲקֹב לְצַוֹּת אֶת־בָּנָיו לג
וַיֶּאֱסֹף רַגְלָיו אֶל־הַמִּטָּה וַיִּגְוַע וַיֵּאָסֶף אֶל־עַמָּיו:

רש"י

הָמָן נָתַתִּי לְאֶסְתֵּר" (אסתר ח, ז). וְאוּנְקְלוֹס תִּרְגְּמוֹ עַל שְׁלַל הַכֹּהֲנִים בְּקׇדְשֵׁי הַמִּקְדָּשׁ:

כח) **וְזֹאת אֲשֶׁר דִּבֶּר לָהֶם אֲבִיהֶם וַיְבָרֶךְ אוֹתָם.** וַהֲלֹא יֵשׁ מֵהֶם שֶׁלֹּא בֵּרְכָם אֶלָּא קִנְטְרָן? אֶלָּא כָּךְ פֵּרוּשׁוֹ: "וְזֹאת אֲשֶׁר דִּבֶּר לָהֶם אֲבִיהֶם", מַה שֶּׁאָמוּר בָּעִנְיָן. יָכוֹל שֶׁלֹּא בֵּרַךְ לִרְאוּבֵן שִׁמְעוֹן וְלֵוִי? תַּלְמוּד לוֹמַר: "וַיְבָרֶךְ אוֹתָם", כֻּלָּם בַּמַּשְׁמָע: **אֲשֶׁר כְּבִרְכָתוֹ.** בְּרָכָה הָעֲתִידָה לָבֹא עַל כׇּל אֶחָד וְאֶחָד "בֵּרַךְ אֹתָם". לֹא הָיָה לוֹ לוֹמַר אֶלָּא 'אִישׁ אֲשֶׁר כְּבִרְכָתוֹ בֵּרַךְ אֹתוֹ', מַה תַּלְמוּד לוֹמַר: "בֵּרַךְ אֹתָם"? לְפִי שֶׁנָּתַן לִיהוּדָה גְּבוּרַת אֲרִי וּלְבִנְיָמִין חֲטִיפָתוֹ שֶׁל זְאֵב וּלְנַפְתָּלִי קַלּוּתוֹ שֶׁל אַיָּל, יָכוֹל שֶׁלֹּא כְּלָלָן כֻּלָּם בְּכׇל הַבְּרָכוֹת? תַּלְמוּד לוֹמַר: "בֵּרַךְ אֹתָם":

כט) **נֶאֱסָף אֶל עַמִּי.** עַל שֵׁם שֶׁמַּכְנִיסִין הַנְּפָשׁוֹת אֶל מְקוֹם גְּנִיזָתָן, שֶׁיֵּשׁ אֲסִיפוֹת בִּלְשׁוֹן עִבְרִית שֶׁהֵן לְשׁוֹן הַכְנָסָה, כְּגוֹן: "וְאֵין אִישׁ מְאַסֵּף אוֹתִי הַבָּיְתָה" (שופטים יט, יח), "וַאֲסַפְתּוֹ אֶל תּוֹךְ בֵּיתֶךָ" (דברים כב, ב), "בְּאׇסְפְּכֶם אֶת תְּבוּאַת הָאָרֶץ" (ויקרא כג, לט) – הַכְנָסָתָהּ לַבַּיִת מִפְּנֵי הַגְּשָׁמִים, "בְּאׇסְפְּךָ אֶת מַעֲשֶׂיךָ" (שמות כג, טז), וְכׇל אֲסִיפָה הָאֲמוּרָה בְּמִיתָה אַף הִיא לְשׁוֹן הַכְנָסָה: **אֶל אֲבֹתָי.** עִם אֲבוֹתַי:

לג) **וַיֶּאֱסֹף רַגְלָיו.** הִכְנִיס רַגְלָיו: **וַיִּגְוַע וַיֵּאָסֶף.** וּמִיתָה לֹא נֶאֶמְרָה בּוֹ, וְאָמְרוּ רַבּוֹתֵינוּ: יַעֲקֹב אָבִינוּ לֹא מֵת:

ביאור

כח כָּל אֵלֶּה שִׁבְטֵי יִשְׂרָאֵל שְׁנֵים עָשָׂר. וְזֹאת אֲשֶׁר דִּבֶּר לָהֶם אֲבִיהֶם, וַיְבָרֶךְ אוֹתָם, אִישׁ אֲשֶׁר כְּבִרְכָתוֹ בֵּרַךְ אֹתָם. מן המצוטט כאן עולה שחלק מן הבנים לא זכו בדברי ברכה אלא בתוכחה. מה שהופיע כאן הוא דברי הנבואה של יעקב, בלשון מליצית, שלעתים היא סמלית וסתומה. מסתבר, שבנוסף עליהם בירך יעקב את כל אחד מבניו לפי עניינו בברכות פרטיות, כאב המברך את בניו.[47]

כט וַיְצַו אוֹתָם, וַיֹּאמֶר אֲלֵהֶם: אֲנִי נֶאֱסָף אֶל עַמִּי, עומד למות, קִבְרוּ
אֹתִי אֶל, אצל אֲבֹתָי, אֶל הַמְּעָרָה אֲשֶׁר בִּשְׂדֵה עֶפְרוֹן הַחִתִּי, ל בַּמְּעָרָה
אֲשֶׁר בִּשְׂדֵה הַמַּכְפֵּלָה, אֲשֶׁר עַל פְּנֵי מַמְרֵא בְּאֶרֶץ כְּנָעַן, אֲשֶׁר קָנָה
אַבְרָהָם אֶת הַשָּׂדֶה מֵאֵת עֶפְרֹן הַחִתִּי לַאֲחֻזַּת קָבֶר. לא שָׁמָּה קָבְרוּ
אֶת אַבְרָהָם וְאֵת שָׂרָה אִשְׁתּוֹ, שָׁמָּה קָבְרוּ אֶת יִצְחָק וְאֵת רִבְקָה אִשְׁתּוֹ, וְשָׁמָּה קָבַרְתִּי אֶת לֵאָה. אבי ואמי, סבי וסבתי קבורים שם. לשם הבאתי לקבורה את לאה, ובמקום הנשאר אני מצווה עליכם
לקבור גם אותי. לב מִקְנֵה הַשָּׂדֶה וְהַמְּעָרָה אֲשֶׁר בּוֹ, זוהי מערת
קברי המשפחה שסבי קנה מֵאֵת בְּנֵי חֵת.

לג וַיְכַל יַעֲקֹב לְצַוֹּת אֶת בָּנָיו. יעקב החולה אמר את דבריו בישבו על המיטה, וכשחש שהוא עומד למות - וַיֶּאֱסֹף רַגְלָיו אֶל הַמִּטָּה, ומשכבב - וַיִּגְוַע וַיֵּאָסֶף אֶל עַמָּיו.

הרחבות

'קִבְרוּ אֹתִי אֶל אֲבֹתָי' תחילה ביקש מיוסף שלא לקברו במצרים אלא בכנען, משום שבידו היו השלטון והסמכות. עכשיו פנה גם אל שאר בניו באותה בקשה. כנראה היה מעוניין שכל הבנים יהיו שותפים בעניין, שהרי גם אם אין לאחי יוסף כוח ומעמד כמו ליוסף, אולי הוא יזדקק לעזרתם. ייתכן שיעקב חשב שאחי יוסף עלולים להתנגד לקבורת יעקב הרחק מהם. כאשר אבי המשפחה טמון בקרב המשפחה, יש גורם הממקד את כל בניה סביבו ובכך המשפחה יותר מאוחדת.

אחוזת קבר כעוגן וחוסן רכישת אחוזת הקבר והשימוש העקבי בה חוזר ונשנה כמה פעמים בספר (ראו לעיל כה,ט ולהלן נ,יג). הקבורה בנחלת האבות מטילה עוגן ונוטעת תקווה בלבותיהם של בני המשפחה הגולים והנודדים ומזכירה להם כי שהותם בנכר זמנית, יתדם תקועה בארץ ישראל, ואליה הם עתידים לשוב.

נ א ב וַיִּפֹּל יוֹסֵף עַל־פְּנֵי אָבִיו וַיֵּבְךְּ עָלָיו וַיִּשַּׁק־לוֹ׃ וַיְצַו יוֹסֵף
אֶת־עֲבָדָיו אֶת־הָרֹפְאִים לַחֲנֹט אֶת־אָבִיו וַיַּחַנְטוּ
ג הָרֹפְאִים אֶת־יִשְׂרָאֵל׃ וַיִּמְלְאוּ־לוֹ אַרְבָּעִים יוֹם כִּי
כֵּן יִמְלְאוּ יְמֵי הַחֲנֻטִים וַיִּבְכּוּ אֹתוֹ מִצְרַיִם שִׁבְעִים
ד יוֹם׃ וַיַּעַבְרוּ יְמֵי בְכִיתוֹ וַיְדַבֵּר יוֹסֵף אֶל־בֵּית פַּרְעֹה
לֵאמֹר אִם־נָא מָצָאתִי חֵן בְּעֵינֵיכֶם דַּבְּרוּ־נָא בְּאָזְנֵי
ה פַרְעֹה לֵאמֹר׃ אָבִי הִשְׁבִּיעַנִי לֵאמֹר הִנֵּה אָנֹכִי מֵת
בְּקִבְרִי אֲשֶׁר כָּרִיתִי לִי בְּאֶרֶץ כְּנַעַן שָׁמָּה תִּקְבְּרֵנִי
ו וְעַתָּה אֶעֱלֶה־נָּא וְאֶקְבְּרָה אֶת־אָבִי וְאָשׁוּבָה׃ וַיֹּאמֶר
ז פַּרְעֹה עֲלֵה וּקְבֹר אֶת־אָבִיךָ כַּאֲשֶׁר הִשְׁבִּיעֶךָ׃ וַיַּעַל

רש"י | פרק נ

ב **לַחֲנֹט אֶת אָבִיו.** עִנְיַן מִרְקַחַת בְּשָׂמִים הוּא:

ג **וַיִּמְלְאוּ לוֹ.** הִשְׁלִימוּ לוֹ יְמֵי חֲנִיטָתוֹ עַד שֶׁמָּלְאוּ לוֹ אַרְבָּעִים יוֹם: **וַיִּבְכּוּ אֹתוֹ מִצְרַיִם שִׁבְעִים יוֹם.** אַרְבָּעִים לַחֲנִיטָה וּשְׁלֹשִׁים לִבְכִי, לְפִי שֶׁבָּאָה לָהֶם בְּרָכָה לְרַגְלוֹ, שֶׁכָּלָה הָרָעָב וְהָיוּ מֵי נִילוּס מִתְבָּרְכִין:

ה **אֲשֶׁר כָּרִיתִי לִי.** כִּפְשׁוּטוֹ, כְּמוֹ: "כִּי יִכְרֶה אִישׁ" (שמות כא, לג). וּמִדְרָשׁוֹ עוֹד מִתְיַשֵּׁב עַל הַלָּשׁוֹן, כְּמוֹ אֲשֶׁר קָנִיתִי. אָמַר רַבִּי עֲקִיבָא: כְּשֶׁהָלַכְתִּי לִכְרַכֵּי הַיָּם הָיוּ קוֹרִין לִמְכִירָה 'כִּירָה'. וְעוֹד מִדְרָשׁוֹ לְשׁוֹן כְּרִי, דְּגוּר; שֶׁנָּטַל יַעֲקֹב כָּל כֶּסֶף וְזָהָב שֶׁהֵבִיא מִבֵּית לָבָן וְעָשָׂה אוֹתוֹ כְּרִי, וְאָמַר לְעֵשָׂו: טֹל זֶה בִּשְׁבִיל חֶלְקְךָ בַּמְּעָרָה:

ו **כַּאֲשֶׁר הִשְׁבִּיעֶךָ.** וְאִם לֹא בִּשְׁבִיל הַשְּׁבוּעָה לֹא הָיִיתִי מַנִּיחֲךָ. אֲבָל יָרֵא לוֹמַר: עֲבֹר עַל הַשְּׁבוּעָה, שֶׁלֹּא יֹאמַר: אִם כֵּן, אֶעֱבֹר עַל הַשְּׁבוּעָה שֶׁנִּשְׁבַּעְתִּי לְךָ שֶׁלֹּא אֲגַלֶּה עַל לְשׁוֹן הַקֹּדֶשׁ שֶׁאֲנִי מַכִּיר עוֹדֵף עַל שִׁבְעִים לָשׁוֹן וְאַתָּה אֵינְךָ מַכִּיר בּוֹ, כִּדְאִיתָא בְּמַסֶּכֶת סוֹטָה (דף לו ע"ב):

הרחבות | 'אעלה נא... ואשובה' מסגנון הבקשה וגם מן ההמשך אפשר להבין מדוע יוסף מעולם לא ביקר את משפחתו בארץ כנען. אכן, ליוסף היה כוח רב מאוד במצרים. יוסף גם חזר והדגיש שהוא כפוף לפרעה, אך ייתכן שלמרות הסמכות והנאמנות שהפגין, פרעה רצה להבטיח שיוסף לא יסכן את מצרים בדרך כלשהי. פרעה היה עלול לחשוד שמא יוסף, כבן ארץ כנען, ישוב אליה, תוך שהוא מנצל את העצמה שרכש במצרים, כדי לבנות לעצמו נסיכות עצמאית. כיוון שיוסף היה ער לאפשרות זו, הוא הבהיר לפרעה שהוא יוצא ממצרים, רק משום שאביו השביע אותו. יוסף אף התחייב לשוב למצרים מיד לאחר הקבורה.

בעקבות הסתלקותו של יעקב

פרק נ פס׳ א–כא

מותו של יעקב, אבי המשפחה הזקן, גורר בעקבותיו מגוון טקסים, מעשים ותגובות רגשיות. גם המצרים מבטאים את הכבוד שהם רוחשים כלפי אביו הזקן של יוסף.

ביאור | פרק נ א **וַיִּפֹּל יוֹסֵף**, החשוב שבאחים, **עַל פְּנֵי אָבִיו, וַיֵּבְךְּ עָלָיו וַיִּשַּׁק**
לוֹ. ב **וַיְצַו יוֹסֵף אֶת עֲבָדָיו, אֶת הָרֹפְאִים, לַחֲנֹט אֶת אָבִיו.** חלק מן
הכפופים ליוסף היו רופאים שבמסגרת תפקידם חנטו את המתים,
כלומר הוציאו את אבריהם הפנימיים, ומילאו את הגופה בחומרים
משמרים, כדי שתישמר צורתו של האדם. **וַיַּחַנְטוּ הָרֹפְאִים אֶת יִשְׂרָאֵל.**

ג **וַיִּמְלְאוּ לוֹ**, לפטירתו **אַרְבָּעִים יוֹם, כִּי כֵּן יִמְלְאוּ יְמֵי הַחֲנֻטִים**, זהו
הזמן הקבוע לתהליך זה, שכן כדי לשמר את צורת המת, נדרשת
מלאכה עדינה וממושכת. **וַיִּבְכּוּ אֹתוֹ מִצְרַיִם שִׁבְעִים יוֹם.** רק לאחר
שנחנט ונשמר בארון, התחיל האבל עליו. בהתאם למנהג המצרי,
תקופת הבכי ארכה שבעים יום. לחלופין, ייתכן ששבעים הימים
הללו כוללים את ארבעים ימי החניטה, ושלושים הימים שנותרו
לבכייה תואמים את מנהג ישראל.[48]

ד **וַיַּעַבְרוּ יְמֵי בְכִיתוֹ. וַיְדַבֵּר יוֹסֵף אֶל בֵּית פַּרְעֹה.** יוסף לא ניגש ישירות
לפרעה, אולי חשש מתגובה שלילית. תחילה ניסה לשלוח אל ביתו
שליחים **לֵאמֹר: אִם נָא מָצָאתִי חֵן בְּעֵינֵיכֶם, דַּבְּרוּ נָא** בשמי **בְּאָזְנֵי פַרְעֹה**
לֵאמֹר: ה **אָבִי הִשְׁבִּיעַנִי לֵאמֹר: ״הִנֵּה אָנֹכִי מֵת. בְּקִבְרִי אֲשֶׁר כָּרִיתִי**
לִי בְּאֶרֶץ כְּנַעַן – שָׁמָּה תִּקְבְּרֵנִי״. וְעַתָּה, הציע יוסף לפרעה, **אֶעֱלֶה**
נָּא לארץ כנען, **וְאֶקְבְּרָה אֶת אָבִי** במקום שהשביע אותי שאקבור
אותו, **וְאָשׁוּבָה** אליכם.

ו **וַיֹּאמֶר פַּרְעֹה: עֲלֵה וּקְבֹר אֶת אָבִיךָ כַּאֲשֶׁר הִשְׁבִּיעֶךָ.**

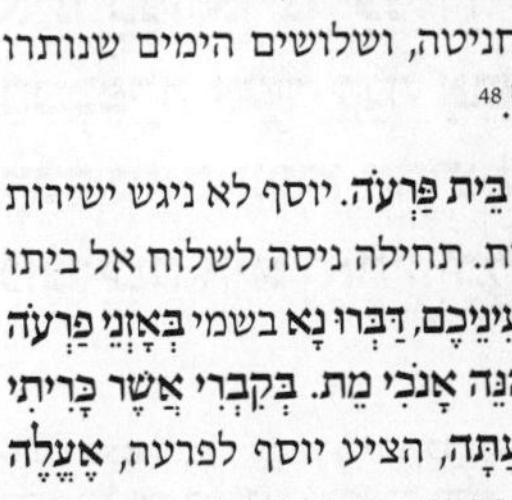

חניטת מתים
סוף התקנת הגופה לקבורה והכנת הכדים לאבריו הפנימיים
תמשיח
קבר אמנ-פ-אפת, ראשית השושלת הי״ט
נֹא-אמון

יוֹסֵף לִקְבֹּר אֶת־אָבִיו וַיַּעֲלוּ אִתּוֹ כָּל־עַבְדֵי פַרְעֹה
זִקְנֵי בֵיתוֹ וְכֹל זִקְנֵי אֶרֶץ־מִצְרָיִם׃ וְכֹל בֵּית יוֹסֵף ח
וְאֶחָיו וּבֵית אָבִיו רַק טַפָּם וְצֹאנָם וּבְקָרָם עָזְבוּ
בְּאֶרֶץ גֹּשֶׁן׃ וַיַּעַל עִמּוֹ גַּם־רֶכֶב גַּם־פָּרָשִׁים וַיְהִי ט
הַמַּחֲנֶה כָּבֵד מְאֹד׃ וַיָּבֹאוּ עַד־גֹּרֶן הָאָטָד אֲשֶׁר י
בְּעֵבֶר הַיַּרְדֵּן וַיִּסְפְּדוּ־שָׁם מִסְפֵּד גָּדוֹל וְכָבֵד מְאֹד
וַיַּעַשׂ לְאָבִיו אֵבֶל שִׁבְעַת יָמִים׃ וַיַּרְא יוֹשֵׁב הָאָרֶץ יא
הַכְּנַעֲנִי אֶת־הָאֵבֶל בְּגֹרֶן הָאָטָד וַיֹּאמְרוּ אֵבֶל־כָּבֵד
זֶה לְמִצְרָיִם עַל־כֵּן קָרָא שְׁמָהּ אָבֵל מִצְרַיִם אֲשֶׁר
בְּעֵבֶר הַיַּרְדֵּן׃ וַיַּעֲשׂוּ בָנָיו לוֹ כֵּן כַּאֲשֶׁר צִוָּם׃ וַיִּשְׂאוּ יב יג
אֹתוֹ בָנָיו אַרְצָה כְּנַעַן וַיִּקְבְּרוּ אֹתוֹ בִּמְעָרַת שְׂדֵה
הַמַּכְפֵּלָה אֲשֶׁר קָנָה אַבְרָהָם אֶת־הַשָּׂדֶה לַאֲחֻזַּת־
קֶבֶר מֵאֵת עֶפְרֹן הַחִתִּי עַל־פְּנֵי מַמְרֵא׃ וַיָּשָׁב יוֹסֵף יד
מִצְרַיְמָה הוּא וְאֶחָיו וְכָל־הָעֹלִים אִתּוֹ לִקְבֹּר אֶת־

רש"י

י) **גֹּרֶן הָאָטָד.** מֻקָּף אֲטָדִין הָיָה, וְרַבּוֹתֵינוּ דָּרְשׁוּ עַל שֵׁם הַמְּאֹרָע, שֶׁבָּאוּ כָּל מַלְכֵי כְנַעַן וּנְשִׂיאֵי יִשְׁמָעֵאל לַמִּלְחָמָה, וְכֵיוָן שֶׁרָאוּ כִּתְרוֹ שֶׁל יוֹסֵף תָּלוּי בַּאֲרוֹנוֹ שֶׁל יַעֲקֹב, עָמְדוּ כֻלָּן וְתָלוּ בוֹ כִּתְרֵיהֶם, וְהִקִּיפוּהוּ כְּתָרִים כְּגֹרֶן הַמֻּקָּף סְיָג שֶׁל קוֹצִים:

יב-יג) **כַּאֲשֶׁר צִוָּם.** מַהוּ אֲשֶׁר צִוָּם? "וַיִּשְׂאוּ אֹתוֹ בָנָיו" וְלֹא בְּנֵי בָנָיו, שֶׁכָּךְ צִוָּם: אַל יִשְׂאוּ מִטָּתִי לֹא אִישׁ מִצְרִי וְלֹא אֶחָד מִבְּנֵיכֶם, שֶׁהֵם מִבְּנוֹת כְּנַעַן, אֶלָּא אַתֶּם. וְקָבַע לָהֶם מָקוֹם, שְׁלֹשָׁה לַמִּזְרָח, וְכֵן לְאַרְבַּע רוּחוֹת, וּכְסִדְרָן לְמַסַּע מַחֲנֶה שֶׁל דְּגָלִים נִקְבְּעוּ כָּאן; לֵוִי לֹא יִשָּׂא, שֶׁהוּא עָתִיד לָשֵׂאת אֶת הָאָרוֹן, וְיוֹסֵף לֹא יִשָּׂא, שֶׁהוּא מֶלֶךְ, מְנַשֶּׁה וְאֶפְרַיִם יִהְיוּ תַּחְתֵּיהֶם. וְזֶהוּ "אִישׁ עַל דִּגְלוֹ בְאֹתֹת" (במדבר ב, ב) – בָּאוֹת שֶׁמָּסַר לָהֶם אֲבִיהֶם לָשֵׂאת מִטָּתוֹ:

יד) **הוּא וְאֶחָיו וְכָל הָעֹלִים אִתּוֹ.** בַּחֲזָרָתָן כָּאן הִקְדִּים אֶחָיו לַמִּצְרִים הָעוֹלִים אִתּוֹ, וּבַהֲלִיכָתָן הִקְדִּים מִצְרִים לְאֶחָיו, שֶׁנֶּאֱמַר: "וַיַּעֲלוּ אִתּוֹ כָּל עַבְדֵי פַרְעֹה" וְגוֹ' וְאַחַר כָּךְ: "וְכֹל בֵּית יוֹסֵף וְאֶחָיו" (לעיל פסוק ז-ח)! אֶלָּא לְפִי שֶׁרָאוּ כָבוֹד שֶׁעָשׂוּ מַלְכֵי כְנַעַן, שֶׁתָּלוּ כִּתְרֵיהֶם בַּאֲרוֹנוֹ שֶׁל יַעֲקֹב, נָהֲגוּ בָהֶם כָּבוֹד:

ביאור

ז וַיַּעַל יוֹסֵף לִקְבֹּר אֶת אָבִיו, וַיַּעֲלוּ אִתּוֹ כָּל עַבְדֵי פַרְעֹה זִקְנֵי בֵיתוֹ,
וְכֹל זִקְנֵי אֶרֶץ מִצְרָיִם, ח וְכֹל בֵּית יוֹסֵף וְאֶחָיו וּבֵית אָבִיו, רַק טַפָּם,
ילדיהם וְצֹאנָם וּבְקָרָם עָזְבוּ בְּאֶרֶץ גֹּשֶׁן. ט וַיַּעַל עִמּוֹ גַּם רֶכֶב גַּם
פָּרָשִׁים. מסתבר כי את אלו שלח פרעה גם כדי להבטיח שיוסף
ישוב למצרים. וַיְהִי הַמַּחֲנֶה כָּבֵד מְאֹד.

י וַיָּבֹאוּ עַד גֹּרֶן הָאָטָד, גורן שהייתה מוקפת בשיחי אטד,[49] אֲשֶׁר
בְּעֵבֶר הַיַּרְדֵּן בדרכם לכנען. ייתכן שהעדיפו את הדרך הארוכה, דרך
עבר הירדן המזרחי, על פני הדרך הקצרה יותר, דרך ארץ פלשתים,
כדי להימנע ממעבר במקומות מושבם של עמים זרים וחזקים שהיו
עלולים לראות בשיירת החיל המצרית איום. וַיִּסְפְּדוּ שָׁם מִסְפֵּד גָּדוֹל
וְכָבֵד מְאֹד. וַיַּעַשׂ יוסף לְאָבִיו אֵבֶל שִׁבְעַת יָמִים.

יא וַיַּרְא יוֹשֵׁב הָאָרֶץ הַכְּנַעֲנִי, תושבי הארץ, שלא הכירו את הרקע
לבואה של השיירה הזו, ראו אֶת הָאֵבֶל בְּגֹרֶן הָאָטָד. וַיֹּאמְרוּ: אֵבֶל כָּבֵד
זֶה לְמִצְרָיִם. עַל כֵּן קָרָא שְׁמָהּ של העיירה או הנקודה הזו, שמאוחר
יותר הפכה לעיר – אָבֵל מִצְרַיִם אֲשֶׁר בְּעֵבֶר הַיַּרְדֵּן.

יב וַיַּעֲשׂוּ בָנָיו לוֹ כֵּן כַּאֲשֶׁר צִוָּם – יג וַיִּשְׂאוּ אֹתוֹ בָנָיו אַרְצָה כְּנַעַן,
וַיִּקְבְּרוּ אֹתוֹ בִּמְעָרַת שְׂדֵה הַמַּכְפֵּלָה, אֲשֶׁר קָנָה אַבְרָהָם אֶת הַשָּׂדֶה
לַאֲחֻזַּת קֶבֶר מֵאֵת עֶפְרֹן הַחִתִּי עַל פְּנֵי מַמְרֵא.

יד וַיָּשָׁב יוֹסֵף מִצְרַיְמָה, הוּא וְאֶחָיו וְכָל הָעֹלִים אִתּוֹ לִקְבֹּר אֶת אָבִיו,

הרחבות

'גם רכב גם פרשים' לפמליה המצרית הגדולה שליוותה את יוסף נועדו שני תפקידים המשקפים את יחסו המורכב של פרעה ליוסף: זקני פרעה וזקני מצרים ליוו את ארונו של יעקב כדי לחלוק לו כבוד אחרון, בהיותו אביו של יוסף, המשנה למלך, ואולי גם משום שהתייחסו אליו כאל קדוש, כפי שאפשר להתרשם מאווירת הפגישה בין יעקב לפרעה (לעיל מז,ז-י). ואולם צירופם של הרכב והפרשים למשלחת אומר כי מתחת לביטויי הכבוד כלפי יוסף ואביו, מסתתר גם חשבון פוליטי – כך מוודא פרעה שיוסף יחזור למצרים.

העולם

גֹּרֶן הָאָטָד הגורן הייתה שטח עגול, לעתים סלעי, ששימש לריכוז של תבואה וגם לכינוס אנשים. כדי להגן על התבואה שבגורן היו לעתים מקיפים אותה בגדר אבנים או במשוכת קוצים, כגון אטד (ראו סוטה יג ע"א). היו שזיהו את גורן האטד עם בית-חגלה בקרבת יריחו, והיו שזיהו אותו עם תל עג'ול שעל הגדה הצפונית של נחל הבשור מדרום לעזה. הצירוף 'עבר הירדן' שבפסוק יתייחס אפוא ליושבי ארץ כנען המערבית.

אָבִיו אַחֲרֵי קָבְרוֹ אֶת־אָבִיו׃ וַיִּרְאוּ אֲחֵי־יוֹסֵף כִּי־מֵת טו
אֲבִיהֶם וַיֹּאמְרוּ לוּ יִשְׂטְמֵנוּ יוֹסֵף וְהָשֵׁב יָשִׁיב לָנוּ אֵת
כָּל־הָרָעָה אֲשֶׁר גָּמַלְנוּ אֹתוֹ׃ וַיְצַוּוּ אֶל־יוֹסֵף לֵאמֹר טז
אָבִיךָ צִוָּה לִפְנֵי מוֹתוֹ לֵאמֹר׃ כֹּה־תֹאמְרוּ לְיוֹסֵף יז
אָנָּא שָׂא נָא פֶּשַׁע אַחֶיךָ וְחַטָּאתָם כִּי־רָעָה גְמָלוּךָ
וְעַתָּה שָׂא נָא לְפֶשַׁע עַבְדֵי אֱלֹהֵי אָבִיךָ וַיֵּבְךְּ יוֹסֵף
בְּדַבְּרָם אֵלָיו׃ וַיֵּלְכוּ גַּם־אֶחָיו וַיִּפְּלוּ לְפָנָיו וַיֹּאמְרוּ יח
הִנֶּנּוּ לְךָ לַעֲבָדִים׃ וַיֹּאמֶר אֲלֵהֶם יוֹסֵף אַל־תִּירָאוּ יט
כִּי הֲתַחַת אֱלֹהִים אָנִי׃ וְאַתֶּם חֲשַׁבְתֶּם עָלַי רָעָה כ
אֱלֹהִים חֲשָׁבָהּ לְטֹבָה לְמַעַן עֲשֹׂה כַּיּוֹם הַזֶּה לְהַחֲיֹת
שביעי עַם־רָב׃ וְעַתָּה אַל־תִּירָאוּ אָנֹכִי אֲכַלְכֵּל אֶתְכֶם כא

רש"י

טו) וַיִּרְאוּ אֲחֵי יוֹסֵף כִּי מֵת אֲבִיהֶם. מַהוּ "וַיִּרְאוּ"? הִכִּירוּ בְּמִיתָתוֹ אֵצֶל יוֹסֵף, שֶׁהָיוּ רְגִילִים לִסְעֹד עַל שֻׁלְחָנוֹ שֶׁל יוֹסֵף וְהָיָה מְקָרְבָן בִּשְׁבִיל כְּבוֹד אָבִיו, וּמִשֶּׁמֵּת יַעֲקֹב לֹא קֵרְבָן: לוּ יִשְׂטְמֵנוּ. שֶׁמָּא יִשְׂטְמֵנוּ. 'לוּ' מִתְחַלֵּק לְעִנְיָנִים הַרְבֵּה: יֵשׁ 'לוּ' מְשַׁמֵּשׁ בִּלְשׁוֹן בַּקָּשָׁה וּלְשׁוֹן הַלְוַאי, כְּגוֹן: "לוּ יְהִי כִדְבָרֶךָ" (לעיל ל, לד), "לוּ שְׁמָעֵנִי" (לעיל כג, יג), "וְלוּ הוֹאַלְנוּ" (יהושע ז, ז), "לוּ מַתְנוּ" (במדבר יד, ב); וְיֵשׁ 'לוּ' מְשַׁמֵּשׁ בִּלְשׁוֹן אִם וְאוּלַי, כְּגוֹן: "לוּ חָכְמוּ" (דברים לב, כט), "לוּ הִקְשַׁבְתָּ לְמִצְוֹתָי" (ישעיה מח, יח), "וְלוּ אָנֹכִי שֹׁקֵל עַל כַּפַּי" (שמואל ב' יח, יב); וְיֵשׁ 'לוּ' מְשַׁמֵּשׁ בִּלְשׁוֹן שֶׁמָּא: "לוּ יִשְׂטְמֵנוּ" וְאֵין לוֹ עוֹד דּוֹמֶה בַּמִּקְרָא, וְהוּא לְשׁוֹן אוּלַי, כְּמוֹ: "אֻלַי לֹא תֵלֵךְ הָאִשָּׁה אַחֲרָי" (לעיל כד, לט) לְשׁוֹן שֶׁמָּא הוּא. וְיֵשׁ 'אוּלַי' לְשׁוֹן בַּקָּשָׁה, כְּגוֹן: "אוּלַי יִרְאֶה ה' בְּעֵינִי" (שמואל ב' טז, יב), "אוּלַי ה' אוֹתִי" (יהושע יד, יב), הֲרֵי הוּא כְּמוֹ: "לוּ יְהִי כִדְבָרֶךָ" (לעיל ל, לד); וְיֵשׁ 'אוּלַי' לְשׁוֹן אִם: "אוּלַי יֵשׁ חֲמִשִּׁים צַדִּיקִם" (לעיל יח, כד):

טז) וַיְצַוּוּ אֶל יוֹסֵף. כְּמוֹ: "וַיְצַוֵּם אֶל בְּנֵי יִשְׂרָאֵל" (שמות ו, יג), צִוָּה לְמֹשֶׁה וּלְאַהֲרֹן לִהְיוֹת שְׁלוּחִים אֶל בְּנֵי יִשְׂרָאֵל, אַף זֶה, וַיְצַוּוּ אֶל שְׁלוּחָם לִהְיוֹת שָׁלִיחַ אֶל יוֹסֵף לוֹמַר לוֹ כֵּן. וְאֶת מִי צִוּוּ? אֶת בְּנֵי בִלְהָה שֶׁהָיוּ רְגִילִין אֶצְלוֹ, שֶׁנֶּאֱמַר: "וְהוּא נַעַר אֶת בְּנֵי בִלְהָה" (לעיל לז, ב): אָבִיךָ צִוָּה. שִׁנּוּ בְּדָבָר הַשָּׁלוֹם, כִּי לֹא צִוָּה יַעֲקֹב כֵּן, שֶׁלֹּא נֶחְשַׁד יוֹסֵף בְּעֵינָיו:

יז) שָׂא נָא לְפֶשַׁע עַבְדֵי אֱלֹהֵי אָבִיךָ. אִם אָבִיךָ מֵת, אֱלֹהָיו קַיָּם וְהֵם עֲבָדָיו:

יח) וַיֵּלְכוּ גַּם אֶחָיו. מוּסָף עַל הַשְּׁלִיחוּת:

יט) כִּי הֲתַחַת אֱלֹהִים אָנִי. שֶׁמָּא בִּמְקוֹמוֹ אֲנִי? בִּתְמִיָּה. אִם הָיִיתִי רוֹצֶה לְהָרַע לָכֶם, כְּלוּם אֲנִי יָכוֹל? וַהֲלֹא אַתֶּם כֻּלְּכֶם חֲשַׁבְתֶּם עָלַי רָעָה וְהַקָּדוֹשׁ בָּרוּךְ הוּא חֲשָׁבָהּ לְטוֹבָה, וְהֵיאַךְ אֲנִי לְבַדִּי יָכוֹל לְהָרַע לָכֶם? (ב"ר סס ט):

ביאור | אַחֲרֵי קָבְרוֹ אֶת אָבִיו. טו וַיִּרְאוּ אֲחֵי יוֹסֵף כִּי מֵת אֲבִיהֶם, וַיֹּאמְרוּ: לוּ,
אולי[50] יִשְׂטְמֵנוּ, ישנא אותנו יוֹסֵף, וְהָשֵׁב יָשִׁיב לָנוּ אֵת כָּל הָרָעָה אֲשֶׁר
גָּמַלְנוּ אֹתוֹ. טז וַיְצַוּוּ אֶל יוֹסֵף לֵאמֹר, הם חששו לגשת ישירות אליו,
ושלחו שליחים[51] שאמרו: אָבִיךָ צִוָּה לִפְנֵי מוֹתוֹ לֵאמֹר: יז "כֹּה תֹאמְרוּ
לְיוֹסֵף: אָנָּא שָׂא, סלח נָא פֶּשַׁע אַחֶיךָ וְחַטָּאתָם, כִּי רָעָה גְמָלוּךָ", וְעַתָּה
קיים צוואת אביך וּשָׂא נָא לְפֶשַׁע עַבְדֵי אֱלֹהֵי אָבִיךָ. הם מדגישים
בשם אביהם - בין אם אכן כך ציווה יעקב ובין שהאחים בדו זאת
מלבם[52] - שעליו לסלוח להם, משום שאב משותף אחד לו ולהם,
ושהם חולקים אמונה משותפת.

וַיֵּבְךְּ יוֹסֵף בְּדַבְּרָם אֵלָיו.

יוסף לא ענה דבר. והאחים חששו שהוא נזכר ביסורים שהסבו
לו בשעתו. יח על כן - וַיֵּלְכוּ גַּם אֶחָיו ישירות וַיִּפְּלוּ לְפָנָיו, וַיֹּאמְרוּ:
הִנֶּנּוּ לְךָ לַעֲבָדִים.

יט וַיֹּאמֶר אֲלֵהֶם יוֹסֵף: אַל תִּירָאוּ, כִּי הֲתַחַת אֱלֹהִים אָנִי? על חטאיכם
יוכל לכפר רק אלוקים. אינני יכול להענישכם במקומו. כ וְאַתֶּם
חֲשַׁבְתֶּם עָלַי רָעָה, אֱלֹהִים חֲשָׁבָהּ לְטֹבָה, לְמַעַן עֲשֹׂה כַּיּוֹם הַזֶּה, כדי
שיתרחש מה שאכן קורה עתה - לְהַחֲיֹת עַם רָב. אינני נוטר לכם
טינה, כי בעקבות מחשבתכם הרעה עליתי לגדולה, ובסופו של דבר,
בגלל מזימתכם הגעתי לכך שביכולתי לפרנס אתכם. כא וְעַתָּה אַל
תִּירָאוּ, אָנֹכִי אֲכַלְכֵּל אֶתְכֶם וְאֶת טַפְּכֶם. וַיְנַחֵם אוֹתָם, וַיְדַבֵּר עַל לִבָּם
דברים טובים כדי להרגיעם.

הרחבות | **'לו ישטמנו יוסף'** כל זמן שיעקב חי, האחים היו בטוחים שיוסף לא ירע להם. עתה, לאחר פטירתו, התעורר בהם החשש שמא יבקש להינקם מהם. שהרי גם אם מצבו של יוסף טוב בהרבה מכפי שהיה אמור להיות, וגם אם האלוקים שלחו למחיה לפניהם, כדבריו אליהם (לעיל מה,ה), הם מצדם מרגישים כי לא תיקנו דבר.

וְאֶת־טַפְּכֶם וַיְנַחֵם אוֹתָם וַיְדַבֵּר עַל־לִבָּם: וַיֵּשֶׁב כב
יוֹסֵף בְּמִצְרַיִם הוּא וּבֵית אָבִיו וַיְחִי יוֹסֵף מֵאָה וָעֶשֶׂר
מפטיר שָׁנִים: וַיַּרְא יוֹסֵף לְאֶפְרַיִם בְּנֵי שִׁלֵּשִׁים גַּם בְּנֵי מָכִיר כג
בֶּן־מְנַשֶּׁה יֻלְּדוּ עַל־בִּרְכֵּי יוֹסֵף: וַיֹּאמֶר יוֹסֵף אֶל־ כד
אֶחָיו אָנֹכִי מֵת וֵאלֹהִים פָּקֹד יִפְקֹד אֶתְכֶם וְהֶעֱלָה
אֶתְכֶם מִן־הָאָרֶץ הַזֹּאת אֶל־הָאָרֶץ אֲשֶׁר נִשְׁבַּע
לְאַבְרָהָם לְיִצְחָק וּלְיַעֲקֹב: וַיַּשְׁבַּע יוֹסֵף אֶת־בְּנֵי כה
יִשְׂרָאֵל לֵאמֹר פָּקֹד יִפְקֹד אֱלֹהִים אֶתְכֶם וְהַעֲלִתֶם
אֶת־עַצְמֹתַי מִזֶּה: וַיָּמָת יוֹסֵף בֶּן־מֵאָה וָעֶשֶׂר כו
שָׁנִים וַיַּחַנְטוּ אֹתוֹ וַיִּישֶׂם בָּאָרוֹן בְּמִצְרָיִם: חזק

רש"י

כא] **וַיְדַבֵּר עַל לִבָּם.** דְּבָרִים הַמִּתְקַבְּלִים עַל הַלֵּב: עַד שֶׁלֹּא יְרַדְתֶּם לְכָאן הָיוּ מְרַנְּנִים עָלַי שֶׁאֲנִי עֶבֶד, וְעַל יְדֵיכֶם נוֹדַע שֶׁאֲנִי בֶּן חוֹרִין, וַאֲנִי הוֹרֵג אֶתְכֶם?! מָה הַבְּרִיּוֹת אוֹמְרוֹת? כַּת שֶׁל בַּחוּרִים רָאָה וְנִשְׁתַּבַּח בָּהֶם וְאָמַר: אַחַי הֵם, וּלְבַסּוֹף הֲרָגָם. יֵשׁ לְךָ אָח שֶׁהוֹרֵג אֶת אֶחָיו? דָּבָר אַחֵר, עֲשָׂרָה נֵרוֹת לֹא יָכְלוּ לְכַבּוֹת נֵר אֶחָד וְכוּ' (מגילה דף טז ע"ב):

כג] **עַל בִּרְכֵּי יוֹסֵף.** כְּתַרְגּוּמוֹ, גִּדְּלָן בֵּין בִּרְכָּיו:

הרחבות

אחיזתם של בני ישראל במצרים קשה לדעת אם אחי יוסף רצו לחזור לארצם, ואם רצו - מדוע לא עשו זאת. יש להניח שלא נשארו במצרים בעל כורחם. אפשר שתחילה פרעה רצה לעכבם, כדי שלא ישיבו עמם את יוסף לכנען, אך מן הסתם יוסף לא המשיך לשאת באותו תפקיד שלטוני במשך כל שנות חייו, ובשלב מסוים כבר לא היה צורך בשירותיו המיוחדים. ובכל זאת הוא ומשפחתו שהתרחבה נשארו לשבת במצרים. כשיוסף הסתכל סביבו בסוף ימיו וראה כי בני משפחתו

מות יוסף

פרק נ פס׳ כב–כו

יוסף, שהיה דומה למצרי מבחינות רבות, חש שהוא עדיין קשור לארץ כנען. הוא ידע שבה, ולא בארץ מצרים, יהיה עתיד משפחתו. על כן לא רצה להישאר קבור במצרים. שנים רבות לאחר שאביו השביע אותו ואת אחיו שלא יקברוהו במצרים, אף יוסף מוצא לנכון לדרוש מאחיו שלא יישאר טמון באדמתה. את יעקב קל היה להביא לקבורה בארץ, בשל מעמדו הרם של יוסף בעיני פרעה. לעומת זאת, לאחי יוסף לא היה הכוח למלא את רצונו מיד.

ביאור | כב **וַיֵּשֶׁב יוֹסֵף בְּמִצְרַיִם, הוּא וּבֵית אָבִיו, וַיְחִי יוֹסֵף מֵאָה וָעֶשֶׂר**
שָׁנִים. כג **וַיַּרְא יוֹסֵף לְאֶפְרַיִם בְּנֵי שִׁלֵּשִׁים. גַּם בְּנֵי מָכִיר בֶּן מְנַשֶּׁה**
יֻלְּדוּ עַל בִּרְכֵּי יוֹסֵף. יוסף האריך ימים יחסית, וזכה לראות נינים
משני בניו. כד **וַיֹּאמֶר יוֹסֵף אֶל אֶחָיו** לפני מותו: **אָנֹכִי מֵת, וֵאלֹהִים**
פָּקֹד יִפְקֹד, יזכור **אֶתְכֶם, וְהֶעֱלָה אֶתְכֶם מִן הָאָרֶץ הַזֹּאת אֶל הָאָרֶץ**
אֲשֶׁר נִשְׁבַּע לְאַבְרָהָם לְיִצְחָק וּלְיַעֲקֹב. אינני יודע מתי יקרה הדבר,
אבל ברור לי שה׳ יוציאכם מכאן. כה **וַיַּשְׁבַּע יוֹסֵף אֶת בְּנֵי יִשְׂרָאֵל**
לֵאמֹר: פָּקֹד יִפְקֹד אֱלֹהִים אֶתְכֶם, ואז - **וְהַעֲלִתֶם אֶת עַצְמֹתַי מִזֶּה,**
מכאן, ממצרים.

כו **וַיָּמָת יוֹסֵף בֶּן מֵאָה וָעֶשֶׂר שָׁנִים, וַיַּחַנְטוּ אֹתוֹ,** כנהוג, **וַיִּישֶׂם,** שמו
אותו **בָּאָרוֹן בְּמִצְרָיִם.**

חזק

הרחבות | נשארים בפועל במצרים, הוא הדגיש באוזניהם את נבואת אביו, מתוך ודאות שעוד יגיע היום שבו ייפקדו וישובו לארצם.

׳והעלִתם את עצמֹתַי מזה׳ בקשתו האחרונה של יוסף הייתה להיקבר בארץ כנען, אך הוא לא ציין היכן בדיוק. מן הסתם ידע כי במערת המכפלה לא נותר עוד מקום לקבורה. אולי התכוון להיקבר בתוך נחלתו בשכם (ראו לעיל מח,כב; יהושע כד,לב. ואמרו חכמים בסוטה יג ע״ב: ״משכם גנבוהו ולשכם החזירוהו״).

הפטרות

הפטרת בראשית

ישעיה

התימנים מתחילים כאן

מב הֵן עַבְדִּי אֶתְמָךְ־בּוֹ בְּחִירִי רָצְתָה נַפְשִׁי נָתַתִּי רוּחִי א
עָלָיו מִשְׁפָּט לַגּוֹיִם יוֹצִיא׃ לֹא יִצְעַק וְלֹא יִשָּׂא וְלֹא־ ב
יַשְׁמִיעַ בַּחוּץ קוֹלוֹ׃ קָנֶה רָצוּץ לֹא יִשְׁבּוֹר וּפִשְׁתָּה ג
כֵהָה לֹא יְכַבֶּנָּה לֶאֱמֶת יוֹצִיא מִשְׁפָּט׃ לֹא יִכְהֶה וְלֹא ד
יָרוּץ עַד־יָשִׂים בָּאָרֶץ מִשְׁפָּט וּלְתוֹרָתוֹ אִיִּים
יְיַחֵלוּ׃ ★כֹּה־אָמַר הָאֵל ׀ יְהוָה בּוֹרֵא ה

האשכנזים והספרדים מתחילים כאן

הַשָּׁמַיִם וְנוֹטֵיהֶם רֹקַע הָאָרֶץ וְצֶאֱצָאֶיהָ נֹתֵן נְשָׁמָה
לָעָם עָלֶיהָ וְרוּחַ לַהֹלְכִים בָּהּ׃ אֲנִי יְהוָה קְרָאתִיךָ ו
בְצֶדֶק וְאַחְזֵק בְּיָדֶךָ וְאֶצָּרְךָ וְאֶתֶּנְךָ לִבְרִית עָם לְאוֹר
גּוֹיִם׃ לִפְקֹחַ עֵינַיִם עִוְרוֹת לְהוֹצִיא מִמַּסְגֵּר אַסִּיר ז
מִבֵּית כֶּלֶא יֹשְׁבֵי חֹשֶׁךְ׃ אֲנִי יְהוָה הוּא שְׁמִי וּכְבוֹדִי ח
לְאַחֵר לֹא־אֶתֵּן וּתְהִלָּתִי לַפְּסִילִים׃ הָרִאשֹׁנוֹת הִנֵּה־ ט

ייעוד הבריאה להעיד על בוראה

ההפטרה עוסקת בעבד ה', תוארו וייעודיו. הכינוי עֶבֶד ה' שבעניין במובנו המצומצם מתייחס לאדם שה' בחר בו לגאול את עמו ולהאיר לעולמו. במובן רחב יותר משמעו עם ישראל כולו.[1] במשך הגלות חש עבד ה' שאדוניו עזבו ודחה אותו. הוא דוכא וחושיו קהו. ה' מנחם את עבדו כי ישמור לו את בריתו, ילחם את מלחמותיו ויוציאו מאפלה לאורה. באמצעות גאולתו המופלאה יֵדע העבד את רבו ויהיה לו לעֵד.

נראה שהפטרה זו נבחרה משום הפסוקים הבודדים המדברים בה בבריאת השמים והארץ (מב,ה; מג,ז). ואולם ההפטרה נקשרת לפרשה באופן נוסף: כנגד פרשת בראשית המדברת בנפילתו של האדם בראשית ההיסטוריה, ההפטרה מעמידה את עבד ה', הגואל האחרון, שאמור להצדיק את קיומו של המין האנושי כולו.

ישעיה פרק מב א **הֵן עַבְדִּי**, מלך המשיח, הגואל,[2] **אֶתְמָךְ בּוֹ**, | ביאור
בְּחִירִי רָצְתָה בו נַפְשִׁי. נָתַתִּי רוּחִי עָלָיו. הוא לא יהיה מנהיג רק על
ישראל – **מִשְׁפָּט לַגּוֹיִם יוֹצִיא.** הוא ישפוט את כל הארץ.[3] ב **לֹא יִצְעַק**
וְלֹא יִשָּׂא, ירים קול **וְלֹא יַשְׁמִיעַ בַּחוּץ קוֹלוֹ.** הוא לא יצטרך לצעוק
כדי שקולו יישמע ברבים. הילוכו יהיה בנחת. ג **קָנֶה רָצוּץ**, שהכול
רגילים לשברו, הוא **לֹא יִשְׁבּוֹר. וּפִשְׁתָּה כֵהָה**, פתילת פשתה שאורה
הולך ודועך **לֹא יְכַבֶּנָּה.** הוא ייזהר שהנדכאים והנחשלים בחברה
לא ייפגעו. **לֶאֱמֶת יוֹצִיא מִשְׁפָּט.** ד ובמטבעות לשון דומות – הוא
עצמו **לֹא יִכְהֶה**, יחלש **וְלֹא יָרוּץ**, לא ירוצַץ, לא יישבר, **עַד יָשִׂים בָּאָרֶץ**
מִשְׁפָּט, וּלְתוֹרָתוֹ גם **אִיִּים**, ארצות רחוקות **יְיַחֵילוּ**, יְצפו. הוא יהיה
מוכר ומבוקש בכל העולם, ולא יידרש לשום מאמץ כדי שדבריו
יישמעו בכל מקום.[4]

ה **כֹּה אָמַר הָאֵל ה', בּוֹרֵא הַשָּׁמַיִם וְנוֹטֵיהֶם**, השמים מדומים לאוהל
פרוש,[5] **רֹקַע**, שוטח **הָאָרֶץ וְצֶאֱצָאֶיהָ**, בעלי החיים והצמחים היוצאים
ממנה וגדלים בה; **הנֹתֵן נְשָׁמָה לָעָם** שעָלֶיהָ, **וְרוּחַ** – **לַהֹלְכִים בָּהּ**,
המעניק חיים לבריותיו: ו **אֲנִי ה' קְרָאתִיךָ**, ייעדתי אותך, עבדי,
בְצֶדֶק, לנצח ולהושיע, **וְאַחְזֵק בְּיָדֶךָ וְאֶצָּרְךָ**, שמרתיך,[6] **וְאֶתֶּנְךָ** להקים
בְּרִית עָם כמלך ישראל,[7] **וּלְאוֹר** לגוֹיִם, ז **לִפְקֹחַ עֵינַיִם עִוְרוֹת, לְהוֹצִיא**
מִמַּסְגֵּר, ממקום סגור **אַסִּיר, מִבֵּית כֶּלֶא – יֹשְׁבֵי חֹשֶׁךְ.** לא רק תופקד
על שמירת הסדר החברתי, כאמור לעיל, אלא גם תשחרר את
הנדכאים מכבליהם. ח **אֲנִי ה', הוּא שְׁמִי, וּכְבוֹדִי לְאַחֵר לֹא אֶתֵּן.** לא
אאפשר לאחר להתיימר להשתמש בשמי או להשתתף בו, **וּ**לא אתן
את **תְהִלָּתִי לַפְּסִילִים.** ט הנבואות **הָרִאשֹׁנוֹת הִנֵּה בָאוּ** והתגשמו,

בָאוּ וַחֲדָשׁוֹת אֲנִי מַגִּיד בְּטֶרֶם תִּצְמַחְנָה אַשְׁמִיעַ
אֶתְכֶם׃ שִׁירוּ לַיהוה שִׁיר חָדָשׁ תְּהִלָּתוֹ י
מִקְצֵה הָאָרֶץ יוֹרְדֵי הַיָּם וּמְלֹאוֹ אִיִּים וְיֹשְׁבֵיהֶם׃
יִשְׂאוּ מִדְבָּר וְעָרָיו חֲצֵרִים תֵּשֵׁב קֵדָר יָרֹנּוּ יֹשְׁבֵי סֶלַע יא
מֵרֹאשׁ הָרִים יִצְוָחוּ׃ יָשִׂימוּ לַיהוה כָּבוֹד וּתְהִלָּתוֹ יב
בָּאִיִּים יַגִּידוּ׃ יהוה כַּגִּבּוֹר יֵצֵא כְּאִישׁ מִלְחָמוֹת יָעִיר יג
קִנְאָה יָרִיעַ אַף־יַצְרִיחַ עַל־אֹיְבָיו יִתְגַּבָּר׃
הֶחֱשֵׁיתִי מֵעוֹלָם אַחֲרִישׁ אֶתְאַפָּק כַּיּוֹלֵדָה אֶפְעֶה יד
אֶשֹּׁם וְאֶשְׁאַף יָחַד׃ אַחֲרִיב הָרִים וּגְבָעוֹת וְכָל־ טו
עֶשְׂבָּם אוֹבִישׁ וְשַׂמְתִּי נְהָרוֹת לָאִיִּים וַאֲגַמִּים
אוֹבִישׁ׃ וְהוֹלַכְתִּי עִוְרִים בְּדֶרֶךְ לֹא יָדָעוּ בִּנְתִיבוֹת טז
לֹא־יָדְעוּ אַדְרִיכֵם אָשִׂים מַחְשָׁךְ לִפְנֵיהֶם לָאוֹר
וּמַעֲקַשִּׁים לְמִישׁוֹר אֵלֶּה הַדְּבָרִים עֲשִׂיתִם וְלֹא
עֲזַבְתִּים׃* נָסֹגוּ אָחוֹר יֵבֹשׁוּ בֹשֶׁת הַבֹּטְחִים בַּפָּסֶל יז
הָאֹמְרִים לְמַסֵּכָה אַתֶּם אֱלֹהֵינוּ׃ הַחֵרְשִׁים יח
שְׁמָעוּ וְהַעִוְרִים הַבִּיטוּ לִרְאוֹת׃ מִי עִוֵּר כִּי אִם־עַבְדִּי יט
וְחֵרֵשׁ כְּמַלְאָכִי אֶשְׁלָח מִי עִוֵּר כִּמְשֻׁלָּם וְעִוֵּר כְּעֶבֶד

*התימנים מסיימים כאן

הרחבות | 'מי עִוֵּר כי אם עבדי וחֵרש כמלאכי' רבים פירשו כדברי תוכחה המופנים לעם, על התעלמותו מדברי הנביאים; היו שפירשו עִוֵּר וחֵרֵשׁ כמתייחסים לסבלו ולשיתוקו של העם בגולה. בזיהויים אלה של עבד ה' תומכים דברי הנביא בהמשך דבריו (מג,ח). אולם היו שראו בכך ביטוי למחשבתם של חלקים מהעם על הנביא, כאילו עיוור הוא.

ביאור | ונבואות **חֲדָשׁוֹת אֲנִי מַגִּיד. בְּטֶרֶם תִּצְמַחְנָה**, קודם שיתממשו הדברים
אַשְׁמִיעַ אֶתְכֶם.

תיאור כללי של התגלות ה׳ בגאולה: י **שִׁירוּ לַה׳** על הגאולה **שִׁיר**
חָדָשׁ. תְּהִלָּתוֹ תושר **מִקְצֵה הָאָרֶץ**, מהרחוקים והמבודדים ביותר – **יוֹרְדֵי**
הַיָּם וּמְלֹאוֹ, אִיִּים וְיֹשְׁבֵיהֶם. יא **יִשְׂאוּ** קול וישירו **מִדְבָּר וְעָרָיו, חֲצֵרִים**,
חצרות אשר **תֵּשֵׁב** בהן עדת **קֵדָר**, משבטי ישמעאל.[8] **יָרֹנּוּ**, ישירו **יֹשְׁבֵי**
סֶלַע, מֵרֹאשׁ הָרִים יִצְוָחוּ, ירימו קול. יב **יָשִׂימוּ לַה׳ כָּבוֹד, וּתְהִלָּתוֹ**
בָּאִיִּים, בעמים הרחוקים **יַגִּידוּ:** יג **ה׳ כַּגִּבּוֹר יֵצֵא, כְּאִישׁ מִלְחָמוֹת יָעִיר**,
יעורר **קִנְאָה**, רוגז ונקמה ברשעים. **יָרִיעַ אַף יַצְרִיחַ**, יצעק כדרך החיילים
בקרב,[9] **עַל אֹיְבָיו יִתְגַּבָּר.** וכך הם דבריו: יד **הֶחֱשֵׁיתִי**, שתקתי **מֵעוֹלָם,**
אַחֲרִישׁ, אֶתְאַפָּק. קולי לא נשמע עד כה, אך מעתה **כַּיּוֹלֵדָה אֶפְעֶה**,
אצעק כמו יולדת, **אֶשֹּׁם וְאֶשְׁאַף יָחַד**, בנשימות מקוטעות כיללות
כאב. גם הגאולה תיוולד לאחר איפוק ממושך, באותה פתאומיות
רועשת הדומה להתפרצות הר געש.[10] טו **אַחֲרִיב הָרִים וּגְבָעוֹת**
וְכָל עֶשְׂבָּם אוֹבִישׁ, אייבש, **וְשַׂמְתִּי נְהָרוֹת לָאִיִּים**, למקומות יבשתיים,
וַאֲגַמִּים אוֹבִישׁ. מתכונתם של הדברים תשתנה. המציאות הקיימת
תיהרס, וייפתחו אפשרויות חדשות: טז **וְהוֹלַכְתִּי עִוְרִים בְּדֶרֶךְ לֹא יָדָעוּ,**
בִּנְתִיבוֹת לֹא יָדְעוּ אַדְרִיכֵם. כל אלה שאינם יודעים את דרכם ימצאו
נתיבות ופתרונות חדשים.[11] **אָשִׂים מַחְשָׁךְ לִפְנֵיהֶם לָאוֹר, וּמַעֲקַשִּׁים**,
דרכים פתלתלות **לְמִישׁוֹר**. אשים **אֵלֶּה הַדְּבָרִים, עֲשִׂיתִם וְלֹא עֲזַבְתִּים.**
אשדד מערכות, אשנה את מאזני הכוחות ואת טבעו של עולם.

במאמר מוסגר: יז **נָסֹגוּ אָחוֹר, יֵבֹשׁוּ בֹשֶׁת הַבֹּטְחִים בַּפָּסֶל, הָאֹמְרִים**
לְמַסֵּכָה: "אַתֶּם אֱלֹהֵינוּ". כל הבוטחים באלילים יירתעו הן מחמת
הבושה בטיפשותם, הן מתוך שלא יוכלו לעמוד בפני גדולת ה׳.

יח **הַחֵרְשִׁים, שְׁמָעוּ! וְהַעִוְרִים, הַבִּיטוּ לִרְאוֹת** את השינוי שאחולל
בעולם! יט **מִי עִוֵּר כִּי אִם עַבְדִּי, וְחֵרֵשׁ כְּמַלְאָכִי**, שליחי **שֶׁאֶשְׁלָח?!**
עבד ה׳ ושליחו סגור בתוך עצמו כעיוור וכחירש. לכאורה אינו
רואה ואינו שומע דבר.[12] **מִי עִוֵּר כִּמְשֻׁלָּם**, כמו התמים המושלם,[13]

הרחבות | זיהויו של עבד ה׳ העיוור והחירש עם הנביא מדגיש כי הנביא אינו נואם או איש שיחה. מצד אחד, הוא סגור ומכונס, אדם שאינו מתעניין בעולם, ומצד שני, הכול שומעים אותו. גם אם הוא עצמו אינו רואה, הוא מראה לאחרים את הדרך. (ראו עוד אברבנאל).

כ יְהוָה׃ רָאִית רַבּוֹת וְלֹא תִשְׁמֹר פָּקוֹחַ אָזְנַיִם וְלֹא   רָאוֹת
כא יִשְׁמָע׃ יְהוָה חָפֵץ לְמַעַן צִדְקוֹ יַגְדִּיל תּוֹרָה וְיַאְדִּיר׃*   הספרדים מסיימים כאן
כב וְהוּא עַם־בָּזוּז וְשָׁסוּי הָפֵחַ בַּחוּרִים כֻּלָּם וּבְבָתֵּי
כְלָאִים הָחְבָּאוּ הָיוּ לָבַז וְאֵין מַצִּיל מְשִׁסָּה וְאֵין־
כג אֹמֵר הָשַׁב׃ מִי בָכֶם יַאֲזִין זֹאת יַקְשִׁב וְיִשְׁמַע
כד לְאָחוֹר׃ מִי־נָתַן למשוסה יַעֲקֹב וְיִשְׂרָאֵל לְבֹזְזִים   לִמְשִׁסָּה
הֲלוֹא יְהוָה זוּ חָטָאנוּ לוֹ וְלֹא־אָבוּ בִדְרָכָיו הָלוֹךְ וְלֹא
כה שָׁמְעוּ בְּתוֹרָתוֹ׃ וַיִּשְׁפֹּךְ עָלָיו חֵמָה אַפּוֹ וֶעֱזוּז
מִלְחָמָה וַתְּלַהֲטֵהוּ מִסָּבִיב וְלֹא יָדָע וַתִּבְעַר־בּוֹ
מג א וְלֹא־יָשִׂים עַל־לֵב׃   וְעַתָּה כֹּה־אָמַר יְהוָה
בֹּרַאֲךָ יַעֲקֹב וְיֹצֶרְךָ יִשְׂרָאֵל אַל־תִּירָא כִּי גְאַלְתִּיךָ
ב קָרָאתִי בְשִׁמְךָ לִי־אָתָּה׃ כִּי־תַעֲבֹר בַּמַּיִם אִתְּךָ אָנִי
וּבַנְּהָרוֹת לֹא יִשְׁטְפוּךָ כִּי־תֵלֵךְ בְּמוֹ־אֵשׁ לֹא תִכָּוֶה
ג וְלֶהָבָה לֹא תִבְעַר־בָּךְ׃ כִּי אֲנִי יְהוָה אֱלֹהֶיךָ קְדוֹשׁ
יִשְׂרָאֵל מוֹשִׁיעֶךָ נָתַתִּי כָפְרְךָ מִצְרַיִם כּוּשׁ וּסְבָא
ד תַּחְתֶּיךָ׃ מֵאֲשֶׁר יָקַרְתָּ בְעֵינַי נִכְבַּדְתָּ וַאֲנִי אֲהַבְתִּיךָ
ה וְאֶתֵּן אָדָם תַּחְתֶּיךָ וּלְאֻמִּים תַּחַת נַפְשֶׁךָ׃ אַל־תִּירָא
כִּי אִתְּךָ־אָנִי מִמִּזְרָח אָבִיא זַרְעֶךָ וּמִמַּעֲרָב אֲקַבְּצֶךָּ׃
ו אֹמַר לַצָּפוֹן תֵּנִי וּלְתֵימָן אַל־תִּכְלָאִי הָבִיאִי בָנַי
ז מֵרָחוֹק וּבְנוֹתַי מִקְצֵה הָאָרֶץ׃ כֹּל הַנִּקְרָא בִשְׁמִי

ביאור | וְעִוֵּר כְּעֶבֶד ה'?! כ רָאוֹת רַבּוֹת, הוא אמנם רואה רבות – וְאולם
לֹא תִשְׁמֹר. אין הוא נותן לבו למה שהוא רואה. פָּקוֹחַ אָזְנַיִם – וְלֹא
יִשְׁמָע. כא ה' חָפֵץ בעבדו לְמַעַן צִדְקוֹ, צדקתו. על אף עיוורונו
וחירשותו טמונים בו דברים רבים שעוד יאמר – הוא יַגְדִּיל, ירבה
תּוֹרָה וְיַאְדִּיר.

כב וְהוּא, עבד ה' במובן הרחב – ישראל, עַם בָּזוּז וְשָׁסוּי, גזול, הָפֵחַ
בַּחוּרִים כֻּלָּם, כל בחוריו ברחו ונעלמו, כאילו נפחה בהם רוח,[14]
וּבְבָתֵּי כְלָאִים, ובבתי כלא הָחְבָּאוּ, הָיוּ לָבַז, בזזו אותם, וְאֵין מַצִּיל,
ניתנו לִמְשִׁסָּה, לשלל, וְאֵין מי שאֹמֵר: הָשַׁב, החזר את השלל. כג מִי
בָכֶם יַאֲזִין זֹאת, יַקְשִׁב וְיִשְׁמַע לְאָחוֹר, את אחריתם ותוצאתם של
דברים?![15] כד אם יקשיב יבין: מִי נָתַן לִמְשִׁסָּה, לגזל את יַעֲקֹב
וְאת יִשְׂרָאֵל לְבֹזְזִים. מי גרם לכך? – הֲלוֹא ה', זוּ, אשר חָטָאנוּ לוֹ,
וְלֹא אָבוּ, רצו בִדְרָכָיו הָלוֹךְ, וְלֹא שָׁמְעוּ בְּתוֹרָתוֹ. הוא העניש‍נו על
כך. כה וַיִּשְׁפֹּךְ ה' עָלָיו, על העם חֵמָה אַפּוֹ, חמת כעסו, וֶעֱזוּז, עוז
מִלְחָמָה. וַתְּלַהֲטֵהוּ החמה מִסָּבִיב וְלֹא יָדָע, לא נתן לב על כך שחטאיו
גרמו זאת.[16] וַתִּבְעַר בּוֹ וְלֹא יָשִׂים עַל לֵב.

בבוא הזמן, ישים ישראל לב לכל הדברים הללו. אז ייגאל ויוושע
מן הגלות ומכל צרותיו. פרק מג א וְעַתָּה, כֹּה אָמַר ה', שהוא בֹּרַאֲךָ
יַעֲקֹב וְיֹצֶרְךָ יִשְׂרָאֵל: אַל תִּירָא מחרון האף, כִּי גְאַלְתִּיךָ. קָרָאתִי בְשִׁמְךָ,
החשבתיך, הענקתי לך מעמד ותפקיד.[17] לִי אָתָּה. ב על כן, כִּי תַעֲבֹר
בַּמַּיִם – אִתְּךָ אָנִי, ובעברך בַנְּהָרוֹת – לֹא יִשְׁטְפוּךָ. כִּי תֵלֵךְ בְּמוֹ, בתוך
אֵשׁ – לֹא תִכָּוֶה, וְלֶהָבָה לֹא תִבְעַר בָּךְ. אף גזרות שמד והעברה
על דת לא ינתקו אותך ממני.[18] ג כִּי אֲנִי ה' אֱלֹהֶיךָ, קְדוֹשׁ יִשְׂרָאֵל
מוֹשִׁיעֶךָ. נָתַתִּי כָפְרְךָ, תמורתך את מִצְרַיִם, כּוּשׁ וּסְבָא תַּחְתֶּיךָ. עמים
אחרים יהיו כפרתך, והם יקבלו את העונש במקומך. ד מֵאֲשֶׁר, כיוון
שיָּקַרְתָּ בְעֵינַי, נִכְבַּדְתָּ, וַאֲנִי אֲהַבְתִּיךָ – וְלכן אֶתֵּן אָדָם אחר תַּחְתֶּיךָ,
וּלְאֻמִּים יבואו תַּחַת נַפְשֶׁךָ.

ה אַל תִּירָא, כִּי אִתְּךָ אָנִי. מִמִּזְרָח אָבִיא זַרְעֶךָ, וּמִמַּעֲרָב אֲקַבְּצֶךָּ. ו אֹמַר
לרוח צָפוֹן: "תֵּנִי", וּלְתֵימָן, לרוח דרום: "אַל תִּכְלָאִי. הָבִיאִי בָנַי מֵרָחוֹק
וּבְנוֹתַי מִקְצֵה הָאָרֶץ". ה' מצווה על הרוחות לסייע להשיב את פזורות

ח וְלִכְבוֹדִי בְּרָאתִיו יְצַרְתִּיו אַף־עֲשִׂיתִיו׃ הוֹצִיא עַם־
ט עִוֵּר וְעֵינַיִם יֵשׁ וְחֵרְשִׁים וְאָזְנַיִם לָמוֹ׃ כָּל־הַגּוֹיִם
נִקְבְּצוּ יַחְדָּו וְיֵאָסְפוּ לְאֻמִּים מִי בָהֶם יַגִּיד זֹאת
וְרִאשֹׁנוֹת יַשְׁמִעֻנוּ יִתְּנוּ עֵדֵיהֶם וְיִצְדָּקוּ וְיִשְׁמְעוּ
י וְיֹאמְרוּ אֱמֶת׃ אַתֶּם עֵדַי נְאֻם־יְהוֹה וְעַבְדִּי אֲשֶׁר
בָּחָרְתִּי לְמַעַן תֵּדְעוּ וְתַאֲמִינוּ לִי וְתָבִינוּ כִּי־אֲנִי הוּא
לְפָנַי לֹא־נוֹצַר אֵל וְאַחֲרַי לֹא יִהְיֶה׃

ביאור | ישראל, אם כדימוי אלגורי המורה על מהירות[19] או כציווי ממשי לרוח,
על ידי השטת האניות.[20] ז לא הרוחות בלבד יסייעו אלא המציאות
כולה - **כֹּל הַנִּקְרָא בִשְׁמִי וְלִכְבוֹדִי בְּרָאתִיו, יְצַרְתִּיו אַף עֲשִׂיתִיו.** הכול
נברא לכבודי, ועל כן העולם כולו יעזור בגאולתכם[21] - ח **לְהוֹצִיא**
עַם עִוֵּר, וְעֵינַיִם יֵשׁ, העם שהוא עבד ה׳ שהוזכר למעלה, שלמרות
עיניו בפועל הוא עיוור, **וְחֵרְשִׁים - וְאָזְנַיִם לָמוֹ,** להם. ט הלוא אילו[22]
כָּל הַגּוֹיִם נִקְבְּצוּ יַחְדָּו, וְיֵאָסְפוּ לְאֻמִּים, מִי בָהֶם יַגִּיד זֹאת?! מי מהם
היה יודע מראש את בשורת הגאולה, ותשועות **רִאשֹׁנוֹת יַשְׁמִיעֻנוּ,**
כפי שאתם שמעתם מפי נביאיכם?! אדרבא, **יִתְּנוּ** הגויים **עֵדֵיהֶם,**
הוכחותיהם **וְ**אז **יִצְדָּקוּ,**[23] **וְיִשְׁמְעוּ** השומעים את עדיהם **וְיֹאמְרוּ:**
״**אֱמֶת**״. בגויים אין מי שיוכל להוכיח ולהעיד. י לעומת זאת, **אַתֶּם**
עֵדַי, המעידים על אלוהותי בקיום נבואות גאולתכם, **נְאֻם ה׳, וְ**אתם[24]
עַבְדִּי אֲשֶׁר בָּחָרְתִּי לי, **לְמַעַן תֵּדְעוּ וְתַאֲמִינוּ לִי, וְתָבִינוּ כִּי אֲנִי הוּא.**
לְפָנַי לֹא נוֹצַר אֵל, וְאַחֲרַי לֹא יִהְיֶה.

הרחבות | **׳אתם עדי... כי אני הוא, לפני לא נוצר אל ואחרי לא יהיה׳** משמעות היותכם ׳עדי ה׳׳ היא הידיעה וההודעה, האמונה וההבנה שהוא היה, הווה ויהיה, ושלא ייתכן קיומו של אל אחר לפניו ואחריו. חליפות הזמן וחלוקתו בין עבר ועתיד מתקיימות בתפיסתם של הנבראים בלבד, ואין להן כל משמעות לגבי ה׳, מקור ההוויה.

הפטרת נח

ישעיה

רָנִּי עֲקָרָה לֹא יָלָדָה פִּצְחִי רִנָּה וְצַהֲלִי לֹא־חָלָה א נד
כִּי־רַבִּים בְּנֵי־שׁוֹמֵמָה מִבְּנֵי בְעוּלָה אָמַר יְהוָה׃
הַרְחִיבִי ׀ מְקוֹם אָהֳלֵךְ וִירִיעוֹת מִשְׁכְּנוֹתַיִךְ יַטּוּ אַל־ ב
תַּחְשֹׂכִי הַאֲרִיכִי מֵיתָרַיִךְ וִיתֵדֹתַיִךְ חַזֵּקִי׃ כִּי־יָמִין ג
וּשְׂמֹאול תִּפְרֹצִי וְזַרְעֵךְ גּוֹיִם יִירָשׁ וְעָרִים נְשַׁמּוֹת
יוֹשִׁיבוּ׃ אַל־תִּירְאִי כִּי־לֹא תֵבוֹשִׁי וְאַל־תִּכָּלְמִי כִּי ד
לֹא תַחְפִּירִי כִּי בֹשֶׁת עֲלוּמַיִךְ תִּשְׁכָּחִי וְחֶרְפַּת
אַלְמְנוּתַיִךְ לֹא תִזְכְּרִי־עוֹד׃ כִּי בֹעֲלַיִךְ עֹשַׂיִךְ יְהוָה ה
צְבָאוֹת שְׁמוֹ וְגֹאֲלֵךְ קְדוֹשׁ יִשְׂרָאֵל אֱלֹהֵי כָל־הָאָרֶץ
יִקָּרֵא׃ כִּי־כְאִשָּׁה עֲזוּבָה וַעֲצוּבַת רוּחַ קְרָאָךְ יְהוָה ו
וְאֵשֶׁת נְעוּרִים כִּי תִמָּאֵס אָמַר אֱלֹהָיִךְ׃ בְּרֶגַע קָטֹן ז
עֲזַבְתִּיךְ וּבְרַחֲמִים גְּדֹלִים אֲקַבְּצֵךְ׃ בְּשֶׁצֶף קֶצֶף ח
הִסְתַּרְתִּי פָנַי רֶגַע מִמֵּךְ וּבְחֶסֶד עוֹלָם רִחַמְתִּיךְ אָמַר

הרחבות

'הרחיבי מקום אהלך' הדימוי של כנסת ישראל היושבת באוהל ומשכן מצטרף לאזכורים נוספים בנבואות ישעיהו המרמזים אל תקופת היציאה ממצרים (ישעיה מו,ג; מח,כא ועוד). האוהל אינו מבנה נוקשה, וזהו גם יתרונו – אפשר להרחיבו בקלות ולמתוח את יריעותיו, כדי שיורחב שטחו.

בראשית ימי הבית השני שבו ארצה רק מעטים, והם שבנו הכול מחדש. היישוב היה עצוב ועלוב בהשוואה לתקופה שקדמה לגלות. הנביא צופה שבגאולה העתידה, גם אם יישאר בישראל רק ציבור קטן, הוא יגדל ויתפשט. הוא קורא לפתוח את ערי הארץ לקראת הגולים העתידים לשוב מארצות פזוריהם.

כנסת ישראל כיושבת אוהל ומשכן דימוי זה מצטרף לאזכורים נוספים המופיעים בספר ישעיה המרמזים אל תקופת היציאה ממצרים. (מו,ג; מח,כא; הרחבה ל–נב,יב). האוהל אמנם אינו מבנה נוקשה, אבל זהו גם יתרונו – אפשר להרחיבו בקלות ולמתוח את יריעותיו כדי שיהיה בתוכו מקום רב יותר.

'כי ימין ושמאול תפרצי' בראשית ימי הבית השני שבו ארצה רק מעט אנשים, והם שבנו הכול מחדש. היישוב היה עצוב ועלוב בהשוואה לתקופה שקדמה לגלות. הנביא צופה שבגאולה העתידה, גם אם יישאר בישראל רק ציבור קטן, הוא יגדל ויתפשט. הוא קורא לפתוח את ערי הארץ לקראת הגולים העתידים לשוב מארצות פזוריהם.

נחמת הבניין שלאחר החורבן

בהפטרה זו נמצא האזכור המפורש בנביאים למבול (נד,ט). אולם קיים גם קשר רחב יותר בין הפרשה וההפטרה: בפרשה מסופר כי העולם נשחת במבול, לאחר שהארץ מלאה חמס, ובהפטרה מתוארת הגאולה והנחמה בחסד לאחר החורבן שהתחולל בשצף קצף. העולם יכונן מחדש לעתיד בצדקה ובהרחקה מעושק.

ישעיה פרק נד א **רָנִּי**, שמחי, **עֲקָרָה, שֶׁלֹּא יָלָדָה**. כנסת ישראל בגלות | ביאור
מדומה לאשה שלא ילדה ושלא תלד ילדים. **פִּצְחִי רִנָּה**, פתחי בשיר
וְצַהֲלִי, זו **שֶׁלֹּא חָלָה**, לא ילדה[25] לכאורה, **כִּי** לאמתו של דבר **רַבִּים** יהיו
בְנֵי שׁוֹמֵמָה, העזובה, יותר **מִבְּנֵי בְעוּלָה, אָמַר ה'**. ב **הַרְחִיבִי מְקוֹם אָהֳלֵךְ**
כדי לקבל את בנייך הרבים, **וִירִיעוֹת מִשְׁכְּנוֹתַיִךְ יַטּוּ**, יהיו פרושות, **אַל**
תַּחְשֹׂכִי, אל תקמצי במקום או ביריעות. **הַאֲרִיכִי מֵיתָרַיִךְ**, החבלים
שבהם נקשרות יריעות אוהלך אל היתדות, **וִיתֵדֹתַיִךְ חַזֵּקִי**, שכן הגיע
הקץ לנדודייך, ומעתה ייקבע אוהלך במקום אחד.[26] ג **כִּי יָמִין וּשְׂמֹאול**
תִּפְרֹצִי, וְזַרְעֵךְ גּוֹיִם, עמים **יִירָשׁ, וְעָרִים נְשַׁמּוֹת**, שוממות **יוֹשִׁיבוּ**, יַישבו.

הנביא ממשיך בדבריו לציון, שדימה אותה קודם לאשה עקרה:
ד **אַל תִּירְאִי** מְדָּבָר, **כִּי לֹא תֵבוֹשִׁי**. דבר לא יבייש ויאכזב אותך. **וְאַל**
תִּכָּלְמִי, כִּי לֹא תַחְפִּירִי, תתביישי[27] עוד, **כִּי בֹשֶׁת עֲלוּמַיִךְ**, נעורייך
תִּשְׁכָּחִי, וְחֶרְפַּת אַלְמְנוּתַיִךְ לֹא תִזְכְּרִי עוֹד. שוב לא תזכרי לא את ימי
בדידותך ברווקותך ולא את פגיעותך ואת חוסר הביטחון שחווית
כאלמנה. יבוא זמן שכל אלה יישכחו. ה **כִּי בֹעֲלַיִךְ**, אדונייך[28] הוא
עֹשַׂיִךְ, יוצרך, **ה' צְבָאוֹת שְׁמוֹ**. אינך רווקה או אלמנה, אלא שהפְּרֵדה
הממושכת מבעלך היא שהשכיחה אותו ממך. הנה את עומדת
להיפגש אתו מחדש. **וְגֹאֲלֵךְ**, קרובך ומושיעך, הוא **קְדוֹשׁ יִשְׂרָאֵל**,
אֱלֹהֵי כָל הָאָרֶץ יִקָּרֵא, וביכולתו לעשות הכול.[29] ו **כִּי** אמנם בגלותך,
כְּאִשָּׁה עֲזוּבָה וַעֲצוּבַת רוּחַ, מדוכאת **קְרָאָךְ ה'** והזמינך אליו, **וְאֵשֶׁת**
נְעוּרִים כִּי תִמָּאֵס, אָמַר אֱלֹהָיִךְ. בעיניו אַת אשת נעוריו, שאינה
נמאסת לעולם. על כן הוא עוד יחדש את הקשר אתך.

ואלו דברי ה': ז **בְּ**משך **רֶגַע קָטֹן עֲזַבְתִּיךְ**. הגלות הארוכה היא
כרגע קטן אצלי. **וּ**לעומת זאת **בְרַחֲמִים גְּדֹלִים** וממושכים **אֲקַבְּצֵךְ**
חזרה.[30] ח **בְּשֶׁצֶף קֶצֶף**, בשטף זעם המתפרץ בבת אחת[31] **הִסְתַּרְתִּי**
פָנַי רֶגַע מִמֵּךְ. אין זו נקמה של ממש, אלא הסתרת פנים רגעית,
שאילולא כן, לא היה נשאר שריד ופליט מישראל. **וּ**מכל מקום **בְחֶסֶד**
עוֹלָם, נצחי **רִחַמְתִּיךְ, אָמַר גֹּאֲלֵךְ ה'**. כאשר הכול יחזור לתיקונו,

ט גֹּאֲלֵךְ יְהוָה׃ כִּי־מֵי נֹחַ זֹאת לִי אֲשֶׁר
נִשְׁבַּעְתִּי מֵעֲבֹר מֵי־נֹחַ עוֹד עַל־הָאָרֶץ כֵּן נִשְׁבַּעְתִּי
י מִקְּצֹף עָלַיִךְ וּמִגְּעָר־בָּךְ׃ כִּי הֶהָרִים יָמוּשׁוּ וְהַגְּבָעוֹת
תְּמוּטֶינָה וְחַסְדִּי מֵאִתֵּךְ לֹא־יָמוּשׁ וּבְרִית שְׁלוֹמִי
יא לֹא תָמוּט אָמַר מְרַחֲמֵךְ יְהוָה׃* עֲנִיָּה הספרדים מסיימים כאן
סֹעֲרָה לֹא נֻחָמָה הִנֵּה אָנֹכִי מַרְבִּיץ בַּפּוּךְ אֲבָנַיִךְ
יב וִיסַדְתִּיךְ בַּסַּפִּירִים׃ וְשַׂמְתִּי כַּדְכֹד שִׁמְשֹׁתַיִךְ וּשְׁעָרַיִךְ
יג לְאַבְנֵי אֶקְדָּח וְכָל־גְּבוּלֵךְ לְאַבְנֵי־חֵפֶץ׃ וְכָל־בָּנַיִךְ
יד לִמּוּדֵי יְהוָה וְרַב שְׁלוֹם בָּנָיִךְ׃ בִּצְדָקָה תִּכּוֹנָנִי רַחֲקִי
מֵעֹשֶׁק כִּי־לֹא תִירָאִי וּמִמְּחִתָּה כִּי לֹא־תִקְרַב אֵלָיִךְ׃
טו טז הֵן גּוֹר יָגוּר אֶפֶס מֵאוֹתִי מִי־גָר אִתָּךְ עָלַיִךְ יִפּוֹל׃ הֵן הִנֵּה

תראו כיצד ימי הדכדוך, הגלות והצרות שפקדו אתכם בעבר לא
היו אלא מצב עראי. ט **כִּי**, כמו[32] **מֵי נֹחַ**, מי המבול - כך ההבטחה
הַזֹּאת לִי.[33] כלומר, **כַּאֲשֶׁר נִשְׁבַּעְתִּי מֵעֲבֹר מֵי נֹחַ עוֹד עַל הָאָרֶץ**, ומאז
אכן לא היה מבול, **כֵּן נִשְׁבַּעְתִּי מִקְּצֹף עָלַיִךְ וּמִגְּעָר בָּךְ**, שלא אזעם
עלייך ולא אעזבך כבעבר. י **כִּי** גם אם **הֶהָרִים יָמוּשׁוּ**, יזוזו ממקומם,
וְהַגְּבָעוֹת תְּמוּטֶנָה, יזדעזעו, ודבר לא יישאר יציב, **חַסְדִּי מֵאִתֵּךְ לֹא
יָמוּשׁ, וּבְרִית שְׁלוֹמִי לֹא תָמוּט**. הקשר עם ה' יישאר יציב תמיד.[34]
אָמַר מְרַחֲמֵךְ ה'.

פניית ניחומים נוספת לכנסת ישראל: יא **עֲנִיָּה סֹעֲרָה**, גולה
ומטולטלת בלא מנוח, **שלֹא נֻחָמָה**, עם כל ההבטחות שקדמו עדיין
לא נוחמה מרוב דכדוכה וסבלה. **הִנֵּה אָנֹכִי מַרְבִּיץ**, מרצף[35] **בַּפּוּךְ**,
באבנים יקרות **אֲבָנַיִךְ**. כשתשוקמי במקומך, תיבני באבני בניין יקרות.
וִיסַדְתִּיךְ בַּסַּפִּירִים, אבני היסוד שלך יהיו אבני ספיר.[36] יב **וְשַׂמְתִּי
כַּדְכֹד**, שם אבן יקרה, שממנה ייעשו **שִׁמְשֹׁתַיִךְ**, לוחות נוצצים בשמש,
העשויים לנוי ולאור, כגון זגוגיות החלונות.[37] **וּשְׁעָרַיִךְ** אשים **לְאַבְנֵי
אֶקְדָּח**, סוג נוסף של אבן טובה הדומה בגווניה לאש או לגחלים,
וְכָל גְּבוּלֵךְ, שטחך[38] **לְאַבְנֵי חֵפֶץ**, אבני חן שהבריות רוצות אותן.[39]
באותם ימים תחדלי להיות ענייה וסוערת, כבר לא תגורי באוהל, אלא
תשבי במשכנות מפוארים - בין באופן הממשי ובין כביטוי סמלי.

לא רק מקומך ותבנית מגורייך ישתנו; יחול שינוי משמעותי גם
ביושבים בך. יג **וְכָל בָּנַיִךְ** יהיו **לִמּוּדֵי ה'**, הם יִלמדו מאת ה', ידעו אותו
ויורגלו ללכת בדרכיו,[40] **וְרַב**, ירבה **שְׁלוֹם בָּנָיִךְ**. הבנים המלומדים לא
יריבו זה עם זה אלא יחיו יחדיו בשלום.

יד **בִּצְדָקָה תִּכּוֹנָנִי**. כאשר ישוקמו הריסותייך, תיבני על בסיס היושר
והחוק.[41] **רַחֲקִי מֵעֹשֶׁק, כִּי לֹא תִירָאִי**. כיוון שתחיי בשלווה ולא תהיי
מפוחדת, תוכלי להתרחק מגזל - שכן לעתים חוסר יושר נובע מפחד.
ורחקי **מִמְּחִתָּה**, מִשבר,[42] מצרה, **כִּי לֹא תִקְרַב אֵלָיִךְ**.[43] טו **הֵן**, הלוא **גּוֹר
יָגוּר**, יפחד, זה שהוא **אֶפֶס מֵאוֹתִי**, מי שאיננו אתי ושאינו נתון תחת
השגחתי.[44] לעומת זאת, **מִי גָר**, מתגורר **אִתָּךְ**, כנסת ישראל, ומצטרף
אלייך - **עָלַיִךְ יִפּוֹל**, וישכון לבטח.[45] טז תוכלי להיבנות בלא כל פחד,
כיוון שאני הוא השולט בכול, בכוחות היצירה ובכוחות ההרס - **הִנֵּה**

אָנֹכִי בָּרָאתִי חָרָשׁ נֹפֵחַ בְּאֵשׁ פֶּחָם וּמוֹצִיא כְלִי
לְמַעֲשֵׂהוּ וְאָנֹכִי בָּרָאתִי מַשְׁחִית לְחַבֵּל: כָּל־כְּלִי יז
יוּצַר עָלַיִךְ לֹא יִצְלָח וְכָל־לָשׁוֹן תָּקוּם־אִתָּךְ לַמִּשְׁפָּט
תַּרְשִׁיעִי זֹאת נַחֲלַת עַבְדֵי יְהוָה וְצִדְקָתָם מֵאִתִּי
נְאֻם־יְהוָה: הוֹי כָּל־צָמֵא לְכוּ לַמַּיִם א נה
וַאֲשֶׁר אֵין־לוֹ כָּסֶף לְכוּ שִׁבְרוּ וֶאֱכֹלוּ וּלְכוּ שִׁבְרוּ
בְּלוֹא־כֶסֶף וּבְלוֹא מְחִיר יַיִן וְחָלָב: לָמָּה תִשְׁקְלוּ־ ב
כֶסֶף בְּלוֹא־לֶחֶם וִיגִיעֲכֶם בְּלוֹא לְשָׂבְעָה שִׁמְעוּ
שָׁמוֹעַ אֵלַי וְאִכְלוּ־טוֹב וְתִתְעַנַּג בַּדֶּשֶׁן נַפְשְׁכֶם: הַטּוּ ג
אָזְנְכֶם וּלְכוּ אֵלַי שִׁמְעוּ וּתְחִי נַפְשְׁכֶם וְאֶכְרְתָה לָכֶם
בְּרִית עוֹלָם חַסְדֵי דָוִד הַנֶּאֱמָנִים:* הֵן עֵד לְאוּמִּים ד
נְתַתִּיו נָגִיד וּמְצַוֵּה לְאֻמִּים: הֵן גּוֹי לֹא־תֵדַע תִּקְרָא ה
וְגוֹי לֹא־יְדָעוּךָ אֵלֶיךָ יָרוּצוּ לְמַעַן יְהוָה אֱלֹהֶיךָ
וְלִקְדוֹשׁ יִשְׂרָאֵל כִּי פֵאֲרָךְ:

התימנים מסיימים כאן

הרחבות

'לכו שברו בלוא כסף ובלוא מחיר יין וחלב' מעבר לפסוק זה, הרעיון שהחכמה נקנית מופיע במקרא רק בספר משלי (ד,ה): קְנֵה חָכְמָה, קְנֵה בִינָה. לאמתו של דבר, היה עליכם לשלם עבור החכמה ובעד שאר המעלות הטובות, אך בפועל הן ניתנות גם למי שאין לו כסף. גם דימויי החכמה למזון ולמשקה מופיעים בספר משלי (ה,יט; ט,ה; יח,ד).

'ולכו שברו בלוא כסף ובלוא מחיר יין וחלב' מעבר לפסוק זה, הרעיון שהחכמה נקנית מופיע במקרא רק בספר משלי)ד,ה(: קְנֵה חָכְמָה, קְנֵה בִינָה. לאמתו של דבר, היה עליכם לשלם בעבור החכמה ובעד שאר המעלות הטובות, אך בפועל הן ניתנות גם למי שאין לו כסף. גם דימויי החכמה למזון ולמשקה מופיעים בספר משלי.)ראו משלי ה,יט; ט,ה; יח,ד).

ביאור | **אָנֹכִי בָּרָאתִי** את **הֶחָרָשׁ**, האומן, שאחת מעבודותיו להיות **נֹפֵחַ בְּאֵשׁ**
פֶּחָם, מלבה את האש כדי להגדילה, ובכך הוא **מוֹצִיא כְלִי לְמַעֲשֵׂהוּ**,
מייצר כלים כדי להשתמש בהם, וְעם זאת, **אָנֹכִי בָּרָאתִי** גם **מַשְׁחִית**
לְחַבֵּל. כשם שאני הוא שבראתי את בוני העולם ויוצרי כליו, אני הוא
שבראתי את משחיתיו. י כיוון שהכול שלי – **כָּל כְּלִי יוּצַר**, שייעשה
עָלַיִךְ להזיק לך, **לֹא יִצְלָח. וְכָל לָשׁוֹן**, אומה, או: כל פה דובר, **אשר**
תָּקוּם אִתָּךְ לַמִּשְׁפָּט – תַּרְשִׁיעִי. מי שיבואו כנגדך בטענות משפטיות
ובוויכוחים, יחויבו ויפסידו, כמו אלו שיבואו בכוח.[46] **זֹאת נַחֲלַת**, זהו
חלקם המובטח של **עַבְדֵי ה׳, וְזוּ צִדְקָתָם**, גמולם הצודק, או: שכר
מעשי צדקותם,[47] שהם מקבלים **מֵאִתִּי. נְאֻם ה׳**.

ה׳ קורא לישראל לשוב אליו ולדרשו: פרק נה א **הוֹי כָּל צָמֵא, לְכוּ**
לַמַּיִם, אל ה׳ שהוא מקור חייכם. **וַאֲשֶׁר אֵין לוֹ כָּסֶף, לְכוּ שִׁבְרוּ**, קנו
מזון **וֶאֱכֹלוּ, וּלְכוּ שִׁבְרוּ בְּלוֹא כֶסֶף וּבְלוֹא מְחִיר יַיִן וְחָלָב**. לא רק המים
החיוניים ניתנים לכם חינם, אף במותרות – יין וחלב – תזכו ללא
תשלום.[48] היין והחלב הם דימויים לחכמה המספקת גם דברים שאינם
הכרחיים לקיום הבסיסי של העולם. ב **לָמָּה תִשְׁקְלוּ**, תשלמו **כֶסֶף**
בעד דברים חסרי ערך, שאינם מזינים – **בְּלוֹא** לקבל **לֶחֶם**?! ולשם מה
תשקיעו את **יְגִיעֲכֶם**, מה שאתם מתייגעים בו, **בְּלוֹא לְשָׂבְעָה**, בדבר
שאינו משביע?! במקום להשקיע עמל וטרחה במה שאינו מועיל
או מספק – **שִׁמְעוּ שָׁמוֹעַ אֵלַי, וְאִכְלוּ טוֹב, וְתִתְעַנַּג בַּדֶּשֶׁן נַפְשְׁכֶם**.
בואו אל ה׳, שהוא מקור הטוב, השפע והעונג.[49] ג **הַטּוּ אָזְנְכֶם**
וּלְכוּ אֵלַי, שִׁמְעוּ וּתְחִי נַפְשְׁכֶם, וְאֶכְרְתָה לָכֶם בְּרִית עוֹלָם, כמו **חַסְדֵי**
דָוִד הַנֶּאֱמָנִים, כברית שכרתי עם דוד, שאינה פגה לעולם.[50] ד **הֵן**
עֵד לְאוּמִּים, עמים[51] **נְתַתִּיו**, את דוד ואת ביתו אחריו. נראה שדוד,
הנזכר כאן כאבי שושלת המלוכה, מייצג את עם ישראל כולו. על
העם מוטל להעיד באוזני אומות העולם על מציאות ה׳ ועל קדושתו,
והוא גם **נָגִיד**, מושל **וּמְצַוֵּה לְאֻמִּים**.

ה לעתיד לבוא – **הֵן גּוֹי לֹא תֵדַע**, עם זר, **תִּקְרָא**, והוא יסור למשמעתך
ולהוראותיך,[52] ואפילו **גּוֹי לֹא יְדָעוּךָ**, העמים הזרים **אֵלֶיךָ יָרוּצוּ**, ייאספו
אליך לקבל ממך תורה וחכמה. כל זאת **לְמַעַן ה׳ אֱלֹהֶיךָ, וְלִקְדוֹשׁ**
יִשְׂרָאֵל כִּי פֵאֲרָךְ, נתן לך פאר.

הפטרת לך לך

ישעיה

התימנים מתחילים כאן

מ כה כו וְאֶל־מִי תְדַמְּיוּנִי וְאֶשְׁוֶה יֹאמַר קָדוֹשׁ׃ שְׂאוּ־מָרוֹם
עֵינֵיכֶם וּרְאוּ מִי־בָרָא אֵלֶּה הַמּוֹצִיא בְמִסְפָּר צְבָאָם
לְכֻלָּם בְּשֵׁם יִקְרָא מֵרֹב אוֹנִים וְאַמִּיץ כֹּחַ אִישׁ לֹא
כז נֶעְדָּר׃ ★ לָמָּה תֹאמַר יַעֲקֹב וּתְדַבֵּר

האשכנזים והספרדים מתחילים כאן

יִשְׂרָאֵל נִסְתְּרָה דַרְכִּי מֵיְהוָה וּמֵאֱלֹהַי מִשְׁפָּטִי
כח יַעֲבוֹר׃ הֲלוֹא יָדַעְתָּ אִם־לֹא שָׁמַעְתָּ אֱלֹהֵי עוֹלָם ׀
יְהוָה בּוֹרֵא קְצוֹת הָאָרֶץ לֹא יִיעַף וְלֹא יִיגָע אֵין חֵקֶר
כט לִתְבוּנָתוֹ׃ נֹתֵן לַיָּעֵף כֹּחַ וּלְאֵין אוֹנִים עָצְמָה יַרְבֶּה׃
ל לא וְיִעֲפוּ נְעָרִים וְיִגָעוּ וּבַחוּרִים כָּשׁוֹל יִכָּשֵׁלוּ׃ וְקוֹיֵ יְהוָה
יַחֲלִיפוּ כֹחַ יַעֲלוּ אֵבֶר כַּנְּשָׁרִים יָרוּצוּ וְלֹא יִיגָעוּ יֵלְכוּ

אֵבֶר כַּנְּשָׁרִים

ישועת ה' לעם קרובו ומשפטו עם העמים הרחוקים ממנו

בנבואת הנחמה שבהפטרה מבקש הנביא לנסוך מרץ וחיזוק בנפשות העייפות והמיואשות. הוא מדגיש את גדולת ה', שהיא מעבר לכל הגדרה, דמות והערכה אנושית, וקורא לעם לתלות את תקוותו בה' לבדו. דברי הניחומים והחיזוק כרוכים בדברי תוכחה ומשפט עם הגויים. בהפטרה מודגש הניגוד בין פחדם של עובדי אלילים לבין זרע אברהם - מנפץ האלילים וקורא הצדק - שייכונו לבטח.

בהפטרה מתוארת גם דמות של מנצח גדול המביא גאולה לעולם. חכמים ראו בדברים אלו רמז לנדודי אברהם בארץ.[53] קישור זה שופך על דמותו של אברהם אור חדש. אין הוא רק הלך נודד בארץ זרה, אלא הוא כובש גדול המחולל בעולם שינויים נרחבים.

ביאור | ישעיה פרק מ כה **וְאֶל מִי תְדַמְּיוּנִי**, תדמו אותי **וְאֶשְׁוֶה, יֹאמַר קָדוֹשׁ**,
ה'. כו **שְׂאוּ מָרוֹם עֵינֵיכֶם, וּרְאוּ מִי בָרָא** כוכבים **אֵלֶּה**, הסדורים
במשמרותיהם ברקיע, **הַמּוֹצִיא בְמִסְפָּר צְבָאָם, לְכֻלָּם בְּשֵׁם יִקְרָא**.
ממה ששמעתם מאבותיכם ומניסיונכם שלכם אתם יודעים שמסלול
הכוכבים קבוע. כל כוכב דומה לחייל הקרוא לתפקיד מסוים וממלא
אותו בדייקנות. כל זה נעשה **מֵרֹב אוֹנִים וְאַמִּיץ כֹּחַ**, מגודל כוחו של
הבורא. ולכן **אִישׁ**, אף כוכב **לֹא נֶעְדָּר**, נעלם.[54]

אינסופיותו של הבורא כוללת גם את ידיעתו והשגחתו: כז **לָמָּה
תֹאמַר, יַעֲקֹב, וּתְדַבֵּר, יִשְׂרָאֵל** בסבלך: "**נִסְתְּרָה דַרְכִּי מֵה'**, אין הוא רואה
אותי, **וּמֵאֱלֹהַי מִשְׁפָּטִי יַעֲבוֹר**. הגמול הראוי לי מסולק מלפניו, והוא
אינו משגיח עליי"?![55]

כח **הֲלוֹא יָדַעְתָּ, אִם לֹא שָׁמַעְתָּ - אֱלֹהֵי עוֹלָם ה', בּוֹרֵא** הכול, עד
קְצוֹת הָאָרֶץ, לֹא יִיעַף וְלֹא יִיגָע, אינו מתעייף ואינו מתייגע, **אֵין חֵקֶר
לִתְבוּנָתוֹ**. אי-אפשר לחקור את תבונתו. אין לה גבול. כט **נֹתֵן לַיָּעֵף**,
לעייף **כֹּחַ, וּלְאֵין**, ולחסר **אוֹנִים - עָצְמָה יַרְבֶּה**. והוא מפרט: ל **וְיִעֲפוּ
נְעָרִים וְיִגָעוּ, וּבַחוּרִים**, שהם במלוא כוחם **כָּשׁוֹל יִכָּשֵׁלוּ**. כאשר אדם
סומך על כוחו שלו בלבד, גם הצעירים והחזקים עשויים להתעייף
ולהיכשל. לא ולעומת זאת, **קוֵֹי ה'**, המקווים והמצפים אליו **יַחֲלִיפוּ
כֹחַ**, יחדשו את כוחם. **יַעֲלוּ אֵבֶר כַּנְּשָׁרִים**, יצמיחו כנפיים חדשות
כמו הנשרים, המגדלים את נוצות כנפיהם לאחר שנשלו נוצותיהם
הישנות.[56] **יָרוּצוּ וְלֹא יִיגָעוּ, יֵלְכוּ וְלֹא יִיעָפוּ**. המחוברים אל מקור כוחם

וְלֹא יִיעָפוּ׃ הַחֲרִישׁוּ אֵלַי אִיִּים וּלְאֻמִּים א מא
יַחֲלִיפוּ כֹחַ יִגְּשׁוּ אָז יְדַבֵּרוּ יַחְדָּו לַמִּשְׁפָּט נִקְרָבָה׃ מִי ב
הֵעִיר מִמִּזְרָח צֶדֶק יִקְרָאֵהוּ לְרַגְלוֹ יִתֵּן לְפָנָיו גּוֹיִם
וּמְלָכִים יַרְדְּ יִתֵּן כֶּעָפָר חַרְבּוֹ כְּקַשׁ נִדָּף קַשְׁתּוֹ׃
יִרְדְּפֵם יַעֲבוֹר שָׁלוֹם אֹרַח בְּרַגְלָיו לֹא יָבוֹא׃ מִי־פָעַל ג
וְעָשָׂה קֹרֵא הַדֹּרוֹת מֵרֹאשׁ אֲנִי יהוה רִאשׁוֹן וְאֶת־
אַחֲרֹנִים אֲנִי־הוּא׃ רָאוּ אִיִּים וְיִירָאוּ קְצוֹת הָאָרֶץ ה
יֶחֱרָדוּ קָרְבוּ וַיֶּאֱתָיוּן׃ אִישׁ אֶת־רֵעֵהוּ יַעְזֹרוּ וּלְאָחִיו ו
יֹאמַר חֲזָק׃ וַיְחַזֵּק חָרָשׁ אֶת־צֹרֵף מַחֲלִיק פַּטִּישׁ ז
אֶת־הוֹלֶם פָּעַם אֹמֵר לַדֶּבֶק טוֹב הוּא וַיְחַזְּקֵהוּ
בְמַסְמְרִים לֹא יִמּוֹט׃ וְאַתָּה יִשְׂרָאֵל ח
עַבְדִּי יַעֲקֹב אֲשֶׁר בְּחַרְתִּיךָ זֶרַע אַבְרָהָם אֹהֲבִי׃
אֲשֶׁר הֶחֱזַקְתִּיךָ מִקְצוֹת הָאָרֶץ וּמֵאֲצִילֶיהָ קְרָאתִיךָ ט
וָאֹמַר לְךָ עַבְדִּי־אַתָּה בְּחַרְתִּיךָ וְלֹא מְאַסְתִּיךָ׃
אַל־תִּירָא כִּי עִמְּךָ־אָנִי אַל־תִּשְׁתָּע כִּי־אֲנִי אֱלֹהֶיךָ י

הרחבות | 'מי העיר ממזרח צדק יקראהו לרגלו' על פי הפשט פירשו רבים את הפסוק כמתייחס לניצחונו של מלך פרס, שמדובר עליו בהמשך בביטויים דומים. אף הוא בא מצפון–מזרח וחולל בעולם תמורות גדולות (ראו ראב"ע, ר"י קרא ור"י כספי). לפי הבנה זו יתפרש צֶדֶק יִקְרָאֵהוּ לְרַגְלוֹ - המלך שלו מזומנים תמיד הניצחון והישועה, (בדומה למשמעות של צְדָקָה ושל צַדִּיק בספר ישעיה). בצד האפשרויות שמדובר כאן באישיות מהעבר או מהעתיד הקרוב, אפשר שהפסוק מדבר בדמות החיה בהווה הנבואה, ואולי הוא מתאר את מלך המשיח שעתיד למשול בכל העולם (ראו מלבי"ם).

ביאור | כוחותיהם יתחדשו.[57] לפיכך אל לך, העם הגולה, להתייאש. תוכל
לשאוב את כוחותיך מן הבורא.

הנביא פונה בשם ה׳ אל המדינות הרחוקות: פרק מא א **הַחֲרִישׁוּ**,
שתקו והקשיבו **אֵלַי, אִיִּים**, מדינות רחוקות, **וּלְאֻמִּים יַחֲלִיפוּ כֹחַ**, יירגעו
ויתחזקו. **יִגְּשׁוּ אָז יְדַבֵּרוּ, יַחְדָּו לַמִּשְׁפָּט נִקְרָבָה**. הבה נדון בדברים מתוך
קרבה וללא פחד. אין זה בהכרח משפט כנגדכם, אלא דיון משותף
במציאות - ב **מִי הֵעִיר**, עורר **מִמִּזְרָח**, את זה **שֶׁצֶּדֶק יִקְרָאֵהוּ לְרַגְלוֹ**,
שהכריז בכל דרכיו על האמת והיושר. או: שהניצחון והישועה באים
בעקבותיו?! זהותו של המתעורר ממזרח אינה ברורה. חכמים דרשו
פסוק זה כמדבר באברהם אבינו, שבכל דרכיו הכריז על ערך הצדק,
ואף נלחם עם אויבים וניצחם[58] - **יִתֵּן**, יכניע **לְפָנָיו גּוֹיִם, וּמְלָכִים יַרְדְּ**,
ישעבד, **יִתֵּן כֶּעָפָר חַרְבּוֹ, כְּקַשׁ נִדָּף קַשְׁתּוֹ**. חרבות וקשתות רבות מצויות
לו כעפר וכקש.[59] ג **יִרְדְּפֵם**, את הגויים והמלכים, **יַעֲבוֹר** את הדרך
בְּשָׁלוֹם,[60] **אֹרַח בְּרַגְלָיו לֹא יָבוֹא**. אין הוא נצרך לברור לו דרך צדדית
כדי להסתתר, אלא הולך ברחבה, בדרך המלך.[61] ד **מִי פָעַל וְעָשָׂה** את
כל זאת? - מי **שקֹרֵא**, אומר, מזמין או קובע את קורות **הַדֹּרוֹת מֵרֹאשׁ**.
אֲנִי ה׳ רִאשׁוֹן לכל הנמצא, **וְאֶת**, וגם עם **אַחֲרֹנִים**, אתכם - **אֲנִי הוּא**.[62]

ה **רָאוּ אִיִּים** את ההתרחשויות הגדולות הללו **וְיִירָאוּ**, **קְצוֹת הָאָרֶץ**
יֶחֱרָדוּ, קָרְבוּ וַיֶּאֱתָיוּן, נקבצו ובאו.[63] כולם מנסים להתגונן נוכח איומו
של המלך הגדול, בהישענם על אליליהם: ו **אִישׁ אֶת רֵעֵהוּ יַעְזֹרוּ**,
וּלְאָחִיו יֹאמַר: **חֲזָק**. הכול ישתפו פעולה אלו עם אלו. ז **וַיְחַזֵּק חָרָשׁ**
העושה בעץ **אֶת צֹרֵף**, **מַחֲלִיק** הכלי **בְּפַטִּישׁ** ליישרו מחזק **אֶת הוֹלֶם**
פָּעַם, המכה על חומר הגלם או על הכלי לעצבו ולקבעו. משנגמרו
מלאכות הצורף, המחליק וההולם, **אֹמֵר** עושה הכלי **לַדֶּבֶק**, על
החיבור: ״**טוֹב הוּא**״, צימוד החלקים נעשה היטב, ואז **וַיְחַזְּקֵהוּ**
בְמַסְמְרִים כדי **שלֹּא יִמּוֹט**, יתמוטט.[64]

ח התוכחה, היראה והחרדה אמורות לכל שאר העולם, **וְ**אילו **אַתָּה**
יִשְׂרָאֵל עַבְדִּי, יַעֲקֹב אֲשֶׁר בְּחַרְתִּיךָ, זֶרַע אַבְרָהָם אֹהֲבִי, ט **אֲשֶׁר**
הֶחֱזַקְתִּיךָ, לקחתיך לחלקי[65] **מִקְצוֹת הָאָרֶץ, וּמֵאֲצִילֶיהָ**, מגדולי הארץ
קְרָאתִיךָ אלי, לצאת מרשותם של אלו.[66] **וָאֹמַר לְךָ: עַבְדִּי אַתָּה,**
בְּחַרְתִּיךָ וְלֹא מְאַסְתִּיךָ גם בגלות הארוכה.[67] י **אַל תִּירָא**. גם אם

אִמַּצְתִּ֙יךָ֙ אַף־עֲזַרְתִּ֔יךָ אַף־תְּמַכְתִּ֖יךָ בִּימִ֥ין צִדְקִֽי׃ הֵ֤ן יא
יֵבֹ֙שׁוּ֙ וְיִכָּ֣לְמ֔וּ כֹּ֖ל הַנֶּחֱרִ֣ים בָּ֑ךְ יִהְי֧וּ כְאַ֛יִן וְיֹאבְד֖וּ
אַנְשֵׁ֥י רִיבֶֽךָ׃ תְּבַקְשֵׁם֙ וְלֹ֣א תִמְצָאֵ֔ם אַנְשֵׁ֖י מַצֻּתֶ֑ךָ יב
יִהְי֥וּ כְאַ֛יִן וּכְאֶ֖פֶס אַנְשֵׁ֥י מִלְחַמְתֶּֽךָ׃ כִּ֗י אֲנִ֛י יְהוָ֥ה יג
אֱלֹהֶ֖יךָ מַחֲזִ֣יק יְמִינֶ֑ךָ הָאֹמֵ֥ר לְךָ֛ אַל־תִּירָ֖א אֲנִ֥י
עֲזַרְתִּֽיךָ׃ אַל־תִּֽירְאִי֙ תּוֹלַ֣עַת יַעֲקֹ֔ב מְתֵ֖י יד
יִשְׂרָאֵ֑ל אֲנִ֤י עֲזַרְתִּיךְ֙ נְאֻם־יְהוָ֔ה וְגֹאֲלֵ֖ךְ קְד֥וֹשׁ
יִשְׂרָאֵֽל׃ הִנֵּ֣ה שַׂמְתִּ֗יךְ לְמוֹרַג֙ חָר֣וּץ חָדָ֔שׁ בַּ֖עַל טו
פִּיפִיּ֑וֹת תָּד֤וּשׁ הָרִים֙ וְתָדֹ֔ק וּגְבָע֖וֹת כַּמֹּ֥ץ תָּשִֽׂים׃
תִּזְרֵם֙ וְר֣וּחַ תִּשָּׂאֵ֔ם וּסְעָרָ֖ה תָּפִ֣יץ אוֹתָ֑ם וְאַתָּה֙ תָּגִ֣יל טז
בַּֽיהוָ֔ה בִּקְד֥וֹשׁ יִשְׂרָאֵ֖ל תִּתְהַלָּֽל׃ * הָעֲנִיִּ֨ים יז
וְהָאֶבְיוֹנִ֜ים מְבַקְשִׁ֥ים מַ֙יִם֙ וָאַ֔יִן לְשׁוֹנָ֖ם בַּצָּמָ֣א נָשָׁ֑תָּה
אֲנִ֤י יְהוָה֙ אֶעֱנֵ֔ם אֱלֹהֵ֥י יִשְׂרָאֵ֖ל לֹ֥א אֶעֶזְבֵֽם׃

האשכנזים והספרדים מסיימים כאן

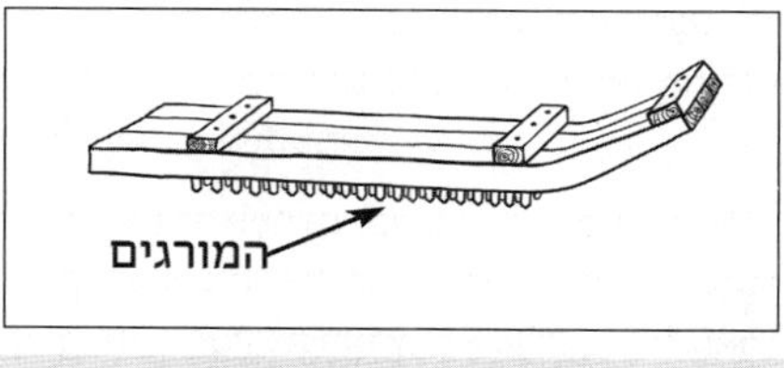

חרוץ עם מורגים

העולם | **מֹורַג חָרוּץ** כלי עבודה חקלאי לְדַיִשׁ עשוי לוח עץ שבצדו התחתון קבועים חריצים - אבנים או פיסות ברזל משוננות. הלוח נגרר באמצעות בהמות על גבי הדגן, והלחץ מפריד בין גרעיני החיטה לבין המוץ.

ביאור | כל העולם יזדעזע, אתה אינך צריך לפחוד, **כִּי עִמְּךָ אָנִי. אַל תִּשְׁתָּע,**
אל תפנה, אל תסור מדרכך,[68] **כִּי אֲנִי אֱלֹהֶיךָ** בכל מצב. **אִמַּצְתִּיךָ,**
חיזקתיך **אַף עֲזַרְתִּיךָ, אַף תְּמַכְתִּיךָ בִּימִין צִדְקִי,** בימיני הצודקת,
המנצחת והמושיעה. ה׳ מבטיח לעמו שיגן עליו מכל רע. יא **הֵן**
יֵבֹשׁוּ וְיִכָּלְמוּ כֹּל הַנֶּחֱרִים, המתגרים,[69] המחרחרים ריב **בָּךְ. יִהְיוּ כְאַיִן**
וְיֹאבְדוּ אַנְשֵׁי רִיבֶךָ. יב **תְּבַקְשֵׁם וְלֹא תִמְצָאֵם,** את **אַנְשֵׁי מַצֻּתֶךָ,** ריבך.
הם ייעלמו. **יִהְיוּ כְאַיִן וּכְאֶפֶס אַנְשֵׁי מִלְחַמְתֶּךָ.** יג **כִּי אֲנִי ה׳ אֱלֹהֶיךָ**
מַחֲזִיק יְמִינֶךָ, הָאֹמֵר לְךָ: אַל תִּירָא, אֲנִי עֲזַרְתִּיךָ.

יד **אַל תִּירְאִי, תּוֹלַעַת יַעֲקֹב,** המושפלת ונתונה למרמס, **מְתֵי,** אנשי
יִשְׂרָאֵל. אֲנִי עֲזַרְתִּיךְ, נְאֻם ה׳, וְגֹאֲלֵךְ אני, **קְדוֹשׁ יִשְׂרָאֵל.** טו אדרבא,
הִנֵּה, אף שאת תולעת רכה ועדינה לכאורה, **שַׂמְתִּיךְ לְמוֹרַג,** מכשיר
דישה **חָרוּץ,** שנעוצות בו פיסות ברזל או אבנים קטנות, **חָדָשׁ,**
בַּעַל פִּיפִיּוֹת, בליטות חדות.[70] אתה, המורג, **תָּדוּשׁ הָרִים וְתָדֹק,** עד
דק, **וּגְבָעוֹת כַּמֹּץ תָּשִׂים** בדישתך. תעבור על פני עמים וממלכות
ותרמסם. טז **תִּזְרֵם,** תפזר את האויבים, **וְרוּחַ תִּשָּׂאֵם, וּסְעָרָה תָּפִיץ**
אוֹתָם. וְאַתָּה תָּגִיל בַּה׳, בִּקְדוֹשׁ יִשְׂרָאֵל תִּתְהַלָּל. לעומת החרדה
והערעור שאחזו באומות נוכח השינויים העולמיים, הנביא מרגיע
את ישראל ומבטיח להם שאויביהם יאבדו.

הנבואה ממשיכה בדברי הבטחה ואמונה לגולים המעונים: יז **הָעֲנִיִּים**
וְהָאֶבְיוֹנִים מְבַקְשִׁים מַיִם - וָאַיִן, לְשׁוֹנָם בַּצָּמָא נָשָׁתָּה, נעתקה או:
נשכחה, כביכול, מחמת יובש או חוסר שימוש. **אֲנִי ה׳ אֶעֱנֵם,** אני
אֱלֹהֵי יִשְׂרָאֵל לֹא אֶעֶזְבֵם.

הפטרת וירא

מלכים ב

וְאִשָּׁה אַחַת מִנְּשֵׁי בְנֵי־הַנְּבִיאִים צָעֲקָה אֶל־אֱלִישָׁע א ד
לֵאמֹר עַבְדְּךָ אִישִׁי מֵת וְאַתָּה יָדַעְתָּ כִּי עַבְדְּךָ הָיָה
יָרֵא אֶת־יהוה וְהַנֹּשֶׁה בָּא לָקַחַת אֶת־שְׁנֵי יְלָדַי לוֹ
לַעֲבָדִים: וַיֹּאמֶר אֵלֶיהָ אֱלִישָׁע מָה אֶעֱשֶׂה־לָּךְ ב
הַגִּידִי לִי מַה־יֶּשׁ־לכי בַּבָּיִת וַתֹּאמֶר אֵין לְשִׁפְחָתְךָ לָךְ
כֹל בַּבַּיִת כִּי אִם־אָסוּךְ שָׁמֶן: וַיֹּאמֶר לְכִי שַׁאֲלִי־לָךְ ג
כֵּלִים מִן־הַחוּץ מֵאֵת כָּל־שכניכי כֵּלִים רֵקִים אַל־ שְׁכֵנָיִךְ
תַּמְעִיטִי: וּבָאת וְסָגַרְתְּ הַדֶּלֶת בַּעֲדֵךְ וּבְעַד־בָּנַיִךְ ד
וְיָצַקְתְּ עַל כָּל־הַכֵּלִים הָאֵלֶּה וְהַמָּלֵא תַּסִּיעִי: וַתֵּלֶךְ ה
מֵאִתּוֹ וַתִּסְגֹּר הַדֶּלֶת בַּעֲדָהּ וּבְעַד בָּנֶיהָ הֵם מַגִּשִׁים
אֵלֶיהָ וְהִיא מיצקת: וַיְהִי ׀ כִּמְלֹאת הַכֵּלִים וַתֹּאמֶר ו מוֹצָקֶת
אֶל־בְּנָהּ הַגִּישָׁה אֵלַי עוֹד כֶּלִי וַיֹּאמֶר אֵלֶיהָ אֵין עוֹד
כֶּלִי וַיַּעֲמֹד הַשָּׁמֶן: וַתָּבֹא וַתַּגֵּד לְאִישׁ הָאֱלֹהִים ז

הרחבות | 'מה יש לך' כאשר הנביא מחולל מופת מעבר לדרך הטבע, אין הוא מנסה לברוא יש מאין, אלא הוא מבסס את הנס על מצע טבעי, ואותו הוא מגדיל ומרחיב. (ראו רד"ק פס' לד). המופתים מתבססים על הנתונים הטבעיים, ועל גביהם מתקיימת החריגה אל מחוץ לגדרי הטבע.

נסי אלישע למען שתי נשים וילדיהן

נראה שהפטרה זו נתייחדה לפרשה משום שמדובר בה בילד שנולד באמצעות נבואה מיוחדת על פי ברכה נסית חריגה (ואף בה חוזר הביטוי "כעת חיה"). הן בפרשה הן בהפטרה בא נס הולדת הילד בעקבות הכנסת אורחים.

ביאור | מלכים ב׳ פרק ד א וְאִשָּׁה אַחַת מִנְּשֵׁי בְנֵי־הַנְּבִיאִים צָעֲקָה אֶל־
אֱלִישָׁע לֵאמֹר: עַבְדְּךָ, תלמידך, או: ביטוי כבוד אִישִׁי, בעלי מֵת,
וְאַתָּה יָדַעְתָּ כִּי עַבְדְּךָ הָיָה יָרֵא אֶת־ה׳. לאחר שבעלי מת, רבצו עלי
חובות כבדים, ונשארתי ללא מקור הכנסה, וְעתה הַנֹּשֶׁה בָּא לָקַחַת
אֶת־שְׁנֵי יְלָדַי לוֹ לַעֲבָדִים. המנהג לקחת את ילדי בעל החוב לעבדים
תמורת תשלום כסף היה מקובל,[71] אך אינו הולם את תורת ישראל.

ב וַיֹּאמֶר אֵלֶיהָ אֱלִישָׁע: מָה אֶעֱשֶׂה־לָּךְ כדי לעזור לך? הַגִּידִי לִי מַה־יֶּשׁ־
לָךְ בַּבָּיִת, שכן אני זקוק להתחיל בדבר-מה שכבר קיים ברשותך.[72]
וַתֹּאמֶר: אֵין לְשִׁפְחָתְךָ כֹל בַּבַּיִת כִּי אִם־אָסוּךְ שָׁמֶן, כלי קטן לשמן
המשמש לסיכה.[73] הרי את ילדיה תמסור רק לאחר שמכרה את
כל מה שהיה לה.

ג וַיֹּאמֶר: לְכִי שַׁאֲלִי־לָךְ, בקשי בהשאלה כֵּלִים מִן־הַחוּץ מֵאֵת כָּל־
שְׁכֵנָיִךְ, כֵּלִים רֵקִים, אַל־תַּמְעִיטִי, כלים רבים ככל האפשר. ד וּבָאת
וְסָגַרְתְּ הַדֶּלֶת בַּעֲדֵךְ וּבְעַד־בָּנַיִךְ, כי למעשי נסים כאלה נאה הצִנעה.
וְיָצַקְתְּ עַל כָּל־הַכֵּלִים הָאֵלֶּה מן השמן שבאסוך, וְהַמָּלֵא תַּסִּיעִי. אחרי
שתמלאי כלי אחד, הזיזי אותו הצדה והביאי את הכלי הבא. השמן
ישפע ויספיק למילוי כולם.[74]

ה וַתֵּלֶךְ מֵאִתּוֹ, וַתִּסְגֹּר הַדֶּלֶת בַּעֲדָהּ וּבְעַד בָּנֶיהָ. הֵם מַגִּשִׁים אֵלֶיהָ את
הכלים וְהִיא מוֹצָקֶת, יוצקת. ו וַיְהִי כִּמְלֹאת, כשתמו הַכֵּלִים, וַתֹּאמֶר
אֶל־בְּנָהּ: הַגִּישָׁה אֵלַי עוֹד כֶּלִי.
וַיֹּאמֶר אֵלֶיהָ: אֵין עוֹד כֶּלִי.

ואז – וַיַּעֲמֹד הַשָּׁמֶן. ברכת השמן הותאמה למספר הכלים שהיה
בידה ולנִפחם.

ז וַתָּבֹא וַתַּגֵּד לְאִישׁ הָאֱלֹהִים על הנס, ואחר כך שאלה מה עליה
לעשות הלאה.[75]

וַיֹּאמֶר לְכִי מִכְרִי אֶת־הַשֶּׁמֶן וְשַׁלְּמִי אֶת־נשיכי | נִשְׁיֵךְ
וְאַתְּ בניכי תִּחְיִי בַּנּוֹתָר: וַיְהִי הַיּוֹם וַיַּעֲבֹר ח | וּבָנַיִךְ
אֱלִישָׁע אֶל־שׁוּנֵם וְשָׁם אִשָּׁה גְדוֹלָה וַתַּחֲזֶק־בּוֹ
לֶאֱכָל־לָחֶם וַיְהִי מִדֵּי עָבְרוֹ יָסֻר שָׁמָּה לֶאֱכָל־לָחֶם:
וַתֹּאמֶר אֶל־אִישָׁהּ הִנֵּה־נָא יָדַעְתִּי כִּי אִישׁ אֱלֹהִים ט
קָדוֹשׁ הוּא עֹבֵר עָלֵינוּ תָּמִיד: נַעֲשֶׂה־נָּא עֲלִיַּת־קִיר י
קְטַנָּה וְנָשִׂים לוֹ שָׁם מִטָּה וְשֻׁלְחָן וְכִסֵּא וּמְנוֹרָה
וְהָיָה בְּבֹאוֹ אֵלֵינוּ יָסוּר שָׁמָּה: וַיְהִי הַיּוֹם וַיָּבֹא שָׁמָּה יא
וַיָּסַר אֶל־הָעֲלִיָּה וַיִּשְׁכַּב־שָׁמָּה: וַיֹּאמֶר אֶל־גֵּיחֲזִי יב
נַעֲרוֹ קְרָא לַשּׁוּנַמִּית הַזֹּאת וַיִּקְרָא־לָהּ וַתַּעֲמֹד
לְפָנָיו: וַיֹּאמֶר לוֹ אֱמָר־נָא אֵלֶיהָ הִנֵּה חָרַדְתְּ ׀ אֵלֵינוּ יג
אֶת־כָּל־הַחֲרָדָה הַזֹּאת מֶה לַעֲשׂוֹת לָךְ הֲיֵשׁ לְדַבֶּר־
לָךְ אֶל־הַמֶּלֶךְ אוֹ אֶל־שַׂר הַצָּבָא וַתֹּאמֶר בְּתוֹךְ עַמִּי
אָנֹכִי יֹשָׁבֶת: וַיֹּאמֶר וּמֶה לַעֲשׂוֹת לָהּ וַיֹּאמֶר גֵּיחֲזִי יד

מימין:
כלים ריקים
תקופת הברזל
חורבת קייאפה
משמאל:
סולם
כפר מצפון
לגבעת המורה
('שונם')

וַיֹּאמֶר: לְכִי מִכְרִי אֶת־הַשֶּׁמֶן וְשַׁלְּמִי אֶת־נִשְׁיֵךְ חובך, בחלק מן הכסף | ביאור
שתקבלי תמורת השמן, **וְאַתְּ וּבָנַיִךְ תִּחְיִי בַּנּוֹתָר**. ברכת השמן לא
תסור גם לאחר מכירתו, והעודף יספיק למחייתכם.[76]

ח **וַיְהִי הַיּוֹם, וַיַּעֲבֹר אֱלִישָׁע אֶל־שׁוּנֵם**, עיירה בעמק יזרעאל, **וְשָׁם**
אִשָּׁה גְדוֹלָה, עשירה ונכבדת.[77] כיוון שבא אורח כה חשוב לעיר,
וַתַּחֲזֶק־בּוֹ, היא ביקשה ממנו, ואולי הפצירה בו[78] **לֶאֱכָל־לָחֶם** אצלה.
וַיְהִי מִדֵּי עָבְרוֹ, בכל פעם שאלישע היה עובר בשונם, **יָסֻר שָׁמָּה**
לֶאֱכָל־לָחֶם, לסעוד בביתה.

ט **וַתֹּאמֶר** האשה **אֶל־אִישָׁהּ**, בעלה: **הִנֵּה־נָא יָדַעְתִּי כִּי אִישׁ אֱלֹהִים**
קָדוֹשׁ הוּא עֹבֵר עָלֵינוּ תָּמִיד. אני יודעת שהאיש החוזר ומגיע אלינו
הוא אדם קדוש.[79] י מכיוון שהוא מכבד אותנו בשהייתו בביתנו,
נַעֲשֶׂה־נָּא עֲלִיַּת־קִיר, קומה שנייה **קְטַנָּה** בביתנו, ובה נארגן חדר
פרטי לנוחיותו, **וְנָשִׂים לוֹ שָׁם מִטָּה וְשֻׁלְחָן וְכִסֵּא וּמְנוֹרָה**, החפצים
הדרושים לאורח. **וְהָיָה בְּבֹאוֹ אֵלֵינוּ יָסוּר שָׁמָּה**.

יא **וַיְהִי הַיּוֹם וַיָּבֹא שָׁמָּה, וַיָּסַר אֶל־הָעֲלִיָּה** שהכינו בשבילו **וַיִּשְׁכַּב־**
שָׁמָּה. יב **וַיֹּאמֶר אֶל־גֵּיחֲזִי נַעֲרוֹ**, משרתו: **קְרָא לַשּׁוּנַמִּית**, האשה
משונם **הַזֹּאת**.

וַיִּקְרָא־לָהּ, וַתַּעֲמֹד לְפָנָיו.

יג **וַיֹּאמֶר לוֹ** לגיחזי: **אֱמָר־נָא אֵלֶיהָ**: "**הִנֵּה חָרַדְתְּ אֵלֵינוּ אֶת־כָּל־הַחֲרָדָה**
הַזֹּאת, טרחת בעבורנו ודאגת לנו כל כך, וכעת – **מֶה** נוכל **לַעֲשׂוֹת**
לָךְ, למענך? **הֲיֵשׁ לְדַבֶּר־לָךְ אֶל־הַמֶּלֶךְ אוֹ אֶל־שַׂר הַצָּבָא?**" אלישע
אינו רדוף כפי שהיה אליהו רבו, אדרבא, יש לו קשרים עם גדולי
האומה, ועל כן הוא מציע שינצלם לטובתה.

וַתֹּאמֶר לגיחזי: **בְּתוֹךְ עַמִּי אָנֹכִי יֹשָׁבֶת**. אין צורך בכך. אנחנו אמידים,
מעמדנו איתן, ואיננו זקוקים לקשריך.[80]

יד **וַיֹּאמֶר** אלישע לגיחזי: ואם כך **מֶה** נוכל **לַעֲשׂוֹת לָהּ** כדי להשיב
לה כגמולה?

העולם | **שׁוּנֵם** עיר בנחלת יששכר. נזכרת גם בתעודות מצריות מהמאה ה-14 לפנה"ס (אל עמארנה). שרידי היישוב מצויים בחלקו הצפוני-מזרחי של הכפר סולם כ-3 ק"מ מדרום-מערב לגבעת המורה.

אֲבָל בֵּן אֵין־לָהּ וְאִישָׁהּ זָקֵן׃ וַיֹּאמֶר קְרָא־לָהּ טו
וַיִּקְרָא־לָהּ וַתַּעֲמֹד בַּפָּתַח׃ וַיֹּאמֶר לַמּוֹעֵד הַזֶּה טז
כָּעֵת חַיָּה אתי חֹבֶקֶת בֵּן וַתֹּאמֶר אַל־אֲדֹנִי אִישׁ (אַתְּ)
הָאֱלֹהִים אַל־תְּכַזֵּב בְּשִׁפְחָתֶךָ׃ וַתַּהַר הָאִשָּׁה וַתֵּלֶד יז
בֵּן לַמּוֹעֵד הַזֶּה כָּעֵת חַיָּה אֲשֶׁר־דִּבֶּר אֵלֶיהָ אֱלִישָׁע׃
וַיִּגְדַּל הַיָּלֶד וַיְהִי הַיּוֹם וַיֵּצֵא אֶל־אָבִיו אֶל־הַקֹּצְרִים׃ יח
וַיֹּאמֶר אֶל־אָבִיו רֹאשִׁי ׀ רֹאשִׁי וַיֹּאמֶר אֶל־הַנַּעַר יט
שָׂאֵהוּ אֶל־אִמּוֹ׃ וַיִּשָּׂאֵהוּ וַיְבִיאֵהוּ אֶל־אִמּוֹ וַיֵּשֶׁב כ
עַל־בִּרְכֶּיהָ עַד־הַצָּהֳרַיִם וַיָּמֹת׃ וַתַּעַל וַתַּשְׁכִּבֵהוּ כא
עַל־מִטַּת אִישׁ הָאֱלֹהִים וַתִּסְגֹּר בַּעֲדוֹ וַתֵּצֵא׃
וַתִּקְרָא אֶל־אִישָׁהּ וַתֹּאמֶר שִׁלְחָה נָא לִי אֶחָד מִן־ כב
הַנְּעָרִים וְאַחַת הָאֲתֹנוֹת וְאָרוּצָה עַד־אִישׁ הָאֱלֹהִים
וְאָשׁוּבָה׃ וַיֹּאמֶר מַדּוּעַ אתי הלכתי אֵלָיו הַיּוֹם לֹא־ כג (אַתְּ הֹלֶכֶת)
חֹדֶשׁ וְלֹא שַׁבָּת וַתֹּאמֶר שָׁלוֹם׃* וַתַּחֲבֹשׁ הָאָתוֹן כד

הספרדים מסיימים כאן

ביאור | **וַיֹּאמֶר גֵּיחֲזִי:** אכן היא עשירה, **אֲבָל בֵּן אֵין־לָהּ**, ואין היא יכולה להמתין
עוד שנים רבות[81] הואיל **וְאִישָׁהּ זָקֵן** וסיכוייו להוליד מתמעטים,[82]
ומן הסתם גם היא איננה צעירה.[83]

טו **וַיֹּאמֶר** אלישע לגיחזי: **קְרָא־לָהּ.**

וַיִּקְרָא־לָהּ, וַתַּעֲמֹד בַּפָּתַח. טז **וַיֹּאמֶר: לַמּוֹעֵד הַזֶּה כָּעֵת חַיָּה**, בעוד
שנה בדיוק **אַתְּ חֹבֶקֶת בֵּן.**

וַתֹּאמֶר: אַל, אֲדֹנִי אִישׁ הָאֱלֹהִים, אַל־תְּכַזֵּב בְּשִׁפְחָתֶךָ. אל תיטע בי
תקוות שווא. גם אם אהרה, אני עלולה להפיל, או דבר–מה עלול
לפגוע בתינוק, חלילה. אל תגרום לי להשתעשע בציפייה להמשכיות
שאחר זמן תתבדה.[84]

יז **וַתַּהַר הָאִשָּׁה וַתֵּלֶד בֵּן, לַמּוֹעֵד הַזֶּה כָּעֵת חַיָּה אֲשֶׁר־דִּבֶּר אֵלֶיהָ
אֱלִישָׁע**, בדיוק שנה אחרי בשורתו של אלישע.

יח **וַיִּגְדַּל הַיָּלֶד. וַיְהִי הַיּוֹם וַיֵּצֵא אֶל־אָבִיו** בעל האחוזה, **אֶל־הַקֹּצְרִים**
בשדהו כדי לראות את המתרחש שם, כדרך הילדים. יט **וַיֹּאמֶר
אֶל־אָבִיו: רֹאשִׁי, רֹאשִׁי.** כואב לי מאוד הראש.[85]

וַיֹּאמֶר אֶל־הַנַּעַר המשרת: **שָׂאֵהוּ**, קח את הילד על ידיך **אֶל־אִמּוֹ.**

כ **וַיִּשָּׂאֵהוּ וַיְבִיאֵהוּ אֶל־אִמּוֹ, וַיֵּשֶׁב** הילד **עַל־בִּרְכֶּיהָ עַד־הַצָּהֳרַיִם וַיָּמֹת**
בעוד הוא יושב על ברכיה, בלא שנראו סימנים חיצוניים בולטים
לגסיסתו. כא **וַתַּעַל** אל הקומה השנייה, **וַתַּשְׁכִּבֵהוּ עַל־מִטַּת אִישׁ
הָאֱלֹהִים**, אלישע, **וַתִּסְגֹּר בַּעֲדוֹ** את הדלת **וַתֵּצֵא.**

כב **וַתִּקְרָא אֶל־אִישָׁהּ, וַתֹּאמֶר: שִׁלְחָה נָא לִי אֶחָד מִן־הַנְּעָרִים** כדי
לשרת אותי ולעזור לי **וְאַחַת הָאֲתֹנוֹת** לרכב עליה, **וְאָרוּצָה עַד־אִישׁ
הָאֱלֹהִים וְאָשׁוּבָה**, ואחזור.

כג **וַיֹּאמֶר** בעלה: **מַדּוּעַ אַתְּ הֹלֶכֶת אֵלָיו הַיּוֹם**, והרי **לֹא** ראש־**חֹדֶשׁ וְלֹא
שַׁבָּת** היום. כשחי בסביבה אדם גדול היו תלמידיו ושומעי לקחו
מבקרים אצלו בשבתות ובמועדים מיוחדים.[86]

וַתֹּאמֶר: שָׁלוֹם. הכול כשורה.[87] היא רצתה שהאסון לא ייוודע לאיש
מלבד לנביא.[88]

וַתֹּאמֶר אֶל־נַעֲרָהּ נְהַג וָלֵךְ אַל־תַּעֲצָר־לִי לִרְכֹּב
כִּי אִם־אָמַרְתִּי לָךְ׃ וַתֵּלֶךְ וַתָּבוֹא אֶל־אִישׁ הָאֱלֹהִים כה
אֶל־הַר הַכַּרְמֶל וַיְהִי כִּרְאוֹת אִישׁ־הָאֱלֹהִים אֹתָהּ
מִנֶּגֶד וַיֹּאמֶר אֶל־גֵּיחֲזִי נַעֲרוֹ הִנֵּה הַשּׁוּנַמִּית הַלָּז׃
עַתָּה רוּץ־נָא לִקְרָאתָהּ וֶאֱמָר־לָהּ הֲשָׁלוֹם לָךְ כו
הֲשָׁלוֹם לְאִישֵׁךְ הֲשָׁלוֹם לַיָּלֶד וַתֹּאמֶר שָׁלוֹם׃ וַתָּבֹא כז
אֶל־אִישׁ הָאֱלֹהִים אֶל־הָהָר וַתַּחֲזֵק בְּרַגְלָיו וַיִּגַּשׁ
גֵּיחֲזִי לְהָדְפָהּ וַיֹּאמֶר אִישׁ הָאֱלֹהִים הַרְפֵּה־לָהּ
כִּי־נַפְשָׁהּ מָרָה־לָהּ וַיהוָה הֶעְלִים מִמֶּנִּי וְלֹא הִגִּיד
לִי׃ וַתֹּאמֶר הֲשָׁאַלְתִּי בֵן מֵאֵת אֲדֹנִי הֲלֹא אָמַרְתִּי כח
לֹא תַשְׁלֶה אֹתִי׃ וַיֹּאמֶר לְגֵיחֲזִי חֲגֹר מָתְנֶיךָ וְקַח כט
מִשְׁעַנְתִּי בְיָדְךָ וָלֵךְ כִּי־תִמְצָא אִישׁ לֹא תְבָרְכֶנּוּ וְכִי־
יְבָרֶכְךָ אִישׁ לֹא תַעֲנֶנּוּ וְשַׂמְתָּ מִשְׁעַנְתִּי עַל־פְּנֵי
הַנָּעַר׃ וַתֹּאמֶר אֵם הַנַּעַר חַי־יְהוָה וְחֵי־נַפְשְׁךָ אִם־ ל
אֶעֶזְבֶךָּ וַיָּקָם וַיֵּלֶךְ אַחֲרֶיהָ׃ וְגֵחֲזִי עָבַר לִפְנֵיהֶם וַיָּשֶׂם לא
אֶת־הַמִּשְׁעֶנֶת עַל־פְּנֵי הַנַּעַר וְאֵין קוֹל וְאֵין קָשֶׁב
וַיָּשָׁב לִקְרָאתוֹ וַיַּגֶּד־לוֹ לֵאמֹר לֹא הֵקִיץ הַנָּעַר׃ וַיָּבֹא לב

הרחבות | **שתי נשים** שלא כאשה הענייה והנזקקת מבני הנביאים שסופר בה קודם, כאן מדובר באשה עשירה ומכובדת. אשה זו נוהגת באדיבות, בצניעות ובכבוד, אך אינה נמנעת מליזום ולפעול בנחישות הן בביתה הן מחוצה לו. היא מזכירה את 'אשת חיל' המהוללת במשלי (לא,י–לא).

כד וַתַּחֲבֹשׁ הָאָתוֹן, וַתֹּאמֶר אֶל־נַעֲרָהּ: נְהַג את החמור וָלֵךְ. אַל־תַּעֲצָר־
לִי לִרְכֹּב, אל תחנה בדרך, כִּי, אלא אִם־אָמַרְתִּי לָךְ.

כה וַתֵּלֶךְ וַתָּבוֹא אֶל־אִישׁ הָאֱלֹהִים אֶל־הַר הַכַּרְמֶל, ששם כנראה היה
מקומו הקבוע באותו זמן. וַיְהִי כִּרְאוֹת אִישׁ־הָאֱלֹהִים אֹתָהּ מִנֶּגֶד,
ממרחק, וַיֹּאמֶר אֶל־גֵּיחֲזִי נַעֲרוֹ: הִנֵּה הַשּׁוּנַמִּית הַלָּז, ההיא. כו בוודאי
הגיעה לכאן ביום חול בשל סיבה חשובה. על כן - עַתָּה רוּץ־נָא
לִקְרָאתָהּ, וֶאֱמָר־לָהּ: "הֲשָׁלוֹם לָךְ? הֲשָׁלוֹם לְאִישֵׁךְ? הֲשָׁלוֹם לַיָּלֶד?"
שְׁאַל אותה אם כולם בריאים.

וַתֹּאמֶר לגיחזי: שָׁלוֹם. שוב אין היא מספרת את אשר אירע.

כז וַתָּבֹא אֶל־אִישׁ הָאֱלֹהִים אֶל־הָהָר, וַתַּחֲזֵק בְּרַגְלָיו, מחווה שיש בה
תחינה, כניעה וקבלת מרות.

וַיִּגַּשׁ גֵּיחֲזִי לְהָדְפָהּ, משום שלא ראה בעין יפה שהאשה מחזיקה
ברגלי איש האלוקים.[89] וַיֹּאמֶר אִישׁ הָאֱלֹהִים: הַרְפֵּה, הנח לָהּ, כִּי־
נַפְשָׁהּ מָרָה־לָהּ. ניכר שהיא מיוסרת, ואין לפגוע בה בהקפדה על
דרך ארץ כשהיא סובלת. וַה' הֶעְלִים מִמֶּנִּי וְלֹא הִגִּיד לִי מראש מהי
הסיבה לכאבה, ועל כן אינני יודע.

כח וַתֹּאמֶר: הֲשָׁאַלְתִּי בֵן מֵאֵת אֲדֹנִי?! הרי לא ביקשתי ממך שתתפלל
שייוולד לי בן. לא ציפיתי לשום תמורה על מעשי. יתר על כן, הֲלֹא
אָמַרְתִּי, ביקשתי ממך שלֹא תַשְׁלֶה אֹתִי.

כט וַיֹּאמֶר לְגֵיחֲזִי: חֲגֹר מָתְנֶיךָ, כאדם היוצא לדרך בזריזות, וְקַח את
מִשְׁעַנְתִּי, מקלי בְּיָדְךָ וָלֵךְ לביתה. כִּי תִמְצָא־אִישׁ ממכריך – לֹא
תְבָרְכֶנּוּ. וְכִי־יְבָרֶכְךָ אִישׁ – לֹא תַעֲנֶנּוּ, כדי שלא תתעכב.[90] וכאשר
תגיע לבית האשה - וְשַׂמְתָּ מִשְׁעַנְתִּי עַל־פְּנֵי הַנָּעַר, שכן במשענת
גלום כוחו של אלישע, והוא מקווה שהדבר יועיל לילד.

ל וַתֹּאמֶר אֵם הַנַּעַר לאלישע: חַי־ה' וְחֵי־נַפְשְׁךָ אִם־אֶעֶזְבֶךָּ.

וַיָּקָם אלישע וַיֵּלֶךְ אַחֲרֶיהָ. לא וְגֵחֲזִי עָבַר לִפְנֵיהֶם, לפי ציוויו של
אלישע למהר ככל האפשר, וַיָּשֶׂם אֶת־הַמִּשְׁעֶנֶת עַל־פְּנֵי הַנַּעַר, וְאֵין
קוֹל וְאֵין קָשֶׁב. לא הייתה כל תגובה שתעיד על שינוי במצבו.[91] וַיָּשָׁב
לִקְרָאתוֹ וַיַּגֶּד־לוֹ לֵאמֹר: לֹא הֵקִיץ הַנָּעַר. לא אירע דבר.

אֱלִישָׁע הַבָּיְתָה וְהִנֵּה הַנַּעַר מֵת מֻשְׁכָּב עַל־מִטָּתוֹ׃
לג וַיָּבֹא וַיִּסְגֹּר הַדֶּלֶת בְּעַד שְׁנֵיהֶם וַיִּתְפַּלֵּל אֶל־יְהוָה׃
לד וַיַּעַל וַיִּשְׁכַּב עַל־הַיֶּלֶד וַיָּשֶׂם פִּיו עַל־פִּיו וְעֵינָיו עַל־
עֵינָיו וְכַפָּיו עַל־כַּפָּו וַיִּגְהַר עָלָיו וַיָּחָם בְּשַׂר הַיָּלֶד׃
לה וַיָּשָׁב וַיֵּלֶךְ בַּבַּיִת אַחַת הֵנָּה וְאַחַת הֵנָּה וַיַּעַל וַיִּגְהַר
עָלָיו וַיְזוֹרֵר הַנַּעַר עַד־שֶׁבַע פְּעָמִים וַיִּפְקַח הַנַּעַר
לו אֶת־עֵינָיו׃ וַיִּקְרָא אֶל־גֵּיחֲזִי וַיֹּאמֶר קְרָא אֶל־
הַשֻּׁנַמִּית הַזֹּאת וַיִּקְרָאֶהָ וַתָּבוֹא אֵלָיו וַיֹּאמֶר שְׂאִי
לז בְנֵךְ׃ וַתָּבֹא וַתִּפֹּל עַל־רַגְלָיו וַתִּשְׁתַּחוּ אָרְצָה וַתִּשָּׂא
אֶת־בְּנָהּ וַתֵּצֵא׃

לב וַיָּבֹא אֱלִישָׁע הַבָּיְתָה, וְהִנֵּה הַנַּעַר מֵת וּמֻשְׁכָּב עַל־מִטָּתוֹ | ביאור
שלו. לג וַיָּבֹא לחדר, וַיִּסְגֹּר הַדֶּלֶת בְּעַד שְׁנֵיהֶם, וַיִּתְפַּלֵּל אֶל־ה'. הוא
ביקש לחולל נס ולהחיות את המת, כשם שעשה אליהו.[92] לד וַיַּעַל
וַיִּשְׁכַּב עַל־הַיֶּלֶד, וַיָּשֶׂם את פִּיו עַל־פִּיו וְעֵינָיו עַל־עֵינָיו וְכַפָּיו עַל־כַּפָּו,
וַיִּגְהַר, נשם[93] עָלָיו, וַיָּחָם, התחמם בְּשַׂר הַיָּלֶד, אף על פי שעברו כמה
שעות מאז מותו. לה וַיָּשָׁב אלישע וַיֵּלֶךְ בַּבַּיִת אַחַת הֵנָּה וְאַחַת הֵנָּה,
הסתובב עסוק בדבקותו, וַיַּעַל על גוף הילד וַיִּגְהַר עָלָיו שוב, וַיְזוֹרֵר,
התעטש הַנַּעַר שוב ושוב עַד־שֶׁבַע פְּעָמִים, ולבסוף - וַיִּפְקַח הַנַּעַר
אֶת־עֵינָיו וקם לתחייה.

לו וַיִּקְרָא אֶל־גֵּיחֲזִי וַיֹּאמֶר: קְרָא אֶל־הַשֻּׁנַמִּית הַזֹּאת.

וַיִּקְרָאֶהָ וַתָּבוֹא אֵלָיו, וַיֹּאמֶר: שְׂאִי בְנֵךְ. הוא חי.

לז וַתָּבֹא וַתִּפֹּל עַל־רַגְלָיו, וַתִּשְׁתַּחוּ אָרְצָה בהכנעה גמורה, וַתִּשָּׂא
אֶת־בְּנָהּ וַתֵּצֵא.

הפטרת חיי שרה

מלכים א

וְהַמֶּלֶךְ דָּוִד זָקֵן בָּא בַּיָּמִים וַיְכַסֻּהוּ בַּבְּגָדִים וְלֹא יִחַם א א
לוֹ׃ וַיֹּאמְרוּ לוֹ עֲבָדָיו יְבַקְשׁוּ לַאדֹנִי הַמֶּלֶךְ נַעֲרָה ב
בְתוּלָה וְעָמְדָה לִפְנֵי הַמֶּלֶךְ וּתְהִי־לוֹ סֹכֶנֶת וְשָׁכְבָה
בְחֵיקֶךָ וְחַם לַאדֹנִי הַמֶּלֶךְ׃ וַיְבַקְשׁוּ נַעֲרָה יָפָה בְּכֹל ג
גְּבוּל יִשְׂרָאֵל וַיִּמְצְאוּ אֶת־אֲבִישַׁג הַשּׁוּנַמִּית וַיָּבִאוּ
אֹתָהּ לַמֶּלֶךְ׃ וְהַנַּעֲרָה יָפָה עַד־מְאֹד וַתְּהִי לַמֶּלֶךְ ד
סֹכֶנֶת וַתְּשָׁרְתֵהוּ וְהַמֶּלֶךְ לֹא יְדָעָהּ׃ וַאֲדֹנִיָּה בֶן־ ה
חַגִּית מִתְנַשֵּׂא לֵאמֹר אֲנִי אֶמְלֹךְ וַיַּעַשׂ לוֹ רֶכֶב
וּפָרָשִׁים וַחֲמִשִּׁים אִישׁ רָצִים לְפָנָיו׃ וְלֹא־עֲצָבוֹ אָבִיו ו
מִיָּמָיו לֵאמֹר מַדּוּעַ כָּכָה עָשִׂיתָ וְגַם־הוּא טוֹב־תֹּאַר
מְאֹד וְאֹתוֹ יָלְדָה אַחֲרֵי אַבְשָׁלוֹם׃ וַיִּהְיוּ דְבָרָיו עִם ז

הרחבות | 'בתולה... סֹכנת' היו שפירשו סֹכֶנֶת – מחממת, (ראו רש"י ורד"ק), ואכן זה היה תפקידה. ההצעה לחפש נערה בתולה דווקא נבעה מן ההנחה שהיא חמה יותר מאשר נערה אחרת (רש"י ורד"ק), או משום שלמלך יש לתת מתנה שלמה.

זקנותו של דוד והמלכת שלמה

לעת זקנתו של המלך דוד מנצל אדניה בנו את חולשתו, ועוד בחיי דוד הוא מתנשא למלוך. דוד נשבע לבת שבע כי שלמה בנם הוא שימלוך אחריו, ולא אדניה הגדול ממנו, ובכך הוא מבקש לעצב את המשך דמותה של הממלכה. בפרשה מדובר על אברהם המשביע את עבדו לעת זקנה על אודות בחירת אשה לבנו הצעיר. בכך קובע אברהם למעשה את עתיד האומה שתצא ממנו.

ביאור | **מלכים א׳ פרק א** א **וְהַמֶּלֶךְ דָּוִד זָקֵן בָּא בַּיָּמִים**. עברו עליו ימים רבים.
אמנם דוד היה רק כבן שבעים, אך ייסוריו הממושכים ונפתולי גורלו
פגעו בבריאותו והזקינו אותו.[93] **וַיְכַסֻּהוּ בַּבְּגָדִים**, בשמיכות ובמצעים,
וְלֹא יִחַם לוֹ. זה היה אחד הביטויים לזקנתו. כיסויים אינם יוצרים
חום אלא משמרים את חום הגוף, וגופו לא היה די בריא להפיק
את החום הדרוש לו.[94] ב **וַיֹּאמְרוּ לוֹ עֲבָדָיו: יְבַקְשׁוּ לַאדֹנִי הַמֶּלֶךְ**
נַעֲרָה בְתוּלָה, וְעָמְדָה לִפְנֵי הַמֶּלֶךְ לשרתו,[95] ובאופן רשמי, ואולי גם
מעשי, **תְּהִי לוֹ סֹכֶנֶת** המטפלת בצורכי הבית, אבל בפועל - **וְשָׁכְבָה**
בְחֵיקֶךָ ותחמם את מיטתך, **וְ**יהיה **חַם לַאדֹנִי הַמֶּלֶךְ**.[96]

ג **וַיְבַקְשׁוּ** לצורך זה **נַעֲרָה יָפָה בְּכֹל גְּבוּל יִשְׂרָאֵל, וַיִּמְצְאוּ אֶת אֲבִישַׁג**
הַשּׁוּנַמִּית, שבאה מהעיר שונם. **וַיָּבִאוּ אֹתָהּ לַמֶּלֶךְ**, כדי שתהיה
הסוכנת שתשכב בחיקו. ייתכן שיופיה של אבישג לא היה משמעותי
לתפקידה, ואף על פי כן חיפשו למלך אשה יפה, כשם שכל מה
שמקיף אותו צריך להיות הדור ויפה. ד **וְהַנַּעֲרָה יָפָה עַד מְאֹד, וַתְּהִי**
לַמֶּלֶךְ סֹכֶנֶת וַתְּשָׁרְתֵהוּ, וְהַמֶּלֶךְ לֹא יְדָעָהּ. לא קיים יחסי אישות אתה,
אולי מפני שהיה זקן וחלוש מדי.[97]

ה ובינתיים, **אֲדֹנִיָּה בֶן חַגִּית**, אחת מנשותיו של דוד, **מִתְנַשֵּׂא לֵאמֹר:**
אֲנִי אֶמְלֹךְ, משום שאני הוא יורש העצר. **וַיַּעַשׂ לוֹ רֶכֶב וּפָרָשִׁים**
וַחֲמִשִּׁים אִישׁ רָצִים לְפָנָיו כדי להכריז על בואו.

הערות הסבר לגינוני השררה והגדלות שלו: ו **וְלֹא עֲצָבוֹ**, העציב,
ייסר והוכיח אותו **אָבִיו מִיָּמָיו לֵאמֹר: "מַדּוּעַ כָּכָה עָשִׂיתָ"**, כשהיה
נוהג שלא כראוי. **וְגַם**, ונוסף לכך **הוּא**, אדניה, **טוֹב תֹּאַר מְאֹד**.
אף מראהו החיצוני סייע לביטחונו העצמי ולמחשבותיו שנועד
לגדולה. **וְ**סיבה שלישית להתנשאותו - **אֹתוֹ יָלְדָה** אמו **אַחֲרֵי** שנולד
אַבְשָׁלוֹם. אבשלום ואדניה לא היו בני אותה אם. כאן נאמר שאדניה
נולד לאחר שאמו של אבשלום ילדה אותו. לכן אחרי שאמנון

יוֹאָב בֶּן־צְרוּיָה וְעִם אֶבְיָתָר הַכֹּהֵן וַיַּעְזְרוּ אַחֲרֵי
ח אֲדֹנִיָּה׃ וְצָדוֹק הַכֹּהֵן וּבְנָיָהוּ בֶן־יְהוֹיָדָע וְנָתָן הַנָּבִיא
וְשִׁמְעִי וְרֵעִי וְהַגִּבּוֹרִים אֲשֶׁר לְדָוִד לֹא הָיוּ עִם־
ט אֲדֹנִיָּהוּ׃ וַיִּזְבַּח אֲדֹנִיָּהוּ צֹאן וּבָקָר וּמְרִיא עִם אֶבֶן
הַזֹּחֶלֶת אֲשֶׁר־אֵצֶל עֵין רֹגֵל וַיִּקְרָא אֶת־כָּל־אֶחָיו בְּנֵי
י הַמֶּלֶךְ וּלְכָל־אַנְשֵׁי יְהוּדָה עַבְדֵי הַמֶּלֶךְ׃ וְאֶת־נָתָן
הַנָּבִיא וּבְנָיָהוּ וְאֶת־הַגִּבּוֹרִים וְאֶת־שְׁלֹמֹה אָחִיו לֹא
יא קָרָא׃ וַיֹּאמֶר נָתָן אֶל־בַּת־שֶׁבַע אֵם־שְׁלֹמֹה לֵאמֹר
הֲלוֹא שָׁמַעַתְּ כִּי מָלַךְ אֲדֹנִיָּהוּ בֶן־חַגִּית וַאדֹנֵינוּ דָוִד
יב לֹא יָדָע׃ וְעַתָּה לְכִי אִיעָצֵךְ נָא עֵצָה וּמַלְּטִי אֶת־
יג נַפְשֵׁךְ וְאֶת־נֶפֶשׁ בְּנֵךְ שְׁלֹמֹה׃ לְכִי וּבֹאִי ׀ אֶל־הַמֶּלֶךְ
דָּוִד וְאָמַרְתְּ אֵלָיו הֲלֹא־אַתָּה אֲדֹנִי הַמֶּלֶךְ נִשְׁבַּעְתָּ
לַאֲמָתְךָ לֵאמֹר כִּי־שְׁלֹמֹה בְנֵךְ יִמְלֹךְ אַחֲרַי וְהוּא
יד יֵשֵׁב עַל־כִּסְאִי וּמַדּוּעַ מָלַךְ אֲדֹנִיָּהוּ׃ הִנֵּה עוֹדָךְ
מְדַבֶּרֶת שָׁם עִם־הַמֶּלֶךְ וַאֲנִי אָבוֹא אַחֲרַיִךְ וּמִלֵּאתִי
טו אֶת־דְּבָרָיִךְ׃ וַתָּבֹא בַת־שֶׁבַע אֶל־הַמֶּלֶךְ הַחַדְרָה
וְהַמֶּלֶךְ זָקֵן מְאֹד וַאֲבִישַׁג הַשּׁוּנַמִּית מְשָׁרַת אֶת־

העולם | מְרִיא בכתבי אוגרית הוא שם תואר שהוראתו מפוטם, וכן תרגמו יונתן והשבעים ורוב המפרשים (ראו ישעיה א,יא ויחזקאל לט,יח). אחרים טענו כי הוא אחד ממיני הבקר. לזיהויו הועלו מספר השערות: התאו (כפתור ופרח נח בשם רס"ג), הבקר האפריקאי (רב האי גאון), הז'בו והכוי הנזכר במשנה (בכורים ב,ח–יא; נזיר ה,ז ועוד).

עֵין רֹגֵל נזכרת כנקודת גבול בין נחלות שבטי בנימין ויהודה (יהושע טו,ז–ח; יח,טז). מקובל לזהותה עם ביר–איוב שבמפגש נחל קדרון וגיא בן–הִנֹּם מדרום לעיר דוד.

ואבשלום, שני האחים הראשונים במשפחה, נהרגו, הוא נותר הבן ביאור
המבוגר ביותר.[98] ז את רצונו למלוך ניסה לממש באמצעות פנייתו
לתמיכתם של אנשים בכירים: **וַיִּהְיוּ דְבָרָיו עִם יוֹאָב בֶּן צְרוּיָה וְעִם
אֶבְיָתָר הַכֹּהֵן, וַיַּעְזְרוּ**, סייעו והלכו[99] **אַחֲרֵי אֲדֹנִיָּה.** ח **וְ**אולם **צָדוֹק
הַכֹּהֵן**, שהיה אף הוא כהן גדול **וּבְנָיָהוּ בֶּן יְהוֹיָדָע**, שאמנם היה
כפוף ליואב, אך בתור מפקדה של היחידה הצבאית הנפרדת של
הכרתי והפלתי - היה עצמאי, **וְנָתָן הַנָּבִיא וְשִׁמְעִי וְרֵעִי**, מאנשי דוד,
וְהַגִּבּוֹרִים אֲשֶׁר לְדָוִד, כל אלה **לֹא הָיוּ עִם אֲדֹנִיָּהוּ**, אדניה. לא הייתה
זו התנגדות פעילה לאדניה, אך אנשים אלו לא תמכו בו, כל עוד
דוד לא הביע דעתו בעניין.

ט **וַיִּזְבַּח אֲדֹנִיָּהוּ** באחד הימים **צֹאן וּבָקָר וּמְרִיא**, בקר גדול הדומה
לתאו[100] **עִם אֶבֶן הַזֹּחֶלֶת**, הנגררת,[101] או: נקראת כך על שם המים
הזורמים לצדה,[102] **אֲשֶׁר** נמצאת **אֵצֶל עֵין**, מעיין **רֹגֵל** שליד ירושלים.
וַיִּקְרָא אֶת כָּל אֶחָיו בְּנֵי הַמֶּלֶךְ וּלְכָל אַנְשֵׁי יְהוּדָה עַבְדֵי הַמֶּלֶךְ, העובדים
אצל המלך להשתתף בחגיגה. י אולם **אֶת נָתָן הַנָּבִיא וּבְנָיָהוּ וְאֶת
הַגִּבּוֹרִים וְאֶת שְׁלֹמֹה אָחִיו** הוא **לֹא קָרָא**, שכן ידע שהם אינם תומכים
בו, וחשב שלשלמה אחיו יש תביעה כלשהי למלוכה.[103]

יא **וַיֹּאמֶר נָתָן אֶל בַּת שֶׁבַע אֵם שְׁלֹמֹה לֵאמֹר: הֲלוֹא שָׁמַעַתְּ כִּי** בפועל
מָלַךְ אֲדֹנִיָּהוּ בֶן חַגִּית, וַאֲדֹנֵינוּ דָוִד לֹא יָדָע על כך. יב **וְעַתָּה לְכִי
אִיעָצֵךְ נָא עֵצָה**, וכך **מַלְּטִי**, תצילי **אֶת נַפְשֵׁךְ וְאֶת נֶפֶשׁ בְּנֵךְ שְׁלֹמֹה.**
כיוון שהמלוכה הובטחה באופן עמום לשלמה, ברור שאדניהו ינסה
להיפטר ממנו, להרגו, ואולי גם להרוג את אמו.[104] יג זוהי עצתי: **לְכִי
וּבֹאִי אֶל הַמֶּלֶךְ דָּוִד, וְאָמַרְתְּ אֵלָיו: "הֲלֹא אַתָּה, אֲדֹנִי הַמֶּלֶךְ, נִשְׁבַּעְתָּ
לַאֲמָתְךָ לֵאמֹר כִּי שְׁלֹמֹה בְנֵךְ יִמְלֹךְ אַחֲרַי וְהוּא יֵשֵׁב עַל כִּסְאִי – וּמַדּוּעַ
מָלַךְ אֲדֹנִיָּהוּ?"** יד **הִנֵּה עוֹדָךְ מְדַבֶּרֶת**, בזמן שתדברי **שָׁם עִם הַמֶּלֶךְ,
וַאֲנִי אָבוֹא אַחֲרַיִךְ וּמִלֵּאתִי**, אשלים[105] **אֶת דְּבָרָיִךְ.** כך תובא לפני דוד
היזמה למנוע את המלכת אדניה ולהמליך את שלמה בבת אחת
משני כיוונים.

טו ואכן - **וַתָּבֹא בַת שֶׁבַע אֶל הַמֶּלֶךְ הַחַדְרָה, וְהַמֶּלֶךְ זָקֵן מְאֹד.** הוא
נראה חלש, אולי שכב במיטתו, **וַאֲבִישַׁג הַשּׁוּנַמִּית מְשָׁרַת**, הייתה

הַמֶּלֶךְ׃ וַתִּקֹּד בַּת־שֶׁבַע וַתִּשְׁתַּחוּ לַמֶּלֶךְ וַיֹּאמֶר טז
הַמֶּלֶךְ מַה־לָּךְ׃ וַתֹּאמֶר לוֹ אֲדֹנִי אַתָּה נִשְׁבַּעְתָּ יז
בַּיהוָה אֱלֹהֶיךָ לַאֲמָתֶךָ כִּי־שְׁלֹמֹה בְנֵךְ יִמְלֹךְ אַחֲרָי
וְהוּא יֵשֵׁב עַל־כִּסְאִי׃ וְעַתָּה הִנֵּה אֲדֹנִיָּה מָלָךְ וְעַתָּה יח
אֲדֹנִי הַמֶּלֶךְ לֹא יָדָעְתָּ׃ וַיִּזְבַּח שׁוֹר וּמְרִיא־וְצֹאן לָרֹב יט
וַיִּקְרָא לְכָל־בְּנֵי הַמֶּלֶךְ וּלְאֶבְיָתָר הַכֹּהֵן וּלְיֹאָב שַׂר
הַצָּבָא וְלִשְׁלֹמֹה עַבְדְּךָ לֹא קָרָא׃ וְאַתָּה אֲדֹנִי הַמֶּלֶךְ כ
עֵינֵי כָל־יִשְׂרָאֵל עָלֶיךָ לְהַגִּיד לָהֶם מִי יֵשֵׁב עַל־כִּסֵּא
אֲדֹנִי־הַמֶּלֶךְ אַחֲרָיו׃ וְהָיָה כִּשְׁכַּב אֲדֹנִי־הַמֶּלֶךְ עִם־ כא
אֲבֹתָיו וְהָיִיתִי אֲנִי וּבְנִי שְׁלֹמֹה חַטָּאִים׃ וְהִנֵּה עוֹדֶנָּה כב
מְדַבֶּרֶת עִם־הַמֶּלֶךְ וְנָתָן הַנָּבִיא בָּא׃ וַיַּגִּידוּ לַמֶּלֶךְ כג
לֵאמֹר הִנֵּה נָתָן הַנָּבִיא וַיָּבֹא לִפְנֵי הַמֶּלֶךְ וַיִּשְׁתַּחוּ
לַמֶּלֶךְ עַל־אַפָּיו אָרְצָה׃ וַיֹּאמֶר נָתָן אֲדֹנִי הַמֶּלֶךְ כד
אַתָּה אָמַרְתָּ אֲדֹנִיָּהוּ יִמְלֹךְ אַחֲרָי וְהוּא יֵשֵׁב עַל־
כִּסְאִי׃ כִּי ׀ יָרַד הַיּוֹם וַיִּזְבַּח שׁוֹר וּמְרִיא־וְצֹאן לָרֹב כה
וַיִּקְרָא לְכָל־בְּנֵי הַמֶּלֶךְ וּלְשָׂרֵי הַצָּבָא וּלְאֶבְיָתָר
הַכֹּהֵן וְהִנָּם אֹכְלִים וְשֹׁתִים לְפָנָיו וַיֹּאמְרוּ יְחִי הַמֶּלֶךְ
אֲדֹנִיָּהוּ׃ וְלִי אֲנִי־עַבְדֶּךָ וּלְצָדֹק הַכֹּהֵן וְלִבְנָיָהוּ בֶן־ כו
יְהוֹיָדָע וְלִשְׁלֹמֹה עַבְדְּךָ לֹא קָרָא׃ אִם מֵאֵת אֲדֹנִי כז
עַבְדְּךָ הַמֶּלֶךְ נִהְיָה הַדָּבָר הַזֶּה וְלֹא הוֹדַעְתָּ אֶת־עבדיך
מִי יֵשֵׁב עַל־כִּסֵּא אֲדֹנִי־הַמֶּלֶךְ אַחֲרָיו׃ וַיַּעַן הַמֶּלֶךְ כח
דָּוִד וַיֹּאמֶר קִרְאוּ־לִי לְבַת־שָׁבַע וַתָּבֹא לִפְנֵי הַמֶּלֶךְ

משרתת **אֶת הַמֶּלֶךְ**, משום שהייתה המטפלת האישית של דוד בכל | ביאור
צרכיו, ובפועל הייתה האדם הקרוב אליו ביותר.[106] טז **וַתִּקֹּד בַּת**
שֶׁבַע וַתִּשְׁתַּחוּ לַמֶּלֶךְ, וַיֹּאמֶר הַמֶּלֶךְ: מַה קרה **לָּךְ**?

יז **וַתֹּאמֶר לוֹ: אֲדֹנִי**, הרי **אַתָּה נִשְׁבַּעְתָּ בַּה' אֱלֹהֶיךָ לַאֲמָתֶךָ**, לשפחתך,
לי **כִּי שְׁלֹמֹה בְנֵךְ יִמְלֹךְ אַחֲרָי וְהוּא יֵשֵׁב עַל כִּסְאִי.** יח **וְעַתָּה הִנֵּה אֲדֹנִיָּה**
מָלָךְ, וְעַתָּה אֲדֹנִי הַמֶּלֶךְ לֹא יָדָעְתָּ. יט **וַיִּזְבַּח שׁוֹר וּמְרִיא וְצֹאן לָרֹב.**
הוא ערך חגיגה גדולה לרגל המלכתו. **וַיִּקְרָא לְכָל בְּנֵי הַמֶּלֶךְ וּלְאֶבְיָתָר**
הַכֹּהֵן וּלְיֹאָב שַׂר הַצָּבָא, ואילו **לִשְׁלֹמֹה עַבְדְּךָ לֹא קָרָא.** לפיכך, אין
ספק שהחגיגה לא נערכה בתום לב אלא כטקס המלכה.[107] כ **וְאַתָּה**
אֲדֹנִי הַמֶּלֶךְ, עֵינֵי כָל יִשְׂרָאֵל עָלֶיךָ לְהַגִּיד לָהֶם מִי יֵשֵׁב עַל כִּסֵּא אֲדֹנִי
הַמֶּלֶךְ אַחֲרָיו. עליך להחליט בדבר. אם לא תתערב, יזכה אדניה
במלוכה. כא **וְהָיָה כִּשְׁכַב אֲדֹנִי הַמֶּלֶךְ עִם אֲבֹתָיו**, כאשר תמות,
וְהָיִיתִי אֲנִי וּבְנִי שְׁלֹמֹה חַטָּאִים, חסרים, נפגמים. אנחנו ניפגע אם
לא תביע את דעתך עכשיו.[108]

כב **וְהִנֵּה עוֹדֶנָּה מְדַבֶּרֶת עִם הַמֶּלֶךְ, וְנָתָן הַנָּבִיא בָּא** לארמון,
כמתוכנן. כג **וַיַּגִּידוּ לַמֶּלֶךְ לֵאמֹר: הִנֵּה נָתָן הַנָּבִיא.**

וַיָּבֹא נתן **לִפְנֵי הַמֶּלֶךְ, וַיִּשְׁתַּחוּ** הנביא **לַמֶּלֶךְ עַל אַפָּיו**, פניו **אָרְצָה**,
באשר הוא ראש השלטון המדיני. כד **וַיֹּאמֶר נָתָן: אֲדֹנִי הַמֶּלֶךְ**, האם[109]
אַתָּה אָמַרְתָּ: "אֲדֹנִיָּהוּ יִמְלֹךְ אַחֲרָי וְהוּא יֵשֵׁב עַל כִּסְאִי?" כה **כִּי**, שהרי
יָרַד אדניה **הַיּוֹם** למעיין **וַיִּזְבַּח שׁוֹר וּמְרִיא וְצֹאן לָרֹב, וַיִּקְרָא לְכָל בְּנֵי**
הַמֶּלֶךְ וּלְשָׂרֵי הַצָּבָא וּלְאֶבְיָתָר הַכֹּהֵן, וְהִנָּם אֹכְלִים וְשֹׁתִים לְפָנָיו,
וַיֹּאמְרוּ: "יְחִי הַמֶּלֶךְ אֲדֹנִיָּהוּ!" כו והוא מעיר: **וְלִי אֲנִי עַבְדֶּךָ וּלְצָדֹק**
הַכֹּהֵן וְלִבְנָיָהוּ בֶן יְהוֹיָדָע וְלִשְׁלֹמֹה עַבְדְּךָ לֹא קָרָא למסיבה זו. כז **אִם**
מֵאֵת אֲדֹנִי הַמֶּלֶךְ נִהְיָה הַדָּבָר הַזֶּה, ותמה אני[110] **שֶׁלֹּא הוֹדַעְתָּ אֶת**
עַבְדְּךָ מִי יֵשֵׁב עַל כִּסֵּא אֲדֹנִי הַמֶּלֶךְ אַחֲרָיו.

כח כיוון שכשהנביא נכנס, בת שבע יצאה החוצה,[111] **וַיַּעַן הַמֶּלֶךְ דָּוִד**
וַיֹּאמֶר: קִרְאוּ לִי לְבַת שָׁבַע.

וַֽתַּעֲמֹ֖ד לִפְנֵ֥י הַמֶּֽלֶךְ׃ וַיִּשָּׁבַ֥ע הַמֶּ֖לֶךְ וַיֹּאמַ֑ר חַי־יְהוָ֕ה כט
אֲשֶׁר־פָּדָ֥ה אֶת־נַפְשִׁ֖י מִכָּל־צָרָֽה׃ כִּ֗י כַּאֲשֶׁר֩ נִשְׁבַּ֨עְתִּי ל
לְךָ֜ בַּיהוָ֨ה אֱלֹהֵ֤י יִשְׂרָאֵל֙ לֵאמֹ֔ר כִּֽי־שְׁלֹמֹ֤ה בְנֵךְ֙ יִמְלֹ֣ךְ
אַחֲרַ֔י וְה֛וּא יֵשֵׁ֥ב עַל־כִּסְאִ֖י תַּחְתָּ֑י כִּ֛י כֵּ֥ן אֶעֱשֶׂ֖ה הַיּ֥וֹם
הַזֶּֽה׃ וַתִּקֹּ֨ד בַּת־שֶׁ֤בַע אַפַּ֙יִם֙ אֶ֔רֶץ וַתִּשְׁתַּ֖חוּ לַמֶּ֑לֶךְ לא
וַתֹּ֕אמֶר יְחִ֗י אֲדֹנִ֛י הַמֶּ֥לֶךְ דָּוִ֖ד לְעֹלָֽם׃

וַתָּבֹא לִפְנֵי הַמֶּלֶךְ, וַתַּעֲמֹד לִפְנֵי הַמֶּלֶךְ. כט וַיִּשָּׁבַע הַמֶּלֶךְ וַיֹּאמַר: חַי ה׳ | ביאור
אֲשֶׁר פָּדָה, הציל אֶת נַפְשִׁי מִכָּל צָרָה. ל כִּי כַּאֲשֶׁר נִשְׁבַּעְתִּי לָךְ בַּה׳
אֱלֹהֵי יִשְׂרָאֵל לֵאמֹר, כִּי שְׁלֹמֹה בְנֵךְ יִמְלֹךְ אַחֲרַי וְהוּא יֵשֵׁב עַל כִּסְאִי
תַּחְתָּי – כִּי כֵּן אֶעֱשֶׂה הַיּוֹם הַזֶּה. היום אדאג לכך שהוא ימלוך אחרי.

לא וַתִּקֹּד בַּת שֶׁבַע אַפַּיִם אֶרֶץ וַתִּשְׁתַּחוּ לַמֶּלֶךְ לאות תודה, וַתֹּאמֶר:
יְחִי אֲדֹנִי הַמֶּלֶךְ דָּוִד לְעֹלָם. לקריאה שגורה ומקובלת זו לכבוד המלך,
נלווית בהקשר זה עוד משמעות: הלוואי שתחיה לעולם ולא תזדקק
ליורש, אבל תודה על הבטחתך.[112]

הפטרת תולדת

מלאכי

מַשָּׂא דְבַר־יְהוָה אֶל־יִשְׂרָאֵל בְּיַד מַלְאָכִי׃ אָהַבְתִּי א א ב
אֶתְכֶם אָמַר יְהוָה וַאֲמַרְתֶּם בַּמָּה אֲהַבְתָּנוּ הֲלוֹא־
אָח עֵשָׂו לְיַעֲקֹב נְאֻם־יְהוָה וָאֹהַב אֶת־יַעֲקֹב׃ וְאֶת־ ג
עֵשָׂו שָׂנֵאתִי וָאָשִׂים אֶת־הָרָיו שְׁמָמָה וְאֶת־נַחֲלָתוֹ
לְתַנּוֹת מִדְבָּר׃ כִּי־תֹאמַר אֱדוֹם רֻשַּׁשְׁנוּ וְנָשׁוּב ד
וְנִבְנֶה חֳרָבוֹת כֹּה אָמַר יְהוָה צְבָאוֹת הֵמָּה יִבְנוּ וַאֲנִי
אֶהֱרוֹס וְקָרְאוּ לָהֶם גְּבוּל רִשְׁעָה וְהָעָם אֲשֶׁר־זָעַם
יְהוָה עַד־עוֹלָם׃ וְעֵינֵיכֶם תִּרְאֶינָה וְאַתֶּם תֹּאמְרוּ ה
יִגְדַּל יְהוָה מֵעַל לִגְבוּל יִשְׂרָאֵל׃ בֵּן יְכַבֵּד אָב וְעֶבֶד ו
אֲדֹנָיו וְאִם־אָב אָנִי אַיֵּה כְבוֹדִי וְאִם־אֲדוֹנִים אָנִי
אַיֵּה מוֹרָאִי אָמַר ׀ יְהוָה צְבָאוֹת לָכֶם הַכֹּהֲנִים בּוֹזֵי
שְׁמִי וַאֲמַרְתֶּם בַּמֶּה בָזִינוּ אֶת־שְׁמֶךָ׃ מַגִּישִׁים עַל־ ז

בחירת ה׳ בבית יעקב ודרישתו לכבד את בריתו

ראשיתה של ההפטרה מדגישה את אחד ממוקדיה המרכזיים של הפרשה. אף שעשו נראה האח הבכיר, המוצלח ואולי גם ההגון יותר, ה׳ בחר ביעקב הנרדף והרחיק את עשו, שבלבו משטמה. עם זאת, בצד האהבה המסותרת לבית יעקב מטיח בו הנביא תוכחה גלויה על היעדר כבוד בעבודת הקודש. הזכייה בברכות שמים שבהן התברך בית יעקב בפרשתנו, מותנית בכבוד שירחש הבן כלפי אביו אוהבו, ובשמירת הברית שה׳ כרת עם אוהביו–משרתיו.

ביאור | מלאכי פרק א א **מַשָּׂא**, נבואה. ביטוי זה רומז על הכובד
המוטל על הנביא.[113] המשא הוא **דְבַר־ה׳ אֶל־יִשְׂרָאֵל בְּיַד**, על ידי
מַלְאָכִי. ב **אָהַבְתִּי אֶתְכֶם – אָמַר ה׳.**
וַאֲמַרְתֶּם: בַּמָּה ניכר כי **אֲהַבְתָּנוּ?**
התשובה: **הֲלוֹא־אָח עֵשָׂו לְיַעֲקֹב**, שניהם בני יצחק ורבקה, מאוחים
הם משעת יצירתם, **נְאֻם־ה׳, וָאֹהַב אֶת־יַעֲקֹב,** ג **וְאֶת־עֵשָׂו שָׂנֵאתִי.**
וָאָשִׂים, שמתי **אֶת־הָרָיו שְׁמָמָה, וְאֶת־נַחֲלָתוֹ**, ארץ אדום, שמתי מעון
לְתַנּוֹת, לתנים שוכני **מִדְבָּר.**

ד **כִּי־תֹאמַר, אֱדוֹם**: אמנם **רֻשַּׁשְׁנוּ**, נהרסנו, דולדלנו, **וְ**אולם **נָשׁוּב
וְנִבְנֶה חֳרָבוֹת – כֹּה אָמַר ה׳ צְבָאוֹת: הֵמָּה יִבְנוּ, וַאֲנִי אֶהֱרוֹס, וְקָרְאוּ
לָהֶם "גְּבוּל**, ארץ **רִשְׁעָה", וְ"הָעָם אֲשֶׁר־זָעַם ה'" עַד־עוֹלָם.** האדומים
לא יצליחו לשקם את ארצם, והיא תישאר מקוללת. ה **וְ**שלא כמה
שיקרה לזרע עשו, **עֵינֵיכֶם**, בני ישראל, **תִּרְאֶינָה** במפלת אויבכם,
וְאַתֶּם תֹּאמְרוּ יִגְדַּל, יתכבד **ה׳ מֵעַל**, מחוץ **לִגְבוּל יִשְׂרָאֵל.**

על רקע ההעדפה שמעדיף ה׳ את ישראל, קובל הנביא על יחסם
המבזה של הכהנים אל עבודת הקודש. הדברים נאמרו כשבית
המקדש השני כבר עומד על תלו.[114] ו הלוא **בֵּן יְכַבֵּד אָב, וְעֶבֶד**
יכבד ויירא את **אֲדֹנָיו**, כך ראוי וכך דרך העולם. **וְאִם־אָב אָנִי, אַיֵּה
כְבוֹדִי?! וְאִם־אֲדוֹנִים אָנִי, אַיֵּה מוֹרָאִי**, היראה מפני?! **אָמַר ה׳ צְבָאוֹת
לָכֶם, הַכֹּהֲנִים בּוֹזֵי שְׁמִי**, שמזלזלים בכבודי.

וַאֲמַרְתֶּם: בַּמֶּה בָזִינוּ אֶת־שְׁמֶךָ, הלוא אנחנו משרתים במקדש
ושומרים על כל הכללים?!

מִזְבְּחִי לֶחֶם מְגֹאָל וַאֲמַרְתֶּם בַּמֶּה גֵאַלְנוּךָ בֶּאֱמָרְכֶם
שֻׁלְחַן יְהוָה נִבְזֶה הוּא׃ וְכִי־תַגִּשׁוּן עִוֵּר לִזְבֹּחַ אֵין רָע ח
וְכִי תַגִּישׁוּ פִּסֵּחַ וְחֹלֶה אֵין רָע הַקְרִיבֵהוּ נָא לְפֶחָתֶךָ
הֲיִרְצְךָ אוֹ הֲיִשָּׂא פָנֶיךָ אָמַר יְהוָה צְבָאוֹת׃ וְעַתָּה ט
חַלּוּ־נָא פְנֵי־אֵל וִיחָנֵנוּ מִיֶּדְכֶם הָיְתָה זֹּאת הֲיִשָּׂא
מִכֶּם פָּנִים אָמַר יְהוָה צְבָאוֹת׃ מִי גַם־בָּכֶם וְיִסְגֹּר י
דְּלָתַיִם וְלֹא־תָאִירוּ מִזְבְּחִי חִנָּם אֵין־לִי חֵפֶץ בָּכֶם
אָמַר יְהוָה צְבָאוֹת וּמִנְחָה לֹא־אֶרְצֶה מִיֶּדְכֶם׃ כִּי יא
מִמִּזְרַח־שֶׁמֶשׁ וְעַד־מְבוֹאוֹ גָּדוֹל שְׁמִי בַּגּוֹיִם וּבְכָל־
מָקוֹם מֻקְטָר מֻגָּשׁ לִשְׁמִי וּמִנְחָה טְהוֹרָה כִּי־גָדוֹל
שְׁמִי בַּגּוֹיִם אָמַר יְהוָה צְבָאוֹת׃ וְאַתֶּם מְחַלְּלִים יב
אוֹתוֹ בֶּאֱמָרְכֶם שֻׁלְחַן אֲדֹנָי מְגֹאָל הוּא וְנִיבוֹ נִבְזֶה
אָכְלוֹ׃ וַאֲמַרְתֶּם הִנֵּה מַתְּלָאָה וְהִפַּחְתֶּם אוֹתוֹ אָמַר יג
יְהוָה צְבָאוֹת וַהֲבֵאתֶם גָּזוּל וְאֶת־הַפִּסֵּחַ וְאֶת־
הַחוֹלֶה וַהֲבֵאתֶם אֶת־הַמִּנְחָה הַאֶרְצֶה אוֹתָהּ מִיֶּדְכֶם
אָמַר יְהוָה׃ וְאָרוּר נוֹכֵל וְיֵשׁ בְּעֶדְרוֹ זָכָר וְנֹדֵר וְזֹבֵחַ יד
מָשְׁחָת לַאדֹנָי כִּי מֶלֶךְ גָּדוֹל אָנִי אָמַר יְהוָה צְבָאוֹת
וּשְׁמִי נוֹרָא בַגּוֹיִם׃ וְעַתָּה אֲלֵיכֶם הַמִּצְוָה הַזֹּאת א ב
הַכֹּהֲנִים׃ אִם־לֹא תִשְׁמְעוּ וְאִם־לֹא תָשִׂימוּ עַל־לֵב ב

ביאור | ז והנביא משיב: אתם מַגִּישִׁים עַל־מִזְבְּחִי לֶחֶם מְגֹאָל, מלוכלך, טמא.
וַאֲמַרְתֶּם: בַּמֶּה גֵאַלְנוּךָ, לכלכנו את לחמך? - בֶּאֱמָרְכֶם בלבכם: שֻׁלְחַן
ה׳ נִבְזֶה הוּא. אתם מתייחסים למזבח כאל דבר פחות ערך. ח וְכִי־
תַגִּשׁוּן עִוֵּר לִזְבֹּחַ לשחוט קרבן הנכם אומרים: אֵין רָע, וְכִי תַגִּישׁוּ קרבן
פִּסֵּחַ, צולע וְחֹלֶה - אֵין רָע. האם אכן כך?! הַקְרִיבֵהוּ נָא לְפֶחָתֶךָ,
נסה להקריב למושל שלך מתנה פגומה כזו - הֲיִרְצְךָ, האם יהיה
מרוצה ממך, אוֹ הֲיִשָּׂא פָנֶיךָ, האם יעניק לך יחס מיוחד?! אָמַר ה׳
צְבָאוֹת. ט וְעַתָּה, הכהנים, חַלּוּ־נָא פְנֵי־אֵל, נסו להתחנן לה׳ שיקבל
את מתנתכם, וִיחָנֵנוּ, וירחם עלינו, או: יעניק לנו ברכה, כאשר מִתחת
יֶדְכֶם הָיְתָה מתנה פגומה זֹּאת - הֲיִשָּׂא למי מִכֶּם פָּנִים?! אָמַר ה׳
צְבָאוֹת. י מִי גַם־בָּכֶם, הלוואי ויימצא אחד מכם[115] שיקום וְיִסְגֹּר
דְּלָתַיִם, ינעל את שערי המקדש, וְלֹא־תָאִירוּ, תעלו אור, תבעירו את
מִזְבְּחִי חִנָּם, ללא תועלת. אֵין־לִי חֵפֶץ בָּכֶם, אָמַר ה׳ צְבָאוֹת, וּמִנְחָה
לֹא־אֶרְצֶה מִיֶּדְכֶם. יא כִּי מִמִּזְרַח־שֶׁמֶשׁ וְעַד־מְבוֹאוֹ, אופק שקיעתו,
בכל העולם גָּדוֹל שְׁמִי בַּגּוֹיִם, וּבְכָל־מָקוֹם מֻקְטָר מֻגָּשׁ לִשְׁמִי, קרבן
וּמִנְחָה טְהוֹרָה, כִּי־גָדוֹל שְׁמִי בַּגּוֹיִם, אָמַר ה׳ צְבָאוֹת. יב וְאילו אַתֶּם
מְחַלְּלִים אוֹתוֹ, את שמי, בֶּאֱמָרְכֶם: שֻׁלְחַן, מזבח אֲדֹנָי מְגֹאָל הוּא, וְגם
נִיבוֹ, פריו,[116] לחמו של המזבח - נִבְזֶה אָכְלוֹ. בניגוד לגויים המגישים
מנחה טהורה לשמי, אתם, אהוביי, מגאלים את לחמי. יג וַאֲמַרְתֶּם
על הקרבן: הִנֵּה מַתְּלָאָה, בהמה לאה וכושלת זו ראויה למזבח.[117] או:
הבאת הקרבן היא מעמסה מעייפת. וְהִפַּחְתֶּם, אכזבתם, ציערתם
אוֹתוֹ, אותי,[118] אָמַר ה׳ צְבָאוֹת. וַהֲבֵאתֶם גָּזוּל וְאֶת־הַפִּסֵּחַ וְאֶת־הַחוֹלֶה,
וַהֲבֵאתֶם אֶת־הַמִּנְחָה, המתנה הפגומה - הַאֶרְצֶה אוֹתָהּ מִיֶּדְכֶם?! אָמַר
ה׳. יד וְאָרוּר, מקולל הוא הנוֹכֵל וְיֵשׁ, שיש בְּעֶדְרוֹ זָכָר, איל מובחר
וְנֹדֵר להביא קרבן, ומעמיד פני נדיב ובן עלייה לעיני כול, וְאולם הוא
יוצא ידי חובת נדרו בכך שזֹּבֵחַ מָשְׁחָת, בעל מום לַאדֹנָי. תבוא קללה
על אדם זה, שהפגין זלזול כלפי, כִּי מֶלֶךְ גָּדוֹל אָנִי, אָמַר ה׳ צְבָאוֹת,
וּשְׁמִי נוֹרָא, מעורר יראה בַגּוֹיִם.

פרק ב א וְעַתָּה אֲלֵיכֶם הַמִּצְוָה הַזֹּאת, הַכֹּהֲנִים: ב אִם־לֹא תִשְׁמְעוּ

לָתֵת כָּבוֹד לִשְׁמִי אָמַר יְהוָה צְבָאוֹת וְשִׁלַּחְתִּי בָכֶם
אֶת־הַמְּאֵרָה וְאָרוֹתִי אֶת־בִּרְכוֹתֵיכֶם וְגַם אָרוֹתִיהָ
כִּי אֵינְכֶם שָׂמִים עַל־לֵב׃ הִנְנִי גֹעֵר לָכֶם אֶת־הַזֶּרַע ג
וְזֵרִיתִי פֶרֶשׁ עַל־פְּנֵיכֶם פֶּרֶשׁ חַגֵּיכֶם וְנָשָׂא אֶתְכֶם
אֵלָיו׃ וִידַעְתֶּם כִּי שִׁלַּחְתִּי אֲלֵיכֶם אֵת הַמִּצְוָה ד
הַזֹּאת לִהְיוֹת בְּרִיתִי אֶת־לֵוִי אָמַר יְהוָה צְבָאוֹת׃
בְּרִיתִי ׀ הָיְתָה אִתּוֹ הַחַיִּים וְהַשָּׁלוֹם וָאֶתְּנֵם־לוֹ ה
מוֹרָא וַיִּירָאֵנִי וּמִפְּנֵי שְׁמִי נִחַת הוּא׃ תּוֹרַת אֱמֶת ו
הָיְתָה בְּפִיהוּ וְעַוְלָה לֹא־נִמְצָא בִשְׂפָתָיו בְּשָׁלוֹם
וּבְמִישׁוֹר הָלַךְ אִתִּי וְרַבִּים הֵשִׁיב מֵעָוֺן׃ כִּי־שִׂפְתֵי ז
כֹהֵן יִשְׁמְרוּ־דַעַת וְתוֹרָה יְבַקְשׁוּ מִפִּיהוּ כִּי מַלְאַךְ
יְהוָה־צְבָאוֹת הוּא׃* וְאַתֶּם סַרְתֶּם מִן־הַדֶּרֶךְ ח

האשכנזים והספרדים מסיימים כאן

הִכְשַׁלְתֶּם רַבִּים בַּתּוֹרָה שִׁחַתֶּם בְּרִית הַלֵּוִי אָמַר
יְהוָה צְבָאוֹת׃ וְגַם־אֲנִי נָתַתִּי אֶתְכֶם נִבְזִים וּשְׁפָלִים ט
לְכָל־הָעָם כְּפִי אֲשֶׁר אֵינְכֶם שֹׁמְרִים אֶת־דְּרָכַי
וְנֹשְׂאִים פָּנִים בַּתּוֹרָה׃ הֲלוֹא אָב אֶחָד לְכֻלָּנוּ הֲלוֹא י
אֵל אֶחָד בְּרָאָנוּ מַדּוּעַ נִבְגַּד אִישׁ בְּאָחִיו לְחַלֵּל
בְּרִית אֲבֹתֵינוּ׃ בָּגְדָה יְהוּדָה וְתוֹעֵבָה נֶעֶשְׂתָה יא
בְיִשְׂרָאֵל וּבִירוּשָׁלָםִ כִּי ׀ חִלֵּל יְהוּדָה קֹדֶשׁ יְהוָה
אֲשֶׁר אָהֵב וּבָעַל בַּת־אֵל נֵכָר׃ יַכְרֵת יְהוָה לָאִישׁ יב

ביאור | וְאִם־לֹא תָשִׂימוּ עַל־לֵב לָתֵת כָּבוֹד לִשְׁמִי, אָמַר ה׳ צְבָאוֹת, וְשִׁלַּחְתִּי
בָכֶם אֶת־הַמְּאֵרָה, הקללה, החסר וְאָרוֹתִי, אקלל אֶת־בִּרְכוֹתֵיכֶם,
הצלחותיכם, יבולכם,[119] הברכות שבירכתי אתכם בעבר,[120] או:
הברכות שאתם מתפללים לזכות בהן או מברכים בהן את העם,[121]
וְגַם כבר אָרוֹתִיהָ, כִּי אֵינְכֶם שָׂמִים עַל־לֵב. ג הִנְנִי גֹעֵר, מקלל, גורע
לָכֶם אֶת־הַזֶּרַע, שלא יצמח, וְזֵרִיתִי, אפזר, אשליך פֶרֶשׁ, צואת בעלי
החיים עַל־פְּנֵיכֶם, פֶּרֶשׁ קרבנות חַגֵּיכֶם, וְנָשָׂא, וישאו אֶתְכֶם אֵלָיו, אל
הפרש. תושלכו מעל פני בביזיון. הברכה, החן ונשיאת פני ה׳ אליכם
האמורות בברכת הכהנים, ייהפכו להרחקה, לקללה ולגועל עקב
מעשיכם. ד וִידַעְתֶּם כִּי שִׁלַּחְתִּי אֲלֵיכֶם אֵת הַמִּצְוָה הַזֹּאת, כדי לִהְיוֹת
בְּרִיתִי אֶת־לֵוִי, לקיים את בריתי עם הלויים, אָמַר ה׳ צְבָאוֹת. ה בְּרִיתִי
הָיְתָה אִתּוֹ, עם בית הלוי, ובה כרוכים הַחַיִּים וְהַשָּׁלוֹם. בתורה נאמר
שהחיים וברכת השלום תלויים בשמירת הכהנים את תפקידם,[122]
וָאֶתְּנֵם־לוֹ – לשבט הלוי, את הברית והבטחותיה שיקבלם בְּמוֹרָא,
יראה. ואכן כך עשה, וַיִּירָאֵנִי, וּמִפְּנֵי שְׁמִי נִחַת, התיירא הוּא. ו תּוֹרַת
אֱמֶת הָיְתָה בְּפִיהוּ. הלויים היו מלמדים את העם תורה ומשפט
צדק,[123] וְעַוְלָה, דבר שאינו צודק לֹא־נִמְצָא בִשְׂפָתָיו, בְּשָׁלוֹם וּבְמִישׁוֹר,
בישרות הָלַךְ אִתִּי, וְרַבִּים הֵשִׁיב מֵעָוֹן. ז כִּי־שִׂפְתֵי כֹהֵן יִשְׁמְרוּ־דַעַת,
ישגיחו ויקיימו דעת אלוקים, וְתוֹרָה יְבַקְשׁוּ מִפִּיהוּ כִּי מַלְאַךְ, שליח
ה׳־צְבָאוֹת הוּא.

ח וְאולם אַתֶּם סַרְתֶּם מִן־הַדֶּרֶךְ, הִכְשַׁלְתֶּם רַבִּים בַּתּוֹרָה, שִׁחַתֶּם,
הפרתם את בְּרִית הַלֵּוִי, אָמַר ה׳ צְבָאוֹת. ט וְגַם־אֲנִי נָתַתִּי אֶתְכֶם
נִבְזִים וּשְׁפָלִים לְנוכח כָל־הָעָם, כְּפִי אֲשֶׁר, כי, או: כמו שֶׁאֵינְכֶם שֹׁמְרִים
אֶת־דְּרָכַי, וְנֹשְׂאִים פָּנִים בַּתּוֹרָה, אתם מטים את התורה לטובת מי
או מה שאתם חפצים בו.

מתוכחת הכהנים המורים עובר הנביא להוכיח את בני יהודה על
לקיחת נשים נכריות ובגידתם בנשותיהן העבריות: י הֲלוֹא אָב אֶחָד
לְכֻלָּנוּ, הֲלוֹא אֵל אֶחָד בְּרָאָנוּ, מַדּוּעַ נִבְגַּד אִישׁ בְּאָחִיו לְחַלֵּל בְּרִית
אֲבֹתֵינוּ?! יא בָּגְדָה יְהוּדָה וְתוֹעֵבָה נֶעֶשְׂתָה בְיִשְׂרָאֵל וּבִירוּשָׁלָםִ – כִּי
חִלֵּל יְהוּדָה את קֹדֶשׁ ה׳ אֲשֶׁר אָהֵב, את עמו ישראל,[124] וּבָעַל בַּת־

אֲשֶׁר יַעֲשֶׂנָּה עֵר וְעֹנֶה מֵאָהֳלֵי יַעֲקֹב וּמַגִּישׁ מִנְחָה
לַיהוָה צְבָאוֹת׃ וְזֹאת שֵׁנִית תַּעֲשׂוּ כַּסּוֹת יג
דִּמְעָה אֶת־מִזְבַּח יְהוָה בְּכִי וַאֲנָקָה מֵאֵין עוֹד פְּנוֹת
אֶל־הַמִּנְחָה וְלָקַחַת רָצוֹן מִיֶּדְכֶם׃ וַאֲמַרְתֶּם עַל־מָה יד
עַל כִּי־יְהוָה הֵעִיד בֵּינְךָ וּבֵין ׀ אֵשֶׁת נְעוּרֶיךָ אֲשֶׁר
אַתָּה בָּגַדְתָּה בָּהּ וְהִיא חֲבֶרְתְּךָ וְאֵשֶׁת בְּרִיתֶךָ׃
וְלֹא־אֶחָד עָשָׂה וּשְׁאָר רוּחַ לוֹ וּמָה הָאֶחָד מְבַקֵּשׁ טו
זֶרַע אֱלֹהִים וְנִשְׁמַרְתֶּם בְּרוּחֲכֶם וּבְאֵשֶׁת נְעוּרֶיךָ
אַל־יִבְגֹּד׃ כִּי־שָׂנֵא שַׁלַּח אָמַר יְהוָה אֱלֹהֵי יִשְׂרָאֵל טז
וְכִסָּה חָמָס עַל־לְבוּשׁוֹ אָמַר יְהוָה צְבָאוֹת וְנִשְׁמַרְתֶּם
בְּרוּחֲכֶם וְלֹא תִבְגֹּדוּ׃ הוֹגַעְתֶּם יְהוָה יז
בְּדִבְרֵיכֶם וַאֲמַרְתֶּם בַּמָּה הוֹגָעְנוּ בֶּאֱמָרְכֶם כָּל־עֹשֵׂה
רָע טוֹב ׀ בְּעֵינֵי יְהוָה וּבָהֶם הוּא חָפֵץ אוֹ אַיֵּה אֱלֹהֵי

ביאור | אֵל נֵכָר, אשה נכרית. יב יַכְרֵת ה׳ לָאִישׁ אֲשֶׁר יַעֲשֶׂנָּה עֵר וְעֹנֶה, גדול
וקטן בצאצאים או בתלמידים[125] מֵאָהֳלֵי יַעֲקֹב, וּמַגִּישׁ מִנְחָה לַה׳
צְבָאוֹת.

יג וְזֹאת שֵׁנִית תַּעֲשׂוּ. עברה נוספת מתלווה אל נישואי הנכריות - כַּסּוֹת
דִּמְעָה אֶת־מִזְבַּח ה׳, בְּכִי וַאֲנָקָה, אתם גורמים להצפת המזבח
בדמעות. נשותיכם היהודיות נעזבות ובוכות. מֵאֵין עוֹד פְּנוֹת אֶל־
הַמִּנְחָה. המזבח המכוסה בדמעות ואנקות כביכול אינו מאפשר
לפנות אל המנחה המוגשת עליו וְלָקַחַת רָצוֹן מִיֶּדְכֶם.

יד וַאֲמַרְתֶּם: עַל־מָה ולמה? - עַל כִּי־ה׳ הֵעִיד על הברית שֶׁבֵּינְךָ וּבֵין
אֵשֶׁת נְעוּרֶיךָ, אֲשֶׁר אַתָּה בָּגַדְתָּה בָּהּ ולבך הלך לאחרת, וְהִיא חֲבֶרְתְּךָ
וְאֵשֶׁת בְּרִיתֶךָ. טו וְכִי לֹא־אֶחָד עָשָׂה ה׳ את האדם, וּשְׁאָר רוּחַ לוֹ.
שלא כבעלי החיים נברא האדם יחידי בשל רוחו היתרה והידמותו
לבוראו. הזכר והנקבה האנושיים נבראו כאדם אחד, כאמור בספר
בראשית.[126] הקשר בין איש לאשתו הוא אפוא קשר אישי ייחודי,
המתקיים גם בין רוח לרוח. וּמָה הָאֶחָד מְבַקֵּשׁ - זֶרַע אֱלֹהִים, זרע
קדוש ומעולה. ועל כן - וְנִשְׁמַרְתֶּם בְּרוּחֲכֶם, שמרו על רוח האדם,
שלטו על רגשותיכם, וּבְאֵשֶׁת נְעוּרֶיךָ אַל־יִבְגֹּד. זיווגם והתרבותם של
בעלי החיים קשור לממד הביולוגי בלבד, ועל כן אין בהם בגידה.
עליונות הרוח של האדם דורשת ממנו איפוק ושמירה יתרה. טז כִּי־
שָׂנֵא שַׁלַּח, שנוא הוא המשלח את אשת נעוריו בגלל אחרת. או:
כאשר ישנא האדם את אשתו - ישלחנה מביתו ותינשא לאחר, אבל
לא יישאר עמה ולבו נתון לאחרת.[127] אָמַר ה׳ אֱלֹהֵי יִשְׂרָאֵל, וְכִסָּה
חָמָס עַל־לְבוּשׁוֹ, הבוגד באשתו כמו מי שעוטה חמס ומתכבד בו,
אָמַר ה׳ צְבָאוֹת, וְנִשְׁמַרְתֶּם בְּרוּחֲכֶם וְלֹא תִבְגֹּדוּ.

תוכחה נוספת על ערכים מעוותים וכפירה בדין שמים: יז הוֹגַעְתֶּם
את ה׳ בְּדִבְרֵיכֶם.

וַאֲמַרְתֶּם: בַּמָּה הוֹגָעְנוּ? - בֶּאֱמָרְכֶם כָּל־עֹשֵׂה רָע - טוֹב בְּעֵינֵי ה׳ וּבָהֶם
הוּא חָפֵץ, שהרי ה׳ משאיר את הרשעים בעולם ומשפיע להם טובה,
אוֹ באמרכם: אַיֵּה אֱלֹהֵי הַמִּשְׁפָּט?! אין צדק בעולם.

הַמִּשְׁפָּט: הִנְנִי שֹׁלֵחַ מַלְאָכִי וּפִנָּה־דֶרֶךְ לְפָנָי וּפִתְאֹם א ג
יָבוֹא אֶל־הֵיכָלוֹ הָאָדוֹן ׀ אֲשֶׁר־אַתֶּם מְבַקְשִׁים
וּמַלְאַךְ הַבְּרִית אֲשֶׁר אַתֶּם חֲפֵצִים הִנֵּה־בָא אָמַר
יְהוָה צְבָאוֹת: וּמִי מְכַלְכֵּל אֶת־יוֹם בּוֹאוֹ וּמִי הָעֹמֵד ב
בְּהֵרָאוֹתוֹ כִּי־הוּא כְּאֵשׁ מְצָרֵף וּכְבֹרִית מְכַבְּסִים:
וְיָשַׁב מְצָרֵף וּמְטַהֵר כֶּסֶף וְטִהַר אֶת־בְּנֵי־לֵוִי וְזִקַּק ג
אֹתָם כַּזָּהָב וְכַכָּסֶף וְהָיוּ לַיהוָה מַגִּישֵׁי מִנְחָה
בִּצְדָקָה: וְעָרְבָה לַיהוָה מִנְחַת יְהוּדָה וִירוּשָׁלָםִ כִּימֵי ד
עוֹלָם וּכְשָׁנִים קַדְמֹנִיּוֹת:

פרק ג א **הִנְנִי שֹׁלֵחַ** את **מַלְאָכִי**, שליחי, **וּפִנָּה** מכשולים מן **הַדֶּרֶךְ לְפָנָי**. | ביאור
המלאך יסיר את הרע מן העולם, כדי שיהיה העולם מוכן לגילוי
שכינה. **וּפִתְאֹם יָבוֹא אֶל־הֵיכָלוֹ הָאָדוֹן**, אלוקי המשפט **אֲשֶׁר־אַתֶּם**
מְבַקְשִׁים, מחפשים, **וּמַלְאַךְ** הממונה על שמירת **הַבְּרִית** שלא תופר,
אֲשֶׁר אַתֶּם חֲפֵצִים הִנֵּה־בָא, אָמַר ה׳ צְבָאוֹת. ב **וּמִי מְכַלְכֵּל**, יכיל
אֶת־יוֹם בּוֹאוֹ?! וּמִי הָעֹמֵד בְּהֵרָאוֹתוֹ, מי יחזיק מעמד בגילוי המלאך
המפנה את הדרך?! **כִּי־הוּא כְּאֵשׁ מְצָרֵף**, שורף ומזקק, **וּכְבֹרִית**, חומר
ניקוי חריף של **מְכַבְּסִים**. ג **וְיָשַׁב מְצָרֵף וּמְטַהֵר כֶּסֶף**, כפי שמזקקים
כסף על ידי כילוי הסיגים, **וְטִהַר אֶת־בְּנֵי־לֵוִי, וְזִקַּק אֹתָם כַּזָּהָב וְכַכָּסֶף,**
וְהָיוּ לַה׳ מַגִּישֵׁי מִנְחָה בִּצְדָקָה, בצדק וביושר, באופן הראוי. ד **ו**אז
עָרְבָה לַה׳ מִנְחַת יְהוּדָה וִירוּשָׁלָ͏ִם כִּימֵי עוֹלָם, כמו בעבר[128] **וּכְשָׁנִים**
קַדְמֹנִיּוֹת.

הפטרת ויצא

הושע ויואל

הספרדים והתימנים מתחילים כאן

יא ז וְעַמִּי תְלוּאִים לִמְשׁוּבָתִי וְאֶל־עַל יִקְרָאֻהוּ יַחַד לֹא
ח יְרוֹמֵם׃ אֵיךְ אֶתֶּנְךָ אֶפְרַיִם אֲמַגֶּנְךָ יִשְׂרָאֵל אֵיךְ
אֶתֶּנְךָ כְאַדְמָה אֲשִׂימְךָ כִּצְבֹאיִם נֶהְפַּךְ עָלַי לִבִּי יַחַד
ט נִכְמְרוּ נִחוּמָי׃ לֹא אֶעֱשֶׂה חֲרוֹן אַפִּי לֹא אָשׁוּב
לְשַׁחֵת אֶפְרָיִם כִּי אֵל אָנֹכִי וְלֹא־אִישׁ בְּקִרְבְּךָ קָדוֹשׁ
י וְלֹא אָבוֹא בְּעִיר׃ אַחֲרֵי יְהוָה יֵלְכוּ כְּאַרְיֵה יִשְׁאָג כִּי־
יא הוּא יִשְׁאַג וְיֶחֶרְדוּ בָנִים מִיָּם׃ יֶחֶרְדוּ כְצִפּוֹר מִמִּצְרַיִם
וּכְיוֹנָה מֵאֶרֶץ אַשּׁוּר וְהוֹשַׁבְתִּים עַל־בָּתֵּיהֶם נְאֻם־
יב א יְהוָה׃ סְבָבֻנִי בְכַחַשׁ אֶפְרַיִם וּבְמִרְמָה
בֵּית יִשְׂרָאֵל וִיהוּדָה עֹד רָד עִם־אֵל וְעִם־קְדוֹשִׁים
ב נֶאֱמָן׃ אֶפְרַיִם רֹעֶה רוּחַ וְרֹדֵף קָדִים כָּל־הַיּוֹם כָּזָב

אריה שואג
חותם שמע עבד ירבעם, המאה ה-8 לפנה"ס

העולם | **יונה** ליונה קשר מיוחד עם השובך, מקום גידולה. באמצעות מנגנוני ניווט טבעיים היא מצליחה לשוב אליו גם ממרחק של מאות קילומטרים. תכונות אלו הביאו לשימוש ביונים כבר בתקופות קדומות לצורך העברת דואר. על כן כך דימה הושע את הקשר הנאמן בין הגולים לארצם, וכך אמר גם ישעיהו: מִי אֵלֶּה כָּעָב תְּעוּפֶינָה וְכַיּוֹנִים אֶל אֲרֻבֹּתֵיהֶם (ס,ח).

משובתו, סבלו ותשובתו של ישראל

נבואה זו נפתחת בנחמה, ובהמשכה - דברי תוכחה על מרמה ועושק, על עבודה זרה ועל הברית שישראל רוצים לכרות עם אשור. לאחר שהושע צופה לעם החוטא דברי פורענות קשים, הוא קורא לו לשוב לאלוקיו, שכן ממנו תצמח ישועתו.

דמותו של יעקב אבינו חוזרת ומופיעה במהלך הנבואה בהקשרים אחדים. הושע מציין באוזני שומעיו, בני ממלכת ישראל, מספר אירועים מתוך קורות חייו שסופרו בפרשת ויצא ובפרשיות שסביבה. סבלו של יעקב בגלות, התמודדויותיו הקשות, כוח עמידתו וההבטחה שהובטח ביציאה לגלות, כי ה׳ שומר עליו וישיבנו למקומו, סימנים הם לבניו כי על אף הריחוק והמכות הכואבות יירפאו מתחלואיהם וישובו אל קדמותם.

הושע פרק יא ז **וְעַמִּי תְלוּאִים**, תלויים **לִמְשׁוּבָתִי**, בתשובתי. הם | ביאור
אינם חוזרים אלי באופן מלא, וממתינים לי שאשוב אני אליהם
ואיטיב אתם תחילה.[129] **וְאֶל־עַל** הנביאים **יִקְרָאֻהוּ** - יקראו
לעמי, אבל העם כולו **יַחַד לֹא יְרוֹמֵם**, אינו מעוניין להתרומם, לשוב
אלי בנחישות, בקומה זקופה וכאיש אחד.[130] ח **אֵיךְ** אתה גורם
שֶׁאֶתֶּנְךָ בידי אויביך,[131] **אֶפְרַיִם, אֲמַגֶּנְךָ**, אסגיר אותך, **יִשְׂרָאֵל**?! **אֵיךְ**
אֶתֶּנְךָ כְאַדְמָה, אֲשִׂימְךָ כִּצְבֹאיִם. אהפוך ואכלה אתכם כאדמה
וצבויים, ערים בכיכר הירדן שנחרבו במהפכת סדֹם ועמֹרה?![132]
הרי קשה הדבר לפני - **נֶהְפַּךְ עָלַי לִבִּי**, אינני דבק בהחלטתי למוטט
אתכם. **יַחַד נִכְמְרוּ**, התעוררו כל[133] **נִחוּמָי**, רחמי עליכם.[134] ט **לֹא**
אֶעֱשֶׂה חֲרוֹן אַפִּי. לא אנקום בכם נקמה שלמה. **לֹא אָשׁוּב לְשַׁחֵת**
את **אֶפְרָיִם, כִּי אֵל אָנֹכִי וְלֹא־אִישׁ**, שהרי אדם לא היה סולח לכם על
עוונות כה כבדים,[135] וגם משום **שֶׁבְּקִרְבְּךָ קָדוֹשׁ**, רק ביניכם אשכון,
וְלֹא אָבוֹא בְּעִיר אחרת.[136]

י **אַחֲרֵי ה׳ יֵלְכוּ כְּאַרְיֵה יִשְׁאָג**, כמו אריה המכנס ומוביל את
להקתו בשאגה. **כִּי־הוּא יִשְׁאַג, וְיֶחֶרְדוּ** אפילו **בָנִים מִמדינות הַיָּם**
הרחוקות.[137] יא **יֶחֶרְדוּ כְצִפּוֹר מִמִּצְרַיִם**, הבנים יבואו ממצרים כציפור
מבוהלת וחרדה, **וּכְיוֹנָה מֵאֶרֶץ אַשּׁוּר. וְהוֹשַׁבְתִּים עַל־בָּתֵּיהֶם. נְאֻם־ה׳.**

נבואת תוכחה: פרק יב א **סְבָבֻנִי בְכַחַשׁ**, במרמה **אֶפְרַיִם**, שבטי
ממלכת ישראל, **וּבְמִרְמָה בֵּית יִשְׂרָאֵל**. במאמר מוסגר: ולעומתם
יְהוּדָה עֹד רָד, מנהל את מלכותו **עִם־אֵל**, לפי מצוות ה׳,[138] **וְעִם־**
קְדוֹשִׁים הוא **נֶאֱמָן**. ב **אֶפְרַיִם רֹעֶה רוּחַ**, עוסק בהבלים, חלומות

וָשֹׁד יַרְבֶּה וּבְרִית עִם־אַשּׁוּר יִכְרֹתוּ וְשֶׁמֶן לְמִצְרַיִם
יוּבָל׃ וְרִיב לַיהוָה עִם־יְהוּדָה וְלִפְקֹד עַל־יַעֲקֹב ג
כִּדְרָכָיו כְּמַעֲלָלָיו יָשִׁיב לוֹ׃ בַּבֶּטֶן עָקַב אֶת־אָחִיו ד
וּבְאוֹנוֹ שָׂרָה אֶת־אֱלֹהִים׃ וַיָּשַׂר אֶל־מַלְאָךְ וַיֻּכָל ה
בָּכָה וַיִּתְחַנֶּן־לוֹ בֵּית־אֵל יִמְצָאֶנּוּ וְשָׁם יְדַבֵּר עִמָּנוּ׃
וַיהוָה אֱלֹהֵי הַצְּבָאוֹת יְהוָה זִכְרוֹ׃ וְאַתָּה בֵּאלֹהֶיךָ ו ז
תָשׁוּב חֶסֶד וּמִשְׁפָּט שְׁמֹר וְקַוֵּה אֶל־אֱלֹהֶיךָ תָּמִיד׃
כְּנַעַן בְּיָדוֹ מֹאזְנֵי מִרְמָה לַעֲשֹׁק אָהֵב׃ וַיֹּאמֶר אֶפְרַיִם ח ט
אַךְ עָשַׁרְתִּי מָצָאתִי אוֹן לִי כָּל־יְגִיעַי לֹא יִמְצְאוּ־לִי
עָוֹן אֲשֶׁר־חֵטְא׃ וְאָנֹכִי יְהוָה אֱלֹהֶיךָ מֵאֶרֶץ מִצְרָיִם י
עֹד אוֹשִׁיבְךָ בָאֳהָלִים כִּימֵי מוֹעֵד׃ וְדִבַּרְתִּי עַל־ יא
הַנְּבִיאִים וְאָנֹכִי חָזוֹן הִרְבֵּיתִי וּבְיַד הַנְּבִיאִים אֲדַמֶּה׃
אִם־גִּלְעָד אָוֶן אַךְ־שָׁוְא הָיוּ בַּגִּלְגָּל שְׁוָרִים זִבֵּחוּ גַּם יב
מִזְבְּחוֹתָם כְּגַלִּים עַל תַּלְמֵי שָׂדָי׃ * וַיִּבְרַח יַעֲקֹב יג

הספרדים מסיימים כאן והאשכנזים מתחילים כאן

העולם | גִּלְעָד החבל ההררי במרכז עבר הירדן המזרחי ובצפונו. הוא מתואר כארץ מקנה, והיה משופע ביערות (ראו במדבר לב,ד, שמואל ב׳ יח, ג-ח). בתקופת השופטים תואר כאזור ששוררת בו אנרכיה שאליו מגיעים אנשים ריקים שנפלטו מן החברה (שופטים יא,ג). נראה כי המצב לא השתנה גם בימי הושע שאמר: גִּלְעָד קִרְיַת פֹּעֲלֵי אָוֶן עֲקֻבָּה מִדָּם (הושע ו,ח). אף ציווי התורה על ריבוי ערי מקלט באזור זה מעיד אולי על ריבוי הרוצחים בגלעד (ראו מכות י ע״א; רש״י במדבר לה,יד).

ביאור | וכזבים וניזון מהם, **וְרֹדֵף** אחרי רוח **קָדִים**, רוח מזרחית סוערת[139] בלי
לתפוס דבר. חי חיים שאין בהם תכלית ותוחלת. **כָּל־הַיּוֹם כָּזָב וָשֹׁד
יַרְבֶּה – וּבְרִית עִם־אַשּׁוּר יִכְרֹתוּ**, ומנגד **שֶׁמֶן** מבושם או יקר **לְמִצְרַיִם
יוּבָל** על ידיהם כמחוות ידידות דיפלומטית. הנביא מבקר את מסרי
האהדה שממלכת ישראל משדרת לשני הצדדים העוינים. הנאמנות
הכפולה כוזבת, אינה ראויה. ג **וְרִיב לַה׳** גם **עִם־יְהוּדָה, וְלִפְקֹד עַל**,
להעניש את צאצאי **יַעֲקֹב כִּדְרָכָיו, כְּמַעֲלָלָיו יָשִׁיב לוֹ.**

מקצת מתולדותיו של יעקב אבינו: ד כבר **בַּבֶּטֶן** הוא **עָקַב**, ניסה
להערים, לעקוף **אֶת אָחִיו**,[140] **וּבְאוֹנוֹ**, בכוחו **שָׂרָה אֶת**, התמודד
עם מלאך **אֱלֹהִים**.[141] ה **וַיָּשַׂר אֶל־מַלְאָךְ וַיֻּכָל**, שהרי המלאך **בָּכָה
וַיִּתְחַנֶּן־לוֹ** שישחרר אותו.[142] בעיר **בֵּית־אֵל** ה׳ או מלאכו **יִמְצָאֶנּוּ**,
מצא את יעקב,[143] וכן: מצא אותנו, צאצאיו הנביאים,[144] **וְשָׁם יְדַבֵּר
עִמָּנוּ.** ו **וַה׳ אֱלֹהֵי הַצְּבָאוֹת – ה׳ זִכְרוֹ**, שמו.[145] בו דבק יעקב אבינו,
ובו נאחזים אנחנו. ז **וְעל** כן **אַתָּה בֵּאלֹהֶיךָ**, אל אלוקיך **תָשׁוּב, חֶסֶד
וּמִשְׁפָּט שְׁמֹר, וְקַוֵּה אֶל־אֱלֹהֶיךָ תָּמִיד.**

ח בהווה, לעומת זאת, **כְּנַעַן**, הסוחר[146] – **בְּיָדוֹ מֹאזְנֵי מִרְמָה, לַעֲשֹׁק
אָהֵב.** ט **וַיֹּאמֶר אֶפְרַיִם**: "**אַךְ עָשַׁרְתִּי** בעצמי בלי עזרתו של אלוקים,
מָצָאתִי אוֹן, כוח **לִי. כָּל־יְגִיעַי**, בכל מה שאני עושה **לֹא יִמְצְאוּ־לִי עָוֹן
אֲשֶׁר־חֵטְא**. אין לשפוט אותי על מקורותיהם של רווחי".[147] י **וְאָנֹכִי
ה׳ אֱלֹהֶיךָ** כבר **מֵאֶרֶץ מִצְרָיִם**, וכשם שבלכתך במדבר הושבתי אותך
בסוכות והגנתי עליך, **עֹד אוֹשִׁיבְךָ בָאֳהָלִים**, בדרכך מן הגלות לארץ[148]
כִּימֵי אוהל **מוֹעֵד**, או: כמועד הליכתך במדבר. יש הקושרים גם פסוק
זה ליעקב, שהיה איש תם יושב אוהלים.[149]

יא **וְדִבַּרְתִּי עַל**, אל **הַנְּבִיאִים, וְאָנֹכִי חָזוֹן הִרְבֵּיתִי** להם, **וּבְיַד הַנְּבִיאִים
אֲדַמֶּה**. הנביאים רואים את ה׳, כביכול, בדימויים, תמונות וחזונות,
שאותם עליהם לתרגם לנבואה מילולית.[150] יב **אִם** תושבי **גִּלְעָד**,
שבו שררה אנרכיה, ועל כן רבו בו מעשי שוד וגנבה,[151] עשו **אָוֶן**,
גזלו ורימו – **אַךְ־שָׁוְא**, שקר **הָיוּ. בַּגִּלְגָּל שְׁוָרִים זִבֵּחוּ** לעבודה זרה. **גַּם
מִזְבְּחוֹתָם** רבים וגלויים **כְּגַלִּים**, כערמות אבנים או תלוליות עפר
רבות **עַל תַּלְמֵי שָׂדָי**, בשדות.[152]

שְׂדֵה אֲרָם וַיַּעֲבֹד יִשְׂרָאֵל בְּאִשָּׁה וּבְאִשָּׁה שָׁמָר׃
וּבְנָבִיא הֶעֱלָה יְהוָה אֶת־יִשְׂרָאֵל מִמִּצְרָיִם וּבְנָבִיא יד
נִשְׁמָר׃ * הִכְעִיס אֶפְרַיִם תַּמְרוּרִים וְדָמָיו עָלָיו יִטּוֹשׁ טו
וְחֶרְפָּתוֹ יָשִׁיב לוֹ אֲדֹנָיו׃ כְּדַבֵּר אֶפְרַיִם רְתֵת נָשָׂא א יג
הוּא בְּיִשְׂרָאֵל וַיֶּאְשַׁם בַּבַּעַל וַיָּמֹת׃ וְעַתָּה ׀ יוֹסִפוּ ב
לַחֲטֹא וַיַּעֲשׂוּ לָהֶם מַסֵּכָה מִכַּסְפָּם כִּתְבוּנָם עֲצַבִּים
מַעֲשֵׂה חָרָשִׁים כֻּלֹּה לָהֶם הֵם אֹמְרִים זֹבְחֵי אָדָם
עֲגָלִים יִשָּׁקוּן׃ לָכֵן יִהְיוּ כַּעֲנַן־בֹּקֶר וְכַטַּל מַשְׁכִּים ג
הֹלֵךְ כְּמֹץ יְסֹעֵר מִגֹּרֶן וּכְעָשָׁן מֵאֲרֻבָּה׃ וְאָנֹכִי יְהוָה ד
אֱלֹהֶיךָ מֵאֶרֶץ מִצְרָיִם וֵאלֹהִים זוּלָתִי לֹא תֵדָע
וּמוֹשִׁיעַ אַיִן בִּלְתִּי׃ אֲנִי יְדַעְתִּיךָ בַּמִּדְבָּר בְּאֶרֶץ ה

כְּמֹץ יְסֹעֵר מִגֹּרֶן

העולם | כְּמֹץ יְסֹעֵר מִגֹּרֶן כדי להפריד בין גרגרי החיטה לבין המוץ היו זורים את החיטה בגורן. היו מניפים את תערובת המוץ עם גרגרי החיטה בעזרת קלשון העץ, המזרה, באוויר, כדי שהרוח תשא את המוץ ותפזר אותו הרחק בעת שגרגרי החיטה הכבדים נופלים ארצה.

ביאור

הנבואה ממשיכה לקשור את תולדות יעקב אבינו עם חיי ההווה של
ישראל: יג וַיִּבְרַח יַעֲקֹב מעשו אחיו לִשְׂדֵה אֲרָם. וַיַּעֲבֹד יִשְׂרָאֵל, יעקב
בְּאִשָּׁה, בשביל אשה, וּבְאִשָּׁה שָׁמָר על הצאן.[153] יד וכשם שיעקב
גלה לארם ועבד שם, כך בני ישראל גלו למצרים ושועבדו שם.
אחר כך בְנָבִיא, באמצעות משה אבי הנביאים הֶעֱלָה ה' אֶת־יִשְׂרָאֵל
מִמִּצְרָיִם. וּבאמצעות נָבִיא העם נִשְׁמָר בכל שנות נדודיו במדבר.[154]

טו הִכְעִיס אֶפְרַיִם, ממלכת ישראל את ה' תַּמְרוּרִים, כעס מר וכבד,[155]
וְדָמָיו עָלָיו יִטּוֹשׁ, יניח. הוא אחראי לדם ששפך, או: האחריות לעונשו
מוטלת עליו, וְבסופו של דבר את חֶרְפָּתוֹ יָשִׁיב לוֹ אֲדֹנָיו, ה'. אפרים
ייענש על מעשיו בחרפה.

פרק יג א בימים עברו כְּדַבֵּר, כאשר היה אֶפְרַיִם מדבר - רְתֵת,
רטט ורעד היו אוחזים בשומעיו מחמת מעמדו הרם.[156] אז
נָשָׂא הוּא את קולו, או: מורם היה מעם[157] בְּיִשְׂרָאֵל. אולם זוהי
נחלת העבר - וַיֶּאְשַׁם, חטא בַּבַּעַל וַיָּמֹת. ב וְעַתָּה יוֹסִפוּ לַחֲטֹא.
אם מתחילה חטאו ישראל רק בעבודת הבעל, בהמשך הם יצרו
משלהם מערכת שלמה של אלילים - וַיַּעֲשׂוּ לָהֶם מַסֵּכָה מִכַּסְפָּם
כִּתְבוּנָם, כתבנית שבחרו עשו עֲצַבִּים, אלילים,[158] מַעֲשֵׂה חָרָשִׁים,
בעלי מלאכה כֻּלֹּה, אין בעצבים כלום מלבד חומר מעוצב, לָהֶם הֵם
אֹמְרִים: "זֹבְחֵי אָדָם - עֲגָלִים יִשָּׁקוּן. מקריבי בני אדם לעבודה זרה
הם שיזכו לנשק את עגלי הזהב".[159] ג לָכֵן יִהְיוּ בני אפרים, כלומר
בני ממלכת ישראל, פגיעים כַּעֲנַן־בֹּקֶר. ענני הבוקר נמוגים בקלות
באור השמש הזורחת, וְקלים להתנדף כַּטַּל מַשְׁכִּים הֹלֵךְ ונעלם
תוך זמן קצר, כְּמֹץ יְסֹעֵר מִגֹּרֶן, הנפוץ ונעלם מן הגורן ברוח סערה,
וּכְעָשָׁן היוצא מֵאֲרֻבָּה ומתפוגג. כמו אלה יצעד אפרים לקראת
כיליונו.[160] ד וְאָנֹכִי ה' אֱלֹהֶיךָ שהוצאתיך מֵאֶרֶץ מִצְרָיִם, וֵאלֹהִים
זוּלָתִי לֹא תֵדָע. לא תוכל לדבוק בשום אל אחר, וּמוֹשִׁיעַ אַיִן בִּלְתִּי,
מלבדי. ה אֲנִי יְדַעְתִּיךָ, הכרתי ואהבתי אותך וסיפקתי את צרכיך

הרחבות

'ובאשה שמר... ובנביא נשמר' הושע מקביל בין משה לבין יעקב הרועה. ואכן כיעקב גם משה היה רועה צאן של מי שהפך להיות חותנו. ייתכן שמלאכה זו הכשירה אותו לרעיית עמו ולהנהגתו הקשובה והסבלנית. מסיבה זו כונו מנהיגי העם בביטוי המושאל 'רועים' (ראו שמואל ב' ז,ז; ירמיה ב,ח; כג,א-ד; יחזקאל לד,א-לא; מיכה ה,ד; תהלים עח,עא).

יש מסיימים כאן

ו תַּלְאֻבוֹת׃* כְּמַרְעִיתָם וַיִּשְׂבָּעוּ שָׂבְעוּ וַיָּרָם לִבָּם
ז עַל־כֵּן שְׁכֵחוּנִי׃ וָאֱהִי לָהֶם כְּמוֹ־שָׁחַל כְּנָמֵר עַל־
ח דֶּרֶךְ אָשׁוּר׃ אֶפְגְּשֵׁם כְּדֹב שַׁכּוּל וְאֶקְרַע סְגוֹר
לִבָּם וְאֹכְלֵם שָׁם כְּלָבִיא חַיַּת הַשָּׂדֶה תְּבַקְּעֵם׃
ט י שִׁחֶתְךָ יִשְׂרָאֵל כִּי־בִי בְעֶזְרֶךָ׃ אֱהִי מַלְכְּךָ אֵפוֹא
וְיוֹשִׁיעֲךָ בְּכָל־עָרֶיךָ וְשֹׁפְטֶיךָ אֲשֶׁר אָמַרְתָּ תְּנָה־
יא לִּי מֶלֶךְ וְשָׂרִים׃ אֶתֶּן־לְךָ מֶלֶךְ בְּאַפִּי וְאֶקַּח
יב בְּעֶבְרָתִי׃ צָרוּר עֲוֹן אֶפְרָיִם צְפוּנָה חַטָּאתוֹ׃
יג חֶבְלֵי יוֹלֵדָה יָבֹאוּ לוֹ הוּא־בֵן לֹא חָכָם כִּי־עֵת לֹא־
יד יַעֲמֹד בְּמִשְׁבַּר בָּנִים׃ מִיַּד שְׁאוֹל אֶפְדֵּם מִמָּוֶת

שחל

נמר במדבר יהודה

דֹּב סורי

העולם | **שחל** אחד משישה שמות האריה המופיעים בתנ"ך: ארי, כפיר, לביא, ליש, שחל, שחץ (ראו אבות דרבי נתן נ"א לט). יש אומרים שהבדלי השמות משקפים שלבים בהתפתחות האריה (רש"י, רד"ק). יש חוקרים התולים את ריבוי השמות בזנים השונים של האריות הבאים מארצות מוצא שונות. יש לציין כי מבחינה לשונית ייתכן ששחל וכפיר הוא בעל חיים גדול בכלל או אפילו נחש, כמו בפסוק "עַל שַׁחַל וָפֶתֶן תִּדְרֹךְ, תִּרְמֹס כְּפִיר וְתַנִּין" (תהלים צא,יג; טור סיני).

נמר טורף בעל חברבורות (ירמיה יג,כג)

ביאור | כשהיית **בַּמִּדְבָּר, בְּאֶרֶץ תַּלְאֻבוֹת**, ייסורים וצמא.[161] ו במדבר היו
ישראל צמודים אלי וזקוקים לי, אבל **כְּמַרְעִיתָם**, כאשר הם התיישבו
בארץ וניזונו מאדמתה - **וַיִּשְׂבָּעוּ, שָׂבְעוּ וַיָּרָם לִבָּם**, הם התגאו, **עַל־
כֵּן שְׁכֵחוּנִי**.[162] אמנם גם במדבר חטאו ישראל, אבל שם לא בגדו
בה׳ ללכת אחר עבודה זרה, כפי שנהגו במשך מאות שנים בישבם
על אדמתם. ז על כן - **וָאֱהִי לָהֶם כְּמוֹ־שָׁחַל**, אריה, **כְּנָמֵר עַל־דֶּרֶךְ
אָשׁוּר**, אביט ואארוב.[163] ח **אֶפְגְּשֵׁם כְּדֹב שַׁכּוּל**. לאדם הנפגש בדוב
שכול אין סיכוי להינצל, בשל מרירותו ואכזריותו. **וְאֶקְרַע סְגוֹר לִבָּם**,
כדוב המסוגל לקרוע מן האדם את צלעותיו,[164] **וְאֹכְלֵם שָׁם כְּלָבִיא**,
אריה, **חַיַּת הַשָּׂדֶה תְּבַקְּעֵם**. ט **שִׁחֶתְךָ**, את ההשחתה והאסונות
הבאת אתה על עצמך, **יִשְׂרָאֵל, כִּי־בִי** מרדת, במי שהיה תמיד
בְעֶזְרֶךָ.[165] י **אֱהִי**, איה, היכן[166] **מַלְכְּךָ אֵפוֹא וְיוֹשִׁיעֲךָ בְּכָל־עָרֶיךָ**, וְהיכן
הם **שֹׁפְטֶיךָ אֲשֶׁר אָמַרְתָּ: "תְּנָה־לִּי מֶלֶךְ וְשָׂרִים"**. ביקשתם לכם הנהגה,
ועתה אין בכוחה לעזור לכם.[167] יא נעתרתי לבקשתכם, אך - **אֶתֶּן־
לְךָ מֶלֶךְ בְּאַפִּי**, בכעסי. במלכות ישראל קמה שושלת חדשה לעתים
קרובות מאוד בעקבות מרידות חוזרות ונשנות. כשם שהמלך בא
למלוך בחרון אפי, כך - **וְאֶקַּח** אותו **בְּעֶבְרָתִי**, בזעמי.

יב **צָרוּר עֲוֹן**, אסופים כל פשעי **אֶפְרָיִם**. **צְפוּנָה**, שמורה ואצורה
חַטָּאתוֹ. יג על כן עוד אפרע ממנו על חטאיו - **חֶבְלֵי יוֹלֵדָה**, ייסורים
קשים כצירי היולדת **יָבֹאוּ לוֹ. הוּא־בֵן לֹא חָכָם, כִּי** כאשר תגיע **עֵת**
העונש המכאיב הזה **לֹא־יַעֲמֹד בְּמִשְׁבַּר**, במקום המיועד ללידת[168]
בָּנִים. לא יהיה בו די כוח לעמוד בכאביו, והוא יישבר. יד בעבר[169]

הרחבות | **'אתן לך מלך באפי ואקח בְּעֶבְרָתִי'** ישראל אינם יכולים להינתק מהשגחתו של אלוקים עליהם. במקום שמירתם תחת עינו הפקוחה והאוהבת והטיפול המסור בכל צרכיהם בהיותם במדבר, ההשגחה העליונה ממשיכה ומתערבת בחיי ישראל גם עתה, אך במצב זה היא מתערבת בערעור יציבות השלטון ובהמטת חורבן והרס.

העולם | ממשפחת החתוליים (שם מדעי: Panthera pardus) שמספר מינים ממנו היו מצויים בארץ, ביניהם הברדלס. במאה השנים האחרונות נכחדו הנמרים מארץ ישראל, למעט אחדים במדבר יהודה ובנגב.

דוב הדוב החום הסורי (שם מדעי: Ursus arctos syriacus) היה מצוי ביערות העבותים שכיסו את הארץ עד המאה ה-19. אורך גופו מגיע ל-2 מ׳, גובהו ל-1.85 מ׳ ומשקלו ל-200 ק״ג. בתנ״ך מסמל סכנה, כעס ואכזריות (שמואל א׳ יז לד-לה; מלכים ב׳ ב,כד; הושע יג,ח; עמוס ה,יט).

אֶגְאָלֵם אֱהִי דְבָרֶיךָ מָוֶת אֱהִי קָטָבְךָ שְׁאוֹל נֹחַם
יִסָּתֵר מֵעֵינָי׃ כִּי הוּא בֵּין אַחִים יַפְרִיא יָבוֹא קָדִים טו
רוּחַ יְהֹוָה מִמִּדְבָּר עֹלֶה וְיֵבוֹשׁ מְקוֹרוֹ וְיֶחֱרַב מַעְיָנוֹ
הוּא יִשְׁסֶה אוֹצַר כָּל־כְּלִי חֶמְדָּה׃ תֶּאְשַׁם שֹׁמְרוֹן א יד
כִּי מָרְתָה בֵּאלֹהֶיהָ בַּחֶרֶב יִפֹּלוּ עֹלְלֵיהֶם יְרֻטָּשׁוּ
וְהָרִיּוֹתָיו יְבֻקָּעוּ׃ שׁוּבָה יִשְׂרָאֵל עַד יְהֹוָה ב
אֱלֹהֶיךָ כִּי כָשַׁלְתָּ בַּעֲוֺנֶךָ׃ קְחוּ עִמָּכֶם דְּבָרִים וְשׁוּבוּ ג
אֶל־יְהֹוָה אִמְרוּ אֵלָיו כָּל־תִּשָּׂא עָוֺן וְקַח־טוֹב
וּנְשַׁלְּמָה פָרִים שְׂפָתֵינוּ׃ אַשּׁוּר ׀ לֹא יוֹשִׁיעֵנוּ עַל־סוּס ד
לֹא נִרְכָּב וְלֹא־נֹאמַר עוֹד אֱלֹהֵינוּ לְמַעֲשֵׂה יָדֵינוּ
אֲשֶׁר־בְּךָ יְרֻחַם יָתוֹם׃ אֶרְפָּא מְשׁוּבָתָם אֹהֲבֵם ה
נְדָבָה כִּי שָׁב אַפִּי מִמֶּנּוּ׃ אֶהְיֶה כַטַּל לְיִשְׂרָאֵל יִפְרַח ו
כַּשּׁוֹשַׁנָּה וְיַךְ שָׁרָשָׁיו כַּלְּבָנוֹן׃ יֵלְכוּ יֹנְקוֹתָיו וִיהִי ז

שושן צחור
('שושנה')

העולם | **שושנה** על פי שמה נראה כי לשושנה שישה עלי כותרת. מקובל לזהותה עם השושן הצחור (שם מדעי: Lilium candidum), צמח נדיר הגדל בכרמל ובגליל העליון. בצורת השושן נעשה שימוש אומנותי, ונראה שהייתה מאפיין ישראלי, כגון בכותרות עמודים בבית המקדש (מלכים א' ז,יט) ומבנים ציבוריים בישראל החל מהמאה ה־10 לפנה"ס (כותרות פרוטו איאוליות). השושן מופיע גם על מטבע

הפטרת ויצא

ביאור | **מִיַּד שְׁאוֹל אֶפְדֵּם, מִמָּוֶת אֶגְאָלֵם**, ואילו עכשיו **אֱהִי**, אהיה **דְבָרֶיךָ מָוֶת**.
אני המצווה על גורמי מותך.[170] **אֱהִי** אני **קָטָבְךָ**, כריתתך ואימתך
בִּשְׁאוֹל. **נֹחַם**, חרטה[171] **יִסָּתֵר מֵעֵינָי**. לא אחזור בי מן העונשים
הכבדים. טו **כִּי הוּא**, אפרים בעבר[172] **בֵּין אַחִים**, שדות,[173] **יַפְרִיא**,
פרה,[174] ואילו עתה **יָבוֹא** כמו **קָדִים**, רוח מזרחית, **רוּחַ ה' מִמִּדְבָּר
עֹלֶה** ויחריב הכול, **וְיֵבוֹשׁ**, יתייבש **מְקוֹרוֹ**, מקור המים שלו, **וְיֶחֱרַב**,
ייבש **מַעְיָנוֹ**. כל מקורות כוחו של העם ייסתמו בפניו. **הוּא** - הרוח
יִשְׁסֶה, ישדוד **אוֹצַר כָּל־כְּלִי חֶמְדָּה**. פרק יד א **תֶּאְשַׁם שֹׁמְרוֹן כִּי מָרְתָה**,
מרדה **בֵּאלֹהֶיהָ**. **בַּחֶרֶב יִפֹּלוּ, עֹלְלֵיהֶם**, ילדיהם הרכים **יְרֻטָּשׁוּ**, ייגזרו,
וְהָרִיּוֹתָיו, נשותיו ההרות **יְבֻקָּעוּ**.

ב **שׁוּבָה יִשְׂרָאֵל עַד ה' אֱלֹהֶיךָ, כִּי כָשַׁלְתָּ בַּעֲוֺנֶךָ**. כיוון שחטאיך
הובילו אותך למבוי סתום, פתוחה בפניך רק דרך התשובה אל
ה'.[175] ג **קְחוּ עִמָּכֶם דְּבָרִים**. דברו איש אל רעהו, התייעצו ודונו
כיצד לעשות זאת, **וְשׁוּבוּ אֶל־ה'**. **אִמְרוּ אֵלָיו**: "הרי אתה **כָּל־תִּשָּׂא
עָוֺן**, תסלח לכל חטא,[176] **וְקַח**, תזכור את **הטוֹב** שיש בנו. **וּנְשַׁלְּמָה**
במקום זבחי **פָרִים** בדיבור **שְׂפָתֵינוּ**. במקום להקריב קרבנות יקרים
וגדולים ניתן לך את מלות הווידוי שלנו, שכן חשובה עצם הפנייה
אליך.[177] ד השלכותיה הפוליטיות של מסקנה זו: **אַשּׁוּר לֹא יוֹשִׁיעֵנוּ**,
ולכן לא מהם נבקש עזרה. **עַל־סוּס לֹא נִרְכָּב** למלחמה. נפסיק
את מאמצינו הצבאיים. **וְלֹא־נֹאמַר עוֹד: "אֱלֹהֵינוּ" לְמַעֲשֵׂה יָדֵינוּ**.
לא נתייחס לפסילים כאילו הם אלוהינו, **אֲשֶׁר**, כי **בְּךָ יְרֻחַם יָתוֹם**,
ומלבדך אין מי שיעזרו לנו בחולשתנו.

ה לאחר שישראל ישובו אלי,[178] **אֶרְפָּא** לחולים ולפגועים שבאו
בעקבות **מְשׁוּבָתָם**, שובבותם. **אֹהֲבֵם נְדָבָה**, בחסד וברחמים, **כִּי שָׁב
אַפִּי**, כעסי **מִמֶּנּוּ**, ואמחל לעוונותיהם. ו כאן מופיעים דימויי נחמה
מתחום הצומח: **אֶהְיֶה כַטַּל לְיִשְׂרָאֵל**, ואז הוא **יִפְרַח כַּשּׁוֹשַׁנָּה וְיַךְ**,
יעמיק את **שָׁרָשָׁיו כַּ**שורשי עצי **לְבָנוֹן** העמוקים והמסועפים. ז וגם

העולם |

'יהוד מדינתא' שהוטבע בארץ ישראל במאה ה–4 לפנה"ס. והיו ששיערו שהוא היסוד לצורת המגן דוד.

לבנון שם מקום ספציפי או תיאור כללי למקום המתאפיין בצבעו הלבן, אם משום מראהו או משום שמסמן טהרה ונקיות, כגון בית המקדש. אם מפרשים את הפסוק כבית המקדש, נראה כי ריח הלבנון הוא הקטורת (יונתן).

כְּזַיִת הוֹדוֹ וְרֵיחַ לוֹ כַּלְּבָנוֹן׃ יָשֻׁבוּ יֹשְׁבֵי בְצִלּוֹ יְחַיּוּ ח
דָגָן וְיִפְרְחוּ כַגָּפֶן זִכְרוֹ כְּיֵין לְבָנוֹן׃ אֶפְרַיִם מַה־לִּי עוֹד ט
לָעֲצַבִּים אֲנִי עָנִיתִי וַאֲשׁוּרֶנּוּ אֲנִי כִּבְרוֹשׁ רַעֲנָן מִמֶּנִּי
פֶּרְיְךָ נִמְצָא׃ מִי חָכָם וְיָבֵן אֵלֶּה נָבוֹן וְיֵדָעֵם כִּי־ י
יְשָׁרִים דַּרְכֵי יהוה וְצַדִּקִים יֵלְכוּ בָם וּפֹשְׁעִים יִכָּשְׁלוּ
בָם׃

יש מוסיפים יואל
וַאֲכַלְתֶּם אָכוֹל וְשָׂבוֹעַ וְהִלַּלְתֶּם אֶת־שֵׁם יהוה ב כו
אֱלֹהֵיכֶם אֲשֶׁר־עָשָׂה עִמָּכֶם לְהַפְלִיא וְלֹא־יֵבֹשׁוּ עַמִּי
לְעוֹלָם׃ וִידַעְתֶּם כִּי בְקֶרֶב יִשְׂרָאֵל אָנִי וַאֲנִי יְהוָה כז
אֱלֹהֵיכֶם וְאֵין עוֹד וְלֹא־יֵבֹשׁוּ עַמִּי לְעוֹלָם׃

ביאור | כלפי מעלה - **יֵלְכוּ**, יתפשטו למרחוק **יֹנְקוֹתָיו**, ענפיו הרכים.[179] **וִיהִי**
כַזַּיִת, שהוא עץ ירוק–עד וענפיו מלאים תמיד, **הוֹדוֹ**, נופו, **וְרֵיחַ** יהיה
לוֹ עשיר ומגוון[180] **כַּלְּבָנוֹן**. ח **יָשֻׁבוּ יֹשְׁבֵי בְצִלּוֹ**, החוסים תחת מלכות
ישראל, **יְחַיּוּ**, יגדלו **דָגָן וְיִפְרְחוּ**, יצמחו וישגשגו **כַגָּפֶן**, המתפשטת
ומצמיחה ענפים רבים במהירות. **זִכְרוֹ** של ישראל **כְּיֵין לְבָנוֹן**, שטעמו
מיוחד והוא נשמר בפה גם לאחר תום שתייתו.[181] ט **אֶפְרַיִם אֱמוֹר**,
או יאמר:[182] **מַה־לִּי עוֹד לָעֲצַבִּים**?! וכתגובה לכך - **אֲנִי עָנִיתִי** לכם
בעת צרה **וַאֲשׁוּרֶנּוּ**, אני הוא זה המסתכל ומשגיח עליכם. לחלופין:
אפרים, אינני מתעסק בפסילים, מה לי ולהם, אני הוא זה שעונה לכם
ומביט בצרכיכם. **אֲנִי כִּבְרוֹשׁ** שהוא תמיד **רַעֲנָן** ועליו אינם יבשים, אך
יתרון לי על פני הברוש - שהוא עץ סרק, ואילו **מִמֶּנִּי פֶּרְיְךָ נִמְצָא**.

י **מִי חָכָם וְיָבֵן** את הצרות, המפלות, הניצחונות וההפסדים **הָאֵלֶּה**
ואת פשרם?! מי **נָבוֹן וְיֵדָעֵם**?! אין מי שיבין, אבל אף שאין לרדת
לחקרם ולמשמעותם של מהלכי המציאות יש להאמין **כִּי־יְשָׁרִים**
דַּרְכֵי ה׳, וְצַדִּקִים יֵלְכוּ בָם ויגיעו למקום טוב, **וּפֹשְׁעִים יִכָּשְׁלוּ בָם**
ויסתבכו אפילו בדרכים הישרות.

יואל פרק ב כו **וַאֲכַלְתֶּם אָכוֹל וְשָׂבוֹעַ, וְהִלַּלְתֶּם אֶת־שֵׁם ה׳**
אֱלֹהֵיכֶם אֲשֶׁר־עָשָׂה עִמָּכֶם לְהַפְלִיא, וְלֹא־יֵבֹשׁוּ, יתביישו **עַמִּי**
לְעוֹלָם. כז **וִידַעְתֶּם כִּי בְקֶרֶב יִשְׂרָאֵל אָנִי, וַאֲנִי ה׳ אֱלֹהֵיכֶם וְאֵין עוֹד,**
וְלֹא־יֵבֹשׁוּ עַמִּי לְעוֹלָם.

הפטרת וישלח

עבדיה

א חֲזוֹן עֹבַדְיָה כֹּה־אָמַר אֲדֹנָי יֱהֹוִה לֶאֱדוֹם שְׁמוּעָה
שָׁמַעְנוּ מֵאֵת יהוה וְצִיר בַּגּוֹיִם שֻׁלָּח קוּמוּ וְנָקוּמָה
ב עָלֶיהָ לַמִּלְחָמָה: הִנֵּה קָטֹן נְתַתִּיךָ בַּגּוֹיִם בָּזוּי אַתָּה
ג מְאֹד: זְדוֹן לִבְּךָ הִשִּׁיאֶךָ שֹׁכְנִי בְחַגְוֵי־סֶלַע מְרוֹם
ד שִׁבְתּוֹ אֹמֵר בְּלִבּוֹ מִי יוֹרִדֵנִי אָרֶץ: אִם־תַּגְבִּיהַּ
כַּנֶּשֶׁר וְאִם־בֵּין כּוֹכָבִים שִׂים קִנֶּךָ מִשָּׁם אוֹרִידְךָ
ה נְאֻם־יהוה: אִם־גַּנָּבִים בָּאוּ־לְךָ אִם־שׁוֹדְדֵי לַיְלָה
אֵיךְ נִדְמֵיתָה הֲלוֹא יִגְנְבוּ דַּיָּם אִם־בֹּצְרִים בָּאוּ
ו לָךְ הֲלוֹא יַשְׁאִירוּ עֹלֵלוֹת: אֵיךְ נֶחְפְּשׂוּ עֵשָׂו נִבְעוּ
ז מַצְפֻּנָיו: עַד־הַגְּבוּל שִׁלְּחוּךָ כֹּל אַנְשֵׁי בְרִיתֶךָ

הרחבות

עבדיה הדעה שעֹבדיה היה גר אדומי נתמכת בכך שנבואתו היחידה שנשתמרה בידינו עוסקת באדום. ייתכן שמכיוון שלא נולד כבן לעם ישראל, לא פורש שם אביו, כמו שפורש אצל מרבית הנביאים (אם כי גם שמות אבותיהם של עמוס, חגי ומלאכי - כולם בתרי-עשר - לא נזכרו).

'ציר בגוים שֻלח קומו ונקומה עליה למלחמה' מהמִקרא לא ידוע סיפור מפורש על עמים או מדינות שיצאו יחד למלחמה באדום. את המלחמות באדום ערכה בדרך כלל ממלכת יהודה, שאדום הייתה כפופה לה במידה רבה. לעתים היו האדומים מתמרדים וזוכים בעצמאות ולעתים הם חזרו והשתעבדו לבני יהודה, (כמו שנאמר כבר בספר בראשית כז,מ; לו,לא. הפסוקים בשמואל ב' ח,יד; מלכים א' יא,טו-טז; כב,מח; דברי הימים א' יח,יב-יג מעידים על זמנים שבהם משלו באדום נציבים מטעם יהודה. ואילו פסוקי מלכים ב' ח,כ-כב ותהלים קלז,ז מתארים מרידות של האדומים ביהודה והשבת השלטון לעצמם).

אחריתה של אדום

את הפרשה שראשיתה היחסים המורכבים שבין יעקב לעשו ושבסופה רשימת מלכי אדום, מלווה הפטרה העוסקת בממלכת אדום, צאצאיו של עשו, באחריתה ובחזון העתיד. עֹבדיה רואה באדום העם שהיה הקרוב ביותר לעם ישראל מבחינה היסטורית, ועם זאת היה עוין לו. אף שלא תמיד היו האדומים עצמאיים, כאשר היה הדבר בידם, הם הרבו להציק לישראל. הם שיתפו פעולה עם כל אויבי ישראל ואף ניסו לרשת את ארץ יהודה. משטמת האח הרדומה בלבו של עשו פורצת מפעם לפעם אצל בניו בהתקפות הרג וחמס, ובסופו של דבר חרב אדום המונפת על אחיו היא שתמיט עליו את חורבנו.

ביאור | עֹבדיה א **חֲזוֹן**, כינוי לנבואה, המבטא את יכולתו של הנביא לראות
דברים עלומים, **עֹבַדְיָה**. יש סבורים שהוא עֹבדיהו שהיה הממונה על
בית אחאב מלך ישראל,[183] או גם: גר אדומי.[184] **כֹּה־אָמַר ה׳ אלוהים**
לֶאֱדוֹם: שְׁמוּעָה שָׁמַעְנוּ בנבואה **מֵאֵת ה׳**, וגם **צִיר בַּגּוֹיִם שֻׁלָּח**, כבר
נשלחו שליחים דיפלומטיים אל ראשי המדינות, בחשאי או שלא
בחשאי, ובפיהם המסר: **קוּמוּ וְנָקוּמָה** כולנו **עָלֶיהָ**, על ארץ אדום
לַמִּלְחָמָה. התעוררה יזמה משותפת לנסות לכבוש את אדום.

פנייה לאדום: ב **הִנֵּה** עם **קָטֹן נְתַתִּיךָ** מאז ומתמיד **בַּגּוֹיִם, בָּזוּי אַתָּה**
מְאֹד. אין לך מעמד מיוחד בין האומות, ולא היית ראוי שהן יעלו
להילחם בך,[185] ג אלא **שֶׁזְּדוֹן לִבְּךָ**, תוקפנותך, רשעך **הִשִּׁיאֶךָ**, פיתה
אותך, או: השלה אותך להתגרות באחרים למלחמה. זדונך מחוזק מן
העובדה שאתה **שֹׁכְנִי בְחַגְוֵי**, נקיקי **סֶלַע** אשר **מְרוֹם שִׁבְתּוֹ**. מצודותיך
ומבצריך מצויים במקומות גבוהים ורחוקים מן היישוב.[186] על כן
אדום **אֹמֵר בְּלִבּוֹ: מִי יוֹרִדֵנִי אָרֶץ**?! מי יכול להפילני?!

והנביא מגיב: ד **אִם־תַּגְבִּיהַּ כַּנֶּשֶׁר**, אף יותר מפסגת ההר, **וְאִם־בֵּין**
כּוֹכָבִים שִׂים קִנֶּךָ – מִשָּׁם אוֹרִידְךָ. נְאֻם־ה׳. גם אם אחרים לא יוכלו
להגיע למקומך, אני אגיע אליך. ה הפורענות שתבוא עליך תהיה
גדולה מאוד. **אִם־גַּנָּבִים בָּאוּ לְךָ, אִם־שׁוֹדְדֵי לַיְלָה – אֵיךְ נִדְמֵיתָה**?!
כיצד הושמדת כליל?! לוּ היו אלה גנבים או שודדים, הם לא היו
לוקחים הכול, **הֲלוֹא יִגְנְבוּ דַּיָּם**. הם היו גונבים כדי צורכם, והיו
משאירים חלק מהחפצים. ובדימוי אחר – **אִם־בֹּצְרִים בָּאוּ לְךָ – הֲלוֹא**
יַשְׁאִירוּ עֹלֵלוֹת. גם הבוצרים משאירים מעט ענבים בכרם, ו ואילו
כאן – **אֵיךְ נֶחְפְּשׂוּ**, נבדקו,[187] או: נחשפו מטמוני **עֵשָׂו, נִבְעוּ**, נגלו
מַצְפֻּנָיו, אוצרותיו הצפונים.[188] הוא נשדד כליל. ז **עַד־הַגְּבוּל שִׁלְּחוּךָ**,
ליוו אותך **כֹּל אַנְשֵׁי בְרִיתֶךָ**. מלחמות עמים נעשו בדרך כלל על ידי

הִשִּׁיא֛וּךָ יָ֥כְלוּ לְךָ֖ אַנְשֵׁ֣י שְׁלֹמֶ֑ךָ לַחְמְךָ֗ יָשִׂ֤ימוּ מָזוֹר֙
תַּחְתֶּ֔יךָ אֵ֥ין תְּבוּנָ֖ה בּֽוֹ׃ הֲל֛וֹא בַּיּ֥וֹם הַה֖וּא נְאֻם־יְהוָ֑ה ח
וְהַאֲבַדְתִּ֤י חֲכָמִים֙ מֵאֱד֔וֹם וּתְבוּנָ֖ה מֵהַ֥ר עֵשָֽׂו׃ וְחַתּ֥וּ ט
גִבּוֹרֶ֖יךָ תֵּימָ֑ן לְמַ֛עַן יִכָּֽרֶת־אִ֥ישׁ מֵהַ֖ר עֵשָׂ֥ו מִקָּֽטֶל׃
מֵחֲמַ֛ס אָחִ֥יךָ יַעֲקֹ֖ב תְּכַסְּךָ֣ בוּשָׁ֑ה וְנִכְרַ֖תָּ לְעוֹלָֽם׃ י
בְּיוֹם֙ עֲמׇֽדְךָ֣ מִנֶּ֔גֶד בְּי֛וֹם שְׁב֥וֹת זָרִ֖ים חֵיל֑וֹ וְנׇכְרִ֞ים בָּ֣אוּ יא
שְׁעָרָ֗ו וְעַל־יְרוּשָׁלַ֙͏ִם֙ יַדּ֣וּ גוֹרָ֔ל גַּם־אַתָּ֖ה כְּאַחַ֥ד מֵהֶֽם׃
וְאַל־תֵּ֤רֶא בְיוֹם־אָחִ֙יךָ֙ בְּי֣וֹם נׇכְר֔וֹ וְאַל־תִּשְׂמַ֥ח לִבְנֵֽי־ יב
יְהוּדָ֖ה בְּי֣וֹם אׇבְדָ֑ם וְאַל־תַּגְדֵּ֥ל פִּ֖יךָ בְּי֥וֹם צָרָֽה׃ אַל־ יג
תָּב֤וֹא בְשַֽׁעַר־עַמִּי֙ בְּי֣וֹם אֵידָ֔ם אַל־תֵּ֧רֶא גַם־אַתָּ֛ה
בְּרָעָת֖וֹ בְּי֣וֹם אֵיד֑וֹ וְאַל־תִּשְׁלַ֥חְנָה בְחֵיל֖וֹ בְּי֥וֹם אֵידֽוֹ׃
וְאַל־תַּעֲמֹד֙ עַל־הַפֶּ֔רֶק לְהַכְרִ֖ית אֶת־פְּלִיטָ֑יו וְאַל־ יד
תַּסְגֵּ֥ר שְׂרִידָ֖יו בְּי֥וֹם צָרָֽה׃ כִּֽי־קָר֥וֹב יוֹם־יְהוָ֖ה עַל־ טו

העולם **'לחמך ישימו מזור'** בתקופות קדומות נהגו להניח עיסת דגנים על גבי פצעים על מנת ליצור מעין תחבושת אטומה למניעת זיהומים ואף לשם ריפוי. היום ידוע כי הדגנים מכילים חלבון בשם Puroindoline המונע התפתחות חיידקים וכן תרכובות נוגדות חמצון.

הרחבות **'אחיך יעקב'** משהו מקשר האחאות בין עשו ויעקב נשאר גם בין העמים שיצאו מהם. על כן מתואר במקרא, באופן ייחודי, היחס בין שני העמים הללו כיחס בין אחים (ראו במדבר כ,יד; דברים כג,ח; עמוס א,יא; מלאכי א,ב). אמנם האדומים לא השאירו אחריהם חומר כתוב רב, מעט ידוע על כליהם ועל חייהם בכלל, אבל נראה ששפתם הייתה כמעט זהה לעברית, שכן היו עמים קרובים. אף על פי ששני העמים לא תמיד חיו באחווה, הם היו מודעים לקרבתם ועמדו בקשר מתמיד במשך דורות רבים.

ברית כלשהי. בעלי בריתך שבאו לסייע לך - אולי שבטי מדיינים | ביאור
או ערביים מהאזור - ליוו אותך רק עד גבול המלחמה ושם עזבו
אותך.[189] או: בעלי בריתך הם שבגדו בך וגירשוך מגבולך.[190] **הִשִּׁיאוּךָ**,
השלו אותך, **יָכְלוּ לְךָ**, והצליחו **אַנְשֵׁי שְׁלֹמֶךָ**,[191] אנשי **לַחְמְךָ**, החוסים
בך וניזונים ממך **יָשִׂימוּ מָזוֹר**, מכה, או: מלכודת **תַּחְתֶּיךָ**, במקומך.[192]
ואולי: לחמך ייהפך למקולקל. או: יינתן על פצעיך לשם ריפוי, כדרך
שהיו נותנים דגן לעוס על המכה.[193] **אֵין תְּבוּנָה בּוֹ**, להיערך למצב
ולהינצל.[194] ח **הֲלוֹא בַּיּוֹם הַהוּא**, ביום מפלת אדום, **נְאֻם ה׳, וְהַאֲבַדְתִּי
חֲכָמִים מֵאֱדוֹם וּתְבוּנָה מֵהַר עֵשָׂו**. הם יצעדו אל מפלתם מבלי יכולת
לעשות דבר. ט **וְחַתּוּ**, יישברו **גִבּוֹרֶיךָ, תֵּימָן**, חלק מארץ אדום, אולי
משפחה או עיר בתוכה.[195] גיבורי תימן יישברו **לְמַעַן**, וכתוצאה מכך
יִכָּרֶת־אִישׁ, יושמדו אנשים **מֵהַר**, מרכס הרי **עֵשָׂו מִקָּטֶל**, מרוב הרג.

לאחר תיאור המפלה מובאת סיבתה: י **מֵחֲמַס** שעשית **לְאָחִיךָ יַעֲקֹב
תְּכַסְּךָ בוּשָׁה**, מפח נפש נוכח הכישלון, **וְנִכְרַתָּ לְעוֹלָם**. יא חמסך הופיע
בצורות שונות - **בְּיוֹם עֲמָדְךָ מִנֶּגֶד, בְּיוֹם שְׁבוֹת זָרִים חֵילוֹ**, כאשר עמים
זרים לקחו בשבי את רכושו של אחיך יעקב ואת צבאו, **וְנָכְרִים בָּאוּ
בִשְׁעָרָיו, וְעַל־יְרוּשָׁלִַם יַדּוּ**, הפילו **גוֹרָל**. כשכמה צבאות נערכים לכבוש
עיר ורוצים להימנע מקטטות בשעת הביזה, הם מחלקים ביניהם
את אזורי העיר השונים באמצעות גורלות. **גַּם־אַתָּה** היית **כְּאַחַד
מֵהֶם**. לא רק שעמדת מנגד נוכח מצוקת אחיך, לא רק שעודדת
את אויביו ושמחת במפלתו, היו מקרים שאף הצטרפת בעצמך
למלחמה על יהודה. אולי לא היה לך די כוח לעשות זאת לבדך, אבל
שיתפת פעולה עם הכובש.[196] יב **וְאַל־תֵּרֶא**, לא היית צריך לראות
בחיוב **בְיוֹם** מפלת **אָחִיךָ, בְּיוֹם נָכְרוֹ**, אסונו, ביום שהכול מתנכרים
אליו.[197] **וְאַל־תִּשְׂמַח**, לא היה ראוי שתשמח **לִבְנֵי־יְהוּדָה בְּיוֹם אָבְדָם,
וְאַל־תַּגְדֵּל פִּיךָ** בלעג עליהם **בְּיוֹם צָרָה**. יג **אַל־תָּבוֹא בְשַׁעַר־עַמִּי בְּיוֹם
אֵידָם**, שברם. **אַל־תֵּרֶא גַם־אַתָּה**, האח, **בְּרָעָתוֹ בְּיוֹם אֵידוֹ, וְאַל־תִּשְׁלַחְנָה**
ידיים **בְחֵילוֹ**, ברכושו **בְּיוֹם אֵידוֹ**. יד **וְאַל־תַּעֲמֹד עַל־הַפֶּרֶק**, על פרשת
דרכים **לְהַכְרִית אֶת־פְּלִיטָיו**. האדומים עמדו בהסתעפות הדרכים
והשמידו את פליטי יהודה שניסו לעבור ממקום למקום. **וְאַל־תַּסְגֵּר
את שְׂרִידָיו**, שרידי יהודה לאויבים **בְּיוֹם צָרָה**. ממלכת יהודה משלה
באדומים שנים רבות, ותבוסתה חיזקה את האדומים.

כָּל־הַגּוֹיִ֑ם כַּאֲשֶׁ֤ר עָשִׂ֙יתָ֙ יֵעָ֣שֶׂה לָּ֔ךְ גְּמֻלְךָ֖ יָשׁ֥וּב
בְּרֹאשֶֽׁךָ׃ כִּ֗י כַּאֲשֶׁ֤ר שְׁתִיתֶם֙ עַל־הַ֣ר קָדְשִׁ֔י יִשְׁתּ֥וּ טז
כָֽל־הַגּוֹיִ֖ם תָּמִ֑יד וְשָׁת֣וּ וְלָע֔וּ וְהָי֖וּ כְּל֥וֹא הָיֽוּ׃ וּבְהַ֥ר יז
צִיּ֛וֹן תִּהְיֶ֥ה פְלֵיטָ֖ה וְהָ֣יָה קֹ֑דֶשׁ וְיָֽרְשׁוּ֙ בֵּ֣ית יַעֲקֹ֔ב אֵ֖ת
מֽוֹרָשֵׁיהֶֽם׃ וְהָיָה֩ בֵית־יַעֲקֹ֨ב אֵ֜שׁ וּבֵ֧ית יוֹסֵ֣ף לֶהָבָ֗ה יח
וּבֵ֤ית עֵשָׂו֙ לְקַ֔שׁ וְדָלְק֥וּ בָהֶ֖ם וַאֲכָל֑וּם וְלֹֽא־יִהְיֶ֤ה
שָׂרִיד֙ לְבֵ֣ית עֵשָׂ֔ו כִּ֥י יְהוָ֖ה דִּבֵּֽר׃ וְיָרְשׁ֨וּ הַנֶּ֜גֶב אֶת־הַ֣ר יט
עֵשָׂ֗ו וְהַשְּׁפֵלָה֙ אֶת־פְּלִשְׁתִּ֔ים וְיָרְשׁוּ֙ אֶת־שְׂדֵ֣ה
אֶפְרַ֔יִם וְאֵ֖ת שְׂדֵ֣ה שֹׁמְר֑וֹן וּבִנְיָמִ֖ן אֶת־הַגִּלְעָֽד׃ וְגָלֻ֣ת כ
הַֽחֵל־הַ֠זֶּה לִבְנֵ֨י יִשְׂרָאֵ֤ל אֲשֶׁר־כְּנַעֲנִים֙ עַד־צָ֣רְפַ֔ת
וְגָלֻ֥ת יְרוּשָׁלִַ֖ם אֲשֶׁ֣ר בִּסְפָרַ֑ד יִֽרְשׁ֕וּ אֵ֖ת עָרֵ֥י הַנֶּֽגֶב׃
וְעָל֤וּ מֽוֹשִׁעִים֙ בְּהַ֣ר צִיּ֔וֹן לִשְׁפֹּ֖ט אֶת־הַ֣ר עֵשָׂ֑ו וְהָיְתָ֥ה כא
לַֽיהוָ֖ה הַמְּלוּכָֽה׃

ביאור

טו **כִּי־קָרוֹב יוֹם־ה׳**, יום הדין והנקמה **עַל־כָּל־הַגּוֹיִם**, ואז **כַּאֲשֶׁר עָשִׂיתָ**
יֵעָשֶׂה לָּךְ, גְּמֻלְךָ יָשׁוּב בְּרֹאשֶׁךָ. טז **כִּי כַּאֲשֶׁר שְׁתִיתֶם**, כנגד חגיגותיכם
עַל־הַר קָדְשִׁי, במפלת ישראל, כך **יִשְׁתּוּ כָל־הַגּוֹיִם תָּמִיד** את כוסות
החמה והזעם,[198] **וְשָׁתוּ וְלָעוּ**, יבלעו,[199] או: ישתנקו ויסתבכו,[200]
ולבסוף **וְהָיוּ כְּלוֹא הָיוּ**. הם ימותו. יז ואילו **בְהַר צִיּוֹן תִּהְיֶה** ביום ה׳
פְלֵיטָה, וְהָיָה ההר **קֹדֶשׁ**, ולא יתחלל, **וְיָרְשׁוּ בֵּית יַעֲקֹב אֵת מוֹרָשֵׁיהֶם**,
מורישיהם, בוזזיהם. יח **וְהָיָה בֵית־יַעֲקֹב אֵשׁ וּבֵית יוֹסֵף לֶהָבָה וּבֵית**
עֵשָׂו, האדומים יהיו **לְקַשׁ, וְדָלְקוּ** האש והלהבה **בָהֶם וַאֲכָלוּם. וְלֹא־**
יִהְיֶה שָׂרִיד לְבֵית עֵשָׂו, כִּי ה׳ דִּבֵּר.

ביום גאולת ישראל ישתנו הגבולות: יט **וְיָרְשׁוּ** תושבי **הַנֶּגֶב**, שמשבט
יהודה או שמעון **אֶת־הַר עֵשָׂו**, ויושבי **הַשְּׁפֵלָה** של ישראל יירשו
אֶת־פְּלִשְׁתִּים הסמוכים להם, **וְיָרְשׁוּ** גם **אֶת־שְׂדֵה אֶפְרַיִם וְאֵת שְׂדֵה**
שֹׁמְרוֹן, בירת אפרים, **וּבִנְיָמִן** יירש **אֶת־הַגִּלְעָד**. נחלת בנימין מגיעה
עד הירדן, אבל אז לא יהיה מי שימנע את המשך התפשטותם גם
מעבר לו אל הגלעד.[201] כ **וְגָלֻת הַחֵל**, החיל **הַזֶּה**, החיילים והקהל
הגולים **לִבְנֵי יִשְׂרָאֵל אֲשֶׁר** בארץ **הַכְּנַעֲנִים עַד־צָרְפַת**. עיר בצידון
שאליה גלה אליהו הנביא בשעתו.[202] אולם מסורת עתיקה זיהתה
את צרפת עם הארץ שנקראת כך בימינו.[203] **וְגָלֻת יְרוּשָׁלַםִ אֲשֶׁר**
בִּסְפָרַד, העיר סרדיס באסיה הקטנה.[204] היהודים שגלו לארצות
רחוקות ישובו **וְיִרְשׁוּ אֵת עָרֵי הַנֶּגֶב**, שלא יהיו מאוכלסות ביותר,
משום שאנשיהן התפשטו להר עשָׂו. כא ולבסוף **עָלוּ מוֹשִׁעִים**, מנהיגי
ישראל **בְּהַר צִיּוֹן לִשְׁפֹּט אֶת** השרידים[205] **שבהַר עֵשָׂו**. אז כשייעשה
בהם דין ותכלה הרשעה כולה, לא יהיה כופר במלכות שמים וטוען
לאל אחר – **וְהָיְתָה לַה׳ הַמְּלוּכָה**.[206]

העולם

ספרד על פי כתובות מהתקופה הפרסית זוהתה עם סרדיס, בירתה של ממלכת לידיה הקדומה, הממקומות כ-80 ק״מ ממזרח לאיזמיר במערב טורקיה של היום.

הפטרת וישב (כשאינה בחנוכה)

עמוס

כֹּ֚ה אָמַ֣ר יְהוָ֔ה עַל־שְׁלֹשָׁה֙ פִּשְׁעֵ֣י יִשְׂרָאֵ֔ל וְעַל־ ו ב
אַרְבָּעָ֖ה לֹ֣א אֲשִׁיבֶ֑נּוּ עַל־מִכְרָ֤ם בַּכֶּ֙סֶף֙ צַדִּ֔יק וְאֶבְי֖וֹן
בַּעֲב֥וּר נַעֲלָֽיִם׃ הַשֹּׁאֲפִ֤ים עַל־עֲפַר־אֶ֙רֶץ֙ בְּרֹ֣אשׁ ז
דַּלִּ֔ים וְדֶ֥רֶךְ עֲנָוִ֖ים יַטּ֑וּ וְאִ֣ישׁ וְאָבִ֗יו יֵלְכוּ֙ אֶל־הַֽנַּעֲרָ֔ה
לְמַ֥עַן חַלֵּ֖ל אֶת־שֵׁ֥ם קָדְשִֽׁי׃ וְעַל־בְּגָדִ֤ים חֲבֻלִים֙ יַטּ֔וּ ח
אֵ֖צֶל כָּל־מִזְבֵּ֑חַ וְיֵ֣ין עֲנוּשִׁ֗ים יִשְׁתּ֔וּ בֵּ֖ית אֱלֹהֵיהֶֽם׃
וְאָנֹ֜כִי הִשְׁמַ֤דְתִּי אֶת־הָֽאֱמֹרִי֙ מִפְּנֵיהֶ֔ם אֲשֶׁ֨ר כְּגֹ֤בַהּ ט
אֲרָזִים֙ גָּבְה֔וֹ וְחָסֹ֥ן ה֖וּא כָּאַלּוֹנִ֑ים וָאַשְׁמִ֤יד פִּרְיוֹ֙
מִמַּ֔עַל וְשָׁרָשָׁ֖יו מִתָּֽחַת׃ וְאָנֹכִ֛י הֶעֱלֵ֥יתִי אֶתְכֶ֖ם י

תוכחה ופורענות
על עוולות, חילול ה׳
והמתריסים כנגד הנביא

את המלים שבפי עמוס בתיאור הפשע הראשון של ישראל, עַל מִכְרָם בַּכֶּסֶף צַדִּיק, דרשו חכמים בדורות מאוחרים כרמז למכירת יוסף המסופרת בפרשה.[207] גם חלומותיו של יוסף ויכולתו לפתור חלומות קשורים לדברי עמוס על האפשרות להינבא שה׳ מעניק לבני אדם כדי להדריכם בדרך ישרה ולהעמידם מול העתיד לבוא.

עמוס פרק ב ו כֹּה אָמַר ה׳: עַל־שְׁלֹשָׁה פִּשְׁעֵי ממלכת יִשְׂרָאֵל, וְעַל־ | ביאור
אַרְבָּעָה לֹא אֲשִׁיבֶנּוּ, לא אשיב את גזר דיני או חרון אפי מישראל.
או: לא אפטור אותו מעונשו, לא אנהג כשופט המשיב אל מעמדו
הקודם ואל מקומו את מי שזוכה בדין. כלומר, על ריבוי פשעיהם לא
אסלח: עַל־מִכְרָם בעד כֶּסֶף את הַצַּדִּיק. הם מטים את הדין ומוכרים
את מי שיצא צודק בדינו בעבור בצע כסף, וְאֶבְיוֹן בַּעֲבוּר נַעֲלָיִם. את
המסכן הם מוכרים למען רווחים של מה בכך.[208] ז הַשֹּׁאֲפִים, שפים,
דורכים[209] עַל־עֲפַר־אֶרֶץ ולמעשה הם דורסים בְּרֹאשׁ דַּלִּים. בעלי
הכוח דורסים ללא התחשבות את הדלים כאילו היו עפר לדריכה,
וְדֶרֶךְ עֲנָוִים יַטּוּ. הם מאלצים את העניים או את הצדיקים לנטות
מדרך הישר, לנהוג שלא ביושר או להתחבא, וְאִישׁ וְאָבִיו יֵלְכוּ יחד
אֶל־הַנַּעֲרָה לזנות, לְמַעַן חַלֵּל אֶת־שֵׁם קָדְשִׁי. מעשה משותף זה של
אב עם בנו מעיד על איבוד רגש הבושה. אין כאן רק כניעה לתאווה
אלא הפגנה של אדישות וקהות מוסרית, כאילו אין עוד גבולות,
ובכך מתחלל שם ה׳.[210] ח וְעַל־בְּגָדִים חֲבֻלִים, ממושכנים שלא
הוחזרו לבעליהם יַטּוּ, יסבו בסעודה אֵצֶל, ליד כָּל־מִזְבֵּחַ של עבודה
זרה. וְיֵין עֲנוּשִׁים, יין שנקנה מכספי קנסות והיטלים שרירותיים
יִשְׁתּוּ המנהיגים בְּבֵית אֱלֹהֵיהֶם. במעשים אלה מעורבים יחד מידות
רעות, עוול וחילול ה׳.

ט וְאָנֹכִי הלוא הִשְׁמַדְתִּי אֶת מלכי הָאֱמֹרִי הגדולים מִפְּנֵיהֶם, אֲשֶׁר
כְּגֹבַהּ אֲרָזִים גָּבְהוֹ וְחָסֹן הוּא כָּאַלּוֹנִים. האמוריים היו ידועים
כאנשים גדולים וחסונים, ולמרות זאת - וָאַשְׁמִיד פִּרְיוֹ מִמַּעַל
וְשָׁרָשָׁיו מִתָּחַת למען ישראל. י וְאָנֹכִי הֶעֱלֵיתִי אֶתְכֶם מֵאֶרֶץ מִצְרָיִם,

מֵאֶ֣רֶץ מִצְרָ֑יִם וָאוֹלֵ֨ךְ אֶתְכֶ֤ם בַּמִּדְבָּר֙ אַרְבָּעִ֣ים שָׁנָ֔ה
יא לָרֶ֖שֶׁת אֶת־אֶ֥רֶץ הָאֱמֹרִֽי׃ וָאָקִ֤ים מִבְּנֵיכֶם֙ לִנְבִיאִ֔ים
וּמִבַּחוּרֵיכֶ֖ם לִנְזִרִ֑ים הַאַ֥ף אֵין־זֹ֛את בְּנֵ֥י יִשְׂרָאֵ֖ל נְאֻם־
יב יְהוָֽה׃ וַתַּשְׁק֥וּ אֶת־הַנְּזִרִ֖ים יָ֑יִן וְעַל־הַנְּבִיאִים֙ צִוִּיתֶ֣ם
יג לֵאמֹ֔ר לֹ֖א תִּנָּבְאֽוּ׃ הִנֵּ֛ה אָנֹכִ֥י מֵעִ֖יק תַּחְתֵּיכֶ֑ם כַּאֲשֶׁ֣ר
יד תָּעִיק֙ הָעֲגָלָ֔ה הַֽמְלֵאָ֥ה לָ֖הּ עָמִֽיר׃ וְאָבַ֤ד מָנוֹס֙ מִקָּ֔ל
טו וְחָזָ֖ק לֹא־יְאַמֵּ֣ץ כֹּח֑וֹ וְגִבּ֖וֹר לֹא־יְמַלֵּ֥ט נַפְשֽׁוֹ׃ וְתֹפֵ֤שׂ
הַקֶּ֙שֶׁת֙ לֹ֣א יַעֲמֹ֔ד וְקַ֥ל בְּרַגְלָ֖יו לֹ֣א יְמַלֵּ֑ט וְרֹכֵ֣ב הַסּ֔וּס
טז לֹ֥א יְמַלֵּ֖ט נַפְשֽׁוֹ׃ וְאַמִּ֥יץ לִבּ֖וֹ בַּגִּבּוֹרִ֑ים עָר֛וֹם יָנ֥וּס
ג א בַּיּוֹם־הַה֖וּא נְאֻם־יְהוָֽה׃ שִׁמְע֞וּ אֶת־
הַדָּבָ֣ר הַזֶּ֗ה אֲשֶׁ֨ר דִּבֶּ֧ר יְהוָ֛ה עֲלֵיכֶ֖ם בְּנֵ֣י יִשְׂרָאֵ֑ל עַ֚ל
כָּל־הַמִּשְׁפָּחָ֔ה אֲשֶׁ֧ר הֶעֱלֵ֛יתִי מֵאֶ֥רֶץ מִצְרַ֖יִם לֵאמֹֽר׃
ב רַ֚ק אֶתְכֶ֣ם יָדַ֔עְתִּי מִכֹּ֖ל מִשְׁפְּח֣וֹת הָאֲדָמָ֑ה עַל־כֵּ֗ן

הרחבות

'רק אתכם ידעתי... על כן אפקד עליכם את כל עוֹנֹתיכם' הפועל 'לדעת' איננו מורה על ידיעה חיצונית כאיסוף אינפורמציה, אלא על אהבה והתקשרות. כך המונח 'מודע' אינו מציין מכר אלא ידיד קרוב. הפסוק מבטא את קרבתם המיוחדת של ישראל לאלוקים ומכאן נגזרת ההקפדה הרבה על חטאיהם. בכך עונה הנביא על השאלה מדוע עונשיהם של ישראל חמורים מאלו של עמים אחרים, שאף הם אינם מתנהגים כראוי. התשובה היא ששאר הגויים זרים יותר לה', וה' מייסר את ישראל כהורים המייסרים את ילדם שלהם ולא את ילדי השכנים. כעומק הקשר כך גודל האחריות (ראו רד"ק ומצודת דוד).

ביאור
וָאוֹלֵךְ אֶתְכֶם בַּמִּדְבָּר תחת חסותי **אַרְבָּעִים שָׁנָה לָרֶשֶׁת אֶת־אֶרֶץ**
הָאֱמֹרִי, כנען. יא לא רק טובות גשמיות העניקתי לכם - **וָאָקִים**
מִבְּנֵיכֶם לִנְבִיאִים. נתתי לאנשים מכם את היכולת להיות נביאַי או
מתלמידיהם, 'בני הנביאים', **וּמִבַּחוּרֵיכֶם** הקמתי **לִנְזִרִים**. העמדתי לכם
מורים רוחניים ואנשי מופת - **הַאַף אֵין־זֹאת**, הלוא כן **בְּנֵי יִשְׂרָאֵל**,
נְאֻם־ה'?! יב ואתם כפרתם בטובה **וַתַּשְׁקוּ אֶת־הַנְּזִרִים יָיִן**. הכרחתם
אותם לעבור על נזירותם, **וְעַל־הַנְּבִיאִים צִוִּיתֶם לֵאמֹר: "לֹא תִּנָּבְאוּ"**.
במקום לראות בנבואה חסד ה' עליכם ולקבלה באהבה ובתודה,
התרסתם נגד הנביאים ודחיתם את דבריהם.

יג אשר על כן, **הִנֵּה אָנֹכִי מֵעִיק**, לוחץ ומכביד ידי עליכם עד שתכרעו
תַּחְתֵּיכֶם, במקומכם, **כַּאֲשֶׁר תָּעִיק הָעֲגָלָה הַמְלֵאָה לָהּ עָמִיר**, עומרים.
כמו עגלה עמוסת תבואה הכורעת במקומה מכובד המשא. יד **וְאָבַד**
מָנוֹס מִקָּל. קלי המרוץ לא יצליחו לנוס, **וְחָזָק לֹא־יְאַמֵּץ כֹּחוֹ** לעמוד
על נפשו, כי יהיו חזקים ממנו, **וְגִבּוֹר לֹא־יְמַלֵּט נַפְשׁוֹ**. טו **וְתֹפֵשׂ**
הַקֶּשֶׁת לֹא יַעֲמֹד. מלבד הקשתות הקטנות ששימשו ליורים מעל
גבי מרכבות מלחמה, היו במערך המלחמה תופשי קשת שתפקידם
לעמוד מרחוק ולירות בנשק כבד. בזמן המפלה תופש הקשת יברח
ולא יעמוד במקומו. **וְקַל בְּרַגְלָיו לֹא יְמַלֵּט** את עצמו, ואפילו **רֹכֵב**
הַסּוּס לֹא יְמַלֵּט נַפְשׁוֹ. טז **וְאַמִּיץ לִבּוֹ**, האמיץ **שֶׁבַּגִּבּוֹרִים**, היוצא
למלחמה בשריון וכלי נשק כבדים - **עָרוֹם יָנוּס בַּיּוֹם־הַהוּא**, ישליך
את כל מה שמכביד עליו כדי לברוח מהר ככל האפשר. **נְאֻם־ה'**.
יהיו שיברחו ויהיו שייהרגו. מפלה גמורה ומבישה זו תבוא לישראל
כעונש על התנהגותם בחייהם האזרחיים, על העוולות שעוללו, על
זנותם ועל העבודה הזרה שפשתה בהם.

בהמשך לנאמר בנבואה הקודמת על המפלה שעתידה לבוא על
בית ישראל, מגיעה נבואה ציורית יותר, ובה מספר דימויים שלהם
משמעות אחת. פרק ג א **שִׁמְעוּ אֶת־הַדָּבָר הַזֶּה אֲשֶׁר דִּבֶּר ה' עֲלֵיכֶם**
בְּנֵי יִשְׂרָאֵל, אף על פי שהדברים מתייחסים לממלכת ישראל ולבירתה
שומרון, הנבואה הזאת מדברת למעשה **עַל כָּל־הַמִּשְׁפָּחָה אֲשֶׁר הֶעֱלֵיתִי**
מֵאֶרֶץ מִצְרַיִם, לֵאמֹר: ב **רַק אֶתְכֶם יָדַעְתִּי**, קשרתי אתכם קשר קרוב

ג אֶפְקֹד עֲלֵיכֶם אֵת כָּל־עֲוֺנֹתֵיכֶם׃ הֲיֵלְכוּ שְׁנַיִם יַחְדָּו
ד בִּלְתִּי אִם־נוֹעָדוּ׃ הֲיִשְׁאַג אַרְיֵה בַּיַּעַר וְטֶרֶף אֵין לוֹ
ה הֲיִתֵּן כְּפִיר קוֹלוֹ מִמְּעֹנָתוֹ בִּלְתִּי אִם־לָכָד׃ הֲתִפֹּל
צִפּוֹר עַל־פַּח הָאָרֶץ וּמוֹקֵשׁ אֵין לָהּ הֲיַעֲלֶה־פַּח מִן־
ו הָאֲדָמָה וְלָכוֹד לֹא יִלְכּוֹד׃ אִם־יִתָּקַע שׁוֹפָר בְּעִיר
וְעָם לֹא יֶחֱרָדוּ אִם־תִּהְיֶה רָעָה בְּעִיר וַיהוָה לֹא
ז עָשָׂה׃ כִּי לֹא יַעֲשֶׂה אֲדֹנָי יֱהֹוִה דָּבָר כִּי אִם־גָּלָה
ח סוֹדוֹ אֶל־עֲבָדָיו הַנְּבִיאִים׃ אַרְיֵה שָׁאָג מִי לֹא יִירָא
אֲדֹנָי יֱהֹוִה דִּבֶּר מִי לֹא יִנָּבֵא׃

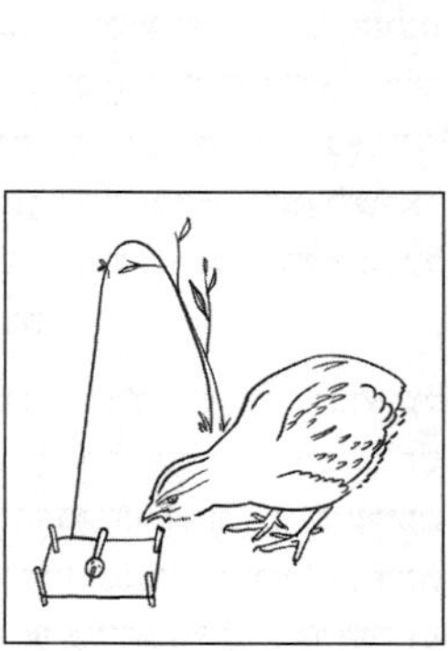

מלכודת ('פח')

העולם | 'היעלה פח מן האדמה' מלכודת המורכבת מעצם גמישה בצורת קשת שהוטמנה בקרקע. את המיתר המחובר לה מתחו באמצעות בריח מעץ שאליו הוצמד פיתיון. אכילת הפיתיון משחררת את המיתר, ובעל החיים נלכד בקשת. יש

יותר מִכֹּל מִשְׁפְּחוֹת הָאֲדָמָה, עַל־כֵּן אֶפְקֹד עֲלֵיכֶם אֵת כָּל־עֲוֹנֹתֵיכֶם. | ביאור

הנביא ממחיש קביעה זו באמצעות שורה של שאלות רטוריות ובהן
דימויים: ג **הֲיֵלְכוּ שְׁנַיִם יַחְדָּו בִּלְתִּי אִם־נוֹעָדוּ?!** כאשר שני אנשים
הולכים יחד בדרך, האם אין פירוש הדבר שהם קבעו להיפגש?!
אין להניח שאנשים שנפגשו באופן אקראי לחלוטין ימשיכו ללכת
יחד לאורך כל הדרך. ד **הֲיִשְׁאַג אַרְיֵה בַּיַּעַר - וְטֶרֶף אֵין לוֹ?!** האריה
איננו שואג סתם לשם שעשוע. שאגותיו באות להחריד את בעלי
החיים שבאזור כשהוא יוצא לטרוף, או שהן משמשות להזעיק את
שותפיו לצאת לציד. **הֲיִתֵּן כְּפִיר**, אריה צעיר **קוֹלוֹ מִמְּעֹנָתוֹ**, ממקום
רבצו, **בִּלְתִּי אִם־לָכָד?!** כאשר הוא עומד ללכוד או שכבר לכד
משהו. ה גם הדימויים הבאים ממחישים דברים הבאים יחד - **הֲתִפֹּל
צִפּוֹר עַל־פַּח**, מלכודת מונחת על **הָאָרֶץ - וּמוֹקֵשׁ**, מכשול **אֵין לָהּ**,
כשאין לה פיתיון או מנגנון לוכד כלשהו?! ובאותו אופן, **הֲיַעֲלֶה־
פַּח מִן־הָאֲדָמָה וְלָכוֹד לֹא יִלְכּוֹד?!** המלכודת לא תקפוץ מהקרקע
אם ציפור אינה נלכדת בה. ו **אִם־יִתָּקַע שׁוֹפָר**, סימן אזהרה **בְּעִיר,
וְעָם לֹא יֶחֱרָדוּ?!** משמעות הדימויים הללו היא - **אִם־תִּהְיֶה רָעָה
בְּעִיר, וַה' לֹא עָשָׂה?!** האם אתם חושבים שתקרה רעה במקרה,
ולא על פי ה'?! ז **כִּי לֹא יַעֲשֶׂה ה' אלוהים דָּבָר** בעולם, **כִּי אִם־גָּלָה**,
גילה **סוֹדוֹ אֶל־עֲבָדָיו הַנְּבִיאִים** תחילה, כדי שיזהירו את העם. לכן
הנביאים יודעים תמיד את הדברים העומדים להתרחש, והם מגלים
אותם בנבואתם. ח **אַרְיֵה שָׁאָג - מִי לֹא יִירָא?!** כשאריה שואג - כל
אחד מפחד, וכך - **ה' אלוהים דִּבֶּר** לאדם כלשהו - **מִי לֹא יִנָּבֵא?!**
לא ייתכן שהשומע את דבר ה' לא יינבא. הנביא מרגיש שכאשר
ה' מדבר, כל מי ששומע את קולו חייב להתנבא, גם אם הנבואה
איננה נעימה ומנחמת כלל.

העולם | שהפח נעשה מלולאת חוט שנקשרה לענף מכופף המונח על גבי הקרקע או מוטמן בה. במרכז הלולאה הונח פיתיון שמשקלו החזיק את הלולאה הרופפת. אכילת הפיתיון גורמת לשחרור הענף, והידוק הלולאה על בעל החיים.

הפטרת שבת ראשונה של חנוכה

זכריה

ב יד רָנִּי וְשִׂמְחִי בַּת־צִיּוֹן כִּי הִנְנִי־בָא וְשָׁכַנְתִּי בְתוֹכֵךְ
טו נְאֻם־יְהוָה׃ וְנִלְווּ גוֹיִם רַבִּים אֶל־יְהוָה בַּיּוֹם הַהוּא
וְהָיוּ לִי לְעָם וְשָׁכַנְתִּי בְתוֹכֵךְ וְיָדַעַתְּ כִּי־יְהוָה צְבָאוֹת
טז שְׁלָחַנִי אֵלָיִךְ׃ וְנָחַל יְהוָה אֶת־יְהוּדָה חֶלְקוֹ עַל
יז אַדְמַת הַקֹּדֶשׁ וּבָחַר עוֹד בִּירוּשָׁלִָם׃ הַס כָּל־בָּשָׂר
ג א מִפְּנֵי יְהוָה כִּי נֵעוֹר מִמְּעוֹן קָדְשׁוֹ׃ וַיַּרְאֵנִי
אֶת־יְהוֹשֻׁעַ הַכֹּהֵן הַגָּדוֹל עֹמֵד לִפְנֵי מַלְאַךְ יְהוָה
ב וְהַשָּׂטָן עֹמֵד עַל־יְמִינוֹ לְשִׂטְנוֹ׃ וַיֹּאמֶר יְהוָה אֶל־
הַשָּׂטָן יִגְעַר יְהוָה בְּךָ הַשָּׂטָן וְיִגְעַר יְהוָה בְּךָ הַבֹּחֵר
ג בִּירוּשָׁלִָם הֲלוֹא זֶה אוּד מֻצָּל מֵאֵשׁ׃ וִיהוֹשֻׁעַ הָיָה
ד לָבֻשׁ בְּגָדִים צוֹאִים וְעֹמֵד לִפְנֵי הַמַּלְאָךְ׃ וַיַּעַן וַיֹּאמֶר
אֶל־הָעֹמְדִים לְפָנָיו לֵאמֹר הָסִירוּ הַבְּגָדִים הַצֹּאִים
מֵעָלָיו וַיֹּאמֶר אֵלָיו רְאֵה הֶעֱבַרְתִּי מֵעָלֶיךָ עֲוֺנֶךָ

הרחבות 'אוּד מֻצָּל מאש' לפי מסורת חז"ל רק כשישית ממשפחות הכהונה עלו – אם משום ששאר בתי הכהנים נכחדו, ואם מפני שלא רצו לשוב לארץ (ראו תענית כז ע"א). ייתכן שמתוך אותם כהנים שהגיעו לארץ רק יהושע היה בנו של כהן גדול וגם נכדו של כהן גדול, ולכן ממנו עתידה להתחדש השושלת (ראו דברי הימים א' ה,מא; שיר השירים רבה ה,ח).

עוונו של יהושע אינו מפורש כאן. ייתכן שמדובר במעשים שאיש לא ידע עליהם מלבד הכהן הגדול עצמו. לפי המסורת מרמז הבגד הצואה שעטה יהושע על פגם במשפחתו. ידוע שנכדו של יהושע הכהן הגדול התחתן עם בתו של סנבלט, מנהיג השומרונים, ואולי מנישואין אלה קמה שושלת הכהונה הגדולה שלהם (ראו עזרא י,יח; נחמיה יג,כח; סנהדרין צג ע"א; ראב"ע פס' ג).

הפטרה לשבת ראשונה של חנוכה

מראות זכריה הנביא

ההפטרה שתוקנה לחנוכה קשורה לחיזיון שחזה זכריה הנביא על בניין בית המקדש השני, ובמרכזו מנורה וזרימת שמן. ימי החנוכה מעלים את זכר החשמונאים שבאו מזרע הכהונה הגדולה, ובכל זאת הנהיגו את העם בהקשרים פוליטיים וצבאיים. ההפטרה מזכירה את הדגם המקובל בעם ישראל שבו מפוצלת ההנהגה בין כהנים מצאצאי אהרן, כיהושע הכהן הגדול, לבין מושלים מזרע דוד, כזרובבל.

בימיו של זכריה הייתה ירושלים שוממה, היישוב בה דליל, וסובביו התנכלו לו. זכריה הנביא, שכנראה היה מן העולים המועטים שעלו עם זרובבל מבבל אחרי הצהרת כורש, מחזק את יהושע הכהן הגדול ואת זרובבל, ואולי באמצעותם את יושבי ירושלים בכלל, מעודד את בניין המקדש ומבשר לירושלים שהיא עתידה לשוב לגדולתה.

זכריה פרק ב יד **רָנִּי**, שירי **וְשִׂמְחִי, בַּת־צִיּוֹן, כִּי הִנְנִי־בָא וְשָׁכַנְתִּי** | ביאור
בְתוֹכֵךְ. נְאֻם־ה׳. טו **וְנִלְווּ גוֹיִם רַבִּים אֶל־ה׳ בַּיּוֹם הַהוּא וְהָיוּ לִי לְעָם**
אתך יחד, **וְשָׁכַנְתִּי בְתוֹכֵךְ**, וכאשר תראי זאת – **וְיָדַעַתְּ כִּי־ה׳ צְבָאוֹת**
שְׁלָחַנִי אֵלָיִךְ. טז **וְנָחַל**, ינחיל[211] **ה׳ אֶת־יְהוּדָה** את **חֶלְקוֹ עַל אַדְמַת**
הַקֹּדֶשׁ. ה׳ ישיב ליהודה את נחלתו, **וּבָחַר עוֹד**, שוב **בִּירוּשָׁלִָם.** יז **הַס**,
החרישו **כָּל בָּשָׂר מִפְּנֵי ה׳, כִּי נֵעוֹר**, התעורר **מִמְּעוֹן**, מבית **קָדְשׁוֹ**, מן
השמים.[212] כבר עתה ה׳ בא להושיעך ולשכון בך.

פרק ג א **וַיַּרְאֵנִי ה׳** בחזון הנבואה **אֶת־יְהוֹשֻׁעַ הַכֹּהֵן הַגָּדוֹל עֹמֵד לִפְנֵי**
מַלְאַךְ ה׳, וְהַשָּׂטָן, הקטגור העליון שלו **עֹמֵד עַל־יְמִינוֹ לְשִׂטְנוֹ**, לקטרג
עליו ולמנוע ממנו לכהן. ב **וַיֹּאמֶר ה׳ אֶל־הַשָּׂטָן: יִגְעַר ה׳ בְּךָ, הַשָּׂטָן**,
ולא יניח לך להמשיך לקטרג, **וְיִגְעַר ה׳ בְּךָ**, כי הוא **הַבֹּחֵר בִּירוּשָׁלִָם.**
כיצד תדבר רע על יהושע הכהן הגדול, **הֲלוֹא זֶה אוּד**, גזיר עץ שכבר
החל להישרף **שֶׁמֻּצָּל**, הצילו אותו **מֵאֵשׁ** הגלות[213] או החורבן?![214]
יהושע היה שריד, אולי יחידי, משושלת הכהונה הגדולה של ימי
הבית הראשון.

ג ובחזון – **יהוֹשֻׁעַ הָיָה לָבֻשׁ בְּגָדִים צוֹאִים**, מלוכלכים **וְעֹמֵד לִפְנֵי**
הַמַּלְאָךְ. ד **וַיַּעַן** המלאך[215] **וַיֹּאמֶר אֶל־הָעֹמְדִים לְפָנָיו.** מעמדו של
המלאך היה כמעמד שר או דיין היושב על כיסאו ולפניו עומדים
משרתים, והוא הורה להם **לֵאמֹר: הָסִירוּ** את **הַבְּגָדִים הַצֹּאִים מֵעָלָיו.**

וַיֹּאמֶר אֵלָיו המלאך ליהושע: **רְאֵה הֶעֱבַרְתִּי מֵעָלֶיךָ עֲוֹנֶךָ, וְהַלְבֵּשׁ**,
הלבשתי **אֹתְךָ מַחֲלָצוֹת**, בגדים נקיים. הבגדים המטונפים גילמו
חטא, והחלפתם הסמלית בחזון, משמעה טיהור.

ה **וָאֹמַר**: לא רק שיוחלפו הבגדים המלוכלכים בנקיים, אף **יָשִׂימוּ צָנִיף**

ה וְהַלְבֵּשׁ אֹתְךָ מַחֲלָצוֹת: וָאֹמַר יָשִׂימוּ צָנִיף טָהוֹר
עַל־רֹאשׁוֹ וַיָּשִׂימוּ הַצָּנִיף הַטָּהוֹר עַל־רֹאשׁוֹ וַיַּלְבִּשֻׁהוּ
ו בְּגָדִים וּמַלְאַךְ יְהוָה עֹמֵד: וַיָּעַד מַלְאַךְ יְהוָה בִּיהוֹשֻׁעַ
ז לֵאמֹר: כֹּה־אָמַר יְהוָה צְבָאוֹת אִם־בִּדְרָכַי תֵּלֵךְ וְאִם
אֶת־מִשְׁמַרְתִּי תִשְׁמֹר וְגַם־אַתָּה תָּדִין אֶת־בֵּיתִי וְגַם
תִּשְׁמֹר אֶת־חֲצֵרָי וְנָתַתִּי לְךָ מַהְלְכִים בֵּין הָעֹמְדִים
ח הָאֵלֶּה: שְׁמַע־נָא יְהוֹשֻׁעַ ׀ הַכֹּהֵן הַגָּדוֹל אַתָּה וְרֵעֶיךָ
הַיֹּשְׁבִים לְפָנֶיךָ כִּי־אַנְשֵׁי מוֹפֵת הֵמָּה כִּי־הִנְנִי
ט מֵבִיא אֶת־עַבְדִּי צֶמַח: כִּי ׀ הִנֵּה הָאֶבֶן אֲשֶׁר נָתַתִּי
לִפְנֵי יְהוֹשֻׁעַ עַל־אֶבֶן אַחַת שִׁבְעָה עֵינָיִם הִנְנִי
מְפַתֵּחַ פִּתֻּחָהּ נְאֻם יְהוָה צְבָאוֹת וּמַשְׁתִּי אֶת־עֲוֺן
י הָאָרֶץ־הַהִיא בְּיוֹם אֶחָד: בַּיּוֹם הַהוּא נְאֻם יְהוָה
צְבָאוֹת תִּקְרְאוּ אִישׁ לְרֵעֵהוּ אֶל־תַּחַת גֶּפֶן וְאֶל־

מצנפת הכהן הגדול ('צניף')

הרחבות | **'תדין את ביתי וגם תשמר את חצרָי'** מעבר להקרבת הקרבנות והקטרת הקטורת, שמירת משמרת הקודש (במדבר יח,ה) ושאר עבודות הקודש שהופקדו בידי הכהנים, היה הכהן גם מלמד את התורה ומשפטיה (דברים לג,י) וכן דן בענייניהם של ישראל (דברים יז,ט). הכהן הגדול היה אפוא ראש לתפקידים הללו. במשך

ביאור | טָהוֹר, מצנפת הכהן הגדול העשויה אריג ארוך שנכרך פעמים רבות
סביב הראש כטורבן,[216] עַל־רֹאשׁוֹ. וַיָּשִׂימוּ הַצָּנִיף הַטָּהוֹר עַל־רֹאשׁוֹ
וַיַּלְבִּשֻׁהוּ בְּגָדִים נאים, וּמַלְאַךְ ה׳ עֹמֵד ומשגיח שהכול ייעשה כראוי.

כעת נפתחת בפני יהושע אפשרות חדשה: ו וַיָּעַד, התרה מַלְאַךְ
ה׳ בִּיהוֹשֻׁעַ לֵאמֹר: ז כֹּה־אָמַר ה׳ צְבָאוֹת: אִם־בִּדְרָכַי תֵּלֵךְ, וְאִם אֶת־
מִשְׁמַרְתִּי תִשְׁמֹר, וְגַם־אַתָּה תָּדִין, תדון אֶת־בֵּיתִי, תנהל כראוי את
המקדש, וְגַם תִּשְׁמֹר אֶת־חֲצֵרָי – וְנָתַתִּי לְךָ מַהְלְכִים, תוכל להתהלך
בֵּין הָעֹמְדִים הָאֵלֶּה, המלאכים, העומדים לפני ה׳, המשמשים
במשפטו של יהושע. מעתה לא תהיה רק הממונה על המקדש
בירושלים של מטה, אלא יהיה לך מקום גם במחיצתם של מלאכי
מעלה.[217] ח שְׁמַע־נָא, יְהוֹשֻׁעַ הַכֹּהֵן הַגָּדוֹל, אַתָּה וְרֵעֶיךָ הַיֹּשְׁבִים
לְפָנֶיךָ, ראשי הכהנים שעלו עם זרובבל, כִּי־אַנְשֵׁי מוֹפֵת הֵמָּה, אנשי
מעלה הם. כִּי־הִנְנִי מֵבִיא אֶת־עַבְדִּי צֶמַח, הוא זרובבל, המנהיג
הפוליטי ביהודה.[218] ט כִּי הִנֵּה הָאֶבֶן אֲשֶׁר נָתַתִּי לִפְנֵי יְהוֹשֻׁעַ – עַל־
אֶבֶן אַחַת שִׁבְעָה עֵינָיִם, גוונים. זוהי אבן טובה מיוחדת בעלת צבעים
אחדים, ולא זו בלבד – הִנְנִי מְפַתֵּחַ פִּתֻּחָהּ, אחקוק בה קישוטים, נְאֻם
ה׳ צְבָאוֹת, וּמַשְׁתִּי, אעזוב, אסיר אֶת עֲוֺן הָאָרֶץ־הַהִיא בְּיוֹם אֶחָד.
האבן שבחזון מגלמת את תפקידו של זרובבל בהקמת המקדש,[219]
שעתיד להביא לכפרת עוונם של ישראל. י בַּיּוֹם הַהוּא, נְאֻם ה׳
צְבָאוֹת, כאשר אתה, הכהן הגדול, תשתף פעולה עם עבדי, צמח,
ועוון הארץ יכופר, תִּקְרְאוּ אִישׁ לְרֵעֵהוּ ותזמינו זה את זה אֶל־תַּחַת
גֶּפֶן וְאֶל־תַּחַת תְּאֵנָה – חזון פסטורלי על חיי שלווה ופנאי להזמנת
אורחים בצלם של עצי הפרי.

ייתכן שחיזיון זה הביא את הנביא לנמנום או לתרדמה.[220]

הרחבות | הדורות נוספו על מעשים אלו גם תפקידים הקשורים לאחריות על הסדרים בבית ה׳, כגון בית דין של כהנים שעסקו בעיקר בייחוסם של הכהנים ובעניינים אחרים הקשורים אל הבית (ראו דברים כו,ג; שמואל א׳ א,ט-כו; מלכים א׳ א,לט-מה; רלב״ג שמואל ב׳ כ,כג; ספרי במדבר יח,ז; משנה ראש השנה א,ז; תוספתא מנחות ט,י).

ד א תַּחַת תְּאֵנָה׃ וַיָּשָׁב הַמַּלְאָךְ הַדֹּבֵר בִּי
ב וַיְעִירֵנִי כְּאִישׁ אֲשֶׁר־יֵעוֹר מִשְּׁנָתוֹ׃ וַיֹּאמֶר אֵלַי
מָה אַתָּה רֹאֶה ויאמר רָאִיתִי וְהִנֵּה מְנוֹרַת זָהָב (וָאֹמַר)
כֻּלָּהּ וְגֻלָּהּ עַל־רֹאשָׁהּ וְשִׁבְעָה נֵרֹתֶיהָ עָלֶיהָ
שִׁבְעָה וְשִׁבְעָה מוּצָקוֹת לַנֵּרוֹת אֲשֶׁר עַל־רֹאשָׁהּ׃
ג וּשְׁנַיִם זֵיתִים עָלֶיהָ אֶחָד מִימִין הַגֻּלָּה וְאֶחָד עַל־
ד שְׂמֹאלָהּ׃ וָאַעַן וָאֹמַר אֶל־הַמַּלְאָךְ הַדֹּבֵר בִּי
ה לֵאמֹר מָה־אֵלֶּה אֲדֹנִי׃ וַיַּעַן הַמַּלְאָךְ הַדֹּבֵר בִּי
וַיֹּאמֶר אֵלַי הֲלוֹא יָדַעְתָּ מָה־הֵמָּה אֵלֶּה וָאֹמַר לֹא
ו אֲדֹנִי׃ וַיַּעַן וַיֹּאמֶר אֵלַי לֵאמֹר זֶה דְּבַר־יְהוָה אֶל־
זְרֻבָּבֶל לֵאמֹר לֹא בְחַיִל וְלֹא בְכֹחַ כִּי אִם־בְּרוּחִי
ז אָמַר יְהוָה צְבָאוֹת׃ מִי־אַתָּה הַר־הַגָּדוֹל לִפְנֵי
זְרֻבָּבֶל לְמִישֹׁר וְהוֹצִיא אֶת־הָאֶבֶן הָרֹאשָׁה (התימנים מוסיפים)
ח תְּשֻׁאוֹת חֵן ׀ חֵן לָהּ׃ וַיְהִי דְבַר־
ט יְהוָה אֵלַי לֵאמֹר׃ יְדֵי זְרֻבָּבֶל יִסְּדוּ הַבַּיִת הַזֶּה
וְיָדָיו תְּבַצַּעְנָה וְיָדַעְתָּ כִּי־יְהוָה צְבָאוֹת שְׁלָחַנִי
אֲלֵיכֶם׃

הרחבות

זרובבל ייתכן שאף בשמו טמון רמז לצמיחה - אפשר שמשמעות שמו היא זרע בבל, כלומר הילד שנזרע בבבל (סנהדרין לח ע״א). זרובבל נשא בתפקיד של מעין פחה, שליט ביהודה. זכריה מדגיש בפני הכהן הגדול את מקומה של ההנהגה הפוליטית, משום שנדרש שיתוף פעולה ואיזון בין המנהיג הפוליטי,

הפטרה לשבת ראשונה של חנוכה

ביאור | פרק ד א על כן - **וַיָּשָׁב הַמַּלְאָךְ הַדֹּבֵר בִּי וַיְעִירֵנִי כְּאִישׁ אֲשֶׁר־יֵעוֹר**
מִשְּׁנָתוֹ. ב **וַיֹּאמֶר אֵלַי: מָה אַתָּה רֹאֶה?**

וָאֹמַר: רָאִיתִי וְהִנֵּה מְנוֹרַת זָהָב כֻּלָּהּ, מנורה שכולה עשויה זהב, **וְגֻלָּהּ,**
ספל ובתוכו שמן, כמין נביעת שמן,[221] או: צורת כדור[222] **עַל־רֹאשָׁהּ.**
וְשִׁבְעָה נֵרֹתֶיהָ, בזיכי השמן של המנורה[223] **עָלֶיהָ,** כמו במנורת המקדש.
שִׁבְעָה וְשִׁבְעָה, לכל נר משבעת הנרות היו שבעה[224] **מוּצָקוֹת,** צינורות
מושכי שמן מהגולה[225] **לַנֵּרוֹת אֲשֶׁר עַל־רֹאשָׁהּ.** ג **וּשְׁנַיִם זֵיתִים,** עצי
זית[226] **עָלֶיהָ,** סמוכים לה, **אֶחָד מִימִין הַגֻּלָּה וְאֶחָד עַל־שְׂמֹאלָהּ.**

ד **וָאַעַן וָאֹמַר אֶל הַמַּלְאָךְ הַדֹּבֵר בִּי לֵאמֹר: מָה אֵלֶּה, אֲדֹנִי?** מה משמעותו של החזון הזה?

ה **וַיַּעַן הַמַּלְאָךְ הַדֹּבֵר בִּי וַיֹּאמֶר אֵלַי: הֲלוֹא יָדַעְתָּ,** האם אינך יודע **מָה הֵמָּה אֵלֶּה?** הרי אתה אמור להבין דברים כאלה מדעתך.

וָאֹמַר: לֹא, אֲדֹנִי.

ו **וַיַּעַן וַיֹּאמֶר אֵלַי לֵאמֹר: זֶה דְּבַר־ה׳ אֶל־זְרֻבָּבֶל לֵאמֹר: לֹא בְחַיִל וְלֹא**
בְכֹחַ, כִּי אִם־בְּרוּחִי, אָמַר ה׳ צְבָאוֹת. חזון המנורה והזיתים מבטא
שפע ברכה שיגיע אליכם לא על ידי פעולה צבאית, אלא ברוח ה׳.
כשם שבחזון הכול קורה מאליו - השמן יוצא מהזיתים וזורם אל
הנרות, וכך הם דולקים ללא כל מאמץ אנושי, כך אתם לא תצטרכו
להפעיל כוח.[227] ז **מִי־אַתָּה, הַר־הַגָּדוֹל,** כל מי שעומד למכשול **לִפְנֵי**
זְרֻבָּבֶל - הוא יהפוך אותך **לְמִישֹׁר. וְהוֹצִיא** זרובבל **אֶת־הָאֶבֶן הָרֹאשָׁה,**
האבן הראשית, היא האבן שהונחה לפני יהושע הכהן הגדול,[228]
המסמלת את בניין המקדש.[229] ואז ישמיעו **תְּשֻׁאוֹת,** קריאות רמות
לכבוד האבן: **״חֵן חֵן לָהּ״.**[230]

ח **וַיְהִי דְבַר־ה׳ אֵלַי לֵאמֹר:** ט **יְדֵי זְרֻבָּבֶל יִסְּדוּ** את **הַבַּיִת הַזֶּה** בקושי,
בדוחק ובאופן סמלי בלבד, **וְיָדָיו** גם **תְּבַצַּעְנָה,** יסיימו את בניינו,
למרות העיכובים.[231] **וְיָדַעְתָּ כִּי־ה׳ צְבָאוֹת שְׁלָחַנִי אֲלֵיכֶם.**

הרחבות | שהיה צאצא של שושלת המלוכה מבית דוד, לבין הכהן, המנהיג הרוחני מזרע אהרן.

צמח כינוי זה מופיע גם בדברי ירמיהו (כג,ה; לג,טו) ביחס לצאצא מבית דוד שינהיג מחדש את היישוב ביהודה. ייתכן שהשם הזה אינו מכוון לאיש מסוים אלא לכל מנהיג גואל שיצא מזרע דוד.

הפטרת שבת שנייה של חנוכה

מלכים א

וַיַּעַשׂ חִירוֹם אֶת־הַכִּיֹּרוֹת וְאֶת־הַיָּעִים וְאֶת־ מ ז
הַמִּזְרָקוֹת וַיְכַל חִירָם לַעֲשׂוֹת אֶת־כָּל־הַמְּלָאכָה
אֲשֶׁר עָשָׂה לַמֶּלֶךְ שְׁלֹמֹה בֵּית יהוה׃ עַמֻּדִים שְׁנַיִם מא
וְגֻלֹּת הַכֹּתָרֹת אֲשֶׁר־עַל־רֹאשׁ הָעַמּוּדִים שְׁתָּיִם
וְהַשְּׂבָכוֹת שְׁתַּיִם לְכַסּוֹת אֶת־שְׁתֵּי גֻּלֹּת הַכֹּתָרֹת
אֲשֶׁר עַל־רֹאשׁ הָעַמּוּדִים׃ וְאֶת־הָרִמֹּנִים אַרְבַּע מב
מֵאוֹת לִשְׁתֵּי הַשְּׂבָכוֹת שְׁנֵי־טוּרִים רִמֹּנִים לַשְּׂבָכָה
הָאֶחָת לְכַסּוֹת אֶת־שְׁתֵּי גֻּלֹּת הַכֹּתָרֹת אֲשֶׁר עַל־
פְּנֵי הָעַמּוּדִים׃ וְאֶת־הַמְּכֹנוֹת עֶשֶׂר וְאֶת־הַכִּיֹּרֹת מג
עֲשָׂרָה עַל־הַמְּכֹנוֹת׃ וְאֶת־הַיָּם הָאֶחָד וְאֶת־הַבָּקָר מד
שְׁנֵים־עָשָׂר תַּחַת הַיָּם׃ וְאֶת־הַסִּירוֹת וְאֶת־הַיָּעִים מה
וְאֶת־הַמִּזְרָקוֹת וְאֵת כָּל־הַכֵּלִים האהל אֲשֶׁר עָשָׂה הָאֵלֶּה
חִירָם לַמֶּלֶךְ שְׁלֹמֹה בֵּית יהוה נְחֹשֶׁת מְמֹרָט׃ בְּכִכַּר מו
הַיַּרְדֵּן יְצָקָם הַמֶּלֶךְ בְּמַעֲבֵה הָאֲדָמָה בֵּין סֻכּוֹת וּבֵין
צָרְתָן׃ וַיַּנַּח שְׁלֹמֹה אֶת־כָּל־הַכֵּלִים מֵרֹב מְאֹד מְאֹד מז
לֹא נֶחְקַר מִשְׁקַל הַנְּחֹשֶׁת׃ וַיַּעַשׂ שְׁלֹמֹה אֵת כָּל־ מח

הפטרה לשבת שנייה של חנוכה

הכלים והקישוטים שהכין שלמה לבית ה׳

ברשימת הכלים שעשה שלמה נמנו עשר מנורות זהב שהעמידם במקדש לקראת חנוכתו. זהו הקשר בין ההפטרה לעניין היום.

ביאור | מלכים א׳ פרק ז מ **וַיַּעַשׂ חִירוֹם**, אומן צורי שנלקח על ידי שלמה
למלאכת בית המקדש,[232] **אֶת־הַכִּיֹּרוֹת**, כלי קיבול לדֶשן המזבח,
וְאֶת־הַיָּעִים, המגרפות **וְאֶת־הַמִּזְרָקוֹת**, הספלים, כלי קיבול לדם
הקרבנות לזרוק ממנו על קיר המזבח. **וַיְכַל**, סיים **חִירָם לַעֲשׂוֹת אֶת־**
כָּל־הַמְּלָאכָה אֲשֶׁר עָשָׂה לַמֶּלֶךְ שְׁלֹמֹה בשביל **בֵּית ה׳**. מא **עַמֻּדִים**
מנחושת **שְׁנַיִם** שנועדו לקישוט, **וְגֻלֹּת**, כדורי **הַכֹּתָרֹת אֲשֶׁר־עַל־רֹאשׁ**
הָעַמֻּדִים שְׁתָּיִם, וְהַשְּׂבָכוֹת, הרשתות **שְׁתַּיִם** שנועדו **לְכַסּוֹת אֶת־שְׁתֵּי**
גֻּלֹּת הַכֹּתָרֹת אֲשֶׁר עַל־רֹאשׁ הָעַמּוּדִים. מב **וְאֶת־הָרִמֹּנִים** שהיו **אַרְבַּע**
מֵאוֹת במספר **לִשְׁתֵּי הַשְּׂבָכוֹת, שְׁנֵי־טוּרִים רִמֹּנִים לַשְּׂבָכָה הָאֶחָת**
לְכַסּוֹת אֶת־שְׁתֵּי גֻּלֹּת הַכֹּתָרֹת אֲשֶׁר עַל־פְּנֵי הָעַמּוּדִים. מג **וְאֶת־**
הַמְּכֹנוֹת, כני הכיורים, שבעזרתם הובילו את מי הכיור **עֶשֶׂר, וְאֶת־**
הַכִּיֹּרֹת עֲשָׂרָה עַל־הַמְּכֹנוֹת. מד **וְאֶת־הַיָּם**, כלי קיבול גדול למים.
הָאֶחָד, וְאֶת צורות **הַבָּקָר שְׁנֵים־עָשָׂר** שהוצבו **תַּחַת הַיָּם.** מה **וְאֶת־**
הַסִּירוֹת, הדוודים[233] **וְאֶת־הַיָּעִים וְאֶת־הַמִּזְרָקוֹת, וְאֵת כָּל־הַכֵּלִים הָאֵלֶּה**
אֲשֶׁר עָשָׂה חִירָם לַמֶּלֶךְ שְׁלֹמֹה בֵּית ה׳ נְחֹשֶׁת מְמֹרָט. מבריקה.[234]
רוב כלי המקדש נעשו בתבנית הכתובה בספר שמות, ולשם כך לא
היה צורך באדריכל מומחה. ואולם העמודים, הים וכיוצא בהם לא
היו במשכן, ובנייתם הייתה תהליך מורכב ודרשה תכנון ומיומנויות
מיוחדים שהיו לחירם. מו כאן מופיעה הערה טכנית: **בְּכִכַּר הַיַּרְדֵּן**
יְצָקָם הַמֶּלֶךְ, בְּמַעֲבֵה הָאֲדָמָה, בֵּין סֻכּוֹת וּבֵין צָרְתָן. יציקות נחושת
קטנות יחסית נעשות בבתי מלאכה גדולים, ולעומתן יציקות גדולות,
כפי שנדרשו כאן, דורשות תנאים מיוחדים. עד היום יוצקים את
המתכת בתבניות שאותן מניחים בתוך אדמה רטובה. משום כך הכין
שלמה את יציקותיו במעבה האדמה, והוא בחר בכיכר הירדן, משום
שרק שם הקרקע לחה דיה לעיצוב תבניות כה מורכבות.[235] מז **וַיַּנַּח**,
חדל מלשקול **שְׁלֹמֹה אֶת־כָּל־הַכֵּלִים מֵרֹב מְאֹד מְאֹד. לֹא נֶחְקַר מִשְׁקַל**

הַכֵּלִ֔ים אֲשֶׁ֖ר בֵּ֣ית יְהוָ֑ה אֵ֚ת מִזְבַּ֣ח הַזָּהָ֔ב וְאֶת־
מט הַשֻּׁלְחָ֗ן אֲשֶׁ֥ר עָלָ֛יו לֶ֥חֶם הַפָּנִ֖ים זָהָֽב׃ וְֽאֶת־הַמְּנֹר֡וֹת
חָמֵ֨שׁ מִיָּמִ֜ין וְחָמֵ֧שׁ מִשְּׂמֹ֛אל לִפְנֵ֥י הַדְּבִ֖יר זָהָ֣ב סָג֑וּר
נ וְהַפֶּ֧רַח וְהַנֵּרֹ֛ת וְהַמֶּלְקַחַ֖יִם זָהָֽב׃ וְֽהַסִּפּ֣וֹת וְהַֽמְזַמְּר֣וֹת
וְהַמִּזְרָק֧וֹת וְהַכַּפּ֛וֹת וְהַמַּחְתּ֖וֹת זָהָ֣ב סָג֑וּר וְהַפֹּת֡וֹת
לְדַלְת֨וֹת הַבַּ֜יִת הַפְּנִימִ֗י לְקֹ֙דֶשׁ֙ הַקֳּדָשִׁ֔ים לְדַלְתֵ֥י
הַבַּ֛יִת לְהֵיכָ֖ל זָהָֽב׃

ביאור | הַנְּחֹשֶׁת. הנחושת ששימשה לכל הכלים הללו הייתה כה רבה, שלא
בדקו את כמויותיה.[236]

מח וַיַּעַשׂ שְׁלֹמֹה אֵת כָּל־הַכֵּלִים אֲשֶׁר בתוך בֵּית ה׳ - אֵת מִזְבַּח
הַזָּהָב וְאֶת־הַשֻּׁלְחָן אֲשֶׁר עָלָיו לֶחֶם הַפָּנִים ואף הוא מצופה זָהָב,
ככתוב.[237] מט וְאֶת־הַמְּנֹרוֹת הציב חָמֵשׁ מִיָּמִין וְחָמֵשׁ מִשְּׂמֹאול
לִפְנֵי הַדְּבִיר, החלק הפנימי המקודש ביותר, ׳קודש הקודשים׳.
כולן עשויות זָהָב סָגוּר, זהב מיוחד יקר ביותר,[238] וְגם הַפֶּרַח של
המנורה וְהַנֵּרֹת וְהַמֶּלְקָחַיִם עשויים זָהָב. מלבד המנורה העתיקה
של משה רבנו, שעמדה במרכז, העמיד שלמה עוד עשר מנורות
משני צדיה.[239] נ וְהַסִּפּוֹת, מעין כדים וְהַמְזַמְּרוֹת, כלי זמר וְהַמִּזְרָקוֹת
וְהַכַּפּוֹת וְהַמַּחְתּוֹת - כולם מִזָּהָב סָגוּר, וְהַפֹּתוֹת, שקעים שבתוכם
נכנסים צירי הדלת[240] לְדַלְתוֹת הַבַּיִת הַפְּנִימִי, לְקֹדֶשׁ הַקֳּדָשִׁים, וכן
לְדַלְתֵי הַבַּיִת, לַהֵיכָל - זָהָב.

כלים בהיכל
בית ה׳

הפטרת מקץ (שלא בחנוכה)

מלכים א

וַיִּקַץ שְׁלֹמֹה וְהִנֵּה חֲלוֹם וַיָּבוֹא יְרוּשָׁלַ͏ִם וַיַּעֲמֹד ׀ טו ג
לִפְנֵי ׀ אֲרוֹן בְּרִית־אֲדֹנָי וַיַּעַל עֹלוֹת וַיַּעַשׂ שְׁלָמִים
וַיַּעַשׂ מִשְׁתֶּה לְכָל־עֲבָדָיו׃ אָז תָּבֹאנָה טז
שְׁתַּיִם נָשִׁים זֹנוֹת אֶל־הַמֶּלֶךְ וַתַּעֲמֹדְנָה לְפָנָיו׃
וַתֹּאמֶר הָאִשָּׁה הָאַחַת בִּי אֲדֹנִי אֲנִי וְהָאִשָּׁה הַזֹּאת יז
יֹשְׁבֹת בְּבַיִת אֶחָד וָאֵלֵד עִמָּהּ בַּבָּיִת׃ וַיְהִי בַּיּוֹם יח
הַשְּׁלִישִׁי לְלִדְתִּי וַתֵּלֶד גַּם־הָאִשָּׁה הַזֹּאת וַאֲנַחְנוּ
יַחְדָּו אֵין־זָר אִתָּנוּ בַּבַּיִת זוּלָתִי שְׁתַּיִם־אֲנַחְנוּ בַּבָּיִת׃
וַיָּמָת בֶּן־הָאִשָּׁה הַזֹּאת לָיְלָה אֲשֶׁר שָׁכְבָה עָלָיו׃ יט
וַתָּקָם בְּתוֹךְ הַלַּיְלָה וַתִּקַּח אֶת־בְּנִי מֵאֶצְלִי וַאֲמָתְךָ כ
יְשֵׁנָה וַתַּשְׁכִּיבֵהוּ בְּחֵיקָהּ וְאֶת־בְּנָהּ הַמֵּת הִשְׁכִּיבָה
בְחֵיקִי׃ וָאָקֻם בַּבֹּקֶר לְהֵינִיק אֶת־בְּנִי וְהִנֵּה־מֵת כא
וָאֶתְבּוֹנֵן אֵלָיו בַּבֹּקֶר וְהִנֵּה לֹא־הָיָה בְנִי אֲשֶׁר יָלָדְתִּי׃
וַתֹּאמֶר הָאִשָּׁה הָאַחֶרֶת לֹא כִי בְּנִי הַחַי וּבְנֵךְ הַמֵּת כב
וְזֹאת אֹמֶרֶת לֹא כִי בְּנֵךְ הַמֵּת וּבְנִי הֶחָי וַתְּדַבֵּרְנָה
לִפְנֵי הַמֶּלֶךְ׃ וַיֹּאמֶר הַמֶּלֶךְ זֹאת אֹמֶרֶת זֶה־בְּנִי הַחַי כג
וּבְנֵךְ הַמֵּת וְזֹאת אֹמֶרֶת לֹא כִי בְּנֵךְ הַמֵּת וּבְנִי
הֶחָי׃ וַיֹּאמֶר הַמֶּלֶךְ קְחוּ לִי־חָרֶב וַיָּבִאוּ כד
הַחֶרֶב לִפְנֵי הַמֶּלֶךְ׃ וַיֹּאמֶר הַמֶּלֶךְ גִּזְרוּ אֶת־הַיֶּלֶד כה

משפט שלמה

בחלומו הנבואי שלמה שאל מה' לב שומע כדי לשפוט את העם ולהנהיגו, וה' נענה לבקשתו. גם בפרשה בעקבות חלומות התגלה יוסף ברוח אלוקים שבו, בחכמתו ובבינתו. הביטוי 'וַיִּקַץ... וְהִנֵּה חֲלוֹם' המופיע בראשית הפרשה פותח גם את ההפטרה.

ביאור | מלכים א' פרק ג טו **וַיִּקַץ**, התעורר **שְׁלֹמֹה, וְהִנֵּה חֲלוֹם. וַיָּבוֹא** בעקבות
ההבטחות הגדולות **לירוּשָׁלַם, וַיַּעֲמֹד לִפְנֵי אֲרוֹן בְּרִית ה', וַיַּעַל עֹלוֹת
וַיַּעַשׂ שְׁלָמִים וַיַּעַשׂ מִשְׁתֶּה לְכָל עֲבָדָיו.**

טז **אָז,** אחרי ההודיה והמשתה **תָּבֹאנָה שְׁתַּיִם נָשִׁים זֹנוֹת אֶל הַמֶּלֶךְ**
למשפט. **וַתַּעֲמֹדְנָה לְפָנָיו.**

יז **וַתֹּאמֶר הָאִשָּׁה הָאַחַת: בִּי אֲדֹנִי!** אני נשבעת: **אֲנִי וְהָאִשָּׁה
הַזֹּאת** שבאה **אִתִּי יֹשְׁבֹת**, מתגוררות **בְּבַיִת אֶחָד, וָאֵלֵד** ילד **עִמָּהּ
בַּבָּיִת.** יח **וַיְהִי בַּיּוֹם הַשְּׁלִישִׁי לְלִדְתִּי, וַתֵּלֶד גַּם הָאִשָּׁה הַזֹּאת** בן,
וַאֲנַחְנוּ יַחְדָּו וְאֵין זָר אִתָּנוּ בַּבַּיִת זוּלָתִי שְׁתַּיִם אֲנַחְנוּ בַּבָּיִת. יט **וַיָּמָת בֶּן
הָאִשָּׁה הַזֹּאת לָיְלָה, אֲשֶׁר שָׁכְבָה עָלָיו,** שכן ישן עמה, ובלי משים
התהפכה עליו, והוא נחנק. כ כיוון שראתה שבנה מת, **וַתָּקָם בְּתוֹךְ
הַלַּיְלָה, וַתִּקַּח אֶת בְּנִי מֵאֶצְלִי – וַאֲמָתְךָ,** בעוד אני **יְשֵׁנָה – וַתַּשְׁכִּיבֵהוּ
בְּחֵיקָהּ, וְאֶת בְּנָהּ הַמֵּת הִשְׁכִּיבָה בְחֵיקִי.** כא **וָאָקֻם בַּבֹּקֶר לְהֵינִיק אֶת
בְּנִי, וְהִנֵּה** גיליתי שהוא **מֵת. וָאֶתְבּוֹנֵן אֵלָיו** מאוחר יותר **בַּבֹּקֶר, וְהִנֵּה**
הבחנתי **שלֹּא הָיָה** זה **בְנִי אֲשֶׁר יָלָדְתִּי.**

כב **וַתֹּאמֶר הָאִשָּׁה הָאַחֶרֶת: לֹא כִי,** אלא **בְּנִי** הוא **הַחַי, וּבְנֵךְ** הוא **הַמֵּת.**

וְזֹאת אֹמֶרֶת: לֹא כִי, בְּנֵךְ הַמֵּת, וּבְנִי הֶחָי.

וַתְּדַבֵּרְנָה לִפְנֵי הַמֶּלֶךְ. כל אחת מהן השמיעה את טענותיה.

כג **וַיֹּאמֶר הַמֶּלֶךְ:** אני שומע ש**זֹאת אֹמֶרֶת: "זֶה בְּנִי הַחַי, וּבְנֵךְ** הוא
הַמֵּת"; וְזֹאת אֹמֶרֶת: "לֹא כִי, בְּנֵךְ הַמֵּת וּבְנִי הֶחָי".

כד **וַיֹּאמֶר הַמֶּלֶךְ: קְחוּ,** הביאו **לִי חָרֶב.**

וַיָּבִאוּ הַחֶרֶב לִפְנֵי הַמֶּלֶךְ.

כה **וַיֹּאמֶר הַמֶּלֶךְ:** הבה נערוך פשרה - **גִּזְרוּ אֶת הַיֶּלֶד הַחַי לִשְׁנָיִם,**

הרחבות | **'ויאמר המלך... ויאמר המלך'** תחילה שלמה סיכם את הטענות, ורק בדיבורו השני פסק. מכאן למדו, שראוי לכל דיין לסכם את טענות הצדדים לאחר שמיעתן לשם שקיפות ההליך המשפטי (ראו רד"ק על אתר; ירושלמי סנהדרין ג,ח).

הַחַי לִשְׁנָיִם וּתְנוּ אֶת־הַחֲצִי לְאַחַת וְאֶת־הַחֲצִי
לְאֶחָת׃ וַתֹּאמֶר הָאִשָּׁה אֲשֶׁר־בְּנָהּ הַחַי אֶל־הַמֶּלֶךְ כו
כִּי־נִכְמְרוּ רַחֲמֶיהָ עַל־בְּנָהּ וַתֹּאמֶר ׀ בִּי אֲדֹנִי תְּנוּ־
לָהּ אֶת־הַיָּלוּד הַחַי וְהָמֵת אַל־תְּמִיתֻהוּ וְזֹאת
אֹמֶרֶת גַּם־לִי גַם־לָךְ לֹא יִהְיֶה גְּזֹרוּ׃ וַיַּעַן הַמֶּלֶךְ כז
וַיֹּאמֶר תְּנוּ־לָהּ אֶת־הַיָּלוּד הַחַי וְהָמֵת לֹא תְמִיתֻהוּ
הִיא אִמּוֹ׃ וַיִּשְׁמְעוּ כָל־יִשְׂרָאֵל אֶת־הַמִּשְׁפָּט אֲשֶׁר כח
שָׁפַט הַמֶּלֶךְ וַיִּרְאוּ מִפְּנֵי הַמֶּלֶךְ כִּי רָאוּ כִּי־חָכְמַת
אֱלֹהִים בְּקִרְבּוֹ לַעֲשׂוֹת מִשְׁפָּט׃ וַיְהִי הַמֶּלֶךְ שְׁלֹמֹה א ד
מֶלֶךְ עַל־כָּל־יִשְׂרָאֵל׃

ביאור **וּתְנוּ אֶת הַחֲצִי לְאַחַת, וְאֶת הַחֲצִי לְאֶחָת.** מובאות בפנינו שתי טענות, ואין בידינו להוכיח לכאן או לכאן. על כן נחתוך את הילד, וכל אחת תקבל את חציו.

כו **וַתֹּאמֶר הָאִשָּׁה אֲשֶׁר בְּנָהּ הַחַי,** זו שאכן הייתה אם הילד החי, **אֶל הַמֶּלֶךְ, כִּי נִכְמְרוּ,** התחממו, התעוררו **רַחֲמֶיהָ עַל בְּנָהּ,** שהרי המלך ציווה להמיתו. **וַתֹּאמֶר: בִּי אֲדֹנִי! תְּנוּ לָהּ אֶת הַיָּלוּד הַחַי, וְהָמֵת,** ולהמית **אַל תְּמִיתֻהוּ.**

וְזֹאת – האשה האחרת **אֹמֶרֶת: גַּם לִי וגַם לָךְ לֹא יִהְיֶה** ילד. **גְּזֹרוּ.** חִתכו אותו.

כז **וַיַּעַן הַמֶּלֶךְ וַיֹּאמֶר: תְּנוּ לָהּ אֶת הַיָּלוּד הַחַי, וְהָמֵת לֹא תְמִיתֻהוּ, הִיא אִמּוֹ.** תגובותיהן מוכיחות שהאם החסה על הילד היא אמו האמתית, ואילו האחרת היא שגנבה ילד מחברתה.

כח **וַיִּשְׁמְעוּ כָל יִשְׂרָאֵל אֶת הַמִּשְׁפָּט אֲשֶׁר שָׁפַט הַמֶּלֶךְ, וַיִּרְאוּ מִפְּנֵי הַמֶּלֶךְ, כִּי רָאוּ כִּי חָכְמַת אֱלֹהִים בְּקִרְבּוֹ לַעֲשׂוֹת מִשְׁפָּט.** פסק זה אינו מוכיח ידיעה של חוקים והלכות, אלא הוא משקף את תבונתו של השופט לחשוף פרטים שאי-אפשר לגלותם. שלמה המלך השתמש באמצעים פסיכולוגיים כדי להוציא לאור את האמת. עשיית משפט ממין זה מעידה על חכמת אלוקים שבקרבו.[241]

פרק ד א **וַיְהִי הַמֶּלֶךְ שְׁלֹמֹה מֶלֶךְ עַל כָּל יִשְׂרָאֵל.**

הפטרת ויגש

יחזקאל

לז טו טז וַיְהִ֥י דְבַר־יְהוָ֖ה אֵלַ֥י לֵאמֹֽר׃ וְאַתָּ֣ה בֶן־אָדָ֗ם קַח־לְךָ֙
עֵ֣ץ אֶחָ֔ד וּכְתֹ֣ב עָלָ֔יו לִֽיהוּדָ֔ה וְלִבְנֵ֥י יִשְׂרָאֵ֖ל חֲבֵרָ֑ו
וּלְקַח֙ עֵ֣ץ אֶחָ֔ד וּכְת֣וֹב עָלָ֗יו לְיוֹסֵף֙ עֵ֣ץ אֶפְרַ֔יִם וְכָל־
יז בֵּ֥ית יִשְׂרָאֵ֖ל חֲבֵרָֽו׃ וְקָרַ֨ב אֹתָ֜ם אֶחָ֧ד אֶל־אֶחָ֛ד לְךָ֖
יח לְעֵ֣ץ אֶחָ֑ד וְהָי֥וּ לַאֲחָדִ֖ים בְּיָדֶֽךָ׃ וְכַֽאֲשֶׁר֙ יֹאמְר֣וּ אֵלֶ֔יךָ
יט בְּנֵ֥י עַמְּךָ֖ לֵאמֹ֑ר הֲלוֹא־תַגִּ֥יד לָ֖נוּ מָה־אֵ֥לֶּה לָּֽךְ׃ דַּבֵּ֣ר
אֲלֵהֶ֗ם כֹּֽה־אָמַר֮ אֲדֹנָ֣י יֱהֹוִה֒ הִנֵּה֩ אֲנִ֨י לֹקֵ֜חַ אֶת־עֵ֤ץ
יוֹסֵף֙ אֲשֶׁ֣ר בְּיַד־אֶפְרַ֔יִם וְשִׁבְטֵ֥י יִשְׂרָאֵ֖ל חֲבֵרָ֑ו וְנָתַתִּי֩
אוֹתָ֨ם עָלָ֜יו אֶת־עֵ֣ץ יְהוּדָ֗ה וַעֲשִׂיתִם֙ לְעֵ֣ץ אֶחָ֔ד וְהָי֥וּ
כ אֶחָ֖ד בְּיָדִֽי׃ וְהָי֨וּ הָעֵצִ֜ים אֲשֶׁר־תִּכְתֹּ֧ב עֲלֵיהֶ֛ם בְּיָדְךָ֖
כא לְעֵינֵיהֶֽם׃ וְדַבֵּ֣ר אֲלֵיהֶ֗ם כֹּֽה־אָמַר֮ אֲדֹנָ֣י יֱהֹוִה֒ הִנֵּ֨ה
אֲנִ֤י לֹקֵ֙חַ֙ אֶת־בְּנֵ֣י יִשְׂרָאֵ֔ל מִבֵּ֥ין הַגּוֹיִ֖ם אֲשֶׁ֣ר הָֽלְכוּ־
שָׁ֑ם וְקִבַּצְתִּ֤י אֹתָם֙ מִסָּבִ֔יב וְהֵבֵאתִ֥י אוֹתָ֖ם אֶל־
כב אַדְמָתָֽם׃ וְעָשִׂ֨יתִי אֹ֜תָם לְג֤וֹי אֶחָד֙ בָּאָ֙רֶץ֙ בְּהָרֵ֣י
יִשְׂרָאֵ֔ל וּמֶ֧לֶךְ אֶחָ֛ד יִהְיֶ֥ה לְכֻלָּ֖ם לְמֶ֑לֶךְ וְלֹ֤א יהיה־ יִֽהְיוּ־
ע֙וֹד֙ לִשְׁנֵ֣י גוֹיִ֔ם וְלֹ֨א יֵחָצוּ֙ ע֥וֹד לִשְׁתֵּ֛י מַמְלָכ֖וֹת עֽוֹד׃

הרחבות | **גורלם של עשרת השבטים** אינו ידוע. המקומות שאליהם גלו נזכרים בכתוב (ראו מלכים ב׳ יז,ו; דברי הימים א׳ ה,כו). אמנם אלו מקומות רחוקים, אך לא מן הנמנע להגיע לשם או משם. לפיכך לא ברור אם השבטים הללו אבדו, כישויות מוגדרות, לחלוטין או רק לפי שעה. אולי התרחקו ואבדו מן העולם היהודי, אבל

קיבוץ ישראל ואיחודם

העימות והפיוס בין יוסף לבין אחיו, ויהודה בראשם, פשט ולבש צורות שונות במשך מאות שנים. נבואת הנחמה של יחזקאל שנאמרה לאחר החורבן, מנבאת את איחודו הסופי של בית ישראל תחת מלך אחד מזרע יהודה. שלא כמו בנבואות אחרות, אין בנבואה זו כל דרישה לתשובה ולחרטה כתנאי לגאולה. אלוקים פועל מצדו, וישראל נדרשים להיפתח אל הגאולה שמלכות שמים כרוכה בה.

ביאור | יחזקאל פרק לז טו **וַיְהִי דְבַר־ה׳ אֵלַי לֵאמֹר:** טז **וְאַתָּה בֶן־אָדָם קַח־לְךָ**
חתיכת[242] **עֵץ אֶחָד וּכְתֹב עָלָיו: לִיהוּדָה וְלִבְנֵי יִשְׂרָאֵל חֲבֵרָו**, השבטים
הנלווים ליהודה: בנימין, שמעון ולוי. **וּלְקַח עֵץ אֶחָד וּכְתוֹב עָלָיו:**
לְיוֹסֵף, עֵץ אֶפְרַיִם, שהוא השבט הראשי של יוסף, **וְכָל־בֵּית יִשְׂרָאֵל**
חֲבֵרָו, כל שאר השבטים החוברים לו. שני העצים מסמלים אפוא את
ממלכות יהודה וישראל. יז **וְקָרַב**, קרֵב **אֹתָם אֶחָד אֶל־אֶחָד** להיות **לְךָ**
שני העצים **לְעֵץ אֶחָד, וְהָיוּ לַאֲחָדִים**, כמו אחד **בְּיָדֶךָ**.[243] יח **וְכַאֲשֶׁר**
יֹאמְרוּ אֵלֶיךָ בְּנֵי עַמְּךָ הרואים שבידיך עצים, **לֵאמֹר: "הֲלוֹא־תַגִּיד לָנוּ**
מָה־אֵלֶּה לָּךְ? מה עניינם של שני העצים שאתה מחזיק?" יט **דַּבֵּר**
אֲלֵהֶם: כֹּה־אָמַר ה׳ אלוהים: הִנֵּה אֲנִי לֹקֵחַ אֶת־עֵץ יוֹסֵף אֲשֶׁר בְּיַד,
ברשות **אֶפְרַיִם וְשִׁבְטֵי יִשְׂרָאֵל חֲבֵרָו, וְנָתַתִּי אוֹתָם**, את השבטים
הללו **עָלָיו** - על עץ יוסף, **אֶת**, אל **עֵץ יְהוּדָה**. השבטים יבואו
כאחד אל יהודה **וַעֲשִׂיתִם לְעֵץ אֶחָד**. שני העצים הללו יתאחדו
וְהָיוּ אֶחָד בְּיָדִי. כ **וְהָיוּ הָעֵצִים אֲשֶׁר־תִּכְתֹּב עֲלֵיהֶם בְּיָדְךָ לְעֵינֵיהֶם.**
כחלק מנבואתך החזק את העצים והראה אותם, כא **וְדַבֵּר אֲלֵיהֶם:**
כֹּה־אָמַר ה׳ אלוהים: הִנֵּה אֲנִי לֹקֵחַ אֶת־בְּנֵי יִשְׂרָאֵל מִבֵּין הַגּוֹיִם אֲשֶׁר
הָלְכוּ־שָׁם, וְקִבַּצְתִּי אֹתָם מִסָּבִיב, מכל צד **וְהֵבֵאתִי אוֹתָם** מן הגולה
אֶל־אַדְמָתָם. כב **וְעָשִׂיתִי אֹתָם לְגוֹי**, לעם **אֶחָד בָּאָרֶץ, בְּהָרֵי יִשְׂרָאֵל,**
וּמֶלֶךְ אֶחָד יִהְיֶה לְכֻלָּם לְמֶלֶךְ, וְלֹא יִהְיוּ־עוֹד לִשְׁנֵי גוֹיִם וְלֹא יֵחָצוּ
עוֹד לִשְׁתֵּי מַמְלָכוֹת עוֹד. יחזקאל חי לאחר תקופה ארוכה שבה
ממלכות יהודה וישראל היו מנותקות זו מזו, ולעתים אף נלחמו
זו בזו. כאן הוא מנבא שישראל יחזרו לארץ ויהפכו לממלכה
אחת.

הרחבות | ייתכן שמקצתם חזרו ונהגו כבני ישראל כאבותיהם. ושמא היו מהם שנשארו בארץ בדרכים שונות. לדברי יחזקאל, בסופו של דבר יהיו כל השבטים מאוחדים תחת מלכות אחת (ראו סנהדרין קי ע"ב ורש"י).

וְלֹ֧א יִֽטַּמְּא֣וּ ע֗וֹד בְּגִלּֽוּלֵיהֶם֙ וּבְשִׁקּ֣וּצֵיהֶ֔ם וּבְכֹ֖ל כג
פִּשְׁעֵיהֶ֑ם וְהוֹשַׁעְתִּ֣י אֹתָ֗ם מִכֹּ֤ל מֽוֹשְׁבֹתֵיהֶם֙ אֲשֶׁ֣ר
חָטְא֣וּ בָהֶ֔ם וְטִהַרְתִּ֤י אוֹתָם֙ וְהָיוּ־לִ֣י לְעָ֔ם וַאֲנִ֕י אֶהְיֶ֥ה
לָהֶ֖ם לֵאלֹהִֽים׃ וְעַבְדִּ֤י דָוִד֙ מֶ֣לֶךְ עֲלֵיהֶ֔ם וְרוֹעֶ֥ה אֶחָ֖ד כד
יִהְיֶ֣ה לְכֻלָּ֑ם וּבְמִשְׁפָּטַ֣י יֵלֵ֔כוּ וְחֻקֹּתַ֥י יִשְׁמְר֖וּ וְעָשׂ֥וּ
אוֹתָֽם׃ וְיָשְׁב֣וּ עַל־הָאָ֗רֶץ אֲשֶׁ֤ר נָתַ֙תִּי֙ לְעַבְדִּ֣י לְיַעֲקֹ֔ב כה
אֲשֶׁ֥ר יָֽשְׁבוּ־בָ֖הּ אֲבוֹתֵיכֶ֑ם וְיָשְׁב֣וּ עָ֠לֶיהָ הֵ֜מָּה וּבְנֵיהֶ֨ם
וּבְנֵ֤י בְנֵיהֶם֙ עַד־עוֹלָ֔ם וְדָוִ֣ד עַבְדִּ֔י נָשִׂ֥יא לָהֶ֖ם לְעוֹלָֽם׃
וְכָרַתִּ֤י לָהֶם֙ בְּרִ֣ית שָׁל֔וֹם בְּרִ֥ית עוֹלָ֖ם יִהְיֶ֣ה אוֹתָ֑ם כו
וּנְתַתִּים֙ וְהִרְבֵּיתִ֣י אוֹתָ֔ם וְנָתַתִּ֧י אֶת־מִקְדָּשִׁ֛י בְּתוֹכָ֖ם
לְעוֹלָֽם׃ וְהָיָ֤ה מִשְׁכָּנִי֙ עֲלֵיהֶ֔ם וְהָיִ֥יתִי לָהֶ֖ם לֵאלֹהִ֑ים כז
וְהֵ֖מָּה יִהְיוּ־לִ֥י לְעָֽם׃ וְיָֽדְעוּ֙ הַגּוֹיִ֔ם כִּ֚י אֲנִ֣י יהוה מְקַדֵּ֖שׁ כח
אֶת־יִשְׂרָאֵ֑ל בִּֽהְי֧וֹת מִקְדָּשִׁ֛י בְּתוֹכָ֖ם לְעוֹלָֽם׃

ביאור

כג האחדות וההתחדשות יהיו גם במישור הרוחני – וְלֹא יִטַּמְּאוּ
עוֹד בְּגִלּוּלֵיהֶם וּבְשִׁקּוּצֵיהֶם וּבְכֹל פִּשְׁעֵיהֶם, וְהוֹשַׁעְתִּי אֹתָם מִכֹּל מה
שדבק בהם בְּמוֹשְׁבֹתֵיהֶם אֲשֶׁר חָטְאוּ בָהֶם, וְטִהַרְתִּי אוֹתָם, וְהָיוּ־
לִי לְעָם וַאֲנִי אֶהְיֶה לָהֶם לֵאלֹהִים. כד ומבחינת ההנהגה: וְעַבְדִּי
דָוִד, הוא עצמו או אחד מצאצאיו[244] יהיה מֶלֶךְ עֲלֵיהֶם, ורועה,
ומדריך אֶחָד יִהְיֶה הוא לְכֻלָּם – וּבְמִשְׁפָּטַי יֵלֵכוּ וְחֻקּוֹתַי יִשְׁמְרוּ וְעָשׂוּ
אוֹתָם. כה וְיָשְׁבוּ עַל־הָאָרֶץ אֲשֶׁר נָתַתִּי לְעַבְדִּי לְיַעֲקֹב, אֲשֶׁר יָשְׁבוּ־
בָהּ אֲבוֹתֵיכֶם, וְיָשְׁבוּ עָלֶיהָ הֵמָּה וּבְנֵיהֶם וּבְנֵי בְנֵיהֶם עַד־עוֹלָם, וְדָוִד
עַבְדִּי נָשִׂיא, האיש המנושא ביותר בעם, כינוי מקביל למלך,[245] לָהֶם
לְעוֹלָם. כו וְכָרַתִּי לָהֶם בְּרִית שָׁלוֹם, בְּרִית עוֹלָם יִהְיֶה אוֹתָם, אתם,
וּנְתַתִּים וְהִרְבֵּיתִי אוֹתָם וְנָתַתִּי אֶת־מִקְדָּשִׁי בְּתוֹכָם לְעוֹלָם. לא יהיה
עוד חורבן. כז וְהָיָה מִשְׁכָּנִי עֲלֵיהֶם, וְהָיִיתִי לָהֶם לֵאלֹהִים, וְהֵמָּה יִהְיוּ־
לִי לְעָם. כח וְיָדְעוּ גם הַגּוֹיִם כִּי אֲנִי ה' הַמְקַדֵּשׁ אֶת־יִשְׂרָאֵל, בִּהְיוֹת
מִקְדָּשִׁי בְּתוֹכָם לְעוֹלָם. ישראל יהיו מאוחדים, ובראשם יעמוד מלך
אחד שינהיג את מלכות השמים על הארץ.

הפטרת ויחי

מלכים א

ב א וַיִּקְרְב֥וּ יְמֵֽי־דָוִ֖ד לָמ֑וּת וַיְצַ֛ו אֶת־שְׁלֹמֹ֥ה בְנ֖וֹ לֵאמֹֽר׃
ב אָנֹכִ֣י הֹלֵ֔ךְ בְּדֶ֖רֶךְ כָּל־הָאָ֑רֶץ וְחָזַקְתָּ֖ וְהָיִ֥יתָ לְאִֽישׁ׃
ג וְשָׁמַרְתָּ֞ אֶת־מִשְׁמֶ֣רֶת ׀ יְהוָ֣ה אֱלֹהֶ֗יךָ לָלֶ֤כֶת בִּדְרָכָיו֙
לִשְׁמֹ֨ר חֻקֹּתָ֤יו מִצְוֹתָיו֙ וּמִשְׁפָּטָ֣יו וְעֵדְוֹתָ֔יו כַּכָּת֖וּב
בְּתוֹרַ֣ת מֹשֶׁ֑ה לְמַ֣עַן תַּשְׂכִּ֗יל אֵ֚ת כָּל־אֲשֶׁ֣ר תַּעֲשֶׂ֔ה
ד וְאֵ֛ת כָּל־אֲשֶׁ֥ר תִּפְנֶ֖ה שָֽׁם׃ לְמַ֩עַן֩ יָקִ֨ים יְהוָ֜ה אֶת־
דְּבָר֗וֹ אֲשֶׁ֨ר דִּבֶּ֣ר עָלַי֮ לֵאמֹר֒ אִם־יִשְׁמְר֨וּ בָנֶ֜יךָ אֶת־
דַּרְכָּ֗ם לָלֶ֤כֶת לְפָנַי֙ בֶּאֱמֶ֔ת בְּכָל־לְבָבָ֖ם וּבְכָל־נַפְשָׁ֑ם
ה לֵאמֹ֕ר לֹֽא־יִכָּרֵ֤ת לְךָ֙ אִ֔ישׁ מֵעַ֖ל כִּסֵּ֥א יִשְׂרָאֵֽל׃ וְגַ֨ם
אַתָּ֜ה יָדַ֗עְתָּ אֵת֩ אֲשֶׁר־עָ֨שָׂה לִ֜י יוֹאָ֣ב בֶּן־צְרוּיָ֗ה אֲשֶׁ֣ר
עָשָׂ֣ה לִשְׁנֵֽי־שָׂרֵ֣י צִבְא֣וֹת יִ֠שְׂרָאֵל לְאַבְנֵ֨ר בֶּן־נֵ֜ר
וְלַעֲמָשָׂ֤א בֶן־יֶ֙תֶר֙ וַיַּ֣הַרְגֵ֔ם וַיָּ֥שֶׂם דְּמֵֽי־מִלְחָמָ֖ה בְּשָׁלֹ֑ם
וַיִּתֵּ֞ן דְּמֵ֣י מִלְחָמָ֗ה בַּחֲגֹֽרָתוֹ֙ אֲשֶׁ֣ר בְּמָתְנָ֔יו וּבְנַעֲל֖וֹ
ו אֲשֶׁ֥ר בְּרַגְלָֽיו׃ וְעָשִׂ֖יתָ כְּחָכְמָתֶ֑ךָ וְלֹֽא־תוֹרֵ֧ד שֵׂיבָת֛וֹ
ז בְּשָׁלֹ֖ם שְׁאֹֽל׃ וְלִבְנֵ֨י בַרְזִלַּ֤י הַגִּלְעָדִי֙
תַּעֲשֶׂה־חֶ֔סֶד וְהָי֖וּ בְּאֹכְלֵ֣י שֻׁלְחָנֶ֑ךָ כִּי־כֵ֚ן קָרְב֣וּ אֵלַ֔י
ח בְּבָרְחִ֕י מִפְּנֵ֖י אַבְשָׁל֥וֹם אָחִֽיךָ׃ וְהִנֵּ֨ה עִמְּךָ֜ שִׁמְעִ֣י בֶן־
גֵּרָ֣א בֶן־הַיְמִינִי֮ מִבַּחֻרִים֒ וְה֤וּא קִֽלְלַ֙נִי֙ קְלָלָ֣ה נִמְרֶ֔צֶת
בְּי֖וֹם לֶכְתִּ֣י מַחֲנָ֑יִם וְהוּא־יָרַ֤ד לִקְרָאתִי֙ הַיַּרְדֵּ֔ן וָאֶשָּׁ֨בַע

צוואת דוד ופטירתו

קודם שדוד מסתלק מן העולם הוא מחזק את בנו שלמה ומורה לו ללכת בדרכי ה׳ ולציית לחוקיו. דוד גם מטיל עליו תפקידים, שברובם אינם נעימים, ומצפה ממנו שיסיים עניינים שהיה מנוע מלבצעם. פתיחת ההפטרה, וַיִּקְרְבוּ יְמֵי דָוִד לָמוּת, מזכירה בעליל את פתיחת הפרשה: וַיִּקְרְבוּ יְמֵי יִשְׂרָאֵל לָמוּת. גם בה יעקב אבינו מחזק את בניו ומורה להם דרכם.

ביאור | מלכים א׳ פרק ב א **וַיִּקְרְבוּ יְמֵי דָוִד**, כשדוד חש שהגיעה שעתו
לָמוּת, וַיְצַו אֶת שְׁלֹמֹה בְנוֹ לֵאמֹר: ב **אָנֹכִי הֹלֵךְ בְּדֶרֶךְ כָּל הָאָרֶץ**,
נפטר מן העולם. **וְחָזַקְתָּ וְהָיִיתָ לְאִישׁ**. עליך להתחזק ולהיות בוגר,[246]
גיבור ושולט ביצרו.[247] ג **וְשָׁמַרְתָּ אֶת מִשְׁמֶרֶת**, צו **ה׳ אֱלֹהֶיךָ לָלֶכֶת
בִּדְרָכָיו, לִשְׁמֹר חֻקֹּתָיו**, מִצְוֹתָיו **וּמִשְׁפָּטָיו וְעֵדְוֹתָיו כַּכָּתוּב בְּתוֹרַת מֹשֶׁה,
לְמַעַן תַּשְׂכִּיל**, תצליח[248] **אֵת כָּל אֲשֶׁר תַּעֲשֶׂה וְאֵת כָּל אֲשֶׁר תִּפְנֶה
לְשָׁם,** ד **לְמַעַן יָקִים**, יקיים **ה׳ אֶת דְּבָרוֹ**, הבטחתו **אֲשֶׁר דִּבֶּר עָלַי
לֵאמֹר: ״אִם יִשְׁמְרוּ בָנֶיךָ אֶת דַּרְכָּם לָלֶכֶת לְפָנַי בֶּאֱמֶת בְּכָל לְבָבָם וּבְכָל
נַפְשָׁם״ – לֵאמֹר: ״לֹא יִכָּרֵת לְךָ אִישׁ מֵעַל כִּסֵּא יִשְׂרָאֵל״**. מלכותך–
מלכותם תימשך.

ה **וְגַם אַתָּה יָדַעְתָּ אֵת אֲשֶׁר עָשָׂה לִי יוֹאָב בֶּן צְרוּיָה, אֲשֶׁר עָשָׂה לִשְׁנֵי
שָׂרֵי צִבְאוֹת יִשְׂרָאֵל – לְאַבְנֵר בֶּן נֵר וְלַעֲמָשָׂא בֶן יֶתֶר, וַיַּהַרְגֵם. וַיָּשֶׂם
דְּמֵי מִלְחָמָה בְּשָׁלֹם**. הוא שפך את דם המלחמה גם בהקשר של
יחסי שלום, בהריגת אבנר לאחר שהשלים עם דוד, ובהריגת עמשא
שהלך באותה שעה בשליחות המלך.[249] **וַיִּתֵּן דְּמֵי מִלְחָמָה בַּחֲגֹרָתוֹ
אֲשֶׁר בְּמָתְנָיו וּבְנַעֲלוֹ אֲשֶׁר בְּרַגְלָיו**. כולו מגואל בדם.[250] ו **וְעָשִׂיתָ
כְּחָכְמָתֶךָ, וְלֹא תוֹרֵד שֵׂיבָתוֹ בְּשָׁלֹם שְׁאֹל**. ממני נבצר לעשות זאת
בגלל המחויבות האישית שלי כלפיו, אבל אתה בחכמתך תמצא
דרך להשיב לו כגמולו.[251]

ז לעומת זאת – **וְלִבְנֵי בַרְזִלַּי הַגִּלְעָדִי תַּעֲשֶׂה חֶסֶד, וְהָיוּ בְּאֹכְלֵי שֻׁלְחָנֶךָ**.
המשך לפרנסם בכבוד, **כִּי כֵן קָרְבוּ אֵלַי**, סייעו לי וסיפקו צרכי[252]
בְּבָרְחִי מִפְּנֵי אַבְשָׁלוֹם אָחִיךָ.

ח **וְהִנֵּה עִמְּךָ** גם **שִׁמְעִי בֶן גֵּרָא בֶן הַיְמִינִי**, מבני בנימין מהמקום **בַּחֻרִים.
וְהוּא קִלְלַנִי קְלָלָה נִמְרֶצֶת**, קשה וחזקה[253] **בְּיוֹם לֶכְתִּי מַחֲנָיִם, וְהוּא
יָרַד לִקְרָאתִי הַיַּרְדֵּן**, ראשון לכל הבאים, לבקש מחילה וסליחה.
וָאֶשָּׁבַע לוֹ בַה׳ לֵאמֹר: ״אִם אֲמִיתְךָ בֶּחָרֶב״. באותה שעה מיוחדת

ט לֹ֤ו בַֽיהוה֙ לֵאמֹ֔ר אִם־אֲמִֽיתְךָ֖ בֶּחָֽרֶב׃ וְעַתָּה֙ אַל־
תְּנַקֵּ֔הוּ כִּ֛י אִ֥ישׁ חָכָ֖ם אָ֑תָּה וְיָֽדַעְתָּ֙ אֵ֣ת אֲשֶׁ֣ר תַּֽעֲשֶׂה־
י לּ֔וֹ וְהוֹרַדְתָּ֧ אֶת־שֵׂיבָת֛וֹ בְּדָ֖ם שְׁאֽוֹל׃ וַיִּשְׁכַּ֥ב דָּוִ֖ד
יא עִם־אֲבֹתָ֑יו וַיִּקָּבֵ֖ר בְּעִ֥יר דָּוִֽד׃ וְהַיָּמִ֗ים
אֲשֶׁ֨ר מָלַ֤ךְ דָּוִד֙ עַל־יִשְׂרָאֵ֔ל אַרְבָּעִ֖ים שָׁנָ֑ה בְּחֶבְר֤וֹן
מָלַךְ֙ שֶׁ֣בַע שָׁנִ֔ים וּבִירוּשָׁלִַ֣ם מָלַ֔ךְ שְׁלֹשִׁ֥ים וְשָׁלֹ֖שׁ
יב שָׁנִֽים׃ וּשְׁלֹמֹ֔ה יָשַׁ֕ב עַל־כִּסֵּ֖א דָּוִ֣ד אָבִ֑יו וַתִּכֹּ֥ן מַלְכֻת֖וֹ
מְאֹֽד׃

ביאור | נשבעתי לו שלא אהרוג אותו.[254] ט השבועה נבעה מהקשר מסוים
והיא מחייבת רק אותי. **וְעַתָּה** אתה, המשוחרר משבועה זו, **אַל
תְּנַקֵּהוּ**, דאג שלא יצא נקי, **כִּי אִישׁ חָכָם אָתָּה, וְיָדַעְתָּ אֵת אֲשֶׁר
תַּעֲשֶׂה לּוֹ**. חכם כמוך ימצא את הדרך להענישו.[255] **וְהוֹרַדְתָּ אֶת
שֵׂיבָתוֹ בְּדָם שְׁאוֹל.**

י לאחר מסירת צוואתו לשלמה - **וַיִּשְׁכַּב דָּוִד עִם אֲבֹתָיו, וַיִּקָּבֵר
בְּעִיר דָּוִד.**

יא **וְהַיָּמִים אֲשֶׁר מָלַךְ דָּוִד עַל יִשְׂרָאֵל** היו **אַרְבָּעִים שָׁנָה** בסך הכול.
בְּחֶבְרוֹן מָלַךְ על יהודה **שֶׁבַע שָׁנִים, וּבִירוּשָׁלַםִ מָלַךְ שְׁלֹשִׁים וְשָׁלֹשׁ
שָׁנִים.** דוד הגיע למלוכה כבן שלושים[256] ועל כן נפטר בן שבעים.

יב **וּשְׁלֹמֹה יָשַׁב עַל כִּסֵּא דָּוִד אָבִיו, וַתִּכֹּן מַלְכֻתוֹ**, המלוכה הצליחה
בידו **מְאֹד.**

הפטרת שבת ערב ראש חודש

שמואל א

וַיֹּאמֶר־ל֥וֹ יְהוֹנָתָ֖ן מָחָ֣ר חֹ֑דֶשׁ וְנִפְקַ֕דְתָּ כִּ֥י יִפָּקֵ֖ד יח כ
מוֹשָׁבֶֽךָ׃ וְשִׁלַּשְׁתָּ֙ תֵּרֵ֣ד מְאֹ֔ד וּבָאתָ֙ אֶל־הַמָּק֔וֹם יט
אֲשֶׁר־נִסְתַּ֥רְתָּ שָּׁ֖ם בְּי֣וֹם הַֽמַּעֲשֶׂ֑ה וְיָ֣שַׁבְתָּ֔ אֵ֖צֶל הָאֶ֥בֶן
הָאָֽזֶל׃ וַאֲנִ֕י שְׁלֹ֥שֶׁת הַחִצִּ֖ים צִדָּ֣ה אוֹרֶ֑ה לְשַֽׁלַּֽח־לִ֖י כ
לְמַטָּרָֽה׃ וְהִנֵּה֙ אֶשְׁלַ֣ח אֶת־הַנַּ֔עַר לֵ֖ךְ מְצָ֣א אֶת־ כא
הַחִצִּ֑ים אִם־אָמֹ֣ר אֹ֠מַר לַנַּ֨עַר הִנֵּ֥ה הַחִצִּ֣ים ׀ מִמְּךָ֣
וָהֵ֗נָּה קָחֶ֧נּוּ וָבֹ֛אָה כִּֽי־שָׁל֥וֹם לְךָ֛ וְאֵ֥ין דָּבָ֖ר חַי־יְהוָֽה׃
וְאִם־כֹּ֤ה אֹמַר֙ לָעֶ֔לֶם הִנֵּ֥ה הַחִצִּ֖ים מִמְּךָ֣ וָהָ֑לְאָה לֵ֕ךְ כב
כִּ֥י שִֽׁלַּחֲךָ֖ יְהוָֽה׃ וְהַ֨דָּבָ֔ר אֲשֶׁ֥ר דִּבַּ֖רְנוּ אֲנִ֣י וָאָ֑תָּה כג
הִנֵּ֧ה יְהוָ֛ה בֵּינִ֥י וּבֵינְךָ֖ עַד־עוֹלָֽם׃ וַיִּסָּתֵ֥ר כד
דָּוִ֖ד בַּשָּׂדֶ֑ה וַיְהִ֣י הַחֹ֔דֶשׁ וַיֵּ֧שֶׁב הַמֶּ֛לֶךְ עַל־הַלֶּ֖חֶם אֶל־
לֶאֱכֽוֹל׃ וַיֵּ֣שֶׁב הַ֠מֶּלֶךְ עַל־מ֨וֹשָׁב֜וֹ כְּפַ֣עַם ׀ בְּפַ֗עַם אֶל־ כה
מוֹשַׁב֙ הַקִּ֔יר וַיָּ֙קָם֙ יְה֣וֹנָתָ֔ן וַיֵּ֥שֶׁב אַבְנֵ֖ר מִצַּ֣ד שָׁא֑וּל
וַיִּפָּקֵ֖ד מְק֥וֹם דָּוִֽד׃ וְלֹֽא־דִבֶּ֥ר שָׁא֛וּל מְא֖וּמָה בַּיּ֣וֹם כו

הרחבות

ראש חודש באותם זמנים היה יום זה נחוג כחג של ממש. ממועד זה לא נותר הרבה בימינו, אם כי גם כיום מצווה להרבות בו בסעודה, והנשים נוהגות להימנע בו ממלאכה גמורה (ירושלמי פסחים ד,א; רד"ק ואברבנאל להלן פס' יט; ספר הרוקח רכח; שולחן ערוך, אורח חיים תיז,א). מהמסופר כאן עולה שראש החודש היה לעתים יומיים, ואף ידעו על כך מראש, כמו שקורה גם כיום בחלק מחודשי השנה (ראו ירושלמי תענית ד,ג; ר"י מטראני על אתר).

בריחת דוד האחרונה מבית שאול ופרדתו מיהונתן

מלבד פתיחתה של ההפטרה, המציינת את ראש החודש שיחול מחר, ייתכן שגם נושא ההפטרה קשור לעניין ראשי חודשים. הסתתרויותיו הזמניות הרבות של דוד וברית קיומו הנצחית מרמזים על ייחודיותו של ישראל כעם נצחי על כל התלאות, הגלויות וההסתרות שהוא עובר. ייחודיות זו מתבטאת גם בכך שישראל קובעים את תאריכיהם וחגיהם לפי הלבנה המסתתרת ונגלית חליפות, הַחֹדֶשׁ הַזֶּה - לָכֶם.

שמואל א׳ פרק כ יח **וַיֹּאמֶר לוֹ יְהוֹנָתָן: מָחָר** ראש **הַחֹדֶשׁ, וְנִפְקַדְתָּ,** | ביאור
אתה תיזכר **כִּי יִפָּקֵד**, ייחסר **מוֹשָׁבֶךָ**. כיסאך בסעודת ראש החודש
יהיה ריק, וכך יבחינו בהיעדרך.[257] יט **וְשִׁלַּשְׁתָּ**, המתן עד היום
השלישי, **וְתֵרֵד מְאֹד**, העמק להתחבא היטב,[258] **וּבָאתָ אֶל הַמָּקוֹם**
אֲשֶׁר נִסְתַּרְתָּ שָּׁם בְּיוֹם הַמַּעֲשֶׂה, כשנסתרת בפעם הקודמת, אולי
ביום הניצחון על הפלשתים.[259] פירושים אחרים: ביום חול, בניגוד
לראש חודש שנמנעו בו מעשיית מלאכה; ביום המיועד או ביום
שבו תכננּו לעשות את המעשה שלנו. **וְיָשַׁבְתָּ אֵצֶל הָאֶבֶן הָאָזֶל**. כך
היה שמה של אבן מסוימת. כ **וַאֲנִי** אצא לשדה עם **שְׁלֹשֶׁת הַחִצִּים**
שב**צִדָּהּ** של האבן[260] **אוֹרֶה**, אירה **לְשַׁלַּח לִי לְמַטָּרָה**. אעמיד פנים שאני
מתאמן בירייה בקשת.[261] כא **וְהִנֵּה אֶשְׁלַח אֶת הַנַּעַר** שאקח אתי
ואומר לו: "**לֵךְ מְצָא אֶת הַחִצִּים**". **אִם אָמֹר אֹמַר לַנַּעַר**: "**הִנֵּה הַחִצִּים**
מִמְּךָ וָהֵנָּה, הם קרובים ואינך צריך להתרחק" - **קָחֶנּוּ וָבֹאָה**, תוכל
אתה לצאת ממחבואך ולהביא אלי בעצמך את החץ,[262] **כִּי שָׁלוֹם לְךָ**
וְאֵין דָּבָר, אין כל חשש, **חַי ה׳**. כב **וְאִם כֹּה אֹמַר לָעֶלֶם**: "**הִנֵּה הַחִצִּים**
מִמְּךָ וָהָלְאָה" - **לֵךְ, כִּי שִׁלַּחֲךָ ה׳**. כך תקבל את המסר ותוכל להמשיך
להיסתר בלי שאיש כלשהו, אם יהיה במקום, יבין. כג מכיוון שייתכן
שהם לא יתראו יותר, הוסיף יהונתן: **וְהַדָּבָר**, הברית **אֲשֶׁר דִּבַּרְנוּ אֲנִי**
וָאָתָּה - **הִנֵּה ה׳** מעיד עליה[263] **בֵּינִי וּבֵינְךָ עַד עוֹלָם**.

כד **וַיִּסָּתֵר דָּוִד בַּשָּׂדֶה. וַיְהִי הַחֹדֶשׁ, וַיֵּשֶׁב הַמֶּלֶךְ אֶל הַלֶּחֶם**, הסעודה
הגדולה **לֶאֱכוֹל**. כה **וַיֵּשֶׁב הַמֶּלֶךְ עַל מוֹשָׁבוֹ** הרגיל **כְּפַעַם בְּפַעַם אֶל**
הַמּוֹשַׁב שגבו צמוד אל **הַקִּיר**, מטעמי נוחות או משום שחשש
לביטחונו.[264] **וַיָּקָם יְהוֹנָתָן** מצד אביו[265] **וַיֵּשֶׁב אַבְנֵר** שר הצבא **מִצַּד**
שָׁאוּל וַיִּפָּקֵד, חסר **מְקוֹם דָּוִד**. כו **וְלֹא דִבֶּר שָׁאוּל מְאוּמָה** על כך

הַהוּא כִּי אָמַר מִקְרֶה הוּא בִּלְתִּי טָהוֹר הוּא כִּי־לֹא
טָהוֹר: וַיְהִי מִמָּחֳרַת הַחֹדֶשׁ הַשֵּׁנִי וַיִּפָּקֵד כז
מְקוֹם דָּוִד וַיֹּאמֶר שָׁאוּל אֶל־יְהוֹנָתָן בְּנוֹ מַדּוּעַ לֹא־
בָא בֶן־יִשַׁי גַּם־תְּמוֹל גַּם־הַיּוֹם אֶל־הַלָּחֶם: וַיַּעַן כח
יְהוֹנָתָן אֶת־שָׁאוּל נִשְׁאֹל נִשְׁאַל דָּוִד מֵעִמָּדִי עַד־
בֵּית לָחֶם: וַיֹּאמֶר שַׁלְּחֵנִי נָא כִּי זֶבַח מִשְׁפָּחָה לָנוּ כט
בָּעִיר וְהוּא צִוָּה־לִי אָחִי וְעַתָּה אִם־מָצָאתִי חֵן
בְּעֵינֶיךָ אִמָּלְטָה נָּא וְאֶרְאֶה אֶת־אֶחָי עַל־כֵּן לֹא־
בָא אֶל־שֻׁלְחַן הַמֶּלֶךְ: וַיִּחַר־אַף שָׁאוּל ל
בִּיהוֹנָתָן וַיֹּאמֶר לוֹ בֶּן־נַעֲוַת הַמַּרְדּוּת הֲלוֹא יָדַעְתִּי
כִּי־בֹחֵר אַתָּה לְבֶן־יִשַׁי לְבָשְׁתְּךָ וּלְבֹשֶׁת עֶרְוַת
אִמֶּךָ: כִּי כָל־הַיָּמִים אֲשֶׁר בֶּן־יִשַׁי חַי עַל־הָאֲדָמָה לא
לֹא תִכּוֹן אַתָּה וּמַלְכוּתֶךָ וְעַתָּה שְׁלַח וְקַח אֹתוֹ אֵלַי
כִּי בֶן־מָוֶת הוּא: וַיַּעַן יְהוֹנָתָן אֶת־שָׁאוּל לב
אָבִיו וַיֹּאמֶר אֵלָיו לָמָּה יוּמַת מֶה עָשָׂה: וַיָּטֶל שָׁאוּל לג
אֶת־הַחֲנִית עָלָיו לְהַכֹּתוֹ וַיֵּדַע יְהוֹנָתָן כִּי־כָלָה
הִיא מֵעִם אָבִיו לְהָמִית אֶת־דָּוִד: וַיָּקָם לד

בַּיּוֹם הַהוּא, כִּי אָמַר בלבו: **מִקְרֶה הוּא, בִּלְתִּי טָהוֹר הוּא.** דוד טמא | ביאור
מחמת קרי לילה וכדומה, ולא בא אל סעודת הזבח המקודשת,
כִּי לֹא טָהוֹר. טומאה קלה ושכיחה מעין זו, שיכולה לקרות לאדם
בעצמו או מתוך יחסיו עם אשתו, היא ההסבר הפשוט ביותר
להיעדרות שאינה צפויה. מן הסתם יבוא למחרת, לאחר שיטבול
בלילה ויטהר.[266]

כז **וַיְהִי מִמָּחֳרַת,** שהוא יום **הַחֹדֶשׁ הַשֵּׁנִי,**[267] **וַיִּפָּקֵד** שוב **מְקוֹם דָּוִד.**

וַיֹּאמֶר שָׁאוּל אֶל יְהוֹנָתָן בְּנוֹ, חברו של דוד: **מַדּוּעַ לֹא בָא בֶן יִשַׁי גַּם
תְּמוֹל,** אתמול **גַּם הַיּוֹם אֶל הַלָּחֶם?**

כח **וַיַּעַן יְהוֹנָתָן אֶת שָׁאוּל: נִשְׁאֹל נִשְׁאַל,** ביקש **דָּוִד מֵעִמָּדִי** רשות ללכת
עַד בֵּית לָחֶם. כט **וַיֹּאמֶר: "שַׁלְּחֵנִי נָא, כִּי זֶבַח מִשְׁפָּחָה לָנוּ בָּעִיר, וְהוּא
צִוָּה לִי** לבוא, **אָחִי** הגדול.[268] **וְעַתָּה אִם מָצָאתִי חֵן בְּעֵינֶיךָ – אִמָּלְטָה,**
אשתחרר וארוץ **נָּא וְאֶרְאֶה אֶת אֶחָי", עַל כֵּן לֹא בָא** דוד **אֶל שֻׁלְחַן
הַמֶּלֶךְ.** אין בהיעלמותו פגיעה בכבודך, שהרי ביקש את רשותי.

ל **וַיִּחַר אַף,** כעס **שָׁאוּל בִּיהוֹנָתָן, וַיֹּאמֶר לוֹ: בֶּן נַעֲוַת הַמַּרְדּוּת,** אשה
מעוותת ומרדנית! שאול מקלל את אם יהונתן ומבזה אותה. והוא
מחריף את התבטאותו:[269] **הֲלוֹא יָדַעְתִּי כִּי בֹחֵר אַתָּה לְבֶן,** בבן **יִשַׁי,**
אתה מעדיף שדוד יהיה המלך,[270] **לְבָשְׁתְּךָ וּלְבֹשֶׁת עֶרְוַת אִמֶּךָ.** לא **כִּי
כָל הַיָּמִים אֲשֶׁר בֶּן יִשַׁי חַי עַל הָאֲדָמָה לֹא תִכּוֹן,** תתקיים **אַתָּה
וּמַלְכוּתֶךָ, וְעַתָּה שְׁלַח** אנשים **וְקַח אֹתוֹ אֵלַי כִּי בֶן מָוֶת הוּא.** הוא
חייב מיתה.

לב **וַיַּעַן יְהוֹנָתָן אֶת שָׁאוּל אָבִיו, וַיֹּאמֶר אֵלָיו: לָמָּה יוּמַת? מֶה עָשָׂה?**

לג **וַיָּטֶל שָׁאוּל אֶת הַחֲנִית עָלָיו לְהַכֹּתוֹ,** לא כדי להרוג את בנו, אלא
לבטא את זעמו.

וַיֵּדַע יְהוֹנָתָן כִּי כָלָה הִיא, מנוי וגמור **מֵעִם אָבִיו לְהָמִית אֶת דָּוִד.**
שאול לא הצניע את הדבר אלא גילה את רצונו ברבים פעם אחר
פעם, שהרי שריו ומקורביו של שאול בוודאי נכחו בסעודה החגיגית.
יתרה מזו, לראשונה הוא גם העליב את יהונתן וגם ניסה לפגוע
בו. ליונתן לא נותר כל ספק באשר לכוונותיו. לד **וַיָּקָם יְהוֹנָתָן מֵעִם**

יְהוֹנָתָן מֵעִם הַשֻּׁלְחָן בָּחֳרִי־אָף וְלֹא־אָכַל בְּיוֹם־
הַחֹדֶשׁ הַשֵּׁנִי לָחֶם כִּי נֶעְצַב אֶל־דָּוִד כִּי הִכְלִמוֹ
אָבִיו׃ וַיְהִי בַבֹּקֶר וַיֵּצֵא יְהוֹנָתָן הַשָּׂדֶה לה
לְמוֹעֵד דָּוִד וְנַעַר קָטֹן עִמּוֹ׃ וַיֹּאמֶר לְנַעֲרוֹ רֻץ מְצָא־ לו
נָא אֶת־הַחִצִּים אֲשֶׁר אָנֹכִי מוֹרֶה הַנַּעַר רָץ וְהוּא־
יָרָה הַחֵצִי לְהַעֲבִרוֹ׃ וַיָּבֹא הַנַּעַר עַד־מְקוֹם הַחֵצִי לז
אֲשֶׁר יָרָה יְהוֹנָתָן וַיִּקְרָא יְהוֹנָתָן אַחֲרֵי הַנַּעַר וַיֹּאמֶר
הֲלוֹא הַחֵצִי מִמְּךָ וָהָלְאָה׃ וַיִּקְרָא יְהוֹנָתָן אַחֲרֵי לח
הַנַּעַר מְהֵרָה חוּשָׁה אַל־תַּעֲמֹד וַיְלַקֵּט נַעַר יְהוֹנָתָן
הַחִצִּים אֶת־הַחִצִּי וַיָּבֹא אֶל־אֲדֹנָיו׃ וְהַנַּעַר לֹא־יָדַע מְאוּמָה לט
אַךְ יְהוֹנָתָן וְדָוִד יָדְעוּ אֶת־הַדָּבָר׃ וַיִּתֵּן יְהוֹנָתָן אֶת־ מ
כֵּלָיו אֶל־הַנַּעַר אֲשֶׁר־לוֹ וַיֹּאמֶר לוֹ לֵךְ הָבֵיא הָעִיר׃
הַנַּעַר בָּא וְדָוִד קָם מֵאֵצֶל הַנֶּגֶב וַיִּפֹּל לְאַפָּיו אַרְצָה מא
וַיִּשְׁתַּחוּ שָׁלֹשׁ פְּעָמִים וַיִּשְּׁקוּ ׀ אִישׁ אֶת־רֵעֵהוּ וַיִּבְכּוּ
אִישׁ אֶת־רֵעֵהוּ עַד־דָּוִד הִגְדִּיל׃ וַיֹּאמֶר יְהוֹנָתָן לְדָוִד מב
לֵךְ לְשָׁלוֹם אֲשֶׁר נִשְׁבַּעְנוּ שְׁנֵינוּ אֲנַחְנוּ בְּשֵׁם יְהוָה
לֵאמֹר יְהוָה יִהְיֶה ׀ בֵּינִי וּבֵינֶךָ וּבֵין זַרְעִי וּבֵין זַרְעֲךָ
עַד־עוֹלָם׃

ביאור

הַשֻּׁלְחָן בָּחֳרִי אָף, בכעס וְלֹא אָכַל בְּיוֹם הַחֹדֶשׁ הַשֵּׁנִי לָחֶם, כִּי נֶעְצַב
אֶל דָּוִד וכי הִכְלִמוֹ, ביישו אָבִיו. יונתן חש זעם, עצב ובושה גם יחד.

לה וַיְהִי בַבֹּקֶר, וַיֵּצֵא יְהוֹנָתָן הַשָּׂדֶה לְמוֹעֵד, לזמן שקבע עם דָּוִד, וְנַעַר
קָטֹן, שלא יבין ויחשוד בדבר[271] עִמּוֹ.

לו וַיֹּאמֶר לְנַעֲרוֹ: רֻץ מְצָא נָא אֶת הַחִצִּים אֲשֶׁר אָנֹכִי מוֹרֶה, יורה.

הַנַּעַר רָץ, וְהוּא יָרָה הַחֵצִי, את החץ[272] לְהַעֲבִרוֹ, כדי שהחץ יעבור
את הנער. לז וַיָּבֹא הַנַּעַר עַד מְקוֹם הַחֵצִי אֲשֶׁר יָרָה יְהוֹנָתָן. התברר
שיהונתן ירה מעבר למטרה היעודה,[273] וַיִּקְרָא יְהוֹנָתָן אַחֲרֵי הַנַּעַר
וַיֹּאמֶר: הֲלוֹא הַחֵצִי מִמְּךָ וָהָלְאָה. לח וַיִּקְרָא יְהוֹנָתָן אַחֲרֵי הַנַּעַר: מְהֵרָה
חוּשָׁה, הזדרז, אַל תַּעֲמֹד.

וַיְלַקֵּט נַעַר יְהוֹנָתָן אֶת הַחִצִּים, וַיָּבֹא אֶל אֲדֹנָיו, כדי שיהונתן יניח
אותם באשפת החצים. לט וְהַנַּעַר לֹא יָדַע מְאוּמָה, אַךְ יְהוֹנָתָן וְדָוִד
יָדְעוּ אֶת הַדָּבָר.

מ וַיִּתֵּן יְהוֹנָתָן אֶת כֵּלָיו, הקשת ואשפת החצים,[274] אֶל הַנַּעַר אֲשֶׁר
לוֹ, וַיֹּאמֶר לוֹ: לֵךְ הָבֵיא אותם אל הָעִיר.

מא הַנַּעַר בָּא, פנה לדרכו, וכאשר לא היה איש בשדה, דָּוִד קָם
מֵאֵצֶל הַנֶּגֶב, מן הצד הדרומי של השדה או של האבן האזל, וַיִּפֹּל
לְאַפָּיו, לפני יהונתן אַרְצָה וַיִּשְׁתַּחוּ, השתחווה לו שָׁלֹשׁ פְּעָמִים כאות
תודה.[275] וַיִּשְּׁקוּ אִישׁ אֶת רֵעֵהוּ וַיִּבְכּוּ אִישׁ אֶת רֵעֵהוּ, כי ידעו שמן
הסתם לא ייפגשו עוד, עַד שֶׁדָּוִד הִגְדִּיל, הרבה לבכות מיהונתן. אף
על פי שיונתן אהב אותו לא פחות. דוד ידע שמעתה הוא נידון
לחיי קושי, רדיפות וסבל.[276]

מב וַיֹּאמֶר יְהוֹנָתָן לְדָוִד: לֵךְ לְשָׁלוֹם, והוא שב והזכיר לו: אֲשֶׁר נִשְׁבַּעְנוּ
שְׁנֵינוּ אֲנַחְנוּ בְּשֵׁם ה׳ לֵאמֹר: ״ה׳ יִהְיֶה בֵּינִי וּבֵינֶךָ וּבֵין זַרְעִי וּבֵין זַרְעֲךָ
עַד עוֹלָם״.

הפטרת שבת ראש חודש

ישעיה

סו א כֹּה אָמַר יְהוָה הַשָּׁמַיִם כִּסְאִי וְהָאָרֶץ הֲדֹם רַגְלָי
אֵי־זֶה בַיִת אֲשֶׁר תִּבְנוּ־לִי וְאֵי־זֶה מָקוֹם מְנוּחָתִי׃
ב וְאֶת־כָּל־אֵלֶּה יָדִי עָשָׂתָה וַיִּהְיוּ כָל־אֵלֶּה נְאֻם־יְהוָה
וְאֶל־זֶה אַבִּיט אֶל־עָנִי וּנְכֵה־רוּחַ וְחָרֵד עַל־דְּבָרִי׃
ג שׁוֹחֵט הַשּׁוֹר מַכֵּה־אִישׁ זוֹבֵחַ הַשֶּׂה עֹרֵף כֶּלֶב מַעֲלֵה
מִנְחָה דַּם־חֲזִיר מַזְכִּיר לְבֹנָה מְבָרֵךְ אָוֶן גַּם־הֵמָּה
ד בָּחֲרוּ בְּדַרְכֵיהֶם וּבְשִׁקּוּצֵיהֶם נַפְשָׁם חָפֵצָה׃ גַּם־
אֲנִי אֶבְחַר בְּתַעֲלֻלֵיהֶם וּמְגוּרֹתָם אָבִיא לָהֶם יַעַן
קָרָאתִי וְאֵין עוֹנֶה דִּבַּרְתִּי וְלֹא שָׁמֵעוּ וַיַּעֲשׂוּ הָרַע
ה בְּעֵינַי וּבַאֲשֶׁר לֹא־חָפַצְתִּי בָּחָרוּ׃ שִׁמְעוּ
דְּבַר־יְהוָה הַחֲרֵדִים אֶל־דְּבָרוֹ אָמְרוּ אֲחֵיכֶם

העולם | לְבֹנָה שרף ריחני שצבעו לבן–צהבהב המופק מעצים המכונים גם היום לבונה (שם מדעי: Boswellia) ממשפחת הבשמיים, Burseraceae. זהו עץ קטן ממדים, העשוי להגיע עד גובה של 7 מטרים. עליו צרים ופרחיו לבנים–ורודים חיוורים. העץ גדל באיזור סומליה, אתיופיה ודרום חצי–האי ערב. את השרף מפיקים באמצעות חריצת קליפת העץ ואיסוף השרף המטפטף בכלי. משתמשים בגרגירים המתגבשים מן השרף הנוזלי המתקשה במשך הזמן.

הגמול העתיד לבוא

בצד דברי תוכחה לנוהגים שלא כהוגן המתרחקים מה', מתארת חתימת ספר ישעיה את התגלותו של ה'. הגאולה העתידית אינה מצטיירת כרצף של מתנות, ישועות ונחמות בלבד, אלא כעת של גמול. על כן כוללת הנבואה הן את השכר המיועד להולכים בדרך הטוב והן את הפורענות שתגיע לעושי רע. ההפטרה מסיימת בנבואה שלעתיד לבוא יעלו הכול למקדש בשבתות ובראשי חודשים.

ישעיה פרק סו א **כֹּה אָמַר ה': הַשָּׁמַיִם** הם **כִּסְאִי, וְהָאָרֶץ** היא **הֲדֹם,** | ביאור
שרפרף להנחת **רַגְלָי.** על כן - **אֵי זֶה בַיִת אֲשֶׁר תִּבְנוּ לִי, וְאֵי זֶה מָקוֹם**
מְנוּחָתִי?! בניית בית לה' אינה אמורה להיות אפשרית.[277] ב **וְאֶת כָּל**
אֵלֶּה, השמים והארץ, כיסאי והדומי, **יָדִי עָשָׂתָה, וַיִּהְיוּ,** ונתקיימו **כָל**
אֵלֶּה מאז. **נְאֻם ה'.** אין דבר שיכיל אותי, ואין דבר שלא נברא על ידי,
ולמרות רוממותי על הכול[278] **אֶל זֶה אַבִּיט - אֶל עָנִי וּנְכֵה רוּחַ,** מדוכדך
וְחָרֵד עַל דְּבָרִי, לעשותו. בניגוד למחשבותיהם של אנשים,
כאילו יוכלו לשמח את לבו של ה' בניסיונותיהם לבנות לו בתים
וארמונות ובמעשיהם החיצוניים - כל אלה אינם חשובים בעיניו.
העני שרוחו עצובה עליו, ועם זאת הוא דואג לדבר ה' שייעשה, הוא
היקר בעיני ה'.[279] ג לעומת זה - מי **שׁוֹחֵט** את **הַשּׁוֹר** לצורך קרבן,
דומה **לְמַכֵּה,** להורג **אִישׁ. זוֹבֵחַ הַשֶּׂה** דומה בעיני **לְעֹרֵף כֶּלֶב,** שאין בו
קדושה או מעלה. **מַעֲלֵה מִנְחָה** על המזבח - כאילו הביא **דַּם חֲזִיר.**
מַזְכִּיר, מקטיר[280] **לְבֹנָה** אינו אלא **מְבָרֵךְ אָוֶן,** מעלה מתנת מרמה שאין
בה כל תועלת.[281] **גַּם הֵמָּה,** אותם מקריבי קרבנות **בָּחֲרוּ בְּדַרְכֵיהֶם**
הרעות, **וּבְשִׁקּוּצֵיהֶם נַפְשָׁם חָפֵצָה.** הם חושבים שמעשי הפולחן
פוטרים אותם מכל חובה אחרת, ולכן המעשים הללו משוקצים
בעיני. לא מפני שיש פסול בהקרבת הקרבנות כשלעצמה, אלא משום
שמקריבי הקרבנות ממשיכים ללכת בדרכיהם הרעות.[282] ד לפיכך
גַּם אֲנִי אֶבְחַר בְּתַעֲלֻלֵיהֶם, אתמקד במעשיהם השליליים,[283] **וּמְגוּרֹתָם,** פחדיהם, הדברים שהם חוששים מפניהם,[284] **אָבִיא לָהֶם,**
יַעַן קָרָאתִי - וְאֵין עוֹנֶה, נעתר לקריאתי, **דִּבַּרְתִּי - וְלֹא שָׁמֵעוּ,** קיבלו,
וַיַּעֲשׂוּ הָרַע בְּעֵינַי, וּבַאֲשֶׁר לֹא חָפַצְתִּי בָּחָרוּ. זה יהיה עונשם של הפונים
לעניינים חיצוניים ומתעלמים מן הנושאים החשובים.

ה **שִׁמְעוּ דְּבַר ה', הַחֲרֵדִים אֶל דְּבָרוֹ** והמקשיבים לו באמת: **אָמְרוּ**
אֲחֵיכֶם שהם לפעמים **שֹׂנְאֵיכֶם** ולפעמים **מְנַדֵּיכֶם,** המחרימים אתכם

שֹׂנְאֵיכֶם מְנַדֵּיכֶם לְמַעַן שְׁמִי יִכְבַּד יְהוָה וְנִרְאֶה
בְשִׂמְחַתְכֶם וְהֵם יֵבֹשׁוּ׃ קוֹל שָׁאוֹן מֵעִיר קוֹל מֵהֵיכָל ו
קוֹל יְהוָה מְשַׁלֵּם גְּמוּל לְאֹיְבָיו׃ בְּטֶרֶם תָּחִיל יָלָדָה ז
בְּטֶרֶם יָבוֹא חֵבֶל לָהּ וְהִמְלִיטָה זָכָר׃ מִי־שָׁמַע ח
כָּזֹאת מִי רָאָה כָּאֵלֶּה הֲיוּחַל אֶרֶץ בְּיוֹם אֶחָד אִם־
יִוָּלֵד גּוֹי פַּעַם אֶחָת כִּי־חָלָה גַּם־יָלְדָה צִיּוֹן אֶת־
בָּנֶיהָ׃ הַאֲנִי אַשְׁבִּיר וְלֹא אוֹלִיד יֹאמַר יְהוָה אִם־ ט
אֲנִי הַמּוֹלִיד וְעָצַרְתִּי אָמַר אֱלֹהָיִךְ׃ שִׂמְחוּ י
אֶת־יְרוּשָׁלִַם וְגִילוּ בָהּ כָּל־אֹהֲבֶיהָ שִׂישׂוּ אִתָּהּ
מָשׂוֹשׂ כָּל־הַמִּתְאַבְּלִים עָלֶיהָ׃ לְמַעַן תִּינְקוּ וּשְׂבַעְתֶּם יא
מִשֹּׁד תַּנְחֻמֶיהָ לְמַעַן תָּמֹצּוּ וְהִתְעַנַּגְתֶּם מִזִּיז
כְּבוֹדָהּ׃ כִּי־כֹה ׀ אָמַר יְהוָה הִנְנִי נֹטֶה־ יב
אֵלֶיהָ כְּנָהָר שָׁלוֹם וּכְנַחַל שׁוֹטֵף כְּבוֹד גּוֹיִם וִינַקְתֶּם
עַל־צַד תִּנָּשֵׂאוּ וְעַל־בִּרְכַּיִם תְּשָׁעֳשָׁעוּ׃ כְּאִישׁ אֲשֶׁר יג

ואינם מעוניינים לשתף אתכם עמם:"[285] "לְמַעַן שְׁמִי, בגללנו, בזכותנו
יִכְבַּד, יכובד ה'".[286] הם חושבים שבהם ובקרבנותיהם הכול תלוי,
ומגַנים את זולתם על מעשיהם ועל מחדליהם. וְאולם לבסוף נִרְאֶה
בְשִׂמְחַתְכֶם, אתם תזכו לשמחה וְאילו הֵם יֵבֹשׁוּ, יתביישו.[287] ו כך
יקרה, כאשר קוֹל שָׁאוֹן, רעש, יֵצא מֵעִיר, מציון.[288] קוֹל יֵצא מֵהֵיכָל. זהו
קוֹל ה' מְשַׁלֵּם גְּמוּל לְאֹיְבָיו. השילום בזמן הגאולה יבוא ברעש גדול.

ז כדימוי לתהליך הגאולה - בְּטֶרֶם תָּחִיל, לפני שחשה ציון
צירים - יָלָדָה, הלידה כבר תהיה מאחוריה. בְּטֶרֶם יָבוֹא חֵבֶל, ציר
לָהּ - והנה כבר הִמְלִיטָה זָכָר. הגאולה תבוא במהירות ובמפתיע,
כלידה שלא קדמו לה סימני הלידה. ח מִי שָׁמַע גאולה פלאית
כָּזֹאת?! מִי רָאָה אירועים כָּאֵלֶּה?! הֲיוּחַל אֶרֶץ בְּיוֹם אֶחָד?! האם
ייתכן שארץ שלמה תיהרה ותיוולד[289] ביום אחד, אִם יִוָּלֵד גּוֹי, עַם
בפַּעַם אֶחָת?! הרי לידתו של עם היא תהליך ממושך. כִּי, הנה חָלָה,
הרתה וכאבה וגַם יָלְדָה צִיּוֹן אֶת בָּנֶיהָ בבת אחת. ט הַאֲנִי אַשְׁבִּיר,
אושיב את ציון על המשבר, מקום הלידה, וְלֹא אוֹלִיד, לא אסייע
לה ללדת?! יֹאמַר ה'. אִם אֲנִי הַמּוֹלִיד את הכול, וְעָצַרְתִּי את ציון
מללדת?! אָמַר אֱלֹהָיִךְ. אני הדואג לכל התהליכים הללו מתחילתם,
ועל כן אביאם לידי גמר.[290]

י לאחר הלידה - שִׂמְחוּ אֶת, עם יְרוּשָׁלִַם הנפקדת, וְגִילוּ בָהּ, כָּל אֹהֲבֶיהָ,
הכואבים עתה את עליבותה. שִׂישׂוּ אִתָּהּ מָשׂוֹשׂ, כָּל הַמִּתְאַבְּלִים עָלֶיהָ
בחורבנה. השתתפו בשמחתה - יא לְמַעַן תִּינְקוּ וּשְׂבַעְתֶּם מִשֹּׁד, מִשַּׁד
תַּנְחֻמֶיהָ. בני ירושלים יינקו ממנה את תנחומיה, יתנחמו יירגעו
ויתענגו. והדימוי הסמלי ממשיך - לְמַעַן תָּמֹצּוּ, תמצצו, וְהִתְעַנַּגְתֶּם
מִזִּיז, מזיו[291] כְּבוֹדָהּ. ולפי הדימוי רומז לפטמות שדיה.[292]

יב בהמשך לדימוי לידת ציון את בניה - כִּי כֹה אָמַר ה': הִנְנִי נֹטֶה,
מַפנה אֵלֶיהָ - אל ירושלים כְּנָהָר - שָׁלוֹם, את הברכה המושלמת,
וּכְנַחַל שׁוֹטֵף אביא כְּבוֹד, חשיבות או הון גּוֹיִם, וִינַקְתֶּם שפע זה. עַל
צַד תִּנָּשֵׂאוּ, יישאו אתכם כמו שנושאים תינוקות קטנים על צד
הגוף. וְעַל בִּרְכַּיִם תְּשָׁעֳשָׁעוּ, כדרך שמחזיקים ומשעשעים פעוטות.
תשובו לציון כילדים קטנים, בהתחדשות גמורה ובשמחה תמה,

אִמּוֹ תְּנַחֲמֶנּוּ כֵּן אָנֹכִי אֲנַחֶמְכֶם וּבִירוּשָׁלַ͏ִם תְּנֻחָמוּ׃
יד וּרְאִיתֶם וְשָׂשׂ לִבְּכֶם וְעַצְמוֹתֵיכֶם כַּדֶּשֶׁא תִפְרַחְנָה
טו וְנוֹדְעָה יַד־יהוה אֶת־עֲבָדָיו וְזָעַם אֶת־אֹיְבָיו׃ כִּי־
הִנֵּה יהוה בָּאֵשׁ יָבוֹא וְכַסּוּפָה מַרְכְּבֹתָיו לְהָשִׁיב
טז בְּחֵמָה אַפּוֹ וְגַעֲרָתוֹ בְּלַהֲבֵי־אֵשׁ׃ כִּי בָאֵשׁ יְהוָה
נִשְׁפָּט וּבְחַרְבּוֹ אֶת־כָּל־בָּשָׂר וְרַבּוּ חַלְלֵי יְהוָה׃
יז הַמִּתְקַדְּשִׁים וְהַמִּטַּהֲרִים אֶל־הַגַּנּוֹת אַחַר אחד (אַחַת)
בַּתָּוֶךְ אֹכְלֵי בְּשַׂר הַחֲזִיר וְהַשֶּׁקֶץ וְהָעַכְבָּר יַחְדָּו
יח יָסֻפוּ נְאֻם־יְהוָה׃ וְאָנֹכִי מַעֲשֵׂיהֶם וּמַחְשְׁבֹתֵיהֶם
בָּאָה לְקַבֵּץ אֶת־כָּל־הַגּוֹיִם וְהַלְּשֹׁנוֹת וּבָאוּ וְרָאוּ
יט אֶת־כְּבוֹדִי׃ וְשַׂמְתִּי בָהֶם אוֹת וְשִׁלַּחְתִּי מֵהֶם ׀
פְּלֵיטִים אֶל־הַגּוֹיִם תַּרְשִׁישׁ פּוּל וְלוּד מֹשְׁכֵי קֶשֶׁת

הרחבות

'אֹכְלֵי בשר החזיר והשקץ והעכבר' לשון בלתי עדינה זו מתייחסת אף לאוכלים במסעדות גורמה, שבהן לא נאכלים השקצים כמות שהם אלא הם מתובלים בטוב טעם ומקושטים יפה. העונש יחול בשווה על החוטאים בפשעים חמורים כמו עבודה זרה, העשויה לכלול גם פולחן אינטלקטואלי, גילוי עריות ושפיכות דמים, המרומזים גם הם בפרשה זו, ועל מי שחטאו באכילתו של מזון שאינו כשר.

'ואנכי מעשיהם ומחשבֹתיהם באה לקבץ את כל הגוים' ייתכן שלכך מכוונים הדברים לעיל (פס' ד): גַּם אֲנִי אֶבְחַר בְּתַעֲלֻלֵיהֶם. ויש מי שמפרש כנגד מחשבות האחים השונאים באמרם: לְמַעַן שְׁמִי יִכְבַּד ה' – יבואו הגוים ויראו את כבודי. ויש מפרשים: באה כל אחת ואחת ממחשבותיהם; באה רעת מעשיהם ומחשבותיהם לפני; לנוכח מעשיהם ומחשבותיהם באה העת לקבץ.

גם בנבואות אחרות של אחרית הימים מופיע הרעיון שלא רק ישראל אלא כל בני העולם יעריצו את ה' ויבואו לעבדו (ראו לעיל ב,ב; נו,ו-ז; ירמיה ג,יז; זכריה יד,ב טז).

ביאור

בלי טרדות וייסורים. יג **כְּאִישׁ אֲשֶׁר אִמּוֹ תְּנַחֲמֶנּוּ** מצרה שעברה
עליו, אולי מעזיבתה אותו,[293] בדברים רכים היוצאים מלב רחמן,[294]
כֵּן אָנֹכִי אֲנַחֶמְכֶם, וּבִירוּשָׁלַםִ שהתאבלתם עליה, על ידה ובה
תְּנֻחָמוּ. יד **וּרְאִיתֶם** את הגאולה **וְשָׂשׂ לִבְּכֶם, וְעַצְמוֹתֵיכֶם כַּדֶּשֶׁא**
תִפְרַחְנָה, דימוי העצמות המתרעננות והמתרחבות מבטא חידוש
נעורים ושמחה, והוא עומד כנגד הגוף המצטמק, המשתופף והנראה
יבש בתהליכי זקנה.[295] **וְנוֹדְעָה,** תתגלה **יַד ה' אֶת,** אצל **עֲבָדָיו,** בכך
שהיא תתמוך בהם ותנקום נקמתם,[296] ומצד אחר - **וְזָעַם אֶת אֹיְבָיו.**
ה' יכעס על אלה שעמדו כנגדו.

טו **כִּי הִנֵּה** באחרית הימים **ה' בָּאֵשׁ יָבוֹא,** יתגלה, **וְכַסּוּפָה** ידהרו
מַרְכְּבֹתָיו לְהָשִׁיב לשכך,[297] או: להחזיר[298] **בְּחֵמָה** את **אַפּוֹ,** כעסו,
וְאת **גַעֲרָתוֹ** ישיב **בְּלַהֲבֵי,** בלהבות **אֵשׁ.** טז **כִּי בָאֵשׁ ה' נִשְׁפָּט,** יתדיין,
וּבְחַרְבּוֹ יבוא במשפט **אֶת,** עם **כָּל בָּשָׂר - וְרַבּוּ חַלְלֵי ה'.** יז **הַמִּתְקַדְּשִׁים,**
המכינים עצמם לפולחן **וְהַמִּטַּהֲרִים** בפנותם **אֶל הַגַּנּוֹת** לעבודה זרה
שהייתה נעשית בהן,[299] **אַחַר אַחַת בַּתָּוֶךְ.** קבוצה אחר קבוצה היו
עובדים לדמות שניצבה במרכז.[300] **אֹכְלֵי בְּשַׂר הַחֲזִיר וְהַשֶּׁקֶץ וְהָעַכְבָּר.**
אוכלי טרפות ונבלות, כל אלה **יַחְדָּו יָסֻפוּ,** יאבדו. **נְאֻם ה'.**

יח וה' אומר: **וְאָנֹכִי** כך אפעל: **מַעֲשֵׂיהֶם וּמַחְשְׁבֹתֵיהֶם,** תוכניתם של
עובדי האלילים להיוועד על ירושלים[301] **בָּאָה,** תתממש - **לְקַבֵּץ אֶת**
כָּל הַגּוֹיִם וְהַלְּשֹׁנוֹת, ואז - **וּבָאוּ וְרָאוּ אֶת כְּבוֹדִי -** יט **וְשַׂמְתִּי בָהֶם,**
בגויים שייאספו **אוֹת,** סימן שאני הוא העומד מאחורי גאולה זו.
וְשִׁלַּחְתִּי מֵהֶם פְּלֵיטִים, שיבואו כשליחים **אֶל הַגּוֹיִם, תַּרְשִׁישׁ פּוּל**

העולם

תַּרְשִׁישׁ מזוהה עם תרסוס שבדרום-מזרחה אסיה הקטנה (תורכיה של היום) או עם תרתיסוס (Tartessos) שבדרום-מערב חצי-האי האיברי.

פוּל יש המזהים אותו עם בני פוט, המוזכרים כבעלי ברית של המצרים והיו אנשי מלחמה המומחים בהגנה: כּוּשׁ וּפוּט אִתָּם כֻּלָּם מָגֵן וְכוֹבַע (יחזקאל לח,ה, וראו ירמיה מו,ט; נחום ג,ט). יש חוקרים שזיהו אותו עם שבט ששכן בלוב, ואחרים שיערו שהוא 'ארץ פונט' שמדרום למצרים, הנזכרת בתעודות מצריות עתיקות.

לוּד בלוח העמים בפרשת נח הלודים סמוכים לעמי כוש ופוט, ששכנו סמוך למצרים (ישעיה סו,יט; יחזקאל כז,י). הם נזכרים בנביאים כעם שכירי חרב בשירות הצורים, הצידונים והמצרים. בתעודות היסטוריות נזכר לוד כעם שישב לחופי מערב אסיה הקטנה (Lydia), ועל כן היה מי ששיער כי מדובר בעם נודד שמקורו מצרי.

תּוּבַל וְיָוָן הָאִיִּים הָרְחֹקִים אֲשֶׁר לֹא־שָׁמְעוּ אֶת־
שִׁמְעִי וְלֹא־רָאוּ אֶת־כְּבוֹדִי וְהִגִּידוּ אֶת־כְּבוֹדִי
בַּגּוֹיִם: וְהֵבִיאוּ אֶת־כָּל־אֲחֵיכֶם ׀ מִכָּל־הַגּוֹיִם ׀ כ
מִנְחָה ׀ לַיהוָה בַּסּוּסִים וּבָרֶכֶב וּבַצַּבִּים וּבַפְּרָדִים
וּבַכִּרְכָּרוֹת עַל הַר קָדְשִׁי יְרוּשָׁלִַם אָמַר יְהוָה כַּאֲשֶׁר
יָבִיאוּ בְנֵי יִשְׂרָאֵל אֶת־הַמִּנְחָה בִּכְלִי טָהוֹר בֵּית
יְהוָה: וְגַם־מֵהֶם אֶקַּח לַכֹּהֲנִים לַלְוִיִּם אָמַר יְהוָה: כִּי כא כב
כַאֲשֶׁר הַשָּׁמַיִם הַחֲדָשִׁים וְהָאָרֶץ הַחֲדָשָׁה אֲשֶׁר אֲנִי
עֹשֶׂה עֹמְדִים לְפָנַי נְאֻם־יְהוָה כֵּן יַעֲמֹד זַרְעֲכֶם
וְשִׁמְכֶם: וְהָיָה מִדֵּי־חֹדֶשׁ בְּחָדְשׁוֹ וּמִדֵּי שַׁבָּת כג
בְּשַׁבַּתּוֹ יָבוֹא כָל־בָּשָׂר לְהִשְׁתַּחֲוֺת לְפָנַי אָמַר יְהוָה:
וְיָצְאוּ וְרָאוּ בְּפִגְרֵי הָאֲנָשִׁים הַפֹּשְׁעִים בִּי כִּי תוֹלַעְתָּם כד
לֹא תָמוּת וְאִשָּׁם לֹא תִכְבֶּה וְהָיוּ דֵרָאוֹן לְכָל־בָּשָׂר:

והיה מדי־חדש בחדשו ומדי שבת בשבתו יבוא כל־בשר להשתחות
לפני אמר יהוה:

ביאור

וְלוּד, שחלקם שוכנים בקצוות שונים של הים התיכון, והם **מֹשְׁכֵי**
קֶשֶׁת, אנשי מלחמה המפורסמים כקשתים, וגם אל **תֻּבַל וְיָוָן**, **הָאִיִּים**
הָרְחֹקִים מארץ ישראל. בזמנים שבהם ההפלגות נעשו באניות מפרש
בלתי אמינות, האיים שאחרי יוון נחשבו רחוקים. **אֲשֶׁר לֹא שָׁמְעוּ**
אֶת שִׁמְעִי, וְלֹא רָאוּ אֶת כְּבוֹדִי. וְהִגִּידוּ השליחים הללו **אֶת כְּבוֹדִי**
בַּגּוֹיִם. כ **וְהֵבִיאוּ** הגויים שיעלו לרגל לציון **אֶת כָּל אֲחֵיכֶם** שבגלות
מִכָּל הַגּוֹיִם אחיכם יובאו על ידי הגויים בתור **מִנְחָה**, מתנה **לַה׳**, בכל
כלי הרכב האפשריים: **בַּסּוּסִים וּבָרֶכֶב וּבַצַּבִּים**, עגלות מטוקסות,
ערוכות ומסודרות **וּבַפְּרָדִים וּבַכִּרְכָּרוֹת עַל**, אל **הַר קָדְשִׁי יְרוּשָׁלַ͏ִם**,
אָמַר ה׳, כַּאֲשֶׁר יָבִיאוּ בְנֵי יִשְׂרָאֵל אֶת הַמִּנְחָה בִּכְלִי טָהוֹר לְבֵית ה׳.
נדחי ישראל בכל האומות יובאו במהירות ובכבוד, כמו שמביאים
לה׳ קרבן מכובד ונאה בטהרה ובשמחת לב. כא **וְגַם מֵהֶם**, מאותם
הגולים שישובו ויתגלו,[302] **אֶקַּח לַכֹּהֲנִים לַלְוִיִּם, אָמַר ה׳.**

כב **כִּי כַאֲשֶׁר הַשָּׁמַיִם הַחֲדָשִׁים וְהָאָרֶץ הַחֲדָשָׁה אֲשֶׁר אֲנִי עֹשֶׂה** - כמו
שהוזכר כבר[303] - **עֹמְדִים לְפָנַי, נְאֻם ה׳, כֵּן יַעֲמֹד זַרְעֲכֶם וְשִׁמְכֶם.** גם
אתם תישארו לנצח. כג **וְהָיָה מִדֵּי חֹדֶשׁ בְּחָדְשׁוֹ וּמִדֵּי שַׁבָּת בְּשַׁבַּתּוֹ**
יָבוֹא כָל בָּשָׂר, כל יצורי עולם, **לְהִשְׁתַּחֲוֹת לְפָנַי, אָמַר ה׳.** בכל חודש
ושבת יבואו אנשים אחרים, ולאו דווקא בבת אחת.[304] העולם יכבד
את אלוקי ישראל. כד כאשר הם יגיעו - **וְיָצְאוּ וְרָאוּ בְּפִגְרֵי הָאֲנָשִׁים**
הַפֹּשְׁעִים, שפשעו **בִּי, כִּי תוֹלַעְתָּם** האוכלת את הפגרים הללו **לֹא**
תָמוּת, וְאִשָּׁם, האש היוקדת בהם **לֹא תִכְבֶּה, וְהָיוּ דֵרָאוֹן**, חרפה **לְכָל**
בָּשָׂר. עונשם של הפושעים וביזיונם יהיו אות עולם לעיני כול.[305]

כדי שלא לסיים את הספר בדבר שלילי, נהוג מזה דורות רבים לחזור שנית על קריאת הפסוק שלפני האחרון: וְהָיָה מִדֵּי חֹדֶשׁ בְּחָדְשׁוֹ וּמִדֵּי שַׁבָּת בְּשַׁבַּתּוֹ יָבוֹא כָל בָּשָׂר לְהִשְׁתַּחֲוֹת לְפָנַי, אָמַר ה׳.

מקורות והערות

מקורות הערות

מקורות והערות לפרשת בראשית

1. קשה לדעת מה משמעה של בֹּהוּ, ואם מלה זו היא מושג עצמאי. צמד המלים העמום הזה מופיע במקומות נוספים במקרא. ראו ישעיה לד,יא; ירמיה ד,כג.
2. עם זאת, היו שפירשו את החושך לא כהיעדר בלבד אלא כמהות עצמאית, כפי שעולה מן הפסוק מישעיה מה,ז יוֹצֵר אוֹר וּבוֹרֵא חֹשֶׁךְ.
3. ראו ירמיה ו,ד; יחזקאל ל,יח; עמוס ה,כ; איוב ג,ד ועוד.
4. ראו ישעיה מג,יג ובהערה שם.
5. בראשית רבה ג,ז.
6. ראו שו"ת ר"א בן הרמב"ם, מג.
7. חגיגה יב ע"א, וראו רש"י על אתר.
8. הכתב והקבלה, וראו ראב"ע וספורנו בראשית א,א.
9. אפילו הכיור, גיגית הטבילה לכהנים, שעשה שלמה לבית המקדש ייקרא יָם. ראו מלכים א' ז,כג.
10. במלה שֶׁרֶץ אפשר לשמוע רמז לרצייה ולריצה. ייתכן שצירוף המלים נֶפֶשׁ חַיָּה מופיע בפעם הראשונה בתיאור יצורי המים - הדגים ושאר היצורים הימיים הקטנים והגדולים, ורק אחר כך בבעלי החיים היבשתיים, מכיוון שהמים הם המקור הראשון לבריאה ולקיומם של חיים.
11. ראו ישעיה כז,א; תהלים עד,יג-יד; בבא בתרא עד ע"ב; בראשית רבה ז.
12. במקומות אחדים מתוארות בריות אלה כבעלות עצמה כבירה כל כך, ולעתים אין הן מקבלות את מרותו של הקדוש ברוך הוא. ראו יחזקאל כט,ג; איוב מ; תהלים פט,יא.
13. ראו בהרחבה לויקרא יא,ב.
14. על פי ראב"ע ורמב"ן. זו אינה ההגדרה ההלכתית.
15. רמב"ן.
16. ראו פרקי דרבי אליעזר יא.
17. אך אולי אין כאן איסור על אכילת מזון מן החי או על אכילת נבלות, אלא על המתתם של יצורים חיים. עיינו רש"י פס' כט, רש"י סנהדרין נז ע"א, תוספות שם נו ע"ב. וראו רא"ם וגור אריה פס' כט; רמ"ע מפאנו, חיקור הדין ג,כא.
18. חולין ס ע"ב: "מלמד שיצאו דשאים ועמדו על פתח קרקע, עד שבא אדם הראשון וביקש עליהם רחמים, וירדו גשמים, וצמחו".
19. סנהדרין לח ע"ב; בראשית רבה ח,א.
20. כדברי אונקלוס, רוּחַ מְמַלְּלָא.
21. כפי שמשתמע מהסיפור, וכפי שעולה מכמה מקומות בתנ"ך. ראו מלכים ב' יט,יב; יחזקאל כז,כג.
22. על פי אונקלוס.
23. מדרש אגדה ורש"י על אתר; זוהר ח"א קכה ע"א.
24. על פי ילקוט שמעוני בראשית כב; מגילה יא ע"א.
25. להלן לא,כא; יהושע כד,ב; שמואל ב' י,טז ועוד. ראו חזקוני על אתר.
26. זוהי משמעותו של הביטוי עֵבֶר הַנָּהָר, המופיע במקרא ובשאר הספרות התורנית. ראו למשל יהושע כד,ב; מלכים א' ה,ד; עזרא ח,לו; אבות דרבי נתן מז; בראשית רבה מב,ח. הביטוי מופיע גם בממצאים הארכיאולוגיים.
27. ראו רמב"ן.
28. ראו ברכות סא ע"א.
29. ראו רש"י, על פי פרקי דרבי אליעזר יב; שו"ת הרשב"א, ס.
30. רבים פירשו צֵלָע כעצם היוצאת מעמוד השדרה, אך נראה כי מתאים יותר לפרש כאן צֵלָע כצד. כשם שצלע של בית, פירושה צד הבית, אף לאדם הראשון היה צד נוסף. ראו אונקלוס ויונתן, בראשית רבה ופירוש ראב"ע.
31. ראו חזקוני, עקדת יצחק ואלשיך על אתר; הקדמת שערי קדושה לראב"ד; שו"ת הרשב"א ח"א ס.
32. בניגוד ללשוננו, שבה למלה עָרוּם מתלווה קונוטציה שלילית, במקרא משמעותה ניטרלית. הנחש המוכר לנו הוא מעין דמות מקוצצת של הנחש הקדמוני שהיה יצור תבוני. ראו

קהלת שלמה, ז - תשובת רב האי גאון.

33. ראו ברכות מ ע"א.
34. ראו רש"י ורמב"ן על אתר; רש"י עבודה זרה ה ע"ב.
35. ראו ספורנו ובעל הטורים, על פי מדרשים.
36. ראו רש"י, חזקוני ומשך חכמה.
37. רש"ר הירש.
38. ראו שו"ת רדב"ז, רנז.
39. ראו שמואל א' ד,ד; יחזקאל י ועוד.
40. מבחינה דקדוקית יש כאן שינוי מצורת העבר השכיחה במקרא (וְהָאָדָם יָדַע במקום 'וַיֵּדַע אדם', כמו להלן ד,יז: וַיֵּדַע קַיִן), המעיד פעמים רבות על עבר רחוק, עבר של עבר. וכן מסרו רז"ל - ראו למשל פרקי דרבי אליעזר יא. ראו עוד רש"י על אתר ושו"ת רשב"ץ, רכב.
41. ראו תיקוני זוהר קח,א; ספר הפליאה ד"ה ויגרש ועוד.
42. לפי תנחומא בראשית ט, מקץ ארבעים שנה משנולדו. ראו עוד: בראשית רבה כב וראב"ע על אתר.
43. ראו ראב"ע.
44. בראשית רבה כב,ה, וראו ראב"ע וספורנו פס' ג.
45. ראו רש"י, ראב"ע ורמב"ן.
46. גטין נז ע"ב; איכה רבה פתיחתא כג; דברים רבה ב,כה.
47. ויקרא ה,א; כב,ט; דברים כב,כו; שמואל א' כח,י; זכריה יד,יט.
48. על האפשרויות השונות לאותו סימן - ראו במדבר רבה ז,ה; דברים רבה, ליברמן, ואתחנן ד"ה אז; יונתן וראב"ע על אתר.
49. תרגומים ופירושו השני של רש"י.
50. ראב"ע ורמב"ן.
51. ראו בראשית רבה כב,ב; סנהדרין לח ע"ב; נח ע"ב.
52. על פי רמב"ן.
53. על פי אונקלוס.
54. בראשית רבה כג,ג.
55. תנחומא בראשית יא.
56. ראו רד"ק ומלבי"ם.
57. לכן מופיע במקרא הביטוי בְּנֵי שֵׁת בהקבלה לִבְנֵי אָדָם. ראו במדבר כד,יז.
58. רשב"ם וראב"ע.
59. ספרי דברים מג; בראשית רבה כג,ז; יונתן על אתר.
60. ראו רמב"ם תחילת הלכות עבודה זרה.
61. כפי שהסבירו חז"ל. ראו ברכות סא ע"א; ויקרא רבה יד,א ועוד.
62. לעיל ב,ז.
63. לעיל א,כז. וכך הסבירו חכמים את המלים מישעיה יד,יד: אֶדַּמֶּה לְעֶלְיוֹן. ראו של"ה הקדמת תולדות אדם, ג.
64. ראו יונתן על אתר וזוהר ח"ב קסז,ב.
65. ראו אונקלוס. כך עולה גם ממקומות אחרים שמושג דומה מופיע. ראו להלן ו,ט; יז,א; דברים יג,ה; שמואל א' ב,ל; תהלים קטז,ט ועוד.
66. בראשית רבה כה,א; זוהר ח"א נו,ב ועוד.
67. מלכים ב' ב.
68. ראו יונתן.
69. פירושים ומדרשים שונים עוסקים בשאלה במה התייחד נח. ראו מדרש ילמדנו, בראשית כו; רש"י ורשב"ם על אתר ועוד.
70. סנהדרין סט ע"ב; תנחומא תולדות כג; רש"י עבודה זרה ט ע"א; רש"י ורמב"ן על אתר.
71. אונקלוס, רש"י, ראב"ע, רד"ק ורבנו בחיי, וראו ספרי במדבר פו; בראשית רבה כו,ה.
72. על פי איוב א,ו; וראו שמואל א' כח,יג; זכריה יב,ח; דניאל ג,כה כח.
73. פרקי דרבי אליעזר כב; זוהר ח"א לז,א.
74. רס"ג. והרבה פירשו לשון מדון: לא יריב רוחי ויתרעם בשל האדם.

מקורות הערות

75. רש"י, וראו יונתן; זוהר ח"א נח ע"א.
76. ראו למשל פירוש רש"ר הירש, וראו המובא בתורה שלמה אות מז, דעת זקנים והכתב והקבלה, שלח.
77. כמו שמתואר עוג מלך הבשן, אחד מבני הענק האחרונים, שאותו הכו ישראל בעבר הירדן המזרחי. ראו דברים ג,יא ויונתן שם.
78. משנה, ברכות ט,ה; אבות דרבי נתן יד ועוד; ברכות סא ע"א-ע"ב, וראו סמ"ק מצווה נג.
79. ראו רש"י, ראב"ע ורמב"ן. ורס"ג פירש וַיִּנָּחֶם - חשב והחליט. וַיִּתְעַצֵּב אֶל לִבּוֹ - הביא את העצב אל לב בני האדם.
80. כך נאמר בסנהדרין קח ע"א: "משל לאדם שעשה חופה לבנו והתקין מכל מיני סעודה. לימים מת בנו. עמד ופיזר את חופתו. אמר: כלום עשיתי אלא בשביל בני; עכשיו שמת - חופה למה לי?! אף הקדוש ברוך הוא אמר: כלום בראתי בהמה וחיה אלא בשביל אדם; עכשיו שאדם חוטא - בהמה וחיה למה לי?!".

מקורות והערות לפרשת נח

1. לעיל ה,כב; יז,א.
2. לעיל ו,ב.
3. ראו סנהדרין קח ע"א; מדרש רבה ותנחומא על אתר.
4. ראו למשל באונקלוס: "טופנא".
5. ראו תהלים כט,י: ה' לַמַּבּוּל יָשָׁב וַיֵּשֶׁב ה' מֶלֶךְ לְעוֹלָם; וראו משנה סנהדרין י,ג; ילקוט שמעוני בראשית סא.
6. רמב"ן.
7. סנהדרין קח ועוד.
8. תנחומא נח ה; רש"י פס' יד.
9. ראו מחלוקת רבי יהושע ורבי אליעזר בראש השנה יא ע"ב, ורש"י על אתר.
10. ראו חולין קלט ע"ב; רש"י ואונקלוס.
11. קדושין יג ע"א.
12. ראו ראש השנה יב ע"א.
13. רש"י בראשית ח,כב, וראו בראשית רבה כה,ב.
14. ראו יונתן ובהרחבה.
15. חזקוני.
16. אונקלוס ויונתן, וראו ראב"ע, ר"י בכור שור ורמב"ן.
17. ראו בראשית רבה לד; כלי יקר.
18. ראו להלן ט,ז; שמות א,ז.
19. ירושלמי, ברכות ג, ה.
20. לעיל א,כח.
21. ראו לעיל א,ל ובמפרשים.
22. סנהדרין נו; רמב"ם הלכות מלכים ט,א.
23. שמות כא,כט; רמב"ם הלכות נזקי ממון י,א ואילך.
24. ראו אונקלוס ורד"ק.
25. ראו רד"ק.
26. חגיגה טז ע"א, וראו יחזקאל א,כח.
27. ראו לעיל ה,כט.
28. ראו בראשית רבה לו,ג; רש"י וספורנו.
29. תנחומא נח, כא; ראב"ע בראשית ט,כא, וראו סנהדרין ע ע"א.
30. ראו ויקרא כ,יז.
31. פירוש זה מתיישב ביתר קלות עם פס' כד להלן.
32. ראו רמב"ן פס' יח.
33. ראו יונתן וראב"ע.
34. ראו הכתב והקבלה.

35. שִׂים פָּנֶיךָ אֶל גּוֹג אֶרֶץ הַמָּגוֹג, יחזקאל לח,ב.
36. ראו יומא י ע"א.
37. ראו עוד בהרחבה לישעיה כג,א.
38. ראו אונקלוס במדבר כד,כד; תרגום ירמיה ב,י ויחזקאל כז,ו.
39. ראו רס"ג.
40. עירובין נג ע"א; וראו בראשית רבה מב,ד.
41. ראו רמב"ן; שד"ל.
42. ראו פירוש רש"ר הירש. פירוש אחר: נמרוד הוא שיצא אל אשור. ראו יונתן; שד"ל.
43. יונה ג,ב וראו ברש"י ובפירוש רש"ר הירש על אתר.
44. ירמיה מד,א; יחזקאל כט,יד, וראו ישעיה יא,יא.
45. ראו סנהדרין סט ע"ב.
46. ראו רמב"ן על אתר; רש"י עבודה זרה ט ע"א; רד"ק דברי הימים א' א,ה.
47. איוב א,א; ירמיה כה,כ; איכה ד,כא.
48. מלכים א' י; ישעיה ס,ו; תהלים עב,י.
49. ראו עוד בהערה לישעיה מ,ד.
50. ראו בעל הטורים.
51. להלן כב,כ-כד.

מקורות והערות לפרשת לך לך

1. מגילה יד ע"א.
2. בראשית רבה לט,יד.
3. על פי ראב"ע.
4. ראו יונתן, ראב"ע ורמב"ן.
5. ראו רמב"ן. ראו עוד להלן יג,ד.
6. להלן יג,ד; כא,לג ועוד.
7. זהו אותו שורש שממנו באה גם המלה גֵּר, המציינת את מי שבא מרחוק ואינו תושב קבע. ראו הגדה של פסח; רד"ק על אתר.
8. ראו דברים יא,י-יב.
9. חזקוני.
10. על דמותה ויופיה של שרה ראו בבא בתרא נח ע"א; תנחומא לך לך ה.
11. זוהר ח"א קיג,א; רש"י על אתר ורמב"ן להלן פס' יח.
12. בראשית רבה מא,ג.
13. ראו לעיל ד,ב. בעיית היחס בין מרעה הצאן לבין החקלאות הקבועה נדונה גם זמן רב לאחר מכן - בזמן המשנה והתלמוד. ראו למשל משנה בבא קמא פרק ו.
14. בראשית רבה מא,ה.
15. רד"ק. יש מפרשים כמו 'אל מקדם', ומצינו כיוצא בזה בכמה מקומות, על פי שד"ל.
16. להלן יד,כד.
17. כמו שמפרש אונקלוס.
18. ראו בהרחבה לעיל י,י.
19. ראו עוד בהרחבה לעיל י,כב.
20. להלן יט,כ-כב.
21. אונקלוס.
22. יונתן, ראב"ע ועוד, והשוו אונקלוס.
23. דברים ב,י; וראו רש"י כאן.
24. רש"י.
25. ראו רמב"ן דברים ב,י המזהה את החורי עם החווי.
26. מאוחר יותר הוזכר השם קדש כערים בנחלת נפתלי, יששכר ויהודה. ראו יהושע טו,כג; לט,יז; דברי הימים א' ו,נז.
27. דברי הימים ב' כ,ב.

מקורות הערות

28. בגמרא הוא זוהה כעוג מלך הבשן. נדה סא ע"א.
29. ראו רד"ק.
30. ראו יהושע יט,מז.
31. על פי רמב"ן וספורנו. ויש מפרשים: חילק עליהם את הלילה, בחצות לילה התקיפם.
32. מתוך דברי אגדה עולה מניע נוסף להתערבותו של אברם במלחמה – חשבונותיו הבלתי פתורים עם אמרפל עוד מן הימים שבהם ישב באור כשדים שבשנער. ראו עירובין נג ע"א.
33. תהלים עו,ג.
34. כמו אֲדֹנִי צֶדֶק. ראו יהושע י,א. וכך יש מפרשים דברי דוד: ...עַל דִּבְרָתִי [אני מבטיח. נאום] מַלְכִּי צֶדֶק.
35. ישעיה א,כו. ראו בראשית רבה מג,ו; רמב"ן על אתר; רשב"ם בראשית מא,י; רד"ק יהושע י,א
36. נדרים לב ע"ב; בראשית רבה נו,י.
37. ראו הושע יא,ח; איכה ג,סה.
38. על פי רמב"ן.
39. הדבר חוזר ומופיע במקומות רבים במקרא, כגון שמות ו,ח; במדבר יד,ל; יחזקאל כ,ו; דניאל יב,ז; תהלים קו,כו.
40. ביטוי זה מופיע גם להלן מא,טז.
41. אונקלוס וראב"ע.
42. ראו רש"י.
43. תוספות גטין נו ע"א, ד"ה עגלא.
44. אונקלוס ורש"י.
45. ראב"ע.
46. ר"מ בן שמעון יחזקאל לט,ד.
47. יש מי שפירש: אברם השיב את הגזרים למצבם הראשון והחיה אותם, כמופת על התחיה העתידה. גאון הגאונים, מד-רס"ג.
48. ראו רש"י ורמב"ן.
49. אותו דימוי מנוסח גם בביטוי עֶשֶׁן הַכִּבְשָׁן בשמות יט,יח.
50. במדבר לד,ה; יהושע טו,ד ועוד.
51. שהוזכרו לעיל יד,ה, ויופיעו מספר פעמים גם בספר דברים.
52. לפי מסורת אחת, היה אברם בן עשרים וחמש כשנשא את שרה, או אף צעיר מכך. ראו ילקוט שמעוני, עח; תנא דבי אליהו רבה, יח.
53. גם בהלכה נקבע פרק זמן זה כאמת מידה לכך שאין ביכולתה של אשה להרות. ראו משנה וגמרא יבמות סד ע"א; רמב"ם הלכות אישות טו,ז.
54. בראשית רבה מה,ד, וראו רש"י על אתר.
55. וראו עוד בביאור שמואל א' א,ו.
56. רד"ק.
57. והיא חוזרת ונזכרת עוד כמה פעמים הלאה. ראו להלן כד,סב; כה,יא.
58. בראשית רבה ה,י, וראו ראב"ע ורמב"ן על אתר.
59. לעיל ו,ט.
60. להלן כו,כד; שמות ג,ו; מלכים א' יח,לו; תהלים מז,י ועוד.
61. לעיל יד,יט; כב.
62. לעיל ט,יג.
63. ראו שבועות יג ע"א; רמב"ם הלכות תשובה ח,א; רמב"ן, שער הגמול.
64. ראו להלן כ,ד.
65. ראו להלן כה,כג.
66. בזמנים ההם היה נהוג להעניק למלכים שעלו לשלטון שם חדש, שיבטא את מעמדם החדש. מנהג זה קיים עדיין במקומות שונים שבהם עדיין יש שררה מסוג זה.
67. ואף בצחוקה של שרה, שיישמע בהמשך.

מקורות והערות

מקורות והערות לפרשת וירא

1. ראו מכלתא בא יב; בראשית רבה מח; ראש השנה יא ע"א.
2. וראו שבועות לה ע"ב.
3. רמב"ן ואברבנאל.
4. ר"י בכור שור וראב"ע.
5. כך משמעות הביטוי 'לעמוד על' גם בבמדבר ג,ו; דברים א,לח; מלכים א' יז,א; ישעיה ו,ב ועוד.
6. ראו ראב"ע.
7. רשב"ם ורבנו בחיי. וראו שופטים ו,יד.
8. ראו בבא מציעא פז ע"א.
9. השוו יונתן ורמב"ן.
10. ראו רמב"ן.
11. בצד המשמעות ההכרתית, הרווחת, של הפועל י,ד,ע, פועל זה נושא גם משמעות רגשית, של אהבה וקרבת נפש. ראו גם לעיל ד,א.
12. ראו רד"ק ורשב"ם. או כפי שהיה ראוי אולי לומר: 'וה' עודנו עומד לפני אברהם'. ראו רש"י.
13. לעיל יג,יג. ראו רש"י כאן.
14. סנהדרין קט ע"א, וראו רמב"ן על אתר.
15. מוּכָּרים בעיקר באזור ערב סיפורים דומים לכך, על נכונות המארח לעשות הכול למען אורחיו.
16. ראו לעיל יד,ב.
17. ראו למשל להלן מט,כט.
18. ראו תנחומא וירא כג; רש"י על אתר.
19. מגילה יד ע"א.
20. על פי רמב"ם הלכות מלכים ט,ה. וראו סנהדרין נז ע"ב-נח.
21. רמב"ן.
22. פקידה שמשמעה זכירה המלווה בנתינה ובמילוי חֶסר - ראו למשל שופטים טו,א; שמואל א' ב,כא.
23. ראו רש"י בראשית יז,יט.
24. לעיל יז,יב.
25. ראו שמואל א' א,כד; רשב"ם על אתר.
26. להלן כו,ח מופיע פועל זה במשמעות מינית מובהקת בפסוק וְהִנֵּה יִצְחָק מְצַחֵק אֵת רִבְקָה אִשְׁתּוֹ. ראו בראשית רבה נג,יא.
27. אברהם הוא שיחליט למי להעביר את ירושתו. ראו להלן כה,ה-ו.
28. אין זו הפעם הראשונה ולא האחרונה שבה באה לידי ביטוי זריזותו של אברהם. ראו לעיל יז,כב-כג וברש"י; להלן כב,ג וכן חולין טז ע"א.
29. רמב"ן ראב"ע, ספורנו ורד"ק.
30. ראו גם מדרש הגדול.
31. ראו לעיל פרק טו; ירמיה לד,יח-יט.
32. בראשית רבה מד,ה; סנהדרין פט ע"ב.
33. ראו רמב"ן.
34. ראב"ע.
35. בפולחני הקרבת בנים היו נהוגים לעתים טקסים סמליים במקום הקרבה, דוגמת העברתם באש בלי לשרפם.
36. ראו אבות ה,ו; רשב"ם על אתר.
37. ראו דברי הימים ב' ג,א ורלב"ג ומלבי"ם שם.
38. חז"ל מפרשים את המלה אַחֲרֵי - מופלג, כלומר זמן שאינו סמוך להתרחשות שתוארה

קודם לכן. ראו בראשית רבה מד,ה; סנהדרין פט ע"ב.
39. בעל הטורים.

מקורות והערות לפרשת חיי שרה

1. רש"י על אתר; בראשית רבה נח,א.
2. ראו שמות יב,מה; ויקרא כב,י; כה,ו; דברי הימים א' כט,טו.
3. ראב"ע. וראו הכתב והקבלה.
4. על ההיאחזות באחוזת אבות ראו למשל מלכים א' כא,א-ג; נחמיה ב,ב-ה.
5. ראו רמב"ן.
6. ראו חזקוני.
7. ראו ראב"ע ורד"ק.
8. ראו צרור המור.
9. באחד המדרשים נאמר שהעבד לקח אתו את שטרות הצוואה של אברהם, שלפיהם אברהם הוריש את כל רכושו לבנו יצחק. ראו תנחומא ויצא ג, ורש"י על אתר.
10. לעיל כב,כג.
11. ראו לעיל כב,כד; אברבנאל על אתר.
12. ראו הכתב והקבלה.
13. רשב"ם ורמב"ן, והשוו רש"י פס' כג, שפירש זאת אחרת.
14. וכבר העירו חכמים שענתה "על ראשון - ראשון, ועל אחרון - אחרון", כמידת החכם. אבות דרבי נתן מ, וראו רש"י על אתר.
15. חולין צה ע"ב.
16. רמב"ן.
17. שכן בכל שבועה טמון גם איום באָלה, כלומר בקללה - אם יעבור המושבע על השבועה.
18. ראו מדרש שכל טוב בראשית כד,נח.
19. לעיל טז,יד.
20. רד"ק וראב"ע.
21. במקומות רבים בתנ"ך אין משמעה של נפילה צניחה עד הארץ שלא ברצון, אלא פעולה רצונית, לעתים התכופפות בלבד. ראו למשל מלכים ב' ה,כא; דניאל ג,ה. וראו רש"י על אתר.
22. ייתכן שזהו האוהל שבו מדובר לעיל יח,ט-י.
23. ראו ישעיה כא,יג.
24. ראו לעיל י,ז.
25. ראב"ע.
26. ראו אונקלוס ויונתן ורמב"ן כאן; רלב"ג ומלבי"ם דברי הימים א' א,לג.
27. ראו ספורנו פס' ב.
28. אלו אינם שבטי הערבים מצפון ערב המכונים כיום 'הנבטים'. שם זה ניתן להם מאוחר יותר על ידי היוונים.
29. ראו בהרחבה לעיל י,ז.

מקורות והערות לפרשת תולדת

1. בדומה למשמעותה של מלה זו בערבית. ראו ראב"ע.
2. ראו פס' כו להלן.
3. ראו רש"י, חזקוני ורד"ק.
4. ראו לעיל יז,טז ועוד.
5. ראו רד"ק.
6. יונתן, רש"י ורשב"ם.
7. רש"י וראב"ע.
8. כפי שאפשר לראות בהמשך. ראו רשב"ם וראב"ע.
9. ראו ישעיה כט,ח; תהלים סג,ב ועוד.

10. ראו רשב"ם על אתר ורמב"ן פס' לא.
11. ראו רשב"ם פס' לא.
12. ראו רשב"ם בראשית מא,י; ר"י מטראני שמואל א' כא,יד; תהלים לד,א.
13. לעיל יב,יג; כ,ב.
14. לעיל כד,טז.
15. רש"י ויונתן.
16. ראו רד"ק על אתר ובשמואל א' כא,יב; בכור שור במדבר כד,ז.
17. ראו ראב"ע.
18. אֲחֻזָּה, שמשמעה הבסיסי הוא נחלה, משמשת כאן באופן מופשט יותר. ראו אונקלוס, רש"י ורשב"ם.
19. בראשית רבה סד; דעת זקנים מבעלי התוספות וחזקוני.
20. ראו מלכים א' ד,ה; דברי הימים א' כז,לג.
21. רס"ג.
22. לעיל כא,כח-לא. ראו עוד בהערה להלן לה,טו.
23. ראו רד"ק.
24. בראשית רבה סה,א.
25. ראב"ע.
26. לעיל כה,כח.
27. ראו רש"י פס' ט.
28. רמב"ן.
29. ראו אונקלוס, רשב"ם וראב"ע. וראו עוד שמואל ב' יד,ט.
30. ראו חזקוני פס' יט. לעומת זאת ראו תנחומא תולדות יא; רש"י פס' כא כב.
31. תענית כט ע"ב; רש"י על אתר.
32. ראו ראב"ע ויונתן.
33. בראשית רבה סז; יונתן ורש"י.
34. ראב"ע.
35. לעיל כו,לד-לה.
36. ראו דברי הימים א' טו,טז ורש"י שם.

מקורות והערות לפרשת ויצא

1. על פי רבנו בחיי. כך גם ינהג יעקב מאוחר יותר קודם צאתו למצרים. להלן מו,א-ה ושמא יצחק ישב באותו זמן בבאר שבע. ראו לעיל כו,כג.
2. ראו רד"ק ורמב"ן.
3. בראשית רבה ע,ח; רש"י ויונתן על אתר.
4. ראו לעיל כד,נ; הרחבה ל-כה,כ; רבנו בחיי ורמב"ן על אתר.
5. ראו בראשית רבה ע,יב; רמב"ן ורש"ר הירש על אתר.
6. אגדת בראשית כט,יג, וראו רש"י על אתר.
7. ראו רש"י, רשב"ם וחזקוני.
8. ראו רשב"ם, בעלי התוספות ורמב"ן פס' ט.
9. ראב"ע על אתר ואסתר ב,ז.
10. כפי שמשמע בפסוק הקודם. גם בדיון בירושת הבכור בדברים כא,טו-יז במקרה של שתי נשים, הן מכונות הָאֲהוּבָה וְהַשְּׂנוּאָה (דברים כא,טו-יז), ומסתבר כי אין מדובר בשנואה ממש, שכן אילו שנא אותה - יכול היה לגרשה, אלא שהיא האשה האהובה פחות מצרתה. ראו רמב"ן פס' לא, צרור המור ורש"ר הירש.
11. רשב"ם וחזקוני, וראו רש"י ורש"ר הירש.
12. על פי סדר עולם ב ועוד.
13. ראו רמב"ן ורד"ק.
14. ראו אונקלוס. על סגנון תגובתו של יעקב מעיר המדרש בביקורת: "כך עונים את המעוקות?" הרי רחל אינה אלא בחורה צעירה אומללה. ראו בראשית רבה עא,ז.
15. כבר הוזכרה לעיל דעתם של חכמים שזלפה - וכן בלהה - היו בנותיו שלא מנישואין

של לבן, על פי בראשית רבה עד,יג, וראו רש"י בראשית לא,ג.

16. ראו ספורנו.
17. ראו סנהדרין כ ע"א. גד היה שמו של אל כנעני, אך השתמשו בשם זה גם במשמעות כללית, כמזל. ראו ישעיה סה,יא; שבת סז ע"ב. כתיב הפסוק שונה - בָּגָד, במלה אחת. ההבדל בין הקרי - צורת הקריאה, הנכתבת כאן לנוחות הקורא, לכתיב - צורת הכתיבה בספר התורה, מבטא שני היבטים: בצד המשמעות הגלויה של הגעת המזל מופיע כאן יסוד של בגידה. נראה שלאה רומזת לכך שחשה נבגדת מכך שיעקב קיבל את הצעתה בקלות יתרה, בלא משא ומתן. ראו רש"י על אתר.
18. ראו סדר עולם ורמב"ן.
19. ראו רמב"ן.
20. ראו רש"י בראשית לא,לג.
21. להלן לא,מא. וראו רשב"ם וחזקוני על אתר.
22. ראו חזקוני ורד"ק.
23. על פי ספורנו ורש"ר הירש.
24. ראו רש"ר הירש.
25. רש"ר הירש על פי שבת נג ע"ב.
26. רש"ר הירש.
27. ראו תנחומא ויצא כד.
28. כפי שתואר לעיל כח,יח-כב.
29. ראו שופטים יז,ה; שמואל א' יט,יג; זכריה י,ב.
30. כאמור לעיל ל,לו.
31. מכות יא ע"א.
32. ראו ראב"ע ורמב"ן.
33. רמב"ן.
34. אולי יעקב חשב שלא ראוי שישתמש בביטוי 'אלוקי יצחק'. ראו רש"י.
35. בתרגומי המקרא ובארמית החדשה מתורגמת 'גל' למלה 'דגורא'. ראו אונקלוס ויונתן פס' מח.
36. ראו ספורנו.
37. ראו רשב"ם.
38. יהושע כא,לו; שמואל ב' ב,ח.

מקורות והערות לפרשת וישלח

1. כך אמרו חכמים: "והתקין עצמו לשלושה דברים: לתפילה ולדורון ולמלחמה. לתפילה - הַצִּילֵנִי נָא מִיַּד אָחִי (להלן פס' יב); לדורון - וַתַּעֲבֹר הַמִּנְחָה עַל פָּנָיו (להלן פס' כב); למלחמה - וַיֹּאמֶר אִם יָבוֹא עֵשָׂו אֶל הַמַּחֲנֶה הָאַחַת וְהִכָּהוּ (להלן פס' ט)".
2. ראב"ע. היו שדרשו שמדובר במלאכי אלוקים מן המחנה שפגש. ראו בראשית רבה עה,ד; רש"י על אתר.
3. כיוצא בזה בשופטים כ,ו.
4. ראו רמב"ן.
5. ראו רש"י.
6. כפי שכינוהו חכמים בבראשית רבה עז,ג. ויש דעות נוספות - ראו בראשית רבה עח; זוהר פרשת בא מא ע"ב, ועוד.
7. כך בשופטים יג,כב אומר מנוח לאשתו, לאחר שנראה להם מלאך ה': מוֹת נָמוּת כִּי אֱלֹהִים רָאִינוּ. וכיוצא בזה שם ו,כב-כג ועוד.
8. בבראשית רבה עח,ח מנוסח הכלל: "אחרון אחרון חביב".
9. רש"י ורשב"ם.
10. על פי ראב"ע. בדומה לכך, מזבח משה נקרא ה' נִסִּי (שמות יז,טו), ואף ירושלים נקראת ה' שָׁמָּה (יחזקאל מח,לה), ותיקרא ה' צִדְקֵנוּ (ירמיה לג,טז).
11. ראו ירמיה יד,יח.
12. והאחים דיברו בשם אביהם: וְלָקַחְנוּ אֶת בִּתֵּנוּ. ראב"ע.

13. כך בכל המקרא. ראו למשל שופטים יד,ג; שמואל א׳ יז,כו; יחזקאל כח,י. ועוד.
14. ראו לעיל כג,י; דברים כה,ז; שמואל ב׳ יט,ט; רות ד,א-יא ועוד.
15. לעיל פס׳ ט. ראו רש״י פס׳ טז.
16. ראו יונתן ושד״ל.
17. ראו רמב״ם הלכות מלכים ט,יד; ספורנו על אתר.
18. או: הַנְּזָמִים אֲשֶׁר בְּאָזְנֵיהֶם - של אלוהי הנכר. ר״י בכור שור.
19. על פי רשב״ם. וראו רס״ג וספורנו.
20. לעיל לא, יג: אָנֹכִי הָאֵל בֵּית אֵל אֲשֶׁר מָשַׁחְתָּ שָּׁם מַצֵּבָה אֲשֶׁר נָדַרְתָּ לִּי שָׁם נֶדֶר עַתָּה קוּם צֵא מִן הָאָרֶץ הַזֹּאת וְשׁוּב אֶל אֶרֶץ מוֹלַדְתֶּךָ. דעת מקרא על אתר. וראו רמב״ן לא,יג.
21. לעיל לב,כט.
22. גם שמו של ישמעאל הוכרז מראש על ידי מלאך, לעיל טז,יא, ומאוחר יותר, טז,טז, ניתן לו שמו באופן רשמי.
23. על פי רס״ג על אתר, רמב״ן כח,יח. וראו ראב״ע על אתר.
24. ראו רמב״ן. והוסיף שכן מצינו בקריאת השם באר-שבע לעיל כא,לא; כו,לג.
25. לעיל ל,א.
26. בראשית רבה עד,ד.
27. לעיל לא,לב.
28. ראו רש״י. ייתכן שמלה זו נגזרה מ-כ׳ הדמיון וברת - בת, של הארץ. ראו רמב״ן.
29. ראו שמות טו,ו.
30. כמו: עַל דֶּרֶךְ תִּמְנָתָה. להלן לח, יד.
31. שמואל א׳ י,ב.
32. ראו רשב״ם.
33. להלן מט,ג-ד.
34. לעיל כה,יב-יח.
35. לעיל כה,כה ל.
36. לעיל כו,לד-לה.
37. להלן פס׳ כ-כה.
38. לעיל פס׳ יב.
39. לעתים רחוקות מופיעה ו׳ כאות שימוש חסרת משמעות, כשריד למבנה דקדוקי עתיק. ראו רש״י כאן; דברי הימים א׳ ה,כד ורד״ק שם; אדרת אליהו שם ד,טו.
40. אונקלוס, וראו לעיל יד,ה; דברים ב,י-יא; רמב״ן על אתר. וראו עוד ירושלמי ברכות ח,ה; זוהר וישלח קעח ע״א.
41. ראו פסחים נד ע״א.
42. ראו רמב״ן.
43. לעיל י,כג.
44. איוב א,א וראב״ע שם; איכה ד,כא ועוד.
45. רשב״ם וראב״ע על אתר; הגר״א דברי הימים א׳ א,מג. ראו דברים לג,ה: וַיְהִי בִישֻׁרוּן מֶלֶךְ בְּהִתְאַסֵּף רָאשֵׁי עָם יַחַד שִׁבְטֵי יִשְׂרָאֵל.
46. במדבר כב,ה.
47. ראו יונתן וראב״ע.
48. ראו אברבנאל.
49. ראו ישעיה לד,ו ובמועד שם.
50. לעיל פס׳ טו.
51. על פי אונקלוס וראו רלב״ג.
52. ראו ראב״ע פס׳ מ.

מקורות והערות לפרשת וישב

1. ראו שבת י ע״ב: ״לעולם אל ישנה אדם בנו בין הבנים, שבשביל שני סלעים מילת שנתן יעקב ליוסף יותר משאר בניו נתקנאו בו אחיו ונתגלגל הדבר וירדו אבותינו למצרים״.

מקורות הערות

2. ראו להלן מו,לב.
3. ראו להלן מט,טז.
4. ראו ירושלמי פאה א,א.
5. אונקלוס תרגם בֶּן זְקֻנִים - בר חכים.
6. ראו להלן לט,ו. זהו הבן היחיד בתורה המתואר כך, וכך תוארה רחל לעיל כט,יז.
7. ראו רשב"ם וחזקוני להלן מא,ה.
8. על פי רמב"ן.
9. לחלופין, יעקב אבינו ליווה אותו עד העמק ושם נפרד ממנו. חזקוני.
10. ראו רמב"ן.
11. ראו רשב"ם על אתר; ספורנו בראשית מב,כב.
12. ראו ספורנו.
13. ראו רש"י וראב"ע, וראו גם העולם להלן מג,א.
14. ראו ירמיה ח,כב; מו,יא.
15. ראו ראב"ע.
16. ראב"ע.
17. רש"י ורשב"ם.
18. רשב"ם.
19. לפי עמוס ב,ו, די היה בסכום שקיבל כל אחד מהם לקניית זוג נעליים.
20. שכן לפי הכתוב ליעקב הייתה רק בת ממשית אחת - דינה, ולא ברור שהיא חיה בביתו. לפי דעה אחרת המובאת בבראשית רבה פד ופרקי דרבי אליעזר לט, נולדו עם השבטים תאומות. וראו עוד להלן על מו,ז.
21. ראו רמב"ן פס' כה ורשב"ם על אתר.
22. ראו בביאור לישעיה נו,ה.
23. על פי אונקלוס, רס"ג ורשב"ם.
24. ראו ראב"ע 'השיטה האחרת' בראשית י,כה.
25. אונקלוס ורש"י.
26. בראשית רבה פה,י; רש"י פס' כד. ויש אומרים שהייתה מבנות ארם נהריים. בראשית רבתי עמ' קעח.
27. דברים כה,ו.
28. ראו רש"י ורמב"ן.
29. ראו שמואל ב' יד,ב.
30. ראו דעות שונות בסוטה י ע"א.
31. ראו ראב"ע.
32. ראו סנהדרין נז-נח לגבי העריות האסורות לבני נח. וראו עוד רש"י שם, רמב"ן, רשב"א וריטב"א יבמות צז ע"ב-צח ע"א לגבי כלה.
33. בחוק היהודי המאוחר תכונֶה אשה במעמדה 'שומרת יבם'. ראו למשל משנה יבמות ד,ג.
34. כפי שראה לבן ברכה במעשיו בעקבות עבודתו של יעקב. ראו לעיל ל,כז.
35. ראו רשב"ם.
36. לעיל כט,יז.
37. אף מחוץ למשפחת אברהם מגע עם אשה נשואה נחשב חטא, כבדברי אבימלך מלך גרר לעיל כ,ט. וגם במצרים - ראו לעיל יב,יב.
38. ראו יומא לה ע"ב; רשב"ם וראב"ע על אתר.
39. במדבר רבה יד,ו; וראו רשב"ם על אתר.
40. סוטה לו ע"ב; בראשית רבה פז; ילקוט שמעוני ורש"י על אתר.
41. כמו לעיל יט,יד: וַיְהִי כִמְצַחֵק בְּעֵינֵי חֲתָנָיו.
42. באשר לקונוטציה המינית של פועל זה - ראו לעיל בהערה לפרק כא פס' ט.
43. בראשית רבה פח,ב; וראו רש"י פס' א.
44. ראו אונקלוס.
45. ראו לקח טוב ומדרש הגדול.
46. רד"ק. וראו עוד רשב"ם ורש"ר הירש.

47. על פי רמב"ן. וראו רד"ק ורש"ר הירש.
48. ברכות נה ע"ב; וראו רש"י פס' ה.

מקורות והערות לפרשת מקץ

1. ראב"ע.
2. ר"י מטראני. וראו דעת זקנים וחזקוני.
3. בראשית רבה פט,ו; רש"י על אתר.
4. רשב"ם על אתר. וראו רש"י שמות לא,ג.
5. ראו ראב"ע.
6. ראו פירוש המשנה לרמב"ם כלים יב,א שרביד המלכים הוא מעין טבעת על הצוואר.
7. ספרי דברים א; ראב"ע על אתר.
8. יונתן ורש"י.
9. רשב"ם.
10. כמו פינחס, ירחע, סוח וחרנפר.
11. רשב"ם. אם כי על פי דרש הם מזוהים כאדם אחד. ראו סוטה יג ע"ב.
12. לעיל לז,ב.
13. על פי רס"ג ורמב"ן.
14. ראו רשב"ם וספורנו.
15. פועל זה משמש לקניית תבואה, שֶׁבֶר, וגם למכירתה. ראו בפסוק הקודם וכן בפרק הבא פס' ב ג.
16. ראב"ע.
17. ראו ספורנו ואור החיים.
18. ראו לעיל לז,כו, וכך נאמר עליו בדברי הימים א' ה,ב: כִּי יְהוּדָה גָּבַר בְּאֶחָיו.
19. ראו רש"י וראב"ע לעיל לז,כה.
20. ראו ראב"ע.
21. רש"י.
22. ראו רש"י ורמב"ן.
23. ראו ספורנו.

מקורות והערות לפרשת ויגש

1. רס"ג, רמב"ן וספורנו.
2. רש"י. לפי פירוש הרמב"ן, אנשי יוסף שהיו באותו מעמד תמכו ביהודה, וניסו לשכנע את יוסף לוותר, שכן האבדה נמצאה, והגנב עומד לשוב לארצו. גם הצעתו האצילית של יהודה הותירה בהם רושם עמוק. יוסף ביקש להוציאם מן החדר.
3. ראו לעיל מב,כד ובהערה שם.
4. ראו ספורנו.
5. ראו כלי יקר.
6. אונקלוס, וראו רש"י וראב"ע.
7. געגועיו של בנימין לאחיו הגדול נרמזו בשמות שנתן לבניו, שבהם ביקש להזכיר את אחיו האובד. ראו להלן מו,כא; סוטה לו ע"ב ורש"י בראשית מג,ל.
8. ראו לעיל בביאור על מב,כד ובהערה.
9. רש"י.
10. להלן מז,ט.
11. ראו רמב"ן.
12. ראו רס"ג; ר' יום טוב מיוני.
13. לעיל כח,י.
14. יש בנים הנוהגים כך עד היום בפטירת אבותיהם בהסתמך על פסוק זה.
15. ראו בפסוק יז להלן; ראב"ע ורמב"ן על אתר. וראו עוד לעיל לז,לה ובהערה.
16. ראו ראב"ע.

מקורות הערות

17. ראו יונתן על אתר; סוטה יג ע"א; רד"ק דברי הימים א' ד,ג.
18. ראו במדבר כו,מב-מג.
19. שימוש כיוצא בזה ראו במדבר כו,ח; שמואל ב' כג,לב; דברי הימים א' ב,ח.
20. על פי רשב"ם וראב"ע. וייתכן שזהו עיגול מספרי מששים ותשע - ראו שופטים ט,ה ורד"ק שם; ראב"ע נחמיה ז,ו; מטה משה הלכות ספירת העומר לעיל מה,י.
21. בראשית רבה צה,ד; רש"י על אתר.
22. רשב"ם, עקדת יצחק.
23. רש"י.
24. ראו כיוצא בזה בויקרא יג,ו ז.

מקורות והערות לפרשת ויחי

1. ראו לעיל כד,ב.
2. לעיל כח,יב-טו.
3. לעיל לה,ט-יב.
4. ראו רמב"ן פס' טו. ובספר הפרשיות הוצע שבכר ותחן, שנזכרו כבני אפרים בבמדבר כו,לה, ולא הופיעו בדברי הימים א' ז, הם הבנים הנוספים של יוסף, שנמנו עם שבט אפרים.
5. ראו רמב"ן.
6. ראו ב'העולם' לעיל לה,יט.
7. להלן פס' י.
8. אולי מלשון תפילה, אפילו לא התפללתי לכך. כיוון ששמעתי שנטרפת, לא האמנתי שאראה עוד את פניך. ראו רד"ק וחזקוני.
9. רבי עובדיה מברטנורא.
10. אונקלוס, רש"י, רס"ג, ראב"ע ועוד.
11. רשב"ם. ראב"ע פירש כִּי במשמעות הפוכה: למרות, אם כי.
12. רשב"ם.
13. אונקלוס ורש"י.
14. ראו רש"י וחזקוני.
15. ראו יהושע כ,ז; כד,לב.
16. ראב"ע.
17. ראו חזקוני.
18. רש"י וראו רבנו בחיי.
19. ראו ראב"ע.
20. ראו אונקלוס ורש"י.
21. ראו ירמיה טו,יז; תהלים פט,ח; קיא,א ועוד.
22. בראשית רבה צט,ז.
23. בראשית רבה צט,ח; רש"י על אתר.
24. לפי פירוש זה המלה בְּנִי משמשת כמילת פנייה במשפט, וראוי לפסקו: מִטֶּרֶף, בְּנִי, עָלִיתָ.
25. ראו אונקלוס ויונתן ורש"י, והשוו רשב"ם.
26. ראו אונקלוס ורש"י על אתר; בראשית רבה צט.
27. את שינוי הסדר הזה הסבירו חכמים בכך שיעקב, ואף משה בברכתו לשבטים טרם מותו, חלקו כבוד לזבולון, שבזכותו הגיע יששכר להישגיו הרוחניים, ועל כן הקדימוהו. ראו דברים לג,יח; בראשית רבה עב,ה. וראו עוד אברבנאל על אתר.
28. אם כי ייתכן שהגיעה עד ים הכנרת. ראו במדבר רבה יג,יז ומגילה ו ע"א, אולם כאן מדובר בחוף אניות, שהוא חוף הים התיכון בלבד. ראו עוד חזון איש שביעית ג,כז.
29. וכבר מצינו שזה היה שמו של נשיא שכם. ראו לעיל לד,ב.
30. אונקלוס.
31. רשב"ם ורמב"ן.
32. ראו ראב"ע.
33. סוטה י ע"א; רש"י על אתר.
34. ראו רמב"ן.

מקורות והערות

35. רש"י.
36. דברים לג,כ; וראו יהושע ד,יב.
37. הבא מארץ נפתלי אומר: ראיתי פרחים נאים, פֵּרות טובים וכדומה. על פי ר"י בכור שור.
38. ראו ראב"ע ורמב"ן.
39. מן השורש של רובה. ראו רד"ק.
40. ראו רש"י, רשב"ם ורד"ק.
41. ראו אונקלוס, רש"י ורשב"ם.
42. ראו עוד בהערה לישעיה א,כד.
43. ראו רשב"ם.
44. כמו הביטוי המקביל בשמואל ב' כג,ג ובישעיה ל,כט צוּר יִשְׂרָאֵל.
45. רש"י. והזכיר את הגבעות כי הן קיימות תמיד בעולם, וכאומר: בכל ימי קיומו של עולם. רד"ק.
46. רשב"ם.
47. ראו רש"י, ראב"ע, ספורנו והעמק דבר.
48. ראו רש"י. וראו עוד ר"י בכור שור על אתר ובבמדבר כ,כט.
49. ראו רש"י.
50. רש"י וראב"ע.
51. ראו רש"י ואברבנאל על אתר; תנחומא צו ז.
52. דברים רבה ה,טו; וראו רש"י ודעת זקנים מבעלי התוספות על אתר; חדושי הרי"ם תחילת פרשת וישב.

מקורות והערות להפטרות

1. למשל בישעיה מא,ח: וְאַתָּה יִשְׂרָאֵל עַבְדִּי יַעֲקֹב אֲשֶׁר בְּחַרְתִּיךָ זֶרַע אַבְרָהָם אֹהֲבִי; מד,א: וְעַתָּה שְׁמַע יַעֲקֹב עַבְדִּי וְיִשְׂרָאֵל בָּחַרְתִּי בוֹ.
2. על פי יונתן, רד"ק ואברבנאל. ויש מפרשים על ישראל או על הנביא.
3. רד"ק.
4. ראו גם ישעיה יא,י.
5. ראו גם ישעיה מ,כב; מד,כד; מה,יב; סג,יט; ירמיה י,יב.
6. רד"ק.
7. ראו רש"י, ר"י מטראני ומצודת דוד.
8. ראו רד"ק על אתר; בראשית כה,יג; דברי הימים א' א,כט.
9. ראו יונתן ורד"ק.
10. ראו מלבי"ם.
11. ראו רש"י.
12. ראו אברבנאל.
13. על פי ראב"ע. פירושים נוספים למְשֻׁלָּם: ששולמו לו כל תגמוליו בייסורים; אדם מתמסר; איש ירושלים, הקרויה גם שלם; בא בברית שלום עם ה'.
14. ראו רש"י ור"י מטראני. והרבה מפרשים הָפֵחַ בַּחוּרִים – נלכדו בחוֹרים.
15. ראו יונתן ורש"י על אתר; ישעיה מא,כג.
16. ראו רש"י ורד"ק; וראו בראשית לט,ו; דברים לג,ט.
17. קריאת שם היא ייחוס, הענקת מעמד של כבוד, תפקיד או מינוי. ראו שמות לא,ב; לה,ל.
18. ראו אברבנאל בהרחבה.
19. האמונות והדעות לרס"ג ח,ו.
20. על פי רש"י.
21. מלבי"ם על פי יומא לח ע"א. לעומת זאת, כל הראשונים פירשו שהמלים כֹּל הַנִּקְרָא בִשְׁמִי... מתייחסות לישראל, כהמשך לאמירה הקודמת; ה' אומר לרוחות להביא את אלו שנקראו בשמו ונבראו לכבודו.
22. על פי רש"י.
23. ראו רד"ק.
24. על פי ר"י קרא.

מקורות הערות

25. ראו ישעיה סו,ח; כו,יז; יג,ח ורש"י על אתר.
26. ראו אברבנאל; וראו עוד ישעיה לג,כ.
27. ראו רד"ק. השורש ח,פ,ר, המופיע כמה פעמים בישעיה, קרוב ל-ח,ו,ר וכן לשורש ח,ר,ף, שעניינם בושת פנים וביזיון.
28. על פי ראב"ע ורד"ק.
29. ראו רד"ק.
30. על פי רד"ק. עוד אפשר לפרש במקביל לאמור בפסוק הבא - בְּרֶגַע קָטֹן של כעס עֲזַבְתִּיךְ לזמן רב, ובמשך זמן הפירוד רחמַי גדלים והולכים.
31. ראו רש"י ורד"ק.
32. כיוצא בזה, כִּי במשמעות כמו - בישעיה נה,ט; סב,ה.
33. ר"א מבלגנצי ור"י מטראני.
34. ראו רד"ק.
35. רש"י.
36. ראו יונתן ורד"ק.
37. ראו רש"י, רד"ק ועוד.
38. ראו ר"י קרא ור"א מבלגנצי. ויש שפירש גְּבוּלֵךְ - אבני פינות קירות הבניין, שרגילים לעשותן מיוחדות, כמו האבנים המקיפות את החלונות והשערים.
39. ראו יונתן.
40. ראו ראב"ע, ר"י קרא ורד"ק.
41. מובנה של הצדקה כאן ובמקומות רבים נוספים אינו מעשה חסד אלא חוק ויושר. ראו יונתן על אתר, ובביאור לישעיה מב,כא; מה,כג-כד.
42. ראו יונתן.
43. ויש מפרשים: רַחֲקִי מֵעֹשֶׁק... לֹא תִירָאִי וּמִמְּחִתָּה, כי הם יהיו רחוקים ממך. או: רַחֲקִי מֵעֹשֶׁק, כִּי אז לֹא תִירָאִי מִמְּחִתָּה.
44. על פי רש"י, ר"י מטראני ואברבנאל. פירושים רבים נוספים נאמרו על פסוק זה.
45. ראו רש"י ור"י מטראני. ויש מפרשים גָּר מלשון מתגרה - המתנכל ומתנקש ייפול בגללך.
46. ראו אברבנאל.
47. ראו יונתן ומלבי"ם. ואפשר גם צִדְקָתָם - ישועתם.
48. ראו רד"ק ומלבי"ם, ובהרחבה - באברבנאל ואלשיך על אתר; רד"ק ישעיה סה,יג.
49. ראו רד"ק ומלבי"ם.
50. ראו רד"ק.
51. לא ברור אם האות ל' היא אות שימוש המקדימה את שם העצם אוּמִּים, כלומר אומות, או שהיא מאותיות שם העצם עצמו, שהוא לְאוּמִּים - ראו ראב"ע ושד"ל.
52. ראו מצודת דוד ואברבנאל.
53. ראו בבא בתרא טו ע"א.
54. ראו רש"י וראב"ע.
55. ראו רש"י ורד"ק.
56. ראו תהלים קג,ה ורש"י; רש"י וראב"ע על אתר. יש מי ששיער שהנשר נקרא על שם נשילת נוצותיו. ראו עבודת ישראל יתרו.
57. ראו עבודת ישראל הפטרת לך לך.
58. ראו בבא בתרא טו ע"א; יונתן; בראשית רבה ב,ג; רש"י ורד"ק ואברבנאל על אתר.
59. ראו ראב"ע. והרבה פירשו: ייתן את האויב כעפר וכקש בחרבו ובקשתו, או החרב הבאה עליו תהא כעפר.
60. על פי רד"ק. או יַעֲבוֹר במשמעות מיהר והקדים כמו בשמואל ב' יח,כג את אלו שרדפם.
61. הרבה פירשו, שעובר בשלום בדרכים חדשות, שלא הסכין בהן. או: לא יוצרך לשוב בדרכו במנוסה ברגליו, כדרך הבורחים, או: לא יבוא אויב מולו בדרכו.
62. רש"י.
63. ראו רש"י ורד"ק.
64. ראו רד"ק.
65. רש"י.
66. ראו רד"ק.

67. רד"ק.
68. ראו ראב"ע, מצודות ומלבי"ם.
69. על פי יונתן ועוד.
70. אולי פִּיפִיּוֹת גם במשמעות פה; פי תולעת יעקב יהיה חזק כמורג משונן. ר"י קרא.
71. ראו נחמיה ה,א–ה.
72. ראו מצודת דוד ומלבי"ם.
73. רד"ק ורלב"ג.
74. רש"י.
75. ראו רלב"ג.
76. ראו מלבי"ם.
77. ראו רד"ק.
78. ראו רלב"ג.
79. ראו מצודת דוד.
80. ראו יונתן ורד"ק.
81. רד"ק.
82. ראו רלב"ג.
83. ראו מצודת דוד.
84. ראו רש"י ורד"ק.
85. ראו רד"ק.
86. ראו ראש השנה טז ע"ב; רלב"ג ומלבי"ם על אתר.
87. מצודת דוד.
88. רלב"ג.
89. ראו רד"ק.
90. ראו רד"ק.
91. מלכים א' יז,כא–כג.
92. ראו רד"ק.
93. ראו רד"ק.
94. ראו רלב"ג.
95. ראו יונתן, ר"י כספי ומלבי"ם.
96. ראו רד"ק ורלב"ג.
97. ר"י כספי. אך ראו סנהדרין כב ע"א.
98. ראו רד"ק ורלב"ג.
99. ראו יונתן ורד"ק.
100. ראו רלב"ג. ויש אומרים: בהמות מפוטמות.
101. ראו רש"י, ר"י קרא ורלב"ג.
102. רד"ק ור"י מטראני.
103. ראו רש"י ורלב"ג.
104. ראו רד"ק ור"י קרא.
105. רלב"ג.
106. ראו רד"ק.
107. ראו רד"ק.
108. ראו יונתן, רלב"ג ומצודת דוד על אתר; רש"י בראשית לא,לט.
109. רש"י ורד"ק.
110. רד"ק.
111. ראו רלב"ג.
112. ראו רלב"ג ומלבי"ם.
113. ראו ירמיה כג,לו; בראשית רבה מד,ו; אדרת אליהו חבקוק א,א.
114. ראו רד"ק א,א.
115. רש"י.
116. ראב"ע. ורש"י ועוד פירשו: פתגמו. דיבורכם על המזבח כעל מי שנִבְזֶה אָכְלוֹ.

117. רש"י.
118. משום כבוד אלוקים הוא מכונה כאן בגוף שלישי. רש"י.
119. ראו רש"י.
120. רד"ק.
121. ראו מלבי"ם.
122. ראו ויקרא ח,לה; במדבר ד,יט; יח,ג; כה,יב.
123. ראו למשל דברים יז,ט; יח; יט,יז; לא,ח; לג,י; ירמיה יח,יח.
124. ראו רש"י.
125. ראו רש"י וראב"ע; שבת נה ע"ב.
126. בראשית ה,א-ב: בְּיוֹם בְּרֹא אֱלֹהִים אָדָם, בִּדְמוּת אֱלֹהִים עָשָׂה אֹתוֹ, זָכָר וּנְקֵבָה בְּרָאָם... וַיִּקְרָא אֶת שְׁמָם אָדָם.
127. ראו גטין צ ע"ב; רש"י וראב"ע על אתר.
128. ראו ראב"ע ומלבי"ם.
129. אלשיך; מצודת דוד.
130. יונתן, וראו רש"י, ר"י מטראני ורד"ק.
131. רד"ק.
132. דברים כט,כב.
133. מצודת דוד.
134. יונתן.
135. רד"ק וראב"ע .
136. יונתן; רס"ג, מובא בראב"ע ורד"ק.
137. ראו רד"ק.
138. רד"ק ומצודת דוד.
139. ראו ירמיה יח,יז.
140. ראו בראשית כה,כו.
141. ראו שם לב,כח.
142. ראו שם לב,כו.
143. ראו שם כח וכן לה,ז-טו.
144. ראו ראב"ע ורד"ק.
145. מצודות.
146. יונתן ורש"י, וראו ישעיה כג,ח; זכריה יד,כא.
147. ראו רד"ק ומלבי"ם.
148. ראו רד"ק ומצודת דוד.
149. בראשית כה,כז. וראו רש"י על אתר.
150. ראו רש"י על אתר. מעין זה נאמר גם על אהרן ומרים, שראו את ה' בחידות ובדמיון. ראו במדבר יב,ה-ח.
151. ראו יהושע יז,א; הושע ו,ח.
152. ראב"ע.
153. יונתן. ראו בראשית כז,מג; כח,י; כט,יח-כח; ל,לא.
154. ראו רד"ק.
155. רד"ק.
156. רד"ק וראו ראב"ע.
157. ראו רש"י.
158. יונתן על אתר.
159. ראו סנהדרין סג ע"ב; רש"י ורד"ק על אתר.
160. רד"ק.
161. ראו ראב"ע ורד"ק.
162. ראו רד"ק ומלבי"ם.
163. ראו רש"י ורד"ק.
164. רש"י ורד"ק.

165. רש"י.
166. יונתן; ר"י מטראני.
167. רד"ק.
168. רש"י.
169. רש"י וראב"ע.
170. ראו רש"י.
171. רש"י וראב"ע.
172. רד"ק.
173. מלשון אחו. ראב"ע.
174. ראב"ע.
175. ראו רש"י ורד"ק.
176. רש"י ורד"ק.
177. ראו רד"ק.
178. רש"י.
179. ראו יחזקאל יז,כב; משנה פרה יא,ז.
180. רד"ק.
181. ראו מלבי"ם.
182. יונתן, רש"י, ראב"ע ורד"ק.
183. מלכים א' יח,ג. ראו סנהדרין לט ע"ב; ראב"ע על אתר.
184. ראו סנהדרין לט ע"ב; מדרש הגדול בראשית כה,כח ועוד.
185. מלבי"ם.
186. אמנם המבצרים החצובים בעיר פטרה - שמקובל לזהותה עם סלע אדום - מאוחרים במאות שנים לימי נבואה זו, אבל נראה שמדובר בביצורים דומים באותם מקומות.
187. יונתן.
188. ראו יונתן. ויש מפרשים נִבְעוּ - התבקשו.
189. מלבי"ם.
190. ראו רד"ק.
191. רש"י.
192. רד"ק, מצודת דוד ועוד.
193. ראו משנה פסחים ב,ז.
194. רד"ק.
195. תימן מופיעה כמה פעמים במקרא עם אדום. ראו בראשית לו,יא; יהושע טו,א; ירמיה מט,ז כ; יחזקאל כה,יג; עמוס א,יב.
196. ראו מלבי"ם. ראו עוד תהלים קלז,ז.
197. ראו ראב"ע, מצודת דוד ומלבי"ם.
198. ראו ירמיה כה,טו-כט.
199. ראב"ע.
200. ראו מצודת ציון.
201. ראו יונתן ורד"ק.
202. ראו מלכים א' יז,ט-י. מזוהה עם צרפנד, כ-15 ק"מ מדרום לצידון. נזכרת בתעודות אשוריות ומצריות. על פי הממצאים הארכיאולוגים הייתה מרכז לתעשיית כלי חרס ומסחר.
203. ראו רש"י, ראב"ע ורד"ק.
204. ספרד של היום כונתה כך רק החל מהמאה ה-8 לסה"נ.
205. ראב"ע.
206. ראו רש"י ורד"ק.
207. ראו תנחומא נח ה.
208. ראו רש"י ורד"ק.
209. ראו יונתן.
210. ראו רד"ק.

מקורות הערות

211. ראב"ע ויונתן.
212. דברים כו,טו.
213. ראו ראב"ע ורד"ק.
214. ראו ירושלמי תענית ד,ה.
215. ראב"ע.
216. ראו רד"ק על אתר; הרחבה לשמות כח,מ.
217. ראו רד"ק ומלבי"ם.
218. שיכונה 'צמח' גם בזכריה ו,יב. רש"י, וראו רד"ק ומלבי"ם על אתר.
219. רש"י וראב"ע.
220. ראו מלבי"ם.
221. רש"י, מצודות ומלבי"ם על אתר. ראו יהושע טו,יט.
222. ראו דברי הימים ב' ד,יב-יג.
223. רש"י.
224. רש"י.
225. רש"י.
226. רש"י.
227. רש"י ורד"ק.
228. ראב"ע.
229. ראו רש"י.
230. רד"ק ומלבי"ם.
231. ראו רש"י.
232. מלכים א' ז,יג-יד.
233. יונתן.
234. רד"ק ומצודת ציון.
235. ראו רד"ק ורלב"ג.
236. ראו רש"י. וראו שמואל ב' ח,ז-יב; דברי הימים א' כט,א-ט.
237. כפי שכתוב בשמות כה,כג-כד.
238. ראו יונתן, ר"י מטראני מצודת ציון; יומא מה ע"א.
239. ראו רש"י ורלב"ג.
240. ראו פירוש הרמב"ם לכלים פי"א מ"ב; רלב"ג על אתר.
241. ראו רד"ק ומצודת דוד.
242. ראו יונתן ומצודת דוד.
243. ראו רד"ק.
244. ראו רד"ק.
245. ראו הרחבות לויקרא ד,כב; מלכים ב' כ,ה.
246. ראו רלב"ג ואלשיך.
247. ראו רד"ק על אתר; רש"י שמות טו,ג.
248. יונתן.
249. ראו ר"י קרא, ר"י מטראני, רלב"ג ומלבי"ם.
250. ראו ר"י מטראני.
251. ראו רד"ק ורלב"ג.
252. יונתן. ראו שמואל ב' יז,כז-כט.
253. רלב"ג.
254. ראו שמואל ב' טז,ה; יט,יז-כד.
255. ראו רד"ק ורלב"ג.
256. שמואל ב' ה,ה.
257. ראו יונתן, רש"י ורד"ק.
258. ראו רש"י, רד"ק ורלב"ג.
259. ראו שמואל א' יח,ל-יט,ב.
260. רד"ק.

מקורות והערות

261. ראו רש"י ורד"ק.
262. רש"י.
263. על פי רש"י.
264. על פי ר"י אייבשיץ, מובא בדעת מקרא.
265. רד"ק ור"י מטראני.
266. ראו דברים כג,יא: כִּי יִהְיֶה בְךָ אִישׁ אֲשֶׁר לֹא יִהְיֶה טָהוֹר מִקְּרֵה לָיְלָה וְיָצָא אֶל מִחוּץ לַמַּחֲנֶה... וּכְבֹא הַשֶּׁמֶשׁ יָבֹא אֶל תּוֹךְ הַמַּחֲנֶה. ראו רש"י, רלב"ג, אברבנאל ומלבי"ם על אתר.
267. ראו יונתן, ר"י בן ג'אנח ורד"ק.
268. רש"י ור"י מטראני.
269. ראו רד"ק ומצודת דוד.
270. רלב"ג.
271. ר"י כספי.
272. כיוצא בזה במלכים ב' ט,כד.
273. ראו רלב"ג.
274. רד"ק.
275. על פי רלב"ג.
276. על פי רלב"ג.
277. כדברי שלמה בתפילתו בשעת חנוכת המקדש: הַאֻמְנָם יֵשֵׁב אֱלֹקִים עַל הָאָרֶץ?! הִנֵּה הַשָּׁמַיִם וּשְׁמֵי הַשָּׁמַיִם לֹא יְכַלְכְּלוּךָ, אַף כִּי הַבַּיִת הַזֶּה אֲשֶׁר בָּנִיתִי, מלכים א' ח,כז.
278. ראו רד"ק, ראב"ע ומצודת דוד.
279. ראו רד"ק ומלבי"ם. ויש מי שמפרש: המקדש והגאולה אינם צורך ה' כלל. אין הוא עושה אותם אלא בשביל ישראל, עם עני ונכה רוח.
280. הלבונה המוקטרת נקראת בתורה אַזְכָּרָה ראו ויקרא ב,ב; כד,ז. על כן המקטיר אותה מכונה 'מזכיר'. על פי רש"י ורד"ק על אתר.
281. ראו רש"י ורד"ק.
282. ראו ראב"ע ורד"ק. ויש מפרשים את כל הפרשה על עובדי עבודה זרה - ראו אברבנאל.
283. ראו רד"ק.
284. רש"י.
285. כדוגמת האמור בישעיה סה,ה: הָאֹמְרִים קְרַב אֵלֶיךָ, אַל תִּגַּשׁ בִּי כִּי קְדַשְׁתִּיךָ.
286. על פי רש"י ור"י קרא ומלבי"ם; וראו עוד ר"א מבלגנצי ור"י מטראני.
287. ראו רש"י על אתר; וראו עוד בבא מציעא לג ע"ב.
288. ראב"ע.
289. ראו בהערה לישעיה על מה,י.
290. ראו רש"י.
291. רד"ק.
292. ראו ר"א מבלגנצי ומלבי"ם.
293. ראו מלבי"ם.
294. ראו ראב"ע ורד"ק.
295. ראו רד"ק.
296. ראו יונתן, רש"י ורד"ק.
297. ר"א מבלגנצי.
298. רש"י, ראב"ע ורד"ק.
299. כמוזכר בישעיה סה,ג.
300. על פי יונתן ורש"י; מצודת דוד.
301. ראו ראב"ע ור"י מטראני ומלבי"ם על אתר, על פי תהלים ב.
302. על פי רש"י רד"ק ומלבי"ם ממדרש תהלים. ויש מפרשים: מהגויים, או מכלי הרכיבה, אקח לסייע לכהנים.
303. ישעיה סה,יז.
304. מלבי"ם; וראו פסיקתא רבתי: והיה מדי חדש.
305. ראו יונתן ושד"ל.

כל הזכויות על התמונות שמורות להוצאת קורן ירושלים ולרב עדין אבן-ישראל (שטיינזלץ) מלבד הזכויות על התמונות הבאות -

עמ' 315: לבנה רפואי - f Eitan. אתר אינטרנט: Wikimedia Commons
https://commons.wikimedia.org/wiki/File:Styrax_officinalis_tree.JPG

עמ' 574: זרייה יוחנן בן יעקב

עמ' 576: נמר במדבר יהודה - יוסי אוד. אתר אינטרנט: PikiWiki Israel
https://commons.wikimedia.org/wiki/File:PikiWiki_Israel_14861_judean_desert_leopard.JPG

עמ' 576: דב סורי - Yoninah. אתר אינטרנט: Wikimedia Commons
https://commons.wikimedia.org/wiki/File%3ASyrian_brown_bears.jpg

עמ' 578: שושן צחור ('שושנה') - Zachi Evenor. אתר אינטרנט: Wikimedia Commons https://commons.wikimedia.org/wiki/File%3ALilium-candidum-001-Zachi-Evenor.jpg

עמ' 596: מצנפת הכהן הגדול - מכון המקדש

עמ' 603: כלים בהיכל בית ה' - מכון המקדש